AF238343

ACCESO GRATIS *a la Lectura en la Nube*

Para visualizar el libro electrónico en la nube de lectura envíe junto a su nombre y apellidos una fotografía del código de barras situado en la contraportada del libro y otra del ticket de compra a la dirección:

ebooktirant@tirant.com

En un máximo de 72 horas laborables le enviaremos el código de acceso con las instrucciones de acceso

EL PAPEL DE LA AUTONOMÍA PRIVADA EN EL ÁMBITO DE LOS DERECHOS REALES

EL PAPEL DE LA AUTONOMÍA PRIVADA EN EL ÁMBITO DE LOS DERECHOS REALES

IRENE AZNAR SÁNCHEZ-PARODI

Universidad
de La Laguna

tirant lo blanch
Valencia, 2021

© Irene Aznar Sánchez-Parodi

© TIRANT LO BLANCH
EDITA: TIRANT LO BLANCH
C/ Artes Gráficas, 14 - 46010 - Valencia
TELFS.: 96/361 00 48 - 50
FAX: 96/369 41 51
Email:tlb@tirant.com
www.tirant.com
Librería virtual: www.tirant.es
DEPÓSITO LEGAL: V-1810-2021
ISBN: 978-84-1378-583-7
MAQUETA: Disset Ediciones

Si tiene alguna queja o sugerencia, envíenos un mail a: *atencioncliente@tirant.com*. En caso de no
ser atendida su sugerencia, por favor, lea en *www.tirant.net/index.php/empresa/politicas-de-empresa*
nuestro procedimiento de quejas.

Responsabilidad Social Corporativa: http://www.tirant.net/Docs/RSCTirant.pdf

Se agradece la financiación concedida por el Ministerio Universitario de Educación, Cultura y Deporte (actual Ministerio de Ciencia, Innovación y Universidades) para la Formación del Profesorado Universitario (Ref. FPU15/00523).

Este trabajo se ha realizado en el marco del proyecto de investigación "La nueva información registral: requisitos, eficacia y aplicaciones prácticas" (DER2017-83970-P), financiado por el Ministerio de Ciencia e Innovación.

A mis padres y a mi hermano, por el simple y magnífico hecho de quererme hasta que se acaben los números.

A mis amigos, porque si, como dijo BORGES, la dedicatoria de un libro puede definirse "como el modo más grato y más sensible de pronunciar un nombre", yo tengo la fortuna de poder pronunciar un buen número de ellos. Especial mención merecen Ana y Filo, por acompañarme ese último año de doctorado.

Índice

ABREVIATURAS

A.A.M.N.	Anales de la Academia Matritense del Notariado
ABGB	Allgemeines bürgerliches Gesetzbuch (Código Civil austriaco)
A.C.	Actualidad Civil
A.D.C.	Anuario de Derecho Civil
BGB	Bürgerliches Gesetzbuch (Código Civil alemán)
Cass.	Sentencia de la *Corte di Cassazione*
Cc	Código Civil
Cc Cat.	Código Civil de Cataluña
C.C.J.C.	Cuadernos Civitas de Jurisprudencia Civil
Ccom	Código de Comercio
CDFA	Código de Derecho Foral Aragonés
DCFR	Draft Common Frame of Reference
FNN	Compilación de Derecho Civil Foral de Navarra
LAU	Ley de Arrendamientos Urbanos
LC	Ley Concursal
LDCG	Ley de Derecho Civil de Galicia
Lec	Ley de Enjuiciamiento Civil
LH	Ley Hipotecaria
LPAP	Ley de Patrimonio de las Administraciones Públicas
LPH	Ley de Propiedad Horizontal
R.C.D.I.	Revista Crítica de Derecho Inmobiliario
R.D.C.	Revista de Derecho Civil
R.D.N.	Revista de Derecho Notarial
R.D.P.	Revista de Derecho Privado
R.F.D.M.	Revista de la Facultad de Derecho de Madrid
R.F.D.U.O.	Revista de la Facultad de Derecho de la Universidad de Oviedo

R.G.D.   Revista General de Derecho
R.G.L.J.   Revista General de Legislación y Jurisprudencia
RH   Reglamento Hipotecario
R.J.C.   Revista Jurídica de Cataluña
R.J.N.   Revista Jurídica del Notariado
R.T.D. Civ. Revue Trimestrielle de Droit Civil
TCE   Tratado de la Comunidad Europea
TCEE   Tratado constitutivo de la Comunidad Económica Europea
TFUE   Tratado de Funcionamiento de la Unión Europea

INTRODUCCIÓN

El eje de esta investigación se centra en el estudio del desenvolvimiento de la autonomía privada en el ámbito de los derechos reales. En este sentido, conviene comenzar nuestra exposición destacando el amplio margen de actuación con el que cuentan los particulares en lo que a la reglamentación de sus relaciones jurídico-personales se refiere. De este modo, las partes no solo podrán modificar los tipos contractuales previstos por el legislador, sino que, además, el ordenamiento jurídico les permite crear figuras atípicas, siempre y cuando ello no suponga una vulneración de la ley, la moral o el orden público (*ex* art. 1255 Cc).

La cuestión que nos ocupa resulta ciertamente más compleja si nos trasladamos del plano puramente personal al campo jurídico-real. Así, no puede pasarse por alto el hecho de que, a diferencia de los derechos de crédito, los derechos reales son oponibles *erga omnes*, por lo que la creación de figuras atípicas tiene importantes connotaciones para el tráfico jurídico. Por otra parte, cabe señalar que, en relación con la materia que nos concierne, nuestro ordenamiento jurídico no cuenta con una norma tan esclarecedora como aquella contenida en el art. 1255 Cc, indudable exponente de la denominada libertad contractual.

Las reflexiones hasta aquí expuestas han cristalizado en un eterno debate científico, representado por dos posturas clásicamente contrapuestas. Desde esta perspectiva, ha de ponerse de relieve que la doctrina mayoritaria se muestra favorable al posible juego de la autonomía privada en sede de derechos reales (*numerus apertus*). Así, se viene entendiendo que los particulares pueden autorregular sus relaciones jurídico-reales, lo cual resulta especialmente relevante para la satisfacción de ciertas necesidades socioeconómicas no cubiertas hasta el momento por el legislador.

Lo apuntado en el párrafo anterior, no ha impedido que un sector minoritario de la doctrina haya adoptado una postura restrictiva en cuanto a la creación de derechos reales atípicos se refiere (*numerus clausus*). De este modo, los defensores de esta corriente sostienen que el libre ejercicio de la autonomía privada en el campo de los derechos reales supondría un menoscabo para la seguridad en el tráfico. En igual sentido, cabe destacar que aquellos autores que se muestran favorables con la tesis expuesta, suelen aducir que la teoría del *numerus apertus* dificulta la labor desempeñada por los registradores y afecta a la economía de mercado.

En virtud de lo hasta aquí expuesto, se observa como la materia que nos ocupa tiene unos claros tintes clásicos, pudiendo afirmarse, sin temor a errar, que se trata de una de las cuestiones más discutidas por civilística del siglo XX. Es preciso señalar, sin embargo, que el interés que suscita esta temática traspasa el plano puramente teórico, ya que tiene unas importantes consecuencias prácticas para el tráfico jurídico actual. De este modo, resulta importante subrayar que la cuestión del juego de la autonomía privada en el campo de los derechos reales adquiere una renovada significación.

Sentado lo anterior, debe señalarse que la obra se sistematiza en tres capítulos que abordan diversas materias relacionadas con el tema nuclear de nuestra investigación. En este sentido, hemos optado por emplear una metodología eminentemente deductiva, lo que se ha traducido en el análisis de la figura del derecho real desde una perspectiva general, ocupándonos con posterioridad del estudio de cuestiones más concretas en relación con el tema del desenvolvimiento de la autonomía privada en el campo de los derechos reales.

El primer capítulo de la obra se halla dedicado al examen del derecho real como categoría dogmática. En este sentido, estimamos que cualquier aproximación al tema que nos ocupa, obliga a tratar de esclarecer, en primer lugar, qué ha de entenderse por derecho real. De este modo, nos detendremos en examinar aquellas notas que, en nuestra opinión, caracterizan a los derechos de esta naturaleza. A continuación, trataremos de establecer unos adecuados criterios de diferenciación entre los derechos de carácter real y los derechos de carácter personal.

Enlazando con lo anterior, hemos estimado conveniente realizar un examen de las denominadas figuras intermedias, esto es, de aquellas instituciones que, por sus peculiares características, tienen difícil encaje en las grandes categorías de derechos subjetivos patrimoniales. En este sentido, creemos que se trata de una cuestión de especial interés en nuestro intento por clarificar la problemática que rodea a la caracterización del derecho real como categoría dogmática. De este modo, nos ocuparemos de analizar las distintas figuras que, según la mayor parte de la doctrina, suelen encontrarse en esa zona limítrofe entre los derechos de carácter real y los derechos de carácter crediticio. Así, procederemos a examinar las instituciones que se relacionan a continuación: el *ius ad rem*, las obligaciones *propter rem*, las cargas reales y, finalmente, los derechos reales *in faciendo*.

A partir del segundo capítulo de esta obra nos centraremos en abordar el objeto principal de nuestra investigación, esto es, si es posible que los particulares puedan modificar los derechos reales típicos o, en su caso, crear figuras jurídico-reales no previstas por el legislador. De este modo, realizaremos, en primer lugar, una exposición de los posibles modelos de derechos reales, para después ocuparnos de la cuestión del desenvolvimiento de la autonomía privada en el sistema patrimonial español.

Tras analizar las diversas posturas que la doctrina española ha adoptado acerca del juego de la autonomía privada en el campo de los derechos reales, pondremos el acento en la necesidad de modernizar el debate científico que existe en torno a la cuestión discutida. En este sentido, debe tenerse en cuenta tanto el contexto socioeconómico actual, como el papel que hoy día desarrollan los modernos Registros de la Propiedad.

En este mismo capítulo tendremos la oportunidad de examinar dos fenómenos especialmente relevantes para el desarrollo de nuestra investigación. El primero de ellos pone en evidencia el hecho de que la libertad contractual ha sido fuertemente restringida en los últimos años (normativa de consumidores, legislación arrendaticia), mientras que cada vez es más frecuente que se colmen determinadas necesidades socioeconómicas a partir de figuras jurídico-reales no previstas por el legislador.

Por lo que se refiere al segundo de los fenómenos aludidos en el párrafo precedente, podremos constatar como, en la mayor parte de ocasiones, las diferencias existentes entre modelos de derechos reales (*numerus clausus* o *numerus apertus*) son puramente formales. En este sentido, tendremos la oportunidad de comprobar que en algunos de los ordenamientos que han acogido formalmente un sistema de *numerus clausus*, se permite un mayor o menor juego de la autonomía privada en materia de derechos reales. Por el contrario, en aquellos sistemas en los que parece regir el *numerus apertus*, suelen imponerse ciertas restricciones a la creación de derechos reales no previstos por el legislador.

Todo lo hasta aquí expuesto nos llevará a concluir que lo más conveniente sería adoptar un modelo de derechos reales equilibrado, que tomase la flexibilidad que ofrece la tesis del *numerus apertus* y la seguridad que aporta la teoría del *numerus clausus*. Estimamos que en nuestro ordenamiento jurídico podría alcanzarse este punto intermedio a partir de la aplicación un test similar al que utilizan los tribunales sudafricanos o al que propone Akkermans en relación con una posible armonización del Derecho europeo en materia de derechos reales. En este sentido, bastaría con que el operador jurídico de que se trate aplicase el test para comprobar si la figura que se somete a enjuiciamiento es un auténtico derecho real. De este modo, dedicaremos la última parte del segundo capítulo de la obra a desarrollar las diversas fases de las que se compone este test, con especial consideración a los límites a los que ha de someterse la autonomía privada en sede de derechos reales.

Nuestra investigación concluye con el tercer capítulo de la obra, donde, siguiendo la postura de Díez-Picazo, estudiaremos el desenvolvimiento de la autonomía privada en relación con las distintas clases de derechos reales. En este sentido, conviene destacar que es necesario atender a las distintas especificidades a las que responden las diversas categorías de derechos reales (derecho de propiedad y los *iura in re aliena*).

Siguiendo un *iter* lógico, nos encargaremos de analizar, en primer lugar, el posible juego de la autonomía de la voluntad en el ámbito dominical. De este modo, nos detendremos en explicar el significado actual de la noción de dominio, para después centrarnos en estudiar las notas que, según la doctrina tradicional, vienen caracterizando a este derecho.

Una vez realizado el análisis del esquema típico del derecho de propiedad, retomaremos el objeto principal de nuestra investigación. Así, resaltaremos los beneficios que podrían derivarse de la creación de nuevas modalidades dominicales, deteniéndonos, con posterioridad, en examinar los obstáculos que podría encontrar el libre desarrollo de la autonomía privada en este particular sector.

Por lo que se refiere a los denominados *iura in re aliena*, en el tercer capítulo de la obra estudiaremos, asimismo, si es posible que los particulares modifiquen ciertos aspectos relacionados con los derechos reales limitados de carácter típico o, en su caso, si es viable que las partes creen figuras jurídico-reales no previstas por el legislador. En este sentido, nos ocuparemos de analizar, al igual que hizo en su día Díez-Picazo, el posible desarrollo de la autonomía privada en el ámbito de las distintas clases de derechos reales limitados, esto es, los derechos reales de goce, los derechos reales de garantía y, finalmente, los derechos reales de adquisición preferente.

Capítulo Primero
CONCEPTO Y CARACTERES DEL DERECHO REAL

I. NOTAS BÁSICAS DEL DERECHO REAL

1. Cuestiones previas

La construcción teórica de cualquier derecho subjetivo pasa, como bien apunta Sánchez Jiménez, por la necesidad de concretar sus caracteres, su naturaleza y, lo que es más relevante para nuestra investigación, su número[1]. La elaboración dogmática de la categoría de los derechos reales ha tropezado, sin embargo, con diversos obstáculos desde su gestación. En este sentido, el problema de partida reside, de algún modo, en la especial complejidad que existe a la hora de tratar de ofrecer un concepto unitario de derecho real[2]. De este modo, no solo no contamos ni siquiera hoy con una norma que se ocupe de definir expresamente que ha de entenderse por derecho real[3], sino que desde

---

[1]   Sánchez Jiménez, R., "El concepto de derecho real y el usufructo", *R.C.D.I.* núm. 65, mayo 1930, pág. 340.

[2]   Véase Belfiore, A., *Interpretazione e dommatica nella teoria dei diritti reali*, Giuffrè, Milano, 1979, págs. 4-8.

[3]   Aunque se refiere, más bien, al concepto de Derecho patrimonial desde una perspectiva general, véase Moreno Quesada, B., "La categoría de los derechos patrimoniales", *R.G.L.J.*, junio 1967, pág. 950. En este sentido, nuestro Código civil no ofrece ninguna definición específica acerca de la noción de derecho real, limitándose a emplear esta expresión en unos pocos de los preceptos que componen su articulado (arts. 486, 1095, 1927 y 1952 Cc). Es cierto que el legislador decimonónico tampoco nos ha brindado una definición expresa de lo que ha de entenderse por obligación, sin embargo, creemos que su concepto puede deducirse fácilmente de lo dispuesto en el art. 1088 Cc, el cual establece que "*toda obligación consiste en dar, hacer o no hacer alguna cosa*". Lo mismo podría decirse respecto del término contrato, en tanto que, aunque no se define expresamente, su significado puede extraerse fácilmente de lo dispuesto en el art. 1254 Cc, el cual dispone que "*el contrato existe desde que una o varias personas consienten en obligarse, respecto de otra u otras, a dar alguna cosa o prestar algún servicio*".

el inicio de la construcción de esta categoría se ha discutido incesantemente acerca de cuáles son las notas que caracterizan a esta clase de derechos, así como sobre su propia conceptualización.

La búsqueda de una noción adecuada para los derechos reales se ha visto seriamente comprometida por las dificultades que se han planteado en cuanto a su diferenciación respecto de los derechos de carácter crediticio[4]. Llegados a este punto creemos necesario enfatizar el hecho de que un cabal acercamiento al concepto de derecho real ha de pasar por reconocer su convivencia con otros derechos de naturaleza obligacional, no pudiendo, sin embargo, caer en la tentación de construir su concepto desde una perspectiva puramente negativa. De este modo, resulta inadecuado ofrecer una noción del derecho real limitándonos a señalar que es todo aquello lo que no es un derecho de crédito[5]. Debe puntualizarse, sin embargo, que con esta matización no se pretende afirmar que el derecho real deba ser analizado como si

---

En línea de lo expuesto en el párrafo precedente, cabe destacar que en la reciente Propuesta de Código Civil tampoco se ofrece un concepto de lo que ha de entenderse por derecho real, a diferencia de lo que ocurre, nuevamente, respecto de los términos obligación (art. 511-1 de la mencionada Propuesta) y contrato (art. 521-1 de la Propuesta). Véanse Andreu Martínez, M.ª B. *et al.*, "Capítulo I del Título I del Libro V" (coords. Ataz López, J. y González Pacanowska, I.) en *Propuesta de Código Civil. Asociación de Profesores de Derecho Civil*, Tecnos, Madrid, 2018, pág. 629; Andreu Martínez, M.ª B. *et al.*, "Capítulo I del Título II del Libro V" (coords. Ataz López, J. y González Pacanowska, I.) en *Propuesta de Código Civil. Asociación de Profesores de Derecho Civil*, Tecnos, Madrid, 2018, pág. 670.

La mayor parte de los Códigos civiles extranjeros guardan, asimismo, silencio en lo que a la noción de derecho real se refiere. No obstante, existen algunos supuestos en los que el legislador se ha atrevido a consagrar normativamente una definición de la categoría de derechos que nos ocupa. Así, podríamos traer aquí a colación el art. 1882 del Código civil y comercial argentino, cuya redacción reza: "*el derecho real es el poder jurídico, de estructura legal, que se ejerce directamente sobre su objeto, en forma autónoma y que atribuye a su titular las facultades de persecución y preferencia, y las demás previstas en este Código*".

[4]   Ello es puesto de relieve en Castán Tobeñas, J., *Derecho Civil Español, Común y Foral T. II Vol. I*, 14ª ed. revisada y puesta al día por García Cantero, G., Reus, Madrid, 1992, pág. 35.

[5]   Así, por ejemplo, Martín Pérez orienta todo el apartado que dedica al estudio del concepto de derecho real a tratar diferenciar la categoría de derechos que nos ocupa de los derechos personales. Véase Martín Pérez, A., *Derechos Reales T. I La posesión*, Madrid, 1958, págs. 3 y ss.

de un fenómeno jurídico-patrimonial aislado se tratase[6], únicamente queremos hacer hincapié en el hecho de que difícilmente podremos diferenciar ambas categorías si no partimos de un concepto claro de cada una de ellas.

Centrándonos, por el momento, en la noción de derecho real, puede decirse que, a pesar del vasto debate que ha existido y que aún parece existir en torno a esta materia, esta categoría de derechos puede ser definida, al menos inicialmente, como aquellos derechos subjetivos patrimoniales que, otorgando a su titular un poder inmediato o inherente a una cosa, son protegidos frente a las injerencias de cualquier sujeto (*erga omnes*) a través de, por lo menos, una acción real[7]. En este sentido, se aprecia que el derecho real, al igual que el resto de derechos subjetivos, presenta una serie de elementos que componen su estructura, que, como apunta un sector de la doctrina[8], son el elemento subjetivo, el elemento objetivo y, por último, el contenido del derecho. Dejando a un lado, por ahora, la cuestión del contenido de esta clase de derechos, cabe señalar que, por lo que se refiere al

---

[6]   Véase Puig Brutau, J. en *Fundamentos de Derecho Civil T. III Vol. I El Derecho Real. La posesión. La propiedad. Sus límites. Adquisición y pérdida. Ejercicio de acciones*, 2ª ed., Bosch, Barcelona, 1971, pág. 12. Aunque estima que la diferenciación entre derechos reales y derechos personales resulta insuficiente, nos parece bastante acertada la reflexión realizada por Díez-Picazo, quien, en relación con la mencionada distinción, afirma que "...no se trata de dos círculos tangentes o separados, sino de círculos secantes entre los cuales, por consiguiente, existe una zona común". Díez-Picazo y Ponce de León, L., *Fundamentos del Derecho Civil Patrimonial Vol. I Introducción. Teoría del contrato*, 6ª ed., Aranzadi, Cizur Menor, 2007, pág. 88.

[7]   Para la elaboración de esta definición nos hemos apoyado en los siguientes trabajos: Roca Sastre, R. M. ª, *Derecho Hipotecario T. II*, 6ª ed., Bosch, Barcelona, 1968, pág. 618; Puig Brutau, J., *Fundamentos de Derecho Civil T. III Vol. I...*, ob. cit., págs. 7 y 8; De Pablo Contreras, P., "El derecho real y sus caracteres" en *Curso de Derecho Civil III Derechos Reales* (coord. De Pablo Contreras, P.), 4ª ed. reimp., Edisofer, Madrid, 2016, págs. 29 y ss.

[8]   Álvarez Olalla, P. *et al.* en *Manual de Derecho Civil. Derechos Reales* (coord. Bercovitz Rodríguez Cano, R.), 4ª ed., Bercal, Madrid, 2013, págs. 38 y ss. Véase también Albaladejo García, M., *Derecho Civil III Derecho de bienes*, 10ª ed., Edisofer, Madrid, 2004, págs. 13 y ss.; Moreno Quesada, B., "Configuración del derecho real" en *Curso de Derecho Civil III Derechos reales y registral inmobiliario* (coord. Sánchez Calero, F. J.), 5ª ed., Tirant Lo Blanch, Valencia, 2014, págs. 29 y 30.

elemento subjetivo, el titular del derecho real podrá serlo, como regla general, una persona (o personas) física o jurídica (privada o pública) personal o especialmente determinada[9].

---

[9]   Ampliamente Álvarez Olalla, P. *et al.* en *Manual de Derecho Civil…*, ob. cit., págs. 38 y 39; Albaladejo García, M., *Derecho Civil III…*, ob. cit., pág. 17. En relación con el último de los puntos señalados, cabe destacar que un sector de la doctrina viene sosteniendo que la posición del titular puede no hallarse personalmente determinada, ya que, en ciertas ocasiones, esta posición queda concretada o individualizada en relación con la cosa objeto de derecho real. Así, se ha hablado de la existencia de derechos subjetivamente reales (*subjektiven dinglichen Rechten*), institución que se halla eminentemente representada por el derecho real de servidumbre, en tanto que la individualización del titular se realiza partir de la relación que tiene este con la cosa. No obstante, no parece correcto afirmar, recurriendo de nuevo al ejemplo de las servidumbres, que la relación se establece entre dos fundos, ya que, como veremos, las relaciones jurídicas únicamente se pueden establecer entre personas. La única utilidad que, en nuestra opinión, tiene el expediente teórico de los derechos subjetivamente reales es que permite enfatizar que la determinación de la posición activa se realiza respecto de la cosa objeto de derecho real. Todas estas reflexiones se han extraído de la lectura de: Castán Tobeñas, J., *Derecho Civil Español, Común y Foral T. II Vol. I*, ob. cit., pág. 44; Albaladejo García, M., *Derecho Civil III…*, ob. cit., pág. 17; Puig Brutau, J., *Fundamentos de Derecho Civil T. III Vol. II Comunidad de bienes, Propiedad horizontal, Superficie, Propiedad intelectual e industrial, Usufructo, Servidumbres*, 2ª ed., Bosch, Barcelona, 1973, pág. 377; Wolff, M., *Derecho de cosas. T. III Vol. I Posesión, Derecho Inmobiliario, Propiedad* (trad. a la 32ª ed. Pérez González, B. y Alguer, J.), Bosch, Barcelona, 1936, pág. 12; Atard, R., "Algunas construcciones jurídicas que exige el desenvolvimiento técnico de nuestro sistema hipotecario", *R.D.P.*, septiembre 1924, pág. 275; Gómez Pérez, P., "Los derechos llamados subjetivamente reales", *Información Jurídica* núm. 162-163, noviembre-diciembre 1956, págs. 577 y ss.; De Casso Romero, I., *Derecho Hipotecario o del Registro de la Propiedad*, 4ª ed. revisada, Instituto de Derecho Civil, Madrid, 1951, págs. 263-265; Valverde Y Valverde, C., *Tratado de Derecho Civil Español T. II Parte Especial. Derechos Reales*, 3ª ed., Valladolid, 1925, págs. 18-20 nota al pie núm. 1; García García, J. M., "La relación jurídica desde las perspectivas práctica y teórica", *R.C.D.I.* núm. 601, noviembre-diciembre 1990, pág. 425.

La expresión derechos subjetivamente reales es, asimismo, empleada en diversas resoluciones de la Dirección General de los Registros y del Notariado, pudiendo citar, de más reciente a más antigua, RDGRN 15 enero 2013 (TOL3.019.467); RDGRN 22 mayo 2003 (TOL276.666); RDGRN 5 febrero 1992 (LA LEY 3627/1992); RDGRN 15 noviembre 1988 (LA LEY 2298/1988); RDGRN 27 mayo 1988 (LA LEY 995/1988); RDGRN 27 mayo 1988 (LA LEY 986/1988); RDGRN 24 marzo 1922 (LA LEY 4/1922); RDGRN 30 septiembre 1920 (LA LEY 19/1920); RDGRN 29 marzo 1920 (LA LEY 4/1920).

En cuanto al elemento objetivo, la propia denominación de los derechos reales (*ius in rem*)[10] revela la importancia que tiene la cosa en la construcción de esta categoría jurídica[11], hasta el punto de que este tipo de derechos no puede existir si no hay un bien sobre el que este pueda recaer[12]. En este sentido, puede decirse, con un sector de la doctrina[13], que el objeto de los derechos reales serán las cosas o, si

---

[10]   Debe destacarse, asimismo, que en los manuales es frecuente encontrar expresiones como *derecho de cosas* o *derecho de bienes* cuando se aborda el estudio de los derechos reales.

[11]   Como veremos existen, sin embargo, ciertas corrientes doctrinales, denominadas personalistas y unitarias, que, basándose en la teoría de la relación jurídica intersubjetiva, restan importancia a la cosa dentro del esquema jurídico-real. Ello se explica en Fairén, M., "Derechos reales y de crédito (apuntes dogmáticos para el estudio de su distinción)", *R.D.N.* núm. 23, enero-marzo 1959, págs. 205 y ss. Claramente en contra de esta postura se muestra Gómez-Morán Etchart, A., "Para una determinación del concepto de derecho real", *R.F.D.U.O.* Vol. IV núm. 79, 1956, pág. 544.

[12]   Díez Pastor, J. L., "En torno a la definición formal de los derechos reales", *A.A.M.N.* T. XIV, 1965, págs. 272 y 273.

[13]   Álvarez Olalla, P. *et al.* en *Manual de Derecho Civil...*, ob. cit., págs. 34 y 39. En parecido sentido, la STS 26 febrero 1979 (TOL1.740.848).

se prefiere, los bienes[14] presentes[15] de carácter material o inmaterial[16]

---

[14]   Parte de la doctrina ha concentrado sus esfuerzos en esclarecer si la relación exis-
       tente entre los términos cosa y bien es de sinonimia o, por el contrario, presen-
       tan significados diversos. Sobre el tema: Santos Briz, J., "Comentario al artículo
       333" en *Comentarios al Código Civil y Compilaciones Forales T. V Vol. I* (dir.
       Albaladejo García, M.), EDERSA, 2ª ed., Madrid, 1990, pág. 3; García García,
       J. M., "Teoría general de los bienes y las cosas", *R.C.D.I.* núm. 676, marzo-abril
       2003, págs. 928 y ss.; Cerdeira Bravo de Mansilla, G., *Derecho o Carga real:
       Naturaleza jurídica de la hipoteca*, 1ª ed., Cedecs, Barcelona, 1998, pág. 99.
       Ha de advertirse, sin embargo, que, con independencia de la postura teórica
       que se tome, lo cierto es que tanto el legislador (art. 333 Cc) como nuestro Alto
       Tribunal [(STS 28 mayo 2019 (JUR 2019\194615)] y la Dirección General de
       los Registros y del Notariado [RDGRN 3 julio 2019 (TOL7.446.209)] emplean
       ambos términos de forma indistinta. En este sentido, creemos que la utilización
       indiferenciada de ambas expresiones por parte del derecho positivo, así como de
       los operadores jurídicos legitima, en todo caso, el empleo de cualquiera de las ex-
       presiones, sin perjuicio de que, desde un punto de vista teórico pueda apreciarse
       una ligera diferencia entre ambos términos. Véanse Gil Rodríguez, J., "Comenta-
       rio al artículo 333" en *Código Civil Comentado Vol. I* (dirs. Cañizares Laso, A.
       et al.), 2ª ed., Aranzadi, Cizur Menor, 2016, págs. 1401 y 1402; Biondi, B., *Los
       bienes*, 2ª ed. actualizada, Bosch, Barcelona, 2003, pág. 35.
[15]   Lacruz Berdejo, J. L. *et al.*, *Elementos de Derecho Civil III Derechos Reales Vol.
       I Posesión y propiedad*, 3ª ed. revisada y puesta al día por Luna Serrano, A., Dy-
       kinson, Madrid, 2008, pág. 4. Como ha puesto de relieve la Dirección General
       de los Registros y del Notariado "*...es claro que no cabe un derecho real sobre
       una cosa no existente aún*". RDGRN 13 julio 2005 (TOL689.217). No obstante
       lo anterior, es necesario destacar que, como ha hecho notar García García, el art.
       333 Cc no solo se refiere a las cosas que son susceptibles de apropiación, "...sino
       también a las que «pueden serlo»...". García García, J. M., "Teoría general de
       los bienes...", ob. cit., pág. 923. En este sentido, debemos hacer notar que existen
       supuestos en los que la ley otorga a la cosa existencia jurídica, cuando esta no
       existe aun físicamente. De Pablo Contreras, P., "El derecho real y sus caracteres",
       ob. cit., pág. 32.
[16]   Como se ha puesto de manifiesto, los bienes pueden tener tanto un carácter cor-
       poral como incorporal, como reconoce el propio Código Civil (*ex* arts. 428, 429 y
       1464 Cc). En este sentido, lo relevante para que un bien pueda constituirse como
       objeto de un derecho real es que sea susceptible de apropiación, con independen-
       cia de su existencia desde un punto de vista material. De este modo, se permite,
       asimismo, la constitución de derechos reales sobre universalidades. Véase al res-
       pecto Rogel Vide, C., *Derecho de cosas*, Bosch, Barcelona, 1999, pág. 17.
       Cuestión más controvertida es la de pretendida categoría de derechos sobre de-
       rechos. Al respecto, Aranda Rodríguez, R., *La prenda de créditos*, Marcial Pons,
       Barcelona, 1996, pág. 105; Vallet de Goytisolo, J. B., *Estudios sobre Derecho
       de Cosas T. I (Temas generales)*, 2ª ed., Montecorvo, Madrid. 1985, págs. 239
       y ss.; Pérez González, B. y Alguer, J. notas a Wolff, M., *Derecho de cosas. T. III*

susceptibles de apropiación[17] y de operar en el tráfico jurídico[18].

Teniendo en cuenta lo hasta aquí expuesto, creemos, sin embargo, que, a pesar de la importancia de los elementos estructurales anteriormente citados, las notas que caracterizan en sentido estricto al derecho real son su inmediatez o inherencia (elemento interno), de un lado, y su absolutividad, de otro (elemento externo)[19]. Aunque deba admitirse, con Cerdeira[20], que hay autores que en sus definiciones parecen dotar de mayor importancia a un aspecto sobre el otro, ya sea el externo[21] o, por el contrario, el interno[22]; lo cierto es que la doctrina

---

Vol. I..., ob. cit., pág. 16; Gutiérrez Santiago, P., "Comentario al artículo 334" en *Comentarios al Código Civil* (coord. Bercovitz Rodríguez-Cano, R.), 3ª ed., Aranzadi, Cizur Menor, 2009, pág. 480; Martínez de Aguirre Aldaz, C., "Derechos reales de garantía sobre bienes muebles" en *Curso de Derecho Civil III Derechos Reales* (coord. De Pablo Contreras, P.), ob. cit., pág. 643.; Clavería Gonsálbez, L.-H., "Comentario al artículo 333" en *Comentario del Código Civil T. I* (dir. Paz-Ares Rodríguez, C. *et al.*), Ministerio de Justicia, Madrid, 1991, pág. 922; Carnelutti, F., *Teoría General del Derecho. Metodología del Derecho* (trad. Posada, C. G.), Comares, Granada 2003, pág. 170; Ferrara, F., *Trattato di Diritto Civile italiano Vol. I Dottrine Generali Parte I*, Athenaeum, Roma, 1921, pág. 415.

[17]   García García, J. M., "Teoría general de los bienes...", ob. cit., pág. 923.

[18]   Se ha discutido si las *res extra commercium* son susceptibles de constituir el objeto de un derecho real, a pesar de no poder ser objeto de negociación o contratación. Véase García García, J. M., "Teoría general de los bienes...", ob. cit., págs. 927 y 928. Nosotros estimamos que, aunque las cosas no susceptibles de tráfico pueden concebirse como bienes en un sentido material, no son aptas para constituir el objeto de un derecho real, en tanto en cuanto el fin último de esta categoría de derechos es el de obtener el aprovechamiento económico de un bien.

[19]   Westermann ha considerado, sin embargo, que estas notas no son suficientes por sí mismas para explicar el fenómeno del derecho real, ya que entiende que estas únicamente "...son consecuencias de la función atributiva de bienes propia de los derechos reales". Westermann, H. *et al.*, *Derechos Reales Vol. I* (trad. a la 7ª ed. alemana Cañizares Laso, A. *et al.*), Fundación Cultural del Notariado, Madrid, 2007, pág. 59. Sobre el tema véase Martín Pérez, A., ob. cit., págs. 16-18.

[20]   Cerdeira Bravo de Mansilla, G., *Derecho o Carga real...*, ob. cit., págs. 49 y 50.

[21]   Peña, por ejemplo, define a los derechos reales como aquellos "...derechos subjetivos de carácter absoluto que tienen por objeto cosas". Peña Bernaldo de Quirós, M., *Derechos Reales. Derecho Hipotecario T. I*, 3ª ed., Centro de Estudios Registrales, Madrid, 1999, pág. 58.

[22]   Entre otros, Blasco Gascó, F. de P., "El derecho real" en *Derecho Civil III* (coord. De Verda y Beamonte, J. R. y Serra Rodríguez, A.), 3ª ed., Tirant Lo Blanch. Valencia, 2014, pág. 21; Albaladejo García, M., *Derecho Civil III...*, ob. cit., págs. 11 y 12; Lacruz Berdejo, J. L. *et al.*, *Elementos de Derecho Civil III Derechos*

mayoritaria suele coincidir en que ambos elementos son clave en la caracterización de los derechos de naturaleza real[23]. Cuestión distinta es que, como veremos, el aspecto interno es el que nos permite clasificar y, en su caso, calificar (derecho real típico) la figura de que se trate[24]. Pasamos, pues, a analizar con detenimiento cada uno de los aspectos mencionados.

2. Elementos esenciales del derecho real

2.1. El aspecto interno

A) Inmediatividad e inherencia

Distintos son los términos que la doctrina viene manejando a la hora de describir la relación de poder que el titular ostenta respecto de la cosa objeto de derecho real. De este modo, mientras que en unas ocasiones se afirma que los derechos reales suponen el otorgamiento de un poder inmediato o directo sobre un concreto bien[25], en otras,

---

Reales Vol. I, 2008, ob. cit., pág. 1; Clemente De Diego, F., *Instituciones de derecho civil T. I*, Nueva ed. revisada y puesta al día por De Cossío y Corral, A. y Gullón Ballesteros, A., Madrid, 1959, pág. 364.

[23]   Así parecen señalarlo, entre otros, Díez-Picazo y Ponce de León, L., *Fundamentos del Derecho Civil Patrimonial Vol. III Las Relaciones Jurídico-Reales, El Registro de la Propiedad, La posesión*, 5ª ed., Aranzadi, Cizur Menor, 2008, pág. 82; De Pablo Contreras, P., "*El derecho real y sus caracteres*", ob. cit., págs. 31 y 32; Lasarte Álvarez, C., *Propiedad y derechos reales de goce. Principios de Derecho Civil IV*, 10ª ed., Marcial Pons, Madrid, 2010,págs. 6 y 7; Puig Brutau, J., *Fundamentos de Derecho Civil T. III Vol. I...*, ob. cit., págs. 7 y 8; Lacruz Berdejo, J. L. *et al.*, *Elementos de Derecho Civil III Derechos Reales Vol. I*, 2008, ob. cit., págs. 2 y 3; Álvarez Olalla, P. *et al.* en *Manual de Derecho Civil...*, ob. cit., pág. 26; Méndez González, F. P., "Derechos y titularidades reales", *R.C.D.I.*, núm. 736, marzo 2013, págs. 771 y ss. Por su parte, Martín Pérez insiste en la idea de que no es posible otorgar primacía a uno de los elementos frente al otro, ya que, desde su perspectiva, el fenómeno jurídico-real no podría entenderse sin la concurrencia de ambos. Martín Pérez, A., ob. cit., pág. 14.

[24]   Martín Pérez, A., ob. cit., pág. 14.

[25]   Por ejemplo, Puig Brutau, J., *Fundamentos de Derecho Civil T. III Vol. I...*, ob. cit., págs. 7 y 8; Albaladejo García, M., *Derecho Civil III...*, ob. cit., pág. 19; Álvarez Olalla, P. *et al.* en *Manual de Derecho Civil...*, ob. cit., pág. 26.

en cambio, se califica a este poder de inherente[26]. En este sentido, cabe destacar que no es infrecuente que los términos *inmediatividad* e *inherencia* sean empleados de manera análoga en la literatura jurídica, de modo que ambos se utilizan para expresar la idea de que el titular del derecho real puede actuar directamente sobre la cosa, sin ninguna especial colaboración de otros sujetos[27]. Nosotros, sin embargo, entendemos que, al menos desde un punto de vista de la técnica jurídica, no resulta del todo adecuado el uso indiferenciado de estas locuciones[28], ya que conceptualmente hacen referencia a expedientes diversos.

Comenzando por la nota de inmediatividad, debemos señalar que la misma se manifiesta de forma concreta respecto de aquellos derechos reales que comportan algún contacto físico con el bien gravado, de modo que el titular puede obtener las utilidades que este le proporciona de manera directa, esto es, sin necesidad de la cooperación de otros sujetos[29]. Así, puede decirse que la propia terminología empleada (inmediato, directo) revela la necesidad de que el titular del derecho ostente una relación posesoria respecto de la cosa objeto de derecho para que pueda hablarse en sentido estricto de inmediatividad.

En virtud de lo expuesto en el párrafo precedente, puede decirse que, en relación con los derechos reales típicos, la nota de inmediatividad se encuentra claramente presente en el derecho real pleno o dominio[30] y ello aun cuando no exista posesión inmediata respecto del bien, debido al expediente técnico de la posesión mediata (arts. 431 y 432 Cc)[31]. En este sentido, se aprecia que la nota de inmediatividad

---

[26] Lacruz Berdejo, J. L. *et al.*, *Elementos de Derecho Civil III Derechos Reales Vol. I*, 2008, ob. cit., págs. 2 y 3.

[27] Así por ejemplo, la definición que Díez-Picazo da del término *inmediatividad* coincide con aquella ofrece Lacruz respecto de la expresión *inherencia*. Véase Díez-Picazo y Ponce de León, L., *Fundamentos del Derecho Civil Patrimonial Vol. III...*, ob. cit., pág. 82; Lacruz Berdejo, J. L. *et al.*, *Elementos de Derecho Civil III Derechos Reales Vol. I*, 2008, ob. cit., págs. 2 y 3.

[28] Giorgianni, M., "Los derechos reales" en *Antología de Textos de la Revista Crítica de Derecho Inmobiliario T. I* (coord. Gómez Gálligo, F. J.) (trad. Díez-Picazo y Ponce de León, L.), Civitas, Cizur Menor, 2009, pág. 1206.

[29] De Pablo Contreras, P., "El derecho real y sus caracteres", ob. cit., pág. 31. Asimismo, Álvarez Olalla, P. *et al.* en *Manual de Derecho Civil...*, ob. cit., pág. 26.

[30] Véase Giorgianni, M., "Los derechos reales"..., ob. cit., pág. 1206.

[31] Sánchez de Frutos, F., "Derechos reales. Cursillo de conferencias pronunciadas por D. Juan Vallet", *A.D.C.* fasc. II, 1952, pág. 682.

también se halla presente en aquellos derechos reales limitados en los que el titular ostenta la tenencia material de la cosa, siendo el caso más destacado, por razones obvias, el de los derechos reales limitados de goce[32], pudiendo citarse, entre otros, el derecho real de usufructo[33], el derecho real de uso o el derecho real de habitación[34].

No obstante lo anterior, existen figuras que, aun siendo comúnmente calificadas como derechos reales, no implican un contacto físico respecto del bien gravado; tal es el caso, como apunta un sector de la doctrina[35], del derecho de hipoteca[36], de las servidumbres ne-

---

[32]   Giorgianni, M., "Los derechos reales"…, ob. cit., pág. 1206. Con la contada excepción de las servidumbres negativas, a las cuales haremos referencia en este mismo apartado.

[33]   Esta nota de inmediatividad se ve claramente reflejada, a nuestro juicio, en la propia dicción del art. 480 Cc, el cual dispone que "*podrá el usufructuario aprovechar por sí mismo la cosa usufructuada…*".

[34]   Mientras que el art. 524 Cc se refiere al derecho de uso como aquel que otorga a su titular la facultad de "…*percibir de los frutos de la cosa ajena los que basten a las necesidades del usuario y de su familia…*". El mencionado precepto define, asimismo, el derecho de habitación, señalando que este puede definirse como aquel que faculta a su titular a "…*ocupar en una casa ajena las piezas necesarias para sí y para las personas de su familia*".

[35]   Álvarez Olalla, P. *et al.* en *Manual de Derecho Civil…*, ob. cit., pág. 26. También Vallet de Goytisolo, J. B., *Estudios sobre Derecho de Cosas…*, ob. cit., págs. 292-294.

[36]   Giorgianni, M., "Los derechos reales"…, ob. cit., págs. 1999 y 1200. Uno de los motivos que llevan a este autor a negar la nota de inmediatividad en la hipoteca es que, en caso de incumplimiento, el acreedor hipotecario deberá recurrir a la vía judicial si quiere ver satisfecho su interés (prohibición de pacto comisorio). Frente a esta postura, Espinar Lafuente sostiene, en cambio, que lo relevante para determinar si existe o no inmediatividad en un derecho es que el titular del mismo deba recurrir a terceros para poder satisfacer sus intereses, lo que no incluye, en su opinión, a los órganos jurisdiccionales. Véase Espinar Lafuente, F., "Sobre la distinción entre derechos reales y obligacionales", *R.G.L.J.*, mayo 1962, pág. 631.

gativas[37], de los derechos de adquisición preferente[38] o de los censos consignativos y reservativos[39]. Así, la ausencia de tenencia material implica que en puridad no pueda predicarse la nota de inmediatividad respecto de ninguna de las figuras enunciadas[40].

Lo expuesto en el párrafo precedente no impide que, a falta de esa inmediatividad, pueda existir una inherencia a la cosa[41], nota que queda cristalizada como un vínculo funcional entre el poder que otorga el derecho (real) y el bien sobre el que este recae[42]. Este ligamen es precisamente el que permite al titular del derecho satisfacer su interés y, asimismo, el que explica que el derecho siga a la cosa con independencia de quien sea su propietario[43], lo que se traduce fácilmente en la idea de reipersecutoriedad (*droit de suite*)[44]. Así, por ejemplo, en el

---

[37]   El art. 533 Cc dispone que ha de entenderse por servidumbre negativa aquella "*...que prohíbe al dueño del predio sirviente hacer algo que le sería lícito sin la servidumbre*". De esta definición se extrae fácilmente la conclusión de que la figura que nos ocupa no se traduce en el otorgamiento a su titular de un poder inmediato y directo sobre la cosa. Sobre este particular se pronuncia Giorgianni, aunque no nos mostramos del todo de acuerdo con su particular tesis, en tanto que termina por calificar a esta figura como un derecho de obligación. Véase Giorgianni, M., "Los derechos reales"..., ob. cit., págs. 1200 y 1201.

[38]   Estos derechos serán detenidamente estudiados en otro apartado de este trabajo, baste ahora señalar que no comportan ningún contacto físico respecto de la cosa.

[39]   Vallet de Goytisolo, J. B., *Estudios sobre Derecho de Cosas...*, ob. cit., págs. 293 y 294.

[40]   De Pablo Contreras, P., "El derecho real y sus caracteres", ob. cit., pág. 31.

[41]   De Pablo Contreras, P., "El derecho real y sus caracteres", ob. cit., pág. 31; Giorgianni, M., "Los derechos reales"..., ob. cit., pág. 1206.

[42]   Giorgianni, M., "Los derechos reales"..., ob. cit., pág. 1206. Véanse también Messineo, F., *Manual de Derecho Civil y Comercial T. III* (trad. Sentis Melendo, S.), Ediciones Jurídicas Europa-América, Buenos Aires, 1954-1956, pág. 197; Pau Pedrón, A., *Elementos de Derecho Hipotecario*, 2ª ed., Universidad Pontificia de Comillas, Madrid, 2003, pág. 67.

[43]   Giorgianni, M., "Los derechos reales"..., ob. cit., pág. 1206. En cierto sentido, Barbero, D., *Sistema del Derecho Privado T. II Derechos de la personalidad. Derecho de familia. Derechos reales* (trad. Sentis Melendo, S.), EJEA, Buenos Aires, 1967, pág. 207. También Martín Pérez, A., ob. cit., págs. 15 y 16.

[44]   Distaso, N., *Natura giuridica dell'ipoteca. Contributo alla teoria dei diritti reali di garanzia*, Giuffrè, Milano, 1953, pág. 113; Font Boix, V., "El problema sobre el concepto y naturaleza del derecho real. Consideraciones en torno a la obra de Ludovico Barassi", *Revista de Derecho Español y Americano*, 1958, pág. 586; Barbero, D., *Sistema del Derecho Privado T. II...*, ob. cit., págs. 214 y 215; Pena López, J. M., *Concepto del Derecho Real (Revisión crítica de su caracteriza-*

ya mencionado supuesto de las servidumbres de carácter negativo, se observa que, aunque no pueda hablarse de inmediatividad debido a la falta de contacto físico con la cosa, sí que se aprecia ese especial vínculo entre el poder que ostenta el titular del derecho real y el bien[45], lo cual redunda en la satisfacción del interés de aquel[46]. Lo mismo podría decirse respecto de cualquiera de los derechos a los cuales hemos

---

ción en la doctrina moderna), 2ª ed., Tórculo Edicións, Santiago de Compostela, 2009, pág. 102; Lacruz Berdejo, J. L. *et al.*, *Elementos de Derecho Civil III Derechos Reales Vol. I*, 2008, ob. cit., pág. 3; Comporti, M., "Diritti reali in generale" in *Trattato di Diritto Civile e Commerciale Vol. III T. I*, 2ª ed., Giuffrè, Milano, 2011, pág. 90.

[45] Cerdeira Bravo de Mansilla, G., *Derecho o Carga real...*, ob. cit., pág. 136. También Comporti, M., "Diritti reali in generale" in *Trattato...*, ob. cit., págs. 246 y ss. Busto Lago sostiene que la naturaleza real de las servidumbres negativas deriva, precisamente, de la inherencia que estas proyectan respecto del fundo gravado. Busto Lago, J. M., "Comentario al artículo 533" en *Comentarios al Código Civil T. III* (dir. Bercovitz Rodríguez-Cano, R.), Tirant Lo Blanch, Valencia, 2013, págs. 4236 y 4237. En parecido sentido se pronuncia Cerdeira Bravo de Mansilla, G., "Servidumbres positivas y negativas" en *Tratado de Servidumbres* (coord. Cerdeira Bravo de Mansilla, G.,), La Ley, Madrid, 2015, págs. 313 y 314. De este modo, De Ángel Yagüez estima que el elemento fundamental para distinguir las servidumbres negativas de las obligaciones de no hacer es precisamente que las partes hayan hecho constar de manera inequívoca "...la voluntad de hacer del beneficio que se establece algo inherente al predio favorecido". De Ángel Yagüez, R., "Servidumbre negativa y obligación de no hacer", *R.C.D.I.* núm. 514, mayo-junio 1976, págs. 634 y 635. Biondi, por su parte, estima que puede apreciarse una cierta dominación en el ámbito de las servidumbres negativas. Véase Biondi en *Las servidumbres* (trad. González Porras, J. M.), Comares, Granada, 2002, pág. 57.

[46] Para expresar esta idea Barassi recurre al ejemplo de la servidumbre *altius non tollendi*, de modo que sostiene que, a pesar de lo que pudiera pensarse, la utilidad que obtiene el fundo dominante no se debe a la naturaleza (paso de la luz), sino que se recaba del propio fundo sirviente, en tanto en cuanto la luz pasa precisamente porque en este no se edifica. Barassi, L., *Diritti reali e posseso T. I I diritti reali*, Giuffrè, Milano, 1952, pág. 31. Albaladejo emplea, de igual modo, este ejemplo para recalcar que la utilidad no se obtiene realmente de la abstención del propietario del fundo sirviente, sino, de la propia cosa, ya que la luz o las vistas que recibe el predio dominante se debe a la no edificación en el fundo sirviente. Albaladejo García, M., *Derecho Civil III...*, ob. cit., pág. 14.

hecho alusión más arriba (derecho hipoteca[47], de adquisición preferente[48] y censos consignativos y reservativos).

En virtud de lo anterior, se observa que inherencia e inmediatividad no son términos análogos, sino simplemente expedientes que se complementan para explicar de forma adecuada el complejo fenómeno jurídico-real[49]. Así, puede decirse que la inherencia es un concepto más amplio, común a todos los derechos reales[50], que se manifiesta, sin embargo, a través de la inmediatividad en aquellos supuestos en los que el titular del derecho mantiene algún tipo de contacto físico con la cosa gravada[51]. En este sentido, acierta nuestro Alto Tribunal cuando señala que *"...el derecho real para ser tal ha de estar consti-*

---

[47] Sobre la naturaleza real del derecho de hipoteca: Domínguez Luelmo, A., "Comentario al artículo 1876" en *Comentarios al Código Civil* (dir. Domínguez Luelmo, A.), Lex Nova, Valladolid, 2010, págs. 2013 y 2014; García García, J. M., "Comentario al artículo 1876" en *Código Civil Comentado Vol. IV* (dirs. Cañizares Laso, A. *et al.*), 2ª ed., Aranzadi, Cizur Menor, 2016, págs. 1245 y 1246. Este último autor recalca que el carácter real de esta figura puede deducirse fácilmente a partir de la lectura de varios preceptos de nuestro Código Civil (arts. 405, 1858 y 1876 Cc), así como de algunas normas contenidas en la legislación hipotecaria (art. 2 y 104 LH). Por lo que se refiere a la doctrina italiana, véase Distaso, N., *Natura giuridica dell'ipoteca...*, ob. cit., págs. 114 y ss.; Comporti, M., "Diritti reali in generale" in *Trattato...*, ob. cit., págs. 253 y ss. En cuanto a la jurisprudencia, nuestro Alto Tribunal ha puesto de manifiesto en su STS 26 enero 2007 (TOL1.033.412) que la hipoteca "*...es la afección real del bien inmueble al cumplimiento de una obligación y destaca el carácter de adherencia e inseparabilidad clásicamente atribuido a la hipoteca*". Así, como bien se apunta en la STS 3 julio 1997 (TOL5.156.497), "*el derecho real de hipoteca es un derecho real de garantía que se constituye sobre un inmueble propiedad del hipotecante para asegurar el cumplimiento de una obligación; concepto que se desprende de los artículos 1857 y 1876 del Código civil y 104 de la Ley Hipotecaria*".

[48] Esta categoría de derechos será ampliamente analizada en otro lugar de este trabajo.

[49] Se alude a ambos expedientes en la STSJ Navarra (Sala de lo Civil y Penal) 28 noviembre 2000 (TOL296.031) y en la STSJ Navarra (Sala de lo Civil y Penal, Sección 1ª) 2 junio 2009 (RJ 2009\503).

[50] Distaso llega a calificar esta nota como "*...l'espressione più viva della realità...*". Distaso, N., *Natura giuridica dell'ipoteca...*, ob. cit., pág. 114. En parecido sentido Distaso, N., "Diritto reale, servitù e obbligazione *propter rem*", *Rivista trimestrale di diritto e procedura civile*, giugno 1953, pág. 449.

[51] Véase De Pablo Contreras, P., "El derecho real y sus caracteres", ob. cit., pág. 31.

tuido por una serie de características como la inmediatividad física o jurídica..."[52].

Ha de concluirse, por tanto, que en el caso de la propiedad[53] y, en su generalidad[54], en el de los derechos reales limitados de goce, la inherencia se traducirá, como señala De Pablo Contreras, en inmediatividad[55]. Por el contrario, en el caso de los derechos reales de adquisición, así como en el supuesto de algún derecho real de garantía[56], la naturaleza real de este tipo de figuras se explica a través del expediente de la inherencia. Sobre los derechos reales no tipificados, baste decir, por ahora, que, para que puedan ser calificados como tales habrán de implicar, asimismo, un poder inmediato o inherente a la cosa, manifestándose una u otra nota en función de la configuración y de las características propias de la figura de que se trate.

B)   El poder como elemento caracterizador del derecho real

Ese poder inmediato o inherente al que hemos hecho alusión en el apartado precedente, puede tener un mayor o menor alcance[57]. En este sentido, la doctrina viene distinguiendo entre el señorío pleno, de un lado, y el parcial, de otro[58]. El primero de los tipos de poder

---

[52]   STS 3 marzo 1995 (TOL1.667.078). En idéntico sentido, véase la STS 29 noviembre 2006 (TOL1.025.779).

[53]   Biondi apunta que no puede predicarse la nota de inherencia respecto del derecho de propiedad, ya que realmente el dominio lo que otorga a su titular es un poder directo e inmediato respecto de la cosa. Biondi, *Las servidumbres...*, ob. cit., pág. 79.

[54]   A excepción, a nuestro entender, de las servidumbres negativas y de los censos, a los cuales nos hemos referido más arriba.

[55]   De Pablo Contreras, P., "El derecho real y sus caracteres", ob. cit., pág. 31.

[56]   El acreedor pignoraticio (prenda ordinaria) sí que ostenta, en nuestra opinión, un poder inmediato sobre la cosa, sin perjuicio de que no pueda hacerla suya en virtud de la prohibición del pacto comisorio (*ex* art. 1859 Cc). Sobre este punto nos detendremos en otro lugar de este trabajo.

[57]   Lacruz Berdejo, J. L. *et al.*, *Elementos de Derecho Civil III Derechos Reales Vol. I*, 2008, ob. cit., pág. 6; Albaladejo García, M., *Derecho Civil III...*, ob. cit., págs. 12, 22, 23 y 24.

[58]   Entre otros, De Ruggiero, R., *Istituzioni di diritto civile Vol. I Introduzione e parte generale, diritto delle persone, diritti di famiglia, diritto ereditario e diritti reali*, 9ª ed., Giuseppe principato, Milano-Messina, 1961, pág. 558; Lacruz Berdejo, J. L. *et al.*, *Elementos de Derecho Civil III Derechos Reales Vol. I*, 2008,

mencionados se refiere al derecho real de propiedad, mientras que el segundo se corresponde con los derechos reales limitados[59].

---

ob. cit., pág. 6; Albaladejo García, M., *Derecho Civil III...*, ob. cit., págs. 12, 22, 23 y 24; Peña Bernaldo de Quirós, M., *Derechos Reales. Derecho Hipotecario T. I*, ob. cit., págs. 60 y ss.; Álvarez Olalla, P. *et al.* en *Manual de Derecho Civil...*, ob. cit., pág. 27.

[59] Ortega Pardo, G., "Derechos reales limitados", *A.D.C.* fasc. II, abril-junio 1952, pág. 702; Espín Cánovas, D., *Manual de Derecho Civil Español Vol. II Derechos Reales*, 5ª ed., EDERSA, Madrid, 1977, pág. 7; Blasco Gascó, F. de P., *Instituciones de Derecho Civil. Derechos Reales. Derecho Registral Inmobiliario*, Tirant Lo Blanch, Valencia, 2014, págs. 39 y 40; Albaladejo García, M., *Derecho Civil III...*, ob. cit., págs. 12, 22, 23 y 24. Nuestro propio Código civil parece reconocer esta distinción dogmática al señalar en su art. 609.2 Cc que "*la propiedad y los demás derechos sobre los bienes se adquieren y transmiten por la ley, por donación, por sucesión testada e intestada, y por consecuencia de ciertos contratos mediante la tradición*". En este sentido véanse Moreno Quesada, B., "Configuración del derecho real", ob. cit., pág. 35; Puig Brutau, J., *Fundamentos de Derecho Civil T. III Vol. I...*, ob. cit., pág. 31. También se aprecia esta dicotomía en el art. 10 Cc ("*la posesión, la propiedad, y los demás derechos sobre bienes inmuebles...*"); el art. 334.10 Cc ("*las concesiones administrativas de obras públicas y las servidumbres y demás derechos reales sobre bienes inmuebles*"); el art. 605 Cc ("*el Registro de la Propiedad tiene por objeto la inscripción o anotación de los actos y contratos relativos al dominio y demás derechos reales sobre bienes inmuebles*"); el art. 1930 Cc ("*por la prescripción se adquieren, de la manera y con las condiciones determinadas en la ley, el dominio y demás derechos reales*"); el art. 1940 Cc ("*para la prescripción ordinaria del dominio y demás derechos reales...*"); el art. 1951 Cc ("*las condiciones de la buena fe exigidas para la posesión en los artículos 433, 434, 435 y 436 de este Código, son igualmente necesarias para la determinación de aquel requisito en la prescripción del dominio y demás derechos reales*"); el art. 1957 Cc ("*el dominio y demás derechos reales sobre bienes inmuebles...*") y el art. 1959 Cc ("*se prescriben también el dominio y demás derechos reales sobre los bienes inmuebles...*").
En la misma línea, nuestro Tribunal Supremo ha afirmado en su STS 4 mayo 2007 (TOL1.075.958) que "*la consolidación es un modo de extinguir el derecho real limitativo del dominio cuando concurren en la misma persona las titularidades del derecho real pleno -propiedad- y del derecho real limitativo, que produce la extinción de este último*". En parecido sentido: RDGRN 31 julio 2014 (TOL4.498.428); RDGRN 21 septiembre 2018 (TOL6.820.412). Del mismo modo, se ha dicho en la STS 6 noviembre 2009 (TOL1.748.417) que "*...la propiedad, como derecho real pleno, recae sobre una cosa y corresponde al titular de este derecho, que es el propietario, el cual ubiqumque sit res, pro domino suo clamat. El titular de cualquier otro derecho no es propietario, sino titular y recibirá el nombre, si procede, según sea tal derecho (usufructuario, censatario, etc.)*".

Por lo que se refiere al derecho de propiedad, puede decirse, anticipando lo que desarrollaremos en otro punto de este trabajo, que es el derecho real paradigmático o prototípico[60], en tanto que otorga a su titular un poder total o pleno sobre el bien objeto de derecho (*ex* art. 348 Cc)[61]. La propiedad es, pues, la piedra angular sobre la que se sustenta, de forma general, nuestro ordenamiento jurídico-patrimonial[62] y, en particular, nuestro sistema inmobiliario-registral[63].

En cuanto a la segunda de las categorías dogmáticas mencionadas, los derechos reales limitados otorgan, como hemos adelantado más arriba, una facultad o un conjunto de facultades concretas sobre el

---

[60] De Ruggiero, R., *Istituzioni di diritto civile Vol. I...*, ob. cit., pág. 558; Blasco Gascó, F. de P., *Instituciones de Derecho Civil...*, ob. cit., pág. 39; Espín Cánovas, D., *Manual de Derecho Civil Español Vol. II...*, ob. cit., pág. 7; De Pablo Contreras, P., "El derecho real y sus caracteres", ob. cit., pág. 37; Cerdeira Bravo de Mansilla, G., *Derecho o Carga real...*, ob. cit., pág. 158. Ortega Pardo habla de "derecho real patrón". Ortega Pardo, G., ob. cit., pág. 702. Arangio-Ruiz, por su parte, prefiere denominar al dominio como "derecho real tipo". Arangio-Ruiz, V., "La struttura dei diritti reali sulla cosa altrui in diritto romano", *Archivio Giuridico Filippo Serafini* Vol. LXXXI, 1909, pág. 361.

[61] En este sentido, se viene afirmando que el derecho real de propiedad es pleno porque atribuye a su titular todas las utilidades que pueden obtenerse mediante la dominación de una cosa. Entre otros, Venzi, G., *Manuale di diritto italiano*, 4ª ed., UTET, Torino, 1929, pág. 259; Cerdeira Bravo de Mansilla, G., *Derecho o Carga real...*, ob. cit., pág. 159; De Pablo Contreras, P., "El derecho real y sus caracteres", ob. cit., pág. 37; Albaladejo García, M., *Derecho Civil III...*, ob. cit., pág. 17; Lacruz Berdejo, J. L. *et al.*, *Elementos de Derecho Civil III Derechos Reales Vol. I*, 2008, ob. cit., pág. 6; Blasco Gascó, F. de P., *Instituciones de Derecho Civil...*, ob. cit., págs. 39 y 40; Álvarez Olalla, P. *et al.* en *Manual de Derecho Civil...*, ob. cit., pág. 27; Martín Pérez, A., ob. cit., pág. 24.
Peña, por su parte, distingue entre, propiedad plena, de un lado, y propiedad gravada, de otro. Peña Bernaldo de Quirós, M., *Derechos Reales. Derecho Hipotecario T. I*, ob. cit., pág. 61. Esta postura, sin embargo, resulta inadecuada, ya que, como ha apuntado Cerdeira, la elasticidad del dominio impide que se pierda la nota de plenitud aunque el bien se halle gravado. Cerdeira Bravo de Mansilla, G., *Derecho o Carga real...*, ob. cit., pág. 166.

[62] Así lo estima Barbero en relación con el ordenamiento jurídico italiano, reflexión que es perfectamente extensible a nuestro derecho. Barbero, D., *Sistema del Derecho Privado T. II...*, ob. cit., pág. 210. Véase, asimismo, De Pablo Contreras, P., "El derecho real y sus caracteres", ob. cit., pág. 37.

[63] Como explica De Pablo Contreras, el primer derecho que puede inscribirse en relación con una finca es el de dominio. De Pablo Contreras, P., "El derecho real y sus caracteres", ob. cit., pág. 38.

bien objeto de derecho (poder parcial)[64]. Son varias las denominaciones que se han empleado en la literatura jurídica para hacer alusión a este tipo de derechos, de modo que, además de la ya citada expresión de derechos reales limitados, se han utilizado, como pone de relieve Ortega Pardo[65], las siguientes locuciones: derechos reales sobre cosa ajena (*iura in re aliena*)[66], derechos limitativos[67] y, finalmente, derechos fraccionarios[68].

Los dos primeros sintagmas enunciados en el párrafo anterior vienen a reflejar las dos caras de un mismo fenómeno, de modo que el derecho real es limitado frente al derecho de propiedad, al mismo tiempo que los *iura in re aliena* suponen una limitación para el derecho del propietario[69]. A la denominación de derechos reales limitativos se le ha objetado, sin embargo, que no resulta del todo precisa, ya que presupone que junto al derecho real limitado ha de coexistir el derecho de un propietario; lo cual, según algún autor, no parece exacto si se tiene en cuenta que pueden constituirse esta clase de derechos sobre una *res nullius*[70]. Este razonamiento, unido al expediente

---

64   Albaladejo García, M., *Derecho Civil III...*, ob. cit., págs. 22 y 23.
65   Ortega Pardo, G., ob. cit., págs. 702 y ss. Véase también Messineo, F., *Manual de Derecho Civil y Comercial T. III* (trad. Sentis Melendo, S.), ob. cit., pág. 200.
66   Véase Arangio-Ruiz, V., Voz "*Ius in re aliena*" en *Dizionario Pratico del Diritto Privato Vol. III Parte II* (dir. Scialoja, V.), Francesco Villardo, Milano, 1934, págs. 117 y ss.
67   El primer párrafo del art. 13 LH dispone que "*los derechos reales limitativos, los de garantía y, en general, cualquier carga o limitación del dominio o de los derechos reales, para que surtan efectos contra terceros, deberán constar en la inscripción de la finca o derecho sobre que recaigan*".
68   Véase Messineo, F., *Manual de Derecho Civil y Comercial T. III* (trad. Sentis Melendo, S.), ob. cit., pág. 200. Pothier se refiere a esta clase de derechos como *démembrements*. Véase Pothier, J., *Traités des Personnes et des Choses, du Domaine de propiété, de la Possession, de la Prescription, de L'Hypotèque, des Fiefs, des Cens, des Champarts T. IX* (annoteés et mises en corrélation avec le Code Civil et la législation actuelle par Bugnet, M.), Videocoq et Fils y Cosse et N. Delamotte, París, 1846, pág. 101. Accesible en: https://babel.hathitrust.org/cgi/pt?id=ucm.5313837805;view=1up;seq=7 (Página consultada por última vez el 12 de mayo de 2019).
69   Martín Pérez, A., ob. cit., pág. 24; Albaladejo García, M., *Derecho Civil III...*, ob. cit., págs. 17 y 18; Moreno Quesada, B., "Configuración del derecho real", ob. cit., pág. 35.
70   Ortega Pardo, G., ob. cit., pág. 709.

de los derechos reales limitados en cosa propia, es el que también ha motivado que algún autor se muestre reticente a la hora de emplear la expresión de derechos reales sobre cosa ajena[71]. Parece, sin embargo, algo exagerado rechazar la utilización de las mencionadas acepciones basándonos en las razones expuestas, ya que, pasando por alto el hecho de que la categoría de derechos reales limitados sobre cosa propia tiene difícil encaje en nuestro ordenamiento[72], lo normal es que el derecho real limitado recaiga sobre una cosa ajena (véanse,

---

[71]   Al respecto véanse Ortega Pardo, G., ob. cit., págs. 704-707; Martín Pérez, A., ob. cit., pág. 24; Moreno Quesada, B., "Configuración del derecho real", ob. cit., págs. 35, 38 y 39.

[72]   Véase Pérez González, B. y Alguer, J. notas a Wolff, M., *Derecho de cosas. T. III Vol. I...*, ob. cit., pág. 17. Por lo que se refiere a la servidumbre de propietario, un amplio número de autores se muestra contrario a su admisión, encontrándose entre ellos Cuadrado Pérez. Véase Cuadrado Pérez, C., *La servidumbre de propietario*, Fundación Registral, Colegio de Registradores de la Propiedad y Mercantiles de España, Madrid, 2008, págs. 217 y 218. Esta postura parece haber sido, asimismo, acogida en el ámbito jurisprudencial, en tanto que en la STS 21 mayo 2003 (TOL274.496) se puso de manifiesto que "...*de servidumbre sobre cosa propia no se puede hablar, no pudiendo el único propietario construir un gravamen real sobre cosa propia; el dominio es un derecho real absorbente pues lleva en sí, como contenido, todas las facultades de goce y disposición sobre una cosa. La misma sirve a su titular por estar sometida a su derecho de propiedad, no porque recaiga sobre ella ningún derecho real en favor de aquél. Otra cosa es que el propietario prefigure una servidumbre, que será efectiva cuando enajene alguno de los predios, aunque siempre habrá de contarse con el consentimiento expreso o tácito del nuevo titular para esa efectividad, pues antes de su adquisición no existía jurídicamente ninguna servidumbre*".
No obstante lo anterior, es necesario resaltar que la figura de la servidumbre de propietario se encuentra expresamente recogida en algunos derechos civiles autonómicos (arts. 566-3 Cc Cat. y 564 CDFA), lo que, desde el punto de vista de Fernández Villavicencio, resulta un argumento de peso en lo que a la admisión de esta figura en el Derecho civil estatal se refiere. Véase Fernández Villavicencio Álvarez Ossorio, M.ª C., "Servidumbres, servidumbre de propietario y propiedad horizontal" en *Tratado de Servidumbre* (dir. Cerdeira Bravo de Mansilla, G.), La Ley, Madrid, 2015, págs. 1556 y ss.
En cuanto a la hipoteca de propietario, la Dirección General de los Registros y del Notariado ha rechazado en repetidas ocasiones su admisión. Así, entre otras, RDGRN 31 julio 2014 (TOL4.498.428), RDGRN 14 enero 1999 (TOL132.809) y RDGRN 5 noviembre 1990 (RJ 1990\9310). Sobre los obstáculos en la creación de una figura de estas características: Diéguez Oliva, R., *El principio de accesoriedad y la patrimonialización del rango*, Fundación Registral, Colegio de Registradores de la Propiedad y Mercantiles de España, Madrid, 2009, págs. 102 y ss.

entre otros, los arts. 467 y 530 Cc) y, por ende, que este coexista con la titularidad dominical[73].

Por lo que se refiere a la expresión de derechos reales fraccionarios, nos parece que resulta inadecuada, ya que equivaldría a admitir que el dominio es una suma de facultades, tesis superada por la doctrina moderna[74], como tendremos la ocasión comprobar en el último capítulo de este trabajo. De este modo, nos parece que, salvo esta última acepción, resulta adecuado, desde el punto de vista de la técnica jurídica referirse a esta categoría dogmática mediante cualquiera de las locuciones arriba señaladas, sin perjuicio de reconocer que la más extendida es la de derechos reales limitados[75].

---

[73]   Albaladejo García, M., *Derecho Civil III...*, ob. cit., pág. 23; Martín Pérez, A., ob. cit., pág. 24. En este sentido, ha de traerse a colación la STS 7 junio 2007 (TOL1.106.759), donde se trató un supuesto en el que una de las partes se comprometía a transferir el dominio de un inmueble a cambio de percibir una renta vitalicia, reservándose, asimismo, un derecho de uso, así como un derecho de habitación, sobre el mencionado inmueble. De este modo, nuestro Alto Tribunal, en relación con los derechos de uso y habitación, señaló que *"siendo indudablemente iura in re aliena, que gravan la propiedad en cuanto menoscaban su contenido, impidiendo al propietario el ejercicio de facultades dominicales que de ordinario le corresponden (uso y disfrute, limitado a las necesidades del usuario y habitacionista), ello no supone que el dominio no exista o se extinga al constituirse aquellos, pues precisamente son derechos in re aliena porque presuponen la titularidad dominical a favor de persona distinta, sin que existan como derechos independientes sin la existencia misma del dominio del que traen causa las facultades que forman su contenido, con lo que el adquirente, como verdadero y único dueño, titular de un poder jurídico sobre la cosa, de entidad cualitativa y cuantitativamente superior, conserva el control de las demás facultades dominicales, exclusión hecha de las que integran aquellos derechos reales, todo lo cual es perfectamente compatible con el requisito de que la renta vitalicia imponga la necesaria transmisión del dominio del bien al obligado a pagar la pensión"*. En la línea de lo anterior, la Dirección General de los Registros y del Notariado puso de relieve en una de sus resoluciones que *"...nuestro Código Civil, al regular en el artículo 530 la servidumbre como gravamen impuesto sobre un inmueble en beneficio de otro de distinto dueño, pone de relieve su carácter «de iura in re aliena», que por coexistir con el derecho de propiedad, ha de tener un contenido limitado que disminuya el disfrute y valor del predio sirviente sin agotar ni poner en peligro la subsistencia misma del derecho gravado"*. RDGRN 27 octubre 1947 (RJ\1947\1480).

[74]   Ortega Pardo, G., ob. cit., pág. 703; Martín Pérez, A., ob. cit., pág. 25.

[75]   Martín Pérez, A., ob. cit., pág. 24; Espín Cánovas, D., *Manual de Derecho Civil Español Vol. II...*, ob. cit., pág. 7 nota al pie núm. 9. El propio legislador catalán

Sentado lo anterior, se llega a comprender por qué los derechos reales limitados se definen y clasifican por su contenido[76]. Así y siguiendo la catalogación más extendida, podríamos decir que en el panorama jurídico-real existen los derechos reales limitados de goce o disfrute, los derechos reales de garantía y, por último, los derechos reales de adquisición[77]. Aunque analizaremos cada una de estas categorías en el tercer capítulo de este trabajo, creemos necesario adelantar unas nociones básicas acerca de las mismas.

Comenzando por los derechos reales de goce, puede afirmarse, con Díez-Picazo, que son aquellos que "...permiten a su titular la utilización o explotación, total o parcial, de un bien ajeno, así, como, en algunos casos, la apropiación o adquisición de los frutos o rendimientos producidos por el bien en cuestión"[78]. Por tanto, se observa que la principal característica de esta categoría de derechos es que otorgan a titular el goce de un bien que no le es propio, independientemente de que las facultades que este ostenta puedan resultar distintas en función del derecho real de que se trate (servidumbre, usufructo, superficie, entre otros).

Por lo que se refiere a la categoría de los derechos reales de garantía, pueden definirse como aquellos que otorgan a su titular un determinado poder jurídico sobre un bien, con independencia de quien lo posea, en aras de satisfacer su interés, el cual versa sobre el cumplimiento de la obligación garantizada[79]. En cuanto a los derechos reales de adquisición, su concepción como categoría autónoma de derechos e, incluso, como auténticos derechos reales no ha sido en ningún caso

---

[76] ha acogido esta denominación, de modo que el Título VI del Libro V Cc Cat. lleva por rótulo "de los derechos reales limitados".

[76] De Pablo Contreras, P., "El derecho real y sus caracteres", ob. cit., pág. 37; Álvarez Olalla, P. *et al.* en *Manual de Derecho Civil...*, ob. cit., págs. 41 y ss.

[77] Espín Cánovas, D., *Manual de Derecho Civil Español Vol. II...*, ob. cit., pág. 8; Lacruz Berdejo, J. L. *et al.*, *Elementos de Derecho Civil III Derechos Reales Vol. I*, 2008, ob. cit., pág. 6; Albaladejo García, M., *Derecho Civil III...*, ob. cit., págs. 23 y 24; Lasarte Álvarez, C., *Propiedad y derechos reales de goce...*, ob. cit., 2010, pág. 15; Moreno Quesada, B., "Configuración del derecho real", ob. cit., pág. 36.

[78] Díez-Picazo y Ponce de León, L., *Fundamentos del Derecho Civil Patrimonial Vol. III...*, ob. cit., pág. 114.

[79] De Pablo Contreras, P., "El derecho real y sus caracteres", ob. cit., pág. 38.

pacífica. No obstante, admitiendo que se trata de figuras jurídico-reales, los derechos de adquisición pueden ser definidos como derechos reales limitados que otorgan a su titular la facultad de obtener la transmisión de un bien o derecho, por quien fuera su propietario o titular, a cambio del pago de un precio[80].

Lo hasta aquí expuesto nos permite concluir, con un sector de la doctrina[81], que el compendio de facultades que se otorgan al titular del derecho (facultades de disfrute, de uso, de realización del valor, de adquisición, de disposición, entre otras[82]) son las que verdaderamente nos permiten realizar una correcta clasificación de las figuras jurídico-reales[83].

2.2. El aspecto externo

El término absolutividad, ausente en el Diccionario de la Real Academia[84], es empleado comúnmente en la literatura jurídica para hacer referencia a dos aspectos diversos en relación con el fenómeno jurídico-real. Así, puede decirse, con Giorgianni[85], que el mencionado vocablo es utilizado tanto para designar a la relación que mantiene el titular del derecho real con los terceros (deber general de abstención) como para hacer alusión a la oponibilidad *erga omnes* propia de esta clase de derechos subjetivos. En este sentido, ambas realidades reflejan las dos caras del concepto absolutividad, que, como apunta Domínguez Platas, si se observa desde una perspectiva estática, se refiere a la defensa del derecho real, y si se hace desde un punto de

---

[80]   Lacruz Berdejo, J. L. *et al.*, *Elementos de Derecho Civil III Derechos Reales Vol. II Derechos reales limitados. Situaciones de cotitularidad*, 3ª ed. revisada y puesta al día por Luna Serrano, A., Dykinson, Madrid, 2009, pág. 343.

[81]   Álvarez Olalla, P. *et al.* en *Manual de Derecho Civil...*, ob. cit., págs. 41 y ss.

[82]   Rogel Vide, C., ob. cit., pág. 18; Díez-Picazo y Ponce de León, L., *Fundamentos del Derecho Civil Patrimonial Vol. III...*, ob. cit., págs. 915 y ss.

[83]   Álvarez Olalla, P. *et al.* en *Manual de Derecho Civil...*, ob. cit., pág. 41.

[84]   Utilizaremos esta expresión debido a su arraigo práctico y doctrinal, aunque creemos que lo más correcto desde un punto de vista léxico hubiese sido hablar de absolutidad, término que según la Real Academia Española significa "cualidad de absoluto".

[85]   Giorgianni, M., "Los derechos reales"..., ob. cit., págs. 1197 y 1198. También Domínguez Platas, J., *Obligación y derecho real de goce*, Tirant Lo Blanch, Valencia, 1994, págs. 66 y ss.

vista dinámico, apunta a su exigibilidad[86]. Reconociendo que por su evidente conexión, lo más frecuente en la práctica es que no se realice una distinción entre la absolutividad en sentido estricto y la oponibilidad[87], estimamos que por razones expositivas resulta más conveniente analizar cada una de estas nociones de manera separada.

A) El deber general de abstención

Lacruz, recurriendo a la figura Robinson Crusoe, señaló, con acierto, que el protagonista de la novela homónima de Daniel Defoe no pudo establecer ninguna relación jurídica durante el periodo que permaneció aislado en el lugar donde había naufragado[88]. Esta metáfora literaria nos conduce directamente a la idea de la relación jurídica intersubjetiva propuesta por Savigny[89], tesis sobre la que se apoyaron los defensores de las teorías personalistas y unitarias para la construcción dogmática de la obligación pasiva universal, entendida esta como el deber que tienen los terceros de no impedir el libre ejercicio del derecho real por parte de su titular[90].

A pesar de tener que advertir que las teorías personalistas y unitarias se entienden hoy superadas por la doctrina mayoritaria, puede decirse que contribuyeron notablemente a la configuración teórica de la categoría de los *iura in re*. En este sentido, es comúnmente aceptado que los derechos reales han de ser respetados por los terceros, de modo que estos habrán de abstenerse de perturbar a su titular en

---

[86] Domínguez Platas, J., *Obligación y derecho real...*, ob. cit., pág. 69.

[87] Domínguez Platas, J., *Obligación y derecho real...*, ob. cit., pág. 69. En este sentido, parecen emplearse ambas expresiones de forma análoga en Lacruz Berdejo, J. L. *et al.*, *Elementos de Derecho Civil III Derechos Reales Vol. I*, 2008, ob. cit., págs. 2 y 3; Puig Brutau, J., *Fundamentos de Derecho Civil T. III Vol. I...*, ob. cit., pág. 7.

[88] Lacruz Berdejo, J. L. *et al.*, *Elementos de Derecho Civil Parte General Introducción Vol. I*, 5 ª ed. rev. y puesta al día por Delgado Echevarría, J.), Dykinson, Madrid, 2012, pág. 1.

[89] Concretamente, Savigny afirmó que "cada relación de derecho aparece como relación de persona a persona, determinada por una regla jurídica, la cual asigna a cada individuo un dominio en donde su voluntad reina independientemente de toda voluntad extraña". Savigny, F., *Sistema del Derecho Romano actual T. I* (trad. Mesía, J., y Poley, M.), 2ª ed., Centro Editorial de Góngora, 1930, Madrid, pág. 258.

[90] Blasco Gascó, F. de P., *Instituciones de Derecho Civil...*, ob. cit., pág. 34.

el ejercicio de su derecho, idea que se concreta en la expresión *deber general de abstención*[91], la cual desglosaremos a continuación.

Hemos de comenzar señalando que el sustantivo *deber* no se emplea como sinónimo de obligación crediticia[92]. Así, el titular del derecho real no ostenta la condición de un acreedor personal[93], del mismo modo que no puede decirse que haya deudores constreñidos por una obligación de carácter negativo[94]. En este sentido, únicamente puede hablarse de sujetos que, en abstracto, se hallan obligados a no impedir al titular del *ius in re* el libre ejercicio del mismo, deber que se concreta en aquellos casos en los que se produce una perturbación efectiva de dicho ejercicio o en los que se da un especial contacto con la cosa objeto de derecho por parte de determinados sujetos[95]. De este modo, resulta adecuada la reflexión apuntada por García García cuando afirma que "siempre existirá en potencia una futura relación jurídica, pero ésta será la que se dé no entre el titular del poder de la cosa y el objeto del mismo, sino entre el titular de la cosa y otras personas que se pongan en relación con aquel titular por razón de la cosa"[96]. El de-

---

[91] De Pablo Contreras, P., "El derecho real y sus caracteres", ob. cit., pág. 31; Clemente De Diego, F., ob. cit., pág. 364. En concreto, se dice que el deber general de abstención es aquel "...que a todos corresponde, y en primer lugar a uno entre todos los terceros, por estar en especiales condiciones de perjudicar al derecho del titular". Domínguez Platas, J., *Obligación y derecho real...*, ob. cit. pág. 53. A favor de esta nota, aunque reconociendo que en sí misma considerada no es suficiente para caracterizar el derecho real, Valverde Y Valverde, C., ob. cit., pág. 13.

[92] Sánchez de Frutos, F., ob. cit., pág. 679; Espín Cánovas, D., *Manual de Derecho Civil Español Vol. II...*, ob. cit., pág. 5; Barassi, L., *Diritti reali e posseso...*, ob. cit., pág. 37; Lacruz Berdejo, J. L. *et al.*, *Elementos de Derecho Civil III Derechos Reales Vol. I*, 2008, ob. cit., pág. 5; Peña Bernaldo de Quirós, M., *Derechos Reales. Derecho Hipotecario T. I*, ob. cit., pág. 57; De Pablo Contreras, P., "El derecho real y sus caracteres", ob. cit., pág. 31.

[93] Von Tuhr señala que este deber de abstención no implica la existencia de una verdadera obligación precisamente porque no hay un acreedor. Von Tuhr, A., *Tratado de las obligaciones* (trad. Roces. W.), Granada, Comares, 2007, pág. 5.

[94] De Pablo Contreras, P., "El derecho real y sus caracteres", ob. cit., pág. 31. Sobre las diferencias entre el deber general de abstención y las obligaciones negativas véase Domínguez Platas, J., *Obligación y derecho real...*, ob. cit. págs. 45 y 46.

[95] Barassi, L., *Diritti reali e posseso...*, ob. cit., pág. 36. Domínguez Platas, J., *Obligación y derecho real...*, ob. cit. págs. 57 y 58. Así parece entenderlo también Clemente De Diego, F., ob. cit., págs. 365 y 366.

[96] García García, J. M., "La relación jurídica...", ob. cit., pág. 426.

ber general de abstención se concretará, por tanto, cuando se impida
el libre ejercicio del derecho real o, en su caso, cuando haya un sujeto
especialmente relacionado con la cosa objeto de derecho[97].

Enlazando con lo anterior, debe destacarse que ese deber de abstención que se impone a los terceros ha llevado a un sector de la doctrina
a cuestionarse la nota de inmediatividad que, como vimos en un apartado anterior, viene caracterizando a esta clase de derechos subjetivos.
Se razona, así, que el hecho de que los terceros se hallen obligados a
respetar el libre ejercicio del derecho real se traduce en una colaboración por parte de los mismos hacia el titular del *ius in re*[98]. Resulta, sin
embargo, ciertamente exagerado y, en nuestra opinión, erróneo pensar
que la abstención de los terceros se materializa en una cooperación tal
que elimine la nota de inmediatividad de este tipo de derechos, ya que
no solo no existe una relación jurídica hasta el momento en el que el
deber general se concreta, sino que, una vez se produce tal concreción,
los sujetos no se hallan obligados personalmente[99].

En cuanto al adjetivo *general*, este se emplea para enfatizar la idea
de que el deber de abstención se impone abstractamente a todos los
sujetos. En este sentido, nos parece que el uso del calificativo *general*
resulta más adecuado que el empleo del término *universal*, utilizada,
como ya anunciamos, por los defensores de las tesis personalistas y
unitarias. En este sentido, el deber de abstención no puede ser entendido como una obligación que "...se extiende a todo el mundo, a
todos los países..."[100], sino como un deber que se proyecta sobre la
generalidad y que, finalmente, queda concretado, como dijimos con
anterioridad, cuando se produce la transgresión del derecho del titular o cuando un sujeto mantiene, por determinadas circunstancias,

---

[97]   Domínguez Platas, J., *Obligación y derecho real...*, ob. cit., pág. 57.
[98]   Tilocca, E., "La distinzione tra diritti reali e diritti di crédito", *Archivio Giuridi-
       co Filippo Serafini* Vol. CXXXVIII fasc. 1, 1950, pág. 11.
[99]   Véase Clemente De Diego, F., ob. cit., págs. 365 y 366.
[100] Es una de las acepciones que se le da en el Diccionario de la Real Academia. So-
       bre este punto hemos de traer a colación la crítica realizada en su día por Kohler,
       quien sostuvo que la teoría de la obligación pasiva universal llevada a sus últimas
       consecuencias implicaría que a través de la abstención de un ciudadano africano, el
       derecho de cualquier propietario recorrería el mundo hasta el polo. Kohler citado
       en Barassi, L., *Diritti reali e posseso...*, ob. cit., pág. 36. En relación con lo anterior,
       véase, asimismo, García García, J. M., "La relación jurídica...", ob. cit., pág. 426.

una especial relación con la cosa, como puede ser el caso, por ejemplo, del propietario del fundo sirviente[101].

Hemos de advertir que el deber genérico de abstención se contrapone con los deberes específicos que se derivan de los derechos reales limitados[102], sin perjuicio de que aquel quede diluido en este[103]. Ello queda perfectamente reflejado si se toma como referencia el derecho real de servidumbre negativa, en el cual el titular del fundo sirviente deberá abstenerse de realizar una concreta conducta, pero no en virtud de un deber general y abstracto, sino como consecuencia de un deber específico[104]. No puede, por tanto, equipararse, como hace algún autor[105], el deber que se impone al propietario del fundo grava-

---

[101]   Barassi, L., *Diritti reali e posseso...*, ob. cit., págs. 36 y 37; Domínguez Platas, J., *Obligación y derecho real...*, ob. cit., págs. 57-59. Véase, asimismo, Von Tuhr, A., *Tratado de las obligaciones...*, ob. cit., pág. 5. De buen, por su parte, afirma que "...la expresión de que se crea una relación jurídica entre un hombre y el resto de la humanidad, constituye un bonito absurdo, sobre todo si se estima que la relación jurídica para serlo ha de estar dotada de acción". De buen, D., "La teoría de la relación jurídica en el Derecho Civil" en *Libro-Homenaje al profesor Don Felipe Clemente de Diego*, Madrid, 1940, pág. 191.
Betti reconoce, asimismo, que no puede pensarse en un *todos* en lo que al sujeto pasivo del derecho real se refiere, de modo que este deber ha de concretarse respecto de aquellos sujetos que se hallan en una posición idónea para impedir el ejercicio del derecho. El autor termina por rechazar, sin embargo, la nota de oponibilidad *erga omnes*, postura que no compartimos. Véase Betti, E., *Teoria generale delle obbligazioni T. I*, Giuffrè, Milano, 1953, págs. 12 y ss.

[102]   Messineo, F., *Manual de Derecho Civil y Comercial T. III* (trad. Sentis Melendo, S.), ob. cit., pág. 199. Pena López señala que no puede establecerse una equivalencia entre quien soporta un gravamen y el sujeto que está obligado de forma general a respetar los derechos ajenos. Pena López, J. M., ob. cit., pág. 87.

[103]   Como afirma Domínguez Platas, el deber general de abstención "...si se quiere tan abstracto, realmente existe, aunque no se perciba". Domínguez Platas, J., *Obligación y derecho real...*, ob. cit. pág. 58. También Barassi, L., *Diritti reali e posseso...*, ob. cit., pág. 39.

[104]   En este sentido, Rebolledo afirma que "...en una servidumbre negativa la utilidad se produce por una abstención concreta del dueño del predio sirviente respecto de determinadas facultades cuyo no hacer es el contenido directo y único de la servidumbre, y no el mero reverso de soportar...". Rebolledo Varela, A. L., "Las servidumbres positivas y negativas" en *Tratado de Servidumbres T. I Régimen de las servidumbres en el Código Civil* (coord. Rebolledo Varela, A. L.), 3ª ed., Aranzadi, Cizur Menor, 2013, pág. 130. La cursiva es del autor. También mantiene esta postura Barassi, L., *Diritti reali e posseso...*, ob. cit., págs. 38 y 39.

[105]   Dabin, J., "Une nouvelle definition de droit réel", *R.T.D. Civ.*, 1962, pág. 35.

do con la obligación que se proyecta, en abstracto, sobre los terceros, independientemente de que la conducta que se le exija a aquel sea la de abstenerse.

Finalmente, con la expresión *abstención* se pone de relieve, como venimos repitiendo, que los terceros no pueden perturbar al titular del derecho real en el pacífico ejercicio de su derecho, lo que puede traducirse, como apunta la doctrina, en la facultad de exclusión[106]. Es cierto que esta nota es más palpable en el derecho real pleno o dominio[107], pero no puede negarse que también se halla presente en los *iura in re aliena*[108]. Esta abstención es, además, compatible, como hemos señalado con anterioridad, con la existencia de deberes específicos de conducta[109].

Puede concluirse, por tanto, que el deber general de abstención ha de ser interpretado como como una obligación que incumbe a los terceros *ex ante* a la violación del derecho real de que se trate[110]. En el caso de que se produzca la conculcación del derecho real la nota de

---

[106]   Domínguez Platas, J., *Obligación y derecho real...*, ob. cit. pág. 69; Cerdeira Bravo de Mansilla, G., *Derecho o Carga real...*, ob. cit., págs. 178 y ss.; Lacruz Berdejo, J. L. *et al.*, *Elementos de Derecho Civil III Derechos Reales Vol. I, 2008*, ob. cit., pág. 3. Aunque no hable directamente de exclusión, parece sostener esta idea De Pablo Contreras, P., "El derecho real y sus caracteres", ob. cit., pág. 31.

[107]   Domínguez Platas sostiene que ello se debe al hecho de que la propiedad es un derecho que, en principio, no implica apriorísticamente ninguna relación con terceras personas. Domínguez Platas, J., *Obligación y derecho real...*, ob. cit. págs. 67 y 68.

[108]   En la SAP Cádiz (Sección 6ª, Ceuta) 12 diciembre 2016 (TOL5.937.701) se puso de manifiesto, en relación con el derecho real de servidumbre, que si la demandante "...*se viera inquietada en su derecho de goce, que lleva aparejado un deber general de abstención de perturbarlo por el resto de la comunidad, se ve amparada para instar de los tribunales su cese...*". En contra se pronuncia Giorgianni, quien estima que no puede derivarse de los derechos reales limitados un deber general de abstención. Giorgianni, M., "Los derechos reales"..., ob. cit., págs. 1202 y 1203.

[109]   Parece, pues, algo extrema la postura sostenida por Windscheid, quien llegó a afirmar que "il diritto reale contiene solo divieti". Windscheid, B., *Diritto delle Pandette Vol. I* (trad. Fadda, C., y Bensa, P. E.), UTET, Torino, 1930, pág.112 nota al pie núm. 3.

[110]   Domínguez Platas, J., *Obligación y derecho real...*, ob. cit. págs. 55 y 56. Véase, asimismo, Cerdeira Bravo de Mansilla, G., *Derecho o Carga real...*, ob. cit., pág. 179.

absolutividad se manifestará a través de la denominada oponibilidad *erga omnes*[111], que será estudiada a continuación.

B)   Oponibilidad *erga omnes*

La segunda de las acepciones que la doctrina atribuye al término absolutividad se refiere a la oponibilidad, entendida esta como "…la posibilidad de hacer valer la existencia del derecho en contra de los terceros…"[112]. De este modo, hay quien sostiene que la oponibilidad actúa como un auténtico complemento de la absolutividad entendida en sentido estricto, ya que será a través de aquella cuando la situación jurídica absoluta pueda desplegar los efectos que le son propios[113].

Esa oponibilidad que viene caracterizando a los derechos reales se ve, sin embargo, excepcionada en determinados casos en los que, con el fin de proteger la buena fe y la seguridad en el tráfico, el legislador prevé que no prevalezca el derecho real frente a las posibles adquisiciones de terceros[114]. Así, podrían traerse aquí a colación tanto el supuesto contenido en el art. 464 Cc[115] como el previsto en el art. 34 LH[116]. No puede olvidarse, sin embargo, que un derecho no pierde

---

[111]   Domínguez Platas, J., *Obligación y derecho real…,* ob. cit. págs. 55 y 56. En sentido similar se pronuncian Cerdeira Bravo de Mansilla, G., *Derecho o Carga real…,* ob. cit., pág. 179; Barbero, D., *Sistema del Derecho Privado T. II…,* ob. cit., pág. 209. Del mismo modo, cabe destacar que en la STSJ Navarra (Sala de lo Civil y Penal, Sección 1ª) 2 junio 2009 (RJ 2009\503) parece apuntarse que la oponibilidad *erga omnes* es una de las consecuencias de la absolutividad.

[112]   Ragel Sánchez, L. F., *Estudio legislativo y jurisprudencial del derecho civil: obligaciones y contratos,* Dykinson, Madrid, 2000, pág. 22.

[113]   Pau Pedrón, A., *La publicidad registral,* Centro de Estudios Registrales, Madrid, 2001, págs. 297 y 359.

[114]   Albaladejo García, M., *Derecho Civil III…,* ob. cit., pág. 16. También Amorós Guardiola, M., *Estudios Jurídicos T. I,* Colegio de Registradores de la Propiedad y Mercantiles de España, Centro de Estudios, Madrid, 2009, pág. 353.

[115]   Méndez González, F. P., ob. cit., pág. 790; Álvarez Olalla, P. *et al.* en *Manual de Derecho Civil…,* ob. cit., pág. 42; Martín Pérez, A., ob. cit., pág. 6; De la Cámara Álvarez, M., "Notas críticas sobre la naturaleza de la hipoteca como derecho real", *R.D.P.,* mayo 1949, pág. 396.

[116]   Albaladejo García, M., *Derecho Civil III…,* ob. cit., pág. 16; Méndez González, F. P., ob. cit., pág. 790; Álvarez Olalla, P. *et al.* en *Manual de Derecho Civil…,* ob. cit., pág. 42; Castán Tobeñas, J., *Derecho Civil Español, Común y Foral T. II Vol. I,* ob. cit., pág. 48; De la Cámara Álvarez, M., ob. cit., pág. 396. Sobre

su naturaleza jurídica por el hecho de que concurran determinadas circunstancias que impidan el despliegue de los efectos que le son propios, de modo que puede decirse que un derecho sigue siendo real aun cuando, por cuestiones de política legislativa, se restrinja su oponibilidad *erga omnes*[117].

Sentado lo anterior, debemos advertir que es frecuente que en la literatura jurídica se conecte la cuestión de la oponibilidad de los derechos reales con la de su publicidad. Aunque nos detendremos en este punto en otros lugares de este trabajo, creemos necesario adelantar que, salvo contadas excepciones, la publicidad no se erige como un requisito de creación de los derechos reales[118]. Ello se explica si se tiene en cuenta que en nuestro ordenamiento la inscripción no tiene, como regla general, carácter constitutivo. En este sentido, debe tenerse presente que "*...la categoría de Derecho Real no se produce por el simple acceso al Registro de la Propiedad sino que deviene por su íntima naturaleza jurídica que la inviste de una eficacia "erga omnes"...*"[119].

---

el significado de la fe pública registral en nuestro ordenamiento jurídico: Vela Sánchez, A. J., *La adquisición de la Propiedad y Aplicación del Principio de Fe Pública Registral en las Ventas Judiciales Inmobiliarias. Estudio jurisprudencial y doctrinal*, Aranzadi, Cizur Menor, 2009, págs. 89-94; Roca Sastre, R. M.ª *et al.*, *Derecho Hipotecario T. II Vol. II*, 9ª ed., Bosch, Barcelona, 2008, págs. 7 y ss. Véase, asimismo, Gordillo Cañas, A., "El principio de fe pública registral (I)", *A.D.C.* fasc. II, 2006, págs. 509 y ss. Accesible en: http://bit.ly/2GQnfsN (Página consultada por última vez el 6 de agosto de 2019).

[117] Valverde y Valverde, ob. cit., pág. 12.

[118] Gordillo Cañas, A., "El objeto de la publicidad en nuestro sistema inmobiliario registral: la situación jurídica de los inmuebles y las limitaciones dispositivas y de capacidad de obrar del titular", *A.D.C.* fasc. II, 1998, págs. 470 y 471. Accesible en: http://bit.ly/2ZDaGs0 (Página consultada por última vez el 5 de agosto de 2019). También Espejo Lerdo de Tejada, M., *La reserva de dominio inmobiliaria en el concurso*, Aranzadi, Cizur Menor, 2006, págs. 93 y ss.; Espejo Lerdo de Tejada, M., "El derecho real limitado de paso y su creación y configuración voluntarias", *R.D.C.* Vol. I núm. 4, octubre-diciembre 2014, pág. 19. La última de las obras citadas se encuentra accesible en: http://bit.ly/2N81ZT4 (Página consultada por última vez el 16 de agosto de 2019).

[119] STS 3 marzo 1995 (TOL1.667.078). En igual sentido, la SAP Almería (Sección 1ª) 16 julio 2013 (TOL4.469.977). Del mismo modo, Rodríguez González afirma que "la oponibilidad del derecho real es consustancial con su naturaleza". Rodríguez González, J. I., *El principio de relatividad de los contratos en el derecho español*, Colex, Madrid, 2000, pág. 187.

Cuestión distinta a la expuesta en el párrafo precedente es que, como veremos, "...la omisión de la inscripción alza a la natural oponibilidad del derecho el obstáculo que le impone la protección de los terceros de buena fe..."[120]. Esta última afirmación guarda una especial relación con el tradicional debate sobre la oponibilidad de determinados derechos reales no posedibles como es el caso, por ejemplo, de los tanteos y los retractos voluntarios[121].

Sobre todas estas cuestiones volveremos a lo largo de esta investigación, ya que guarda especial relación con el objeto principal de nuestro estudio, en tanto que, como se ha señalado, el tema de la construcción de figuras jurídico-reales no previstas por el legislador suele reconducirse en no pocas ocasiones a la cuestión de su eficacia frente a terceros.

C) *Acción real*

La doctrina suele señalar que la oponibilidad *erga omnes* de los derechos reales se traduce en que estos se hallan protegidos por acciones reales[122], debiendo recordar, según lo expuesto más arriba, que este tipo de acciones se ejercitan, sin embargo, contra a un sujeto concreto[123]. Así, tal es la importancia de la acción que, incluso, De Pablo Contreras llega al concepto de derecho real a partir de la misma, de

---

[120] Gordillo Cañas, A., "El objeto de la publicidad en nuestro sistema inmobiliario registral...", ob. cit., pág. 471. También Espejo Lerdo de Tejada, M., "El derecho real limitado de paso y su creación y configuración voluntarias", ob. cit., pág. 19; Espejo Lerdo de Tejada, M., *La reserva de dominio inmobiliaria en el concurso*, ob. cit., págs. 93 y ss.

[121] Aunque volveremos a hacer referencia a este pronunciamiento, resulta especialmente relevante en este punto la STS 29 abril 2005 (TOL641.867).

[122] Álvarez Olalla, P. *et al.* en *Manual de Derecho Civil...*, ob. cit., pág. 41; Martín Pérez, A., ob. cit., pág. 6. Véase, asimismo, Von Tuhr, A., *Tratado de las obligaciones...*, ob. cit., pág. 5.

[123] Así, podemos afirmar, con De Buen, que "...es inexacto que la acción nacida de un derecho real se dé contra todos. Se da contra personas determinadas, pues constituiría un absurdo demandar a la humanidad entera". De buen, D., *Derecho civil común Vol. I*, 3ª ed., Reus, Madrid, 1936, pág. 141.

modo que, bajo su punto de vista, aquel puede definirse como el derecho que se halla "...protegido por (al menos) una acción real..."[124].

Siguiendo en líneas generales el esquema propuesto por el mencionado autor, hemos de destacar que el planteamiento expuesto en el párrafo precedente cobra sentido si se tiene en cuenta que la categoría de los derechos reales es heredera del sistema procesal romano, el cual distinguió entre las *actiones in rem*, de un lado, y las *actiones in personam*, de otro[125]. Esta dicotomía fue de la que se sirvieron los

---

[124]   De Pablo Contreras, P., "El derecho real y sus caracteres", ob. cit., pág. 29. En este sentido, Díez-Picazo señala que el carácter real del derecho de propiedad reside precisamente en que el titular dominical puede reclamar el bien objeto de derecho con independencia de donde se encuentre y quien lo posea. Del mismo modo, el mencionado autor considera que los derechos reales limitados tienen naturaleza real porque su titular está legitimado para ejercitar una acción frente al propietario del bien y, añadiríamos nosotros, frente a cualquiera que perturbe el normal y adecuado ejercicio de su derecho. Véase Díez-Picazo y Ponce de León, L., *Fundamentos del Derecho Civil Patrimonial Vol. I...*, ob. cit., pág. 89. En parecido sentido, Domínguez Luelmo señala, en relación con la redacción del art. 1962 Cc que "por acciones reales hay que entender aquí todas las que vayan dirigidas a proteger un derecho real de carácter mobiliario". Domínguez Luelmo, A., "Comentario a los artículos 1962 y 1963" en *Comentarios al Código Civil* (dir. Domínguez Luelmo, A.), Lex Nova, Valladolid, 2010, pág. 2124.
Por lo que se refiere a la jurisprudencia, nuestro Alto Tribunal ha señalado en su STS 19 noviembre 2012 (TOL2.727.546) que la acción real debe entenderse "... *en el sentido de tender a la protección de un derecho de esa clase...*".

[125]   De Pablo Contreras, P., "El derecho real y sus caracteres", ob. cit., pág. 29. Como apunta Miquel González, los romanos no llegaron a enfocar "el problema jurídico desde el punto de vista meramente estático del Derecho subjetivo, sino desde el punto de vista dinámico de la acción". Miquel González, J., *Derecho Privado Romano*, Marcial Pons, Madrid, 1992, pág. 160. En parecido sentido se pronuncian, entre otros, Montero Aroca, J., "Acción y tutela judicial" en *Derecho Jurisdiccional. Parte General*, Tirant Lo Blanch, 2018, págs. 204 y 205; Arias Ramos, J., y Arias Bonet, J. A., *Derecho Romano T. I Parte General. Derechos Reales*, 18ª ed. (2ª reimp.), EDERSA, Madrid, 1990, pág. 55; Ortega Carrillo de Albornoz, A., *Derecho Privado Romano*, Promotora Cultural Malagueña, Málaga, 1999, págs. 112 y 113; Ventura Silva, S., *Derecho Romano. Curso de Derecho Privado*, 22ª ed., Porrúa, México, 2006, pág. 269; Rascón, C., *Síntesis de Historia e Instituciones de Derecho Romano*, 4ª ed., Tecnos, Madrid, 2011, págs. 270 y 271; Huerta Trólez, A., "El derecho real. El derecho de propiedad. Adquisición: el título y el modo. Pérdida de dominio" en *Instituciones de Derecho Privado T. II Reales Vol. I* (dir. Garrido De Palma, V. M.), 2ª ed., Aranzadi, Cizur Menor, 2017, pág. 77.
Por lo que se refiere a la mencionada *actio in personam*, según Gayo "una acción es personal cuando reclamamos contra el que nos está obligado a causa de

glosadores para conformar la categoría del *ius in re* y la del *ius in personam*[126], lo cual permitió a la escuela de Derecho natural racionalista extraer de las mismas unas notas comunes hasta construir la figura dogmática del derecho real que quedaría cristalizada normativamente gracias a la labor codificadora[127].

En la actualidad, el planteamiento es el opuesto, ya que, como afirma Blasco Gascó "llegamos a la idea de la acción a partir del concepto de derecho: porque eres titular de un derecho real, dispones de una acción real"[128]. Ello no viene a suponer, sin embargo, que el papel de la acción se haya visto relegado a un segundo plano, ya que, además de ser una figura que mantiene una estrecha relación con el derecho subjetivo, es un elemento que, como veremos, nos permite establecer diferencias entre las distintas categorías de los derechos patrimoniales[129].

Sentado lo anterior, ha de ponerse de relieve que la acción real ejercitable dependerá, en todo caso, de las facultades que ostente el titular del derecho real, así como del concreto acto de perturbación que se haya efectuado[130]. De este modo, Díez-Picazo señala que pueden exis-

---

un contrato o de un delito; es decir, cuando pretendemos que debe dar, hacer o prestar". En cambio, el mencionado jurista romano definió la acción real como aquella por la que se pretende "que un objeto corporal es de nuestra propiedad o que un derecho nos compete (...); también cuando nuestro adversario, por su lado, entabla la acción negatoria para impugnar tal presunto derecho". Véase Domingo Oslé, R., Cuena Boy, F., *et al.*, *Textos de Derecho Romano* (coord. Domingo Oslé, R.), Aranzadi, Pamplona, 1998, pág. 195.

[126]   De Pablo Contreras, P., "El derecho real y sus caracteres", ob. cit., pág. 30. También Blasco Gascó, F. de P., *Instituciones de Derecho Civil...*, ob. cit., pág. 32; Fernández de Buján, A., *Derecho Privado Romano*, 10ª ed., Iustel, Madrid, 2017, pág. 329; Rigaud, L., *El derecho real* (trad. Xirau, J. R.), Reus, Madrid, 1928, pág. 58; Huerta Trólez, A., ob. cit., pág. 77.

[127]   De Pablo Contreras, P., "El derecho real y sus caracteres", ob. cit., pág. 30; Huerta Trólez, A., ob. cit., pág. 77.

[128]   Blasco Gascó, F. de P., *Instituciones de Derecho Civil...*, ob. cit., pág. 32. Aunque desde una perspectiva general, Calaza López, al tratar de ofrecer una definición de acción, comienza su exposición señalando que "la acción surge necesariamente como consecuencia de la preexistencia de una relación jurídico-material". Calaza López, S., *El binomio procesal: derecho de acción-derecho de defensa. Desde la concepción clásica romana hasta la actualidad*, Dykinson, Madrid, 2011, pág. 38.

[129]   De Pablo Contreras, P., "El derecho real y sus caracteres", ob. cit., pág. 30.

[130]   Ello parece deducirse de lo expuesto en Peña Bernaldo de Quirós, M., *Derechos Reales. Derecho Hipotecario T. I*, ob. cit., pág. 57.

tir perturbaciones de hecho o posesorias, de un lado, y perturbaciones jurídicas, de otro[131]. Frente a estas conductas lesivas corresponderá al titular una acción real[132], que dependerá, como hemos señalado, del concreto contenido del derecho de que se trate[133]. Así, por ejemplo, el legitimado para ejercitar la acción reivindicatoria será el titular dominical frente al poseedor no propietario (*ex* art. 348 Cc), mientras que la acción confesoria podrá ser ejercitada por el titular de un derecho real limitado de goce frente a cualquiera que posea la cosa[134].

Enlazando con lo anterior, cabe destacar, con De Pablo Contreras, que al derecho real de que se trate no le corresponden un conjunto de acciones reales típicas, sino que, en función del contenido, el titular podrá ejercer todas facultades que este le brinda frente a cualquier tercero[135] y ello aunque no exista un nombre propio que permita designar a una concreta acción[136]. Cosa distinta es que, como apunta Albaladejo, la doctrina centre su atención en el estudio de determinados tipos de acciones, dada su importancia práctica[137].

En virtud de lo expuesto en los párrafos precedentes, puede concluirse, con la Dirección General de los Registros y del Notariado, que "*...el derecho real da lugar a una acción real, que puede dirigirse frente a todo aquel que obstaculice objetivamente el ejercicio del derecho real, sin que sea necesario acreditar que existe una obligación específica de realizar determinada conducta por parte de determinada persona*"[138].

---

[131] Díez-Picazo y Ponce de León, L., *Fundamentos del Derecho Civil Patrimonial Vol. III...*, ob. cit., págs. 976 y ss.

[132] Véase Díez-Picazo y Ponce de León, L., *Fundamentos del Derecho Civil Patrimonial Vol. III...*, ob. cit. cit., págs. 978 y 979; Méndez González, F. P., ob. cit., págs. 789 y 790.

[133] Álvarez Olalla, P. *et al.* en *Manual de Derecho Civil...*, ob. cit., págs. 41 y 42.

[134] Véase De Pablo Contreras, P., "Protección de la posesión y del derecho a poseer" en *Curso de Derecho Civil III Derechos Reales* (coord. De Pablo Contreras, P.), 4ª ed. reimp., Edisofer, Madrid, 2016, págs. 298 y ss.

[135] De Pablo Contreras, P., "El derecho real y sus caracteres", ob. cit., pág. 30.

[136] Albaladejo García, M., *Derecho Civil III...*, ob. cit., pág. 330.

[137] Albaladejo García, M., *Derecho Civil III...*, ob. cit., pág. 330.

[138] RDGRN 5 septiembre 2017 (TOL6.355.119).

II. LAS RELACIONES OBLIGATORIAS Y LAS RELACIONES JURÍDICO-REALES

1. Diferencias entre los derechos reales y los derechos de crédito

1.1. El debate doctrinal

Muchas y muy dispares han sido las teorías que la doctrina ha venido desarrollando acerca de la distinción entre las categorías de derechos subjetivos de carácter patrimonial. Resultando imposible realizar una síntesis de todas las corrientes de que han girado en torno a esta cuestión[139], los autores que han abordado el estudio de la materia

---

[139] Podrían citarse aquí, por ejemplo, las denominadas teorías realistas que, si bien, no atacaban directamente la noción tradicional de derecho real, sí que lo hacían respecto del concepto clásico que se tenía de la obligación, en tanto que sus defensores recondujeron todos los derechos de carácter patrimonial al ámbito jurídico-real. De este modo, el derecho personal fue concebido como un derecho sobre el patrimonio del deudor. Al respecto véanse Cerdeira Bravo de Mansilla, G., *Derecho o Carga real…*, ob. cit., págs. 42 y ss.; Pena López, J. M., ob. cit., págs. 229 y ss.; Vallet de Goytisolo, J. B., *Estudios varios sobre obligaciones, contratos, empresas y sociedades*, Montecorvo, Madrid, 1980, págs. 18 y 19. Por lo que se refiere a la doctrina francesa: Gaudemet, E., *Étude sur le transport de dettes a titre particulier*, Librairie nouvelle de droit et jurisprudence, Paris, 1898, pág. 30; Lévy, M. E., "L´exercice du droit collectif. Notes sur les principes et sur la méthode juridiques", *R.T.D. Civ.*, 1903, pág. 97; Jallu, O., *Essai critique sur l´idée de continuation de la personne*, Librairie Nouvelle de Droit et Jurisprudence, Paris, 1902, pág. 69; Gazin, H., *Essai critique sur la notion de patrimoine dans la doctrine classique*, Arthur Rosseau, París, 1910, págs. 454 y 455. En cuanto a la doctrina italiana: Polacco, V., *Le obbligazioni nel diritto civile italiano Vol. I*, 2ª ed. rev. y puesta al día, Athenaum, Roma, 1914, pág. 69; Polacco, V., *Della Dazione in pagamento Vol. I*, Drucker & Senigaglia y Caro Drucker, Padova y Verona, 1888, pág. 148.
Llegados a este punto debe destacarse que, como apunta Pena López, existieron dos tendencias de proyección de las teorías realistas, siendo la primera de ellas, la que pasaba por concebir el derecho de obligación como un derecho real de garantía y, la segunda, menos extendida, era aquella que por la que se concebía al derecho de crédito como un derecho de propiedad. Véase Pena López, J. M., ob. cit., pág. 229. Para la primera de las corrientes: Pacchioni, G., *Diritto Civile Italiano T. II Vol. I Delle obbligazioni in generale*, 3ª ed. riv., CEDAM, Padova, 1941, págs. 46 y ss.; D´Avanzo, W., *La surrogatoria*, CEDAM, Padova, 1939, págs. 49 y 50; Rocco, A., *Il fallimento. Teoria generale ed origine storica*, Fratelli

que nos ocupa se han centrado en examinar aquellas tesis que, presentando una serie de notas comunes, han adquirido mayor arraigo. De este modo, hemos de comenzar nuestra exposición haciendo alusión a la denominada teoría clásica, cuyo punto de partida quedó principalmente condensado en la idea de que los derechos reales suponen la existencia de una relación directa e inmediata entre el titular y la cosa objeto de derecho, mientras que los derechos de crédito se caracterizan por la posibilidad de que un sujeto (acreedor) exija la realización de una determinada conducta a una persona concreta (deudor)[140]. En este sentido, se abogó, pues, por una rígida diferenciación entre las distintas categorías de derechos subjetivos de carácter patrimonial[141].

A pesar de su precisión expositiva y, sobre todo, de la claridad de sus argumentos, la teoría clásica fue tildada de simplista, en tanto que sus detractores evidenciaron que la relación entre persona-cosa únicamente podía existir en un plano material, pero no en el jurídico[142]. De este mo-

---

Bocca Editori, Milano, Torino y Roma, 1917, págs. 41 y ss. En cuanto a la segunda de las tesis mencionadas véase Ginossar, S., *Droit réel, propiété et créance. Elaboration d'un système rationnel des droits patrimoniaux*, Libreairie Générale de droit et de jurisprudence, Paris, 1960, págs. 185 y ss.

[140] En este sentido se pronuncia Venzi, G., ob. cit., pág. 259. Sobre el tema véanse Castán Tobeñas, J., *Derecho Civil Español, Común y Foral T. II Vol. I*, ob. cit., pág. 35; Puig Brutau, J., Voz *"Ius in re"* en *Nueva Enciclopedia Jurídica T. XIII*, F. Seix Editor, Barcelona, 1968, pág. 699. Desde esta perspectiva, De Buen afirma que las relaciones jurídicas no solo pueden establecerse entre personas (relación jurídica intersubjetiva), sino también entre una persona y una cosa e, incluso, entre cosas. De buen, D., "La teoría de la relación jurídica en el Derecho Civil", ob. cit., págs. 189-193. De forma menos contundente se pronuncia Ennecerus, quien señala que además de las relaciones jurídicas de carácter personal pueden existir relaciones jurídicas que se proyecten sobre una cosa. Véase Ennecerus, L., *Tratado de Derecho Civil T. I Parte General I* (trad. a la 39ª ed. alemana Pérez González, B., y Alguer, J.), Bosch, Barcelona, 1934, págs. 285 y 286.

[141] Fairén, M., "Derechos reales y de crédito…", *R.D.N.* núm. 23, ob. cit., pág. 189; Huerta Trólez, A., ob. cit., pág. 79. Así, se ha llegado al punto de afirmar que "el silencio de todos los Códigos del mundo no bastaría para impedir que exista un derecho real y otro personal (*jus in re, jus ad rem*), y de consiguiente acciones reales y personales". García Goyena, F., *Concordancias, motivos y comentarios del Código Civil Español* (reimp. ed. 1852), Zaragoza, 1974, pág. 548.

[142] Santos Briz, J., *Derecho Civil. Teoría y Práctica T. II Derecho de Cosas*, EDERSA, Madrid, 1973, pág. 9. En este sentido, se viene admitiendo que una relación pueda nacer en torno a una cosa, pero los estudios en la materia revelan que ello sería, en todo caso, el hecho que desencadenaría el nacimiento de la relación

do, surgieron nuevas corrientes que, inspiradas en la filosofía kantiana y en la concepción sociológica de Duguit[143], rechazaron que pudiese materializarse una relación jurídica entre una persona y una cosa. Esta línea de pensamiento quedó, sin embargo, consolidada gracias a las aportaciones de Savigny, que, como apuntamos en otro lugar de este trabajo, desarrolló la teoría de la relación jurídica intersubjetiva[144]. Así, comenzó a predicarse que el derecho real era el resultado de la constitución de una relación entre el titular del derecho y el resto de personas que, como colectivo, ocupaban la posición pasiva de la relación jurídica[145]. Este punto de partida común a las corrientes detractoras del

---

jurídica intersubjetiva. De Castro Y Bravo, F., *Derecho Civil de España*, Civitas, Madrid, 1984, pág. 557.

Debemos resaltar que Von Tuhr, en, a nuestro parecer, un intento de satisfacer a las opiniones científicas más dispares, ha sostenido que los derechos reales pueden generar, en ciertas ocasiones, relaciones jurídicas entre personas y cosas (derecho de propiedad y posesión) y, en otras, relaciones jurídicas intersubjetivas (derechos reales limitados). Von Tuhr, A., *Derecho Civil Vol. I Los derechos subjetivos y el patrimonio* (trad. Ravá, T.), Marcial Pons, Madrid, 1998, pág. 128. Efectivamente en los derechos reales limitados existen terceros que, por mantener un especial contacto con la cosa adquieren una significación especial, pero ello no quiere decir que sean los únicos que deban respetar el derecho real, pues incluso en el derecho real de propiedad existe un deber general de abstenerse de perturbar al titular dominical.

[143]   Fairén, M., "Derechos reales y de crédito...", *R.D.N.* núm. 23, ob. cit., pág. 205. Así, Kant llegó a afirmar que resulta "absurdo suponer la obligación de una persona respecto de una cosa y recíprocamente, aunque sea muy admisible hacer sensible una relación jurídica mediante esta imagen". Kant, I., *Principios metafísicos del Derecho* (trad. Lizarraga. G.), Madrid, 1873, pág. 86. Accesible en: http://fama2.us.es/fde/ocr/2006/principiosMetafisicosKant.pdf (Página consultada por última vez el 18 de mayo de 2019).

Duguit, en cambio, apoya la base de su teoría en la solidaridad social, de ahí que rechace la existencia de los derechos subjetivos, pues, bajo su punto de vista, no es posible que un sujeto individualmente considerado ostente un poder que permita imponer un determinado comportamiento o forma de proceder al resto de los individuos que componen la masa social. Este planteamiento hace, lógicamente, que la distinción entre derechos reales y obligacionales carezca de todo sentido. Véase Fairén, M., "Derechos reales y de crédito...", *R.D.N.* núm. 23, ob. cit., págs. 229 y 230.

[144]   Savigny, F., ob. cit., pág. 258.

[145]   Ahrens, H., *Cours de droit naturel*, 2ª ed. rev., Meline, Cans et Compagne, Bruxelles, 1844, págs. 174 y 175. También De Cossío y Corral, A., *Instituciones de Derecho Civil T. II (Derechos Reales y Derecho Hipotecario. Derecho de Familia y Derecho de Sucesiones)*, 1ª ed. revisada y puesta al día por De Cossío

pensamiento clásico cristalizaría, sin embargo, en diversas tesis[146], ya que, como apuntan Fairén[147] y Rigaud[148], mientras que algunos autores optaron mantener la diferenciación teórica entre derechos reales y personales (teorías personalistas)[149], otros, en cambio, negaron tal distinción, reduciendo la categoría de derechos subjetivos patrimoniales a los derechos de naturaleza obligacional (teorías unitarias)[150].

---

      y Martínez, M. y León Alonso, J., Civitas, Madrid, 1988, pág. 32. Por su parte, Planiol llega hasta el punto de afirmar que la relación intersubjetiva "c´est la vérité élémentaire sur laquelle est fondée toute la science du droit, et cet axiome est inébrantable". Planiol, M. y Ripert, G., *Traitè Élémentaire de Droit Civil T. I*, 10ª ed., Librairie Générale de Droit & de Jurisprudence, Paris, 1925, pág. 684. Ferrara ha señalado que resulta impropio hablar de un poder jurídico sobre la cosa, ya que este solo se puede ejercitar frente a personas. Ferrara, F., ob. cit., pág. 301. Oertmann, por su parte, sostuvo que los derechos reales "no son en el fondo más que derechos de exclusión, constituyendo la obtención del señorío (de hecho) sobre las cosas solamente la finalidad y no el contenido del derecho". Oertmann, P., *Introducción al Derecho Civil* (trad. a la 3ª ed. Sancho Seral, L.), Labor, Barcelona, 1933, pág. 29

[146]   Como afirma De Buen, todas estas teorías estaban "…unidas más bien en el aspecto crítico que en el constructivo…". De buen, D., *Derecho civil común Vol. I*, ob. cit., pág. 138.

[147]   Fairén, M., "Derechos reales y de crédito…", *R.D.N.* núm. 23, ob. cit., pág. 238.

[148]   Rigaud, L., ob. cit., pág. 125.

[149]   Este sector doctrinal entiende que la distinción entre esta clase de derechos reside, principalmente, en el número de sujetos que ocupan la posición pasiva de la relación jurídica y en el objeto de la obligación. Así, los derechos reales serían ejercitables *erga omnes*, mientras que los derechos de crédito solo permitirían exigir una conducta a un sujeto concreto. Del mismo modo, los derechos reales únicamente podrían consistir en una abstención, en contraste con los derechos personales, que podrían versar, además, sobre una conducta de carácter positivo. Véase Rigaud, L., ob. cit., págs. 125-127; Espín Cánovas, D., *Manual de Derecho Civil Español Vol. II…*, ob. cit., pág. 3; Fairén, M., "Derechos reales y de crédito…", *R.D.N.* núm. 23, ob. cit., págs. 239 y 240. Este planteamiento lleva a autores como Roguin y, en cierta medida, planiol, a afirmar que la distinción entre derechos patrimoniales debería de quedar, más bien cristalizada, en la dicotomía existente entre derechos absolutos y derechos relativos. Véase Roguin, E., *La science juridique pure T. III*, Librairie Générale de Droit et Jurisprudence y Librairie F. Rouge & Cie Librairie de l'Université, Paris y Lausanne, 1923, págs. 651 y ss.; Planiol, M. y Ripert, G., *Traitè Élémentaire de Droit Civil T. I…*, ob. cit., pág. 686.

[150]   Así, Giner de los Ríos afirmó con contundencia que "…todo el Derecho es, por el contrario, Derecho de obligaciones". Giner de los Ríos, F. y Calderón, C., *Principios de Derecho Natural*, 1916, pág. 46. Del mismo modo, Demogue llegó a la conclusión de que "les droits sont tous des droits d´obligations…". Demogue, R., *Les notions Fondamentales du Droit privé*, París, 1911, pág. 440. Accesible en:

A pesar de la altura técnica de las corrientes de pensamiento expuestas en el párrafo precedente, puede decirse que sus defensores cometieron el grave error de no incorporar en su esquema teórico el poder que el derecho real otorga al titular sobre la cosa[151]. La constatación de estos defectos de técnica-jurídica no supuso, sin embargo, un retorno, digamos por ahora, inmediato a la tesis clásica[152]. De este

---

https://gallica.bnf.fr/ark:/12148/bpt6k5457266z/f455.image.texteImage (Página consultada por última vez el 23 de junio de 2019). Sobre este tema, véase González Y Martínez, J., "Evolución y alcance de la división de los derechos reales y personales", *R.C.D.I.* núm. 82, 1931, pág. 753.

Por su parte, Thon propondría prescindir de la denominada obligación pasiva universal, ya que estimaba que el origen de la abstención de los terceros no se debía a ningún derecho subjetivo que una persona pudiese ostentar sobre una cosa sino, más bien, a una exigencia de las normas jurídicas, del derecho objetivo. Véase Fairén, M., "Derechos reales y de crédito...", *R.D.N.* núm. 23, ob. utl. cit., pág. 242; Rigaud, L., ob. cit., págs. 144 y 145. De este modo, según Thon, la figura del derecho real se traduce en la ausencia de prohibiciones impuestas por el derecho objetivo. Véanse Díez-Picazo y Ponce de León, L. y Gullón Ballesteros, A., *Sistema de Derecho Civil Vol. III T. I*, 9ª ed., Tecnos, Madrid, 2016, pág. 27); Rigaud, L., ob. cit., págs. 144 y 145. En este sentido, el último de los autores citados trae a colación la conocida postura de Binding, quien estimó que el derecho de propiedad "no es más que un hueco en el centro de un círculo de normas". En alemán *"Loch in Zentrum eines Normenkreises"*. Binding, K., "Thon, Rechtsnorm und subjectives Recht. - Untersuchungen zur allgemeinen Rechtslehre. Weimar bei Böhlau, 1878. XVII und 374 S.", *Die Kritische Vierteljahresschrift für Gesetzgebung und Rechtswissenschaft* núm. 21, 1879, pág. 563. Accesible en: http://bit.ly/2Y5vk3n (Página consultada por última vez el 23 de junio de 2019).

[151] En este sentido, Martín Pérez ha afirmado, de forma muy expresiva, que estas nuevas corrientes "fracasan en sus aspiraciones excesivas, pero sus puntos de partida son sólidos y constructivos". Martín Pérez, A., ob. cit., pág. 7. Así, en el ámbito jurídico-real es indispensable la existencia de una cosa sobre la cual el derecho pueda recaer, sin perjuicio de que la relación jurídica se pueda establecer solo entre personas. Hernández Gil, A., *Derechos Reales. Derecho de Sucesiones. Obras completas T. IV*, Espasa Calpe, Madrid, 1989, pág. 21. De esta forma, la mera referencia al Derecho de Cosas pone de relieve la significación que el bien tiene en el ámbito jurídico, así como en el tráfico patrimonial, por lo que su erradicación de la definición de derecho real equivale a un defecto de gran magnitud que llevaría a la quiebra tanto a las tesis personalistas como a las unitarias. Se pasa, pues, por alto el poder que el titular tiene sobre la cosa, al igual que en su día los autores clásicos prescindieron de la relación intersubjetiva en la construcción teórica de la categoría de los derechos reales.

[152] Véase Fairén, M., "Derechos reales y de crédito...", *R.D.N.* núm. 25-26, ob. cit., pág. 233.

modo, surgieron diversas líneas de pensamiento entre las que claramente destacó la denominada teoría ecléctica expuesta por primera vez por Bekker[153].

Esta nueva corriente trató de aunar las bondades de las teorías precedentes, de modo que, manteniendo la dicotomía entre derechos reales y personales, se abogó por una coherente convivencia entre la inmediatividad, recalcada por los teóricos clásicos, y la absolutividad, esgrimida por los defensores de las teorías personalistas y unitarias[154]. Así, según la teoría ecléctica, los derechos reales se caracterizan por contar con un elemento interno, representado por el poder inmediato que el titular del derecho ostenta sobre la cosa, y un elemento externo, que se materializa en la potencial relación jurídica que se proyecta respecto de los terceros[155].

Podemos concluir afirmando que la teoría ecléctica ha sido acogida por la mayor parte de la doctrina moderna[156]. No obstante, también cabe señalar que en los últimos años son varios los autores que han hablado de una resurrección o, mejor dicho, de una renovación de la teoría clásica, en la medida en que, respetando la dicotomía tradicional de derechos subjetivos patrimoniales, se potencia el papel del elemento interno frente al externo[157].

[153] Según afirma Rigaud, L., ob. cit., pág. 219.
[154] Fairén, M., "Derechos reales y de crédito...", *R.D.N.* núm. 23, ob. cit., pág. 204.
[155] Lacruz Berdejo, J. L. *et al.*, *Elementos de Derecho Civil III Derechos Reales Vol. I,* 2008, ob. cit., pág. 3.
[156] Véase Castán Tobeñas, J., *Derecho Civil Español, Común y Foral T. II Vol. I,* ob. cit., pág. 39.
[157] Pena López, J. M., ob. cit., pág. 31; Cerdeira Bravo de Mansilla, G., *Derecho o Carga real...,* ob. cit., págs. 291 y 292; Domínguez Platas, J., *Obligación y derecho real...,* ob. cit. págs. 86 y ss. Véase, asimismo, Comporti, M., "Diritti reali in generale" in *Trattato...,* ob. cit., págs. 27 y ss.

1.2. Criterios para una distinción de los derechos subjetivos patrimoniales

A) El poder

Según la concepción tradicional, los derechos reales se caracterizan, como señalamos más arriba, por otorgar a su titular un poder inmediato y directo respecto del bien sobre el cual recaen, al contrario de lo que ocurre en el ámbito de los derechos personales. Tal y como expusimos, la inmediatividad se traducía en un contacto físico con la cosa por parte del titular del derecho, lo que ha ocasionado que un sector de la doctrina haya llegado a plantearse si efectivamente puede decirse que esta sea una nota distintiva de los derechos reales[158]. De este modo, se ha puesto de relieve que ciertos derechos, comúnmente calificados como reales, no cuentan con esa nota de inmediatividad[159]. Al mismo tiempo, se ha señalado que algunas de las figuras que tradicionalmente vienen siendo catalogadas como derechos personales conllevan un poder inmediato sobre la cosa objeto de derecho, en tanto que el titular puede actuar directamente sobre la misma debido a ese contacto físico[160]. Así, se suelen citar como ejemplos paradigmáticos el derecho de comodato y, especialmente, el derecho de arrendamiento[161].

Por lo que se refiere al primero de los fenómenos descritos, ya tuvimos ocasión de pronunciarnos en otro apartado acerca del mismo. Baste, por tanto, recordar que, aunque no se aprecie la nota de inmediatividad en determinados derechos reales (derecho de hipoteca, servidumbre negativa, entre otros), estos no pierden su condición, en tanto que sí que presentan una inherencia a la cosa.

En cuanto al segundo de los aspectos mencionados, cabe señalar que si se siguiese la tesis propuesta no quedaría más remedio que cali-

---

[158] Giorgianni, M. en "Los derechos reales"..., ob. cit., págs. 1199 y ss.
[159] Giorgianni, M. en "Los derechos reales"..., ob. cit., pág. 1199.
[160] Véase Giorgianni, M. en "Los derechos reales"..., ob. cit., págs. 1199 y ss.
[161] Véase Giorgianni, M. en "Los derechos reales"..., ob. cit., págs. 1201 y 1202; Tilocca, E., ob. cit., págs. 19 y ss.; Vallet de Goytisolo, J. B., *Estudios sobre Derecho de Cosas...*, ob. cit., págs. 473 y ss.; Sánchez de Frutos, F., ob. cit., pág. 684. También De Castro García, J., "Los arrendamientos y el Registro de la Propiedad", *R.C.D.I.* núm. 467, noviembre-diciembre 1971, págs. 1462-1465.

ficar a los derechos arriba mencionados (comodato y arrendamiento) como figuras jurídico-reales o, por el contrario, habría de reconocerse que la inmediatividad no es una nota característica de los *iura in re aliena*. Esta postura encierra, en nuestra opinión, un grave defecto de planteamiento[162], ya que, como ha puesto de relieve otro sector de la doctrina, en este tipo de derechos no puede decirse que el poseedor ostente un poder directo sobre la cosa como ocurre en el caso del usufructo[163].

Tomando como ejemplo el antes citado derecho de arrendamiento, debe destacarse el hecho de que la satisfacción del interés del arrendatario se deriva de la actuación del arrendador que *quotidie et singulis momentis* se obliga "*a mantener al arrendatario en el goce pacífico del arrendamiento por todo el tiempo del contrato*" (art. 1554.3 Cc)[164]. De este modo, no puede decirse que el arrendatario ostente algún tipo de dominación sobre el bien objeto de arrendamiento, ya que su goce y disfrute es mera consecuencia de la conducta de otro sujeto (el arrendador) que se compromete personalmente[165] a otorgar a aquel

---

[162]   Cerdeira llega a hablar de "…gravísimo error de lógica…". Cerdeira Bravo de Mansilla, G., *Derecho o Carga real…*, ob. cit., pág. 137.

[163]   Cerdeira Bravo de Mansilla, G., *Derecho o Carga real…*, ob. cit., pág. 138; Albaladejo García, M., *Derecho Civil III…*, ob. cit., págs. 14 y 15; Lacruz Berdejo, J. L. *et al.*, *Elementos de Derecho Civil III Derechos Reales Vol. I*, 2008, ob. cit., pág. 3.

[164]   De Grado Sanz, M.ª C., y Ruano Borrella, J. P., "Inscripción de arrendamientos de bienes inmuebles. Efectos en cuanto a tercero del arrendamiento no inscrito. El derecho de retorno", *R.C.D.I.* núm. 583, noviembre-diciembre 1987, pág. 1678; Cerdeira Bravo de Mansilla, G., *Derecho o Carga real…*, ob. cit., págs. 137-139; Mayor del Hoyo, M.ª V., *La acción real registral*, Fundacion beneficentia et peritia iuris, Madrid, 2004, pág. 169; Goñi Rodríguez de Almeida, M., "La importancia de la inscripción en el Registro de los arrendamientos urbanos sometidos al Código civil", *R.C.D.I.* núm. 717, enero-febrero 2010, pág. 313; Albaladejo García, M., *Derecho Civil III…*, ob. cit., págs. 14 y 15; Lacruz Berdejo, J. L. *et al.*, *Elementos de Derecho Civil III Derechos Reales Vol. I*, 2008, ob. cit., pág. 3. En contra, Giorgianni, M. en "Los derechos reales"…, ob. cit., pág. 1201; Tilocca, E., ob. cit., pág. 20; Vallet de Goytisolo, J. B., *Estudios sobre Derecho de Cosas…*, ob. cit., págs. 486 y 487.

[165]   Cerdeira Bravo de Mansilla, G., *Derecho o Carga real…*, ob. cit., pág. 138. Este autor se apoya en varios preceptos del Código civil a partir de los cuales se puede deducir fácilmente el carácter personal de la relación jurídica que une al arrendador y al arrendatario. Así, Cerdeira cita los arts. 1553, 1554.2 y 3, 1558 y 1560 Cc. A ellos se le pondría añadir, en nuestra opinión, el art. 1556 Cc. De

"...el goce o uso de una cosa por tiempo determinado y precio cierto" (art. 1543 Cc)[166]. Lo mismo cabría decir respecto de la postura del comodatario, que adquiere la posesión de una cosa como consecuencia de la conducta observada por el comodante (*ex* art. 1741 Cc)[167].

Teniendo en cuenta lo hasta aquí expuesto, puede decirse que el arrendatario y el comodatario carecen de poder directo e inmediato sobre la cosa. Del mismo modo, cabe afirmar que ninguno de los dos sujetos anteriormente mencionados puede hacer valer su derecho frente a terceros (absolutividad)[168], sin perjuicio de que su posición sí que se vea protegida como poseedor *ex* arts. 446 y 1560 Cc[169]. Esta última afirmación únicamente se hallaría matizada respecto de los

---

Ruggiero también subraya el carácter meramente crediticio de esta figura. Véase De Ruggiero, R., *Istituzioni di diritto civile Vol. II Diritti di obbligazione e contratti, tutela dei diritti*, 9ª ed., Giuseppe principato, Milano-Messina, 1961, págs. 252 y 253. En contra de la postura señalada se muestra, en cambio, Vallet de Goytisolo, J. B., *Estudios sobre Derecho de Cosas...*, ob. cit., págs. 487 y 488.

[166] Del mismo modo, el art. 1546 Cc establece que *"se llama arrendador al que se obliga a ceder el uso de la cosa, ejecutar la obra o prestar el servicio, y arrendatario al que adquiere el uso de la cosa o el derecho a la obra o servicio que se obliga a pagar"*.

[167] Albaladejo García, M., *Derecho Civil III...*, ob. cit., pág. 15. Vivas Tesón también ha querido subrayar que nos hallamos ante un contrato traslativo del uso, pero no ante un derecho de carácter real. Vivas Tesón, I., *El contrato de comodato*, Tirant Lo Blanch, Valencia, 2002, págs. 25 y 26. En parecido sentido, Pérez de Ontiveros Baquero, C., *El contrato de comodato*, Aranzadi, Pamplona, 1998, pág. 127.

[168] Mayor del Hoyo, M.ª V., ob. cit., pág. 170; De Grado Sanz, M.ª C., y Ruano Borrella, J. P., ob. cit., pág. 1678.

[169] Albaladejo García, M., *Derecho Civil III...*, ob. cit., págs. 15 y 16; Álvarez Olalla, P. *et al.* en *Manual de Derecho Civil...*, ob. cit., pág. 36; Mayor del Hoyo, M.ª V., ob. cit., pág. 169. Cabe señalar que en la STSJ Navarra (Sala de lo Civil y Penal, Sección 1ª) 2 junio 2009 (RJ 2009\503) se puso de manifiesto precisamente que el arrendamiento no podía ser calificado como un derecho real por carecer este de absolutividad. No obstante, en el mencionado pronunciamiento también se afirmó que el derecho de arrendamiento es inmediato, razonamiento que no compartimos. De este modo, resulta más adecuada la reflexión expuesta por la Dirección General de los Registros y del Notariado en la RDGRN 26 junio 2014 (LA LEY 100486/2014), en tanto que se señaló que *"...en nuestro actual Derecho positivo el arrendamiento es un mero derecho personal, pues la relación directa e inmediata de la persona con la cosa, que caracteriza al derecho real, no aparece en el arrendamiento, tal como lo regula el Código Civil, resultando por lo demás su naturaleza personal claramente de la ausencia de una nota*

contratos de arrendamiento inscritos en el Registro de la Propiedad (*ex* art. 1549 Cc *contrario sensu*)[170] y los protegidos por ciertas normas arrendaticias (LAU y LAR).

El arrendamiento o el comodato no son, pues, derechos reales, ni empañan la nota de inmediatividad[171], sin perjuicio de que dogmáticamente se les venga denominando como *derechos personales de goce*[172]. Cuestión distinta es que la función desempeñada por los derechos reales de goce y este tipo de figuras sea, en cierta medida, similar[173], aunque no puede establecerse una equiparación entre ambas por los motivos ya esgrimidos.

---

esencial de los derechos reales, como es la eficacia absoluta o «erga omnes» y la consiguiente reipersecutoriedad".

[170] Sobre este tema nos detendremos más adelante.

[171] Mayor del Hoyo, M.ª V., ob. cit., pág. 169. Como bien se apunta en la SAP Ciudad Real (Sección 1ª) 16 diciembre 2010 (TOL2.075.544), *"...en el derecho personal no se da la inmediatividad sobre la cosa, que sólo se puede obtener, cuando constituye el objeto de la prestación, a través del acto del obligado..."*.

[172] Esta calificación teórica no implica, como hemos tenido la oportunidad de comprobar a lo largo de este apartado, ninguna consecuencia de carácter práctico, en tanto en cuanto nos seguimos moviendo en el plano obligacional. Barbero, sin embargo, ha estimado que los derechos personales de goce constituyen un *tertium genus*, que se diferencia de los derechos reales, así como de los derechos personales. Barbero, D., *Sistema del Derecho Privado T. II...*, ob. cit., pág. 207. Esta postura no puede, sin embargo, ser compartida por las razones ya expuestas en el texto principal.

[173] Así, Albaladejo estima que sería, tal vez, conveniente elevar la figura del arrendamiento a la categoría de derecho real, ya que, desde su punto de vista, la línea que separa a aquella del usufructo es, al menos en lo que respecta a algunos tipos de arrendamientos, ilusoria (salvo, claro está, en lo que ataña al régimen de acciones y a la protección frente a las injerencias de terceros). Albaladejo García, M., *Derecho Civil III...*, ob. cit., pág. 15. Sobre este particular es necesario traer a colación la RDGRN 16 julio 2002 (TOL314.103), la cual versó sobre la inscripción de una concesión administrativa constituida sobre un bien patrimonial de la administración. Estos hechos derivaron en la calificación negativa de la registradora, en tanto que no puede constituirse una concesión sobre un bien que no es de dominio público. La Dirección General de los Registros y del Notariado concluyó, finalmente, que *"...sin necesidad de entrar en tal cuestión, es lo cierto que se constituye a favor de la «concesionaria» un derecho al uso exclusivo del bien cedido, durante cincuenta y cinco años, a cambio de determinadas obligaciones y del pago de un canon anual. Es obvio, por tanto, que, independientemente del nombre que se dé al derecho concedido (concesión, derecho de superficie, derecho de arrendamiento, etc.), lo cual es irrelevante (pues lo esencial es el contenido*

B) La eficacia frente a terceros

a) El deber general de abstención

En otro apartado de este trabajo tuvimos la ocasión de comprobar que los derechos reales implican un deber general de abstención, de modo que, en abstracto, se impone a los terceros la obligación de no menoscabar ese derecho o, si se prefiere, de no perturbar el pacífico ejercicio del mismo por parte de su titular. Los derechos de crédito, por el contrario, se traducen en la exigencia de la realización de un comportamiento específico a un sujeto determinado (el deudor), quien deberá responder, en su caso, ante el incumplimiento contractual[174].

Frente a las afirmaciones expuestas en el párrafo precedente, parte de la doctrina patria[175] y extranjera[176] ha venido a considerar que ese deber general de abstención no permite caracterizar a los derechos reales, en tanto en cuanto no se apreciarían especiales diferencias

---

del mismo), o, aunque no se le dé ninguno, el derecho configurado tiene todas las características que permiten su inscripción, pues, o bien se le considera como un derecho real , o bien como uno de arrendamiento, no siendo relevante la denominación que las partes den al contrato si los derechos y obligaciones de ambas están correctamente establecidos".

[174]   Subrayan esta diferencia entre derechos reales y personales: Messineo, F., *Manual de Derecho Civil y Comercial T. III* (trad. Sentis Melendo, S.), ob. cit., págs. 198 y 199; Castán Tobeñas, J., *Derecho Civil Español, Común y Foral T. II Vol. I*, ob. cit., págs. 46 y 47; Martín Pérez, A., ob. cit., pág. 5; Hedemann, J. W., *Tratado de Derecho Civil Vol. II Derechos Reales* (trad. y notas de Díez Pastor, J. L. y González Enríquez, M.), EDERSA, Madrid, 1955, pág. 35; Barbero, D., *Sistema del Derecho Privado T. II...*, ob. cit., pág. 208.

[175]   Entre otros, De la Cámara Álvarez, M., ob. cit., págs. 395 y 396; Gómez-Morán Etchart, A., ob. cit., págs. 545 y ss.; Peña Bernaldo de Quirós, M., *Derechos Reales. Derecho Hipotecario T. I*, ob. cit., pág. 58 nota al pie núm. 3; Domínguez Platas, J., *Obligación y derecho real...*, ob. cit. págs. 70 y ss.; Vallet de Goytisolo, J. B., *Estudios sobre Derecho de Cosas...*, ob. cit., págs. 299 y ss.; Espín Cánovas, D., *Manual de Derecho Civil Español Vol. II...*, ob. cit., pág. 5.

[176]   Tilocca, E., ob. cit., págs. 12 y ss.; Giorgianni, M. en "Los derechos reales"..., ob. cit., pág. 1203; Dabin, J., "Une nouvelle definition de droit réel", ob. cit., pág. 32; Dabin, J., *El derecho subjetivo* (trad. Osset, F. J.), EDERSA, Madrid, 1955, págs. 231 y 232. En parecido sentido, Guarneri afirma que se trata de un elemento distintivo que está "palideciendo". Guarneri, A., *Diritti reali e diritti di credito: valore attuale di una distinzione*, CEDAM, Milano, 1979, pág. 19.

entre este y el principio *alterum non laedere* extensible a cualquier derecho subjetivo, incluidos los derechos de carácter crediticio[177]. En este sentido, Peña[178], apoyándose en De Castro, ha querido poner de relieve que no solo son varios los preceptos de nuestro ordenamiento los que reflejan el rechazo del legislador hacia la lesión de los derechos personales por parte de terceros (por ejemplo, los arts. 1111 Cc y ss.)[179], sino que, además, esta categoría de derechos se halla específicamente protegida frente a la conculcación de sujetos ajenos a la relación jurídico-personal *ex* art. 1902 Cc[180]. De este modo, doctrina[181] y jurisprudencia[182] vienen hablando de la tutela aquiliana del crédito.

---

[177]   En la SAP Córdoba 9 julio 1993 (AC 1993\1380) se llegó a afirmar que "*...se viene admitiendo la existencia de un deber general de respeto de las situaciones jurídicas creadas entre terceros y de los derechos de crédito derivados de ellas. Encuentra en esta idea su fundamento la regla de la tutela aquiliana del crédito, cuando un tercero provoca el incumplimiento de una obligación extracontractual o es cómplice con el deudor de tal incumplimiento. Es cierto, según alguna corriente doctrinal, que en tales casos, la responsabilidad del tercero que así se comporta suele considerarse como extracontractual, pero está presuponiendo, necesariamente, un deber de respeto del contrato*". Así, nuestro Alto Tribunal ha puesto de relieve en su STS 9 marzo 1983 (TOL1.738.769) que la responsabilidad extracontractual "*...por razón de su naturaleza, de su objeto y de los principios que consagra basados en la amplia regla del "alterum non laedere", constituye la responsabilidad general y básica estatuida en el ordenamiento...*".

[178]   Peña Bernaldo de Quirós, M., *Derechos Reales. Derecho Hipotecario T. I*, ob. cit., pág. 58 nota al pie núm. 3.

[179]   Peña Bernaldo de Quirós, M., *Derechos Reales. Derecho Hipotecario T. I*, ob. cit., pág. 58 nota al pie núm. 3. También Sánchez de Frutos, F., ob. cit., pág. 679.

[180]   En este sentido, véase Vallet de Goytisolo, J. B., *Estudios sobre Derecho de Cosas...*, ob. cit., págs. 302 y 303.

[181]   Sobre el tema: Barbero, D., *Sistema del Derecho Privado T. IV Contratos. Hechos constitutivos de obligación* (trad. Sentis Melendo, S.), EJEA, Buenos Aires, 1967, págs. 737 y ss.; Pantaleón Prieto, A. F., "Comentario a la STS 25 junio 1983", *C.C.J.* núm. 3, septiembre-diciembre 1983, pág. 798. En contra de esta teoría se pronuncian, entre otros, De Cupis, A., Il danno: *teoria generale della responsabilità civile Vol. I*, 2ª ed., Giuffrè, Milano, 1966, págs. 66 y 67, Tucci, G., *Il danno ingiusto*, Jovene, Napoli, 1970, págs. 92 y ss.; Ferrara, F., ob. cit., pág. 379. Por su parte, Vattier Fuenzalida expone un amplio número de razones por las cuales la doctrina suele sostener esta tesis. Vattier Fuenzalida, C., "La tutela aquiliana de los derechos de crédito: algunos aspectos dogmáticos" en *Homenaje al Profesor Juan Roca*, Universidad de Murcia. Secretariado de Publicaciones, Murcia, 1989, pág. 853.

[182]   El Tribunal Supremo ha puesto de relieve en su STS 26 junio 2008 (TOL1.353.328) que la "*doctrina y jurisprudencia han superado, desde luego, la idea de una ab-*

Teniendo en cuenta que parte de la doctrina considera discutible el hecho de que los derechos personales puedan ser infringidos por los terceros[183], estimamos que la cuestión debatida se resuelve de manera más o menos satisfactoria si se toma en consideración la definición de obligación ofrecida por Roca Sastre[184]. Así, el mencionado autor sostuvo que el derecho crediticio es aquel que otorga a su titular la posibilidad de exigir que el sujeto obligado realice un determinado tipo de conducta y que es protegido frente a este y, *de forma excepcional*, frente a terceros que lo conculquen[185].

---

[183] *soluta irrelevancia, o total separación, de una concreta relación obligatoria respecto de terceros. Se admite un deber de respeto por el derecho de crédito y cabe afirmar una posición generalmente favorable a que el tercero que viola, por dolo o negligencia, un derecho ajeno, asuma una determinada responsabilidad, que ha de ser establecida bajo las reglas de la responsabilidad extracontractual (tutela aquiliana del crédito), previa la determinación de una relación de causalidad entre el hecho llevado a efecto por el tercero, como causa directa, y el daño sufrido por el acreedor, de acuerdo con los principios de la causalidad adecuada".* En parecido sentido se pronuncia la STS 14 febrero 2008 (TOL1.370.033). Véanse, asimismo, SAP Madrid (Sección 10ª) 23 enero 2009 (TOL1.483.972); SAP Madrid (Sección 10ª) 26 febrero 2009 (TOL6.775.855).
La jurisprudencia italiana también parece haber reconocido la figura de la tutela aquiliana del crédito en alguno de sus pronunciamientos tal y como expone Ferrari, F., *Atipicità dell'illecito civile una comparazione*, Giuffrè, Milano, 1992, págs. 115 y 116.
Alguer estima que los terceros no pueden violar los derechos de carácter crediticio, para lo que se apoya en el siguiente ejemplo: "…el tercero no obligado no puede violar la obligación; si impide por la fuerza que el deudor me pague o le quita la cosa que me debe violará la libertad o la propiedad del deudor, pero no mi derecho de crédito, que le es ajeno". Alguer, J., "Ensayos varios sobre temas fundamentales de derecho civil", *R.J.C.*, 1931, pág. 77. De forma similar se pronuncian De Pablo Contreras, P., "El derecho real y sus caracteres", ob. cit., pág. 31; Fedele, A., *Il problema della responsabilità del terzo per pregiudizio del credito*, Giuffrè, Milano, 1954, pág. 287. En este sentido, Lacruz considera que "…la pretensión de reparación no se actuaría invocando el derecho de crédito lesionado, sino el derecho nacido frente al culpable a consecuencia del daño sufrido por el acreedor impagado (responsabilidad aquiliana)". Lacruz Berdejo, J. L. et al., *Elementos de Derecho Civil III Derechos Reales Vol. I*, 2008, ob. cit., pág. 5.
En contra de la postura anteriormente expuesta se muestra, en cambio, López y López, A. M., *Derecho Civil. Parte General* (coord. López y López, A. M., y Montés Penadés, V. L.), 2ª ed., Tirant Lo Blanch, Valencia, 1995, pág. 487.

[184] Roca Sastre, R. M. ª, *Derecho Hipotecario T. II*, ob. cit., pág. 618.

[185] Roca Sastre, R. M. ª, *Derecho Hipotecario T. II*, ob. cit., pág. 618.

Puede decirse que el contenido normal del derecho personal consiste en un deber específico impuesto al deudor, sin perjuicio de que, excepcionalmente, se halle amparado frente a la actuación de sujetos ajenos a la relación jurídico-personal establecida (*alterum non laedere*)[186]. En los derechos reales, por el contrario, se impone un deber general de un marcado carácter negativo que se concreta, como señalamos en otro apartado, cuando un sujeto viola el derecho en cuestión o cuando este mantiene una especial relación con la cosa, lo que supone el nacimiento de la relación jurídico-real[187]. Se observa, pues, que mientras que en el ámbito contractual la relación jurídica con los terceros se impone como excepción[188], en sede de derechos reales lo propio es que se proyecte potencialmente sobre los terceros (deber general de abstención)[189], sin perjuicio de que la relación jurídico-real se materialice solo en las circunstancias ya apuntadas[190].

El reconocer que los derechos de crédito pueden ser vulnerados por cualquiera no es, como afirma un sector de la doctrina[191], in-

---

[186] Con razón el Tribunal Supremo ha afirmado en la STS 10 junio 1991 (TOL1.727.016) que "...*como se ha declarado por esta Sala, sentencia de 11 de marzo de 1967, «el vínculo obligación surge en la reclamación extracontractual después de producido el evento indemnizable, como consecuencia de las normas generales impuestas por la convivencia y de la aplicación del principio alterum non laedere, por lo que dicho nexo no constituye un prius como en la culpa contractual, sino un posterius...*". De este modo, el contenido normal del derecho de obligación es ese *prius* (relación jurídico-contractual) al que se refiere el Alto Tribunal.

[187] Remitimos al lector al apartado en el que tratamos esta cuestión.

[188] Así parece deducirse de la definición de Roca Sastre expuesta en el texto principal. Véase Roca Sastre, R. M.ª, *Derecho Hipotecario T. II*, ob. cit., pág. 618.

[189] Moreno Quesada, B., "Configuración del derecho real", ob. cit., pág. 31; Díez Pastor, J. L., ob. cit., págs. 282 y 285. En este sentido, Barassi sostiene los deberes negativos que imponen los derechos reales tienen una naturaleza diversa de los deberes de corrección (*alterum non laedere*), en tanto en cuanto señala que "... aquellos constituyen el derecho real mientras que estos lo presuponen". Barassi, L., *Diritti reali e posseso...*, ob. cit., pág. 55. La traducción es nuestra.

[190] Díez Pastor afirma que lo anormal es que los derechos reales sean violados. Díez Pastor, J. L., ob. cit., pág. 282. Ello no se opone, bajo nuestro punto de vista, al hecho de que esta categoría de derechos, a diferencia de los derechos personales, se caractericen por ese deber general de abstención.

[191] Álvarez Olalla, P. *et al.* en *Manual de Derecho Civil...*, ob. cit., pág. 34. Véase, asimismo, Díez-Picazo y Ponce de León, L., *Fundamentos del Derecho Civil Patrimonial Vol. III...*, ob. cit., pág. 975.

compatible con admitir que los derechos reales se caracterizan por su exclusión, mientras que los derechos personales consisten eminentemente en la posibilidad de exigir a un determinado sujeto o, en su caso, sujetos (arts. 1137 y ss.) la realización de una concreta conducta que implique un "...*dar, hacer o no hacer alguna cosa*" (art. 1088 Cc).

b)   El diverso alcance de los derechos subjetivos patrimoniales

Enlazando con lo expuesto en el apartado anterior, se viene afirmando que los derechos reales son oponibles *erga omnes*, en contraste con los derechos personales, los cuales solo pueden hacerse valer frente al deudor y sus causahabientes (*ex* art. 1257 Cc)[192]. La aparente solidez del esquema tradicional se ha visto, sin embargo, amenazada por la existencia de determinados supuestos en los que derechos que vienen siendo reputados como reales, no pueden hacerse valer frente a terceros (art. 34 LH, art. 464 Cc)[193]. Del mismo modo, hay determinadas figuras que, siendo sistemáticamente encuadradas dentro del ámbito contractual, son oponibles frente a personas ajenas a la relación jurídico-personal[194].

Sobre el primero de los fenómenos mencionados ya tuvimos la oportunidad de pronunciarnos en otro apartado de este trabajo, por lo que remitimos al lector a lo allí expuesto. Resta, pues, analizar la cuestión que nos ocupa en relación con los derechos de crédito. En este sentido, cabe destacar que, como se señala en la STS 17 octubre 1989 (TOL1.731.791), son dos los supuestos en los que un negocio jurídico o sus consecuencias jurídicas pueden hacerse valer frente a sujetos ajenos a la relación negocial: a) cuando este se halle dotado de

---

[192]   Véase Castán Tobeñas, J., *Derecho Civil Español, Común y Foral T. II Vol. I*, ob. cit., págs. 47 y 48. También Espejo Lerdo de Tejada, M., *La reserva de dominio inmobiliaria en el concurso*, ob. cit., pág. 93.

[193]   Aunque no se refiere a estos preceptos, véase Giorgianni, M. en "Los derechos reales"..., ob. cit., pág. 1203.

[194]   Giorgianni, M. en "Los derechos reales"..., ob. cit., pág. 1203. Ragel Sánchez, L. F., ob. cit., pág. 23. Sobre este debate véase Carreras Maraña, J. M., "Por la inscripción voluntaria del contrato de arrendamiento, ¿deja de existir un derecho personal y surge un derecho real?", *Cuaderno de arrendamientos urbanos* núm. 303, enero-febrero 2010, págs. 7-12.

publicidad registral y b) cuando los terceros tengan conocimiento de la realidad negocial por medios ajenos al Registro.

Por lo que se refiere al primero de los supuestos arriba mencionados, es por todos conocido que "*el Registro de la Propiedad tiene por objeto la inscripción o anotación de los actos y contratos relativos al dominio y demás derechos reales sobre bienes inmuebles*" (párrafo primero del art. 1 LH). En este sentido, los derechos de carácter personal se hallan, como regla general, desterrados del ámbito registral (*ex* art. 98 LH). Cabe destacar, sin embargo, que en determinados supuestos el ordenamiento jurídico prevé la posible inscripción de derechos crediticios, siendo los casos más notables el del derecho de arrendamiento[195] (art. 2.5 LH[196] en relación con el art.1549 Cc) y el del derecho de opción en su modalidad obligacional (art. 14 RH)[197]. De este modo, se hace posible que los derechos mencionados afecten a sujetos ajenos a la relación jurídico-obligacional.

No obstante lo anterior, han de realizarse una serie de puntualizaciones. En el caso del derecho de arrendamiento inscrito, debemos tener en cuenta que la inscripción no muta, en ningún caso, su naturaleza jurídico-obligacional[198]. De este modo, el arrendador sigue ostentando un derecho de crédito, sin perjuicio de que este sea oponible

---

[195]   Véase Albaladejo García, M., *Derecho Civil III...*, ob. cit., págs. 16 y 17; Martín Pérez, A., ob. cit., pág. 6; Alguer, J., "Ensayos varios sobre temas fundamentales de derecho civil", ob. cit., págs. 84 y ss. También se halla protegido el arrendatario por lo dispuesto en el art. 29 LAU y 22 LAR, según expone Puente de Pinedo, L., "Comentario al artículo 1549" en *Comentarios al Código Civil* (dir. Domínguez Luelmo, A.), Lex Nova, Valladolid, 2010, págs. 1697 y 1698; Blasco Gascó, F. de P., *Instituciones de Derecho Civil...*, ob. cit., pág. 41; Ragel Sánchez, L. F., ob. cit., pág. 23. También ha que tener en cuenta la modificación de los arts. 7, 10.2, 13 y 14 Lau intoducida por el Real Decreto-ley 7/2019, de 1 de marzo, de medidas urgentes en materia de vivienda y alquiler.

[196]   Este precepto establece concretamente que "*los contratos de arrendamiento de bienes inmuebles, y los subarriendos, cesiones y subrogaciones de los mismos*".

[197]   Ragel Sánchez, L. F., ob. cit., pág. 23.

[198]   Navarro Fernández, J. A., "Comentario al artículo 1549" en *Jurisprudencia civil comentada. Código Civil T. III* (dir. Pasquau Liaño, M.), 2ª ed., Comares, Granada, 2009, págs. 3156 y 3157; Mayor del Hoyo, M.ª V., ob. cit., pág. 170. El mencionado autor cita, entre otras, la STS 17 octubre 1978 (TOL2.189.429), en la cual se puso de manifiesto que "*...aunque en algunas sentencias, con arrendamiento especial, se llegó a calificar como derecho real, posteriormente se ha vuelto a reconocerle su carácter de derecho de crédito, aunque en ciertos casos, se*

a terceros adquirentes del bien. Es cierto que, como apunta Albaladejo, esta distinción teórica parece, a simple vista, quedar diluida en el plano práctico, ya que los efectos que se le otorgan al arrendamiento inscrito (derecho personal) son similares a los que se derivan de un derecho real[199]. Ello no debe, sin embargo, llevarnos a establecer una equiparación entre ambos tipos de derecho, en primer lugar, porque sería erróneo desde el punto de vista dogmático[200] y, en segundo lugar, porque, como reconoce el propio autor antes citado, la oponibilidad se proyecta frente a los futuros adquirentes, pero no protege al arrendatario de las perturbaciones jurídicas que sufra respecto de las injerencias de terceros[201]. Como ya vimos, el arrendatario no se halla legitimado para ejercitar acciones reales, únicamente puede recurrir a la protección que le dispensa la tutela interdictal.

Aunque estudiaremos con detenimiento el derecho de opción en otro lugar de este trabajo, debemos adelantar que los particulares, en uso de su autonomía privada, pueden optar por constituir el derecho de opción, bien como una figura obligacional, bien como un auténtico

---

dijo que, equivalía a un derecho real, o actuaba como tal, o tenía ciertos efectos o recibía un trato parecido al de los derechos reales".

[199]		Albaladejo García, M., *Derecho Civil III...*, ob. cit., pág. 17. Véase, asimismo, Adán García, M.ª E., "Comentario al artículo 1549" en *Código Civil Comentado Vol. IV* (dirs. Cañizares Laso, A. *et al.*), 2ª ed., Aranzadi, Cizur Menor, 2016, pág. 366. La Dirección General de los Registros y del Notariado ha llegado al punto de afirmar en su RDGRN 25 noviembre 1992 (RJ 1992\9494) que, en relación con un arrendamiento del derecho a instalar carteles publicitarios, "*será también inscribible un arrendamiento si, sobre cumplir con alguna de las condiciones especiales que la Ley exige para que el arrendamiento sea inscribible, resulta según el título de propiedad horizontal y según la Ley, válidamente constituido como tal, tanto por los requisitos de constitución como por los caracteres y alcance que se da al derecho constituido que, con la inscripción, va a tener ciertos efectos de derecho real de goce general*".

[200]		No resulta, pues, acertado el planteamiento expuesto en la STS 28 marzo 1990 (TOL1.729.216), donde se señaló que, aunque, como regla general, el arrendamiento "*...es un acto de administración, ello quiebra cuando o bien por la naturaleza de la cosa o bien, como en el presente caso, por el largo tiempo que para su donación se estipule, 8 años, en el contrato, puede constituir un derecho real a favor del arrendatario inscribible en el Registro de la Propiedad (artículo 2, n.º 5.º de la Ley Hipotecaria)...*". A favor del carácter real del arrendamiento también se muestra Vallet de Goytisolo, J. B., *Estudios sobre Derecho de Cosas...*, ob. cit., pág. 498.

[201]		Albaladejo García, M., *Derecho Civil III...*, ob. cit., pág. 17.

derecho real[202]. En el caso de que las partes opten por su configuración jurídico-personal, el derecho de opción puede ser inscrito en virtud de lo dispuesto en el art. 14 RH, lo que no implica la mutación de la naturaleza del derecho[203]. Como veremos, esto tiene importantes consecuencias en el plano de la práctica, ya que, en nuestra opinión, los puntos a los que se refiere el mencionado precepto reglamentario son únicamente predicables respecto de la inscripción del derecho de opción en su modalidad obligacional[204].

De lo hasta aquí expuesto extraemos dos conclusiones: a) la constancia registral de ciertos derechos personales y su consecuente oponibilidad frente a terceros es una excepción a la norma general (art. 98 LH), que se debe una decisión de política legislativa en aras de tutelar determinadas situaciones[205]; b) las figuras de carácter obligacional no mutan su naturaleza por el mero acceso al Registro de la Propiedad[206].

---

[202] RDGRN 10 abril 2014 (TOL4.277.898).

[203] Aunque se mencionarán en otro punto de este trabajo, deben traerse aquí a colación la STS 9 octubre 1987 (RJ 1987\6928); STS 9 octubre 1989 (TOL1.731.764); STS 13 febrero 1997 (TOL5.114.372). Cabe advertir, sin embargo, que esta línea jurisprudencial considera que la opción únicamente puede ser configurada como un derecho de naturaleza obligacional, rechazando su constitución como de derecho real.

[204] Insistimos en que este punto será analizado en otro lugar de este trabajo.

[205] Al respecto véanse Gómez Gálligo, F. J., y Del Pozo Carrascosa, P., *Lecciones de Derecho Hipotecario*, Marcial Pons, Madrid, 2000, pág. 19; Pau Pedrón, A., *Elementos de Derecho Hipotecario*, ob. cit., págs. 68 y 69; Quicios Molina, S., "Comentario al artículo 1549" en *Comentarios al Código Civil T. VIII* (dir. Bercovitz Rodríguez-Cano, R.), Tirant Lo Blanch, Valencia, 2013, pág. 10969; Navarro Fernández, J. A, ob. cit., págs. 3156 y 3157; Adán García, M.ª E., ob. cit., pág. 366. Así, De Castro García razona que el motivo de la posible inscripción de un derecho personal como lo es el arrendamiento se debe a la necesidad de "… dar firmeza, perdurabilidad y defensa a los derechos del arrendatario". De Castro García, J., ob. cit., pág. 1464. En el mismo sentido, Goñi estima que "…si en determinados casos goza de oponibilidad, no es tanto por su carácter de derecho real, sino más bien, por la protección que el legislador quiere dar al arrendatario…". Goñi Rodríguez de Almeida, M., "La importancia de la inscripción en el Registro de los arrendamientos…", ob. cit., pág. 313.

[206] Cruz Gallardo, B., *Principios hipotecarios y particularidades de la ejecución hipotecaria sobre los consumidores. Práctica registral y procesal*, La Ley, Las Rozas, 2014, pág. 60 nota al pie núm. 32; Manzano Fernández, M.ª D. M., "La inscripción de los contratos de arrendamiento en la nueva Ley de Arrendamien-

En cuanto al segundo de los fenómenos aludidos, el derecho de crédito podrá hacerse valer frente a quien haya tenido conocimiento de la realidad negocial[207]. Ello se traduce no solo en la necesidad de que el negocio jurídico "...*sea efectivamente conocido por los terceros...*", sino que, además, "...*se pruebe el hecho de ese conocimiento*"[208]. En este sentido, se viene sosteniendo que el conocimiento se identifica con mala fe, del mismo modo que el desconocimiento no imputable al tercero equivale a la buena fe[209].

Puede concluirse, con Rodríguez González, que los derechos de crédito, a diferencia de los derechos reales, no cuentan con una oponibilidad natural[210]. En este sentido, la pretendida oponibilidad de los derechos personales no es más que el producto de la necesidad de proteger determinadas situaciones jurídicas especialmente dignas de tutela (arrendamiento, derecho de opción, entre otros) o, más generalmente, de garantizar el respeto por los derechos ajenos[211]. En cualquier caso, solo podrá hacerse valer el derecho de crédito en las circunstancias antes expresadas, esto es, cuando exista publicidad registral o conocimiento efectivo por parte del tercero[212].

C) Los sistemas de protección

Como adelantábamos en otro punto de este trabajo, los romanos no distinguieron entre derechos de carácter real y personal, sino que, como se ha expuesto más arriba, se limitaron a establecer la diferen-

---

tos Urbanos", *R.C.D.I.* núm. 637, noviembre-diciembre 1996, pág. 2122; Goñi Rodríguez de Almeida, M., "La importancia de la inscripción en el Registro de los arrendamientos...", ob. cit., pág. 319; De Grado Sanz, M.ª C., y Ruano Borrella, J. P., ob. cit., págs. 1678 y 1679.

[207] Rodríguez González, J. I., ob. cit., págs. 168 y ss.; Ragel Sánchez, L. F., ob. cit., pág. 312.

[208] STS 17 octubre 1989 (TOL1.731.791). Véase, asimismo, Ragel Sánchez, L. F., ob. cit., págs. 312-314.

[209] Ragel Sánchez, L. F., ob. cit., págs. 313 y 314; Rodríguez González, J. I., ob. cit., págs. 168 y ss.

[210] Rodríguez González, J. I., ob. cit., pág. 187.

[211] Rodríguez González, J. I., ob. cit., pág. 187.

[212] Rodríguez González, J. I., ob. cit., pág. 187 y 188; Ragel Sánchez, L. P., ob. cit., págs. 312 y 313.

ciación entre *actiones in rem* y *actiones in personam*[213]. Es lógico, pues, que, desde el punto de vista histórico-procesal, el ordenamiento jurídico actual haya mantenido un sistema dual de acciones reales y personales. De este modo, la tutela de los derechos reales se materializa, como ya se apuntó, a través de las acciones de carácter real, mientras que, por el contrario, las acciones de carácter personal se encuentran destinadas a proteger los derechos de carácter crediticio[214]. Este es precisamente el motivo por el que Mayor del Hoyo niega la legitimación al arrendatario para el ejercicio de la acción real registral, aun cuando se trate de un arrendamiento inscrito *ex* art. 2.5 LH[215].

No obstante lo anterior, debemos destacar, con Díez-Picazo[216] y De Pablo Contreras[217], que existen determinados supuestos en los cuales el titular de un derecho real puede ejercitar, además de las acciones reales que le correspondan, determinadas acciones de carácter personal. Ello se dará cuando el derecho real de que se trate cuente con un cierto contenido obligacional, siendo, tal vez, el supuesto más destacado aquel que recoge el art. 1623 Cc, el cual dispone que *"además de*

---

[213]   Vincenti, U., *Categorie del diritto romano*, Jovene, Napoli, 2007, pág. 180.

[214]   Álvarez Suárez, U., "Esquema de la distinción entre los derechos reales y personales", *R.F.D.M.* núm. 12, 1943, pág. 26. Así, la acción real es definida en el Diccionario del Español Jurídico como aquella "acción que nace de alguno de los derechos llamados reales, especialmente del dominio, servidumbre, prenda o hipoteca". Por el contrario, en el mencionado diccionario se define a la acción personal como aquella "acción que faculta a la parte actora para exigir el cumplimiento de una obligación".

[215]   Mayor del Hoyo, M.ª V., ob. cit., págs. 161 y ss. En este sentido, la autora considera que, con independencia de las posturas teóricas que puedan desarrollarse al respecto, la legislación en bastante clara en cuanto a este punto. Ello se deduce de la interpretación conjunta de los arts. 41 LH y 250.1.7 Lec. De este modo, el primero de los preceptos señala que *"las acciones reales procedentes de los derechos inscritos podrán ejercitarse a través del juicio verbal regulado en la Ley de Enjuiciamiento Civil…"*, mientras que la segunda de las normas mencionadas establece que *"se decidirán en juicio verbal, cualquiera que sea su cuantía, las demandas siguientes (…) las que, instadas por los titulares de* derechos reales *inscritos en el Registro de la Propiedad, demanden la efectividad de esos derechos frente a quienes se oponga a ellos o perturben su ejercicio, sin disponer de título inscrito que legitime la oposición o la perturbación"*. El subrayado es nuestro.

[216]   Díez-Picazo y Ponce de León, L., *Fundamentos del Derecho Civil Patrimonial Vol. III…*, ob. cit., págs. 84-86.

[217]   De Pablo Contreras, P., "El derecho real y sus caracteres", ob. cit., pág. 30.

la acción real podrá el censualista ejercitar la personal para el pago de las pensiones atrasadas, y de los daños e intereses cuando hubiere lugar a ello"[218]. En este sentido, también puede el usufructuario, como indica Díez-Picazo[219], ejercitar en determinadas circunstancias acciones de carácter personal (reclamación de frutos, la acción encaminada a solicitar la reintegración de determinados gastos, entre otras).

En relación con lo anterior, cabe, asimismo, hablar de acciones personales en relación con un derecho de carácter real cuando se halle ligada a este una obligación *propter rem*[220]. Nos detendremos en el estudio de esta figura más adelante, por lo que baste aquí señalar que se trata de una obligación en la que la individualización del deudor se realiza en relación con la titularidad de un derecho real.

Lo expuesto en los párrafos precedentes, no supone una excepción al sistema de acciones previsto para cada tipo de derecho subjetivo patrimonial, simplemente pone de relieve que en sede de derechos reales puede existir un elemento obligacional externo (obligaciones *propter rem*) o interno (contenido obligacional propio del derecho real) a los mismos que permite que el titular del derecho se vea tutelado, además de por las acciones reales, por determinadas acciones de ca-

---

[218] De Pablo Contreras, P., "El derecho real y sus caracteres", ob. cit., pág. 30; Díez-Picazo y Ponce de León, L., *Fundamentos del Derecho Civil Patrimonial Vol. III...*, ob. cit., pág. 84. Sobre este particular véase Albiez Dohrmann, K., "Comentario al artículo 1623" en *Código Civil. Doctrina y Jurisprudencia T. VI* (dirs. Albácar López, J. L. y Santos Briz, J.), 2ª ed., Trivium, Madrid, 1991, pág. 34; Andrés Santos, F. J., "Comentario al artículo 1623" en *Comentarios al Código Civil* (dir. Domínguez Luelmo, A.), Lex Nova, Valladolid, 2010, págs. 1773 y 1774.

[219] Díez-Picazo y Ponce de León, L., *Fundamentos del Derecho Civil Patrimonial Vol. III...*, ob. cit., pág. 84.

[220] De Pablo Contreras, P., "El derecho real y sus caracteres", ob. cit., pág. 30. Así, en relación con la obligación de contribuir a los gastos de la comunidad, la SAP Sevilla (Sección 5ª) 16 septiembre 2016 (TOL5.906.083) señaló que *"junto a esta acción de carácter personal contra el propietario deudor, el artículo 9-1º-e de la Ley de Propiedad Horizontal regula una acción real contra el nuevo adquirente -que no es el deudor, al no devengarse desde cuando es titular- para obligarle a soportar la afectación del inmueble, aunque con la limitación temporal de las cantidades adeudadas, por los anteriores propietarios, vencidas en la anualidad en la que ha tenido lugar la adquisición y a los tres años naturales inmediatamente anterior"*.

rácter personal[221]. De este modo, los derechos personales generan, en todo caso, acciones personales, mientras que, como apunta De Pablo Contreras, los derechos reales son aquellos que se ven tutelados por, al menos, una acción real[222].

1.3. Consecuencias prácticas de la distinción

La importancia de fijar unos criterios que nos permitan establecer una adecuada diferenciación entre los derechos de carácter real, de un lado, y los derechos de carácter crediticio, de otro, reside en su eminente repercusión práctica[223]. De este modo, el encuadre de una concreta figura en una u otra categoría dogmática supondrá la aplicación de un distinto régimen normativo[224]. Todo ello pone de

---

[221]   Así, volviendo al supuesto de los censos, resulta muy ilustrativa la reflexión expuesta por O´Callaghan, quien reconociendo la posibilidad de que el censualista opte entre ejercitar una acción real o personal, señala que "la acción real es la manifestación más clara de la naturaleza de derecho real: en cosa ajena, del censo y condominio en la enfiteusis". O´Callaghan Muñoz, X., "Comentario al artículo 1623" en *Comentario del Código Civil T. II* (dir. Paz-Ares Rodríguez, C. et al.), Ministerio de Justicia, Madrid, 1991, pág. 1250.

[222]   De Pablo Contreras, P., "El derecho real y sus caracteres", ob. cit., pág. 29. En parecido sentido se pronuncia Díez-Picazo y Ponce de León, L., *Fundamentos del Derecho Civil Patrimonial Vol. III…*, ob. cit., pág. 86. Así, nuestro Alto Tribunal llegó a apuntar en la STS 14 septiembre 2016 (TOL5.824.007) que "*lo característico de la acción real es que proporciona al titular de un derecho de tal clase la facultad de dirigirse judicialmente, y de manera directa, al bien o la cosa que es objeto de su derecho. La acción real facilita la reipersecutoriedad al conferir a su titular el poder de activar la maquinaria judicial para restituirle en su derecho. La acción personal responde a una relación jurídica entre personas de modo que únicamente puede dirigirse la acción contra el obligado o, en su caso, contra quienes traigan causa de él*".

[223]   Esta repercusión ha sido resaltada por la mayoría de los autores que han abordado el estudio de la materia, destacando, entre otros, Rogel Vide, C., ob. cit., págs. 14 y 15, Huerta Trólez, A., ob. cit., pág. 78; Blasco Gascó, F. de P., *Instituciones de Derecho Civil…*, ob. cit., pág. 36, Albaladejo García, M., *Derecho Civil III…*, ob. cit., pág. 18, Peña Bernaldo de Quirós, M., *Derechos Reales. Derecho Hipotecario T. I*, ob. cit., pág. 59.

[224]   Huerta Trólez, A., ob. cit., pág. 78. No puede pasarse por alto que nuestro Código civil prevé un distinto tratamiento de los derechos reales y de los obligacionales. Ello ocurre, de igual forma, en el ordenamiento jurídico italiano, ya que el *Codice civile* cuenta con un Libro III denominado *della proprietà* y un Libro IV bautizado bajo el nombre de *delle obbligazioni*. El BGB, por su parte, reserva su

relieve que el interés que esta cuestión suscita va más allá de la mera curiosidad científica.

En los apartados precedentes nos hemos ocupado de analizar cuáles son las notas que nos permiten identificar a los derechos de naturaleza real frente a los de carácter crediticio, cuestión que, como hemos visto, no resulta, ni mucho menos, pacífica entre la doctrina. Resta, pues, centrarnos en examinar cuáles son las principales consecuencias jurídicas que se derivan de calificación de una concreta figura como un derecho personal o, por el contrario, como un derecho real.

A) Formas de adquisición y transmisión

Nuestro derecho positivo articula un sistema de adquisición y transmisión de los derechos patrimoniales que varía en función de la naturaleza de los mismos[225]. De este modo, los derechos de crédito surgen, como regla general, a partir del encuentro de voluntades, máxima que se ve excepcionada en el caso de los contratos *ad solemnitatem*[226]. De este modo, puede decirse que, dejando a un lado la polémica sobre la discutida categoría de los contratos reales[227], "*los*

Libro II al régimen del Derecho de Obligaciones (*Recht der Schuldverhältnisse*) y su Libro III a la regulación del Derecho de las Cosas (*Sachenrecht*). El *Code civil*, en cambio, condensa la regulación de las distintas instituciones reales en su Libro II bajo la rúbrica *des biens et des différentes modifications de la propietè*, mientras que las figuras de carácter contractual se regulan en el Libro III, cuyo título es el de *des différentes manières dont on acquiert la propiété*.

[225]   Blasco Gascó, F. de P., *Instituciones de Derecho Civil...*, ob. cit., pág. 36; Huerta Trólez, A., ob. cit., pág. 78.

[226]   Díez-Picazo y Ponce de León, L., "Comentario al artículo 1258" en *Comentario del Código Civil T. II* (dir. Paz-Ares Rodríguez, C. *et al.*), Ministerio de Justicia, Madrid, 1991, pág. 436. Véase, asimismo, la STS 15 octubre 1985 (RJ 1985\4846).

[227]   Algunos autores consideran que en nuestro ordenamiento existen contratos respecto de los cuales no es posible predicar su nacimiento hasta que se produce la entrega de la cosa. Vivas Tesón, I., "Una reflexión en torno a la categoría de los contratos reales" en *Estudios Jurídicos en homenaje al Profesor Luis Díez-Picazo T. II Derecho Civil. Derecho de Obligaciones*, Civitas, Madrid, 2003, págs. 3321 y 3322. Así, por ejemplo, en la STS 22 mayo 2001 (TOL4.974.352) se afirmó que "*...el contrato de préstamo exige para su perfección la entrega de la cosa –sentencias de 4 de mayo de 1943, 28 de marzo de 1983 y 7 de octubre de 1994– al punto que si no se entregó la cosa o el dinero, no existe contrato de*

contratos se perfeccionan por el mero consentimiento..." (art. 1258 Cc), de modo que en aquellos supuestos en los que una de las prestaciones consista en un *dare* no será necesaria la entrega de la cosa para que se produzca el nacimiento del derecho de crédito[228].

Por lo que se refiere a los derechos reales, el art. 609 Cc enumera los diversos modos encaminados a permitir la adquisición de la propiedad y, aunque no lo mencione expresamente, de los *iura in re aliena*. En este sentido, la doctrina suele distinguir entre los modos originarios (ocupación, prescripción adquisitiva) y los modos derivativos de adquisición (donación, transmisión *mortis causa* y la transmisión a partir de ciertos contratos seguidos de la *traditio*)[229]. Cabe, además, que la adquisición de los derechos reales se realice *ex lege*, aunque se trata de un supuesto con escasa repercusión práctica, ya que la ley se suele limitar a señalar cuáles son las condiciones necesarias para la adquisición de un determinado derecho (expropiación, adquisiciones *a non domino*, entre otros)[230].

En relación con lo anterior, resulta patente que la naturaleza del derecho subjetivo patrimonial condiciona los posibles modos en los que puede ser adquirido y transmitido. Así, podemos afirmar que, por

---

  préstamo – sentencia de 27 de octubre de 1994– y así surgido el contrato con la entrega, no produce obligaciones más que para el prestatario por tratarse de un contrato real –sentencia de 22 de diciembre de 1997".

No obstante lo anterior, otros autores, entre los que puede citarse a García Rubio, estiman que, en relación con este tipo de contratos, la falta de entrega no afecta a la perfección de los mismos, sino a su eficacia. García Rubio, M.ª P., "Comentario al artículo 1258" en *Comentarios al Código Civil* (dir. Domínguez Luelmo, A.), Lex Nova, Valladolid, 2010, pág. 1374.

[228] Así, en relación con un contrato de compraventa, se afirmó que "...*los contratos se perfeccionan por el consentimiento, sin exigir la entrega de la cosa vendida para su perfección...*". STS 14 mayo 2009 (TOL1.525.363).

[229] Parra Lucán, M.ª A., "Comentario al artículo 609" en *Comentarios al Código Civil T. IV* (dir. Bercovitz Rodríguez-Cano, R.), Tirant Lo Blanch, Valencia, 2013, pág. 4647. Véase, asimismo, Domínguez Luelmo, A., "Comentario al artículo 609" en *Comentarios al Código Civil* (dir. Domínguez Luelmo, A.), Lex Nova, Valladolid, 2010, págs. 713-715; De Pablo Contreras, P., "Adquisición y extinción de los derechos reales. La ocupación" en *Curso de Derecho Civil III Derechos Reales* (coord. De Pablo Contreras, P.), 4ª ed. reimp., Edisofer, Madrid, 2016, págs. 319 y 320.

[230] De Pablo Contreras, P., "Adquisición y extinción de los derechos reales. La ocupación", ob. cit., pág. 319.

ejemplo, los derechos de crédito no son susceptibles de ser adquiridos por usucapión, aunque comporten una relación posesoria con la cosa objeto de derecho (arrendamiento, comodato, depósito)[231]. Del mismo modo, cabe señalar que, a diferencia de lo que ocurría en el ámbito contractual, el nacimiento de los derechos reales no depende de la mera voluntad de las partes, ya que el sistema imperante en nuestro ordenamiento jurídico exige que el título vaya acompañado por un elemento formal (*traditio*), el cual puede consistir tanto en la entrega material de la cosa como en otro acto de carácter formal (*ex* art. 1462 Cc)[232]. En este sentido, la interpretación sistemática de los arts. 609 y 1095 Cc realizada tanto por la doctrina[233] como por la jurisprudencia[234] nos conduce a afirmar la importancia de la teoría del título y el

---

[231]   De Pablo Contreras, P., "La usucapión" en *Curso de Derecho Civil III Derechos Reales* (coord. De Pablo Contreras, P.), 4ª ed. reimp., Edisofer, Madrid, 2016, pág. 423. También De Pablo Contreras, P., "Comentario al artículo 1936" en *Código Civil Comentado Vol. IV* (dirs. Cañizares Laso, A. *et al.*), 2ª ed., Aranzadi, Cizur Menor, 2016, pág. 1462.

[232]   Parra Lucán, M.ª A., "Comentario al artículo 609", ob. cit., pág. 4650; Vela Sánchez, A. J., "La controversia jurisprudencial sobre la concurrencia de título y modo en las ventas judiciales: ¿Cuál es su trascendencia práctica?", *R.C.D.I.* núm. 703, septiembre-octubre 2007, págs. 2191-2193. En el mismo sentido, en la RDGRN 20 mayo 2005 (TOL673.632) se puso de manifiesto que "*la transmisión del dominio en el Derecho español se produce por la suma de título y modo, cuya simbiosis es el valor traditorio de la escritura pública (art. 1.462.2 del Código Civil), que hace que el derecho real, al inscribirse, careciendo la inscripción de aptitud como modo traslativo, esté ya preconstituido en el documento inscribible, como título que incorpora al mismo tiempo el modo...*".

[233]   Entre otros, Beltrán de Heredia de Onís, P., "La tradición como modo de adquirir la propiedad", *R.D.P.*, febrero 1967, págs. 103 y ss.; Espín Cánovas, D., "La transmisión de los derechos reales en el Código Civil Español", *R.D.P.*, junio 1945, pág. 355. En este sentido, Cuena Casas subraya la importancia del art. 609 Cc, al cual califica como "...uno de los pilares básicos del Derecho civil patrimonial". Cuena Casas, M., "Comentario al artículo 609" en *Código Civil Comentado Vol. II* (dirs. Cañizares Laso, A. *et al.*), 2ª ed., Aranzadi, Cizur Menor, 2016, pág. 29. Del mismo modo, Verdera Server considera que, el art. 1095 Cc ha de considerarse, más bien, como un complemento del art. 609 Cc, donde, en su opinión reposa la clave de la teoría del título y del modo. Verdera Server, R., "Comentario al artículo 1095" en *Código Civil Comentado Vol. III* (dirs. Cañizares Laso, A. *et al.*), 2ª ed., Aranzadi, Cizur Menor, 2016, pág. 68.

[234]   Entre otras, STS 20 octubre 1989 (TOL1.731.821); STS 9 diciembre 1997 (TOL5.114.608); STS 30 diciembre 2010 (TOL2.039.447); STS 19 junio 2014 (TOL4.395.193).

modo en lo que a la adquisición y transmisión de derechos reales se refiere[235], lo que difiere en gran medida, de la mecánica propia de los derechos de crédito, que, como señalamos más arriba, pueden ser adquiridos y transmitidos por la simple concurrencia de las voluntades que quedan plasmadas en el título[236].

No obstante lo anterior, debe advertirse que existen ordenamientos en los cuales la solución adoptada por el legislador en lo que a la transmisión de derechos reales se refiere no es coincidente con la acogida por nuestro derecho positivo. Así, por ejemplo, el sistema jurídico francés, únicamente exige título para que se produzca la transmisión de la propiedad[237]. Ello supone que en función del ordenamiento

---

[235] Ambos elementos se encuentran conectados, de modo que la falta de alguno de ellos frustrará la transmisión de la propiedad. Así lo señala Navarro Castro, M., *La tradición instrumental*, Bosch, Barcelona, 1996, págs. 43-45. Asimismo, el *acipiens* no adquirirá ningún derecho real sobre la cosa si ello no resulta del título o si este no es claudicante. De Pablo Contreras, P., "La adquisición derivativa *inter vivos*" en *Curso de Derecho Civil III Derechos Reales* (coord. De Pablo Contreras, P.), 4ª ed. reimp., Edisofer, Madrid, 2016, pág. 352. Véase, asimismo, Llamas Pombo, E., "Comentario al artículo 1095" en *Comentarios al Código Civil* (dir. Domínguez Luelmo, A.), Lex Nova, Valladolid, 2010, pág. 1195.

[236] Al respecto resultan relevantes las observaciones realizadas por Miquel, para quien "…los sistemas de transmisión de la propiedad no se diferencian tanto por la necesidad de entrega material, más o menos visible, de la cosa, como la separación del Derecho de obligaciones de los Derechos reales. Lo importante de la tradición no es si debe tener lugar de forma visible o no para los terceros, sino la separación de dos momentos en el iter traslativo que permiten diferenciar los aspectos contractuales del derecho de obligaciones de los aspectos reales". Miquel González, J. M., "Comentario al artículo 609" en *Comentario del Código Civil T. I* (dir. Paz-Ares Rodríguez, C. *et al.*), Ministerio de Justicia, Madrid, 1991, pág. 1546. En similar sentido se pronuncia Aranda Rodríguez, R., *La prenda de créditos*, ob. cit., pág. 93.

[237] Véase Hernández Gil, A., *Derechos Reales…*, ob. cit., 1989, pág. 18; Descorges, R., *Les biens*, Hachette Supérieur, Paris, 2007, págs. 65 y 66. De este modo, el art. 711 del *Code civil* establece que "*la propriété des biens s'acquiert et se transmet par succession, par donation entre vifs ou testamentaire, et par l'effet des obligations*".
El Proyecto de García Goyena, inspirándose en la solución adoptada por el sistema jurídico galo, optó, asimismo, por acoger un modelo de transmisión de la propiedad de carácter consensual. De este modo, el art. 548 del citado Proyecto establecía que "*la propiedad se adquiere por herencia, contrato y prescripción*" y, de forma más específica, el artículo 981 del Proyecto rezaba "*la entrega de la cosa no es necesaria para la traslación de la propiedad; lo cual se entiende sin*

jurídico que se tome como referencia pueden extraerse conclusiones diversas acerca de esta cuestión, por lo que no resulta acertado señalar, en todo caso, una total disparidad entre los derechos reales y obligacionales en lo que a este punto se refiere[238].

B) Causas de extinción

El régimen de las causas de extinción de las obligaciones se encuentra plasmado en el art. 1156 Cc, el cual establece un listado general de circunstancias que, en el caso de acontecer, dan lugar a la extinción de la relación jurídico-personal. De este modo, el precepto señala que las obligaciones pueden extinguirse: a) *"por el pago o cumplimiento"*; b) *"por la pérdida de la cosa debida"*; c) *"por la condonación de la deuda"*; d) *"por la confusión de los derechos de acreedor y deudor"*; e) *"por la compensación"* y f) *"por la novación"*. Ello no supone, sin embargo, que no puedan existir otras causas de extinción distintas de las contenidas en la norma antes mencionada, ya que esta habrá de ser completada *"con las demás causas, previstas especialmente en otros lugares del propio Cuerpo legal o que resultan de modo claro de la adecuada combinación de sus preceptos"*[239].

---

     perjuicio de tercero para el caso previsto en los artículos 1859 y siguientes, del título 20, libro 3 de este código". Nuestro modelo actual se aleja, sin embargo, de esta solución haciendo hincapié en la necesidad de que al título le siga un acto formal para poder entender que se ha producido la transmisión de la propiedad.

[238] Hernández Gil, A., *Derechos Reales...*, ob. cit., 1989, pág. 18.

[239] STS 5 diciembre 1940 (RJ\1940\1129). Véanse también STS 5 abril 1979 (TOL1.741.092); STS 11 febrero 1985 (RJ 1985\556); STS 12 noviembre 1987 (TOL1.738.115); STS 25 octubre 1999 (TOL5.120.466). Sobre el particular también se pronuncian Oliva Blázquez, F., "Comentario al artículo 1156" en *Código Civil Comentado Vol. III* (dirs. Cañizares Laso, A. *et al.*), 2ª ed., Aranzadi, Cizur Menor, 2016, pág. 333; Del Olmo García, P., "Comentario al artículo 1156" en *Comentarios al Código Civil* (dir. Domínguez Luelmo, A.), Lex Nova, Valladolid, 2010, pág. 1285; Moreno-Torres Herrera, M.ª L. y Álvarez Lata, N., "Comentario al artículo 1156" en *Jurisprudencia civil comentada. Código Civil T. III* (dir. Pasquau Liaño, M.), 2ª ed., Comares, Granada, 2009, pág. 2086; Santos Briz, J., "Comentario al artículo 1156" en *Código Civil. Doctrina y Jurisprudencia T. IV* (dir. Albácar López, J. L.), 2ª ed., Trivium, Madrid, 1991, págs. 275 y 276; Marín López, M. J., "Comentario al artículo 1156" en *Comentarios al Código Civil T. VI* (dir. Bercovitz Rodríguez-Cano, R.), Tirant Lo Blanch, Valencia, 2013, pág. 8471. Bercovitz, por su parte, sostiene que la única virtud de este

Debe destacarse, además, que no todos los supuestos a los que alude el art. 1156 Cc pueden ser considerados como auténticas causas de extinción de las obligaciones (p. ej. novación modificativa, pago por tercero con subrogación)[240].

En el caso de los derechos reales la cuestión resulta más compleja, en la medida en que nuestro Código civil carece de un catálogo específico que prevea las causas de extinción de esta categoría de derechos[241]; sin embargo, sí que le son de aplicación determinados preceptos de carácter general (arts. 6.2 y 1930 Cc) y otros más específicos (arts. 513 o 546 Cc)[242]. Ello ha de complementarse, además, con las posibles causas de extinción previstas en la legislación especial[243], entre las que podrían citarse las contenidas en el art. 33 Real Decreto 849/1986, de 11 de abril, por el que se aprueba el Reglamento de Dominio Público Hidráulico[244]; en el art. 8 de la Ley de Expropiación Forzosa[245]; en el art. 155 Real Decreto 1955/2000, de 1 de diciembre, por el que se regulan las actividades de transporte, distribución, co-

---

precepto es su función sistemática, ya que, en su opinión, no puede predicarse que tenga un valor normativo. Bercovitz Rodríguez-Cano, R., "Comentario al artículo 1156" en *Comentarios al Código Civil* (coord. Bercovitz Rodríguez-Cano, R.), 3ª ed., Aranzadi, Cizur Menor, 2009, pág. 1370.

[240] Véase Oliva Blázquez, F., "Comentario al artículo 1156", ob. cit., págs. 333 y 334. También Del Olmo García, P., ob. cit., pág. 1285; Marín López, M. J., "Comentario al artículo 1156", ob. cit., pág. 8471.

[241] Blasco Gascó, F. de P., *Instituciones de Derecho Civil...*, ob. cit., pág. 82; Huerta Trólez, A., ob. cit., pág. 253. Albaladejo realiza una enumeración bastante amplia de las posibles causas de extinción de los derechos reales. Véase Albaladejo García, M., *Derecho Civil III...*, ob. cit., págs. 209 y ss.

[242] Moreno Quesada, B., "Dinámica de los derechos reales" en *Curso de Derecho Civil III. Derechos reales y registral inmobiliario* (coord. Sánchez Calero, F. J.), 5ª ed., Tirant Lo Blanch, Valencia, 2014, pág. 59.

[243] Moreno Quesada, B., "Dinámica de los derechos reales", ob. cit., pág. 59.

[244] Según el precepto "*la servidumbre de acueducto podrá extinguirse:*
a) Por consolidación, cuando se reúnan en una sola persona la propiedad de los predios dominante y sirviente.
b) Por expiración del plazo fijado al otorgarla.
c) Por expropiación forzosa.
d) Por renuncia del titular del predio dominante.
e) Por pérdida del derecho a la disposición del agua".

[245] La mencionada norma señala que "*la cosa expropiada se adquirirá libre de cargas...*", añadiendo, que "*...sin embargo, podrá conservarse algún derecho real sobre el objeto expropiado, si resultase compatible con el nuevos destino* (sic)

mercialización, suministro y procedimientos de autorización de instalaciones de energía eléctrica[246]; entre otras.

En relación con lo anterior, también se ha destacado que existen diversas causas de extinción en función de que nos hallemos ante un derecho real de propiedad o, por el contrario, ante un derecho real limitado, de modo que hay quien considera que estas únicamente coinciden en los supuestos de destrucción o pérdida de la cosa objeto de derecho real[247]. Así, por ejemplo, la consolidación es una causa específica de extinción de los derechos reales limitados[248].

En virtud de lo hasta aquí expuesto no parece que pueda establecerse una equiparación, en términos generales, entre los supuestos que originan la extinción entre los derechos reales y aquellos que conducen a la extinción de los derechos de carácter personal. Es cierto que en determinados casos puede establecerse un cierto paralelismo entre las causas de extinción previstas para ambas categorías de derechos, siendo tal vez el caso más llamativo el del parecido que existe entre la consolidación como causa de extinción de los derechos reales y la

---

que haya de darse al mismo y existiera acuerdo entre el expropiante y el titular del derecho".

[246] Este precepto dispone que *"la servidumbre establecida para la ejecución de una instalación eléctrica regulada por este Real Decreto se extinguirá:*
a) Por la retirada de la instalación. Sin embargo, no se producirá la extinción por la adición, cambio o reparación de sus elementos.
b) Por la falta de uso de la misma sin causa justificada durante un plazo de nueve años desde que se haya interrumpido el servicio.
c) Por revocación o extinción de la autorización sobre dicha instalación.
d) Por las demás causas previstas en el Código Civil".

[247] Blasco Gascó, F. de P., *Instituciones de Derecho Civil...*, ob. cit., págs. 82 y 83. Véase, asimismo, Huerta Trólez, A., ob. cit., págs. 253 y 254.

[248] Albaladejo García, M., *Derecho Civil III...*, ob. cit., págs. 221 y 222. Así, Huerta Trólez afirma que la consolidación no produce, en relación con el dominio, "... el efecto de la extinción, sino que provoca una expansión de él, ya que retornan a él las facultades perdidas como consecuencia de los gravámenes que le afectaban". Huerta Trólez, A., ob. cit., pág. 255. En parecido sentido se pronuncia Rivero Hernández, F., "Protección de los derechos de tercero a la extinción del usufructo por consolidación", *Indret* núm. 3, 2017, pág. 5. Accesible en: http://www.indret.com/pdf/1330.pdf (Página consultada por última vez el 7 de agosto de 2019).

confusión propia del ámbito obligacional[249]. No obstante, hay quien aconseja mantener la distinción dogmática entre ambas figuras, ya que se dice que "…bajo la diversa terminología (confusión-consolidación), late, en realidad, la diferenciación entre derechos personales y derechos reales"[250]. En este sentido, también parece haberse pronunciado nuestro Alto Tribunal en su STS 19 mayo 2006 (TOL941.517), donde sostiene que existen importantes diferencias estructurales entre una y otra figura[251].

---

[249]   Suele decirse que la consolidación, causa de extinción de los derechos reales, es la figura correlativa a la confusión en el ámbito del derecho de obligaciones (*ex* arts. 1156, 1192 y 1194 Cc). Moreno Quesada, B., "Dinámica de los derechos reales", ob. cit., pág. 61; Huerta Trólez, A., ob. cit., pág. 256. De este modo, cabe resaltar que al analizar el inciso primero del art. 546 Cc son varios los autores que hablan de la extinción del derecho de servidumbre por confusión. En este sentido se pronuncian Alonso Pérez, M. ª T., "Comentario al artículo 546" en *Código Civil Comentado Vol. I* (dirs. Cañizares Laso, A. *et al.*), 2ª ed., Aranzadi, Cizur Menor, 2016, págs. 2126-2148; Rebolledo Varela, A. L., "Extinción por confusión" en *Tratado de Servidumbres T. I Régimen de las servidumbres en el Código Civil* (coord. Rebolledo Varela, A. L.), 3ª ed., Aranzadi, Cizur Menor, 2013, págs. 445 y ss. También se emplea el término confusión en Busto Lago, J. M., "Comentario al artículo 546" en *Comentarios al Código Civil T. III* (dir. Bercovitz Rodríguez-Cano, R.), Tirant Lo Blanch, Valencia, 2013, pág. 4329 y ss.

[250]   García Alguacil, M., *Consolidación y derechos reales en cosa propia. La consolidación como causa de extinción de los derechos reales limitados*, Comares, Granada, 2002, págs. 2 y 3. Así hablan de consolidación, entre otros, Navas Navarro, S., "Comentario al artículo 546" en *Comentarios al Código Civil* (dir. Domínguez Luelmo, A.), Lex Nova, Valladolid, 2010, págs. 673 y 674; Torrelles Torrea, E., "Comentario al artículo 513" en *Comentarios al Código Civil* (dir. Domínguez Luelmo, A.), Lex Nova, Valladolid, 2010, pág. 639; Muñiz Espada, E., "Comentario al artículo 513" en *Código Civil Comentado Vol. I* (dirs. Cañizares Laso, A. *et al.*), 2ª ed., Aranzadi, Cizur Menor, 2016, págs. 2050 y 2051; Clemente Meoro, M. E., "Comentario al artículo 513" en *Comentarios al Código Civil T. III* (dir. Bercovitz Rodríguez-Cano, R.), Tirant Lo Blanch, Valencia, 2013, págs. 4074 y 4075; Rovira Sueiro, M., "Comentario al artículo 513" en *Comentarios al Código Civil* (coord. Bercovitz Rodríguez-Cano, R.), 3ª ed., Aranzadi, Cizur Menor, 2009, pág. 654; Valverde Y Valverde, C., ob. cit., págs. 421 y 422.

[251]   Así, el Tribunal Supremo afirmó que "*la extinción de un derecho de crédito por concurrir en la misma personas (y en el mismo concepto) las dos cualidades de acreedor y deudor se denomina confusión, la cual se reserva para el campo de los derechos de crédito, en tanto que cuando la coincidencia de cualidades se produce en el campo de los derechos reales se habla de consolidación, la cual opera en virtud de la extinción de un derecho real sobre cosa ajena (ad ex. arts. 513.3º*

En relación con lo anterior, tampoco parece que pueda calificarse como causa de extinción común la de la destrucción de la cosa sobre la que recae el derecho, ya que, como ha puesto de relieve la doctrina, mientras que esta provoca, en todo caso, la extinción del derecho real, la destrucción de la cosa debida no siempre deriva en la extinción de la obligación[252].

Puede concluirse, por tanto, que aunque en determinadas ocasiones las causas que originan la extinción de los derechos reales puedan presentar una cierta similitud con la de los derechos obligacionales, son, como regla general, diversas. Es por ello por lo que nos ha parecido más adecuado señalar dichas causas de extinción no como criterio de distinción entre derechos reales y obligacionales, sino como una consecuencia práctica derivada de la distinta naturaleza de esta clase de derechos.

C) Mecanismos de publicidad

Los derechos reales, debido a los efectos *erga omnes* que le son propios, cuentan con un sistema de publicidad encaminado a facilitar su conocimiento por parte de los terceros y, por ende, a garantizar la seguridad en la seguridad en el tráfico[253]. En este sentido, nuestro sistema registral se organiza atendiendo a la naturaleza de los bienes objeto de derechos, de modo que, además del Registro de la Propiedad (arts. 605

---

y 546.1º CC) produciéndose la recuperación por el propietario de la facultad del dominio, hasta entonces desgajada, en virtud de la nota de la elasticidad que caracteriza a la propiedad. Entre ambas figuras jurídicas hay un (sic) diferencia estructural importante, porque mientras en la confusión (que como modo de extinción de las obligaciones se menciona en el art. 1156 CC y se regula en los arts. 1.192 a 1.194 del mismo Texto Legal) se extingue el único derecho existente, en cambio en la consolidación subsiste uno de los derechos: el de propiedad".

252 Moreno Quesada, B., "Configuración del derecho real", ob. cit., pág. 31.
253 Figueiras Dacal destaca este punto en *El sistema de protección jurídica por el Registro de la Propiedad. Síntesis de su explicación teórica y de su aplicación práctica*, Dijusa, Madrid, 2001, pág. 42. Véanse, asimismo, Chico y Ortiz, J. M.ª, *Estudios sobre Derecho Hipotecario T. I*, Marcial Pons, Madrid, 1981, págs. 223 y 224; Cano Tello, C. A., *Iniciación al estudio del Derecho Hipotecario*, Civitas, Madrid, 1982, pág. 32; Huerta Trólez, A., ob. cit., pág. 78.

Cc y 1 LH)[254], existe un Registro de Bienes Muebles (D.A. única del Real Decreto 1818/1999, de 3 de diciembre, por el que se aprueba el Reglamento del Registro de Condiciones Generales de Contratación)[255]. Debe destacarse, sin embargo, que el primero de los Registros mencionados ha adquirido siempre un mayor protagonismo[256].

En contraste con lo señalado en el párrafo anterior, no se prevé, de forma general, ningún sistema de publicidad específico para los derechos de carácter personal, lo cual tiene sentido si se tiene en cuenta que hablamos de derechos que, en principio, tienen una mera eficacia *inter partes*. Asimismo, nuestro legislador ha optado por desterrar, con carácter general, los derechos crediticios del ámbito registral, en aras de clarificar la publicidad de los derechos reales y de salvaguardar la seguridad jurídica[257]. Así, como bien ha apuntado la doctrina[258], no solo se impide la entrada de los derechos personales al Registro de la Propiedad (*ex* arts. 9 LH, con carácter general, y 51. 6 y 7 RH, con carácter especial)[259], sino que, además, se prevé su cancelación para el caso de que hayan podido acceder al mismo de forma indebida

---

[254] Ambos preceptos tienen una idéntica redacción, según la cual "*el Registro de la Propiedad tiene por objeto la inscripción o anotación de los actos y contratos relativos al dominio y demás derechos reales sobre bienes inmuebles*".

[255] Según su inciso segundo "*el Registro de Bienes Muebles es un Registro de titularidades y gravámenes sobre bienes muebles, así como de condiciones generales de la contratación...*".

[256] Vázquez de Castro estima, sin embargo, que el tráfico mobiliario ha adquirido una creciente importancia en los últimos años. Vázquez de Castro, E., *La publicidad en el tráfico de bienes muebles*, Aranzadi, Cizur Menor, 2013, págs. 24 y ss.

[257] Así, la Exposición de Motivos de la Ley Hipotecaria vino a apuntar que "*la reducción al mínimo de los requisitos formales de todos los asientos, sin menoscabo de los principios esenciales del sistema, unida a la supresión de las menciones de derechos que pueden y deben ser objeto de inscripción especial, así como la eliminación de los derechos de naturaleza netamente personal u obligacional del ámbito inmunizante del Registro, han de contribuir poderosamente a la claridad de éste y a facilitar su publicidad, haciéndolo más asequible al directo conocimiento de los interesados*".

[258] Roca Sastre, R. M.ª *et al.*, *Derecho Hipotecario T. I*, 9ª ed., Bosch, Barcelona, 2008, págs. 332 y 333.

[259] En este sentido, el art. 51.6 RH señala que "*para dar a conocer la extensión del derecho que se inscriba se hará expresión circunstanciada de todo lo que, según el título, determine el mismo derecho o límite las facultades del adquirente, copiándose literalmente las condiciones suspensivas resolutorias, o de otro orden, establecidas en aquél*".

(*ex* art. 98 LH y 353.3 RH)[260]. En este sentido, la propia Dirección General de los Registros y del Notariado ha venido a poner de manifiesto "*que fue una de las esenciales aspiraciones de la última reforma hipotecaria discriminar mediante la calificación registral los derechos reales y las figuras jurídicas con tal carácter, de aquellos otros pactos o estipulaciones de naturaleza obligacional cuyos efectos se limitan a las relaciones «inter partes» y a los que la legislación, la jurisprudencia y la doctrina hipotecarias impiden que tengan acceso al Registro, con el tradicional criterio de excluir de éste los derechos personales...*"[261].

---

[260]   *No se expresarán, en ningún caso las estipulaciones cláusulas o pactos que carezcan de trascendencia real*". El inciso séptimo de la norma aludida establece, asimismo, que "*las cargas y limitaciones de la finca o derecho que se inscriba se expresarán indicando brevemente las que consten inscritas o anotadas con referencia al asiento donde aparezcan. En ningún caso se indicarán los derechos expresados en el artículo 98 de la Ley, ni los aplazamientos de precio no asegurados especialmente*".
Véanse RDGRN 7 julio 1949 (RJ\1949\1077); RDGRN 19 septiembre 1974 (LA LEY 6/1974); RDGRN 18 enero 1979 (RJ 1979\88). Aquí también resultan relevantes las reflexiones expuesta por el Centro directivo en su RDGRN 22 abril 2005 (RJ 2005\5365), donde se puso de manifiesto que "*una cosa es el respeto a la validez del derecho inscrito y otra bien diferente es la pretensión de eficacia erga omnes de cualesquiera cláusulas estipuladas con ocasión de su constitución. Sólo en la medida en que dichas cláusulas delimiten el contenido del derecho real inscrito, tendrán aquéllas alcance inherente a este último; más si su carácter fuera puramente personal –como es el caso–, bien por su naturaleza, bien por deducirse así del contenido del pacto, no se alteraría ésta por el hecho de su inscripción (art. 98 LH) y sólo podrían desenvolver su eficacia en el restringido ámbito de quienes la estipularon (art. 1257 CC). Esto es, en el presente caso, aunque se hubiese inscrito el pacto del pago del precio por compensación, tal estipulación no podría afectar a tercero, tendría alcance solutorio obligacional, únicamente afectando a las partes que lo convinieron y sin que el mismo, dada su ineficacia frente a terceros, permita cancelar los derechos posteriores que gravan la finca en tanto no concurra el consentimiento de tales titulares o se acredite la consignación o depósito del íntegro precio a favor de los mismos*". En sentido similar se pronuncia la RDGRN 26 marzo 1999 (TOL132.753).

[261]   RDGRN 19 mayo 1952 (RJ\1952\1627). En parecido sentido, el Centro directivo señaló en la RDGRN 27 marzo 1947 (RJ 1947\440) que "*la legislación y la jurisprudencia modernas son cada vez más opuestas a la admisión de menciones de tipo personal y a conceder alcance real a los pactos que, como el ahora discutido, no pueden desenvolverse sino en el campo propio del derecho de obligaciones ni provocar otros efectos civiles que los contractuales entre los interesados o sus causahabientes , posición brillantemente defendida en la exposición de motivos de la Ley de Reforma Hipotecaria, de 30 de diciembre de 1944, y que*

No obstante lo anterior, debe recordarse que existen determinados supuestos en los que el legislador permite el acceso de derechos de carácter personal al Registro de la Propiedad (derecho de arrendamiento, derecho de opción en su modalidad obligacional, entre otros). Puede afirmarse, sin embargo, que se trata de casos excepcionales previstos por motivos de política legislativa. Así, como vimos en otro lugar de este trabajo, no queda desvirtuada la norma general que proscribe la incidencia de figuras obligacionales en el ámbito registral. Cuestión distinta es que, como apunta Gordillo Cañas, los derechos personales puedan ser objeto de publicidad registral por su papel modalizador o accesorio respecto de los derechos reales[262]. En este último supuesto, sin embargo, no cabe hablar de una publicidad directa y autónoma del derecho de crédito[263]. Sobre esta cuestión volveremos al tratar la figura de la obligación *propter rem*.

El tema expuesto en este apartado guarda una especial relación con el objeto principal de nuestra investigación (la autonomía de la voluntad en la creación de derechos reales), por lo que será tratado de forma más específica en el capítulo segundo y, en especial, en el capítulo tercero de este trabajo.

2. Dificultades de catalogación de ciertas figuras en el ámbito del derecho patrimonial

Giorgianni, muy acertadamente, destaca que la doctrina, al abordar el estudio de determinadas situaciones jurídicas, tropieza con el obstáculo de catalogarlas, dado que estas presentan características que, apriorísticamente, pueden ser calificadas como propias tanto de los derechos reales como de los derechos de crédito[264]. En este senti-

---

ha cristalizado en el artículo 98 del vigente texto refundido, precepto que debe ser observado con su natural eficacia para no desvirtuar el sentido de la reforma ni hacer estériles los propósitos del legislador, plenamente compartidos en este punto por la doctrina".

[262] Gordillo Cañas, A., "El objeto de la publicidad en nuestro sistema inmobiliario registral...", ob. cit., pág. 444.

[263] Gordillo Cañas, A., "El objeto de la publicidad en nuestro sistema inmobiliario registral...", ob. cit., pág. 444.

[264] Giorgianni, M., *La obligación. La parte general de las obligaciones* (trad. Verdera Y Tuells, E.), Bosch, Barcelona, 1958, pág. 82. El autor se refiere específica-

do, es frecuente en la literatura jurídica ver agrupadas bajo el rótulo de *figuras intermedias* al *ius ad rem*, a las obligaciones *propter rem*, a las cargas reales y a los derechos reales *in faciendo*[265].

Como trataremos de demostrar en los siguientes apartados, esta aparente zona intermedia o, si se prefiere, permeable[266], en la mayoría de los casos, no es más que el producto de la desafortunada coincidencia de diversos factores que se reducen, en nuestra opinión, a) a la no siempre coincidente aproximación histórica a la materia[267] y b) al ansia de construcción dogmática llevada a sus últimas consecuencias[268]. Pasamos, pues, a analizar cada una de las instituciones arriba mencionadas.

2.1. El *ius ad rem*

A)   El *ius ad rem* como una figura de carácter histórico

Aunque también se ha empleado para denominar a los derechos de crédito[269], la expresión *ius ad rem*, acuñada por Sinibaldo dei fieschi[270], viene siendo utilizada para designar a "una categoría de dere-

---

méñte a la obligación *propter rem* y a la carga real, figuras que serán analizadas con posterioridad.

[265]   Entre otros, Huerta Trólez, A., ob. cit., págs. 82 y 83; Díez-Picazo y Ponce de León, L. y Gullón Ballesteros, A., *Sistema de Derecho Civil Vol. III T. I*, ob. cit., págs. 29 y ss.; Peña Bernaldo de Quirós, M., *Derechos Reales. Derecho Hipotecario T. I*, ob. cit., págs. 70 y ss.; Lasarte y Valverde. Lasarte Álvarez, C., *Propiedad y derechos reales de goce...*, ob. cit., 2010, págs. 10-12.

[266]   Este término es empleado por Santos Briz, quien, a su vez, lo toma de Zorilla Ruíz. Santos Briz, J., *Derecho Civil. Teoría y Práctica T. II...*, ob. cit., pág. 19.

[267]   Como veremos, existe un amplio debate en cuanto al origen histórico de muchas de estas figuras.

[268]   Mientras que alguna de las denominadas figuras intermedias tiene hoy un mero carácter histórico, otras, en cambio, ni siquiera parece que puedan ser reputadas como auténticas categorías dogmáticas.

[269]   Martín Pérez, A., ob. cit., págs. 9 y 10.

[270]   Martínez-Cardós Ruiz, J., "El *ius ad rem*", *R.D.P.*, enero 1988, pág. 6; Ballester Giner, E., "Un nuevo *ius ad rem* (reflexiones de un jubilado)" en *Estudios de derecho inmobiliario registral en homenaje al profesor Celestino Cano Tello* (coord. Clemente Meoro, M. E.), Tirant Lo Blanch, Valencia, 2002, pág. 21. También Gómez Rojo, M.ª E., "Teorías medievales sobre el *ius ad rem*", *Anua-*

chos patrimoniales intermedia entre los derechos reales (*ius in re*) y los derechos personales, de crédito o de obligación (*ius in persona, ius obligationis*)"[271]. Debe advertirse, sin embargo, que no solo se trata de una figura que ha sido descrita de múltiples maneras[272], sino que, además, ha sido designada, sobre todo en el derecho moderno, mediante diversas locuciones[273] (expectativa real[274] y vocación real[275], fundamentalmente).

Las discrepancias doctrinales en lo que se refiere al origen histórico de la institución que nos ocupa no son menores[276]. En este sentido, hay quien viene sosteniendo que el germen de esta peculiar figura podría encontrarse en la acción pauliana romana[277], debiendo reconocer, sin embargo, que la doctrina mayoritaria considera que su origen ha de situarse en la baja Edad Media[278]. Las teorías en cuanto al desarrollo del *ius ad rem* durante la época medieval son, asimismo, bastante dispares. Así, mientras que autores como Brünneck, han afirmado que se

---

rio de Estudios Medievales núm. 29, 1999, pág. 359. Accesible en: http://bit.ly/2KqZV5I (Página consultada por última vez el 6 de agosto de 2019).

[271] Puig Brutau, J., Voz *"Ius ad rem"* en *Nueva Enciclopedia Jurídica. XIII*, F. Seix Editor, Barcelona, 1968, pág. 697. En parecido sentido, Martínez-Cardós Ruiz, J., ob. cit., pág. 3; Castán Tobeñas, J., *Derecho Civil Español, Común y Foral T. II Vol. I*, ob. cit., pág. 54; Rigaud, L., ob. cit., pág. 65.

[272] Así se pone de manifiesto en Serrano Suñer, R., "Significado de la locución *ius ad rem*", *R.C.D.I.* núm. 28, abril 1927, pág. 275.

[273] Como apunta Puig Brutau, "el viejo concepto de *ius ad rem*, considerado como un arcaísmo inútil, es objeto de nueva atención con el nombre cambiado". Puig Brutau, J., *Fundamentos de Derecho Civil T. III Vol. I...*, ob. cit., pág. 19.

[274] En la STSJ Navarra (Sala de lo Civil y Penal) 17 junio 1992 (RJ\1992\8374) se habla de "...un «ius ad rem» o expectativa real de adquisición...".

[275] STS 18 febrero 1985 (TOL1.736.522); STSJ Cataluña (Sala de lo Civil y Penal) 19 marzo 2018 (TOL6.656.225); SAP Islas Baleares (Sección 4ª) 7 noviembre 2002 (JUR 2003\100019); SAP Madrid (Sección 25ª) 25 febrero 2004 (TOL498.189); AAP Ávila (Sección 1ª) 17 mayo 2007 (TOL6.234.694); AAP Santa Cruz de Tenerife (Sección 4ª) 16 diciembre 2009 (TOL6.724.199).

[276] González Y Martínez, J., "La teoría del título y el modo", *R.C.D.I.* núm. 2, febrero 1925, pág. 85. También Cerdeira bravo de mansilla, G., *Derecho o carga real...*, ob. cit., pág. 243; Martínez-Cardós Ruiz, J., ob. cit., pág. 4.

[277] Atard, R., ob. cit., pág. 278. En contra Castán Tobeñas, J., *Derecho Civil Español, Común y Foral T. II Vol. I*, ob. cit., págs. 54 y 55.

[278] Díez-Picazo y Ponce de León, L. y Gullón Ballesteros, A., *Sistema de Derecho Civil Vol. III T. I*, ob. cit., pág. 29. También Díez-Picazo y Ponce de León, L., *Fundamentos del Derecho Civil Patrimonial Vol. I...*, ob. cit., pág. 81.

trata de una figura de origen feudal[279], otros, como Gross y Heusler, han considerado, en cambio, que su génesis se halla eminentemente vinculada al Derecho canónico[280]. Debe señalarse, sin embargo, que ha adquirido peso la tesis propuesta por Heymann, según la cual el *ius ad rem* nació de manera independiente, pero paralela, en ambos derechos, con el propósito de aportar soluciones a un mismo problema[281].

Siguiendo en líneas generales el esquema propuesto Martínez-Cardós Ruiz, debe señalarse que el *ius ad rem* se concibe como una herramienta encaminada a salvar determinados obstáculos relacionados con el sistema de vasallaje. Así, según la *Summa feudorum*, el *designatus*, aún habiendo cumplido con el resto de formalidades (la *investidura feudalis* y la *baculi porrectio*), no adquiría el feudo hasta que lo ocupase materialmente (*ager feudalis*)[282]. De este modo, no podía decirse que el investido fuera el titular de un auténtico derecho real, pero sí que ostentaba un derecho a la cosa (*ius ad rem*) que le facultaba para exigir frente a todos la entrega del feudo (*imploratio officci iudicis*)[283].

---

279 Véase Foncillas, J. Mª, "El *jus ad rem* en el derecho civil moderno", *R.C.D.I.* núm.100, abril 1933, pág. 260.

280 Foncillas, J. Mª, "El *jus ad rem*...", *R.C.D.I.* núm.100, ob. cit., pág. 260. También se muestran a favor de situar su origen en el Derecho canónico autores como Lasarte y Valverde. Lasarte Álvarez, C., *Propiedad y derechos reales de goce...*, ob. cit., 2010, pág. 10; Valverde Y Valverde, C., ob. cit., pág. 18 nota al pie núm. 1.

281 Así lo ponen de manifiesto Martínez-Cardós Ruiz, J., ob. cit., pág. 4; Foncillas, J. Mª, "El *jus ad rem*...", *R.C.D.I.* núm.100, ob. cit., pág. 260; Gómez Rojo, M.ª E., ob. cit., pág. 363. Véanse también Díez-Picazo y Ponce de León, L., *Fundamentos del Derecho Civil Patrimonial Vol. I...*, ob. cit., pág. 81; Cerdeira Bravo de Mansilla, G., *Derecho o Carga real...*, ob. cit., pág. 244; Alguer, J., "Ensayos varios sobre temas fundamentales de derecho civil", ob. cit., págs. 90 y 91.

282 Martínez-Cardós Ruiz, J., ob. cit., pág. 5; Gómez Rojo, M.ª E., ob. cit., págs. 356 y ss. También Foncillas, J. Mª, "El *jus ad rem*...", *R.C.D.I.* núm.100, ob. cit., págs. 258 y ss.; Díez-Picazo y Ponce de León, L., *Fundamentos del Derecho Civil Patrimonial Vol. I...*, ob. cit., pág. 81.

283 Clemente Meoro, M. E., *El acreedor del dominio*, Tirant Lo Blanch, Valencia, 2000, pág. 268; Martínez-Cardós Ruiz, J., ob. cit., pág. 5; Foncillas, J. Mª, "El *jus ad rem*...", *R.C.D.I.* núm.100, ob. cit., págs. 258 y ss.; Díez-Picazo y Ponce de León, L., *Fundamentos del Derecho Civil Patrimonial Vol. I...*, ob. cit., pág. 81; Rigaud, L., ob. cit., pág. 67; Cerdeira Bravo de Mansilla, G., *Derecho o Carga real...*, ob. cit., pág. 244; Alguer, J., "Ensayos varios sobre temas fundamentales

El *ius ad rem* desempeñó una función similar a la descrita en el párrafo anterior en el ámbito del Derecho canónico, ya que sirvió para tutelar la posición de aquellos que, habiendo sido designados para un beneficio eclesiástico, no habían alcanzado la titularidad del mismo como consecuencia de la falta de ciertas formalidades (*collatio*)[284].

El colapso de las instituciones medievales que justificaron la construcción del *ius ad rem*, condujeron a los juristas a tratar de hallar nuevas funciones para la figura que aquí nos ocupa[285]. De este modo, existieron dos líneas desarrollo en cuanto a lo que el nuevo enfoque del *ius ad rem* se refiere, en tanto que, de un lado, se identificó a esta figura con los derechos reales limitados y, de otro, fue adscrita al ámbito del Derecho de obligaciones[286]. Esta última corriente, de mayor difusión que la anterior[287], sirvió, como apunta Cerdeira[288], para calificar, de un lado, la posición en la que se encontraba el acreedor de una cosa específica[289] y, de otro, para hacer referencia al singular derecho que ostentaba el primer comprador frente al segundo en los casos de doble venta[290].

El tratamiento del *ius ad rem* en el ámbito de la doble venta, adquirió importancia a partir del siglo XVIII[291], hasta el punto de que

---

de derecho civil", ob. cit., pág. 91; Gatti, E. y Alterini, J. M., *El derecho real. Elementos para una teoría general*, Abeledo-Perrot, Buenos Aires, 1993, pág. 69.

[284] Clemente Meoro, M. E., *El acreedor del dominio*, ob. cit., pág. 268; Martínez-Cardós Ruiz, J., ob. cit., pág. 6; Foncillas, J. Mª, "El *jus ad rem*...", *R.C.D.I.* núm.100, ob. cit., págs. 257 y 258; Díez-Picazo y Ponce de León, L., *Fundamentos del Derecho Civil Patrimonial Vol. I...*, ob. cit., pág. 81; Rigaud, L., ob. cit., pág. 66; Alguer, J., "Ensayos varios sobre temas fundamentales de derecho civil", ob. cit., pág. 91; Gatti, E. y Alterini, J. M., ob. cit., pág. 69.

[285] Martínez-Cardós Ruiz, J., ob. cit., pág. 7.

[286] Martínez-Cardós Ruiz, J., ob. cit., págs. 7-9; Cerdeira Bravo de Mansilla, G., *Derecho o Carga real...*, ob. cit., pág. 245; Clemente Meoro, M. E., *El acreedor del dominio*, ob. cit., pág. 268.

[287] Foncillas, J. Mª, "El *jus ad rem* en el derecho civil moderno", *R.C.D.I.* núm.101, mayo 1933, págs. 331 y ss.; Valverde Y Valverde, C., ob. cit., pág. 18 nota al pie núm. 1. Véase, nuevamente, Martín Pérez, A., ob. cit., págs. 9 y 10.

[288] Cerdeira Bravo de Mansilla, G., *Derecho o Carga real...*, ob. cit., pág. 245.

[289] Véase Pothier, J., ob. cit., pág. 101.

[290] Martínez-Cardós Ruiz, J., ob. cit., págs. 9 y ss. Sobre el tema véase también Cerdeira Bravo de Mansilla, G., *Derecho o Carga real...*, ob. cit., págs. 245-247.

[291] Foncillas, J. Mª, "El *jus ad rem*...", *R.C.D.I.* núm.101, ob. cit., pág. 334; Martínez-Cardós Ruiz, J., ob. cit., págs. 9-11. Debe destacarse, sin embargo, que ya los

quedó consagrado en el *Preussisches Allgemeines Landrecht*, el cual concedió al primer comprador un derecho que, sin llegar a ser real, era sin duda mucho más intenso que un mero derecho personal[292]. La plasmación de esta máxima en el derecho positivo prusiano generó, sin embargo, un nuevo y amplio debate doctrinal[293] que desembocó en promulgación de la Ley de 5 de mayo de 1872, la cual redujo la posición del primer comprador a la de un simple acreedor[294].

Puede decirse que el acercamiento del *ius ad rem* a los derechos reales limitados, de un lado, y a los derechos de crédito, de otro, acabó con la autonomía de la figura, evento que, sumado a la cristalización y enaltecimiento de la tesis clásica de la distinción entre derechos reales y obligacionales y al afán codificador del legislador decimonónico, derivaría en el inevitable marchitamiento de esta institución durante el siglo XIX[295]. De este modo, la idea de un *ius ad rem* sería abandonada tanto por la doctrina de aquellos países que prescindieron del modo

---

Glosadores se preocuparon, en cierta medida, por la posición del primer adquirente frente a terceros de mala fe. Rodríguez-Rosado, B., "*Ius ad rem* y condena de mala fe: una explicación de los artículos 1473, 1295.2 y 1124.4 del Código Civil", *A.D.C.* fasc. IV, 2009, págs. 1705 y ss.

[292] Martínez-Cardós Ruiz, J., ob. cit., págs. 10 y 11; Clemente Meoro, M. E., *El acreedor del dominio*, ob. cit., pág. 269.

[293] Martínez-Cardós Ruiz, J., ob. cit., pág. 11; Clemente Meoro, M. E., *El acreedor del dominio*, ob. cit., pág. 269. Más detalles sobre estas teorías en Foncillas, J. Mª, "El *jus ad rem* en el derecho civil moderno", *R.C.D.I.* núm.102, junio 1933, págs. 411 y ss. Debe destacarse, sin embargo, que la tesis que adquirió mayor relieve fue la de Ziebarth, el cual reputó al derecho del primer adquirente como un derecho real relativo (*Recht zur Sache*). Al respecto pueden consultarse cualquiera de las obras citadas en esta misma nota al pie.

[294] Esta norma estableció, concretamente, que el derecho del adquirente de un bien inmueble que hiciese constar su adquisición en el Registro de la Propiedad prevalecía aún en el caso de que este hubiese tenido conocimiento de una enajenación previa sobre el mismo inmueble en el momento de la conclusión del contrato o de la transferencia de la propiedad. Véanse Martínez-Cardós Ruiz, J., ob. cit., pág. 12; Foncillas, J. Mª, "El *jus ad rem*...", *R.C.D.I.* núm.102, ob. cit., págs. 417 y 418; Clemente Meoro, M. E., *El acreedor del dominio*, ob. cit., págs. 269 y 270.

[295] Martínez-Cardós Ruiz, J., ob. cit., pág. 12; Díez-Picazo y Ponce de León, L., *Fundamentos del Derecho Civil Patrimonial Vol. I...*, ob. cit., pág. 82; Blasco Gascó, F. de P., *Instituciones de Derecho Civil...*, ob. cit., pág. 38; Ballester Giner, E., "Un nuevo *ius ad rem* (reflexiones de un jubilado)", ob. cit., pág. 22. En este sentido, Foncillas ha apuntado el rechazo mostrado por la doctrina ante la idea

en lo que a su sistema de la transmisión de la propiedad se refiere, como en aquellos que lo conservaron, en la medida en que en los primeros carecía ya de sentido referirse a esta figura y en los segundos, como fue el caso de España, la *traditio* tenía demasiada significación como para pasarla por alto[296].

B)   ¿La actualización de una vieja categoría?

a)   Intentos de reconstrucción

Más allá de reconocer el valor histórico de la categoría dogmática del *ius ad rem* lo que interesa, como bien ha señalado Puig Brutau, es "averiguar la consistencia y efectividad de esta categoría en nuestro vigente Derecho Privado"[297]. De este modo, ya desde el pasado siglo ha habido quien ha intentado renovar la vieja institución medieval de forma que pueda tener cabida en nuestro panorama jurídico actual[298].

El primer intento serio de reconstrucción del *ius ad rem* en nuestro país fue acometido por Atard[299], quien para ello se apoyó en la figura

---

de introducir la figura del *ius ad rem* en el Código Civil. Foncillas, J. Mª, "El *jus ad rem*...", *R.C.D.I.* núm.102, ob. cit., págs. 421 y 422.

[296]   Martín Pérez, A., ob. cit., pág. 10.

[297]   Puig Brutau, J., Voz "*Ius ad rem*" en *Nueva Enciclopedia Jurídica*, ob. cit., pág. 697. Así, debemos preguntarnos, como hizo en su día Foncillas, "¿existe *jus ad rem* en Derecho español?". Foncillas, J. Mª, "El *jus ad rem* en el derecho civil moderno", *R.C.D.I.* núm.110, febrero 1934, pág. 104.

[298]   Cerdeira bravo de mansilla, G., *Derecho o carga real...*, ob. cit., págs. 247 y ss. Así, Rigaud habla del *ius ad rem* como una institución "...que posiblemente puede aún prestar sus servicios". Rigaud, L., ob. cit., pág. 70. Al respecto Sánchez Jiménez ha señalado que "en el derecho positivo actual se encuentran figuras, algunas de contenido parecido al llamado *jus ad rem* medieval, que participan a la vez de caracteres atribuidos al *jus in re* y al *jus in persona*, y que demuestran también la incertidumbre de los límites de uno y otro grupo de instituciones". Sánchez Jiménez, R., ob. cit., pág. 340.

[299]   Atard, R., ob. cit., págs. 278 y ss. Con anterioridad a su trabajo la cuestión fue, asimismo, tratada en un estudio realizado por Holtzendorf publicado en 1914, quien equiparó el *ius ad rem* al derecho anotado. Véanse Martínez-Cardós Ruiz, J., ob. cit., pág. 13; Cerdeira bravo de mansilla, G., *Derecho o carga real...*, ob. cit., págs. 247 y 248.

alemana de la vocación real (*Beruf auf dingliches Recth*)[300]. Desde este punto de vista, las vocaciones al derecho real podrían definirse como aquellas titularidades que por diversos medios (ley, contrato, resolución judicial, operación registral) se atribuyen a determinados sujetos para que estos adquieran la posesión o la utilidad de un bien concreto que aún no ostentan[301]. De este modo, Atard[302] sostuvo que, atendiendo a nuestro sistema inmobiliario, las vocaciones al derecho real podían clasificarse a) en función de su origen[303], b) en función de su mayor o menor proximidad respecto del derecho real[304] y c), finalmente, en función de la operación registral que las genera (anotación preventiva, mención o hipoteca legal)[305].

El intento de reconstrucción del *ius ad rem* a través de la institución de las vocaciones reales fue, por lo general[306], ampliamente criticado por la doctrina, la cual apreció que todas aquellas figuras a las que se refería Atard tenían un carácter meramente crediticio[307].

---

[300]   Así lo entienden Clemente Meoro, M. E., *El acreedor del dominio*, ob. cit., págs. 270-272; Castán Tobeñas, J., *Derecho Civil Español, Común y Foral T. II Vol. I*, ob. cit., pág. 55; Martín Pérez, A., ob. cit., pág. 10; Cerdeira bravo de mansilla, G., *Derecho o carga real...*, ob. cit., pág. 249. Véase también Santos Briz, J., *Derecho Civil. Teoría y Práctica T. II...*, ob. cit., pág. 20.

[301]   Atard, R., ob. cit., pág. 279.

[302]   Atard, R., ob. cit., pág. 279.

[303]   El autor distinguió, a su vez, entre a) "...vocaciones al derecho real que lo son por la propia naturaleza de la relación jurídica..."; b) "...vocaciones al derecho real que nacen, excepcionalmente de un acto de voluntad, y, normalmente, de una resolución judicial, en beneficio de quien no teniendo *ex origine* derecho a una cosa determinada del patrimonio del deudor, lo adquiere transitoriamente para fines de garantía..." y c) "...vocaciones creadas por una operación de Registro, subsiguiente a una resolución judicial, que, antes de entrar en el Registro, no miraban a una cosa determinada de un patrimonio, y cuya calificación no fue, *in origine*, ni de *jus ad rem*, ni siquiera de derecho de obligaciones". Atard, R., ob. cit., pág. 279.

[304]   Según Atard, estas podían ser "...muy próximas, próximas y remotas". Atard, R., ob. cit., pág. 280.

[305]   Atard, R., ob. cit., págs. 281 y ss.

[306]   Parece aceptar esta tesis Santos Briz, J., *Derecho Civil. Teoría y Práctica T. II...*, ob. cit., pág. 20.

[307]   Díez-Picazo y Ponce de León, L., *Fundamentos del Derecho Civil Patrimonial Vol. I...*, ob. cit., pág. 84; Cerdeira bravo de mansilla, G., *Derecho o carga real...*, ob. cit., págs. 249 y 250; Clemente Meoro, M. E., *El acreedor del dominio*, ob. cit., pág. 272. Alguer señala, incluso, que a principios del siglo pasado la mejor doctri-

Ello no parece haber frenado las diversas tentativas de restauración de la vieja figura medieval. En este sentido, el *ius ad rem* no solo ha despertado el interés de algunos civilistas, sino, también, de ciertos mercantilistas[308] e, incluso, administrativistas[309].

Centrándonos en el ámbito del Derecho civil, son varias y muy dispares las instituciones modernas a través de las cuales se ha intentado resucitar a la institución medieval del *ius ad rem*[310]. En este sentido, además de las vocaciones reales eminentemente representadas por la figura de la anotación preventiva[311], las tentativas de reconstrucción de la vieja figura han recaído, principalmente, sobre el supuesto de doble venta[312] y, en especial, sobre la figura del acreedor de dominio. Nosotros estimamos que, por su importancia teórico-práctica, hemos

---

308   na alemana no parecía mostrarse conforme ante la idea de resucitar la institución medieval mediante la figura del derecho anotado. Véase Alguer, J., "Ensayos varios sobre temas fundamentales de derecho civil", ob. cit., págs. 90 y ss. Algún autor entiende que "...el derecho al dividendo es un *ius ad rem* sobre el fruto civil de la participación en una sociedad...". García García, A., "Aspectos prácticos del *scrip dividend* español", *Revista de Derecho del Mercado de Valores* núm.14, Primer semestre 2014, pág. 5. (Versión online).

309   Más detalles en Martínez-Cardós Ruiz, J., ob. cit., pág. 16.

310   Lacruz Berdejo, J. L. *et al.*, *Elementos de Derecho Civil III Derechos Reales Vol. I*, 2008, ob. cit., pág. 9.

311   Véanse Blasco Gascó, F. de P., *Instituciones de Derecho Civil...*, ob. cit., pág. 38; Peña Bernaldo de Quirós, M., *Derechos Reales. Derecho Hipotecario T. I*, ob. cit., pág. 71.

312   De este modo, se ha señalado que el fundamento de la previsión contenida en el art. 1473 Cc se debe, por un lado, a la significación de la figura medieval del *ius ad rem*, y, por otro, a que una vez establecido el Registro de la Propiedad los juristas se mostraron favorables a la admisión de la adquisición a *non domino* por parte del adquirente de buena fe. Así lo apunta Lacruz Berdejo, J. L. *et al.*, *Elementos de Derecho Civil III Derechos reales Vol. I Posesión y Propiedad*, Bosch, Barcelona, 1979, pág. 158. A favor de esta postura se encuentran, entre otros, Moreno Flórez, R. M., "El *ius ad rem* y el artículo 1473 del Código Civil", *R.C.D.I.* núm. 733, septiembre-octubre 2012, págs. 2601 y ss.; Rodríguez-Rosado, B., "*Ius ad rem* y condena de mala fe...", ob. cit., págs. 1688 y ss.; Espín Cánovas, D., "La transmisión de...", ob. cit., págs. 357 y 358. En contra De la Cámara Álvarez, M., ob. cit., pág. 400 nota al pie núm. 80.

       Debe destacarse que, incluso entre aquellos autores que rechazan la resurrección de esta figura, existen voces que entienden que su empleo ha resultado útil en el ámbito de la doble venta, ya que, en definitiva, ha servido para negar la protección a un sujeto que actuaba con mala fe. Rubio Garrido, T., *La doble venta y la doble disposición*, Bosch, Barcelona, 1994, págs. 154-155.

de detenernos en el estudio de esta última institución, la cual pasamos
a analizar a continuación.

b)   El acreedor de dominio

Núñez Lagos, al analizar los ya derogados arts. 908 y 909 Ccom[313],
se refirió a la figura del acreedor de dominio como la posición que os-
tentaban aquellos sujetos que, no habiendo adquirido la condición de

---

[313]   Antes de su derogación por la Ley Concursal vigente el art. 908 Ccom disponía
que *"las mercaderías, efectos y cualquiera otra especie de bienes que existan en
la masa de la quiebra, cuya propiedad no se hubiere transferido al quebrado por
un título legal e irrevocable, se considerarán de dominio ajeno y se pondrán a
disposición de sus legítimos dueños, previo el reconocimiento de su derechos en
Junta de acreedores o en sentencia firme; reteniendo la masa los derechos que en
dichos bienes pudieren corresponder al quebrado, en cuyo lugar quedará susti-
tuida aquélla, siempre que cumpliere las obligaciones anejas a los mismos"*. Por
su parte, el art. 909 Ccom establecía que *"se considerarán comprendidos en el
precepto del artículo anterior para los efectos señalados en él:*
*1.º Los bienes dotales inestimados y los estimados que se conservaren en poder
del marido, si constare su recibo por escritura pública inscrita con arreglo a los
artículos 21 y 27 de este Código.*
*2.º Los bienes parafernales que la mujer hubiere adquirido por título de herencia,
legado o donación, bien se hayan conservado en la forma que los recibió, bien
se hayan subrogado o invertido en otros, con tal que la inversión o subrogación
se haya inscrito en el Registro Mercantil conforme a lo dispuesto en los artículos
citados en el número anterior.*
*3.º Los bienes y efectos que el quebrado tuviere en depósito, administración,
arrendamiento, alquiler o usufructo.*
*4.º Las mercaderías que el quebrado tuviere en su poder por comisión de com-
pra, venta, tránsito o entrega.*
*5.º Las letras de cambio o pagarés que, sin endoso o expresión que transmitiere
su propiedad, se hubieren remitido para su cobranza al quebrado, y las que hubiere adquirido por cuenta de otro, libradas o endosadas directamente en favor
del comitente.*
*6.º Los caudales remitidos fuera de cuenta corriente al quebrado, y que éste tu-
viere en su poder, para entregar a persona determinada en nombre y por cuenta
del comitente, o para satisfacer obligaciones que hubieren de cumplirse en el
domicilio de aquél.*
*7.º Las cantidades que estuvieren debiendo al quebrado por ventas hechas de
cuenta ajena, y las letras o pagarés de igual procedencia que obraren en su poder,
aunque no estuvieren extendidas en favor del dueño de las mercaderías vendidas,
siempre que se pruebe que la obligación procede de ellas y que existían en poder
del quebrado por cuenta del propietario para hacerlas efectivas y remitirle los*

dueños, estaban a las puertas de serlo (un *ius obligationis* destinado a convertirse en un *ius in re*)[314]. Dentro del supuesto descrito, el autor encuadra dos situaciones diversas que se identifican, de un lado, con las obligaciones de dar, en las cuales podría decirse que el acreedor ostenta un *ius ad rem* hasta el momento de la *traditio* y, de otro, con las obligaciones de hacer, en tanto que el obligado ha de realizar un negocio encaminado a garantizar la transmisión de la propiedad en favor del acreedor[315].

En virtud de lo anterior, se observa como el concepto de acreedor de dominio que propone Núñez Lagos es más amplio que la noción estricta de *ius ad rem*[316], lo que, sin embargo, no impidió que la doctrina se centrase en la primera de sus manifestaciones para justificar la reconstrucción de la vieja figura medieval. En este sentido, un sector de la doctrina mantiene que "quien tiene derecho a recibir de su deudor una cosa determinada y está dispuesto a pagarla o ya ha pagado la contraprestación que le incumbe, no puede quedar relegado a la categoría de acreedor puramente personal"[317].

---

fondos a su tiempo, lo cual se presumirá de derecho si la partida no estuviere pasada en cuenta corriente entre ambos.

8.º Los géneros vendidos al quebrado a pagar al contado y no satisfechos en todo o en parte, ínterin subsistan embalados en los almacenes del quebrado, o en los términos en que se hizo la entrega, y en estado de distinguirse específicamente por las marcas o números de los fardos o bultos.

9.º Las mercaderías que el quebrado hubiere comprado al fiado, mientras no se le hubiere hecho la entrega material de ellas en sus almacenes o en paraje convenido para hacerla, y aquellas cuyos conocimientos o cartas de porte se le hubieren remitido, después de cargadas, de orden y por cuenta y riesgo del comprador.

En los casos de este número y del 8.º, los síndicos podrán detener los géneros comprados o reclamados para la masa, pagando su precio al vendedor".

[314] Núñez Lagos, R., "Mandatario sin poder", *R.D.P.*, septiembre 1946, pág. 626.

[315] Núñez Lagos, R., "Mandatario sin poder", ob. cit., pág. 626. Sigue esta tesis Jordano Barea, J. B., "Naturaleza, estructura y efectos del negocio fiduciario", *R.D.P.*, octubre 1958, pág. 835.

[316] Núñez Lagos, R., "Mandatario sin poder", ob. cit., pág. 626. Véanse Martínez-Cardós Ruiz, J., ob. cit., pág. 15; Jordano Barea, J. B., "Naturaleza, estructura...", ob. cit., pág. 835 nota al pie núm. 48; Puig Brutau, J., *Fundamentos de Derecho Civil T. III Vol. I...*, ob. cit., pág. 25.

[317] Puig Brutau, J., "La relación fiduciaria", *R.D.P.*, diciembre 1961, pág. 1018. Véanse también Martínez-Cardós Ruiz, J., ob. cit., pág. 15; Puig Brutau, J., *Fundamentos de Derecho Civil T. III Vol. I...*, ob. cit., págs. 23 y 24.

El punto de partida de la tesis expuesta encuentra su expresión paradigmática en las compraventas perfectas que aún no han llegado a consumarse[318]. En este sentido, nuestro Alto Tribunal ha puesto de manifiesto en varios de sus pronunciamientos que la compraventa es un contrato de carácter consensual *"...del que surge la obligación de entregar la cosa vendida y de pagar el precio estipulado, pero debiendo distinguirse el momento de la perfección del contrato, producido por la coincidencia del consentimiento sobre la cosa y el precio, y el de la consumación, emanante de la tradición real o ficta de la cosa, que determina la transformación del originario «ius ad rem» en un «ius in re», mediante el cual se transmite el dominio de lo comprado, con la obligada consecuencia jurídica de que, cuando la compraventa no va seguida de la tradición, no puede considerarse como propietario al comprador en tanto esa tradición no se produzca"*[319]. Siguiendo este razonamiento, el comprador, una vez se hubiese perfeccionado el contrato de compraventa, ostentaría un derecho a la cosa (*ius ad rem*) hasta el momento en el que se produjese *traditio* (*ius in re*).

Esta situación recuerda a la que se da en el derecho alemán cuando, habiéndose producido el acuerdo traslativo (*Auflassung*), no se ha llevado a cabo la inscripción en el Registro de la Propiedad, lo que impide que se produzca de forma efectiva la transmisión (*ex* § 873 BGB)[320]. En estos supuestos existe, sin embargo, una mayor protec-

---

[318] Núñez Lagos, R., ob. cit., pág. 626; Puig Brutau, J., "La relación fiduciaria", ob. cit., pág. 1015.

[319] STS 6 febrero 1990 (RJ\1990\664). En similar sentido, STS 24 mayo 1980 (TOL1.740.492); STS 20 octubre 1990 (TOL1.729.568); STS 31 mayo 1996 (TOL1.659.510); STS 14 febrero 2002 (TOL4.975.282); STS 23 octubre 2003 (TOL324.657); STS 6 mayo 2015 (TOL5.004.094).

[320] Clemente Meoro, M. E., *El acreedor del dominio*, ob. cit., pág. 272. Véase también Martínez Velencoso, L. M., "La protección de los adquirentes de inmuebles en el Derecho alemán: caracteres y efectos de la *Vormerkung*", R.C.D.I. núm. 657, enero 2000, pág. 667. En este sentido, debe tenerse en cuenta que el § 925 BGB, el cual se refiere a la *Auflassung*, establece que *"(1) el acuerdo entre el enajenante y el adquirente, necesario para la transmisión de la propiedad de una finca según el § 873 (acuerdo de transmisión), debe ser declarado con asistencia simultánea de ambas partes ante una autoridad competente. Para recibir el acuerdo de transmisión es competente cualquier notario, sin perjuicio de la competencia de otras autoridades. El acuerdo de transmisión también puede recogerse en una transacción judicial o en un plan de insolvencia confirmado y firme"*.

ción hacia los adquirentes que en el caso del derecho español, puesto que, aunque su posición no se encuentra libre de riesgo, al menos es más fuerte que la del simple titular de un derecho de crédito[321]. Así, uno de los instrumentos articulados por el ordenamiento jurídico alemán para proteger a quien, habiendo participado del acto traslativo, aún no ha visto inscrito su derecho es la *Vormerkung*[322]. Esta figura puede ser, de algún modo, comparada con nuestras anotaciones representativas de otros asientos[323], lo que ha llevado a que en algunos pronunciamientos de la jurisprudencia patria se haya intentado establecer una protección similar a la que la *Vormerkung* ofrece al que aún no ha podido adquirir el derecho real como consecuencia de un defecto de carácter formal[324]. De este modo, se viene exigiendo, al igual que el derecho alemán[325], que la anotación preventiva no puede versar sobre pretensiones de carácter meramente personal[326], sino

---

Por su parte, el § 873 BGB dispone que *"(1) para la transmisión de la propiedad de una finca, para el gravamen de una finca con un derecho, así como para la transmisión o gravamen de uno de éstos se requiere el acuerdo del titular y de la otra parte sobre la producción de la modificación jurídica y la inscripción de tal modificación jurídica en el registro inmobiliario, salvo que la ley establezca otra cosa.*
(2) Antes de la inscripción, las partes sólo quedan vinculadas por el acuerdo si las declaraciones de ambas se han realizado en instrumento notarial o si se han realizado ante la oficina del registro inmobiliario o han sido entregadas a ésta, o si el titular ha entregado a la otra parte la autorización de inscripción de las previstas en la Ley del Registro Inmobiliario". Ambas traducciones en: *Código Civil alemán* (dir. Lamarca Marqués, A.), Marcial Pons, Madrid.

[321] Clemente Meoro, M. E., *El acreedor del dominio*, ob. cit., pág. 273.
[322] Sánchez Jordán, M.ª E., *Las anotaciones preventivas (en particular, la de embargo) en los sistemas registrales alemán y español*, Centro de Estudios Registrales, Madrid, 2002, pág. 52. También Ballester Giner, E., "Un nuevo *ius ad rem* (reflexiones de un jubilado)", ob. cit., pág. 22.
[323] Sánchez Jordán, M.ª E., *Las anotaciones preventivas...*, ob. cit., págs. 48 y ss.
[324] Así, por ejemplo, en la STS 18 febrero 1985 (TOL1.736.522) se pone de relieve que "...*los efectos de las anotaciones preventivas de demanda, conforme al artículo 42 de la Ley Hipotecaria, están acordados no sólo en beneficio de los titulares de un derecho real sino también de quienes lo sean de acciones personales con trascendencia real, como la demandante en ambos juicios (...) que era titular de una mera vocación o «ius ad rem»...".* En similar sentido, el AAP Cádiz (Sección 2ª) 22 febrero 2011 (TOL5.322.076).
[325] Sánchez Jordán, M.ª E., *Las anotaciones preventivas...*, ob. cit., pág. 55.
[326] Así, "...*no cabe extender su aplicación mas alla* (sic) *de las acciones personales con propia trascencia* (sic) *real, pues el Centro Directivo y el mismo Tribunal Supremo, han hecho una aplicación casuística a determinados y numerosos supues-*

que han de tratarse de situaciones destinadas a sufrir una mutación jurídico-real[327], lo que, retomando el tema que nos ocupa, ha llevado a hablar de la posible existencia de un *ius ad rem*[328].

En el caso de la posición del acreedor de dominio en el derecho alemán, se ha apuntado que, al menos desde el punto de vista teórico, este ostenta una expectativa real (*Anwartschaftsrechte*)[329], lo que ha llevado a la mayor parte de la doctrina alemana a hablar de una figura de caracteres difusos, pues, aunque no se trate de un auténtico derecho real, sí que puede decirse que tiene efectos reales[330]. No parece, sin embargo, que la condición que ostenta el acreedor de dominio protegido mediante el mecanismo de la *Vormerkung* permita realizar una reconstrucción de la vieja figura del *ius ad rem*. Así, según ha destacado Martínez Velencoso, la *Vormerkung* no otorga un derecho a exigir del tercer adquirente el cumplimiento de la obligación, sino que únicamente se halla encaminada a recabar el consentimiento necesario

---

tos (*revocación de donaciones, art. 649 CC; separación de bienes entre cónyuges, art. 1436; en acciones de reclamación de legítima, art, 15 LH; art. 84 y 85.3, del Reglamento Hipotecario; art. 366.2 de la Compilación de Derecho Catalán; reclamación de la cuarta vidual, art. 388, en dicha Compilación; para supuestos de nulidad o ineficacia de testamentos, RDGN, 14 febrero 1917, 20 junio 1922; elevación a escritura pública de contrato privado, resoluciones AP. de Barcelona, 9 julio 1922, 25 abril 1967 y 2 julio 1970; en garantía de acción pauliana, TS, sentencia 13 febrero 1929; en reclamación de créditos refaccionarios; retorno arrendaticio; garantía de promesa de venta; retracto legal y otros muchos supuestos) en lo que aparezca como insita (sic) en acción* personal". Véase AAP Barcelona (Sección 12ª) 16 marzo 2004 (JUR 2004\120673).

De este modo, se excluyen, por ejemplo, las acciones que versan sobre una reclamación de cantidad, a excepción de las demandas de créditos refaccionarios según se apunta en el AAP Madrid (Sección 9ª) 7 febrero 2006 (TOL8.191.287).

[327] Así, "*...en todos los casos en que la citada Dirección General admite la anotación preventiva de demanda existe un «ius ad rem» o al menos una pretensión (aunque sea real que pueda conducir a una mutación jurídico-real inmobiliaria*". RDGRN 31 mayo 2001 (RJ 2002\7700).

[328] AAP Ávila (Sección 1ª) 17 mayo 2007 (TOL6.234.694).

[329] Clemente Meoro, M. E., *El acreedor del dominio*, ob. cit., pág. 272. La doctrina alemana señala que esta figura se da "cuando en un supuesto complejo de adquisición de un derecho son tantos los requisitos que se cumplen que es posible afirmar que el adquirente se encuentra en una posición jurídica asegurada...". Leible, S., "La reserva de dominio en el derecho alemán" (trad. Ripollés Iturralde, E. y Albiez Dohrmann, K. J.), *R.D.P.*, abril 1999, pág. 267.

[330] Martínez Velencoso, L. M., ob. cit., pág. 688 nota al pie núm. 46.

para que la inscripción del acreedor despliegue sus efectos[331]. Es cierto que la situación del acreedor de dominio se halla garantizada mediante ciertos mecanismos que el legislador, muy adecuadamente, ha previsto para tal fin (*Vormerkung*), sin embargo, no parece ni que esta situación permita resucitar la categoría medieval del *ius ad rem* ni que tampoco se otorgue al adquirente un derecho de naturaleza real[332].

En el ordenamiento jurídico español hablar de un derecho de carácter intermedio se hace más complicado, en la medida en que, aun tratándose de una situación similar a la que se produce en el derecho alemán, nuestro legislador no otorga al acreedor de dominio una especial tutela[333] y, aunque así lo hiciese, ello no supondría la creación de un *tertium genus*. En efecto, parte de la doctrina moderna sostiene que el derecho del acreedor de dominio puede ser calificado como un

---

[331]   Martínez Velencoso, L. M., ob. cit., pág. 690.

[332]   Martínez Velencoso habla de un cierto paralelismo entre el derecho real y la *Vormerkung*, aunque no termina por reconocerle los caracteres de un auténtico derecho real. Martínez Velencoso, L. M., ob. cit., págs. 692 y 694.

[333]   Martínez Velencoso, L. M., ob. cit., pág. 668. Véase, asimismo, Clemente Meoro, M. E., *El acreedor del dominio*, ob. cit., págs. 275 y ss. Es cierto que los ya derogados arts. 908 y 909 de nuestro Código de Comercio otorgaban al acreedor de dominio un derecho de separación en casos de concurso o quiebra. Al respecto pueden consultarse: Núñez Lagos, R., ob. cit., pág. 626 y 627; Jordano Barea, J. B., "Naturaleza, estructura...", ob. cit., págs. 835 y ss.; Martínez-Cardós Ruiz, J., ob. cit., pág. 15; Puig Brutau, J., "La relación fiduciaria", ob. cit., págs. 1017 y 1018; Puig Brutau, J., *Fundamentos de Derecho Civil T. III Vol. I...*, ob. cit., págs. 25 y 26. No obstante lo anterior, estas normas han sido superadas por la legislación concursal, que reserva el derecho de separación para los casos en los que el concursado posea en su poder bienes ajenos (*ex* art. 80 LC), lo que se aleja del supuesto previsto en la normativa anterior. Así, el art. 80 LC dispone que "*los bienes de propiedad ajena que se encuentren en poder del concursado y sobre los cuales éste no tenga derecho de uso, garantía o retención serán entregados por la administración concursal a sus legítimos titulares, a solicitud de éstos*". Se observa, pues, que aquí no puede hablarse de un *acreedor de dominio*, sino de un auténtico titular dominical. Estas apreciaciones han de entenderse sin perjuicio de lo dispuesto en el art. 61 LC, el cual se refiere a la vigencia de los contratos con obligaciones recíprocas. Véase Cordón Moreno, F., "Comentario al artículo 80" en *Comentarios a la Ley Concursal* (dir. Cordón Moreno, F.), Aranzadi, Cizur Menor, 2004, págs. 628 y ss.
Cabe destacar que antes de la promulgación de la legislación concursal vigente, Clemente Meoro estimaba que el derecho que ostentaba el acreedor de dominio en la quiebra era meramente crediticio. Clemente Meoro, M. E., *El acreedor del dominio*, ob. cit., pág. 37.

ius ad rem, pero no en el sentido de ostentar un derecho a caballo entre los derechos reales y obligacionales, sino, simplemente, como sinónimo de derecho de crédito[334].

Concebir el derecho que el acreedor ostenta, a falta de *traditio*, como un derecho cualificado, distinto de un derecho meramente personal, resulta, en nuestra opinión, excesivo[335], ya que, como bien ha apuntado nuestro Alto Tribunal, *"el "ius ad rem" no pasa de ser un derecho personal a la entrega de la cosa, que todavía no se ha producido"*[336]. Ello explica que la posición del comprador no se halle protegida ni por la tercería de dominio ni por ninguna acción de carácter real (acción reivindicatoria, declarativa de dominio, entre otras)[337].

El recurso a la figura del *ius ad rem* para explicar la naturaleza del derecho del acreedor de dominio puede resultar, en cierta medida, aceptable desde el punto de vista teórico, pero, debe reconocerse que a efectos prácticos no existe diferencia entre reputarlo como un derecho a la cosa o, por el contrario, como un derecho de carácter meramente crediticio, ni entre hablar de un *acreedor de dominio* o un mero *acreedor*[338]. La diferencia estriba, por tanto, en la conducta que

---

[334]   Clemente Meoro, M. E., *El acreedor del dominio*, ob. cit., pág. 279. También Peña Bernaldo de Quirós, M., *Derechos Reales. Derecho Hipotecario T. I*, ob. cit., pág. 71 nota al pie núm. 34. En contra parece pronunciarse Moreno Quesada, B., "Configuración del derecho real", ob. cit., pág. 34.

[335]   En este sentido, Puig Brutau aprecia que la existencia de una obligación de entregar la cosa (pactada por las partes) y la de custodiarla (*ex art.* 1094 Cc) se produce una situación similar a la que se deriva en las transmisiones fiduciarias. Puig Brutau, J., Voz *"Ius ad rem"* en *Nueva Enciclopedia Jurídica*, ob. cit., pág. 698. También Puig Brutau, J., "La relación fiduciaria", ob. cit., págs. 1015 y ss.; Puig Brutau, J., *Fundamentos de Derecho Civil T. III Vol. I...*, ob. cit., págs. 23 y ss.

[336]   STS 20 febrero 1995 (TOL1.658.328); STS 26 noviembre 1991 (TOL1.726.783). Véase, asimismo, la STS 18 julio 2005 (TOL674.285). Nos recuerda bastante al concepto de derecho de crédito que ofrece Pothier, quien, como dijimos más arriba, identifica el *ius ad rem* con el derecho (personal) a que se nos entregue una cosa. Pothier, J., ob. cit., pág. 101.

[337]   Así se pone de manifiesto en la misma STS de 20 febrero 1995 (TOL1.658.328). Con respecto a la tercería de dominio véase, asimismo, la STS 6 febrero 1990 (RJ\1990\664); STS 26 noviembre 1991 (TOL1.726.783) y la STS 18 julio 2005 (TOL674.285). En relación con la acción reivindicatoria puede consultarse también la SAP Islas Baleares (Sección 5ª) 3 febrero 2015 (TOL4.754.534).

[338]   Clemente Meoro, M. E., *El acreedor del dominio*, ob. cit., pág. 278. Podría decirse, con un sector de la doctrina, que "se trata de derechos de crédito con respecto

ha de realizar el deudor ("...*dar, hacer o no hacer alguna cosa*" *ex* art. 1088 Cc)[339], con la peculiaridad de que "*el obligado a dar alguna cosa lo está también a conservarla con la diligencia propia de un buen padre de familia*" (art. 1094 Cc)[340]. Ello nos lleva a enfatizar la idea de que el acreedor de dominio no tiene un derecho cualificado por el mero hecho de que en un futuro su pretensión pueda conducir a la sustanciación de un derecho real.

Entendemos, pues, que el derecho que ostenta el acreedor de dominio ha de ser concebido como un derecho de naturaleza personal a la entrega de la cosa, sin perjuicio de que se le pueda denominar *ius ad rem*, término que, por otro lado, y como hemos tenido la ocasión comprobar, en un punto de la historia fue equiparado con la *obligatio*. A la conclusión a la que debe llegarse es que la denominación no cambia la naturaleza de la situación en la que se encuentra un sujeto al cual aún no se le ha transmitido la propiedad, que sigue siendo meramente crediticia.

C)   El concepto actual del *ius ad rem*

Según hemos tenido la ocasión de comprobar, los diversos intentos de reconstrucción de la figura medieval del *ius ad rem* no parecen haber prosperado. Creemos, sin embargo, que estas tentativas, merecen elogio, aunque sea únicamente desde un punto de vista teórico y conceptual, en cuanto a que han sabido apreciar ciertas coincidencias entre esta vieja institución y situaciones de gran relevancia jurídica actual.

Como se ha observado, con la expresión del *ius ad rem* se hace referencia, de un lado, a una figura que históricamente jugó un impor-

---

a bienes específicos", pero como señala Cerdeira, ello no cambia la naturaleza del derecho, que sigue siendo meramente obligacional. Véanse Álvarez Olalla, P. *et al.* en *Manual de Derecho Civil...*, ob. cit., pág. 36; Cerdeira bravo de mansilla, G., *Derecho o carga real...*, ob. cit., págs. 250 y 251.

[339]   Clemente Meoro, M. E., *El acreedor del dominio*, ob. cit., pág. 278; Cerdeira bravo de mansilla, G., *Derecho o carga real...*, ob. cit., págs. 250 y 251.

[340]   Puig Brutau resalta la importancia de este último precepto, aunque como dijimos en una nota anterior, el autor estima que el acreedor de dominio sí que ostenta un derecho cualificado. Puig Brutau, J., "La relación fiduciaria", ob. cit., págs. 1015 y ss.; Puig Brutau, J., *Fundamentos de Derecho Civil T. III Vol. I...*, ob. cit., págs. 23 y ss.

tante papel en el ámbito feudal y canónico y, de otro, a una situación equivalente a la de un derecho de carácter obligacional[341]. En este sentido, la primera de las acepciones mencionadas resulta, en opinión de la doctrina mayoritaria, obsoleta e incongruente con nuestro sistema de Derecho patrimonial actual[342], mientras que la segunda es irrelevante desde el punto de vista de las consecuencias jurídicas, ya que es sinónimo de derecho de crédito[343]. Es cierto que en determinados casos un derecho personal puede tener un alcance mayor del que le es propio, pero ello será, como venimos insistiendo a lo largo de este trabajo, por criterios de política legislativa, lo cual no muta la naturaleza de la figura[344].

El enfoque de esta materia debe girar, en nuestra opinión, no tanto en la resurrección de una figura histórica como en establecer determinados mecanismos de protección de la posición del adquirente de una cosa frente a los abusos y excesos del transmitente o frente a los acreedores de este[345]. Así, el comprador podrá hallarse protegido en

---

[341]   De Los Mozos pone de relieve la existencia de ambos significados, recalcando que en la actualidad podría decirse que el primero (*ius ad rem* como figura intermedia) ha desaparecido en favor del segundo (*ius ad rem* como obligación). De Los Mozos y De Los Mozos, J. L., *Estudios sobre derecho de los bienes*, Montecorvo, Madrid, 1991, pág. 22.

[342]   Castán Tobeñas, J., *Derecho Civil Español, Común y Foral T. II Vol. I*, ob. cit., págs. 56-58; Valverde Y Valverde, C., ob. cit., pág. 18 nota al pie núm. 1. Lacruz opina, además, que resulta harto complicado construir una categoría dogmática a partir de supuestos que presentan grandes diferencias entre sí. Lacruz Berdejo, J. L. *et al.*, *Elementos de Derecho Civil III Derechos Reales Vol. I*, 2008, ob. cit., pág. 9.

[343]   Martín Pérez, A., ob. cit., págs. 10 y 11. No obstante, todavía hay quien defiende el empleo de esta expresión con el fin de "...connotar al derecho personal cuya prestación consiste en dar una cosa, máxime si ese crédito exhibe características tales que autoricen a pensar que se llegará seguramente al derecho real". Gatti, E. y Alterini, J. M., ob. cit., págs. 70 y 71.

[344]   Como afirma Díez-Picazo, "...los *iura ad rem* son simples derechos de obligación, aunque puedan introducir efectos más amplios". Díez-Picazo y Ponce de León, L., *Fundamentos del Derecho Civil Patrimonial Vol. I...*, ob. cit., pág. 84. En parecido sentido se pronuncian Valverde Y Valverde, C., ob. cit., pág. 18 nota al pie núm. 1; Cerdeira bravo de mansilla, G., *Derecho o carga real...*, ob. cit., págs. 249 y 250.

[345]   Aunque se refiere a la situación del acreedor en los supuestos de pendencia debida a la existencia de una condición suspensiva, Carrasco sostiene que "lo importante no es, pues, el alcance del derecho, sino el alcance de la protección".

determinadas situaciones que, según el legislador, merezcan algún tipo de tutela específica[346]. Esta protección no se traducirá, como se ha señalado, en la transformación del derecho del adquirente que, hasta que se produzca la transmisión de la propiedad, ostenta, como regla general, un mero derecho de crédito.

2.2. Las obligaciones *propter rem*

Existen determinados supuestos en los que se exige al titular de un derecho real la realización de una conducta positiva, lo cual no solo parece chocar con la concepción tradicional de los derechos reales, sino, asimismo, con la noción clásica de la obligación. En este contexto es en el que nace el debate científico sobre las denominadas obligaciones *propter rem*, cuyo estudio ha sido abordado de muy diversas formas y ha derivado en resultados muy dispares. Pasamos, pues, a analizar esta controvertida categoría.

A) *Cuestiones preliminares*

El debate sobre la compleja figura de la obligación *propter rem* no se limita a su concepción y configuración actuales, sino que alcanza de forma directa a los orígenes de la misma. Encontramos, así, que determinados autores atribuyen el nacimiento de esta figura al Derecho romano, en el cual se pueden encontrar un número de ejemplos, más bien reducidos, que verifican su existencia durante este periodo, sin perjuicio de reconocer que la obligación *propter rem* tuvo un mayor

---

Carrasco Perera, A., "Comentario al artículo 1121" en *Comentarios al Código Civil T. VI* (dir. Bercovitz Rodríguez-Cano, R.), Tirant Lo Blanch, Valencia, 2013, pág. 8203.

[346] El propio Diccionario del Español Jurídico pone de relieve que "se dice que hay *ius ad rem* cuando se ha alcanzado un estado previsto en la norma que da derecho al futuro titular a exigir que se den los trámites siguientes para que se complete la plena adquisición del derecho. Esta expresión se opone al *ius in re*". Se observa, pues, que ha de ser la norma y, por ende, el legislador el que determine qué situaciones previas a la adquisición de la propiedad merecen protección, con independencia de que como se las quiera calificar. Al respecto véase la reflexión expuesta en Puig Brutau, J., *Fundamentos de Derecho Civil T. III Vol. I...*, ob. cit., pág. 21.

desarrollo en épocas posteriores[347]. Otro sector doctrinal, por el contrario, sostiene que las obligaciones *propter rem* no pudieron ser concebidas como tales en la era romana, señalando que se trata de una figura surgida como consecuencia de la labor interpretativa realizada por la romanística[348]. En este sentido y dados los estudios realizados por la doctrina romanista y civilista, nos parece que lo más acertado es adherirnos a esta última postura, entendiendo que los romanos no conocieron las obligaciones *propter rem* como categoría, siendo esta producto de la labor de la romanística durante la época del Derecho intermedio, sin perjuicio de reconocer que determinados supuestos

---

[347]   Así parecen entenderlo, entre otros, Arias Ramos, J., y Arias Bonet, J. A., *Derecho Romano T. II Obligaciones. Familia. Sucesiones,* 18ª ed. (2ª reimp.), EDERSA, Madrid, 1990, págs. 576 y 577; Bonfante, P., *Instituciones de Derecho Romano,* 5ª ed. 2ª reimp., Reus, Madrid, 2002, pág. 387; Cristóbal Montes, A., *La estructura y los sujetos de la obligación,* Civitas, Madrid, 1990, pág. 139.

[348]   Hernández Gil, F., "Concepto y naturaleza jurídica de las obligaciones *propter rem*", *R.D.P.,* octubre 1962, pág. 855; Biondi, B., *Las servidumbres…,* ob. cit., pág. 1233; Díez-Picazo y Ponce de León, L., *Fundamentos del Derecho Civil Patrimonial Vol. III…,* ob. cit., págs. 98 y 99. También De Castro Vítores, G., *La obligación real en el derecho de bienes,* Centro de Estudios Registrales, Madrid, 2000, págs. 116 y 117.

previstos por el ordenamiento jurídico romano[349] pueden haber servido como base para su ulterior construcción[350].

No obstante lo anterior, De Los Mozos, siguiendo a P. Liver, advierte que la evolución de esta categoría se ha hallado siempre marcada por la opacidad, lo cual se debe, en su opinión, no tanto a la actividad del legislador cuanto a la dogmática jurídica[351]. En este sentido, aunque puede decirse que no es hasta el siglo XIX cuando se acomete el primer estudio serio sobre la figura[352] de la mano de autores como Michon[353] y Claps[354], este viene principalmente caracterizado por su

---

[349] Aunque no existe una enumeración unitaria, lo cierto es que la mayor parte de la doctrina suele coincidir en calificar como obligaciones *propter rem* a la *actio noxalis*, a la *actio quod metus causa*, la *actio aquae pluviae arcendae* y, especialmente, a la obligación de reparar el muro de la *servitus oneris ferendi*. En este sentido pueden consultarse Iglesias Santos, J., *Derecho Romano*, 18ª ed. revisada y puesta al día por Iglesias-Redondo, J., Sello Editorial, Barcelona, 2010, pág. 255, Biondi, B., ob. cit., págs.1233-1235, Arias Ramos, J., y Arias Bonet, J. A., *Derecho Romano T. II*, ob. cit., págs. 576 y 577; Cerdeira bravo de mansilla, G., *Derecho o carga real...*, ob. cit., págs. 182 y 183. De este modo, Hernández Gil destaca que la mayor parte de estas figuras se hallaban amparadas por la *actio in rem scriptae*, la cual, según Álvarez Suárez, aún siendo reputada como personal, podía ejercitarse frente a cualquiera que poseyera la cosa (eficacia real). Véanse Hernández Gil, F., ob. cit., pág. 854; Álvarez Suárez, U., *Curso de Derecho Romano T. I*, EDERSA, Madrid, 1955, pág. 380.
No obstante lo anterior, De Castro Vítores advierte que los supuestos a los que hemos aludido son diferentes entre sí, corresponden a distintas realidades y no sufrieron una misma evolución, aunque, en un momento dado y en su conjunto, puedan parecer idénticos. De Castro Vítores, G., ob. cit., pág. 118.

[350] Como apunta Biondi, "son instructivos los precedentes históricos, que se remontan a las fuentes romanas en las que hallamos unos cuantos casos no incluidos en ninguna categoría, ni bajo un término común, teniendo cada uno su peculiar disciplina, de los que han extraído los intérpretes la doctrina de la obligación *propter rem*". Biondi, B., ob. cit., pág. 1233.

[351] De los Mozos y De Los Mozos, J. L., "La obligación real, aproximación a su concepto" en *Libro-Homenaje a Mª Ramón Roca Sastre, Junta de Decanos de los Colegios Notariales Vol. II*, Madrid, 1976, pág. 337.

[352] Cerdeira bravo de mansilla, G., *Derecho o carga real...*, ob. cit., pág. 183 nota al pie núm. 91.

[353] Michon, L., *Obligations propter rem dans le Code Civil*, Nancy, 1891, págs. 1 y ss.

[354] Claps, G., *Delle cosiddette obbligazioni reali e dell'abbandono liberatorio nel diritto civile italiano*, Fratelli Bocca Editori, Torino, 1897, págs. 1 y ss.

confusión respecto de otras instituciones afines, como es el caso de la carga real[355].

La complejidad que ha venido caracterizando a esta institución queda patente apriorísticamente si, como apunta Cerdeira[356], se tienen en cuenta las diversas formas que la doctrina moderna emplea para designarla. De este modo, es frecuente que tanto en la literatura como en la práctica jurídica se utilicen las expresiones obligación *propter rem*[357], obligación *ob rem*[358], obligación ambulatoria[359] y obligación real[360]. Estas distintas locuciones no son más que el reflejo de la inexistencia de una noción más o menos unitaria de la figura objeto de examen, lo que, en nuestra opinión, no se debe tanto a su falta de regulación expresa[361] como a lo que se apuntó más arriba, esto es, a su constante confusión respecto de otras instituciones, así

---

[355]   De los Mozos y De Los Mozos, J. L., "La obligación real...", ob. cit., pág. 337.

[356]   Cerdeira bravo de mansilla, G., *Derecho o carga real...*, ob. cit., pág. 183.

[357]   Por ejemplo, Bonfante, P., *Instituciones de...*, ob. cit., pág. 387. También se emplea esta expresión en la STS 8 abril 2015 (TOL4.839.252) y la STS 24 abril 2018 (TOL6.591.963), entre otras.

[358]   Hernández Gil, F., ob. cit., pág. 853. La expresión obligaciones *ob rem* se utiliza, por ejemplo, en la SAP Burgos (Sección 2ª) 5 febrero 1996 (AC 1996\598).

[359]   Esta locución es utilizada, por ejemplo, por Ferrini, C., *Manuale di Pandette* (curata da Grosso, G.), 4ª ed., Società Editrice Libraria, Milano, 1953, pág. 432. También se utiliza en la SAP Barcelona (Sección 16ª) 9 septiembre 2011 (TOL2.254.841).

[360]   La expresión obligación real ha sido empleada, por ejemplo, en la SAP Murcia (Sección 1ª) 4 junio 2009 (TOL6.745.978). De los Mozos sostiene que puede emplearse tanto el término *propter rem* como real, pero sostiene, sin embargo, que este último "parece ser el más correcto y expresivo para designar este tipo de obligaciones". De los Mozos y De Los Mozos, J. L., "La obligación real...", ob. cit., pág. 342. En parecido sentido se pronuncian, entre otros, De Castro Vítores, G., ob. cit., pág. 495; Cerdeira bravo de mansilla, G., *Derecho o carga real...*, ob. cit., págs. 183 y 184. Por su parte, Biondi estima que debe evitarse dicha expresión por contradictoria. Biondi, B., *Las servidumbres...*, ob. cit., pág. 1238.

[361]   El Proyecto de Código civil de 1851 sí que definía la obligación real, estableciendo en su art. 1027 que "*es real la obligación que afecta a la cosa y obra contra cualquier poseedor de ella*". Asimismo, García Goyena afirma que el art. 1922 del Código civil de Luisiana establece que "la obligación es real cuando está inherente a una propiedad inmueble, en cualesquiera manos que esta se encuentre, sin hacer personalmente responsable al tercer poseedor". García Goyena, F., ob. cit., págs. 552 y 553.

como a los errores metodológicos cometidos por la doctrina[362]. En este sentido, creemos que lo más adecuado es abordar el estudio de los caracteres que tradicionalmente se han venido atribuyendo a esta figura, lo que nos permitirá ofrecer una definición coherente de la institución, así como pronunciarnos sobre su naturaleza.

B) Elementos característicos

a) Especial designación del sujeto pasivo

Siguiendo en líneas generales el esquema propuesto por Hernández Gil[363], hemos de comenzar señalando que la doctrina viene considerando que esta clase de obligaciones se caracterizan por la especial determinación del sujeto pasivo[364], el cual queda designado en relación a la cosa[365]. Así, la individualización del sujeto pasivo se realizará en virtud de la titularidad de un derecho real[366], lo que, por otro lado,

---

362 Biondi estima que "nos hallamos frente a un círculo vicioso: de casos concretos formados apriorísticamente se llega al concepto. Fijado así el concepto, se forma la lista". Biondi, B., *Las servidumbres...*, ob. cit., pág. 1236.

363 Hernández Gil, F., ob. cit., págs. 858 y ss.

364 Martín Pérez, A., ob. cit., pág. 13; Puig Brutau, J., *Fundamentos de Derecho Civil T. III Vol. I...*, ob. cit., págs. 28 y 29; Blasco Gascó, F. de P., *Instituciones de Derecho Civil...*, ob. cit., pág. 39; Sierra Pérez, I., *Obligaciones "propter rem" hoy: los gastos comunes en la propiedad horizontal*, Tirant Lo Blanch, Valencia, 2002, págs. 62 y 63.

365 Hernández Gil, F., ob. cit., pág. 858.

366 De Amunátegui Rodríguez, C., *La renuncia y el abandono en la servidumbre*, Tirant Lo Blanch, Valencia, 1999, pág. 177; Álvarez Olalla, P. *et al.* en *Manual de Derecho Civil...*, ob. cit., pág. 37; Lacruz Berdejo, J. L. *et al.*, *Elementos de Derecho Civil III Derechos Reales Vol. I*, 2008, ob. cit., pág. 8. Del mismo modo, en la SAP Salamanca 12 mayo 1998 (AC 1998\1002) se señaló que las obligaciones *propter rem* se venían caracterizando por la "...*especial designación del sujeto pasivo, a través de la titularidad de un derecho real...*". Véanse, asimismo, SAP Madrid (Sección 19ª) 2 diciembre 1998 (AC 1998\2259); SAP Castellón (Sección 2ª) 20 octubre 1999 (AC 1999\2456); SAP Las Palmas (Sección 5ª) 23 abril 2000 (LA LEY 85898/2000); SAP Zaragoza (Sección 5ª) 17 septiembre 2001(JUR 2001\282483); SAP Santa Cruz de Tenerife (Sección 4ª) 7 abril 2003 (TOL313.090); SAP Vizcaya (Sección 3ª) 12 febrero 2008 (TOL1.320.144); SAP Vizcaya (Sección 3ª) 4 marzo 2008 (TOL1.320.132); SAP Vizcaya (Sección 3ª)

excluye la posibilidad de hacer extensible esta posición a los titulares de derechos de crédito[367].

En virtud de lo anterior, podrá ser deudor *ob rem* tanto el propietario como, en determinados supuestos, aquel que ostente un derecho real limitado[368]. Así, siguiendo el esquema propuesto por Balbi[369], puede decirse que existen dos formas de determinación del propietario como obligado *ob rem*: una, directa, que se da en aquellos supuestos en los que la posición del deudor nace como consecuencia inmediata de la titularidad dominical (p. ej. arts. 5 y 9 LPH)[370] y otra,

---

26 febrero 2015 (TOL4.821.990). También el AAP Zamora 7 mayo 1996 (AC 1996\1230).

Por otro lado, la doctrina se ha planteado si cabría la posibilidad de exigir a un mero poseedor la realización de una conducta en virtud de la obligación real. Al respecto, la doctrina parece rechazar, de forma general, la extensión de la posición de obligado *ob rem* al mero detentador, al poseedor en nombre ajeno o al servidor de la posesión, lo que, por otro lado, no alcanza a la posición de un poseedor en el sentido estricto. Véanse: Balbi, G., *Le obbligazioni propter rem*, Giappichelli, Torino, 1950, págs. 122-124; Hernández Gil, F., ob. cit., pág. 859.

Por su parte, Bigliazzi ha destacado que en aquellos casos en los que el poseedor lo sea sin título, la realización de la prestación sobre la que verse la obligación *propter rem* no se trata de un comportamiento debido, sino, más bien, realizado de facto como consecuencia de la posición que este pretende afirmar respecto de la cosa. Bigliazzi Geri, L., "Oneri reali e obbligazioni *propter rem*" in *Trattato di Diritto Civile e Commerciale T. III Vol. XI*, Giuffrè, Milano, 1984, pág. 43. De forma similar parece pronunciarse Romeo, C., "Obbligazioni *propter rem*" en *Trattati dei Diritti Reali Vol. II Diritti Reali Parziari* (dir. Gambaro, A., y Morello, U.), Giuffrè, Milano, 2011, pág. 392.

[367]   Hernández Gil, F., ob. cit., pág. 860.
[368]   Romeo, C., ob. cit., pág. 388.
[369]   Balbi, G., ob. cit., pág. 122.
[370]   Este ejemplo se señala en De Pablo Contreras, P., "El derecho real y sus caracteres", ob. cit., pág. 34. Así, en la SAP Barcelona (Sección 17ª) 26 febrero 2001 (AC 2001\1029) se puso de manifiesto que "...*tampoco cabe que los copropietarios no cumplan con las obligaciones asumidas y entre ellas el pago de las cuotas comunitarias para la administración, conservación y mantenimiento de los servicios comunes que le es exigible a cada uno de los titulares de los apartamentos que la constituyen, como igualmente ha sancionado la jurisprudencia –SSTS 26 enero 1995 (RJ 1995, 170), 26 junio 1995 (RJ 1995, 5115) y 2 febrero 1997– afirmándose en la última que se trata de una obligación «propter rem» que aparece determinada por el hecho de ser propietario y es obligatoriamente asumida por quien en cada momento ostente la titularidad del derecho de propiedad sobre la cosa*".

indirecta, en la que la posición pasiva de la obligación real la ocupa un propietario que es a su vez titular de otra relación jurídica (p. ej. art. 599 Cc)[371]. Del mismo modo, la doctrina considera que la posición de obligado *ob rem* también podrá ser ocupada, en ocasiones, por quien ostente la titularidad de un derecho real limitado, fundamentalmente, de goce y disfrute[372].

Dejando a un lado los diversos problemas de carácter teórico-práctico que pueden suscitarse en torno a la individualización del deudor (concurrencia de varios derechos reales sobre una misma cosa[373], cotitularidad de derechos reales[374], entre otros), creemos que resulta más relevante para nuestro estudio destacar que, a pesar de la importancia de esta particular nota subjetiva en lo que a la caracterización de la

---

[371]   Véase De Pablo Contreras, P., "El derecho real y sus caracteres", ob. cit., pág. 34. Este supuesto será estudiado ampliamente cuando hagamos referencia al mecanismo del abandono liberatorio.

[372]   Balbi, G., ob. cit., pág. 122; Bonomonte, C., "Obbligazioni *propter rem* e obbligazioni personali", *Giurisprudenza italiana* Vol. 139, 1987, pág. 371. Véase, asimismo, Sierra Pérez, I., *Obligaciones "propter rem"...*, ob. cit., pág. 64.

[373]   En los supuestos en los que exista concurrencia de varios derechos reales sobre un mismo bien, Hernández Gil, estima que lo más apropiado es distinguir ante qué tipo de derechos nos hallamos. El supuesto menos problemático se da cuando la propiedad queda gravada por un derecho real limitado, de modo que, como regla general, quien deberá hacerse cargo de la obligación será el propietario, salvo que, tratándose de un derecho real de goce, aquella se haya impuesto en virtud del disfrute o el goce del bien. Más complejo es determinar quién es el sujeto obligado en aquellos supuestos en los que sobre una misma cosa concurren diversos *iura in re aliena*, cuestión que la doctrina parece resolver señalando que el titular del derecho real más general deberá hacerse cargo de la obligación, dado que puede extraer un mayor número de utilidades en relación con la cosa. Se han consultado las siguientes obras: Hernández Gil, F., ob. cit., págs. 860 y 861; Balbi, G., ob. cit., págs. 125 y 126.
El esquema descrito se aplica sin perjuicio de la posible existencia de pactos entre las partes, ya que, como trataremos más adelante, los sujetos de la obligación podrían, mediante la autonomía de la voluntad privada, disponer determinados extremos relacionados con la posición del deudor de la obligación. Sierra Pérez, I., *Obligaciones "propter rem"...*, ob. cit., pág. 64.

[374]   Hernández Gil se remite a las reglas contenidas en los arts. 393 Cc y 1138 Cc, precisando que en los casos en los que la ley o por pacto se haya previsto la solidaridad se aplicarán las normas reservadas para este tipo de obligaciones. Hernández Gil, F., ob. cit., 861.

obligación *propter rem* se refiere[375], no parece que baste por sí misma para definir a la institución objeto de examen[376]. En efecto, existen determinadas figuras que, no pudiendo ser reputadas propiamente como obligaciones *propter rem*, nacen en virtud de la titularidad de un derecho real, como es el caso de aquellas obligaciones a que las que se refieren los arts. 1905 Cc y ss. o las relaciones de vecindad, entre otras[377]. En este sentido, puede decirse que, aunque la especial designación del sujeto pasivo forme parte de la estructura típica de la obligación *propter rem*, no parece que en ella resida el peso definitorio de esta categoría dogmática.

Enlazando con lo anterior, cabe destacar que un sector de la doctrina, fundamentalmente encarnado por Aberkane, considera que también puede hablarse de una especial individualización del sujeto activo de la obligación *propter rem*, ya que, desde esta perspectiva, la designación del acreedor se realiza también en función de la titularidad de un derecho real[378]. Efectivamente, ha de reconocerse que, como apunta el citado autor, en la mayoría de ocasiones el acreedor de

---

[375] De Amunátegui llega a señalar que, en su opinión, se trata del "...carácter más definitorio de las obligaciones *propter rem* como categoría general". De Amunátegui Rodríguez, C., ob. cit., pág. 177.

[376] Hernández Gil, F., ob. cit., pág. 856; De Amunátegui Rodríguez, C., ob. cit., pág. 178.

[377] Hernández Gil, F., ob. cit., pág. 856; De Amunátegui Rodríguez, C., ob. cit., pág. 178. No obstante, cabe destacar que hay autores que reputan como obligaciones *propter rem* a aquellas a las que se refieren los arts. 1905 Cc y ss. En este sentido se pronuncian, entre otros, Álvarez Olalla, P. *et al.* en *Manual de Derecho Civil...*, ob. cit., pág. 37; Peña Bernaldo de Quirós, M., *Derechos Reales. Derecho Hipotecario T. I*, ob. cit., pág. 73.

[378] Aberkane, H., *Essai d'une théorie générale de l'obligation propter rem en droit positif français*, Librarie générale de droit et jurisprudence, París, 1957, pág. 18. También Caroni, P., "El derecho de superficie en el derecho Suizo" (trad. De los Mozos y De Los Mozos, J. L.), *R.D.P.*, abril 1974, pág. 283; Álvarez Olalla, P. *et al.* en *Manual de Derecho Civil...*, ob. cit., pág. 37. Por su parte, Díez-Picazo sostiene que "hay obligaciones, cuya característica consiste en que el deudor queda determinado por referencia a la titularidad del dominio o de un derecho real, sin que importe o sea esencial quién resulte ser la persona del acreedor y, al lado de ellas, hay otras relaciones obligatorias en las que tanto el deudor como el acreedor lo son en función de una previa titularidad jurídico-real". Díez-Picazo y Ponce de León, L., *Fundamentos del Derecho Civil Patrimonial Vol. III...*, ob. cit., pág. 104. En el sentido de reconocer que existen ciertas obligaciones en las cuales el acreedor se encuentra determinado por la titularidad de un derecho real, Sierra Pérez, I., *Obligaciones "propter rem"...*, ob. cit., pág. 63.

la obligación queda determinado en virtud de su relación con la cosa, como es el caso, por ejemplo, de la obligación de correr con los gastos de mantenimiento de la cosa común (art. 395 Cc)[379]. No obstante, la doctrina tradicional viene entendiendo que la individualización de la posición activa de la obligación no siempre se realizará en función de la titularidad de un derecho real[380]. De este modo, es frecuente que se afirme que "...lo que verdaderamente caracteriza a este tipo de obligaciones es la forma de determinación del sujeto pasivo..."[381].

b)   Configuración de la prestación

Se ha discutido ampliamente sobre si las obligaciones *propter rem* han de consistir por necesidad en un *facere* o si, por el contrario, cabe la posibilidad de que la prestación también verse sobre un *pati* o, incluso, sobre un *non facere*. Al respecto, la doctrina ha quedado dividida entre aquellos que admiten la posibilidad de que las obligaciones reales puedan consistir en una prestación de carácter negativo[382] y los que sostienen que únicamente puede exigirse al obligado *ob rem* la realización de una conducta de carácter positivo[383].

---

[379]   Aberkane, H., ob. cit., pág. 18.

[380]   Véase De Amunátegui Rodríguez, C., ob. cit., pág. 178. En este sentido se pronuncian, entre otros, Balbi, G., ob. cit., pág. 133; Hernández Gil, F., ob. cit., pág. 861. Asimismo, Maruffi sostiene que lo importante en este tipo de obligaciones es la especial individualización del deudor, de modo que el acreedor podrá ser o no titular de un derecho real. Véase Maruffi, P. C., "Servitù prediali ed oneri reali", *Rivista di Diritto Commerciale* fasc. 9-10, 1946, pág. 206.

[381]   Hernández Gil, F., ob. cit., pág. 861.

[382]   Así, De Amunátegui Rodríguez, C., ob. cit., pág. 177; Grosso, G., "Servitù e obbligazione *propter rem*", *Rivista del Diritto Commerciale*, 1939, pág. 221 nota al pie núm.1. Puig Brutau, por su parte, señala que las obligaciones *propter rem* son generalmente de hacer, por lo que, en nuestra opinión, podría hallarse a favor de la constitución de obligaciones reales basadas en un *pati* o en un *non facere*. Puig Brutau, J., *Fundamentos de Derecho Civil T. III Vol. I...*, ob. cit., págs. 28 y 29.

[383]   Por citar algunos, Espín Cánovas, D., *Manual de Derecho Civil Español Vol. II...*, ob. cit., pág. 6, De la Cámara Álvarez, M., ob. cit., pág. 406; Caroni, P., ob. cit., pág. 283; Maruffi, P. C., ob. cit., pág. 205; Lacruz Berdejo, J. L. *et al.*, *Elementos de Derecho Civil III Derechos Reales Vol. I Posesión y Propiedad*, 3ª ed., Bosch, Barcelona, 1990, pág. 20; Aberkane, H., ob. cit., pág. 23.

El arraigo de la primera de las tesis apuntadas en el párrafo precedente se debe, por un lado, al hecho de que se ha querido ver en la obligación *propter rem* una explicación a la posible exigencia de la realización de una prestación a un titular de un derecho real[384] y, por otro, al intento de diferenciar esta figura de otras instituciones como las servidumbres negativas[385], razonamientos que, aunque resulten loables no nos parecen suficientemente definitivos como para inadmitir la constitución de obligaciones reales de carácter negativo. En este sentido, cabe destacar que la doctrina viene considerando a las obligaciones *propter rem* como auténticas obligaciones, de modo que si se las concibe como obligaciones comunes en lo que se refiere a su funcionamiento, lo lógico sería admitir que estas pudiesen consistir tanto en una prestación de carácter positivo como negativo (*ex* art. 1088 Cc)[386].

Dejando a un lado, por el momento, la cuestión de la naturaleza jurídica de la figura objeto de estudio, cabe destacar que un sector de la doctrina moderna sostiene que nuestro ordenamiento recoge una serie de supuestos que podrían ser reputados como obligaciones reales de carácter negativo[387]. Debemos señalar, sin embargo, que a nuestro parecer no todos los ejemplos que se ofrecen pueden calificarse como auténticas obligaciones *propter rem*, ya que, en muchas ocasiones, tal concepción es producto de la confusión respecto de otras figuras afines[388].

Sentadas las anteriores apreciaciones, estimamos que el argumento definitivo para emitir un juicio favorable acerca de la posible consti-

---

384 En este sentido, De Castro Vítores afirma que "vuelve a plantearse la importancia que buena parte de la doctrina concede al carácter positivo de la prestación: la obligación real tiene sentido precisamente porque el derecho real no puede consistir en una prestación positiva". De Castro Vítores, G., ob. cit., pág. 343.

385 Entre otros, Biondi, B., *Las servidumbres...*, ob. cit., págs. 1239 y 1240.

386 Hernández Gil, F., ob. cit., pág. 862; De los Mozos y De Los Mozos, J. L., "La obligación real...", ob. cit., pág. 351. En igual sentido, Romeo estima que la prestación podría consistir tanto en un *fare* como en un *non fare* o, incluso, en un *dare*. Romeo, C., ob. cit., pág. 388.

387 De los Mozos y De Los Mozos, J. L., "La obligación real...", ob. cit., págs. 351 y 352; Cerdeira Bravo de Mansilla, G., *Derecho o Carga real...*, ob. cit., págs. 189 y ss.

388 Por ejemplo, Cerdeira equipara las servidumbres negativas con las obligaciones reales de contenido negativo de no hacer. Cerdeira Bravo de Mansilla, G., *Derecho o Carga real...*, ob. cit., pág. 192.

tución de obligaciones *propter rem* de carácter negativo reside en el posible juego de la autonomía privada[389]. Aunque analizaremos esta cuestión con detenimiento en otro punto de este trabajo, podemos adelantar que no parece existir, al menos apriorísticamente, ningún obstáculo que impida a las partes constituir una obligación *propter rem* que consista en una prestación negativa[390].

Siguiendo el razonamiento expuesto en el párrafo precedente, Bigliazzi ha llegado a afirmar que los supuestos de obligaciones reales de carácter negativo han de encuadrarse precisamente en el ámbito de aplicación de la autonomía privada y ello tanto en lo que se refiere a los supuestos de modificación convencional de las obligaciones *propter rem* de origen legal como en los casos de creación de figuras atípicas[391].

Podemos concluir, por tanto, que, aunque por sus particularidades y por razones históricas, la mayor parte de las obligaciones que se vienen calificando como reales consisten en un hacer, no parecen existir especiales impedimentos para rechazar las obligaciones *propter rem* de carácter negativo[392]. Cuestión distinta es que, como parece apuntar Romeo, en determinados supuestos deba realizarse una labor interpretativa en aras de esclarecer si nos hallamos ante una verdadera obligación *propter rem* o, por el contrario, ante una institución distinta como el derecho real de servidumbre[393].

c)   Accesoriedad

Es frecuente que en la literatura jurídica se hable de la *accesoriedad* de la obligación real, término que presenta, como resalta De Amunátegui, dos aceptaciones distintas[394]. Así, por lo que se refiere al primero de los significados, cuando se dice que una obligación *propter rem* es accesoria, lo que se está queriendo es remarcar que la misma es instru-

---

[389]   Sierra Pérez, I., *Obligaciones "propter rem"...,* ob. cit., pág. 67; Bigliazzi Geri, L., Oneri reali e..., ob. cit., pág. 49.

[390]   Sierra Pérez, I., *Obligaciones "propter rem"...,* ob. cit., pág. 67; Bigliazzi Geri, L., Oneri reali e..., ob. cit., pág. 49.

[391]   Bigliazzi Geri, L., Oneri reali e..., ob. cit., pág. 49.

[392]   Blasco Gascó, F. de P., *Instituciones de Derecho Civil...,* ob. cit., pág. 39.

[393]   Romeo, C., ob. cit., págs. 398-400. También parece apuntarlo, en cierta medida, De los Mozos y De Los Mozos, J. L., "La obligación real...", ob. cit., pág. 351.

[394]   De Amunátegui Rodríguez, C., ob. cit., pág. 185.

mental respecto del derecho real[395]. Efectivamente, las obligaciones reales no pertenecen al contenido propio de los derechos reales, sino que se trata de un vínculo extraño que se halla, sin embargo, ligado al derecho real como consecuencia de la relación de accesoriedad[396]. De este modo, es conveniente recalcar que la obligación *propter rem* no puede ser confundida con el contenido obligacional propio de los derechos reales, esto es, con los deberes que representan un modo de ejercicio de los mismos[397]. En el caso de la obligación *propter rem* nos encontramos ante una figura que normalmente no forma parte del contenido del derecho real, pero que puede aparecer en virtud de una previsión legal o del juego de la autonomía de la voluntad[398].

El afán de la doctrina por intentar cubrir todos los posibles supuestos de obligaciones *propter rem* es, tal vez, el culpable de que en muchas ocasiones un gran número de autores incluya dentro de su definición conductas que parecen encuadrar mejor dentro del concepto de contenido obligacional conexo al derecho real[399]. Creemos que este, precisamente, es el motivo por el cual Biondi afirma que no puede predicarse, de forma general, el carácter de accesoriedad de la obligación *propter rem* respecto de un derecho real, procediendo con posterioridad a enumerar una serie de supuestos[400] que, desde nuestro punto de vista, no constituyen ejemplos de tales obligaciones, sino, más bien, del contenido obligatorio conexo a los derechos reales[401].

---

[395]   De Amunátegui Rodríguez, C., ob. cit., pág. 186; Romeo, C., ob. cit., pág. 390. Se habla de accesoriedad en este sentido, por ejemplo, en los siguientes pronunciamientos: SAP Las Palmas (Sección 5ª) 23 abril 2000 (LA LEY 85898/2000); SAP Córdoba (Sección 3ª) 19 marzo 2004 (TOL7.651.188); SAP Castellón (Sección 2ª) 20 octubre 1999 (AC 1999\2456); SAP Madrid (Sección 19ª) 2 diciembre 1998 (AC 1998\2259); SAP Murcia (Sección 5ª) 24 febrero 2015 (TOL4.800.257).

[396]   Santos Briz, J., *Derecho Civil. Teoría y Práctica T. II...*, ob. cit., pág. 20.

[397]   Lacruz Berdejo, J. L. *et al.*, *Elementos de Derecho Civil III Derechos Reales Vol. I...*, 1990, ob. cit., págs. 18 y 19.

[398]   De Amunátegui Rodríguez, C., ob. cit., pág. 117.

[399]   De Amunátegui Rodríguez, C., ob. cit., pág. 118.

[400]   Biondi, B., *Las servidumbres...*, ob. cit., págs. 1248 y ss.

[401]   En nuestra doctrina también encontramos autores que parecen manejar un concepto amplio de obligación *propter rem* hasta el punto de englobar dentro del mismo lo que ciertamente podría calificarse como una obligación conexa a un derecho real. Así, De Amunátegui Rodríguez estima que podrían citarse, entre otros, a Román García y De los Mozos. Al respecto, De Amunátegui Rodríguez,

Puede hablarse, por lo tanto, de contenido obligacional conexo al derecho real en aquella "situación en la que se da como figura central un derecho real, junto al que el titular del mismo tiene ciertas obligaciones hacia otra persona o ciertos derechos de crédito contra esta (para la que son obligaciones)"[402]. Así, Albaladejo[403] y De Amunátegui[404] estiman que las obligaciones que, de forma general, se imponen al usufructuario constituyen un claro ejemplo de contenido obligacional conexo al derecho real. En este sentido, la última autora citada se refiere, entre otras, a la obligación de conservar la forma y sustancia (art. 467 Cc) o a la obligación de formar inventario o de prestar fianza (art. 491 Cc)[405].

Por el contrario, como ya se ha apuntado, el contenido accesorio del derecho real implica una actitud positiva o negativa por parte del titular que queda justificada por la necesidad de garantizar el correcto ejercicio del derecho[406]. De este modo, la principal diferencia entre las obligaciones *propter rem* y el contenido obligacional conexo a un derecho real es que, mientras que este último versa sobre a una serie de facultades básicas al derecho real de que se trate[407], aquel consiste en un contenido accesorio e inhabitual al mismo[408].

En cuanto a la segunda de las acepciones, el término de accesoriedad ha sido utilizado para evidenciar que la obligación *propter rem* mantiene una relación de dependencia respecto del derecho real al que acompaña, cuyo *iter* guía de forma irremediable al de la obligación[409]. De este modo, se observa que mientras que la primera de las

---

C., ob. cit., pág. 119 y ss.; Román García, A., *La tipicidad en los derechos reales*, Montecorvo, Madrid, 1994, págs. 190 y 191; De los Mozos y De Los Mozos, J. L., "La obligación real...", ob. cit., págs. 361 y ss.

[402]   Albaladejo García, M., *Derecho Civil III...*, ob. cit., pág. 20.

[403]   Albaladejo García, M., *Derecho Civil III...*, ob. cit., pág. 20.

[404]   De Amunátegui Rodríguez, C., ob. cit., pág. 115.

[405]   De Amunátegui Rodríguez, C., ob. cit., pág. 115.

[406]   De Castro Vítores afirma que la accesoriedad es "causal en relación con los diversos problemas de equilibrio y cooperación en la concurrencia". De Castro Vítores, G., ob. cit., pág. 783.

[407]   Domínguez Platas, J., *Obligación y derecho real...*, ob. cit. pág. 172 nota al pie núm. 44.

[408]   De Amunátegui Rodríguez, C., ob. cit., pág. 120

[409]   De Amunátegui Rodríguez, C., ob. cit., pág. 185. En la SAP Madrid (Sección 21ª) 12 febrero 2002 (JUR 2003\40822) se utiliza precisamente el término accesoriedad en el sentido que estamos indicando, de modo que se señala que "*esta*

acepciones parece hacer referencia al aspecto estructural de la obligación, la segunda viene a subrayar su aspecto dinámico[410].

Volviendo al segundo de los significados, entendemos que esa relación de dependencia puede manifestarse, de forma general, de dos modos diversos: a) la denominada ambulatoriedad o especialidades derivadas de la transmisión del derecho real, así como las particularidades en los supuestos de extinción del derecho real[411]; b) la eficacia de la obligación *propter rem*[412].

Por cuestiones didácticas analizaremos los supuestos de transmisión y extinción de forma separada, mientras que para evitar repeticiones innecesarias la cuestión de la oponibilidad y acceso al Registro de la Propiedad de la obligación real será examinada cuando abordemos el estudio de las obligaciones reales atípicas, ya que, como veremos, se trata de materias que guardan una especial relación.

---

naturaleza "propter rem" de la obligación contenida en el art. 9.1.e) I LPH la convierte en una obligación accesoria de la titularidad jurídico real a la que se halla vinculada, por lo que la transmisión del derecho de propiedad del piso o local determina la transmisión de la obligación de contribuir a los gastos generales. Si se deja de ser propietario del piso o local, porque se transmite el derecho o porque se renuncia, se dejará también de estar obligado al pago de los gastos comunes, pero solo respecto de los que resulten a partir del momento en que se dejó de ser propietario".

[410] Aunque se refiere a la distinción entre ambulatoriedad y accesoriedad en sentido estricto, nos ha parecido útil tomar la reflexión que realiza Romeo. Véase Romeo, C., ob. cit., pág. 391.

[411] De Amunátegui Rodríguez, C., ob. cit., págs. 179 y 185. El aspecto arriba señalado ha sido precisamente puesto de manifiesto en la SAP Asturias (Sección 5ª) 16 enero 1998 (AC 1998\3025), donde se señaló que "...*el artículo 9.5 de la Ley de Propiedad Horizontal, impone una obligación «ob rem» o «propter rem», en relación al abono de los gastos generales para el adecuado sostenimiento del inmueble, obligación que se imputa a la persona, cualquiera que ésta sea, que se encuentre en una determinada relación real con el piso o local de referencia, transmitiéndose aquella obligación o extinguiéndose ésta con la transmisión o extinción del derecho real individualizador...*".

[412] De Castro Vítores enfoca este problema desde la perspectiva de la publicidad registral, planteándose si la obligación real debería de tener acceso al Registro de la Propiedad y afirmando que, con independencia de la respuesta a este interrogante, lo que para él "está claro es que la obligación ya no puede tener, ni pretende, un acceso propio e independiente allí, sino integrado en la reacción en la que el título crea y dibuja el derecho". De Castro Vítores, G., ob. cit., pág. 783.

d)   Transmisión

Normalmente se sostiene que la manifestación más importante de la ambulatoriedad de la obligación *propter rem* es la posibilidad de su transmisión conjunta al derecho real[413]. En este sentido, la doctrina que se ha encargado del estudio de este tipo de obligaciones afirma, de forma generalizada, que la transmisión del derecho real implica la equivalente transmisión de la obligación *propter rem*. Ello supone, en primer lugar, que puede producirse una sustitución del deudor sin que medie consentimiento por parte del acreedor, a diferencia de lo que ocurre en el caso de las obligaciones comunes (*ex art.* 1205 Cc), y, en segundo lugar, que la mera voluntad de transmitir el derecho real supone la automática transmisión de la obligación *propter rem*, sin que sea necesario manifestar de forma particular el deseo de transferir asimismo la obligación[414]. Como se observa, esta concepción presenta importantes diferencias respecto del régimen general de las obligaciones[415], lo que, por otro lado, no ha sido un argumento de suficiente peso como para disuadir a la mayoría de la doctrina de catalogar a las obligaciones reales dentro del campo obligatorio[416].

Enlazando con lo anterior, debe advertirse que el que a nuestro parecer[417] ha abordado la cuestión de forma más adecuada ha sido Biondi, quien ha brindado una nueva visión sobre este asunto afirmando que "no es ambulatoria la obligación, sino la posibilidad de su nacimiento"[418]. De este modo, el cambio de sujeto solo operará

---

[413]   De Castro Vítores, G., ob. cit., pág. 721.

[414]   Hernández Gil, F., ob. cit., págs. 871 y 872.

[415]   Ello ha llevado a afirmar a De Castro Vítores que "…no nos encontramos frente a la problemática de la sucesión o transmisión de las obligaciones (en el mundo de los derechos de crédito, de las relaciones de derecho personal) sino ante algo diferente". De Castro Vítores, G., ob. cit., págs. 730 y 731. En contra Balbi, quien defiende que nos hallamos ante un supuesto ordinario de transmisión de obligaciones. Balbi, G., ob. cit., pág. 154.

[416]   De Luca, A., *Gli oneri reali e le obbligazioni "ob rem"*, Athenaeum, Roma, 1915, pág. 62.

[417]   También lo cree así De Amunátegui Rodríguez, C., ob. cit., pág. 180.

[418]   En este sentido, el mencionado autor sostiene que una vez se produce el nacimiento de la obligación ya no cabe hablar propiamente de ambulatoriedad. Biondi, B., *Las servidumbres…*, ob. cit., pág. 1242. A favor, Comporti, M., "Diritti reali in generale" in *Trattato…*, ob. cit., pág. 239. En contra, Bigliazzi Geri, L., Oneri reali e…, ob. cit., pág. 118.

frente a las obligaciones futuras, pero las ya constituidas quedan ligadas a quien era deudor en el momento del establecimiento de la obligación[419]. Se han formulado, empero, duras críticas a la postura propuesta, ya que un sector de la doctrina, representado, fundamentalmente, por Bigliazzi, entiende que se trata de una solución poco convincente si se parte de la premisa de que la accesoriedad de la obligación *propter rem* respecto del derecho real hace imposible concebir la existencia de aquella desligada de este[420].

El acogimiento de una u otra postura no es, sin embargo, una cuestión baladí en la medida en que condicionará la posible exigencia de responsabilidad ante un eventual incumplimiento en aquellos supuestos en los que se haya producido la transmisión de un derecho real del cual es accesoria una obligación *propter rem*. En este sentido creemos, con De Amunátegui, que parte del problema tiene su raíz en los intentos de distinción por parte de la doctrina entre el cumplimiento y la responsabilidad en relación con este tipo de obligaciones[421], como es el caso de Balbi[422], olvidando que lo relevante para determinar ambos fenómenos es la constitución o el nacimiento de la obligación real[423].

No obstante lo anterior, debe tenerse en cuenta que existen determinadas obligaciones *propter rem* respecto de las cuales se siguen planteando dudas acerca de la determinación de la responsabilidad en los supuestos de transmisión del derecho real, como es el caso de la obligación de contribuir por parte del propietario a los gastos generales para el adecuado sostenimiento del inmueble prevista en el art.

---

[419]   De Amunátegui Rodríguez, C., ob. cit., pág. 181.

[420]   Bigliazzi Geri, L., Oneri reali e…, ob. cit., pág. 118. También Romeo, C., ob. cit., pág. 393.

[421]   De este modo, la autora ha afirmado que "pensar que uno es el obligado a realizar la prestación, y el otro responsable por no haberla realizado resulta complicado y artificioso, porque parece contradictorio afirmar que porque ha nacido antes se es responsable, pero como se exige después de la transmisión no se está obligado a cumplir porque ya no es titular". De Amunátegui Rodríguez, C., ob. cit., pág. 184.

[422]   Balbi, G., ob. cit., págs. 147 y ss.

[423]   Entre otros, De Amunátegui Rodríguez, C., ob. cit., pág. 184; Biondi, B., *Las servidumbres…*, ob. cit., pág. 1242. En este sentido De Castro afirma que "al menos en general o para un segmento amplio de supuestos, no admiten que concretada la obligación y la deuda, pueda después sustituirse un deudor por otro con el cambio de titularidad". De Castro Vítores, G., ob. cit., pág. 728.

9.1 e) LPH[424], la cual es considerada una auténtica obligación real por la mayor parte de la doctrina[425], la jurisprudencia[426] y la Dirección General de los Registros y del Notariado[427].

En estos supuestos, el sujeto pasivo de la obligación es el propietario del inmueble, idea que ha quedado reforzada tras la reforma operada en 1999, ya que, si bien el art. 9 LPH sí que hacía referencia a las obligaciones de cada propietario[428], el art. 20.1 LPH disponía que las obligaciones del art. 9 debían ser cumplidas por quien ostentase la titularidad del bien inmueble[429], lo que, dada la amplitud del término, produjo un importante debate doctrinal acerca de quién debía considerarse como auténtico sujeto pasivo de la obligación[430]. La redacción del art. 21.1 LPH con una referencia expresa a la figura del propietario parece haber acabado con las discusiones doctrinales sobre este punto[431]. No

---

[424]   Sobre este supuesto se pronuncia De Amunátegui Rodríguez, C., ob. cit., pág. 185.

[425]   Ampliamente Sierra Pérez, I., *Obligaciones "propter rem"…*, ob. cit., págs. 99 y ss. Véase, asimismo, Gallego Brizuela, C., "Comentario al artículo 9" en *Ley de Propiedad Horizontal comentada y con jurisprudencia*, La Ley, Las Rozas, 2014, pág. 664.

[426]   Entre otras, STS 20 marzo 1997 (TOL5.114.507) y STS 20 febrero 1997 (TOL5.114.375).

[427]   Destacando, entre otras, RDGRN 27 junio 1986 (RJ 1986\3845); RDGRN 30 junio 1986 (RJ 1986\3846); RDGRN 22 marzo 2000 (TOL133.008); RDGRN 11 julio 2001 (TOL73.931).

[428]   Antes de la reforma operada en el año 1999, el art. 9 establecía "*serán obligaciones de cada propietario: (…) Quinta. Contribuir, con arreglo a la cuota de participación fijada en el título o a lo especialmente establecido, a los gastos generales para el adecuado sostenimiento del inmueble, sus servicios, tributos, cargas y responsabilidades que no sean susceptibles de individualización*".

[429]   Específicamente el precepto señalaba que "*las obligaciones a que se refiere al número quinto del artículo 9.º serán cumplidas por el que tenga la titularidad del piso o local, en el tiempo y forma determinados por la Junta. Si no lo hiciere, podrá el Presidente o el Administrador, si éste hubiere sido autorizado por la Junta, exigirlo por vía judicial sin necesidad de requerimiento previo alguno, salvo si los Estatutos exigiesen el requerimiento*".

[430]   Zurilla Cariñana, M. A., "Comentario al artículo 9" en *Comentarios a la Ley de Propiedad Horizontal* (coord. Bercovitz Rodríguez-Cano, R.), 5ª ed., Aranzadi, Cizur Menor, 2014, pág. 294; Gallego Brizuela, C., "Comentario al artículo 21" en *Ley de Propiedad Horizontal comentada y con jurisprudencia*, La Ley, Las Rozas, 2014, pág. 1862.

[431]   Zurilla Cariñana, M. A., ob. cit., pág. 294 nota al pie núm. 51; Gallego Brizuela, C., "Comentario al artículo 21", ob. cit., pág. 1862. La norma dispone concretamente que "*las obligaciones a que se refieren los apartados e) y f) del artículo 9*

obstante, el cumplimiento de la obligación de contribuir a los gastos generales sigue generando un amplio debate doctrinal en los casos en los que se produce la transmisión del bien inmueble.

Una vez que se designa al deudor *ob rem*, el problema queda trasladado a los casos de transmisión de inmuebles, pues aunque se reconoce la responsabilidad personal del transmitente por las cantidades adeudadas a la comunidad de vecinos en concepto de gastos generales de sostenimiento, la ley [art. 9.1 e) LPH] establece que el adquirente del inmueble, aun teniendo su título inscrito en el Registro de la Propiedad, responderá con el propio bien de las cantidades adeudadas por los anteriores titulares hasta el límite de los que resulten imputables a la parte vencida de la anualidad en la cual tenga lugar la adquisición y a los tres años naturales anteriores[432]. Ello ha generado una gran controversia doctrinal que ha derivado en la aparición de diversas posturas.

Sierra Pérez sostuvo que la finalidad última del legislador, tras la reforma operada en 1988, era la de propiciar la asunción de deuda, por lo que, en consecuencia, se trataba de un supuesto de novación, siempre y cuando en las escrituras de transmisión de pisos y locales se incorporase la declaración de que el transmitente se hallaba al corriente del pago de los gastos o, en su caso, de que adeudaba alguna cantidad[433]. Esta tesis presenta, sin embargo, ciertas fisuras, como pueden ser la falta de consentimiento expreso de la asunción de deuda por parte del nuevo propietario o, lo que es más importante, la del acreedor, ya que, aunque determinados autores estimen que en

---

deberán cumplirse por el propietario de la vivienda o local en el tiempo y forma determinados por la Junta. En caso contrario, el presidente o el administrador, si así lo acordase la junta de propietarios, podrá exigirlo judicialmente a través del proceso monitorio".

[432] De forma contundente el art. 9.1 e) LPH establece que "*el piso o local estará legalmente afecto al cumplimiento de esta obligación*".

[433] Sierra Pérez, I., "Propiedad Horizontal. Cambio de titularidad y gastos comunes: el sujeto obligado al pago", *A.D.C.* fasc. II, 1990, pág. 605.

ambos casos el consentimiento podría prestarse de forma tácita[434], nos mostramos más favorables a exigir un consentimiento expreso[435].

Zurilla, en cambio, estima que el nuevo propietario asume la condición de deudor cumulativamente con el transmitente por las deudas anteriores a la adquisición con las limitaciones señaladas por la ley, haciendo notar, no obstante, que en la relación interna nada debe el nuevo adquirente, que actúa como garante[436]. Al respecto varios autores han querido matizar que no se trata de una auténtica asunción cumulativa, sino, más bien, una asunción de cumplimiento. Sin embargo, nosotros, siguiendo a Rodríguez-Rosado, entendemos que es conveniente abandonar toda posible referencia a la asunción de deuda, independientemente de que se hable de asunción de cumplimiento, ya que induce a error en la medida en que una asunción de deuda supone que el nuevo deudor responde con todo su patrimonio, lo cual no encaja con este supuesto[437].

Desde nuestra perspectiva el argumento más convincente para explicar la responsabilidad en el caso de la obligación de contribuir a los gatos generales en aquellos supuestos en los que se ha producido una

---

[434]   Sierra Pérez se muestra a favor de la posibilidad de que el acreedor preste un consentimiento tácito en los supuestos en los que se produzca un cambio de deudor. Sierra Pérez, I., "Propiedad Horizontal…", ob. cit., pág. 602.

[435]   También parece apuntarlo Gallego Brizuela, C., "Comentario al artículo 9", ob. cit., pág. 683. En este sentido, la SAP Madrid (Sección 12ª) 20 noviembre 2013 (TOL4.116.476) parece mostrarse conforme con esta tesis, en tanto que apunta que "…*el hecho de que entre transmitente y adquirente se haya podido pactar que sea el adquirente quien se haga cargo de las cuotas comunitarias devengadas mientras que el transmitente era propietario del bien -lo cual se indica a efectos dialécticos dado que la recurrente no alega que así sea-, no vincula a la Comunidad de Propietarios, ya que ello supondría una asunción de deuda que, para vincular al acreedor, es decir a la Comunidad de Propietarios, precisa del consentimiento de ésta, tal y como establece el artículo 1205 del Código civil, no constando ni dicha asunción de deuda, ni la aceptación de la Comunidad de Propietarios*".

[436]   Zurilla Cariñana, M. A., ob. cit., pág. 313.

[437]   Rodríguez-Rosado, B., "Comentario al artículo 9" en *Comentarios a la Ley de Propiedad Horizontal* (coord. Rodríguez Tapia, J. M. y Aranda Rodríguez, R.), 1ª ed., Aranzadi, Cizur Menor, 2011, pág. 282 nota al pie núm. 71. Gallego Brizuela también hace hincapié en que en el supuesto analizado no existe una asunción de deuda. Gallego Brizuela, C., "Comentario al artículo 9", ob. cit., pág. 683.

transmisión del inmueble consiste en admitir que el adquirente no es deudor, sin perjuicio de la afección real del piso o local[438]. De este modo, *"la afección del piso o local constituye una mera garantía real «ex lege», que aunque revierte en el propietario actual no le convierte en sujeto pasivo de la obligación cuyo cumplimiento garantiza. La adquisición de la cualidad de comunero no conlleva la asunción de las deudas precedentes ni la novación subjetiva de la obligación primitiva"*[439]. Entendemos, pues, que en el caso de que el adquirente pague la deuda con el fin de evitar la pérdida del inmueble, podrá repetir contra el transmitente la cantidad correspondiente, ya que estaría actuando únicamente como garante, pero no como auténtico deudor de la obligación[440], lo que concuerda con la postura de Biondi que hemos suscrito, ya que el

---

[438] Rodríguez-Rosado, B., "Comentario al artículo 9", ob. cit., pág. 282; Loscertales Fuertes, D., *Propiedad Horizontal. Comunidades y urbanizaciones*, 6ª ed., Sepín, Madrid, 2004, pág. 128. Así, como bien se afirma en la SAP Lleida (Sección 2ª) 23 febrero 2012 (TOL2.492.047), la obligación de contribuir al pago de los gastos de comunidad *"…incumbe a quien ostenta la titularidad del piso o local en el concreto momento en que se devengan las cuotas comunitarias o se produce el gasto, de forma que el deudor será el propietario en ese momento del devengo, y ello con independencia de que, en ocasiones, pueda suceder que los gastos realizados se facturen con posterioridad o de forma retrasada pues precisamente para cubrir tal eventualidad es para lo que se establece la afección real, al tiempo que se impone al transmitente a título oneroso la obligación de hacer constar en la escritura pública de transmisión del piso o local el estado en que se encuentra en el abono de estos gastos (bien al corriente en el pago, o bien consignando los que están pendientes) debiendo aportar un certificado expedido por el secretario de la Comunidad en el que conste el estado de sus deudas con la Comunidad"*.

[439] SAP Toledo (Sección 1ª) 20 julio 1998 (AC\1998\1573). En parecido sentido se pronuncian: SAP Asturias (Sección 5ª) 16 enero 1998 (AC 1998\3025); SAP Almería (Sección 2ª) 16 marzo 2001 (JUR 2001\140643); SAP Murcia (Sección 5ª) 1 julio 2003 (TOL511.613); SAP Madrid (Sección 11ª) 23 septiembre 2010 (TOL2.021.095); SAP Navarra (Sección 1ª) 2 julio 2012 (TOL2.726.320); SAP Madrid (Sección 8ª) 22 abril 2013 (TOL3.775.022).

[440] Velasco Domínguez, P., "El sujeto pasivo en las obligaciones de contribuir a los gastos comunes (Notas en torno a los artículos 9.5 y 20 de la Ley de Propiedad Horizontal)", *A.C.* núm. 33, septiembre 1994, págs. 643 y 644; Gallego Brizuela, C., "Comentario al artículo 9", ob. cit., págs. 683 y 685. En el mismo sentido se pronuncia la SAP Málaga (Sección 6ª) 24 octubre 2008 (TOL1.263.487), donde se afirmó que *"…se concede al propietario actual no deudor la posibilidad de pagar lo no debido por él, pero liberando así su finca y quedándole -por supuesto- el derecho a repetir contra los verdaderos deudores obligaciones"*. También la SAP Málaga (Sección 5ª) 30 enero 2008 (TOL1.350.087).

auténtico obligado será aquel que ocupaba la posición de deudor *ob rem* en el momento en el nació la obligación[441].

Afirmada la importancia de la determinación del momento del nacimiento de la obligación, debe traerse a colación la tesis propuesta De Castro Vítores, para quien lo realmente significativo no es cuándo se constituye la obligación[442], sino el establecimiento de unos coherentes "criterios de personalización" de la deuda que ostenta el sujeto pasivo de la obligación real y que, en determinados supuestos, pueden llevar a exigir, en todo caso, la realización de la prestación al titular actual del derecho real[443]. No creemos que haya que ser tan tajantes como el citado autor, en la medida en que el nacimiento de la obligación podría considerarse no solo como un criterio de personalización de la deuda, sino, tal vez, como el más importante de ellos. De este modo, solo en aquellos casos en los que no exista posibilidad de determinar el momento en el que se constituyó definitivamente la obligación real[444] podrán, recurrirse a otros criterios de personalización para aquellos casos en los que su determinación resulte imposible[445].

Como conclusión, puede decirse que el nacimiento de la obligación será el principal instrumento de individualización del deudor *ob rem*, lo que incluye los supuestos en los que se produce una transmisión del derecho real, sin perjuicio de que existan casos en los que sea la propia ley la que determine los criterios de reparto de responsabilidad[446]. En aquellos escasísimos supuestos en los que sea imposible

---

[441]   Biondi, B., *Las servidumbres…*, ob. cit., pág. 1242.

[442]   De Castro Vítores, G., ob. cit., pág. 731.

[443]   De Castro Vítores, G., ob. cit., pág. 737.

[444]   El autor habla incluso de este criterio como un instrumento, de algún modo, supletorio. De Castro Vítores, G., ob. cit., págs. 747 y 748.

[445]   De Castro Vítores propone algunos criterios de personalización la deuda para los supuestos que él considera más complejos. Véase De Castro Vítores, G., ob. cit., págs. 745 y ss.

[446]   Como ya expusimos, la posibilidad de que el adquirente actual del piso repita contra el transmitente incumplidor nos lleva a concluir que el supuesto contenido en el art. 9.1 e) LPH no es producto de un deseo del legislador de establecer un sistema de reparto diferente al previsto de forma general para este tipo de obligaciones, pues efectivamente el deudor es el transmitente que en su día no cumplió con el pago de los gastos de comunidad. Es por ello por lo que no parece del todo acertado el planteamiento propuesto por la SAP Barcelona (Sección 16ª) 9 septiembre 2011 (JUR 2011\362255), donde se pone de relieve que el legisla-

determinar el momento en el que se ha producido el nacimiento de la obligación, lo lógico desde el punto de vista jurídico será exigir el cumplimiento al titular actual del derecho real.

e) Extinción

Partiendo de su concepción como una obligación común, Bonomonte hace especial hincapié en que en los supuestos de extinción, la obligación *propter rem* se disciplinará por las normas generales dispuestas en el Código civil[447], por lo que, en el caso de nuestro ordenamiento, deberíamos acudir a los supuestos recogidos en el art. 1156 Cc[448]. Debe tenerse en cuenta, sin embargo, que la accesoriedad propia de la obligación *propter rem* ha derivado en que la doctrina señale como un particular supuesto de extinción la propia extinción del derecho real[449], lo cual debe ser matizado, ya que al tratarse de verdaderas obligaciones que suelen consistir, en muchas ocasiones, en prestaciones periódicas, la extinción de la relación no siempre supondrá que el deudor *ob rem* se vea liberado de la deuda por las prestaciones devengadas antes de la extinción, pero que no llegaron a ser cumplidas[450].

Otra particularidad que se ha planteado en cuanto a la extinción de las obligaciones reales es la de si es posible liberarse de las mismas mediante lo que se conoce como abandono liberatorio. Así, es

---

dor es quien ha previsto que rija una ambulatoriedad débil en lo que se refiere a la obligación de contribuir a los gastos comunes, lo cual, según el tribunal, difiere del régimen de ambulatoriedad absoluta propio de las obligaciones *propter rem*. Lo anterior no impide que pueda existir algún supuesto en el que la ley altere el criterio general de reparto, como bien hace notar De Amunátegui Rodríguez, C., ob. cit., pág. 185. En todo caso, habrá que estar a lo que disponga la ley. De Castro Vítores, G., ob. cit., pág. 739.

[447] Bonomonte, C., ob. cit., pág. 372.

[448] El supuesto que tal vez puede generar una mayor complejidad es el de la novación, ya que hay quien sostiene que no cabe hablar de novación subjetiva, en la medida en que la posibilidad de transferir la posición del deudor a otro sujeto de forma independiente a la obligación implicaría, irremediablemente, la pérdida de su carácter real. Bonomonte, C., ob. cit., pág. 372.

[449] Hernández Gil, F., ob. cit., pág. 853.

[450] Sierra Pérez, I., *Obligaciones "propter rem"...*, ob. cit., pág. 68.

frecuente que tanto en la literatura jurídica[451] como en los pronunciamientos de las Audiencias Provinciales[452] se señale que una de las notas que viene caracterizando a este tipo de obligaciones es que se permite al deudor *ob rem* liberarse de la deuda mediante el abandono de la cosa, lo que produciría la paralela extinción de la obligación. Este argumento no es compartido, sin embargo, por la totalidad de la doctrina, ya que un conjunto de autores estima que, aunque pueda admitirse el ejercicio del abandono liberatorio en determinados supuestos, no cabe concebirlo como un instrumento de exoneración general predicable respecto de todas las obligaciones *propter rem* fuera de los casos expresamente previstos por la norma[453].

Esta disparidad de opiniones no es más que el fiel reflejo de la extrema complejidad de la temática que nos ocupa, la cual parece partir, en gran medida, del empleo equivalente de los términos de renuncia y abandono liberatorio[454]. Así, la doctrina suele citar de forma frecuente los arts. 395, 544, 575 y, en especial, el art. 599 Cc, como los ejemplos más destacados de abandono liberatorio. Debe tenerse en cuenta; no obstante, que no en todos los casos anteriormente citados nos encontramos ante un auténtico supuesto de abandono, en la medida en que este queda configurado como "un acto material de dejación o desposesión de la titularidad de dominio sobre una cosa"[455], mientras que, por el contrario, la renuncia "abarca un radio más amplio, en cuanto que la abdicación de la titularidad de un derecho implica el abandono del objeto sobre el que recae, como ocurre en los derechos reales"[456].

---

[451]   Entre otros, Bigliazzi Geri, L., Oneri reali e..., ob. cit., pág. 141; Hernández Gil, F., ob. cit., pág. 870; Martín Pérez, A., ob. cit., pág. 14; Lacruz Berdejo, J. L. *et al.*, *Elementos de Derecho Civil III Derechos Reales Vol. I*, 2008, ob. cit., pág. 8; Blasco Gascó, F. de P., *Instituciones de Derecho Civil...*, ob. cit., pág. 39.

[452]   Entre otras, SAP Las Palmas (Sección 5ª) 23 abril 2000 (LA LEY 85898/2000); SAP Barcelona (Sección 13ª) 30 marzo 2005 (TOL641.424); SAP Vizcaya (Sección 3ª) 18 noviembre 2009 (TOL6.692.771); SAP Madrid (Sección 14ª) 17 abril 2015 (TOL4.999.495).

[453]   Balbi, G., ob. cit., pág. 186.

[454]   Díez-Picazo y Ponce de León, L., "La autonomía privada y el derecho necesario en la Ley de Arrendamientos Urbanos", *A.D.C.* fasc. IV, 1956, pág. 1172.

[455]   Bonet Correa, J., "La renuncia exonerativa y el abandono liberatorio del Código Civil", *R.G.L.J.*, septiembre 1961, pág. 292.

[456]   Bonet Correa, J., ob. cit., pág. 294.

Se observa, pues, que, en sentido estricto, se puede abandonar un bien, pero no cabe el abandono de un derecho, ya desde el punto de vista de la técnica jurídica resulta más correcto hablar de renuncia. De este modo, puede afirmarse que en los supuestos a los que se refieren los arts. 395[457], 544[458] y 575 Cc[459], nos hallamos ante auténticos casos de renuncia, mientras que la previsión recogida en el art. 599 Cc se refiere a un abandono en sentido estricto, en tanto que el titular del predio sirviente lo que haría sería abandonar el fundo con un ánimo de liberarse del pago de los gastos derivados del coste de las obras necesarias para el uso y la conservación de la servidumbre[460].

No obstante lo anterior, puede afirmarse que, aunque la distinción entre abandono y renuncia no es una cuestión baladí, ya que las consecuencias derivadas de una u otra figura pueden llegar a ser distintas[461]; bajo el punto de vista de la exoneración del deudor, no habría especial diferencia entre las mencionadas instituciones, ya que "se trata en ambos supuestos de renuncia (o de abandono liberatorio), pudiéndose también en el caso del art. 599 manifestar la renuncia por medio del abandono (en el sentido de dejación de la cosa)"[462]. El abandono liberatorio es, por tanto, un modo de renuncia, aunque se configure a través de un concepto menos amplio que este[463].

---

[457]   Roca Juan, J., "La renuncia liberatoria del comunero", *A.D.C.* fasc. I, 1957, pág. 108; Bonet Correa, J., ob. cit., pág. 258. Balbi parece pronunciarse en contra al referirse de forma expresa a la cuota abandonada en Balbi, G., ob. cit., pág. 197.

[458]   Bonet Correa, J., ob. cit., págs. 272 y 273.

[459]   Bonet Correa, J., ob. cit., págs. 273 y ss.

[460]   Bonet Correa, J., ob. cit., págs. 282 y 283.

[461]   De Castro Vítores, G., ob. cit., págs. 759 y 760.

[462]   De Castro Vítores, G., ob. cit., pág. 758. Así parece entenderlo también Robles Latorre, P., "¿Es posible la renuncia al Derecho de Propiedad?" en *El derecho de propiedad en la construcción del Derecho Privado europeo* (dir. Lauroba Lacasa. E.), Tirant Lo Blanch, Valencia, 2018, pág. 300.

[463]   Hernández Gil, F., ob. cit., págs. 870 y 871. En igual sentido se ha afirmado que "los derechos se renuncian, mientras que los bienes o cosas (muebles o inmuebles) se abandonan. Cuando se habla en consecuencia de "renuncia abdicativa de dominio" se hace referencia a ambas cosas al mismo tiempo, lo que conviene tener en cuenta". Avilés García, J., "La renuncia abdicativa de dominio en la propiedad horizontal y sus implicaciones registrales" en *Comunidad de Bienes* (coord. Reyes López, M.ª J.), Tirant Lo Blanch, Valencia, 2014, pág. 592.

En la línea de lo anterior, debe recalcarse que, aunque puedan existir ciertas diferencias entre la renuncia y el abandono, esta distinción no resulta especialmente relevante en lo que se refiere a la exoneración del deudor *ob rem*[464], ya que en ambos casos se produce la liberación del obligado frente a las prestaciones vencidas[465]. De este modo, aunque la renuncia y el abandono puedan ser figuras distintas desde el punto de vista conceptual, tienen consecuencias bastante semejantes, al menos en lo que se refiere a la exoneración de la deuda en sede de obligaciones *propter rem*, lo que explica que en muchas ocasiones se empleen como términos sinónimos[466]. Frente a ello, parte de la doctrina considera que en los casos de renuncia el deudor únicamente queda liberado frente a las prestaciones futuras[467], lo cual supondría una diferencia respecto del supuesto del abandono liberatorio, tesis que no compartimos.

Enlazando con lo anterior, hemos de recordar que el deudor *ob rem* contrae una obligación por el hecho de ser titular de un derecho real. En este sentido, debe tenerse en cuenta que en puridad no puede afirmarse que el abandono o, si se prefiere, la renuncia provoque la liberación del deudor frente a las prestaciones futuras. Así, "…si yo

---

[464] De Castro Vítores, G., ob. cit., pág. 758 nota al pie núm. 95.

[465] Véanse De Castro Vítores, G., ob. cit., págs. 759 y 760; De Amunátegui Rodríguez, C., ob. cit., págs. 190 y 191; Busto Lago, J. M., "Comentario al artículo 544" en *Comentarios al Código Civil T. III* (dir. Bercovitz Rodríguez-Cano, R.), Tirant Lo Blanch, Valencia, 2013, pág. 4321; Busto Lago, J. M., "Comentario al artículo 599" en *Comentarios al Código Civil T. IV* (dir. Bercovitz Rodríguez-Cano, R.), Tirant Lo Blanch, Valencia, 2013, págs. 4602 y 4603; Arana De la Fuente, I., "Comentario al artículo 395" en *Código Civil Comentado Vol. I* (dirs. Cañizares Laso, A. *et al.*), 2ª ed., Aranzadi, Cizur Menor, 2016; pág. 1600; Roca Juan, J., ob. cit., pág. 120. También Cuadrado Iglesias, M., "Comentario al artículo 599" en *Comentario del Código Civil T. I* (dir. Paz-Ares Rodríguez, C. *et al.*), Ministerio de Justicia, Madrid, 1991, pág. 1516.

[466] Abella Rubio, J. M. ª, "La renuncia de los comuneros a sus cuotas", *A. C.* núm. 3, junio 2003, pág. 2. (Versión online).

[467] Pérez Conesa, C., "Comentario al artículo 395" en *Comentarios al Código Civil T. III* (dir. Bercovitz Rodríguez-Cano, R.), Tirant Lo Blanch, Valencia, 2013, pág. 3258; Echevarría Summers, F., "Comentario al artículo 395" en *Comentarios al Código Civil* (coord. Bercovitz Rodríguez-Cano, R.), 3ª ed., Aranzadi, Cizur Menor, 2009, pág. 551; Bonomonte, C., ob. cit., págs. 372 y 373; Navas Navarro, S., "Comentario al artículo 575" en *Comentarios al Código Civil* (dir. Domínguez Luelmo, A.), Lex Nova, Valladolid, 2010, pág. 692.

abandono o renuncio a mi derecho, antes de que sea exigible ninguna obligación, dejaré de estar obligado, pero no porque haya quedado liberado, sino porque por la inherencia o ambulatoriedad yo no ostentaré más la cualidad del deudor"[468]. De este modo, parece que cuando una norma prevé un supuesto de abandono liberatorio lo hace precisamente con el fin de exonerar al obligado *ob rem* del cumplimiento de las prestaciones vencidas[469].

La admisión de este excepcional mecanismo de liberación de la obligación *propter rem* no puede llevarnos a pensar que no existen limitaciones en su desenvolvimiento. En efecto, tanto la renuncia[470] como el abandono[471] no podrán perjudicar a terceros, por lo que el deudor *ob rem* no se verá liberado de la deuda en aquellos casos en los que ello suponga "un fraude para los derechos de terceros acreedores"[472].

Debe señalarse que las particularidades de esta singular forma de extinción de la obligación real no finalizan con la consecuente exoneración del deudor, sino que, además, nos hallamos ante supuestos en los cuales se produce o, al menos se puede producir, un efecto traslativo. De este modo, frente a la renuncia o abandono meramente abdicativos, este específico modo de extinción de las obligaciones reales se caracteriza por sus efectos traslativos, lo que parece chocar con la doctrina sentada por el Tribunal Supremo, que ha señalado en algunos de sus pronunciamientos que la renuncia se trata de una *"manifestación de voluntad que lleva a cabo el titular de un dere-*

---

[468] De Amunátegui Rodríguez, C., ob. cit., pág.190. Aunque nos mostramos de acuerdo con la autora, es necesario destacar que nos hubiese parecido más adecuado hablar de accesoriedad que de inherencia.

[469] Sobre el art. 395 Cc, véase Roca Juan, J., ob. cit., pág. 109. Aunque no se refiere a un supuesto de renuncia en el sentido estricto, debe tenerse en cuenta que Busto Lago, al analizar la previsión contenida en el art. 599 Cc, afirma que "asumir que el abandono liberatorio es eficaz sólo en relación con las obras futuras determina la carencia de objeto de la norma que nos ocupa". Busto Lago, J. M., "Comentario al artículo 599", ob. cit., págs. 4602 y 4603.

[470] Roca Juan, J., ob. cit., pág. 122.

[471] De Castro Vítores, G., ob. cit., pág. 772.

[472] De Castro Vítores, G., ob. cit., pág. 772.

cho por cuya virtud hace dejación del mismo sin transmitirlo a otra persona"[473].

Desde nuestra perspectiva, aunque lo realmente importante del abandono o renuncia sea la liberación del deudor, ello no quiere decir que no exista un efecto traslativo o, al menos, una posible o potencial transmisión. En el caso del abandono, cuyo ejemplo paradigmático es el art. 599 Cc, la transmisión del fundo al propietario del predio dominante requeriría, además, de la dejación material de la cosa y de la cesación del *animus* posesorio[474], un concreto acto jurídico adecuado para transmitir la propiedad[475]. Lo relevante no es, pues, que se trate de un negocio a título oneroso o gratuito[476], sino que sea apto para producir la transmisión del bien[477]. Así, no es el abandono material (hecho) el que provoca la transmisión de la propiedad (efecto jurídico)[478].

En este punto debe destacarse que, como apunta Hernández Gil[479] seguido en cierto modo por De Castro Vítores[480], cuando se habla de abandono únicamente se presupone la idea de poner la cosa a disposición del acreedor, no la de transmitirla de manera automática. En el abandono liberatorio no existe una transmisión *automática*, a diferencia de lo que ocurre en el caso de la renuncia en casos de cotitula-

---

[473]   STS 16 octubre 1987 (TOL1.737.159). Esta doctrina es reproducida en posteriores pronunciamientos del Alto Tribunal, entre los que se pueden citar: STS 5 marzo 1991 (TOL1.728.138); STS 5 abril 1997 (TOL5.114.581); STS 30 octubre 2001 (TOL4.974.946). En parecido sentido se ha pronunciado Bigliazzi Geri, L., *Oneri reali e…*, ob. cit., pág. 145.

[474]   Díez-Picazo y Ponce de León, L., *Fundamentos del Derecho Civil Patrimonial Vol. III…*, ob. cit., pág. 715; Robles Latorre, P., "La renuncia al derecho de propiedad", *Derecho Privado y Constitución* núm. 27, 2013, pág. 57.

[475]   De Pablo Contreras pone como ejemplo la donación o la institución de heredero. De Pablo Contreras, P., "Adquisición y extinción de los derechos reales. La ocupación", ob. cit., pág. 324.

[476]   Biondi, B., *Las servidumbres…*, ob. cit., pág. 923. Véase, asimismo, Cuadrado Iglesias, M., "Comentario al artículo 599", ob. cit., pág. 1516.

[477]   De Pablo Contreras, P., "Adquisición y extinción de los derechos reales. La ocupación", ob. cit., pág. 324.

[478]   Cobacho Gómez, J. A., "Comentario a los artículos 594 a 599" en *Comentarios al Código Civil T. III Libro II* (coord. Rams Albesa, J.), Bosch, Barcelona, 2001, pág. 1172.

[479]   Hernández Gil, F., ob. cit., pág. 871.

[480]   De Castro Vítores, G., ob. cit., págs. 762 y 770.

ridad, como tendremos la ocasión de comprobar, sino que se requiere un acto jurídico adecuado para producir la transmisión.

En el caso de aceptar la titularidad dominical sobre el predio sirviente, el acreedor se convertirá en propietario del mismo, extinguiéndose tanto la obligación *propter rem* como el derecho de servidumbre como consecuencia de la consolidación real[481]. Por el contrario, en aquellos casos en los cuales el acreedor no acepte convertirse en propietario del fundo sirviente, aunque se produzca la extinción de la obligación real, la servidumbre no desaparecerá[482], pues seguirá gravando el predio que adquirirá el Estado como consecuencia del mecanismo de apropiación de bienes inmuebles vacantes (*ex* art. 17 LPAP)[483]. Sobre este último punto, De Castro Vítores realiza una matización y es que, según su opinión, si transcurrido un tiempo prudencial el acreedor no acepta, el propietario del fundo sirviente seguirá siendo el dueño del mismo, salvo renuncia, quedando; no obstante, liberado de la deuda, pero manteniéndose, en cambio, la servidumbre[484].

Debemos entender que, dadas las particularidades que rodean al abandono del predio sirviente con el fin de extinguir la obligación *propter rem*, se trata de un acto recepticio, revocable hasta el momento del conocimiento efectivo por parte del titular del predio dominante[485]. Ello supondrá que, aunque para que se produzca el abandono no se exija una forma específica[486], la notificación deberá ser fehaciente, pudiendo el destinatario, en este caso el titular del predio

---

[481] Karrera Egialde, M. M., "Comentario al artículo 599" en *Código Civil Comentado Vol. I* (dirs. Cañizares Laso, A. *et al.*), 2ª ed., Aranzadi, Cizur Menor, 2016, pág. 2311.

[482] Cuadrado Iglesias, M., "Comentario al artículo 599", ob. cit., pág. 1516.

[483] De Pablo Contreras, P., "Adquisición y extinción de los derechos reales. La ocupación", ob. cit., pág. 324.

[484] De Castro Vítores, G., ob. cit., pág. 771.

[485] De Castro Vítores, G., ob. cit., pág. 772.

[486] Habrá de atenderse al concreto negocio jurídico por el cual se lleve a cabo el abandono, ya que como apunta De Pablo Contreras, en el caso de que se produzca, por ejemplo, mediante una donación esta habrá de constar en escritura pública ya que el art. 599 Cc hace alusión a un bien de carácter inmueble (*ex* art. 633 Cc). De Pablo Contreras, P., "Adquisición y extinción de los derechos reales. La ocupación", ob. cit., pág. 324.

dominante, compeler al abandonante para que formalice el abandono en documento público[487].

Por lo que respecta a los casos de renuncia en sentido estricto, creemos que los efectos traslativos encuentran fundamento en el hecho de que la mayor parte de los casos se trata de supuestos en los que existe una determinada situación de comunidad o de coparticipación (arts. 395, 544 y 575 Cc)[488], por lo que es lógico que en estos supuestos, la porción renunciada acrezca al resto de sujetos que forman parte de esa comunidad[489], en contra de lo que pueda pensar un sector de la doctrina[490]. Así, la Dirección General de los Registros y del Notariado ha expresado que en los supuestos de coparticipación de dos o más sujetos en relación al mismo derecho, la renuncia *"no provoca la extinción, sino el acrecimiento de la porción renunciada a los demás titulares, como ponen de relieve, entre otros preceptos del Código Civil, el artículo 395, relativo a la renuncia de cuota hecha por el copropietario; el 544, al establecer que el que no quiera contribuir a las cargas de la servidumbre podrá eximirse renunciándola en provecho de los demás; el 575, que contiene idéntica norma respecto de la medianería, y el artículo 981 y siguientes, que regulan el derecho de acrecer y las condiciones en que podrá tener lugar"*[491]. En esta línea, De Castro Vítores ha afirmado que "en el art. 395 se dibuja una renuncia, acto unilateral, que libera y produce directamente una "transmisión" (entre comillas) a favor del acreedor"[492], razonamiento

---

[487]   De Castro Vítores, G., ob. cit., pág. 772.

[488]   Téngase en cuenta que los supuestos de los arts. 544 y 575 Cc no constituyen auténticos casos de comunidad, aunque se acercan bastante. Alonso Pérez, M. ª T., "Comentario al artículo 544" en *Código Civil Comentado Vol. I* (dirs. Cañizares Laso, A. *et al.*), 2ª ed., Aranzadi, Cizur Menor, 2016, págs. 2138 y 2139; Díez García, H., "Comentario al artículo 575" en *Comentarios al Código Civil* (coord. Bercovitz Rodríguez-Cano, R.), 3ª ed., Aranzadi, Cizur Menor, 2009, pág. 711.

[489]   Respecto del supuesto recogido en el art. 395 Cc, Miquel González, J. M. ª, "Comentario al artículo 395" en *Comentario del Código Civil T. I* (dir. Paz-Ares Rodríguez, C. *et al.*), Ministerio de Justicia, Madrid, 1991, pág. 1081.

[490]   Valverde y Valverde, ob. cit., pág. 260 nota al pie núm. 2.

[491]   RDGRN 2 febrero 1960 (LA LEY 5/1960). Sobre el art. 395 Cc, véase también la STS 11 junio 2012 (TOL2.572.734).

[492]   De Castro Vítores, G., ob. cit., págs. 766 y 767. En la SAP Valencia (Sección 11ª) 10 octubre 2006 (TOL1.144.335) se señala, sin embargo, que en el supuesto al

que nos parece trasladable al supuesto contenido en el art. 544 Cc[493], así como al recogido en el art. 575 Cc[494].

Sentado lo anterior, debe señalarse que existe un amplio debate acerca de si en los casos de renuncia nos hallamos ante una declaración de carácter recepticio[495]. En cualquier caso, de lo que no parece caber duda es que la renuncia, en general, podrá ser tanto expresa como tácita, pero habrá de ser inequívoca[496]. De este modo, puede

---

que alude el art. 395 Cc no se "...*no efectúa transmisión alguna de derechos, sino que acrece su derecho al que ostenta la propia Comunidad...*".

[493] Debe tenerse en cuenta que en este supuesto se produce "...un efecto traslativo, no de la titularidad del derecho –que se extingue–, sino de los elementos físicos y obras vinculados a su ejercicio (...), que acrecen a los demás titulares activos...". Busto Lago, J. M., "Comentario al artículo 544", ob. cit., pág. 4321.

[494] Es frecuente que se subraye el paralelismo existente entre los arts. 395 Cc y 575 Cc. En este sentido, véanse Busto Lago, J. M., "Comentario al artículo 575" en *Comentarios al Código Civil T. III* (dir. Bercovitz Rodríguez-Cano, R.), Tirant Lo Blanch, Valencia, 2013, págs. 4464 y ss.; Navas Navarro, S., "Comentario al artículo 575", ob. cit., pág. 691.

[495] Véanse Miquel González, J. M. ª, "Comentario al artículo 395", ob. cit., pág. 1081; Espín Alba, I., "Comentario al artículo 395" en *Comentarios al Código Civil* (dir. Domínguez Luelmo, A.), Lex Nova, Valladolid, 2010, pág. 520; Echevarría Summers, F., "Comentario al artículo 395", ob. cit., pág. 551; Pérez Conesa, C., "Comentario al artículo 395", ob. cit., pág. 3258; Arana De la Fuente, I., "Comentario al artículo 395", ob. cit., pág. 1599.

[496] La STS 27 febrero 1989 (TOL1.732.291) dispone que "*la renuncia (...) aunque pueda producirse de forma expresa o tácita, ha de ser clara, terminante e inequívoca con expresión indiscutible de criterio de voluntad determinante de la misma, sin que sea posible deducirla de expresiones equívocas o dudosas, debiendo aparecer de actos concluyentes que demuestren de forma indubitada la voluntad renunciativa, según tiene reconocido esta Sala en sentencias, entre otras y como más recientes, de 26 de septiembre de 1983, 24 de mayo y 18 de octubre de 1984, 3 de marzo de 1986 y 11 de junio y 16 de octubre de 1987*". Esta doctrina aparece reflejada en la STS 20 junio 2014 (TOL4.395.007). También se sigue, aunque de manera algo confusa, por la SAP Ávila (Sección 1ª) 23 enero 2009 (TOL1.526.387). Enlazando con lo anterior, en la SAP Cáceres (Sección 1ª) 23 noviembre 2017 (TOL6.491.119) se señaló que "...*la renuncia a la medianería (...) responde a un acto formal y solemne de la demandada, en la medida en que se ha verificado en el ámbito de un Proceso Judicial (el presente), por lo que no puede estimarse dudosa, ambigua ni ausente de precisión*". Del mismo modo, en la SAP Granada (Sección 3ª) 4 abril 2007 (TOL7.492.288) se afirmó que "...*el hecho de que el demandado manifestase su deseo de no pertenecer a la comunidad no podrá tener transcendencia alguna a los efectos de obviar su obligación y contribuir*

decirse que, de forma general, no se viene requiriendo una forma específica para que se produzca la renuncia, no pudiendo olvidar, sin embargo, que en los casos de los arts. 395, 544 y 575 Cc se produce la modificación o, si se prefiere, la extinción del derecho real del renunciante[497], por lo que sería posible que el deudor *propter rem* fuese compelido para formalizar la renuncia en documento público[498], aunque no sea un contrato, siempre y cuando el derecho real recaiga sobre un bien inmueble (*ex* 1280.1 Cc)[499], lo cual no siempre se da en el supuesto del art. 395 Cc, a diferencia de lo que ocurre con el de los arts. 544 y 575 Cc.

La renuncia se caracteriza, pues, como una declaración unilateral, ya que no requiere el asentimiento de la otra parte[500]. De este modo, el deudor *ob rem* se libera de la deuda renunciando a su derecho, lo que supondrá el paralelo acrecimiento de la porción o cuota a los demás *cotitulares*[501], incluso aunque estos se muestren disconformes con la renuncia[502].

Lo hasta aquí expuesto nos ha permitido poner de relieve que, a pesar de que ha de reconocerse que un conjunto más o menos amplio de obligaciones *propter rem* permiten a su deudor liberarse de la obligación mediante la renuncia o el abandono liberatorio, no parece que pueda hablarse de una característica que permita definir a este

---

en los gastos, si no efectúa una renuncia a su derecho de propiedad sobre todos dichos elementos, que en este caso no se ha realizado.

Las manifestaciones del Sr. Jesus Miguel contenidas en la papeleta de conciliación no posibilita concluir que existiese renuncia y desde luego no consta que tuviese poder de su esposa para efectuarla en su nombre.

Por lo tanto, en este caso, no podrá operar el artículo 395 del CC a que se aludía en el escrito de impugnación del recurso...".

[497] Roca Juan, J., ob. cit., pág. 124; Busto Lago, J. M., "Comentario al artículo 544", ob. cit., pág. 4320 y 4321.

[498] Roca Juan, J., ob. cit., pág. 124.

[499] Miquel González, J. M. ª, "Comentario al artículo 395", ob. cit., pág. 1080.

[500] Mateo y Villa, I., "La renuncia abdicativa del derecho real limitado y su inscripción en el Registro de la Propiedad", *R.D.C.* Vol. I núm. 2, 2014, págs. 235 y 236.

[501] Recuérdese que los arts. 544 y 575 Cc no recogen auténticos supuestos de comunidad.

[502] Mateo y Villa, I., ob. cit., págs. 235 y 236.

tipo de obligaciones[503]. Se trata, pues, de un mecanismo que debe ser considerado, bajo nuestro punto de vista, como excepcional[504], en la medida en que choca, de algún modo, con nuestro sistema de responsabilidad universal, por lo que no parece conveniente llevar a cabo una aplicación extensiva de este peculiar instrumento de exoneración[505]. Asimismo, ha de destacarse que, además de no tratarse de un mecanismo definitorio de este tipo de obligaciones, tampoco puede predicarse su exclusividad. En efecto, existen otros casos de renuncia y abandono liberatorio en nuestro entramado normativo, en concreto, una serie de supuestos relacionados con los censos (arts. 1625, 1631, 1659, 1660 y 1664 Cc)[506], lo cual nos aporta un nuevo argumento para rechazar la caracterización de las obligaciones reales a través del mecanismo de la renuncia o el abandono liberatorio.

Para concluir, nos gustaría llamar la atención sobre un fenómeno surgido de forma reciente de modo que, a consecuencia de la crisis económica del año 2008, muchos propietarios se han visto abocados a renunciar a su derecho dominical sobre inmuebles que se hallan sometidos al régimen de Propiedad Horizontal, lo que ha planteado problemas desde la perspectiva del pago de los gastos de comunidad. Ello ha derivado en la emisión de curiosos pronunciamientos por parte de la Dirección General de los Registros y del Notariado, donde se ha puesto de relieve que esta renuncia no solo podría producir perjuicio para terceros, en una interpretación analógica respecto de los preceptos que regulan la sociedad civil[507], sino que, además, se considera

---

[503]   Díez-Picazo y Ponce de León, L., *Fundamentos del Derecho Civil Patrimonial Vol. III…*, ob. cit., pág. 104.

[504]   De Amunátegui Rodríguez, C., ob. cit., pág. 193; Zaccagnini, M., y Platiello, A., *Enfiteusi, superficie, oneri reali,* Jovene, Napoli, 1984, pág. 364.

[505]   Díez-Picazo y Ponce de León, L., *Fundamentos del Derecho Civil Patrimonial Vol. III…*, ob. cit., pág. 104.

[506]   De Amunátegui Rodríguez, C., ob. cit., pág. 189 nota al pie núm. 345.

[507]   La RDGRN 30 agosto 2013 (TOL3.954.422) afirma que *"ciertamente, como dice el Código Civil (artículo 6.2) y repite el registrador, la renuncia no puede causar perjuicios a terceros. Pero aquí los demás propietarios (en las relaciones internas) no son terceros jurídicamente extraños sino terceros jurídicamente interesados, con una posición más cercana a la de partes que a terceros en la medida que la renuncia en cuestión, en cuanto libera unilateralmente a uno de la relación jurídica plurilateral que ligaba a todos, tiene repercusiones jurídicas automáticas para los demás. Lo que, como vamos a ver, impone la necesidad,*

que, en el caso de producirse tal renuncia, el dominio del piso debería de pasar al resto de vecinos, de forma semejante a lo que ocurre con el acrecimiento previsto para la comunidad[508]. En un similar sentido, aunque con algunas matizaciones, se pronunció el Centro directivo respecto de un supuesto en el que existía una copropiedad sobre una cuota indivisa del dominio que llevaba anejo un derecho exclusivo de disfrute temporal sobre un inmueble (elemento privativo) sometido al régimen de propiedad horizontal, que se encontraba a su vez incluido dentro de un complejo inmobiliario[509].

---

sino para la validez o eficacia substantiva de la renuncia, desde luego para su inscripción, del consentimiento de todos". Continúa, *"en consecuencia, con arreglo al artículo 1.705 del Código Civil (aquí, la comunidad, como allí, la sociedad, lo son por tiempo indefinido), habrá, cuando menos, de ponerse la renuncia cuya inscripción se pide -como paso previo de rigurosa observancia para practicar el asiento- en conocimiento de los demás propietarios para que puedan impugnarla judicialmente, solicitando las oportunas medidas cautelares, si estiman que es ineficaz por ser de mala fe (y habrá mala fe no sólo cuando quien hizo la renuncia, como dice el artículo 1.706, intenta apropiarse el provecho, sino también desplazar el gasto, que «debía ser común»); o, en cualquier caso, para tomar las decisiones que estimen convenientes en defensa de sus intereses (renuncia de la propiedad a su vez por otros partícipes, abandono del edificio o venta a un mejor gestor por los restantes o único propietario, etc.)".*

[508] Así, se ha señalado que *"deviene forzoso (…) que, en caso de renuncia de uno de los dueños, el dominio del piso «pase a los demás dueños» y les «acrezca» ya que, «en cuanto titulares del dominio del edificio en su conjunto, sufren en él la comprensión del dominio de cada piso o local, dominio que opera sobre el edificio en su conjunto como un derecho real limitativo». Lo que impone, como lógica consecuencia, por tanto que, cualquiera que sea el mecanismo por el que se produzca, el elemento renunciado pase, por razón de la renuncia del condueño o partícipe, a todos los demás en proporción a sus cuotas en el edificio en comunidad que, como afirma la Exposición de Motivos de la Ley de Propiedad Horizontal, expresan «activa y pasivamente (…) el valor proporcional del piso y cuanto a él se considera unido en el conjunto del inmueble»".* RDGRN 30 agosto 2013 (TOL3.954.422).

[509] RDGRN 21 octubre 2014 (TOL4.542.466). Esta doctrina fue esencialmente reproducida en la RDGRN 19 octubre 2018 (TOL6.931.506), donde se resolvió un supuesto de las mismas características. Así, en esta última resolución se apuntó que *"la cuota en comunidad objeto de la renuncia no se convierte en patrimonio del Estado. No lo es porque, a diferencia del supuesto en el supuesto de la Resolución de 5 de mayo de 2015, citada por la recurrente, no estamos ante la renuncia abdicativa de un inmueble que queda así sin dueño, sino ante la renuncia abdicativa de una cuota de inmueble cuyo destino natural es el acrecimiento al resto de los comuneros a quienes no se puede imponer un acto ajeno sin que,*

Esta solución no puede ser más que criticada: en primer lugar, porque podría entrar a discutirse si realmente hay un perjuicio[510], y, en segundo lugar, porque, en el caso de existirlo, lo que es claro es que el resto de titulares de los inmuebles que conforman el régimen de propiedad horizontal no pueden ser considerados simples terceros[511], argumento que se ve reforzado por la imposibilidad de realizar una aplicación analógica de los preceptos que regulan la sociedad[512]. Por otro lado, tampoco creemos que pueda producirse un acrecimiento al resto de propietarios, en la medida en que no pueden aplicarse las normas de la comunidad para este concreto supuesto ni siquiera de forma analógica[513], como tampoco cabe considerar que tengan un derecho de adquisición preferente[514]. De este modo, estimamos que

---

como mínimo, hayan tenido la oportunidad de oponerse (vid. Resolución de 21 de octubre de 2014)".

[510]   Agüero Ortiz apunta que, aun en el supuesto de que se considerasen aplicables las normas de la sociedad, no parece que el abandono de la propiedad se realice con el fin de perjudicar al resto de vecinos. Agüero Ortiz, A., "La maldición de ser propietario de inmuebles urbanos o la imposibilidad de abandono de la propiedad de la vivienda o local por sus acuciantes gastos. Comentario a la Resolución de 30 de agosto de 2013, de la Dirección General de los Registros y del Notariado", *Centro de Estudios de Consumo*, febrero 2014, pág. 4. Accesible en: http://bit.ly/2YPphDu (Página consultada por última vez el 7 de agosto de 2019).

[511]   Goñi Rodríguez de Almeida, M., "La renuncia al dominio en un régimen de propiedad horizontal", *R.C.D.I.* núm. 746, noviembre-diciembre 2014, pág. 3354. Lo que paradójicamente parece intuir la propia Dirección General. Recordemos, *"...aquí los demás propietarios (en las relaciones internas) no son terceros jurídicamente extraños sino terceros jurídicamente interesados..."*. RDGRN 30 agosto 2013 (TOL3.954.422).

[512]   Goñi Rodríguez de Almeida, M., "La renuncia al dominio...", ob. cit., pág. 3355; Agüero Ortiz, A., ob. cit., págs. 4 y 5.

[513]   Agüero Ortiz, A., ob. cit., pág. 5. En palabras de Goñi Rodríguez de Almeida en este supuesto "no se renuncia solo a la cuota en los elementos comunes (que podría acrecer al resto de propietarios), sino que se está renunciando también al dominio pleno y exclusivo sobre el local (elemento privativo), y sobre este elemento privativo el resto de copropietarios no tienen ningún derecho ni individual ni compartido...". Goñi Rodríguez de Almeida, M., "La renuncia al dominio...", ob. cit., pág. 3357.

[514]   No parece, por tanto, correcto el enfoque de la RDGRN 26 diciembre 2018 (TOL6.999.597), cuando se afirma que *"...la mera existencia de una renuncia abdicativa no implica sin más que se produzca una adquisición por parte de la Administración General del Estado. Así ocurrirá y no se producirá la adquisición de la Administración General del Estado si existen terceros con un derecho pre-*

lo más adecuado es afirmar que el abandono del inmueble pone en marcha el mecanismo de apropiación de inmuebles vacantes por parte de la Administración (*ex* 17 LPAP)[515]. Así, consideramos que hasta que se produzca la adjudicación definitiva a la Administración, quien deberá correr con los gastos de comunidad será el propietario renunciante[516]. Debe recalcarse, además, que no entendemos que se trate de un supuesto de abandono o renuncia liberatoria, en la medida en que el legislador no ha reconocido tal posibilidad respecto de este tipo de obligaciones *propter rem*.

C) Naturaleza jurídica

La inexistencia de un concepto unitario de obligación real ha condicionado los empeños de la doctrina por esclarecer su naturaleza, lo que ha derivado en la aparición de un compendio de teorías que, aunque presentan una gran altura académica, no parecen haber des-

---

ferente (a quienes acrezca la porción renunciada, vid. la reciente Resolución de 19 de octubre de 2018), o si los renunciantes resultan no ser los titulares civiles del dominio («nemo dat quod non habet»)».

[515] Agüero Ortiz, A., ob. cit., pág. 5; Robles Latorre, P., "La renuncia al derecho de propiedad", ob. cit., pág. 59.

[516] Robles Latorre, P., "¿Es posible la renuncia al Derecho de Propiedad?", ob. cit., pág. 304; Robles Latorre, P., "La renuncia al derecho de propiedad", ob. cit., pág. 59. Agüero Ortiz apunta que lo lógico es que quien asuma estos gastos desde el abandono hasta que se produce la adjudicación del bien a la Administración sea el propietario renunciante, salvo en caso de insolvencia, supuesto en el que deberán responder el resto de propietarios como ocurriría en el supuesto de insolvencia del propietario de un inmueble sometido al régimen de Propiedad Horizontal. Agüero Ortiz, A., ob. cit., pág. 5. Esta solución parece, además, conforme desde el punto de vista registral en la medida en que se estima que no podrá inscribirse la renuncia en el Registro de la Propiedad hasta que exista una resolución expresa por parte de la Administración adjudicándose el inmueble en aras de garantizar el principio de tracto sucesivo. Gutiérrez Jerez, L. J., "La renuncia abdicativa de dominio sobre un local de negocio y la adquisición del dominio por el Estado. Resolución de la Dirección General de los Registros y del Notariado de 30 agosto de 2013", *Consejo Consultivo para la pequeña y la mediana empresa*, enero 2014. Puede consultarse en el siguiente enlace: http://www.ccopyme.org/articulo.php?a=104 (Página consultada por última vez el 16 de noviembre de 2016).

pejado por completo las dudas que rodean a esta institución[517]. En este apartado trataremos de realizar una síntesis de las teorías más relevantes acerca de la naturaleza de la obligación real apoyándonos para ello, en líneas generales, en el esquema propuesto por Hernández Gil[518], quien con el paso de los años sigue siendo el que, en nuestra opinión, ha abordado de forma más adecuada la cuestión.

Debemos destacar, en primer lugar, que la adscripción de las obligaciones *propter rem* al plano jurídico-real, no suele ser más que una cristalización de la tesis que defiende la existencia de los derechos reales *in faciendo*[519], lo que deriva, en la mayor parte de ocasiones, en el rechazo de la obligación real como categoría dogmática[520]. Desde esta perspectiva, la obligación real no sería más que una forma incorrecta de referirse a los derechos reales *in faciendo*[521], cuyo estudio será abordado en otro lugar de este trabajo.

Frente a la postura expuesta en el párrafo precedente, la mayor parte de la doctrina parece entender que las obligaciones reales pertenecen a la categoría de los derechos personales[522], en la medida en que se sostiene que sus particulares características impiden catalogar-

---

[517] Como afirma Sierra Pérez, "para apreciar la naturaleza jurídica de esta figura, mejor dicho, la que cada autor reconoce en ella, no tenemos sino que asomarnos a la forma en que cada uno las define". Sierra Pérez, I., *Obligaciones "propter rem"...,* págs. 21 y 22.

[518] Hernández Gil, F., ob. cit., págs. 863 y ss.

[519] Hernández Gil, F., ob. cit., págs. 863 y 864. Ossorio, al referirse a las cargas reales contenidas en el BGB, afirma que "la carga real es una figura jurídica que tiene como elemento esencial un derecho real *in faciendo*, y solo como elemento natural una *obligatio ob rem* que existirá cuando no haya sido expresamente suprimida". Ossorio Morales, J., "Las servidumbres *in faciendo* en Derecho español", *R.D.P.*, junio 1934, pág. 181.

[520] Trunquelle Sanjuan, J., "Los derechos reales *in faciendo*", *R.G.D.* núm. 58-59, págs. 365 y 366.

[521] En este sentido, Rigaud afirma que "es preciso, ante todo, deshacernos del concepto de la *obligatio propter rem*, concepto desmañado, destinado solo a enmascarar la existencia de los derechos reales *in faciendo*". Rigaud, L., ob. cit., pág. 305.

[522] Entre otros, Hernández Gil, F., ob. cit., pág. 868; De los Mozos y De Los Mozos, J. L., "La obligación real...", ob. cit., pág. 350; Messineo, F., *Manual de Derecho Civil y Comercial T. IV* (trad. Sentis Melendo, S.), Ediciones Jurídicas Europa-América, Buenos Aires, 1955, pág. 43; De Luca, A., ob. cit., pág. 62; Romeo, C., ob. cit., pág. 388.

las como derechos reales. Desde este modo, se ha puesto el acento en que el titular del derecho no tiene un poder inmediato[523] o inherente a la cosa[524], que se impone abstractamente a frente a cualquier tercero[525], argumentos que han sido empleados por los seguidores de esta corriente para calificar a esta figura como una obligación común[526], aunque caracterizada por una serie de particularidades. Se trata, pues, de una obligación en la que el deudor se encuentra determinado por la titularidad de un derecho real[527], respecto del cual mantiene una relación de accesoriedad[528] (punto que, según un sector de la doctrina, explicaría su singular régimen de nacimiento, transmisión, extinción y abandono[529]) en aras de garantizar el correcto ejercicio del mismo[530].

Debe destacarse, sin embargo, que un conjunto de autores, apartándose del binomio tradicional entre derechos reales y personales, sostiene que se trata de una figura de naturaleza mixta, no solo por

---

[523]   Hernández Gil, F., ob. cit., pág. 868.
[524]   En este sentido, "los únicos atisbos de inherencia real, muy *sui generis*, se encontrarían en la especial designación del sujeto pasivo y en la accesoriedad de la obligación *ob rem* respecto al derecho real". Cerdeira bravo de mansilla, G., *Derecho o carga real...*, ob. cit., pág. 197.
[525]   Hernández Gil, F., ob. cit., pág. 869.
[526]   De la Cámara Álvarez, M., ob. cit., págs. 409 y 410.
[527]   Betti, E., *Teoria generale delle obbligazioni T. I*, Giuffrè, Milano, 1953, pág. 22.
[528]   Véanse Cerdeira bravo de mansilla, G., *Derecho o carga real...*, ob. cit., pág. 194; Barassi, L., *Instituciones de Derecho Civil T. II* (trad. De Haro De Goytisolo, R. G.; Falcón Carreras, M. y Plasencia Monleón, A.), Bosch, Barcelona, 1955, pág. 116. Bigliazzi habla así de una conexión de la obligación no respecto de la cosa, sino del derecho. Bigliazzi Geri, L., Oneri reali e..., ob. cit., págs. 22 y 23. En el mismo sentido, Romeo, C., ob. cit., pág. 389.
        Por su parte, De Castro Vítores se refiere a una "inherencia de segundo grado", pues aunque no se trate de un supuesto de inherencia real, la obligación es, de algún modo, inherente al derecho. De Castro Vítores, G., ob. cit., pág. 721.
[529]   Cerdeira bravo de mansilla, G., *Derecho o carga real...*, ob. cit., pág. 194; De los Mozos y De Los Mozos, J. L., "La obligación real...", ob. cit., pág. 355; Romeo, C., ob. cit., pág. 390. En cierta medida, aunque con una concepción bastante particular, Aberkane, H., ob. cit., págs. 25 y 26.
[530]   Cerdeira bravo de mansilla, G., *Derecho o carga real...*, ob. cit., pág. 194. En parecido sentido se pronuncia Balbi, G., ob. cit., pág. 119.

su ambigüedad[531] y complejidad[532], sino, incluso, por su finalidad[533]. Desde esta perspectiva, la obligación *propter rem* sería algo distinto a los derechos reales y a las obligaciones comunes[534], precisamente porque presenta notas propias de una y otra categoría de derechos[535], de forma que resulta imposible incluirla en cualquiera de ellas.

Más compleja es, sin embargo, la solución que propone Giorgianni, cuya tesis ha sido tildada de relativa o ecléctica no por suponer un intento de conciliación entre las corrientes expuestas con anterioridad, sino porque hace depender el carácter personal o crediticio de la obligación real en función del criterio que se adopte en la valoración de los derechos patrimoniales[536]. Así, el autor entendió que, además de sobre la base de la diversa estructura de poder concedido al titular, cabe clasificar los derechos patrimoniales en función de la vinculación y la pertenencia de ese poder respecto de una determinada cosa[537]. Desde esta perspectiva, los derechos patrimoniales no pueden ser clasificados en función de único criterio, sino que son producto de diversas valoraciones[538], de forma que si la obligación *propter rem* es clasificada en virtud del primer criterio, esto es, con base en la estructura de poder concedida al titular, pertenecería al campo de los derechos de crédito, en la medida en que se trata de una pretensión que se dirige frente a un sujeto constreñido a realizar una determinada conducta. En cambio, si se realiza conforme a la vinculación del poder respecto

---

[531]   Natucci, A., *La tipicità dei diritti reali*, CEDAM, Padova, 1988, pág. 321

[532]   Espín Cánovas, D., *Manual de Derecho Civil Español Vol. II...*, ob. cit., pág. 7.

[533]   De Juglart estima que las obligaciones reales tienen por fin la apropiación de riquezas a través de la utilización de determinados servicios. De Juglart, M., *Obligation réelle et servitudes en droit privé français*, Imprimerie Fredou & Manville, Bordeaux, 1937, pág. 283.

[534]   Bonnecase, J., *Elementos de Derecho Civil T. II Derecho de las obligaciones, de los contratos y del crédito* (trad. Cajica Jr., J. M.), José M. Cajica Jr, Puebla, 1945, pág. 177.

[535]   De Ruggiero, R., *Instituciones de Derecho Civil T. I Introducción y parte general. Derecho de las personas, Derechos Reales y Posesión* (trad. a la 4ª ed. italiana Serrano Suñer, R. y Santa-Cruz Tejeiro, J.), Reus, Madrid, 1944, pág. 233.

[536]   Hernández Gil, F., ob. cit., pág. 866.

[537]   Giorgianni, M., *La obligación...*, ob. cit., pág. 96.

[538]   Giorgianni, M., *La obligación...*, ob. cit., pág. 97.

de una cosa, la obligación real quedaría encuadrada dentro de la categoría de los derechos reales[539].

De forma más reciente, un conjunto de autores ha abordado esta cuestión desde una nueva perspectiva, que, alejándose de la concepción tradicional[540] busca una mejor adaptación de la noción de la obligación *propter rem* al sistema jurídico actual[541]. De este modo, se ha apuntado que la propiedad, además de un poder, conlleva una serie de deberes u obligaciones[542] que surgen como consecuencia de la necesidad de proteger intereses distintos de los del titular del derecho real[543], entre los cuales podría encontrarse la obligación *propter rem*[544]. Así, como señalan autores como Cerdeira[545] y Sierra Pérez[546], las obligaciones reales se constituirían como límites o limitaciones[547]

---

[539]   Giorgianni, M., *La obligación...*, ob. cit., pág. 100.

[540]   Hernández Gil, F., ob. cit., pág. 859.

[541]   Sierra Pérez, I., *Obligaciones "propter rem"...*, ob. cit., pág. 76.

[542]   Hernández Gil, F., ob. cit., pág. 859.

[543]   Sierra Pérez, I., *Obligaciones "propter rem"...*, ob. cit., pág. 81.

[544]   Sierra Pérez, I., *Obligaciones "propter rem"...*, ob. cit., pág. 83.

[545]   Cerdeira Bravo de Mansilla, G., *Derecho o Carga real...*, ob. cit., págs. 204 y ss.

[546]   Sierra Pérez, I., *Obligaciones "propter rem"...*, ob. cit., págs. 80 y ss.

[547]   Así, Caroni, estima que la obligación *propter rem*, no siendo un derecho real, se aproxima al mismo, en la medida en que tiene por objeto obligaciones que limitan el libre ejercicio del dominio sobre la cosa. Caroni, P., ob. cit., págs. 283 y 284. Para Albaladejo los límites son el régimen ordinario de restricciones a las cuales está sometido el poder del propietario, mientras que las limitaciones, procediendo de muchas causas, pueden reducir en determinados casos el poder que tiene el propietario de la cosa. Albaladejo García, M., ob. cit., págs. 244 y 245. En parecidos términos se pronuncia Lacruz, quien afirma que límites y limitaciones no son términos equivalentes. Lacruz Berdejo, J. L. *et al.*, *Elementos de Derecho Civil III Derechos Reales Vol. I*, 2008, ob. cit., págs. 268 y 269. Asimismo, Coca Payeras señala que mientras que los límites son internos y consustanciales al derecho de propiedad, las limitaciones son externas al mismo, "...consistiendo en reducciones del ámbito de poder tipificado legalmente como propio del titular del derecho, y fruto de la colisión con otras figuras jurídicas". Coca Payeras, M., *Tanteo y retracto, función social de la propiedad y competencia autonómica*, Real Colegio de España, Bolonia, 1988, pág. 294. Entendemos, sin embargo, junto con Díez-Picazo, que esta distinción no es válida en la medida en que el derecho de propiedad no se define de forma positiva, es decir, enumerando todas las facultades, sino desde una perspectiva negativa, haciendo referencia a aquellos puntos que no alcanza. Díez-Picazo y Ponce de León, L., "Los límites del derecho de propiedad en la legislación urbanística" en *Estudios de Derecho Privado*, Civitas, Madrid, 1980, pág. 251.

que, establecidas por la norma jurídica o la voluntad privada[548], se impondrían al propietario de una cosa o al titular de un derecho real[549]. Los defensores de esta postura han hecho notar que la aceptación de esta tesis deriva en que, en determinadas ocasiones, el contenido de la obligación real "coincidirá en parte con el dado por otros autores tradicionalmente, pero en la que podremos incluir otros supuestos que nacen de límites al derecho de propiedad establecidos legalmente por razón del objeto, que hoy en día son considerados, por algunos autores, como verdaderas obligaciones *propter rem* y por otros como figuras muy afines a ellas"[550]. Como resultado, un sector de la doctrina ha conectado la obligación real con las limitaciones de carácter urbanístico, estableciendo, en ocasiones, similitudes entre ambas figuras[551] y, en otras, realizando una completa equiparación, en el sentido de considerar que las limitaciones urbanísticas constituyen auténticas obligaciones reales[552], idea sobre la cual parece haberse pronunciado favorablemente la Dirección General de los Registros y de Notariado en alguna ocasión[553].

---

[548]   Cerdeira Bravo de Mansilla, G., *Derecho o Carga real...*, ob. cit., pág. 204. Así, Messineo, estima que en la legislación moderna existe una tendencia a imponer obligaciones positivas a los propietarios de determinados bienes, debiendo ser estas reputadas como auténticas obligaciones legales (*propter rem* o reales). Messineo, F., *Manual de Derecho Civil y Comercial T. III*, ob. cit., pág. 273.

[549]   Estas obligaciones se impondrían normalmente al propietario, pero dado el amplio margen de la autonomía de la voluntad que existe para establecer el contenido de los derechos reales limitados, Sierra Pérez estima que puede darse la posibilidad de que la prestación la realice el titular del derecho real limitado, en aras de que el propietario pueda ver satisfecho su interés. Sierra Pérez, I., *Obligaciones "propter rem"...*, ob. cit., pág. 84 nota al pie núm. 50.

[550]   Sierra Pérez, I., *Obligaciones "propter rem"...*, ob. cit., pág. 84.

[551]   Así, por ejemplo, Díez-Picazo afirma que "la situación urbanística del terreno y el tejido de facultades y de deberes inherentes a la misma se convierten en una especie de obligaciones *propter rem*". Díez-Picazo y Ponce de León, L., "Los límites del derecho de propiedad en...", ob. cit., pág. 247.

[552]   García García, J. M., *Derecho Inmobiliario registral o hipotecario T. V (Urbanismo y Registro)*, Civitas, Madrid, 1999, pág. 33; Sierra Pérez, I., "Límites al derecho de propiedad y obligaciones *propter rem*. Comentario a la Sentencia del TS de 20 abril 1998 (RJ 1998, 2508)", *Revista Aranzadi de Derecho Patrimonial* núm. 2, 1999, págs. 396 y ss.

[553]   Así, "*en la propiedad urbana, de acuerdo con el principio de subrogación real, las limitaciones del dominio afectan con trascendencia real a todo adquiriente posterior, y si bien es cierto que parece atentar contra el principio de publicidad*"

Esta postura ha sido objeto de diversas críticas fundamentadas, en gran parte, en el hecho de que esta tesis incide de forma directa en el esquema tradicional de las limitaciones legales de la propiedad[554], a lo que podría objetarse; no obstante, que nos hallamos simplemente ante una ampliación del mismo[555]. Aquellos que se muestran contrarios a aceptar esta nueva concepción de la obligación *propter rem*, suelen recalcar, sin embargo, que difícilmente cabe concebir a esta figura como una limitación legal a la propiedad, ya que estas no consisten en una conducta de carácter positivo, sino, por el contrario, en un *non facere* o, en su caso, en un *pati*[556]. Frente a ello: no obstante, se ha argumentado que, aunque es cierto que la obligación *propter rem* no minora el derecho del propietario o titular real, sí que limita su ejercicio mediante la imposición de deberes que pueden ser tanto de carácter positivo como negativo[557], lo cual se muestra acorde con

---

y seguridad del tráfico, no lo es menos que aquél se encuentra resguardado por la Ley de tal modo que las limitaciones derivadas del Urbanismo en manera alguna pueden ser catalogadas como las antiguas cargas ocultas, pues este principio de la subrogación real se da respecto a toda transmisión de bienes afectados por alguna función administrativa y estas limitaciones han sido configuradas por la más moderna corriente civilística caracterizada como «obligatio propter rem», que afectan al propietario de la finca por el mero hecho de serlo, sin que el actor pueda pretender ampararse en la literalidad del art. 34 de la Ley Hipotecaria". RDGRN 2 junio 2006 (TOL962.580).

[554] De Amunátegui se pronuncia en este sentido a propósito de su estudio de las diferencias entre las obligaciones *propter rem* y las relaciones de vecindad. Aunque parece mostrarse favorable a la configuración de obligaciones reales, no para alterar los límites al derecho de propiedad surgidos de las relaciones de vecindad, sino con el fin de solucionar los distintos problemas que pudieran plantearse entre los propietarios colindantes. De Amunátegui Rodríguez, C., ob. cit., págs. 137 y 141.

[555] Así, Maruffi sostiene que junto a las figuras que tradicionalmente se vienen conociendo como límites o limitaciones a la propiedad, como pueden ser las relaciones de vecindad, se encuentran otros supuestos como es el de las obligaciones *propter rem*. Maruffi, P. C., ob. cit., pág. 207.

[556] Biondi, B., *Las servidumbres…*, ob. cit., págs. 1239 y 1240. Esta tesis es acogida, asimismo, por Quiñonero Cervantes, E., "La ocupación temporal de terrenos", *Anales de Derecho (Universidad de Murcia)* núm. 9, 1986, pág. 81.

[557] Cerdeira Bravo de Mansilla, G., *Derecho o Carga real…*, ob. cit., págs. 206 y 207. Así, Scacchi afirma que no solo no puede negarse la posibilidad de constituir obligaciones reales con contenido negativo, sino que, además, el contenido de las mismas no es lo que permite distinguirla de otras figuras como es el caso

el modelo legislativo moderno[558] y, asimismo, con nuestro sistema constitucional[559].

Desde nuestra perspectiva, el defecto de la última de las tesis expuestas no radica tanto en el hecho de que con ella se imponga una determinada conducta positiva como en que esta concepción supondría ampliar no ya el concepto de las limitaciones legales a la propiedad, sino, más bien, el de obligación real[560]. Así, si se concibe a la obligación real simplemente como una limitación impuesta como consecuencia de la titularidad de un derecho de propiedad, no se podría distinguir de otra clase de limitaciones legales (p. ej. relaciones de vecindad)[561]. Entendemos, por tanto, que si su significado es acotado no existe problema en concebir a la obligación real como una limitación de origen legal impuesta al derecho de propiedad, teniendo, en cuenta; no obstante, que esta figura también puede encontrar su origen en la autonomía privada, como tendremos la ocasión de comprobar en el siguiente apartado.

En cualquier caso, la anterior reflexión no parece incompatible con poder afirmar, junto con la doctrina mayoritaria, que las obligaciones *propter rem* tienen una naturaleza eminentemente personal[562],

---

del derecho real de servidumbre. Scacchi, D., *L´obligation propter rem et les droits personnels annotés au registre foncier*, Locarno, 1970, págs. 40 y 41.

[558] Sierra Pérez, I., *Obligaciones "propter rem"...*, ob. cit., págs. 83 y 84.

[559] Sierra Pérez, I., ob. cit., pág. 84 nota al pie núm. 47.

[560] De Amunátegui entiende que la ampliación del concepto de obligación *propter rem* y su identificación, no siempre coincidente, con diversas limitaciones de la propiedad da lugar a resultados absurdos. De Amunátegui Rodríguez, C., ob. cit., pág. 138.

[561] Ampliamente De Amunátegui Rodríguez, C., ob. cit., págs. 135 y ss.

[562] Como se ha señalado en el texto principal, Sierra Pérez sostiene que las obligaciones *propter rem* son auténticos límites al derecho de propiedad, lo que no obsta para que en otros puntos de su obra haga alusión a la naturaleza personal de este tipo de figuras. Así, por ejemplo, al tratar la cuestión de la extinción de las obligaciones reales, se refiere a las mismas como "verdaderas obligaciones". Sierra Pérez, I., *Obligaciones "propter rem"...*, ob. cit., pág. 68. Del mismo modo, Hernández Gil, máximo defensor de la tesis sobre la naturaleza crediticia de las obligaciones *propter rem*, se refiere a las mismas como deberes que se imponen al titular dominical. Hernández Gil, F., ob. cit., pág. 859.
En contraste con lo anterior, Cerdeira estima que las obligaciones reales no tienen naturaleza personal, sosteniendo, sin embargo, que nos hallamos ante límites

debiendo tomarse en consideración, claro está, las particularidades a las que nos hemos referido en los apartados anteriores.

D) El juego de la autonomía privada en el ámbito de las obligaciones *propter rem*

a) Planteamiento de la cuestión

Para lograr una correcta aproximación al estudio que nos ocupa, creemos necesario advertir del frecuente error en que la doctrina incurre al identificar la cuestión del posible desenvolvimiento de la autonomía privada en sede de derechos reales con el del de su posible aplicación en el ámbito de las obligaciones *propter rem*[563], ya que, aunque no resulte frecuente, puede darse el caso de que un ordenamiento jurídico adopte un modelo rígido en cuanto a la creación de derechos reales y, de forma paralela, permita un sistema más laxo en lo que se refiere a configuración de obligaciones reales[564]. Se trata de temas relacionados que, aunque no pueden ser analizados de forma aislada, por su evidente conexión dada la relación de accesoriedad entre la figura objeto de estudio y el derecho real, merecen un examen autónomo en cuanto que aluden a instituciones conceptualmen-

---

o limitaciones que derivan del derecho real. Véase Cerdeira Bravo de Mansilla, G., *Derecho o Carga real...*, ob. cit., pág. 202.

[563] Así lo advierte De Castro Vítores, G., ob. cit., pág. 796. Esta concepción se debe, en nuestra opinión, a la constante inclusión de este tipo de obligaciones dentro del contenido del derecho real, pudiendo tomarse como ejemplo la afirmación de Romano, para quien o se opta por renunciar a concebir las obligaciones *propter rem* como típicas o se opta por renunciar a considerarlas como parte del derecho real. Romano, F., *Diritto e obbligo nella teoria del diritto reale*, riprod. dell'ed. 1967, Edizioni Scientifiche italiane, Napoli, 2014, pág. 78. En este sentido, el propio De Castro Vítores, al analizar la obligación real en el Derecho suizo sostiene que si la misma "está alineada con los derechos reales, si corresponde a su terreno propio, si forma parte de ellos (y sin ser poder sobre la cosa) habrá que aplicárseles el criterio que rige en los derechos reales", aunque después admite la posibilidad de permitir el juego de la autonomía privada en el ámbito de las obligaciones *propter rem* en el Derecho suizo. De Castro Vítores, G., ob. cit., págs. 368 y ss.

[564] Es lo que parece dar a entender De Castro Vítores, G., ob. cit., pág. 796 nota al pie núm. 203.

te diversas[565]. Centrando, por el momento, nuestra exposición en el análisis del posible juego de la autonomía privada en sede de obligaciones reales, hemos de destacar que no existe una postura pacífica al respecto.

Es necesario poner de relieve que un sector minoritario de la doctrina patria[566], así como algún pronunciamiento de las Audiencias Provinciales[567], vienen a sostener que, en el marco de las obligaciones reales, la autonomía privada ha de quedar desterrada, de forma que únicamente pueden concebirse como tales aquellas previstas por las normas. De este modo, los autores favorables a la tesis del *numerus clausus* de las obligaciones reales, entienden que una excesiva amplitud del concepto de esta figura mermaría su funcionalidad, ya que la única utilidad que, desde esta perspectiva, tendría su aplicación sería la de disciplinar el contenido de las relaciones reales en los concretos casos en los que el ordenamiento otorga esta posibilidad a los particulares[568]. En este sentido, los principales argumentos que suelen utilizarse para apoyar esta tesis se encuentran reflejados, según este conjunto de autores, en el propio articulado del Código civil y, más concretamente, en los arts. 1257 y 1205 Cc.

Debe tenerse en cuenta que el art. 1257 Cc recoge el principio de relatividad de los contratos, esto es, que los contratos únicamente

---

[565] Biondi, aunque defiende el *numerus clausus* de la obligación real, afirma que "… la consideración de que el círculo de derechos reales está taxativamente delimitado por la ley, no deriva, en absoluto, en que una obligación *propter rem* no pueda ser constituida por voluntad de los particulares". Biondi, B., "Servitù, obbligazioni *propter rem*, natura e contenuto", *Giurisprudenza italiana* Vol. 104, 1952, pág. 37. La traducción es nuestra.
A pesar de que Biondi se apoya eminentemente en la concepción de la obligación real como una obligación común, lo cierto es que pone de manifiesto que se trata de una figura distinta de los derechos reales, por lo que no resulta adecuado caer en el automatismo de reproducir la misma solución que un determinado ordenamiento acoja respecto a la creación de derechos reales no previstos por el legislador.

[566] Hernández Gil, F., ob. cit., pág. 872; Atard, R., ob. cit., pág. 276.

[567] Así, en la SAP Madrid (Sección 14ª) 30 marzo 2011 (TOL2.152.829) se pone de manifiesto que las obligaciones *propter rem* "…*tienen en nuestro derecho un significado excepcional, siendo admisibles solamente en aquellos casos en que la ley lo reconozca de un modo especial*".

[568] De Amunátegui Rodríguez, C., ob. cit., pág. 206.

pueden surtir efecto entre las partes que se obligan y sus herederos (*res inter alios acta*)[569]. Desde este punto de vista, la obligación real podría suponer, pues, una excepción a la regla general que acabamos de exponer, de ahí, que los autores favorables al *numerus clausus* insistan en la idea de que no cabe extender las consecuencias de un contrato a sujetos que no han sido parte en el mismo salvo que así lo disponga la ley[570], punto sobre el que nos detendremos más adelante.

Por lo que se refiere al art. 1205 Cc, se ha apuntado que la exigencia del consentimiento del acreedor en los supuestos de cambio de deudor chocaría, de algún modo, con la idea de la libre creación de obligaciones reales[571]. Ello se debe, principalmente, a que se entiende que si, como regla general, las obligaciones *propter rem* no requieren del consentimiento del acreedor en los casos de transmisiones pasivas de las obligaciones es, precisamente, debido a que se trata de un régimen excepcional creado por la ley[572]. Bajo este punto de vista, la constitución de una obligación al margen de la ley no podría obtener el calificativo de real, ya que en los supuestos de cambio de deudor se requeriría el consentimiento del acreedor, lo cual no es propio de este tipo obligaciones. Este aspecto no es tan relevante, pues como ya apuntábamos en un apartado anterior, una vez que nace la obligación *propter rem* esta se comporta, de forma general, como una obligación común.

---

[569] Véase Hidalgo García, S., "Comentario al artículo 1257" en *Comentarios al Código Civil* (dir. Domínguez Luelmo, A.), Lex Nova, Valladolid, 2010, págs. 1371 y ss. En este sentido, la STS 13 junio 1980 (TOL1.740.513) vino a recalcar que el mencionado precepto "...*según reiterado criterio jurisprudencial, no hace otra cosa que recoger el principio del carácter relativo y personal que ha de reconocerse a los efectos derivados de un contrato, que no pueden extenderse a los que, no habiendo sido parte en ellos, no pueden quedar sujetos por las consecuencias de un consentimiento que ellos no prestaron y que no les vincula como herederos o causahabientes de los otorgantes...*". De modo similar se pronuncia el Alto Tribunal en su STS 9 septiembre 1996 (TOL5.152.846).

[570] Hernández Gil, F., ob. cit., pág. 873. Al respecto Deschenaux ha señalado que para que la obligación *propter rem* pudiera ser oponible sería necesaria su publicidad, argumento que, en su opinión, conduce a proclamar el *numerus clausus* en esta materia, al igual que ocurre en sede de derechos reales. Deschenaux, H., "Obligations *propter rem*" en *Ius et Lex Festgabe Zum 70 Geburtstag von Max Gutzwiller*, Verlag Helbing & Litchtenhahn, Basel, 1959, pág. 718.

[571] Hernández Gil, F., ob. cit., pág. 873.

[572] Hernández Gil, F., ob. cit., pág. 873.

A los anteriores razonamientos se suele añadir que una obligación real atípica no permitiría recurrir al mecanismo de la renuncia o el abandono liberatorio, lo cual, desde nuestro punto de vista, no es un argumento de suficiente importancia dado que entendemos que no se trata de una característica típica de las obligaciones *propter rem*, con lo cual la admisibilidad o no de su ejercicio nos resulta indiferente como criterio para emitir un juicio acerca de la creación de figuras atípicas[573].

No obstante lo anterior, la doctrina moderna parece mostrarse a favor del juego de la autonomía privada en sede de obligaciones *propter rem*. En este sentido, se ha esgrimido que la norma general contenida en el art. 1255 Cc, la cual proclama la posible creación de figuras atípicas en el ámbito contractual, sería, asimismo, aplicable a las obligaciones reales, por lo que las partes podrían modificar o crear este tipo de figuras con total libertad, siempre y cuando, claro está, se respetasen los límites a los que alude el propio precepto[574].

La concepción de un sistema de número cerrado en cuanto a la creación de obligaciones reales tal vez sería la solución más cómoda y segura, pero ciertamente ello impediría colmar determinadas necesidades socioeconómicas no cubiertas por el legislador[575]. Desde esta perspectiva, los defensores de la teoría del *numerus apertus* no solo han encontrado argumentos normativos que permiten apoyar su tesis, como hemos señalado más arriba, sino que se han encargado de recalcar las bondades de un sistema más flexible y dinámico. Así, la obligación real, concebida como "un instrumento de variabilidad del derecho real concreto dentro de los tipos -abiertos, disponibles- que recoge nuestro ordenamiento"[576], permitirá, en determinados casos, crear nuevas fórmulas antes de ser reguladas normativamente[577]. No

---

[573] En este sentido puede destacarse la opinión de De Amunátegui, que afirma que "...no puede funcionar un abandono liberatorio fuera de los casos en que expresamente venga reconocido por el ordenamiento, sean los supuestos que sean y se califiquen como se califiquen". De Amunátegui Rodríguez, C., ob. cit., pág. 206.

[574] De Pablo Contreras, P., "El derecho real y sus caracteres", ob. cit., págs. 35 y 36. En contra, Hernández Gil, F., ob. cit., pág. 874.

[575] Díez-Picazo y Ponce de León, L., *Fundamentos del Derecho Civil Patrimonial Vol. III...,* ob. cit., pág. 160.

[576] De Castro Vítores, G., ob. cit., pág. 805.

[577] Román García, A., ob. cit., pág. 191; De Pablo Contreras, P., "El derecho real y sus caracteres", ob. cit., pág. 36.

estamos hablando, no obstante, de modificar un derecho real hasta el punto de crear otro nuevo a partir de una obligación real, sino, más bien, de adaptar los tipos establecidos mediante obligaciones *propter rem* en aras de satisfacer las nuevas necesidades sociales y económicas que puedan surgir[578].

Por lo que se refiere al tratamiento de la cuestión en Italia, durante la primera mitad del siglo pasado la jurisprudencia italiana, por razones prácticas[579], se decantó por realizar una interpretación amplia de la figura de la obligación real, lo que se tradujo en un uso, podríamos decir forzado de esta figura, en un intento de superar las limitaciones impuestas al derecho real de servidumbre[580], que no podía consistir en una conducta positiva en virtud del principio *servitus in faciendo consistere nequit*[581]. Ello produjo la contundente reacción por parte la doctrina en la medida en que se estimó que se estaba intentado superar la máxima romana mediante el empleo de una distinta denominación[582], esto es, que a través de una diversa designación (obligaciones *propter rem*) se estaba tratando de eludir la prohibición de crear servidumbres *in faciendo,* lo cual fue tildado por la doctrina como un importante error de método[583].

Un histórico giro jurisprudencial que data de mediados del siglo pasado[584] derivó en la consolidación de una clara tendencia a proclamar el número cerrado de las obligaciones reales[585], lo que no hace

---

[578]   De Castro Vítores, G., ob. cit., pág. 806.

[579]   Comporti, M., "Diritti reali in generale" in *Trattato…*, ob. cit., págs. 232 y 233.

[580]   Distaso, N., "Diritto reale, servitù e obbligazione *propter rem*", ob. cit., pág. 439.

[581]   Sobre esta regla nos referiremos cuando acometamos el estudio de los derechos reales *in faciendo.*

[582]   Biondi, B., *Las servidumbres…*, ob. cit., pág. 1252.

[583]   Balbi, G., ob. cit., pág. 165.

[584]   Cass. 18-1-1951 n. 41; Cass. 26-6-1952 n. 1896. Véase Manna, L., *Le obbligazioni propter rem*, CEDAM, Padova, 2007, pág. 34.

[585]   Bonomonte, C., ob. cit., pág. 371. En este sentido, resulta bastante ilustrativa la reflexión contenida en la Cass. 24-10-2018 n. 26987, donde se señaló que *"l'orientamento restrittivo, affermatosi a partire dagli anni '50 (Cass. 18/01/1951, n. 141), trova la ragion d'essere nell'esigenza di preservare il più possibile la natura di diritto pieno ed esclusivo della proprietà, quale riflesso del diritto di libertà individuale, onde la sottrazione all'autonomia privata del potere di prevedere liberamente tali obbligazioni al di fuori dei casi tassativamente indicati dalla legge".*

más que coincidir con la tesis doctrinal mayoritaria, la cual sostiene que las obligaciones *propter rem* únicamente pueden nacer de la ley[586], en la medida en que se trata de figuras que inciden de forma directa en los intereses de terceros[587]. De esta forma, en Italia se viene afirmando, de forma general, la tipicidad de las obligaciones reales cuyo único margen de autonomía de la voluntad ha de moverse en el estricto ámbito que le reserva la ley[588], de modo que los particulares no pueden, fuera de los supuestos previstos por el ordenamiento, vincular a sujetos ajenos a la relación jurídica[589].

La solución adoptada, ha sido, sin embargo, objeto de crítica por un número reducido de autores, quienes han visto en las obligaciones reales un mecanismo para satisfacer las nuevas exigencias de carácter socio-urbanístico, medioambiental e, incluso, sanitario[590]. No se trataría, pues, desde esta perspectiva, de recurrir a un cambio de etiquetas, al que aludía Grosso[591], entre servidumbres y obligaciones reales, sino, más bien, de dar vida a situaciones distintas de las que tradicionalmente no pueden ajustarse al estricto esquema de los tipos establecidos para el derecho real de servidumbre[592].

También se afirma la corriente jurisprudencial en otros pronunciamientos recientes, entre los cuales pueden citarse, Cass. 9-8-2018 n. 20694; Cass. 28-12-2016 n. 27175; Cass. 26-2-2014 n. 4572.

[586] Entre otros, Grosso, G., "Ancora sulle servitù reciproche e sulla tipicità delle obbligazioni *propter rem*", *Il Foro Padano* I, 1954, págs. 905 y ss.; De Luca, A., ob. cit., pág. 74; Biondi, B., *Las servidumbres...*, ob. cit., pág. 1251; Distaso, N., "Diritto reale, servitù e obbligazione *propter rem*", ob. cit., pág. 439; Barassi, L., *Instituciones de Derecho Civil...*, ob. cit., pág. 117; Tamburrino, G., *Le servitù*, UTET, Torino, 1968, pág. 48.

[587] Funaioli, C. A., "Oneri reali e obbligazioni *propter rem*: a proposito della distinzione fra diritti di credito e diritti reali", *Giustizia Civile* Vol. 3, 1953, pág. 170.

[588] Lupo Costi, M., "Un caso di obbligazione *propter rem*", *Giurisprudenza italiana* Vol. 131, 1979, pág. 796. Más suave es la postura de Grosso, para quien debe admitirse el juego de la autonomía de la voluntad privada en sede de obligaciones reales, quedando, no obstante, ello limitado al marco dibujado por la norma legal. Grosso, G., "Ancora sulle servitù...", ob. cit., págs. 908 y 909. También Romeo, C., ob. cit., pág. 405.

[589] Comporti, M., "Diritti reali in generale" in *Trattato...*, ob. cit., págs. 234 y 235.

[590] Bigliazzi Geri, L., Oneri reali e..., ob. cit., pág. 63.

[591] Grosso, G., "Tipicità delle obbligazioni *propter rem*" en *Giurisprudenza completa della Corte Suprema di Casazione. Sezione Civile*, 1951, pág. 252.

[592] Bigliazzi Geri, L., Oneri reali e..., ob. cit., pág. 64.

En la línea de lo anterior, cabe destacar que, a pesar de su consolidada jurisprudencia en la materia, la *Corte di Cassazione* ha admitido en ciertas ocasiones la creación de obligaciones *propter rem* atípicas en el ámbito de la propiedad horizontal y las relaciones edilicias con el fin de atender a las nuevas necesidades sociales[593]. La doctrina habla, sin embargo, de pronunciamientos aislados, de modo que, hasta que se legisle sobre la materia, se considera conveniente recurrir a la figura de las servidumbres recíprocas[594]. En este sentido, Fusaro ha querido destacar que la confirmación jurisprudencial de la tipicidad de las obligaciones *propter rem* coincidió con la progresiva admisión de las servidumbres recíprocas, categoría que fue rechazada en un primer momento[595].

b)   Autonomía privada y obligaciones *propter rem*

La cuestión del posible juego de la autonomía privada en materia de creación de obligaciones *propter rem* no se reside tanto en debatir si se trata de un supuesto de *numerus clausus* o de *numerus apertus* como en fijar de manera adecuada los requisitos y los límites que se exigen para su configuración[596]. En este sentido y aunque resulte una obviedad, la creación de cualquier obligación real pasa, en primer lugar, por la necesaria concurrencia de sus elementos estructurales que, como hemos comprobado a lo largo de los apartados anteriores, se resumen,

---

[593]   Bianca, C. M., "Oneri reali e obbligazioni reali: tra *numerus clausus*, principio di relatività dei contratti e funzione sociale della proprietà" en *A l'Europe du troisieme millenaire. Mélanges offerts à Giuseppe Gandolfi à l'ocassion du dixième anniversaire de la fondation de l'Académie Vol. I*, Giuffrè, Milano, 2004, págs. 539-541.

[594]   Romeo, C., ob. cit., págs. 406 y ss. Uno de los pronunciamientos es ampliamente comentado en Agnese, E., "Note in tema di obbligazioni reali atipiche e di «scopo economico» nei consorzi di urbanizzazione", *Diritto e giurisprudenza* Vol. 119 fasc. 4, 2004, págs. 696 y ss.

[595]   Fusaro, A., "Dalle obbligazione *propter rem* alle servitù prediali: i vincoli di fonte negoziale al contenuto della proprietà", *Rassegna di Diritto Civile* núm. 3, 2016, pág. 815. Sobre las servidumbres recíprocas nos detendremos en otro apartado de este trabajo.

[596]   Aunque se refiere a los derechos reales, en nuestro razonamiento subyace la idea que se propone en Díez-Picazo y Ponce de León, L., "Autonomía Privada y Derechos Reales" en *Libro Homenaje a Ramón Mª Roca Sastre Vol. II*, Junta de Decanos de los Colegios Notariales, Madrid, 1976, págs. 321 y ss.

básicamente en la especial designación del sujeto pasivo, de un lado, y en su relación de accesoriedad respecto del derecho real, de otro.

En cuanto a los límites a la autonomía privada, la condición de la obligación *propter rem* como una obligación común puede darnos ciertas pautas a la hora de esclarecer cuáles son las limitaciones a las que los particulares se deben atener en la construcción de figuras atípicas. En este sentido, parece que las obligaciones reales deberían estar sujetas a los límites generales que impone el art. 1255 Cc, esto es, la ley, la moral y el orden público[597]. Nos detendremos en el estudio de cada uno de ellos en otro punto de este trabajo; no obstante, cabe señalar, en cuanto al límite impuesto por el respeto a las leyes, que, dada la materia, resultan especialmente relevantes las restriccio-

---

[597] De Pablo Contreras, P., "El derecho real y sus caracteres", ob. cit., págs. 35 y 36. La posible aplicación de este precepto a las obligaciones *propter rem* parece haber sido admitida por nuestro Alto Tribunal cuando señaló en su STS 1 julio 1996 (TOL1.659.660) que "...*el propio beneficiario de aquella limitación de no sobreedificar, el citado demandado, vino como a ceder el derecho a su exigencia a los hoy actores al incluirse el contenido de dicha cláusula en sus respectivas escrituras de compraventa, posibilidad negocial que, al debatirse su exigencia dentro de la esfera de obligados directos o causahabientes por traslación de los derechos así gestados, no sólo no viola el susodicho art. 1256 C.c., sino que se ampara en la libertad negocial del art. 1255 C.c., que también, siguiendo la mejor doctrina, debe funcionar aun cuando el contenido de esos derechos equivalga a una suerte de obligación "propter rem" a cargo de la contraparte constreñida pues, al gravamen de no sobreedificar...*".

nes que la Ley de Propiedad Horizontal (arts. 5 y 6 LPH[598]) impone a la modificación y a la creación de obligaciones *propter rem*[599].

---

[598] El art. 5 LPH dispone que *"el título podrá contener, además, reglas de constitución y ejercicio del derecho y disposiciones no prohibidas por la ley en orden al uso o destino del edificio, sus diferentes pisos o locales, instalaciones y servicios, gastos, administración y gobierno, seguros, conservación y reparaciones, formando un estatuto privativo que no perjudicará a terceros si no ha sido inscrito en el Registro de la Propiedad"*. En este sentido, la SAP Vizcaya (Sección 3ª) 5 septiembre 2005 (TOL791.734) ha venido a resaltar que "...*los Estatutos de la Comunidad lo integran aquellas normas o pactos normativos tendentes a regular la vida de la Comunidad, de la Propiedad Horizontal, una vez creada por el contrato constitutivo, todas aquellas que creen un derecho subjetivo a favor de todos o algunos de los condueños, al igual que toda clase de derechos reales, obligaciones propter rem u ob rem en orden al uso y disfrute de las cosas privativas o comunes, en una palabra, todas las normas que integran derecho y no mera cuestión administrativa. Los estatutos están limitados por la ley y concretamente por las normas contenidas en la de propiedad horizontal, que tengan carácter inamovible, por la moral, por el orden público, en el sentido de respeto igualmente a los principios básicos que se abstraen del conjunto de las leyes. La función de los estatutos ha de integrar la ley. Dentro de dicho contexto los Estatutos suponen expresión de la autonomía de la voluntad"*. En idéntico sentido, la SAP Pontevedra (Sección 1ª) 20 enero 2010 (TOL1.835.077).
Por su parte el art. 6 LPH establece que *"...dentro de los límites establecidos por la Ley y los estatutos, el conjunto de propietarios podrá fijar normas de régimen interior..."*.

[599] En este sentido, debe tenerse en cuenta, en relación con la posible creación de obligaciones reales en el ámbito de la Propiedad Horizontal por vía estatutaria, que, *"es constante la doctrina del TS que ya desde las SS 7 Feb. y de 21 Oct. 1976 sienta una tendencia favorable a limitar el principio de autonomía de la voluntad en materia de propiedad horizontal, declarando la nulidad de cláusulas estatutarias que contradigan lo dispuesto en el art. 5 de la citada Ley, puesto que priman sobre el citado principio de autonomía de la voluntad las relaciones de vecindad (TS S 28 Jun. 1986)"*. SAP Córdoba (Sección 1ª) 16 junio 1999 (LA LEY 96067/1999). En la STS 31 enero 1987 (TOL1.739.671) se señala, asimismo, que el desenvolvimiento de la autonomía privada en el ámbito estatutario tiene como límite el respeto a la Ley de Propiedad Horizontal.
En este contexto, cabría destacar que el promotor inmobiliario se halla igualmente constreñido por las normas de la LPH en lo que a la configuración del régimen de propiedad horizontal se refiere. Así, no podría introducirse en el título constitutivo una cláusula en virtud de la cual se exonerase total o parcialmente (aunque de forma notable) al promotor de contribuir al pago de los gastos comunes (obligación *propter rem*) mientras continúe siendo el propietario de alguna o algunas de las unidades privativas de la finca. En este sentido se pronuncia Díaz Martínez, A., "Límites de la autonomía de la voluntad en la organización del ré-

Por lo que se refiere a los límites impuestos por el respeto a la moral y al orden público, estos funcionan como un mecanismo de control causal del concreto negocio jurídico (arts. 1255 y 1275 Cc)[600], de modo que podrán crearse obligaciones *propter rem* no previstas por el legislador siempre que "…exista una causa que desde el punto de vista del ordenamiento jurídico sea suficiente para poder llevarlo a cabo…"[601]. De este modo, aquello que Bigliazzi señala como intereses merecedores de tutela (*ex* art. 1322.2 *Codice civile*)[602], podría traducirse en nuestro ordenamiento en una la necesidad de la existencia de una causa suficiente que persiga finalidades socioeconómicas dignas de protección[603].

No obstante lo anterior, hemos de poner de relieve que Díez-Picazo sostiene que, además de las observaciones ya apuntadas, la creación de las obligaciones *propter rem* pasa necesariamente por el cumplimiento de otras exigencias, "…especialmente de determinación y de forma, que para la producción de un efecto jurídico real son

---

gimen de propiedad horizontal: promotor inmobiliario, propietarios singulares y comunidad" en *Derecho y autonomía privada: Una visión comparada e interdisciplinar. Actas del Congreso Internacional «Límites a la autonomía de la voluntad» celebrado en la Facultad de Derecho de la Universidad de Zaragoza los días 29 y 30 de septiembre de 2016* (dir. Parra Lucán, M.ª A.), Comares, Granada, 2017, págs. 234-236. Esta postura es también la adoptada por la mayor parte de las Audiencias Provinciales [entre otros pronunciamientos: SAP Burgos (Sección 3ª) 14 septiembre 2011 (TOL2.248.473); SAP A Coruña (Sección 4ª) 2 febrero 2012 (TOL2.445.299); SAP Santa Cruz de Tenerife (Sección 4ª) 19 octubre 2012 (TOL3.023.853); SAP Asturias (Sección 7ª) 17 julio 2014 (TOL4.481.621); SAP Cantabria (Sección 4ª) 19 diciembre 2014 (TOL4.093.768); SAP Málaga (Sección 5ª) 27 enero 2015 (TOL5.003.632)] y por la Dirección General de los Registros y del Notariado [RDGRN 15 abril 2010 (TOL1.859.294)]. En contra, la STS 14 diciembre 2005 (TOL795.275).

600   Méndez González, F. P., ob. cit., págs. 809 y ss.
601   Díez-Picazo y Ponce de León, L., *Fundamentos del Derecho Civil Patrimonial Vol. III…*, ob. cit., pág. 160.
602   Bigliazzi Geri, L., Oneri reali e…, ob. cit., pág. 63.
603   Véase Díez-Picazo y Ponce de León, L., *Fundamentos del Derecho Civil Patrimonial Vol. III…, ob. cit.*, pág. 160. Como afirma De Castro Vítores "…la obligación puede vincularse al derecho real cuando está justificado por su función y su engarce material en la relación de reparto, de forma análoga o semejante a las previstas por la ley para funcionar de esta manera". De Castro Vítores, G., ob. cit., pág. 802.

necesarios"[604]. Dada su frecuente equiparación con las obligaciones comunes, creemos que el problema no subyace directamente en los requisitos de forma (art. 1278 Cc)[605] o de determinación (art. 1273 Cc)[606], sino en la cuestión de su publicidad y eficacia frente a terceros.

Como ha querido hacer notar De Castro Vítores, la inscripción en nuestro ordenamiento no es, por lo general, constitutiva, de modo que, en principio, el fenómeno jurídico-real puede existir en el plano extrarregistral[607]. En este sentido, ya hemos tenido la oportunidad de comprobar que los derechos reales se caracterizan por su oponibilidad natural, de modo que, en principio, pueden hacerse valer *erga omnes* sin necesidad de que se hallen inscritos[608]. Más compleja es la cuestión en materia de obligaciones *propter rem*, de modo que parte de la doctrina considera que su eficacia frente a terceros se hace depender de su constancia registral[609]. Este razonamiento no reside, sin embargo, en el hecho de que se considere que la creación de este tipo de figura requiere como requisito ineludible su inscripción en el Registro de la Propiedad[610], sino que, por el contrario, se estima que la publicidad registral será un elemento decisivo en lo que respecta a la oponibilidad de este tipo de obligaciones frente a futuros adquirentes[611].

---

[604] Díez-Picazo y Ponce de León, L., *Fundamentos del Derecho Civil Patrimonial Vol. III...*, ob. cit., pág. 160.

[605] En nuestro ordenamiento existe, como regla general, libertad de forma en materia contractual, sin perjuicio de lo dispuesto en los arts. 1279 y 1280 Cc. De este modo, parece que, en principio, la obligación *propter rem* deberá atender a las formalidades propias de las obligaciones de carácter común, salvo disposición legal en contrario.

[606] La creación de cualquier derecho de crédito requiere un mínimo de determinación. Esta premisa ha de cumplirse igualmente respecto de las obligaciones *propter rem* atípicas.

[607] De Castro Vítores, G., ob. cit., págs. 807 y 808.

[608] Sobre este tema volveremos en los siguientes capítulos de nuestro trabajo, sobre todo en lo que se al examen de los derechos de adquisición preferente de origen voluntario.

[609] De los Mozos y De Los Mozos, J. L., "La obligación real...", ob. cit., pág. 358.

[610] Por lo que respecta al ordenamiento jurídico italiano, Lupo Costi estima que la *trascrizione* no dota de realidad a la obligación, la cual tiene siempre naturaleza crediticia. Véase Lupo Costi, M., ob. cit., pág. 800.

[611] De Amunátegui Rodríguez, C., ob. cit., pág. 206. Las consideraciones sobre la importancia de la publicidad de las obligaciones reales atípicas han calado tan hondo que incluso la jurisprudencia italiana que, recordemos, niega de forma categórica

Siguiendo el hilo de lo anterior, conviene realizar, con De los Mozos, una distinción entre las obligaciones reales convencionales, nacidas dentro de los márgenes previstos por las normas legales, y aquellas cuyo origen reside únicamente en la voluntad de las partes[612]. Por lo que se refiere a las primeras, cabe señalar que la Dirección General de los Registros y del Notariado ha admitido, en determinadas ocasiones, su inscripción en el Registro de la Propiedad[613]. Ello no se traduce, ni mucho menos, en que este tipo de obligaciones estén sujetas a inscripción constitutiva[614], ya que existen determinados supuestos en los cuales no solo no se exige su inscripción, sino que, además se rechaza, como es el caso de las normas de régimen interior de la comunidad de propietarios, a las cuales alude el art. 6 LPH[615]. La inexistencia de publicidad registral en este último supuesto ha generado preocupación acerca de la posición de futuros adquirentes que entran en la comunidad sin que el vendedor les haya puesto en antece-

---

la constitución de obligaciones reales atípicas, ha señalado en algún pronunciamiento que en el remoto caso de que se permitiese a los particulares crear obligaciones *propter rem* al margen de las típicamente establecidas, ello estaría sujeto a la *trascrizione* de la concreta obligación. Grosso, G., "Ancora sulle servitù...", ob. cit., pág. 910. En este punto Manna recuerda que aunque antes de los años cincuenta la jurisprudencia italiana había admitido la oponibilidad de la obligación real por la propia inscripción del acto y sin que tuviera que mencionarse en la *trascrizione*, lo cual cambia a partir de un pronunciamiento de 1949 (pocos años antes de proclamarse el número cerrado de esta figura), en el que se exige la *trascrizione* de la obligación para perjudicar a tercero. Manna, L., ob. cit., pág. 32.
Este razonamiento es el que subyace en la SAP Toledo (Sección 2ª) 4 febrero 2015 (TOL4.767.347), cuando se señala que "...*el citado acuerdo no contiene meras obligaciones "propter rem", sino la voluntad de constitución de un derecho real como es la servidumbre de medianería. Y en todo caso, aunque fuera una obligación "propter rem", al ser del tipo voluntario, es evidente que su oponibilidad a terceros exige idénticos requisitos de publicidad, como sería la existencia de un signo aparente o, lo más lógico, su acceso al Registro de la Propiedad*".

612 De los Mozos y De Los Mozos, J. L., "La obligación real...", ob. cit., pág. 358.
613 RDGRN 20 diciembre 1973 (LA LEY 18/1973) y 19 diciembre 1974 (LA LEY 13/1974).
614 Así lo apunta De los Mozos y De Los Mozos, J. L., "La obligación real...", ob. cit., pág. 358.
615 SAP Barcelona (Sección 11ª) 9 septiembre 2004 (TOL7.852.719) y RDGRN 23 julio 2001 (LA LEY 6337/2001).

dente sobre las citadas normas de régimen interior[616]. En este sentido, Sánchez-Ferrero considera que la imposibilidad de acceso al Registro no puede esgrimirse en este caso como argumento que sirva de base para impedir la aplicación del reglamento de régimen interior a los nuevos propietarios, los cuales quedan vinculados por el mismo[617]. Estas apreciaciones no son extensibles, sin embargo, a las eventuales obligaciones reales introducidas por vía estatutaria, ya que el art. 5 LPH establece que un estatuto no inscrito no podrá perjudicar a terceros, ello entendido, sin perjuicio, del posible conocimiento extrarregistral de la concreta obligación[618].

---

[616] Magro Servet, V., *Aspectos procesales y sustantivos de las acciones de cesación del art. 7.2 LPH en las comunidades de propietarios: doctrina, jurisprudencia aplicable, praxis y formularios*, La Ley, Madrid, 2011, pág. 171.

[617] Sánchez-Ferrero y García, M., "Las obligaciones ambulatorias o *propter rem* en el régimen de propiedad horizontal", A. C. núm. 2, abril 2001, pág. 694. También Gallego Brizuela, C., "Comentario al artículo 6" en *Ley de Propiedad Horizontal comentada y con jurisprudencia*, La Ley, Las Rozas, 2014, pág. 369. En igual sentido se pronuncia la Audiencia Provincial de Madrid al señalar en la SAP Madrid (Sección 20ª) 3 noviembre 2009 (TOL1.760.193) que *"la atribución del carácter de norma de régimen interior que se atribuye al acuerdo en cuestión conlleva, por imperativo del indicado artículo 6, tal como antes hemos indicado, que las normas así adoptadas "obligarán también a todo titular mientras no sea modificado en la forma prevista para tomar acuerdos sobre la administración"; es decir que, con independencia de quien sea el concreto titular o momento a partir del que lo sea, la obligación durará hasta que no se modifique..."*.

[618] En la SAP Pontevedra (Sección 1ª) 25 febrero 2013 (TOL3.660.232) se puso de manifiesto que *"...en relación al ámbito de extensión del concepto "terceros" utilizado en el precepto, la doctrina mayoritaria (Martín Granizo, Fuentes Lojo) considera que comprende a las personas ajenas al negocio jurídico originador de los estatutos, incluyendo, por tanto, a los posteriores adquirentes a título derivativo de un piso o local en el inmueble. De modo que, si los estatutos o, en su caso, sus modificaciones no figuran inscritos, el posterior adquirente del piso o local no queda vinculado por las disposiciones estatutarias, salvo que las conozca"*. Ello no quiere decir, sin embargo que, *"...los estatutos no inscritos en el Registro de la Propiedad carezcan de validez, porque se trata de un acuerdo de voluntad plenamente eficaz entre los que han intervenido en su formación e incluso vinculará a los demás comuneros siempre y cuando se hayan cumplido las normas que establece la Ley de Propiedad Horizontal para la adopción de acuerdos y no se hayan anulado en virtud de resolución judicial firme, lo que refiere la citada norma es que no perjudicaran a tercero"*. Véase la SAP Islas Baleares (Sección 5ª) 26 octubre 2006 (TOL1.027.791).
Ha de destacarse que el tercero al que alude el art. 5 LPH se entiende en el sentido de tercero de buena fe. Pérez Álvarez, M. A., "La propiedad horizontal"

En vista de lo hasta aquí expuesto, puede decirse que la controversia principal queda centrada, pues, en la cuestión de la oponibilidad de las obligaciones reales que surgen fuera de los márgenes previstos por las normas[619]. Sobre esta disyuntiva, queremos llamar la atención sobre el hecho de que parte de la doctrina, como hemos expuesto, considera que para que la obligación real atípica pueda oponerse a terceros es necesario que sea objeto de publicidad registral, pero, al mismo tiempo, resulta difícil justificar el acceso al Registro de la Propiedad de una obligación, aunque se trate de una obligación real. En este sentido, la Dirección General de los Registros y del Notariado ha rechazado, por ejemplo, la inscripción de un pacto denominado "supervivencia del arrendamiento en caso de ejecución hipotecaria"[620],

---

en *Curso de Derecho Civil III Derechos Reales* (coord. De Pablo Contreras, P.), 4ª ed. reimp., Edisofer, Madrid, 2016, pág. 205. Véase, asimismo, Martínez-Gil Pardo de Vera, J., "La autonomía de la voluntad en la propiedad horizontal" en *Autonomía de la voluntad en el Derecho Privado T. III-2 Derecho Patrimonial 2 Estudios en Conmemoración del 150 aniversario de la Ley del Notariado* (coord. Prats Albentosa, L.), Wolters Kluwer España, Madrid, 2012, pág. 585 nota al pie núm. 14.

[619] En este sentido, Manna ha apuntado que solo cabe la *trascrizione* de las obligaciones típicas y con ello se refiere no solo a las nacidas por imperativo legal, sino también a aquellas fruto de una convención entre particulares, que surgen como consecuencia del ejercicio de una facultad que prevé una norma. Manna, L., ob. cit., pág. 32.

[620] RDGRN 26 junio 2014 (LA LEY 100486/2014). En la cláusula se estipulaba concretamente que "*Caja Rural... (o quien a ésta suceda como Acreedora Hipotecaria), renuncia expresamente a solicitar, en caso de ejecución de la hipoteca, que se declare por el tribunal o juzgado correspondiente -conforme al artículo 661.2 de la Ley de Enjuiciamiento Civil- o por el notario o autoridad que lleve a cabo la ejecución, que «Esla Renovables, S.L.U.» no tiene derecho a permanecer en el inmueble, una vez que éste se haya enajenado en la ejecución. En consecuencia y siempre que se encuentren al día en el pago de sus rentas por arrendamiento, Caja Rural de Granada no tendrá derecho a resolver el contrato de arrendamiento y Esla Renovables S.L.U. tendrá derecho a permanecer en el inmueble a pesar de la transmisión de las fincas hipotecadas en ejecución de la hipoteca».* La presente cláusula es pactada a favor de Esla Renovables, S.L. quien presente en este acto, acepta la misma. Las partes solicitan la inscripción de la presente cláusula en el Registro de la Propiedad...". Asimismo, debe tenerse en cuenta que en el recurso contra la calificación de la registradora se puso de relieve que "*aun tratándose de un contenido obligacional, existe una trascendencia jurídico-real en dicho pacto en tanto en es una obligación propter rem, y la estipulación cuya inscripción se solicita se trata, como dice el propio artículo 7*

porque, dejando a un lado que en este caso concreto la redacción del acuerdo no era clara en cuanto a si se pretendía extender sus efectos a las partes o si también se pretendía incluir a terceros adquirentes[621], lo cierto es que se apreció que esa posible subsistencia del arrendamiento no *"…puede extrapolarse a terceros adjudicatarios, que podrán renunciar en su momento si lo creen conveniente a la extinción (purga) del arrendamiento posterior a la hipoteca, pero que no han de quedar vinculados ex ante por lo que otros convinieron"*[622]. Ello derivó en su calificación como un mero derecho de carácter personal no inscribible en el Registro de la Propiedad en virtud de lo dispuesto en el art. 98 LH.

Nos hallamos, pues, ante un círculo vicioso, si se le puede llamar así, que ha dado lugar a distintas posturas que no son del todo satisfactorias o, mejor dicho, que no resultan del todo concluyentes. Ante ello, De Castro Vítores ha optado, desde nuestro punto de vista de forma acertada, por admitir el acceso al Registro de este tipo de obligaciones, razonamiento que se apoya en la relación de accesoriedad que mantiene la *obligatio propter rem* respecto del derecho real[623]. En este sentido, debe tenerse en cuenta que la obligación real podrá hacerse valer frente a terceros no porque sea oponible *per se*, sino, como

---

del Reglamento Hipotecario, de una cláusula contractual que, sin tener nombre propio en derecho, modifica, desde luego o en lo futuro, algunas de las facultades del dominio sobre bienes inmuebles o inherentes a derechos reales, como es, en este caso, la hipoteca".

[621] Así, el Centro directivo señaló que *"en el supuesto que motiva este recurso el pacto debatido adolece de falta de la claridad deseable, pues parece circunscribirse al actual acreedor hipotecario y al que le suceda, vocablo que puede entenderse referido a supuestos de sucesión en sentido estricto mediante una modificación estructural (fusión, absorción) y no de una cesión o transmisión sin más del derecho derivado de la posición contractual del acreedor, aunque sería lógico extenderlo también a estos supuestos, dado los efectos de la cesión de su posición contractual, y ello mediante la interpretación más adecuada para que la cláusula produzca efectos (cfr. artículo 1284 del Código)…"*. RDGRN 26 junio 2014 (LA LEY 100486/2014).

[622] RDGRN 26 junio 2014 (LA LEY 100486/2014).

[623] De Castro Vítores, G., ob. cit., págs. 365, 366, 367, 370, 373, 780 y 781. A favor del acceso al Registro de este tipo de obligaciones se muestran, asimismo, Álvarez Olalla, P. *et al.* en *Manual de Derecho Civil…*, ob. cit., pág. 37.

hemos dicho, porque es accesoria al derecho real, lo que justifica a su vez su posible constancia registral[624].

Enlazando con lo anterior, entendemos, asimismo, que en aquellos casos en los que la obligación real atípica no se encuentre inscrita, el adquirente quedará vinculado si se prueba que tenía conocimiento extrarregistral de la misma[625]. Este razonamiento parece haber sido igualmente acogido por la jurisprudencia del Tribunal Supremo, ya que en recientes pronunciamientos ha destacado que la dicción del art. 1257 Cc no es óbice para sostener la vinculación de nuevos adquirentes respecto de las obligaciones *propter rem* que se encuentran ligadas al derecho real del cual son titulares[626]. De este modo, nuestro Alto Tribunal ha puesto de relieve que *"...tales obligaciones van necesariamente unidas a una titularidad jurídico-real, de modo que su vinculación para el adquirente es necesaria consecuencia de la trasmisión del derecho real"*[627]. La vinculación; no obstante, estará condicionada, como se ha señalado con anterioridad, al conocimiento de la existencia de la obligación. En este sentido, resulta interesante reproducir los argumentos expuestos por el Tribunal Supremo, el cual ha señalado que *"...tratándose de compromisos que afecten a la consistencia, existencia y demás circunstancias del derecho trasmitido, que se puedan tildar de reales se habrá de estar a las salvedades que procedan de la aplicación de principios hipotecarios, debiendo ser tenida en cuenta la protección registral o, al menos, el conocimiento por el causahabiente a título particular (...) de ahí que, planteándose la oponibilidad del contrato para que sea respetado por terceros, será preciso su publicidad o el conocimiento de aquel por éstos..."*[628].

Teniendo en cuenta lo expuesto con anterioridad, podemos afirmar que los particulares podrán crear obligaciones reales distintas de las previstas por las normas, siempre y cuando su nacimiento esté justificado. Así, como hemos visto, las obligaciones *propter rem*

---

[624] Véase nuevamente De Castro Vítores, G., ob. cit., págs. 365, 366,367, 370, 373, 780 y 781.

[625] De Castro Vítores, G., ob. cit., pág. 818.

[626] Esta postura parece ponerse de manifiesto en la STS 11 abril 2011 (TOL2.160.886). Véase, igualmente, la STS 28 marzo 2012 (TOL2.517.806).

[627] STS 6 octubre 2015 (TOL5.512.984).

[628] Nuevamente STS 6 octubre 2015 (TOL5.512.984).

atípicas serán oponibles al nuevo adquirente en aquellos supuestos en los que estén dotadas de publicidad registral o hayan podido ser conocidas extrarregistralmente, lo cual no solo nos parece que es coherente con los principios de nuestro ordenamiento, sino que, además, resulta beneficioso, en la medida en que servirán para responder a nuevas necesidades sociales a través de una vía jurídica[629]. A ello se ha objetado que la posibilidad de crear obligaciones *propter rem* atípicas no resulta tan relevante, en la medida en que la amplitud del derecho real de servidumbre en nuestro ordenamiento permite la regulación de un holgado abanico de obligaciones secundarias[630]. Sin embargo, no compartimos este argumento, ya que aunque es cierto que el derecho de servidumbre ofrecerá a los particulares un amplio margen de actuación, este no será siempre el mecanismo más idóneo para satisfacer sus intereses, ya que una cosa es el derecho real y otra la obligación real, aunque ambas instituciones se encuentren íntimamente conectadas[631]. Como ya apuntábamos, en Italia, donde rige un

---

[629] En la RDGRN 28 abril 2016 (TOL5.747.426) se planteó la cuestión de si era posible inscribir en el Registro de la Propiedad un pacto contenido en una escritura de compraventa que confería un derecho de realojo e indemnización a la parte vendedora. La Dirección General entendió, sin embargo, que, en el caso del derecho a la indemnización este tenía un carácter meramente personal, lo que impedía su acceso al Registro (*ex* art. 98 LH). Por otro lado, el derecho a realojo no cumplía con los requisitos exigidos por las normas urbanísticas e hipotecarias para su inscripción, por lo que denegó, asimismo, su inscripción. No obstante, en lo que respecta a nuestro estudio, resulta relevante que la propia Dirección estime posible que los particulares puedan crear un derecho de realojo de carácter convencional y, por ende, distinto del legal, "*en cuya virtud una parte se obliga frente a quien ocupa una determinada finca en virtud de un título jurídico, y que se ve impedido de seguir haciéndolo, a garantizarle el realojamiento en otra finca, con las condiciones y en el plazo estipulados, situación jurídica que constituye en este caso una auténtica obligación «propter rem», que podrá constatarse también en la forma prevista por el artículo 15 del Reglamento Hipotecario*". Nos encontramos, pues, ante un caso en el que la Dirección General parece reconocer abiertamente la posible constitución de una obligación *propter rem* atípica, aunque ha de hacerse notar que lo hace depender de su inscripción en el Registro al apuntar que "*lo que no debe confundirse es el derecho de realojo o retorno de origen convencional* (sic), *cuya eficacia y alcance respecto a terceros requerirá una clara estipulación y constancia registral, con el derecho de realojamiento o retorno reconocidos por la legislación urbanística…*"

[630] De Amunátegui Rodríguez, C., ob. cit., pág. 207.

[631] Recordemos, Bianca, C. M., "Oneri reali e obbligazioni reali…", ob. cit., pág. 540.

sistema basado en el principio del *numerus clausus*, la jurisprudencia recurrió durante un tiempo a la figura de la obligación *propter rem* para satisfacer determinadas necesidades, que paradójicamente hoy se intentan cubrir mediante el recurso a las servidumbres recíprocas[632].

2.3. Las cargas reales

A) *Dificultades que plantea la noción de carga real*

Entre el elenco de instituciones que los manuales de Derecho Privado agrupan bajo la denominación de figuras intermedias se encuentra, asimismo, la carga real. En este sentido, la doctrina ha reconocido la dificultad de encuadrar esta figura en el marco de nuestro sistema patrimonial, ya que, al igual que ocurría en el caso del *ius ad rem* y de las obligaciones reales, la carga real cuenta aparentemente con caracteres que podrían fundamentar su adscripción tanto a la rama de los derechos reales como, por el contrario, a la de los derechos de crédito, sin perjuicio de que existan voces que ven en ella una institución de naturaleza mixta. Debe advertirse, no obstante, que en el caso de las cargas existen graves problemas de concreción de la figura debido ello, en gran medida, a la confusión terminológica que ha introducido el legislador en el ordenamiento y que se ha extendido a la doctrina y jurisprudencia[633]. De este modo, el término carga es empleado en ramas distintas del Derecho Civil e, incluso, dentro de este existen car-

---

[632] Precisamente Bianca critica este hecho al señalar que las obligaciones *propter rem* y las servidumbres son dos instituciones diversas, que cumplen distintas funciones. Véase Bianca, C. M., "Oneri reali e obbligazioni reali...", ob. cit., pág. 540.

[633] Es cierto que las figuras que hemos examinado con anterioridad (*ius ad rem* y obligaciones reales) plantean, asimismo, problemas terminológicos, no obstante, no son tan graves como los que se dan en el ámbito de la carga real. Así parece señalarlo Rubio Garrido al comparar la figura de la carga real con la de la obligación *propter rem*. Véase Rubio Garrido, T., *La propiedad inmueble...*, ob. cit. pág. 159. De este modo, se ha dicho que "tampoco es unánimemente admitido un concepto unívoco de carga real, lo que se advierte en las diversas explicaciones que pueden predicarse de las cargas reales...". Torrent Ruiz, A., "Estudios sobre la *servitus oneris ferendi* II cargas reales" en *Estudios de Derecho Romano en memoria de Benito Mª Reimundo Yanes T. II* (coord. Murillo Villar, A.), Servicio de Publicaciones Universidad de Burgos, Burgos, 2000, pág. 544.

gas de distinta naturaleza. Asimismo, la expresión carga es empleada como sinónimo de otros conceptos sobre los cuales nos detendremos en nuestra exposición, no quedando claro si, efectivamente, existe identidad entre los mismos o si, por el contrario, se trata de términos entre los cuales no puede o no debe apreciarse identidad.

Debe destacarse que gran parte la problemática descrita se debe, en nuestra opinión, a la incertidumbre y confusión que siempre ha existido en cuanto al origen de la carga real, lo que dificulta, en gran medida, su comprensión. Así, la doctrina vincula el nacimiento de esta figura al derecho vigente en distintas épocas históricas que comprenden un período de gran amplitud, como son el Derecho romano[634], el Derecho germánico[635] y el imperante en la Edad Media[636]. De este modo, aunque, bajo nuestro punto de vista, lo más adecuado sea situar su génesis o, al menos, su difusión en la época medieval[637], ello no nos permite ser totalmente precisos en cuanto a la evolución histórica de esta figura[638] hasta el momento en el cual es desterrada de

---

[634] Los defensores de esta tesis no parecen ponerse de acuerdo en cuanto al origen público (Bussi, E., "Il diritto di censo come onere reale", *Il Foro della Lombardia* I, 1933, pág. 346; Biondi, B., *Las servidumbres...*, ob. cit., pág. 1219) o privado de la institución (De Luca, A., ob. cit., pág. 24 parece reconocer ciertos tipos de cargas reales de carácter privado, además de las que existían en el derecho público).

[635] Guerini, A., "Le obbligazioni *propter rem*" en *Le obbligazioni Vol. I* (a cura di Franzoni, M.), UTET, Torino, 2004, pág. 1626; Bigliazzi Geri, L., Oneri reali e..., ob. cit., pág. 2.

[636] Planitz, H., *Principios de Derecho Privado Germánico* (trad. a la 3ª ed. alemana Melón Infante, C.), Bosch, Barcelona, 1957, pág. 137.

[637] Así lo creen también Domínguez Platas, J., *Obligación y derecho real...*, ob. cit. pág. 212; Coviello, L., *Le servitù prediali: lezioni dell'anno 1925-1926* (a cura di Stolfi, G.), Napoli, 1926, pág. 176.

[638] En este punto pueden consultarse las obras que se enumeran a continuación: De Castro Vítores, G., ob. cit., págs. 62 y ss.; Rubio Garrido, T., *La propiedad inmueble y el mercado hipotecario (Itinerario histórico y régimen vigente)*, Montecorvo, Madrid, 1994, págs. 34 y ss.; Grossi, P., *Le situazioni reali nell'esperienza giuridica medievale*, CEDAM, Padova, 1968, págs. 59 y ss.; Ourliac, P. y De Malafosse, J., *Derecho Romano y francés histórico T. II* (trad. Fairén, M.), Bosch, Barcelona, 1960, págs. 338 y ss.; Trifone, R., Voz "Oneri reali (storia del diritto)" en *Novissimo Digesto italiano Vol. XI*, UTET, Torino, 1965, págs. 926-928; Gandolfi, G, Voz "Onere reale" en *Enciclopedia del diritto T. XXX*, Giuffrè, Milano, 1980, págs. 127 y ss.

gran parte de los códigos europeos[639] salvo la destacada excepción de los códigos civiles alemán y suizo[640].

La confusión acerca del origen histórico de la carga real evidencia que nos encontramos ante una institución cuyo examen resulta especialmente dificultoso, hasta el punto de que algún autor ha afirmado que se trata de "...una de las figuras jurídicas más confusas y complejas en su estudio y análisis, sobre todo en lo que concierne a su ubicación dentro de la sistematización de los derechos patrimoniales"[641].

La oscuridad que rodea a la institución de la carga real se debe, en gran medida, a la imposibilidad de establecer un concepto técnico[642] que nos sirva de base para crear una auténtica teoría sobre la carga real en nuestro sistema, ya que, además de no contar con una regulación legal específica[643], se trata de un término que es empleado en distintos sentidos y que cuenta con un amplio número de acepciones[644]. Respecto de este último punto debe tenerse en cuenta, en primer lugar, que el término carga no solo es utilizado en el ámbito del Derecho privado, sino que también es empleado en diversas ramas del Derecho público, sobre todo en lo que se refiere al sector tributario[645] y al

---

[639]   De los Mozos y De Los Mozos, J. L., "La obligación real...", ob. cit., pág. 337.

[640]   Debe hacerse notar que según un sector doctrinal el ABGB austriaco parece recoger, en cierta medida, la figura de la carga real en el § 443. Gandolfi, G, ob. cit., págs. 137 y 138.

[641]   Cerdeira Bravo de Mansilla, G., *Derecho o Carga real...*, ob. cit., pág. 208.

[642]   González Palomino, J., "La liberación de cargas y la nueva Ley Hipotecaria", *R.G.L.J.*, septiembre 1945, pág. 290. Asimismo, Camy Sánchez-Cañete ha afirmado que la fijación de un concepto de carga real es una cuestión no resuelta por el legislador, la jurisprudencia y la doctrina. Camy Sánchez-Cañete, B., *Comentarios a la Legislación Hipotecaria Vol. I*, 3ª ed., Aranzadi, Pamplona, 1982, pág. 458.

[643]   Cerdeira Bravo de Mansilla, G., ob. cit., pág. 208.

[644]   Ríos Mosquera, A., "Cargas inmobiliarias", *R.C.D.I.* núm. 143, abril 1940, pág. 181. Para hacerse una idea de la amplitud del término no hay más que acudir a la definición ofrecida por Escriche en Voz "Carga", *Diccionario Razonado de Legislación y Jurisprudencia*, Librería Garnier, París, 1869, pág. 427.

[645]   Así, la carga también se define en el Diccionario del Español Jurídico como "impuesto, tributo, gravamen vinculado a una propiedad o al uso de la misma".

ámbito procesal[646], no existiendo si quiera un concepto más o menos claro en ninguna de las materias donde se proyecta[647].

Debe destacarse, asimismo, que existen distintas clases de cargas, ya que estas pueden ser de índole personal o de carácter real[648]. De este modo, nuestro Código civil emplea el término carga para referirse a situaciones que tienen un objeto diverso, ya que las cargas personales (como podrían ser, siguiendo la clasificación de Cerdeira[649], las cargas matrimoniales[650], familiares[651] o que se imponen a sujetos determina-

---

[646]   González García, J., "Notas para un concepto de carga", *R.G.L.J.*, febrero 1986, pág. 181.

[647]   Moutón y Ocampo ofrece hasta dos definiciones del concepto de carga dentro de la rama del derecho administrativo. Véase Moutón y Ocampo, L., Voz "Carga" en *Enciclopedia Jurídica Española T. V*, Francisco Seix, Barcelona, 1953, págs. 155 y ss.

[648]   Entre otros, De Rovira Mola, A., Voz "Gravamen", *Nueva Enciclopedia Jurídica T. X* (dir. Mascareñas, C. E.), Francisco Seix, Barcelona, 1960, pág. 674; Camy Sánchez-Cañete, B., *Comentarios a la Legislación Hipotecaria Vol. I...*, ob. cit., pág. 458; Cerdeira Bravo de Mansilla, G., *Derecho o Carga real...*, ob. cit., págs. 205 y ss. Al respecto el Tribunal Supremo ha recalcado en su STS 4 junio 1965 (TOL4.308.005) que *"...aunque en nuestro ordenamiento jurídico positivo no aparece claramente definido el concepto de carga, real, cabe sin embargo admitir la existencia de tal figura jurídica diferenciada de las denominadas "cargas personales", pues ambas se encuentran previstas en los artículos 788 y 797 del Código Civil en cuanto que en el primero de ellos se dice que si la carga se impusiere sobre bienes inmuebles y fuere temporal, el heredero o herederos podrán disponer de la finca gravada, sin que cese el gravamen mientras que su inscripción no se cancele, y en el segundo se regula su imposición por el testador diferenciándola de la condición".* Por su parte, la Dirección General de los Registros y del Notariado parece haber establecido una distinción entre la carga real y las obligaciones de carácter personal al afirmar que *"considerando que si bien el vocablo carga tiene en el tecnicismo jurídico y en el lenguaje corriente una amplia y general acepción que abarca por igual al derecho real que a la obligación personal, es muy dudoso que haya sido empleada tal palabra en el art. 633 del Código en ese lato sentido, pareciendo por el contrario lo más natural y lógico, ya que el artículo se contraía a los bienes inmuebles, que sólo a los derechos que pueden afectarles, esto es, a las cargas reales, hiciera alusión el legislador".* RDGRN 3 diciembre 1892 (LA LEY 41/1892).

[649]   Cerdeira Bravo de Mansilla, G., *Derecho o Carga real...*, ob. cit., pág. 217.

[650]   Así, pueden citarse, entre otros los arts. 90, 91, 103, 1318, 1438 y 1439 Cc. Véase Cerdeira Bravo de Mansilla, G., *Derecho o Carga real...*, ob. cit., pág. 217. A las cuales alude también el art. 774 Lec.

[651]   Por ejemplo, los arts. 155 y 165 Cc. Así lo resalta Cerdeira Bravo de Mansilla, G., *Derecho o Carga real...*, ob. cit., pág. 217. La Lec hace mención a las mismas

dos[652]) son aquellas que constriñen a un sujeto a realizar una determinada conducta[653], mientras que las cargas reales afectan de forma directa a una cosa y a los derechos que recaen sobre la misma[654]. En este sentido, las cargas reales son las que verdaderamente importan a nuestro estudio, y de ahí que hayamos optado por centrarnos en las mismas, sin que ello suponga obviar que el vocablo carga es empleado también por nuestro legislador para referirse a prestaciones de carácter personal y que la expresión carga real es utilizada en escasas ocasiones por nuestro derecho positivo[655].

Centrándonos, pues, en la figura de la carga real, debe reconocerse que nuestro legislador emplea el término gravamen como sinónimo de carga, sin ofrecer una definición de ninguna de las mencionadas expresiones[656], debido, en gran medida, a la amplitud con la que ambas son consideradas[657], lo que dificulta en extremo cualquier intento de distinción entre las mismas[658]. Así, en unas ocasiones el legislador se refiere a las *cargas o gravámenes*[659], de una forma que puede parecer inclusiva[660], mientras que en otras, las expresiones carga y gravamen se distancian a través de enumeraciones que parecen evidenciar que se trata de distintas realidades[661].

---

en su art. 607.4.

[652]   Así, el art. 633 Cc, entre otros. Véase Cerdeira Bravo de Mansilla, G., *Derecho o Carga real...*, ob. cit., pág. 217.

[653]   Moutón y Ocampo, L., ob. cit., págs. 153 y 154.

[654]   Cerdeira Bravo de Mansilla, G., *Derecho o Carga real...*, ob. cit., pág. 218.

[655]   Se hace mención al mismo en los arts. 336 y 1086 Cc y 166 y 303 RH.

[656]   De Rovira Mola, A., ob. cit., pág. 675.

[657]   Domínguez Platas, J., Voz "Gravamen" en *Enciclopedia Jurídica Básica Vol. II*, Civitas, Madrid, 1995, pág. 3268.

[658]   De Rovira Mola, A., ob. cit., pág. 674.

[659]   Entre otros, los arts. 198 y 203 LH y los arts. 31, 227, 231, 236 y 309 RH.

[660]   Tal vez el ejemplo más gráfico es el dispuesto en el art. 780 Cc, que sustituye la expresión "cargas y condiciones" por "gravámenes o condiciones", aunque debe admitirse que, en este concreto caso el legislador, se refiere primeramente a las cargas reales y, en segundo lugar, a las cargas de carácter personal.

[661]   Entre otros, *"así como la de todas las cargas, gravámenes e inscripciones"* (art. 134 LH); *"el dominio y las cargas, gravámenes, derechos reales y limitaciones de toda clase inscritos con posterioridad..."* (art. 32 RH); *"...así como a los titulares de cargas, gravámenes y asientos posteriores a la hipoteca..."* (art. 236.d RH); *"las solicitudes de información respecto a la descripción, titularidad, car-*

El empleo indiferenciado por parte del legislador de los términos a los cuales hemos venido aludiendo ha influido de forma directa en la Dirección General de los Registros y del Notariado que, como apunta Camy Sánchez-Cañete[662], se ha limitado a señalar el sentido del término carga en casos muy concretos[663] o bien ha admitido una interpretación amplia y holgada del mismo[664]. Esta vaguedad e imprecisión terminológica parece haber contaminado también al Tribunal Supremo, el cual, habiendo tenido claras ocasiones para pronunciarse sobre el concepto jurídico de carga real[665], ha preferido callar al respecto[666].

Por lo que se refiere a la doctrina, los posicionamientos son diversos, pero, sobre todo, contradictorios. De este modo, un sector doctrinal entiende que gravamen es un término mucho más específico que el de carga, quedando aquel circunscrito al ámbito de los derechos rea-

---

gas, gravámenes y limitaciones..." (art. 354.d RH); "...la relación circunstanciada de cargas, gravámenes, condiciones y limitaciones..." (art. 484 RH).

[662] Camy Sánchez-Cañete, B., *Comentarios a la Legislación Hipotecaria Vol. I...*, ob. cit., págs. 459 y 460.

[663] RDGRN 3 diciembre 1892 (LA LEY 41/1892); RDGRN 13 julio 1901 (LA LEY 31/1901).

[664] La propia Dirección General de los Registros y del Notariado, como veíamos más arriba, ha reconocido en su RDGRN 3 diciembre 1892 (LA LEY 41/1892) que "...*el vocablo carga tiene en el tecnicismo jurídico y en el lenguaje corriente una amplia y general acepción...*". La RDGRN 5 octubre 1925 (LA LEY 26/1925) hace referencia a la amplitud con la que se emplea el término carga real, afirmando que "...*en el antiguo Derecho español se entendían por cargas públicas o privadas los tributos o censos impuestos sobre tierras y casas, cuyas características parecían ser: primero, una prestación periódica, y segundo, la imposición real sobre una finca, es indudable que por la necesidad de emplear un denominador común para hacer constar la libertad de los inmuebles y por estimar como carga cuanto grava a los mismos, se ha pasado, en la práctica notarial, desde admitir, como el artículo 30 del Real decreto de 23 de Mayo de 1845, que se grava a una finca "con la responsabilidad de las fianzas" o "de los mandatos judiciales de embargo", hasta presumir que con la frase libre de cargas se declaraba la no existencia de asientos hipotecarios que disminuyesen el valor económico de la finca o limitasen su disponibilidad;*
Considerando que el criterio expuesto no ha sido aceptado por unanimidad, y que, antes al contrario, el empleo de la palabra cargas por los citados artículos del Código civil y el descuido con que el artículo 131 de la ley Hipotecaria contrapone los gravámenes a las anotaciones y las cargas a los derechos reales, justifican las variantes más usuales en la redacción de instrumentos públicos...".

[665] STS 15 enero 1963 (RJ\1963\20).

[666] De Amunátegui Rodríguez, C., ob. cit., pág. 165.

les en general o, de forma concreta, a los que gravan directamente una finca[667], como pueden ser el derecho de censo o el de servidumbre[668]. Por el contrario, otros autores estiman que la expresión gravamen es mucho más amplia que la de carga[669], ya que con este término nos estaríamos refiriendo simplemente al aspecto pasivo del derecho real[670], es decir, a una mera situación de sujeción que ha de soportar el sujeto pasivo del derecho real[671], lo que diferiría del concepto de carga que vendría a referirse a una realidad principalmente caracterizada por la realización de una concreta prestación positiva por parte del titular de un fundo en favor del propietario de otro predio o de otro sujeto determinado[672]. Se observa, pues, que, a pesar de los esfuerzos por parte de la doctrina para establecer una distinción entre las expresiones carga y gravamen, lo cierto es que debe admitirse que en la mayor parte de nuestro derecho positivo y de nuestra literatura jurídica se emplean como términos equivalentes[673].

Debemos destacar que, a pesar de que no exista un concepto claro de carga real, como puede deducirse de nuestra exposición, la mayor parte de la doctrina patria[674] y extranjera[675] suele optar por aproximarse a la noción germánica[676], que parte de concebir a esta figura como "un gravamen de derecho privado sobre un inmueble en virtud del cual devenga el inmueble prestaciones reiteradas a favor del titular

---

[667] De Castro Vítores, G., ob. cit., pág. 85; Marcos Jiménez, M, *Parcelaciones y reparcelaciones urbanísticas y el Registro de la Propiedad*, Montecorvo, Madrid, 1976, pág. 282; Camy Sánchez-Cañete, B., *Comentarios a la Legislación Hipotecaria Vol. I...*, ob. cit., pág. 460.

[668] Rubio Garrido, T., *La propiedad inmueble...*, ob. cit. págs. 160 y 161.

[669] Domínguez Platas, J., Voz "Gravamen"..., ob. cit., pág. 3269.

[670] Díez-Picazo y Ponce de León, L., *Fundamentos del Derecho Civil Patrimonial Vol. III...*, ob. cit., pág. 918.

[671] Díez-Picazo y Ponce de León, L., ob. cit., pág. 914.

[672] Domínguez Platas, J., Voz "Gravamen"..., ob. cit., pág. 3269.

[673] De Castro Vítores, G., ob. cit., pág. 85 nota al pie núm. 94 *in fine*.

[674] Entre otros, Espín Cánovas, D., *Manual de Derecho Civil Español Vol. II...*, ob. cit., pág. 7; Albaladejo García, M., *Derecho Civil III...*, ob. cit., pág. 21; De Pablo Contreras, P., "El derecho real y sus caracteres", ob. cit., pág. 36.

[675] Por citar algunos, Bigliazzi Geri, L., *Oneri reali e...*, ob. cit., pág. 3; Bonomonte, C., ob. cit., págs. 369 y 370; Biondi, B., *Las servidumbres...*, ob. cit., pág. 1213.

[676] Cerdeira Bravo de Mansilla, G., *Derecho o Carga real...*, ob. cit., págs. 208 y ss.

(§ 1105 BGB)"[677]. De este modo, el concepto tradicional de carga es casi idéntico a la actual regulación de la *Reallast* alemana, en la medida en que ambas nociones parten de la existencia de un inmueble[678] gravado por la necesaria realización de determinadas prestaciones periódicas[679] de carácter positivo[680] en favor de otro sujeto[681], de cuyo incumplimiento ha de responder el titular del fundo gravado real o personalmente[682].

---

[677]　Wolff, M., *Derecho de cosas. T. III Vol. II...*, ob. cit., pág. 149.

[678]　El § 1105 del BGB dispone que "*una finca puede ser gravada...*", lo que coincide con la noción que tradicionalmente viene predicando la doctrina comparada, pudiendo citarse a Bonomonte, C., ob. cit., págs. 369 y 370; Gandolfi, G, ob. cit., pág. 144; Lacruz Berdejo, J. L. *et al.*, *Elementos de Derecho Civil III Derechos Reales Vol. I*, 2008, ob. cit., pág.7. La traducción del precepto puede consultarse en *Código Civil alemán* (dir. Lamarca Marqués, A.), Marcial Pons, Madrid.

[679]　El Código civil alemán habla de "*...satisfacer prestaciones periódicas...*" (*ex* § 1105), característica que ha sido atribuida a esta figura por Espín Cánovas, D., *Manual de Derecho Civil Español Vol. II...*, ob. cit., pág. 7; Bigliazzi Geri, L., Oneri reali e..., ob. cit., págs. 3 y 4; Balbi, G., ob. cit., pág. 42. La traducción del precepto puede consultarse en *Código Civil alemán* (dir. Lamarca Marqués, A.), Marcial Pons, Madrid.

[680]　Aunque el BGB no se pronuncia sobre el contenido de las prestaciones, la doctrina alemana (Wolff, M., *Derecho de cosas. T. III Vol. II...*, ob. cit., pág. 149) y la italiana (Bigliazzi Geri, L., Oneri reali e..., ob. cit., págs. 3 y 4; Bonomonte, C., ob. cit., págs. 369 y 370) entienden que por razones históricas, y para facilitar su diferenciación respecto de la servidumbre, deben tratarse de prestaciones de carácter positivo, las cuales podrán consistir en un dar o en un hacer. Véase también Cerdeira Bravo de Mansilla, G., *Derecho o Carga real...*, ob. cit., págs. 209 y 210.

[681]　La expresión "*aquel a cuyo favor se constituye el gravamen*" (*ex* § 1105) revela la existencia de un sujeto al que se le deben satisfacer determinadas prestaciones, lo cual concuerda de forma lógica con la visión que tradicionalmente se ha tenido de esta figura, como destacan algunos autores de entre los cuales podemos citar a Gandolfi y Espín. Véanse Gandolfi, G, ob. cit., pág. 144; Espín Cánovas, D., *Manual de Derecho Civil Español Vol. II...*, ob. cit., pág. 7. La traducción del precepto puede consultarse en *Código Civil alemán* (dir. Lamarca Marqués, A.), Marcial Pons, Madrid.

[682]　Debe destacarse, sin embargo, que, aunque el § 1108 disponga que "el propietario también responde personalmente de las prestaciones debidas mientras dure su propiedad...", la misma norma prevé la posibilidad de que la responsabilidad personal pueda suprimirse mediante pacto. La traducción del precepto puede consultarse en *Código Civil alemán* (dir. Lamarca Marqués, A.), Marcial Pons, Madrid. Realizadas estas matizaciones, ha de admitirse que este régimen de responsabilidad (real y personal) suele encontrarse presente, al menos en líneas generales, en la mayor parte de definiciones que se vienen ofreciendo de la figura

No obstante lo anterior, es necesario señalar que en ocasiones se aprecian ciertas diferencias entre la regulación alemana y el concepto de carga real que ofrecen determinados autores de la doctrina extranjera. Así, por ejemplo, en el ordenamiento germánico parece no admitirse la derelicción del inmueble como causa de extinción de la *Reallast*[683], lo cual se aparta del esquema de la carga real propuesto por autores como Bigliazzi[684].

La predilección por la estructura de la carga germánica ha llevado a que en nuestro ordenamiento, casi la totalidad de la doctrina[685] como la jurisprudencia[686] hayan calificado a los censos como el principal ejemplo de cargas reales en nuestro sistema de Derecho privado, en tanto en cuanto el art. 1604 Cc dispone que aquellos se constituyen *"cuando se sujetan algunos bienes inmuebles al pago de un canon o rédito anual en retribución de un capital que se recibe en dinero, o del dominio pleno o menos pleno que se transmite de los mismos bienes"*. Es cierto que el censo presenta determinados paralelismos con la *Reallast* que regula el BGB; no obstante, bajo nuestro punto de vista resulta inexacto intentar trasladar el concepto de carga real germánica a nuestro ordenamiento por el mero hecho de que se trate de figuras aparentemente semejantes[687], en la medida en que no solo no contamos con una regulación de la figura como tal, sino que, como

---

de la carga real. Así, por ejemplo, véase Bigliazzi Geri, L., Oneri reali e..., ob. cit., págs. 3 y 4.

[683] Wolff, M., *Derecho de cosas. T. III Vol. II...*, ob. cit., pág. 162.

[684] Véase Bigliazzi Geri, L., Oneri reali e..., ob. cit., pág. 3.

[685] Entre otros, Albaladejo García, M., *Derecho Civil III...*, ob. cit., nota núm. 4 pág. 21; Díez-Picazo y Ponce de León, L. y Gullón Ballesteros, A., *Sistema de Derecho Civil Vol. III T. I*, ob. cit., pág. 36; Ballester Martínez, A., "Los censos: concepto y naturaleza", *Espacio, tiempo y forma. Serie IV, Historia moderna* núm. 18-19, 2005-2006, pág. 36. Aunque se refiere a la hipoteca, cabe destacar traer a colación la reflexión expuesta por Rubio Garrido, quien afirmó que "... los adoradores del mundo conceptual germánico (...) descubren una nueva categoría, *también para el Derecho español*, dotada, como no podía ser menos, de las mismas peculiaridades que el BGB cincela, que apriorísticamente se aceptan, y se otorgan a nuestra hipoteca". Rubio Garrido, T., *La propiedad inmueble...*, ob. cit. pág. 159. La cursiva es del autor.

[686] STS 7 julio 1992 (TOL1.659.962) y STSJ Navarra (Sala de lo Civil y Penal, Sección 1ª) 9 junio 2011 (TOL2.459.959).

[687] Andrés Santos estima dudoso que pueda establecerse una equiparación entre las cargas reales alemanas y nuestros censos. Andrés Santos, F. J., "Comentario

hemos expuesto más arriba, el concepto de carga en el derecho español es amplio a la par que variable.

En virtud de lo expuesto en el párrafo precedente, no compartimos, por tanto, la apreciación realizada por De los Mozos, quien entiende que en nuestro ordenamiento no existen las cargas, aunque la figura más se asemeja a las mismas son los censos[688], pues incurre nuevamente en el error de partir del concepto germánico, que, repetimos, no es trasladable a nuestro ordenamiento debido a la amplitud e imprecisión propios de este término en nuestro sistema[689].

Ello ha supuesto que parte de la doctrina se haya resignado a reconocer la imposibilidad de crear una sólida construcción teórica acerca de la categoría de la carga real dada la multiplicidad de significados que presenta[690], ya que la inviabilidad de fijar una noción unitaria de la carga real no solo afecta a su propio concepto, sino, además a su naturaleza y caracterización. En este sentido, cabe advertir que cuando la doctrina reputa a la carga real como una figura de natura-

---

al artículo 1604" en *Comentarios al Código Civil* (dir. Domínguez Luelmo, A.), Lex Nova, Valladolid, 2010, pág. 1753.

[688] De los Mozos y De Los Mozos, J. L., "La obligación real...", ob. cit., nota al pie núm. 89 pág. 346.

[689] Flórez de Quiñones y Tomé, V., "La extinción de las cargas y la nueva Ley Hipotecaria", *A.A.M.N.* T. III, 1946, pág. 132.

[690] De Castro Vítores, G., ob. cit., pág. 82.

leza personal[691], real[692] o, por el contrario, mixta[693] normalmente lo hace partiendo del concepto germánico al que hemos hecho referencia con anterioridad. Así, no parece que podamos pronunciarnos sobre la naturaleza jurídica de una institución cuya noción no resulta más o menos clara.

La cuestión no estriba tanto en negar, apriorísticamente, la existencia de la carga en nuestro ordenamiento basándonos en el esquema germánico[694] como en intentar concretar su significación en el derecho patrio y, por ende, en plantearnos si es posible construir una categoría jurídica autónoma a partir de la misma.

---

[691] Así parecen entenderlo Van Bemmelen, P., *Nociones fundamentales del Derecho Civil* (trad. Navarro Palencia, J. M.), 2ª ed., Madrid, REUS, 1923, pág. 166; Balbi, G., ob. cit., págs. 37-39; Betti, E., ob. cit., pág. 23. También sostiene esta tesis Barassi, quien, sin embargo, considera que las cargas reales tal y como se conciben en el ordenamiento germánico no existen en el derecho italiano. Barassi, L., *I diritti reali nel nuovo codice civile*, Giuffrè, Milano, 1943, pág. 81.

[692] Un sector bastante amplio de la doctrina ha optado por considerar que las cargas tienen naturaleza real, lo cual explica la equiparación que algunos autores realizan respecto de esta figura y los derechos reales *in faciendo*, categoría a la que nos referiremos más adelante. Véase De Amunátegui Rodríguez, C., ob. cit., pág. 168. Las posturas sobre la naturaleza real de la carga, sin embargo, no siempre tienen un mismo fundamento. Así, mientras que algunos autores los tildan de derechos de garantía (Wolff, M., *Derecho de cosas. T. III Vol. I...*, ob. cit., pág. 9; Gandolfi, G, ob. cit., pág. 136; Natucci, A., *La tipicità dei diritti reali*, ob. cit., pág. 301), otros, en cambio, sostienen que pueden calificarse como derechos reales de goce (Planitz, H., ob. cit., pág. 137; Domínguez Platas, J., *Obligación y derecho real...*, ob. cit. pág. 207; Westermann, H. *et al.*, ob. cit., pág. 102).

[693] Espín Cánovas, D., *Manual de Derecho Civil Español Vol. II...*, ob. cit., pág. 7; Pugliatti, S., *La proprietà nel nuovo diritto*, Giuffrè, Milano, 1954, pág. 42. Debe destacarse que esta corriente, aunque similar, difiere de la tesis sostenida por autores como De Luca y Coviello, quienes sostuvieron que la naturaleza de la carga real, sin llegar a ser mixta, esconde dos derechos de distinta naturaleza, pues en algunos aspectos puede verse como un derecho real y en otros como un auténtico derecho personal. Así, De Luca, A., ob. cit., pág. 37; Coviello, L., ob. cit., págs. 176 y 177.

[694] En el caso de Italia, parece negar su existencia Albertario, E., "Servitù e obbligazione", *Rivista di Diritto Commerciale*, 1927, pág. 627.

B) ¿Cabría la concreción del concepto de carga real?

En el sentido que venimos apuntando es necesario abandonar el concepto germánico de carga real, el cual no termina por adaptarse a nuestro ordenamiento dada la amplitud con la que esta expresión se viene empleando en la legislación. De este modo, deberemos partir de los caracteres comunes a todas aquellas figuras que la doctrina, la jurisprudencia y, sobre todo, la normativa califica como cargas reales en un intento de ofrecer un concepto más o menos unitario. En este sentido, creemos que lo más idóneo es seguir el esquema que propone Amorós Guardiola[695] para realizar nuestra exposición. En este sentido, el mencionado autor señala que la carga se caracteriza a) por suponer una restricción al dominio, b) por su oponibilidad y, por último, c) por implicar una disminución económica de la cosa gravada[696]. Pasamos, pues, a analizar cada uno de estos puntos.

a) La carga real como sinónimo de sujeción

La disparidad de significados del término carga real no ha impedido que hayamos encontrado un punto de conexión entre la mayoría de las acepciones que de ella se vienen ofreciendo, en la medida en que gran parte de la doctrina[697], al igual que la normativa hipotecaria vi-

---

[695]   Amorós Guardiola, M., "Legado de cosa gravada" en *Estudio de Derecho Civil en Homenaje al Profesor J. Beltrán Heredia y Castaño*, Ediciones Universidad de Salamanca, Salamanca, 1984, págs. 59 y ss.

[696]   Amorós Guardiola, M., "Legado de cosa...", ob. cit., pág. 61.

[697]   Cerdeira Bravo de Mansilla, G., "El embargo (preventivamente anotado) como carga real procesal (una réplica fraternal)" en *Estudios Jurídicos en homenaje al Profesor José María Miquel T. I*, 1ª ed., Aranzadi, Cizur Menor, 2014, pág. 892; Cerdeira Bravo de Mansilla, G., *Derecho o Carga real...*, ob. cit., págs. 221 y ss.; Ríos Mosquera, A., "Cargas...", *R.C.D.I.* núm. 143, ob. cit., pág. 183; Domínguez Platas, J., Voz "Gravamen"..., ob. cit., pág. 3269; Salis, L., "Onere convenzionale e servitù prediale", *Foro Sardo*, 1946, pág. 137; Butera, A., "Sulla eficacia reale degli oneri che impongono un determinato tipo nella costruzione degli edifici", *Il Foro Italiano* Vol. 54, 1929, pág. 917; Amorós Guardiola, M., "Legado de cosa...", ob. cit., pág. 59. Véase, asimismo, el significado que ofrece el Diccionario del Español Jurídico de la expresión "carga de un inmueble".
En cierta medida, aunque desde el punto de vista de las cargas ocultas en el contrato de compraventa, Mucius Scaevola, Q., *Código Civil comentado y concordado extensamente e ilustrado con la exposición de los principios científicos*

gente[698], alude de forma reiterada a la noción de limitación o restricción para referirse a esta figura. Es cierto que los sentidos en los que la idea de limitación es empleada por los distintos autores es enfocada, en determinadas ocasiones, de forma diversa; no obstante, la mayoría de voces suelen coincidir en que se trata de una limitación al derecho real de propiedad. En este sentido, las cargas quedarían configuradas como un instrumento de restricción a las facultades dominicales, en la medida en que lo que queda gravado es el derecho de propiedad que se ostenta sobre una cosa que, en casi la totalidad de los casos, será inmueble. La existencia de una carga supone, pues, la limitación del dominio, lo que refuerza la idea de sujeción y centra la importancia de esta figura en la situación pasiva del ligamen[699].

Enlazando con lo anterior, puede decirse que el término gravamen o carga real hace alusión a un aspecto pasivo[700], lo que no puede, por otro lado, hacernos olvidar que a ese estado de sujeción le corresponde una situación activa en el típico esquema de poder-deber[701]. En este sentido, la carga real implica, en la mayoría de los supuestos, la correlativa existencia de un derecho o facultad que se proyecta sobre la cosa objeto de gravamen[702], lo que se traduce precisamente en el otorgamiento al

---

de cada institución y un estudio comparativo de los principales códigos europeos y americanos T. XVIII Vol. II, 2ª ed. revisada y puesta al día por Bonet Ramón, F., Madrid, 1970, pág. 179.

[698] Entre otros, "y, en general, cualquier carga o limitación del dominio o de los derechos reales" (art. 13 LH); "quede libre de alguna carga o limitación" (art. 301 LH); "el dominio y las cargas, gravámenes, derechos reales y limitaciones de toda clase…" (art. 32 RH); "las cargas y limitaciones de la finca o derecho que se inscriba…" (art. 51 RH); "las solicitudes de información respecto a la descripción, titularidad, cargas, gravámenes y limitaciones de fincas" (art. 354 a) RH); "la relación circunstanciada de cargas, gravámenes, condiciones y limitaciones de toda clase a que estuviese afecta la finca" (art. 484 RH). Asimismo, la propia normativa hipotecaria (arts. 225 y 236 LH y arts. 260 y 333 RH) parece contraponer el término gravamen o carga con el de libertad, lo que demuestra, en cierta medida, que esta figura debe ser algo contrario al estado de libertad. Ello nos vuelve a conducir, de forma irremediable, a la noción de limitación o restricción.

[699] Amorós Guardiola, M., "Legado de cosa…", ob. cit., pág. 59.

[700] Díez-Picazo y Ponce de León, L., Fundamentos del Derecho Civil Patrimonial Vol. III…, ob. cit., págs. 914, 918 y 919; Amorós Guardiola, M., "Legado de cosa…", ob. cit., pág. 59.

[701] Amorós Guardiola, M., "Legado de cosa…", ob. cit., pág. 60.

[702] Amorós Guardiola, M., "Legado de cosa…", ob. cit., pág. 60.

beneficiario de aquellas facultades que han sido reducidas por el gravamen[703]. Ello revela que la posición activa será generalmente ocupada por un derecho real limitado (servidumbre, censo, usufructo, hipoteca, entre otros), que; no obstante, podrá concurrir de forma eventual con otros derechos reales que graven, de igual modo, la cosa sobre la que recae la carga real en cuestión y que deberá coexistir con el derecho del titular dominical[704]. Dicha afirmación nos lleva a concluir, junto con un sector de la doctrina, que derecho real y carga son, en la mayor parte de las ocasiones, dos perspectivas (activa y pasiva respectivamente) desde las que contemplar un mismo fenómeno[705].

Ha de hacerse notar, sin embargo, que este esquema general se ve, en ocasiones, desdibujado, ya que existen determinados supuestos en los que a la carga real no supone la paralela existencia de un poder entendido en el mismo sentido que antes apuntábamos. Pueden darse, por tanto, situaciones de sujeción en las cuales el aspecto activo de la

---

[703]   Cerdeira Bravo de Mansilla, G., *Derecho o Carga real...*, ob. cit., pág. 224.

[704]   Domínguez Platas, J., *Obligación y derecho real...*, ob. cit. pág. 215. Véase, asimismo, Cerdeira Bravo de Mansilla, G., *Derecho o Carga real...*, ob. cit., pág. 224. Lo expuesto en el texto principal explica que, por ejemplo, nuestro Alto Tribunal haya calificado como carga real al usufructo en su STS 22 abril 2013 (TOL3.783.212). Este enfoque también aclara que, por ejemplo, Rubio Garrido afirme que "...llamar carga o gravamen real a la hipoteca, significa atribuirle *eo ipso* naturaleza real". Rubio Garrido, T., *La propiedad inmueble...*, ob. cit. pág. 161. Aunque cabe señalar que, desde el punto de este último autor, la expresión carga real es únicamente identificable con la de los derechos reales limitados.

[705]   Entre otros, Cerdeira Bravo de Mansilla, G., *Derecho o Carga real...*, ob. cit., pág. 224; Díez-Picazo y Ponce de León, L., *Fundamentos del Derecho Civil Patrimonial Vol. III...*, ob. cit., pág. 914; Valiente Noailles, L. M., *Derechos reales y privilegios*, Arayú, Buenos Aires, 1955, pág. 23. Al respecto es bastante ilustrativa la reflexión expuesta en la STS 7 junio 1960 (TOL4.339.717), donde se puso de manifiesto que "...*el usufructuario no es titular de un dominio dividido, sino de un derecho real de goce, de cuyo gravamen se libera el nudo propietario al extinguirse el usufructo, consolidándose el dominio pleno o si se quiere sin restricción o gravamen...*".
En relación con lo anterior, cabe destacar que precisamente en el Código civil y comercial argentino la carga real se emplea como sinónimo de derecho real limitado, de modo que el art. 1888 del mencionado cuerpo legal dispone que "*con relación al dueño de la cosa, los derechos reales sobre cosa ajena constituyen cargas o gravámenes reales. Las cosas se presumen sin gravamen, excepto prueba en contrario. Toda duda sobre la existencia de un gravamen real, su extensión o el modo de ejercicio, se interpreta a favor del titular del bien gravado*".

carga no se corresponde con la titularidad un *ius in re aliena*[706], en tanto que no supone la atribución de un poder inmediato o inherente sobre la cosa gravada, de modo que el beneficiario únicamente ostenta un mero derecho de crédito o, en ocasiones, ni siquiera eso[707].

Nuestro ordenamiento ofrece un número bastante amplio de supuestos en los que las cargas reales no se traducen en la paralela existencia de un derecho real limitado, lo que se fundamenta, bajo nuestro punto de vista, en la amplitud que viene caracterizando a la noción de gravamen. En este sentido, el ejemplo más representativo es el de determinadas prohibiciones de disponer, algunas de ellas consideradas como cargas reales[708], que no atribuyen un concreto poder a una persona[709], pero sí que garantizan o aseguran el ejercicio de determinados derechos[710]. Ello podría predicarse, asimismo, de los graváme-

---

[706] Roca Sastre, R. M. ª, *Derecho Hipotecario T. II*, 6ª ed., Bosch, Barcelona, 1968, pág. 647. También Amorós Guardiola, M., "Legado de cosa…", ob. cit., pág. 60; Cerdeira Bravo de Mansilla, G., *Derecho o Carga real…*, ob cit., pág. 225.

[707] Roca Sastre, R. M. ª, *Derecho Hipotecario T. II*, ob. cit., pág. 647.

[708] Flórez de Quiñones y Tomé, V., ob. cit., pág. 194; Roca Sastre, R. M. ª, *Derecho Hipotecario T. II*, ob. cit., pág. 649; Caballero Lozano, J. M. ª, *Las prohibiciones de disponer. Su proyección como garantía de las obligaciones*, Bosch, Barcelona, 1993, pág. 24; Cerdeira Bravo de Mansilla, G., *Derecho o Carga real…*, ob, cit., pág. 225.

[709] En la RDGRN 20 diciembre 1929 (LA LEY 63/1929) se señala que "…*las prohibiciones de disponer no son verdaderos derechos reales cuya inscripción perjudique a los terceros adquirentes, sino restricciones impuestas por persona capacitada para ello, que limitan las facultades de un titular sin atribución del correlativo derecho a otras personas…*". Esta doctrina ha sido puesta nuevamente de relieve en pronunciamientos más modernos como la RDGRN 13 octubre 2005 (TOL751.918) y la RDGRN 2 noviembre 2018 (TOL6.919.579).

[710] Amorós Guardiola, M., "Legado de cosa…", ob. cit., pág. 60; Caballero Lozano, J. M. ª, ob. cit., pág. 38.

nes fideicomisarios[711], aquellos establecidos por razón de reservas[712] o determinados supuestos de anotación preventiva[713], entre otros.

En este punto debe destacarse que, aunque la doctrina haya querido predicar de la figura de la carga real la inherencia a la cosa objeto de gravamen[714] en todo supuesto[715], no nos parece una nota definitoria de la carga real. De este modo y bajo nuestro punto de vista, existirán casos en los que, claro está, la carga real será inherente a la cosa, siendo el supuesto más claro el de los derechos reales. No obstante, no puede decirse lo mismo de otros gravámenes que, siendo considerados reales, no cuentan con esa pretendida inherencia: así, el arrendamiento, las condiciones, el modo, entre otros. Cosa distinta es que la doctrina haya querido explicar la persistencia de la carga cuando se transmite a un tercero[716]. No obstante, esa subsistencia se deriva en unos casos de su inherencia y, en otros, de su inscripción registral o previsión legal, como veremos a continuación.

---

[711]   Cerdeira Bravo de Mansilla, G., *Derecho o Carga real...*, ob. cit., pág. 225; Roca Sastre, R. M.ª, *Derecho Hipotecario T. II*, ob. cit., pág. 648; Domínguez Platas, J., Voz "Gravamen"..., ob. cit., pág. 3270; Chico y Ortiz, J. M., y Bonilla Encina, J. F., *Apuntes de Derecho Inmobiliario Registral T. II*, 2ª ed., Madrid, 1968, pág. 115.

[712]   Cerdeira Bravo de Mansilla, G., *Derecho o Carga real...*, ob. cit., pág. 225; Roca Sastre, R. M.ª, *Derecho Hipotecario T. II*, ob. cit., pág. 648; Chico y Ortiz, J. M., y Bonilla Encina, J. F., ob. cit., pág. 115.

[713]   Amorós Guardiola, M., "Legado de cosa...", ob. cit., pág. 65. Cerdeira considera que, concretamente, la anotación preventiva de embargo es una carga real. Véase Cerdeira Bravo de Mansilla, G., "El embargo (preventivamente anotado)...", ob. cit., pág. 896. Ello parece congruente con las funciones que se le han atribuido desde antiguo a las anotaciones preventivas que, según la RDGRN 22 noviembre 1929 (LA LEY 54/1929), se encuentran destinadas *"en primer término, a limitar el poder dispositivo del deudor, que ya no podrá enajenar libremente la finca o derecho; en segundo término, a poner de relieve frente a terceras personas el instante en que conste en los autos tal particularidad, por manifestación auténtica del Registrador de la Propiedad"*.

[714]   Distaso, N., "Diritto reale, servitù e obbligazione *propter rem*", ob. cit., pág. 466; Bigliazzi Geri, L., Oneri reali e..., ob. cit., pág. 3; Domínguez Platas, J., *Obligación y derecho real...*, ob. cit. pág. 206.

[715]   Cerdeira Bravo de Mansilla, G., *Derecho o Carga real...*, ob. cit., págs. 224 y 225.

[716]   Díez-Picazo explica que "para destacar gráficamente el efecto jurídico-real que el gravamen determina, se suele decir que es inherente a la cosa, que recae sobre ella o que se encuentra adherido a ella, de manera tal que la cosa pasa a manos de los posibles terceros adquirentes con el gravamen". Díez-Picazo y Ponce de León, L., *Fundamentos del Derecho Civil Patrimonial Vol. III...*, ob. cit., pág. 919.

b) Oponibilidad de la carga real frente a terceros

Parte de la doctrina considera que la carga real se caracteriza, asimismo, por su oponibilidad[717] que en unos casos, como en el de los derechos reales limitados, será natural y, en otros, dependerá de su constancia en el Registro de la Propiedad[718] o su publicidad legal[719]. Ello explica que existan determinadas figuras que, siendo consideradas como cargas reales por gran parte de la doctrina, tengan, sin embargo, naturaleza personal, como es el caso de los arrendamientos[720]. En este sentido, la doctrina apunta que el concepto de carga no se limita de forma exclusiva a los derechos reales, sino que también incluye otras figuras que, aunque no posean un auténtico carácter real en el sentido tradicional, sí que ostentan eficacia real[721]. Este te-

---

[717] Entre otros, Amorós Guardiola, M., "Legado de cosa...", ob. cit., pág. 60. En cierta medida, aunque circunscrito al ámbito del estudio del art. 1483 Cc, De Couto Gálvez, R. M., *Venta como libre de finca gravada*, Centro de Estudios Registrales, Madrid, 1996, pág. 69.

[718] Téngase en cuenta el art. 13 LH, en el cual se establece que "*los derechos reales limitativos, los de garantía y, en general, cualquier carga o limitación del dominio o de los derechos reales, para que surtan efectos contra terceros, deberán constar en la inscripción de la finca o derecho sobre que recaigan...*".

[719] El ejemplo paradigmático son las cargas reales de carácter urbanístico. Así, Busto Lago apunta que existen gravámenes urbanísticos de carácter real y de origen legal que, aun pudiendo inscribirse, cuentan con eficacia *erga omnes* con independencia de su inscripción, teniendo en cuenta, claro está, el cumplimiento de deberes de información de la situación urbanística en los casos de transmisión de la finca. Busto Lago, J. M., "Saneamiento por cargas ocultas y gravámenes urbanísticos" en *Tratado de la compraventa. Homenaje al Profesor Rodrigo Bercovitz T. II*, Aranzadi, Cizur Menor, 2013, pág. 1400. Debe tenerse en cuenta, sin embargo, que existen supuestos para los cuales sí se exige inscripción en el Registro de la Propiedad del instrumento de equidistribución, como bien señala la RDGRN 5 octubre 2009 (TOL1.637.846). Este tema es tratado con detalle por Sánchez Calero, quien pone de manifiesto la importancia de la publicidad registral de los actos de carácter urbanístico. Sánchez Calero, F. J., *Aspectos registrales del proyecto de equidistribución*, Tirant Lo Blanch, Valencia, 1999, págs. 1 y ss.

[720] Amorós Guardiola, M., "Legado de cosa...", ob. cit., págs. 63 y 64; Domínguez Platas, J., Voz "Gravamen"..., ob. cit., pág. 3270.

[721] Roca Sastre, R. M. ª, *Derecho Hipotecario T. II*, ob. cit., pág. 647. Por su parte, Badenes Gasset y Luzzato al hablar de la carga en relación con el art. 1483 Cc afirma que "deben de tratarse de derechos reales, o bien de derechos que aun no teniendo, según los conceptos tradicionales, el verdadero carácter de reales, tengan sin embargo, la llamada eficacia real, en el sentido de que se transmitan

ma se encuentra, pues, estrechamente ligado a cuestiones de ámbito registral, ya que en este punto podríamos preguntarnos si las cargas reales -al margen, claro está, de aquellas que adoptan la forma de un derecho real- han de inscribirse en el Registro de la Propiedad para que puedan desplegar efectos frente a terceros[722].

Gran parte de la doctrina parece haber optado por una postura restrictiva en la que se aboga, en cierta medida, por la inscripción constitutiva de aquellos gravámenes que, no comportando un poder directo e inmediato sobre la cosa[723], son generalmente catalogados como cargas reales[724]. En este sentido, resulta bastante ilustrativo el planteamiento Roca Sastre, para quien esta clase de cargas, una vez registradas, podrán perjudicar a terceros, sin que ello suponga en ningún caso equipararlas a los derechos reales[725], por lo que parece estar haciendo depender la oponibilidad de esta clase de cargas o limitaciones a su inscripción registral.

Siguiendo los razonamientos anteriormente apuntados, deberíamos concluir que todas aquellas cargas que no comporten un poder inmediato sobre la cosa requerirán de la inscripción registral para poder ser oponibles *erga omnes*. No obstante, esta argumentación llevada a su extremo plantea, desde nuestro punto de vista, ciertas deficiencias: en primer lugar, no parece tenerse en cuenta que, por ejemplo, los derechos reales de adquisición preferente pueden existir en el plano extrarregistral[726]. A este defecto ha de unirse el hecho de que existen determinadas cargas, distintas de los derechos reales limitados, de las cuales un sector de la doctrina predica su trascendencia

---

pasivamente, no solo al sucesor universal (heredero), sino también a los sucesores a título particular, como es precisamente el comprador de la cosa". Badenes Gasset, R., *El contrato de compraventa T. I*, Bosch, Barcelona, 1979, pág. 651; Luzzato, R., *La compraventa según el nuevo Código Civil italiano* (trad. a la 1ª ed. italiana Bonet Ramón, F.), Reus, Madrid, 1953, pág. 209.

[722]   Véase Amorós Guardiola, M., "Legado de cosa...", ob. cit., pág. 60.

[723]   Muchas de ellas tendrán un carácter puramente personal.

[724]   Cerdeira Bravo de Mansilla, G., *Derecho o Carga real...*, ob. cit., pág. 226. Flórez de Quiñones, con un planteamiento más conservador, parece circunscribir el elenco de cargas al ámbito registral, sin perjuicio de que reconozca que existen cargas y gravámenes reales que pueden tener naturaleza personal. Flórez de Quiñones y Tomé, V., ob. cit., pág. 132.

[725]   Roca Sastre, R. M. ª, *Derecho Hipotecario T. II*, ob. cit., pág. 647.

[726]   Sobre este tema volveremos en el último capítulo de nuestro trabajo.

real al margen del Registro de la Propiedad. En este sentido, se ha aducido que las prohibiciones de disponer[727], así como el modo[728], considerados ambos como cargas reales, tienen trascendencia real previa a su inscripción en el Registro de la Propiedad. Ha de reconocerse, sin embargo, que tales afirmaciones han sido objeto de crítica por un sector autorizado de la doctrina hipotecarista[729].

Bajo nuestro punto de vista, resulta una cuestión compleja, no solo porque la doctrina no se pone de acuerdo en qué es una carga, sino que una vez bautizan a una figura como gravamen real discrepan en cuanto a su naturaleza y eficacia. Desde esta perspectiva, conviene anotar que, en efecto, los derechos reales limitados no son las únicas cargas reales que existen, sino que partiendo de la idea de limitación del derecho de propiedad, son muchas otras figuras las que se erigen como auténticos gravámenes. En la mayoría de los casos estas instituciones tienen efectivamente una naturaleza personal y su trascendencia real dependerá única y exclusivamente de su inscripción en el Registro de la Propiedad (o, en su caso, de una imposición legal)[730],

---

[727] Merece la pena exponer los argumentos del Gordillo Cañas, quien estima que "…en buena doctrina, la prohibición de disponer no es real porque se inscriba, sino que se la inscribe por tener trascendencia real". Gordillo Cañas, A., "El *acto o contrato de trascendencia real* y las prohibiciones de disponer como una de sus manifestaciones" en *Estudios de Derecho de Obligaciones. Homenaje al Profesor Mariano Alonso Pérez T. II* (coord. Llamas Pombo), La Ley, Madrid, 2006, pág. 40. En parecidos términos Roca Sastre estima que "cuando las prohibiciones de disponer tengan su origen voluntario y sean inscribibles por estar impuestas al adquirente de bienes inmuebles como heredero, legatario o donatario y reunir los demás requisitos naturales, las mismas constituyen una especie de carga o gravamen *per se*, y, por tanto, afectantes a terceros adquirentes, siempre sin perjuicio de los efectos enervantes de la fe pública registral en los casos de faltar la publicidad de las mismas en el Registro". Roca Sastre, R. M. ª, *Derecho Hipotecario T. II*, ob. cit., pág. 649.

[728] Roca Sastre, R. M. ª, *Derecho Hipotecario T. II*, ob. cit., pág. 649.

[729] Por lo que se refiere a las prohibiciones de disponer de carácter convencional son muchas las voces que estiman que su oponibilidad depende de su inscripción en el Registro de la Propiedad: Gómez Gálligo, F. J., *Las prohibiciones de disponer en el derecho español*, Centro de Estudios Registrales, Madrid, 1992, págs. 22, 23 y 33. En cuanto al modo, se ha estimado que su configuración como carga real se debe única y exclusivamente a su publicidad registral. Amorós Guardiola, M., "Legado de cosa…", ob. cit., pág. 64.

[730] Sin perjuicio de que el concreto negocio pueda ser vinculante frente a quien efectivamente lo conocía y que pueda quedar ello demostrado mediante algún medio

siendo el caso paradigmático, como hemos apuntado más arriba, el del arrendamiento, pero no el único[731].

Apuntadas estas observaciones debemos admitir, sin embargo, que resulta difícil concebir una carga real que, no comportando un poder inmediato sobre la cosa, pueda ser configurada como un gravamen aparente y oponerse frente a tercero sin que exista ningún tipo de cobertura legal o de publicidad registral[732]. En este sentido, para que una carga pueda ser catalogada como aparente no solo se viene exigiendo, en la mayor parte de los casos, la existencia de una situación posesoria, sino que, además, "el medio que genere la publicidad de la carga debe manifestar al menos el contenido del derecho, su extensión y límites"[733]. Ello no quiere decir que la carga aparente no pueda oponerse a terceros, aunque no conste en el Registro de la Propiedad[734], sino que deberá contar con algún medio de publicidad, que será normalmente la posesión y que permitirá su conocimiento efectivo a terceros.

Llegados a este punto, puede afirmarse que la eficacia *erga omnes* de la carga se debe en unas ocasiones a la oponibilidad natural, siendo este el caso de la mayoría de derechos reales limitados y, en otros, a su publicidad legal o registral, por cuanto es muy complejo concebir un gravamen de estas características que cuente con una trascendencia real previa a la inscripción registral, ya que, en la mayor parte de casos nos encontramos, como apuntamos más arriba, ante derechos meramente personales o ante figuras que ni siquiera pueden ser reputadas como derechos subjetivos[735].

---

de prueba válido. Recuérdese la STS 17 octubre 1989 (TOL1.731.791).

[731] Al tratar la figura del *ius ad rem* pusimos de relieve que las anotaciones preventivas tienen una naturaleza personal, de modo que su oponibilidad deriva únicamente de su constancia en el Registro de la Propiedad.

[732] Pues la apariencia está basada en la mayor parte de los casos en la posesión. No obstante, no existiendo un poder inmediato sobre la cosa parece no darse una situación de carácter posesorio.

[733] López Hernández, C. V., *La protección frente a los gravámenes ocultos*, Tirant Lo Blanch, Valencia, 2008, pág. 74.

[734] Ríos Mosquera, A., "Cargas inmobiliarias", *R.C.D.I.* núm. 149, octubre 1940, pág. 596.

[735] Véase Roca Sastre, R. M. ª, *Derecho Hipotecario T. II*, ob. cit., pág. 647.

Según lo expuesto, toda carga real es oponible a tercero, característica que comparte con los derechos reales, mas ello no puede llevar a identificar en la totalidad de los casos el gravamen con un auténtico derecho subjetivo de carácter real[736], a pesar de lo que estima un sector de la doctrina[737] y de su cierta equiparación en determinados preceptos legales[738]. En este sentido, bajo nuestro punto de vista, la equivalencia establecida entre gravamen y derecho real por algunas normas no puede ser un argumento definitivo para establecer una coincidencia total entre ambos términos si se tiene en cuenta la confusión que viene caracterizando el lenguaje empleado por el legislador en relación con la carga real. Por el contrario, nos parece, junto con Roca Sastre, que "todo derecho real implica una carga o gravamen, mas no toda carga o gravamen envuelve un derecho real[739]".

---

[736] Según afirma Gordillo Cañas "en su estricta consideración técnica no todo gravamen tiene que traducirse en derecho real verdadero y propio". Gordillo Cañas, A., "Hipoteca voluntaria: el *iter* de su formación y la determinación de su momento constitutivo", *Academia Sevillana del Notariado* T. IV, 1991, pág. 356. En el mismo sentido, Domínguez Platas, J., Voz "Gravamen"..., ob. cit., pág. 3270.

[737] Por ejemplo, Martínez Alcubilla señala que "todo censo, tributo o gravamen de cualquier naturaleza que sea, sobre los bienes inmuebles, constituyen lo que se llaman cargas reales, las cuales suponen por necesidad la existencia de derechos reales, porque son palabras correlativas que indican una modificación en la propiedad". Martínez Alcubilla, M., Voz "Cargas reales" en *Diccionario de la Administración Española* T. II, 4ª ed., Administración, Madrid, 1886, pág. 170.

[738] Como destaca Cerdeira Bravo de Mansilla, G., *Derecho o Carga real*..., ob. cit., págs. 219 y ss. tanto en el Código civil como en la legislación hipotecaria pueden encontrarse varios ejemplos en los que existe una utilización del término gravamen como concepto equivalente al de derecho real. Entre ellos: "*la servidumbre es un gravamen...*" (art. 530 Cc.); "*es consignativo el censo cuando el censatario impone sobre un inmueble de su propiedad el gravamen del canon o pensión...*" (art. 1606 Cc); "*lo dispuesto en este artículo no será aplicable a los foros, subforos, derechos de superficie y cualesquiera otros gravámenes semejantes...*" (art. 1611 Cc.); "*los foros y cualesquiera otros gravámenes de naturaleza análoga que se establezcan desde la promulgación de este Código...*" (art. 1655 Cc). En el ámbito de la legislación hipotecaria: "*si la finca que haya de ser objeto de la refacción estuviere sujeta a cargas o derechos reales inscritos...*" (art. 61 LH); "*si alguno de los que tuvieren a su favor las cargas o derechos reales...*" (art. 62 LH); "*el acreedor refaccionario será considerado como hipotecario respecto a lo que exceda el valor de la finca al de las cargas o derechos reales anteriormente mencionados...*" (art. 64 LH); "*...sino, además, a los acreedores de cargas o derechos reales...*" (art. 225 RH).

[739] Roca Sastre, R. M. ª, *Derecho Hipotecario T. II*, ob. cit., pág. 631.

c)   Disminución del valor del bien gravado

Para completar la definición del concepto de carga real que impera en nuestro ordenamiento jurídico, debe destacarse que un gravamen, en la mayor parte de las ocasiones, conlleva la reducción del valor de la cosa sobre la cual recae[740]. Ello se explica si se tiene en cuenta el peso que la carga supone para el fundo y, por ende, la restricción de facultades a las que se ve expuesto el titular dominical. De ahí, que el valor de un bien gravado por una servidumbre o por un derecho de arrendamiento (inscrito o protegido por ciertas previsiones de la normativa arrendaticia) sea menor que aquel que no se halla sujeto a las limitaciones que dimanan de una carga real.

En las páginas precedentes hemos analizado los caracteres que, en principio, parecen compartir todas aquellas figuras que en nuestro ordenamiento son agrupadas bajo el rótulo de *cargas reales*, solo para constatar la amplitud con la que esta expresión se viene empleando. Así, podría pensarse que a partir de las notas comunes arriba enunciadas es posible construir una categoría dogmática coherente, idea que, bajo nuestro punto de vista, no resulta del todo acertada. En este sentido, la expresión carga real engloba instituciones que, como hemos visto, no solo pueden diferir en su estructura[741] y naturaleza (real o personal), sino también en su función[742]. Esta heterogeneidad se confirma si se tiene en cuenta que, según el esquema que hemos seguido en los anteriores apartados, tan carga real es un derecho de usufructo como un arrendamiento (inscrito en el Registro de la Propiedad o protegido en virtud de la normativa arrendaticia).

Enlazando con la idea anterior, creemos que, aunque es cierto que puedan apreciarse unas notas más o menos comunes en las distintas

---

[740]   Amorós Guardiola, M., "Legado de cosa...", ob. cit., pág. 60; Ríos Mosquera, A., "Cargas...", *R.C.D.I.* núm. 143, ob. cit., pág. 183. En cierta medida, la RD-GRN 5 octubre 1925 (LA LEY 26/1925).

[741]   Como dijimos más arriba no todas las cargas reales pueden ser reputadas como derechos subjetivos.

[742]   Así, podemos encontrarnos que bajo la expresión de carga real se cumplen, entre otras funciones, la de aseguramiento de derechos ajenos, la de protección de expectativas, la de otorgamiento de un derecho a gozar y disfrutar de un bien. Algunas de ellas son puestas de relieve en Cerdeira Bravo de Mansilla, G., *Derecho o Carga real...*, ob. cit., pág. 225.

figuras que vienen siendo denominadas como cargas reales, no solo resulta harto complicado crear una categoría dogmática a partir de supuestos tan dispares, sino que es precisamente esta amplitud la que hace que carezca de interés práctico.

2.4. Derechos reales *in faciendo*

A) *Planteamiento de la cuestión*

Los derechos reales *in faciendo* suelen definirse como aquellos que permiten a su titular exigir la realización de una conducta de carácter positivo a un sujeto que se determina en relación a la cosa[743]. Se observa, pues, que, aunque estas figuras responden al esquema de poder-deber propio de los derechos reales, la conducta debida no consiste en un mero *non facere* o en un *pati*, sino que, por el contrario, supone la realización de una prestación de carácter positivo (*facere*)[744] por parte de un sujeto determinado[745].

La doctrina mayoritaria suele coincidir en que el origen de esta discutida categoría se halla en la servidumbre romana[746]. Así, en la Antigua Roma imperaba, por regla general, la máxima *servitus in faciendo*

---

[743] Pueden consultarse, entre otras, las definiciones ofrecidas por: Trunquelle Sanjuan, J., "Los derechos reales...", *R.G.D.* núm. 58-59, ob. cit., págs. 362 y ss.; Ossorio Morales, J., "Las servidumbres *in faciendo*...", ob. cit., págs. 177 y ss.; Rigaud, L., ob. cit., págs. 298 y ss.; Peña Bernaldo de Quirós, M., ob. cit., pág. 72; Castán Tobeñas, J., *Derecho Civil Español, Común y Foral T. II Vol. I*, ob. cit., págs. 58 y 59.

[744] En este sentido, cabe destacar que en el Diccionario del Español Jurídico se ha señalado que los derechos reales *in faciendo* son aquellos que "conceden a su titular poder sobre una cosa, pero requieren del titular del derecho la realización de alguna prestación de carácter personal".

[745] Lasarte Álvarez, C., *Propiedad y derechos reales de goce...*, ob. cit., 2010, pág. 11; Trunquelle Sanjuan, J., "Los derechos reales...", *R.G.D.* núm. 58-59, ob. cit., pág. 363.

[746] Trunquelle Sanjuan encuentra otro posible ejemplo de derecho real *in faciendo* en el ordenamiento jurídico romano, ya que tanto el usufructuario como cualquiera que tuviera un derecho de paso se hallaban legitimados para ejercitar la acción confesoria frente al titular dominical con el fin de que este retirase los árboles que habían sido derribados como consecuencia del viento. Véase Trunquelle Sanjuan, J., "Los derechos reales *in faciendo*", *R.G.D.* núm. 61, 1949,

consistere nequit (D. VIII.1.15), en virtud de la cual las servidumbres no podían imponer al titular del fundo sirviente la realización de una conducta basada en un *facere*[747]. La rectitud de este principio pareció, sin embargo, torcerse como consecuencia de la existencia de la singular figura de la *servitus oneris ferendi* (D.VIII.5.6.2), que imponía al propietario del fundo sirviente el deber de mantener en buen estado la columna o el muro en el que se apoyaba el fundo dominante[748]. Esta aparente contradicción generó un profundo debate doctrinal que, ya desde la época de Cicerón, giró en torno a la admisión y a la naturaleza de esta peculiar figura[749].

Se observa, pues, que es en el Derecho romano en el que parece encontrarse el germen de las diversas teorías que, a lo largo de los siglos venideros, derivarían en lo que hoy se conoce por derechos reales *in faciendo*, esto es, aquellos que permiten imponer al titular del derecho real limitado o, en su caso, al propietario[750], la realización de un

---

pág. 551. Este supuesto se encuentra, de algún modo, reflejado en nuestro actual art.484 Cc.

[747] Así y según disponía el Digesto, "no es propio de las servidumbres que alguien haga alguna cosa, por ejemplo, que levante jardines, que proporcione una vista más agradable o que con ese fin pinte en su propiedad, sino que alguno tolere o no haga algo". D´Ors, A., Hernández-Tejero, F., Fuenteseca, P., García-Garrido, M. y Burillo, J., *El Digesto de Justiniano T. I*, Aranzadi, Pamplona, 1968, pág. 345.

[748] Iglesias Santos, J., ob. cit., pág. 221. En este sentido, el Digesto proclamaba que "también nos compete la acción por la servidumbre que se hubiese impuesto para cargar nuestra casa sobre la del vecino; tanto para que soporte la carga como para que repare el edificio sobre el que carga dentro de los límites expresados al imponerse la servidumbre...". D´Ors, A., Hernández-Tejero, F., Fuenteseca, P., García-Garrido, M. y Burillo, J., ob. cit., pág. 366.

[749] Scialoja, V., "Studi sulla *servitus oneris ferendi*" en *Studi Giuridici Vol. I*, Anonima Romana Editoriale, Roma, 1933, pág. 85. El propio Digesto ya señalaba que "... piensa Aquilio Galo que no puede imponerse una servidumbre para que alguien quede obligado a hacer algo, sino para que no me lo prohíba hacer, porque en todas las servidumbres la reparación corresponde a quien afirma que la servidumbre le favorece, no a aquél (sic) a quien pertenece la cosa sirviente; pero en el tipo de la referida servidumbre prevaleció la opinión de Servio, de que pueda reclamar el derecho de obligar al adversario a reparar la pared a fin de que soporte la carga. Pero escribe Labeón que esta servidumbre no la debe la persona sino la cosa, y que así es lícito al dueño liberarse abandonando la cosa". D´Ors, A., Hernández-Tejero, F., Fuenteseca, P., García-Garrido, M. y Burillo, J., ob. cit., pág. 366.

[750] Trunquelle Sanjuan, J., "Los derechos reales...", *R.G.D.* núm. 58-59, ob. cit., pág. 362.

facere que, si se entiende en un sentido amplio, podría implicar tanto una prestación de hacer como de dar[751]. Este esquema básico suele verse enriquecido a partir de diversas aportaciones doctrinales que pasan por atribuir carácter periódico a la mencionada prestación[752] o, incluso, por predicar la posible liberación del sujeto pasivo a partir del abandono del bien gravado[753], idea que tiene una clara influencia histórica[754] y que, según un sector doctrinal, podría encontrar apoyo en el derecho positivo de distintos ordenamientos jurídicos europeos (art. 1070 *Codice civile* y 699 *Code civil*)[755].

---

[751]   Determinados autores sostienen que no cabría hablar de una prestación basada en un hacer personalísimo, en la medida en que el sujeto pasivo que ha de realizar la prestación es el que en cada momento sea propietario de la cosa, lo que no obsta para que se haya interpretado la noción de *fare* de un modo amplio, en el sentido de que se ha propuesto incluir dentro del mismo tanto obligaciones de dar como de hacer. Véanse Ossorio Morales, J., "Las servidumbres *in faciendo*...", ob. cit., págs. 186-188; De Castro Vítores, G., ob. cit., pág. 57.

[752]   Trunquelle Sanjuan, J., "Los derechos reales...", *R.G.D.* núm. 58-59, ob. cit., pág. 363.

[753]   Trunquelle Sanjuan, J., "Los derechos reales...", *R.G.D.* núm. 58-59, ob. cit., págs. 363 y 364.

[754]   En el propio Digesto VIII. 5.6.2 queda reflejado, a través de una opinión de Labeón, que el dueño del predio sirviente puede liberarse de la prestación mediante el abandono de la cosa. Asimismo, Scialoja entiende que, aunque no se recoja de forma expresa en el Digesto, cabría predicar el mecanismo del abandono liberatorio respecto de la posible exigencia al nudo propietario de la retirada de los árboles derribados por el viento a la cual habíamos hecho referencia con anterioridad. Véase Scialoja, V., ob. cit., págs. 92 y 93.

[755]   Sobre el derecho francés: Trunquelle Sanjuan, J., "Los derechos reales *in faciendo*", *R.G.D.* núm. 62, 1949, págs. 614 y ss. Aunque hace referencia a los preceptos del *Codice* anterior al vigente, puede consultarse, en lo que respecta al ordenamiento jurídico italiano, obra de Trunquelle Sanjuan, J., "Los derechos reales *in faciendo*", *R.G.D.* núm. 63, 1949, págs. 677 y ss.
El art. 1070 *Codice civile* señala en su inciso primero que "*il proprietario del fondo servente, quando è tenuto in forza del titolo o della legge alle spese necessarie per l'uso o per la conservazione della servitù, può sempre liberarsene, rinunziando alla proprietà del fondo servente a favore del proprietario del fondo dominante*". Por su parte, el art. 699 *Code civil* establece que "*dans le cas même où le propriétaire du fonds assujetti est chargé par le titre de faire à ses frais les ouvrages nécessaires pour l'usage ou la conservation de la servitude, il peut toujours s'affranchir de la charge, en abandonnant le fonds assujetti au propriétaire du fonds auquel la servitude est due*".

En cualquier caso, lo cierto es que el elemento esencial de esta categoría dogmática reside, como hemos señalado, en el hecho de que se trata de figuras que versan sobre una conducta de carácter positivo que se impone a un sujeto determinado. En este sentido, parte de la doctrina moderna viene considerando que podrían reputarse como tales derechos a los supuestos contenidos en los arts. 484 y 486 Cc (usufructo)[756], a los censos[757], a las servidumbres de carácter positivo[758] y, con algo más de polémica, al derecho real de hipoteca[759].

---

[756] Entre otros, TRUNQUELLE SANJUAN, J., "Los derechos reales...", *R.G.D.* núm. 63, ob. cit., págs. 679 y 680; OSSORIO MORALES, J., "Las servidumbres *in faciendo*...", ob. cit., pág. 182; REBOLLEDO VARELA, A. L., "Las servidumbres positivas y negativas", ob. cit., pág. 132; ARCO TORRES, M. A. y PONS GONZÁLEZ, M., *Régimen Jurídico de las servidumbres (doctrina científica y jurisprudencial. Formularios)*, 5ª ed., Comares, Granada, 2008, pág. 52. Así, según el art. 484 Cc "*si a consecuencia de un siniestro o caso extraordinario, las viñas, olivares u otros árboles o arbustos hubieran desaparecido en número tan considerable que no fuese posible o resultase demasiado gravosa la reposición, el usufructuario podrá dejar los pies muertos, caídos o tronchados a disposición del propietario, y exigir de éste que los retire y deje el suelo expedito*". El art. 486 Cc dispone, en cambio, que "*el usufructuario de una acción para reclamar un predio o derecho real, o un bien mueble, tiene derecho a ejercitarla y obligar al propietario de la acción a que le ceda para este fin su representación y le facilite los elementos de prueba de que disponga. Si por consecuencia del ejercicio de la acción adquiriese la cosa reclamada, el usufructo se limitará a sólo los frutos, quedando el dominio para el propietario*".

[757] Castán ha apreciado que determinados gravámenes, como aquellos a los que se refiere el art. 1604 Cc, se erigen como derechos reales con un cierto contenido obligatorio, ya que imponen al poseedor del fundo la obligación de pagar un canon o prestación periódica. Castán Tobeñas, J., *Derecho Civil Español, Común y Foral T. II Vol. I*, ob. cit., págs. 58 y 59. Ello ha llevado a calificarlos, por algún autor, como auténticos derechos reales *in faciendo*, entre los que destaca Trunquelle Sanjuan, J., "Los derechos reales...", *R.G.D.* núm. 63, ob. cit., pág. 683.

[758] Trunquelle Sanjuan, J., "Los derechos reales...", *R.G.D.* núm. 63, ob. cit., pág. 680; Ossorio Morales, J., "Las servidumbres *in faciendo*...", ob. cit., pág. 182. Véase, asimismo, Cerdeira Bravo de Mansilla, G., *Derecho o Carga real...*, ob. cit. 233 y ss.; De Amunátegui Rodríguez, C., ob. cit., págs. 71 y ss. Debe destacarse, sin embargo, que, aunque el Proyecto de García Goyena no viese la luz, según su perspectiva, las servidumbres a las que él calificaba como afirmativas eran las que versaban sobre un *pati*. García Goyena, F., ob. cit., pág. 250.

[759] A favor: Rigaud, L., ob. cit., págs. 303 y 304; Fadda, C., y Bensa, P. notas a Windscheid, B., *Diritto delle Pandette Vol. IV*, UTET, Torino, 1926, pág. 105. En contra: Trunquelle Sanjuan, J., "Los derechos reales *in faciendo*", *R.G.D.* núm. 60, 1949, págs. 436-439; En parecidos términos, negando que la hipoteca sea un

No obstante lo anterior, la categoría dogmática objeto de estudio es todavía hoy ampliamente discutida, en tanto que, como señalamos más arriba, parece chocar con la concepción tradicional de los derechos reales[760] y, por ende, con la dicotomía clásica de los derechos subjetivos de carácter patrimonial. De este modo, el debate científico no solo ha girado en torno a la naturaleza de esta clase de derechos sino que, al igual que ocurrió respecto de la *servitus oneris ferendi*, se ha discutido acerca de la admisibilidad de los mismos[761]. En este sentido, creemos que, tanto por las razones históricas ya apuntadas como por cuestiones de carácter práctico[762], lo más adecuado es abordar la cuestión a través del concreto estudio de las servidumbres positivas, lo que nos permitirá extraer una serie de conclusiones generales respecto de esta categoría de derechos. Pasamos, pues, a analizar lo que, en teoría, se viene considerando como la máxima expresión de los derechos reales *in faciendo*.

B)   Las servidumbres *in faciendo*

Partiendo de la concepción prevista por nuestro legislador decimonónico, "...*se llama positiva a la servidumbre que impone al dueño del predio sirviente la obligación de dejar hacer alguna cosa o de hacerla por sí mismo*", mientras que por servidumbre negativa ha de

---

derecho real *in faciendo*, así como esta categoría de derechos, Ferrini, C. y Pulvirenti, G., *Servitù Prediali Vol. I*, Eugenio Marghieri y UTET, Napoli y Torino, 1908, pág. 54.

[760] Martín Pérez, A., ob. cit., pág. 11. Así lo señala también Busto Lago, J. M., "Comentario al artículo 533", ob. cit., pág. 4238. Rigaud sostiene, en cambio, que queda demostrada "...la idea según la cual el derecho real no necesita, para ejercerse, ningún intermediario, es falsa para la mayor parte de los derechos reales, y que se debe de reemplazar esta fórmula corriente por esta otra: "no es necesario, para ejercer el derecho real, ningún intermediario *personalmente obligado*". Rigaud, L., ob. cit., pág. 307. La cursiva es del autor. En parecido sentido se pronuncia Trunquelle Sanjuan, J., "Los derechos reales *in faciendo*", *R.G.D.* núm. 57, 1949, pág. 299.

[761] Entre otros, Grosso, G., *I problemi dei diritti reali nell'impostazione romana*, Giappichelli, Torino, 1944, págs. 175-177; Biondi, B., *Las servidumbres...*, ob. cit., págs. 1219 y ss.

[762] Como destaca Rebolledo, es en esta figura en la que parece recaer gran parte del peso de la teoría de los *derechos reales in faciendo*. Rebolledo Varela, A. L., "Las servidumbres positivas y negativas", ob. cit., pág. 132.

entenderse aquella *"...que prohíbe al dueño del predio sirviente hacer algo que le sería lícito sin la servidumbre"* (art. 533 Cc). Se observa, por lo tanto, que nuestro derecho positivo no solo permite la constitución de servidumbres de carácter negativo (*non facere*), sino que también admite que la conducta que se impone al titular del fundo sirviente pueda consistir en un *pati* o, lo que es más importante para nuestro estudio, en un *facere*. Asimismo, cabe destacar que la Ley 405 FNN, apoyándose claramente en el esquema de la vieja *servitus oneris ferendi*, establece que *"en las servidumbres que facultan para apoyar alguna construcción sobre muro o edificio ajeno, el propietario de la finca sirviente debe hacer a su costa las reparaciones necesarias para mantener la solidez de la estructura sirviente..."*.

Siguiendo el hilo expositivo, parte de la doctrina considera que los derechos reales *in faciendo* no solo resultan convenientes para la satisfacción de necesidades de carácter económico-social[763], sino que, además, su existencia se encuentra avalada por el propio ordenamiento (*ex* art. 533 Cc)[764], lo cual, según esta perspectiva, responde a la tradición histórica en la medida en que ya el derecho romano permitió la existencia de la *servitus oneris ferendi*[765]. Desde esta perspectiva, la escasez de ejemplos legales de servidumbres *in faciendo* reside en el hecho de que, debido a sus singulares características, este tipo de figuras se desarrollan de manera más adecuada en el ámbito de la autonomía privada, de modo que, siempre y cuando se respeten

---

[763]   Ossorio Morales, J., "Las servidumbres *in faciendo*...", ob. cit., pág. 183.

[764]   Ossorio Morales, J., "Las servidumbres *in faciendo*...", ob. cit., pág. 187; Trunquelle Sanjuan, J., "Los derechos reales...", *R.G.D.* núm. 63, ob. cit., pág. 680. Desde esta perspectiva, la prestación de hacer podría constituirse como el contenido principal de una servidumbre, además de como contenido accesorio. Véase Pérez González, B., y Alguer, J. notas a Wolff, M., *Derecho de cosas. T. III Vol. II Gravámenes* (trad. a la 32ª ed. Pérez González, B. y Alguer, J.), Bosch, Barcelona, 1937, pág. 34.

[765]   Bonfante estima que, aunque la admisión de la figura del derecho real *in faciendo* en el Derecho civil actual sea discutible, todo apunta a que en la era romana la naturaleza de la *servitus oneris ferendi* debía ser reputada como real. Bonfante, P, "*La regola servitus in faciendo consistere nequit*" en *Studi in onore di Alfredo Ascoli*, Giuseppe Principato, Messina, 1931, pág. 186.

una serie de límites (*ex* art. 594 Cc)[766], existe una amplia libertad de configuración de las obligaciones a las que alude el art. 598 Cc[767].

La corriente expuesta en el párrafo precedente presenta, sin embargo, notables deficiencias, ya que, como explicamos ampliamente en otro lugar de este trabajo, los derechos reales se caracterizan por imponer un deber general de abstención de carácter abstracto. En este sentido, resultan aplicables a nuestro derecho patrio las adecuadas palabras de Biondi, quien, a propósito de su examen de la figura de la carga real, afirmó que "la exclusión del *facere* en materia de servidumbres no es en efecto, algo peculiar de esta institución, sino carácter general de cualquier derecho real. Realidad y *facere* son conceptos incompatibles"[768]. En esta línea, nuestro Alto Tribunal ha puesto de manifiesto que "*...la servidumbre predial, de acuerdo con el principio romano «servitus in faciendo consistere nequit», acogido con raras excepciones en nuestro Derecho, ofrece como contenido un «pati» o un «non facere», mientras que el transporte, como especie del arrendamiento de obra, recae sobre un «facere»...*"[769].

---

[766] Cerdeira Bravo de Mansilla, G., "Servidumbres positivas y negativas", ob. cit., pág. 316.

[767] Ossorio Morales, J., "Las servidumbres *in faciendo*...", ob. cit., págs. 182 y 183.

[768] Biondi, B., *Las servidumbres*..., ob. cit., págs. 1223 y 1224. En este sentido, el art. 497 del Código civil anterior al vigente, estipulaba que "*a todo derecho personal corresponde una obligación personal. No hay obligación que corresponda a derechos reales*". Véase Gatti, E. y Alterini, J. M., ob. cit., pág. 67.

[769] STS 11 junio 1951 (TOL4.453.841). De este modo, el Tribunal Supremo, al recalcar la diferenciación entre la servidumbre y el contrato de transporte, da a entender la excepcionalidad de las prestaciones positivas en el ámbito de los derechos reales. Este caso se encuentra ampliamente explicado en De Amunátegui Rodríguez, C., ob. cit., pág. 80 nota al pie núm. 112.

En la línea de lo anterior, en la STSJ Navarra (Sala de lo Civil y Penal, Sección 1ª) 2 marzo 2004 (TOL7.635.872) se apuntó que "*desde el aspecto pasivo, las servidumbres sujetan directamente el predio o fundo gravado y sólo mediatamente, en su condición de tal, a quien resulte ser propietario o poseedor del mismo. A diferencia de los derechos personales, las servidumbres no pueden consistir en una determinada prestación de hacer del propietario del predio gravado (servitus in faciendo consistere nequit). Precisamente porque no se trata de un derecho personal, sino de un derecho real inmobiliario, la inherencia a la finca gravada determina su oponibilidad erga omnes y por tanto su reipersecutoriedad frente a cualquiera que sea su propietario o poseedor, característica que –como advierten las Notas a la Recopilación Privada– «no es sino un efecto in rem de todo derecho real en*

En virtud de lo anterior, la doctrina patria viene entendiendo que solo cabe admitir las servidumbres *in faciendo* en aquellos supuestos en los que la conducta positiva se configure como un mero instrumento para garantizar la utilidad del predio dominante[770]. Ello se traduce en que el *facere* no puede consistir, en ningún caso, la conducta principal de un derecho real de servidumbre, lo que no impide, sin embargo, que se pueda configurar como una prestación de carácter accesorio respecto del derecho real[771]. Esta prestación accesoria supone una cooperación activa del propietario del predio sirviente con el fin de garantizar que el propietario del fundo dominante pueda ejercer adecuadamente el derecho de servidumbre[772], lo que no debe confundirse, en ningún caso, con los derechos necesarios para el uso de la servidumbre (*adminicula servitutis*) a los cuales se refiere el art. 542 Cc[773].

Por otro lado, resulta razonable pensar que, por ejemplo, en la servidumbre que otorga la facultad de apoyar una construcción en el muro vecino se requiera la colaboración activa de su propietario en aras de poder obtener utilidad de la servidumbre de la cual es titular[774], lo cual parece lógico si se tiene en cuenta, además, que es el propietario del muro quien normalmente corre con los gastos de conservación y reparación, salvo que otra cosa se haya pactado, ya que, en caso contrario, se podría hablar de un enriquecimiento del propietario del fundo dominante a costa del propietario del fundo sirviente[775].

---

cosa ajena»". Véase, asimismo, la SAP Granada (Sección 3ª) 22 mayo 2001 (JUR 2001\214728) y la SAP Alicante (Sección 7ª) 15 febrero 2002 (JUR 2002\115214).

[770] Alonso Pérez, M.ª T., "Comentario al artículo 533" en *Código Civil Comentado Vol. I* (dirs. Cañizares Laso, A. *et al.*), 2ª ed., Aranzadi, Cizur Menor, 2016, pág. 2105.

[771] Lacruz Berdejo, J. L. *et al.*, *Elementos de Derecho Civil III Derechos reales Vol. II*, ob. cit., págs. 95-96. Véase, asimismo, Deiana, G., "In tema di obligationes *propter rem* accessorie ad un rapporto di servitù", *Rivista di Diritto Commerciale* fasc. 3-4, 1952, pág. 95.

[772] Puig Brutau, J., *Fundamentos de Derecho Civil T. III Vol. II...*, ob. cit., pág. 382.

[773] Lacruz Berdejo, J. L. *et al.*, *Elementos de Derecho Civil III Derechos reales Vol. II*, ob. cit. pág. 96.

[774] Albaladejo García, M., *Derecho Civil III...*, ob. cit., pág. 586.

[775] Roca Guillamón, J., "Comentario a los artículos 532 y 533" en *Comentarios al Código Civil T. III Libro II* (coord. Rams Albesa, J.), Bosch, Barcelona, 2001, pág. 911.

La tesis de la conducta positiva de carácter accesorio se encuentra claramente avalada en el ordenamiento jurídico italiano, en tanto que el art. 1030 del *Codice*, bajo la rúbrica de *prestazioni accesorie*, establece que "*il proprietario del fondo servente non è tenuto a compiere alcun atto per rendere possibile l'esercizio della servitù da parte del titolare, salvo che la legge o il titolo disponga altrimenti*". Así, autores como Branca han afirmado que si el legislador creyese posible la existencia de una servidumbre cuyo contenido principal consistiese en una conducta de carácter positivo no hubiese establecido una distinción tan clara entre el contenido normal del derecho y el *facere*[776]. En similar sentido, parte de la doctrina francesa entiende que la posibilidad de obligar al propietario del fundo sirviente a cumplir una determinada prestación positiva, debe considerarse excepcional (*ex* art. 686 Código civil francés), lo cual ha de interpretarse en el sentido de que dicha conducta no puede constituir, en ningún caso, el objeto principal de la servidumbre, hecho que, sin embargo, no parece impedir que pueda erigirse como contenido accesorio de la misma[777].

Retornando al ordenamiento jurídico español, De Amunátegui[778] opina que la referencia expresa que hace el art. 533 Cc sobre la posibilidad de constituir servidumbres *in faciendo* debe interpretarse o, como un error del legislador, ya que no existen argumentos teóricos ni antecedentes histórico-jurídicos convincentes que respalden la inclusión del *facere* como contenido principal de un derecho real, o como reflejo de la tesis objeto de exposición, en cuanto a la admisibilidad de las prestaciones accesorias de carácter positivo, cuyos principales ejemplos, serían, según un sector de la doctrina, el art. 599 Cc y el art. 566-6 Cc Cat.[779]. Aunque calificar de error la regulación de las servidumbres positivas por parte del legislador puede resultar más o menos acertado, lo que es claro es que en la elaboración de la norma no se tuvieron en cuenta ni los principios generales que en materia

---

[776]   Branca, G., "Commentario al articolo 1030" en *Commentario del Codice Civile. Libro Terzo. Della Proprietà*, 2ª ed., Zanichelli y Soc. ed. del Foro Italiano, Bologna y Roma, 1959, pág. 347.

[777]   Planiol, M. y Ripert, G., *Traité Élémentaire de Droit Civil T. I...*, ob. cit., pág. 957.

[778]   De Amunátegui Rodríguez, C., ob. cit., pág. 77.

[779]   Navas Navarro, S., "Comentario a los artículos 530 a 536" en *Comentarios al Código Civil* (dir. Domínguez Luelmo, A.), Lex Nova, Valladolid, 2010, pág. 662.

de servidumbres han regido desde la época romana[780] ni el esquema propio de los derechos reales[781].

En cualquier caso, estas últimas observaciones no impiden, como se ha señalado, que en el ámbito de la servidumbre puedan existir prestaciones positivas que adquieran un papel complementario y meramente instrumental respecto de la conducta principal. En este sentido, creemos, con la doctrina mayoritaria[782], que, en aquellos casos en los que la prestación principal de la servidumbre consista en un *non facere* o en un *pati* y la prestación accesoria en un *facere*, esta última deberá ser calificada como una obligación *propter rem*, ya que, como tuvimos la ocasión de comprobar, se trata de una obligación que, aun teniendo naturaleza personal, se caracteriza por el hecho de que el sujeto pasivo se encuentra determinado en función de la cosa, dada la relación de accesoriedad que existe entre dicha obligación y el derecho real.

En virtud de lo hasta aquí expuesto, puede concluirse que, en aquellos supuestos en los que el *facere* constituya el contenido principal de

---

[780] La doctrina, de forma general, resalta la excepcionalidad de la *servitus oneris ferendi*, no solo en virtud del principio *servitus in faciendo consistere nequit*, sino de la existencia del principio que hoy conocemos como *numerus clausus* y que parecía regir en Roma. Así, Torrent Ruiz, A., ob. cit., pág. 551.

[781] Véase Distaso, N., "Diritto reale, servitù e obbligazione *propter rem*", ob. cit., pág. 455. Así, llama la atención que en los trabajos de elaboración de la nueva Propuesta de Código civil, se haya optado por una redacción que omite cualquier referencia expresa al *facere*, de modo que su art. 3101-2 prevé, en un sentido similar al art. 552.3 CDFA, que el contenido de la servidumbre positiva "...*puede ser cualquier utilidad o uso que el fundo sirviente proporcione al dominante*". Véase Busto Lago, J. M., "Títulos VIII a X del Libro III" en *Propuesta de Código Civil. Asociación de Profesores de Derecho Civil*, Tecnos, 2018, pág. 481

[782] Por lo que se refiere a la doctrina española, pueden consultarse: Barber Cárcamo, R., "Comentario a la Ley 405" en *Comentarios al Fuero Nuevo Compilación del Derecho Civil Foral de Navarra* (dir. Rubio Torrano, E.), Aranzadi, Cizur Menor, 2002, pág. 1313; Navas Navarro, S., "Comentario al artículo 599" en *Comentarios al Código Civil* (dir. Domínguez Luelmo, A.), Lex Nova, Valladolid, 2010, pág. 704; Karrera Egialde, M. M., "Comentario al artículo 599", ob. cit., pág. 2310; De Pablo Contreras, P., "El derecho real y sus caracteres", ob. cit., pág. 34; Cerdeira Bravo de Mansilla, G., *Derecho o Carga real...*, ob. cit., pág. 237. En cuanto a la doctrina italiana, véanse: Armone, G., y Cafaggi, F., "Commentario al articolo 1030" en *Codice Civile Annotato con la giurisprudenza* (coord. Cendon, P.), UTET, 1995, Torino, pág. 1324; De Cristofaro, G., "Commentario al articolo 1030" en *Codice Civile e Leggi Collegate. Commento giurisprudenziale sistematico* (coord. Cian G.,), CEDAM, Milano, 2010, pág. 1195.

la relación jurídica establecida, no nos hallaremos ante la presencia de un derecho real de servidumbre, sino ante otra cosa[783]. En este sentido, el recientemente derogado art. 3010 del Código civil argentino disponía que *"no pueden establecerse servidumbres que consistan en cualquiera obligación de hacer, aunque sea temporaria, y para utilidad de un inmueble. La que así se constituya, valdrá como simple obligación para el deudor y sus herederos, sin afectar a las heredades ni pasar con ellas a los poseedores de los inmuebles"*[784]. Ante la falta de un precepto similar en nuestro ordenamiento jurídico, la doctrina ha quedado eminentemente dividida entre quienes, en sintonía con la solución propuesta en su día por Vélez Sarsfield, entienden que nos hallaríamos ante un mero derecho de crédito[785] y aquellos que sostienen que nos trasladaríamos al plano de las cargas reales[786].

Nosotros nos mostramos, en líneas generales, más conformes con la primera de las soluciones apuntadas, ya que no solo se trata de una figura que parece encajar mejor en el ámbito de los derechos crediticios, sino que, como tuvimos la oportunidad de comprobar, resulta harto complicado crear una categoría dogmática unitaria de las cargas reales en nuestro ordenamiento jurídico. Otro argumento a favor de este razonamiento reside en el hecho de que, como se verá más adelante, siempre que existan dudas sobre la existencia de un gravamen, la cuestión se resolverá a favor de la libertad del fundo.

---

[783] Rebolledo Varela, A. L., "Las servidumbres positivas y negativas", ob. cit., págs. 134 y 135.

[784] En el Código civil vigente se limita a señalar en su art. 2164 que *"la servidumbre es positiva si la carga real consiste en soportar su ejercicio…"*.

[785] En este sentido, se ha apuntado que "si para la satisfacción de su interés este titular requiere la cooperación de un tercero de tal modo que sin ella quedaría frustrado, saldríamos de la órbita del derecho real para entrar en el derecho de obligaciones". Díez-Picazo y Ponce de León, L. y Gullón Ballesteros, A., *Sistema de Derecho Civil Vol. III T. I*, ob. cit., pág. 32. Del mismo modo, Messineo ha puesto de relieve que la concepción de una servidumbre consistente en una conducta principal de hacer la reduciría al ámbito del Derecho de obligaciones. Messineo, F., *Le servitù*, Giuffrè, Milano, 1949, pág. 47.

[786] Cerdeira Bravo de Mansilla, G., *Derecho o Carga real…*, ob. cit., págs. 241-243; Cerdeira Bravo de Mansilla, G., "Servidumbres positivas y negativas", ob. cit., págs. 313 y ss.; Albaladejo García, M., *Derecho Civil III…*, ob. cit., pág. 586.

C)   Inadecuación de los derechos reales *in faciendo* como categoría dogmática

El concreto estudio de las servidumbres positivas nos permite deducir una serie de premisas que, creemos, son aplicables a la pretendida categoría de derechos reales *in faciendo*. Podría concluirse que, en virtud de lo expuesto en el apartado precedente, cuando la doctrina habla de derechos reales *in faciendo* no está más que subrayando el lado activo que corresponde a toda obligación *propter rem*, de modo que, al igual que hay un obligado *ob rem*, también hay un sujeto que se beneficia de la prestación[787]. Resulta, sin embargo, inadecuado[788], más que innecesario[789], referirse a la situación descrita a partir de la

---

[787]   Peña señala que mientras que los derechos reales *in faciendo* constituyen el supuesto activo del contenido obligacional del derecho real, las obligaciones *propter rem* se refiere al lado pasivo. Peña Bernaldo de Quirós, M., ob. cit., págs. 72 y 73. En igual sentido, Cerdeira Bravo de Mansilla, G., *Derecho o Carga real...*, ob. cit., pág. 237. También parece sostener esta idea Lasarte Álvarez, C., *Propiedad y derechos reales de goce...*, ob. cit., 2010, págs. 11 y 12.
Lacruz se muestra, asimismo, de acuerdo con esta idea, aunque estima que cabría distinguir ambas figuras en función del abandono liberatorio y de la conexión de la prestación con la cosa. Lacruz Berdejo, J. L. *et al.*, *Elementos de Derecho Civil III Derechos Reales Vol. I*, 2008, ob. cit., pág. 8.
Nuestro Alto Tribunal, en lo que parece un intento de exponer la conexión entre las dos figuras, acaba por ofrecer una explicación que, aunque un tanto confusa, viene a identificarlas. Así, en la STS 9 febrero 2000 (TOL4.927.149) se pone de manifiesto que *"como es sabido con la mejor doctrina la interrelación entre la obligación "propter rem" con el Derecho Real "In Faciendo", comporta un medio técnico de solucionar los conflictos que surgen dentro de los derechos reales concurrentes, entre otros casos, en el seno de propietarios vecinos -supuesto de autos- siendo la primera especie aquella sujeción de un deudor a hacer algo a favor de otro precisamente por la conexión jurídica que tiene con una cosa sobre la que ha de ejecutar esa prestación, de la que, por lo general, puede liberarse si renuncia a su titularidad real, pues siempre el obligado lo será el que tenga esa posición con la cosa; mientras que el derecho real "in faciendo" -del que suele también predicarse su absorción por la primera- es cuando el titular dominical es el que ha de ejecutar un "facere" en su cosa y en beneficio de otro, supuesto típico del propietario gravado con un derecho real, v. g., en el caso más significativo, con una servidumbre. Insistir con que esa obligación "propter rem" suplicada no se compagina con el derecho del "facere" concedido, es pues, una verdad meridiana"*.
[788]   Gatti, E. y Alterini, J. M., ob. cit., pág. 65.
[789]   Cerdeira Bravo de Mansilla, G., *Derecho o Carga real...*, ob. cit., pág. 243.

expresión derechos reales *in faciendo*, ya que, en puridad, el *facere* no forma parte del contenido del derecho real, sino que este se conecta al mismo a partir de una obligación externa, con la única peculiaridad de que el deudor lo será en relación a la cosa (*propter rem*).

En aquellas situaciones en las que el *facere* se erija como el contenido principal del derecho entendemos que la figura deberá reputarse como meramente crediticia. Llegamos, pues, a la conclusión de que la utilización de esta figura, no solo no posee ninguna utilidad, sino que induce a confusión tanto en el plano teórico como en el práctico.

Capítulo Segundo
LA AUTONOMÍA PRIVADA EN LA CONSTRUCCIÓN DE DERECHOS REALES ATÍPICOS Y EN LA MODIFICACIÓN DE DERECHOS REALES TÍPICOS

I. LA CUESTIÓN DEL NÚMERO DE LOS DERECHOS REALES: PLANTEAMIENTO

Un adecuado examen del desarrollo de la autonomía privada en el ámbito de los derechos reales requiere, como ha destacado un sector de la doctrina, un estudio previo de la figura del derecho real y de su diferenciación respecto de los derechos de carácter personal[1]. Ello se debe principalmente a que para poder emitir un juicio sobre el número de los derechos reales en un concreto ordenamiento jurídico es necesa-

---

[1] Jiménez Clar, A., "Algunas consideraciones sobre el sistema del numerus clausus como instrumento de intercambio de información territorial" en *Homenaje a Víctor Manuel Garrido de Palma* (coord. Sánchez González, J. C. *et al.*), Civitas, Cizur Menor, 2010, pág. 500; Stevens, R., "Party autonomy and property rights" en *Party autonomy in International Property Law*, Sellier, Munich, 2001, pág. 100. En parecido sentido, aunque refiriéndose en especial a los sistemas de *numerus apertus*, Font Boix, V., "Posibilidad de nuevos tipos de derechos reales: posición de la ley, la doctrina y la jurisprudencia", *Revista de Derecho español y americano*, 1960, pág. 379.
Al hilo de lo anterior, debe destacarse que la propia Dirección General de los Registros y del Notariado ha afirmado que no pueden pasarse por alto *"...las dificultades señaladas por nuestra doctrina en relación con la caracterización de los derechos reales, tanto por la falta de una enumeración cerrada de los mismos, como por las dudas que con cierta frecuencia se plantean a la hora de interpretar sus características propias, como la inmediatividad o su carácter absoluto o eficacia «erga omnes», lo que en la práctica ha derivado en dudas y debates en torno a ciertos derechos sobre su condición de verdaderos y propios derechos reales, tanto en la doctrina como en la jurisprudencia"*. RDGRN 10 abril 2014 (TOL4.277.898).

rio conocer primero cuál es la noción del derecho real y cuáles son las figuras que no pueden ser reputadas como tales. Es por ello por lo que hemos dedicado el primer capítulo de este trabajo a intentar esclarecer la diferenciación entre derechos reales y derechos personales, lo que ha obligado, a su vez, a examinar aquellas figuras de compleja inserción en cualquiera de las categorías de derechos mencionadas.

Ha de tenerse en cuenta, además, que uno de los elementos clásicamente empleados por la doctrina para distinguir los derechos reales de los personales ha sido precisamente el de otorgar a los particulares un mayor o un menor poder de autorregulación de sus relaciones. De este modo, un sector de la doctrina ha puesto de relieve la necesidad de establecer unos límites más rígidos a la autonomía privada en sede de derechos reales que los que existen en el ámbito contractual, en tanto en cuanto la característica oponibilidad de esta clase de derechos hace que estos puedan afectar de forma directa a los terceros[2]. Ello evidencia que la autonomía de la voluntad no solo resulta una pieza fundamental para el estudio del número de los derechos reales, sino también para la comprensión del funcionamiento de nuestro sistema patrimonial.

1. El rol de la autonomía privada en la autorregulación de las relaciones de carácter privado

La expresión autonomía proviene de los términos griegos *autos*, que puede significar "así, para sí; propio", y *nomos*, que viene a equi-

---

[2] Este es el motivo por que el que varios autores defienden la existencia de un sistema que restrinja la posible creación de derechos reales desconocidos por el ordenamiento, ya que, bajo su punto de vista, se desdibujaría la distinción entre derechos reales y derechos personales. Así parece entenderlo Vélez Sarsfield, según expone De Los Mozos en "Los derechos reales en la sistemática de Vélez Sarsfield", *R.D.P.*, junio 1986, pág. 506. En igual sentido, Mostert, H., y Verstappen, L., "Practical approaches to the *Numerus Clausus* of the Land Rights. How Legal Professionals in South Africa and the Netherlands deal with Certainty and Flexibility in Property Law", december 2014, pág. 20. Accesible en: https://papers.ssrn.com/sol3/papers.cfm?abstract_id=2572838 (Página consultada por última vez el 23 de enero de 2017).

valer a "ley; norma; regla"[3]. Su significado etimológico nos permite atisbar la relevancia que este vocablo puede tener junto al adjetivo *privada* en el campo del Derecho civil. Debe destacarse, sin embargo, que algún autor ha querido ver en la autonomía privada un significado sociológico[4], político[5] o, tal vez, filosófico[6]. A nuestro parecer se trata, más bien, de una cuestión de que ha de encuadrarse en el campo de las Ciencias Jurídicas y, más concretamente, en el ámbito *iusprivatista*, ya que, como señala Andrés Santos "sin autonomía privada no hay Derecho Privado"[7].

Sentado lo anterior, podemos decir, con De Castro, que en un sentido amplio la autonomía privada puede entenderse como "el poder de autodeterminación de la persona"[8]. Esta concepción podría concretarse señalando que ese poder de autodeterminación supone que un suje-

---

[3]   Lalaguna Domínguez, E., "La libertad contractual", *R.D.P.*, octubre 1972, pág. 883; López y López, A. M., "Comentario al artículo 1255" en *Código Civil Comentado Vol. III* (dirs. Cañizares Laso, A. *et al.*), 2ª ed., Aranzadi, Cizur Menor, 2016, pág. 575; Alonso Pérez, M., "La autonomía privada y su expresión fundamental, el negocio jurídico" en *Tratado de Derecho Civil T. II Normas civiles y derecho subjetivo*, Iustel, Madrid, 2014, pág. 245. También lo explica Giuffrè, V., *L'autonomia dei privati. Prospezzioni e propettazioni futuribili*, Jovene, Napoli, 2013, pág. 4.

[4]   De Castro y Bravo, F., *El negocio jurídico*, Civitas, Madrid, 1985, págs. 12 y 13.

[5]   De Castro y Bravo, F., *El negocio jurídico*, ob. cit., págs. 12 y 13.

[6]   Díez-Picazo advierte, sin embargo, que "autonomía privada es voz que no tiene contenidos filosóficos que la contaminen...". Díez-Picazo y Ponce de León, L., "A vueltas con la autonomía privada en materia jurídica" en *Autonomía de la voluntad en el Derecho Privado T. III-1 Derecho Patrimonial 1 Estudios en Conmemoración del 150 aniversario de la Ley del Notariado* (coord. Prats Albentosa, L.), Wolters Kluwer España, Madrid, 2012, pág. 12.

[7]   Andrés Santos, F. J., "Los límites a la autonomía privada en la perspectiva histórico-comparatista" en *La autonomía privada en el Derecho Civil* (dir. Parra Lucán, M.ª A.), Aranzadi, Cizur Menor, 2016, pág. 65. En sentido similar, Alonso Pérez señala que "...la autonomía privada vino a constituir la esencia del Derecho civil y, como tal, perdura..." Alonso Pérez, M., ob. cit., pág. 242.

[8]   De Castro y Bravo, F., *El negocio jurídico*, ob. cit., pág. 11. Merryman, sin embargo, parece reservar el término poder para aquellos casos en los que se incide en la esfera de los terceros, lo cual resulta interesante para la materia que nos ocupa (la posibilidad de crear nuevos derechos reales oponibles *erga omnes*). Merryman, J. H., "Policy, autonomy and the *numerus clausus* in Italian and American Property Law", *The American Journal of Comparative Law* Vol. 12 núm. 2, 1963, pág. 225.

to individualmente considerado puede regular su esfera jurídica y, por tanto, sus intereses y relaciones jurídicas[9]. Esto último se traduce en la posibilidad de constituir, modificar, extinguir y reglamentar relaciones jurídicas de carácter típico o atípico[10]. Debe advertirse, sin embargo, que la doctrina considera que este poder no es propiamente de carácter normativo, en el sentido de que los particulares no pueden crear normas jurídicas del mismo modo en el que lo hace el legislador[11].

Siguiendo el hilo de lo anterior, puede decirse que la autonomía privada se configura como un principio general del derecho[12], ya que, aunque no se encuentra expresamente recogido en la Constitución, puede deducirse de la interpretación sistemática de varios de sus preceptos[13] y se encuentra, asimismo, reconocido en el art. 1255 Cc en relación con la libertad contractual[14]. Debe destacarse, sin embargo,

---

[9]   Véanse De Castro y Bravo, F., *El negocio jurídico*, ob. cit., pág. 13; Martínez de Aguirre Aldaz, C., "Contenido y eficacia del contrato" en *Curso de Derecho Civil (II) Vol. I* (coord. Martínez de Aguirre Aldaz, C.), 5ª ed., Edisofer, Madrid, 2018, pág. 407; Bianca, C. M., *La autorità private*, Jovene, Napoli, 1977, pág. 88; Díez-Picazo y Ponce de León, L. y Gullón Ballesteros, A., *Sistema de Derecho Civil Vol. I*, 13ª ed., Tecnos, Madrid, 2016, pág. 307. Asimismo, Díez-Picazo y Ponce de León, L., "La autonomía privada y el derecho necesario...", ob. cit., pág. 1151.

[10]   Martínez de Aguirre Aldaz, C., "Contenido y eficacia del contrato", ob. cit., pág. 409. Aunque se refiere a las relaciones contractuales entendemos que esta exposición puede observarse desde una perspectiva general.

[11]   Díez-Picazo y Ponce de León, L. y Gullón Ballesteros, A., *Sistema de Derecho Civil Vol. I*, ob. cit., pág. 308; Cano Tello, C.A., "El Derecho civil, cauce y límite de la autonomía privada", *R.C.D.I.* núm. 533, julio-agosto 1979, pág. 788. Así, Díez-Picazo señala que "...se puede hablar de preceptos de la autonomía privada. Seguramente no merecen el calificativo de normas porque no hay en ellas una eficacia de organización y su eficacia de organización tiende a restringirse a muy pocas personas". Díez-Picazo y Ponce de León, L., "A vueltas con la autonomía privada...", ob. cit., pág. 19.

[12]   Andrés Santos, F. J., "Los límites a la autonomía...", ob. cit., pág. 65; Martínez de Aguirre Aldaz, C.., "Contenido y eficacia del contrato", ob. cit., pág. 408; Díez-Picazo y Ponce de León, L., "A vueltas con la autonomía privada...", ob. cit., pág. 18. En contra, Alonso Pérez, M., ob. cit., pág. 256 y ss.

[13]   Parra Lucán, M.ª A., "La autonomía privada en el Derecho civil: tendencias y transformaciones" en *La autonomía privada en el Derecho Civil* (dir. Parra Lucán, M.ª A.), Aranzadi, Cizur Menor, 2016, pág. 30; Alonso Pérez, M., ob. cit., pág. 258. Este último autor se refiere, entre otros, a los arts. 1.1, 10.1, 33 y 38 CE.

[14]   Martínez de Aguirre Aldaz, C., "Contenido y eficacia del contrato", ob. cit., pág. 408.

que este principio ha de estar sometido a ciertos límites que garanticen la tutela de los intereses del colectivo, superándose, así, la mera concepción individualista de la autonomía privada[15].

La doctrina destaca que al abordar esta materia siempre existe una gran confusión terminológica, en la medida en que las expresiones autonomía privada, autonomía de la voluntad y libertad contractual se emplean de manera indistinta[16]. Debe señalarse, sin embargo, que, aunque se haya generalizado el uso indiferenciado de estos términos, existen claras diferencias entre los mismos. Así, la doctrina ha destacado que desde el punto de vista de la técnica jurídica no es correcto hablar de autonomía de la voluntad, ya que, como claramente indicó Díez-Picazo, "...el sujeto de la autonomía no es la voluntad, sino la persona como realidad unitaria. La autonomía no se ejercita queriendo –función de la voluntad– sino estableciendo (sic) disponiendo, gobernando. La voluntad o el querer es un requisito indudable del acto de autonomía (que ha de ser siempre libre y voluntario), pero para ejercitar la autonomía es preciso el despliegue de las demás potencias"[17].

---

[15]   Díez-Picazo y Ponce de León, L., "La autonomía privada y el derecho necesario...", ob. cit., pág. 1157; Parra Lucán, M.ª A., "La autonomía privada en...", ob. cit., págs. 31 y ss. Sobre este particular resultan muy ilustrativas las palabras de Andrés Santos, para quien "no hay autonomía privada sin límites, porque, sin ellos, no hay libertad, sino libertinaje". Andrés Santos, F. J., "Los límites a la autonomía...", ob. cit., pág. 74.

[16]   Díez-Picazo y Ponce de León, L., "A vueltas con la autonomía privada...", ob. cit., pág. 4.

[17]   Díez-Picazo y Ponce de León, L. y Gullón Ballesteros, A., *Sistema de Derecho Civil Vol. I*, ob. cit., pág. 307. En sentido similar, Andrés Santos, F. J., "Los límites a la autonomía...", ob. cit., pág. 62 nota al pie núm. 2; Ferri, L., *La autonomía privada* (trad. Sancho Mendizábal, L.), Comares, Granada, 2001, pág. 5.
Hay autores que a pesar de reconocer las diferencias en el plano teórico parecen sostener que en la práctica ambos términos pueden emplearse válidamente. Es el caso de Garrido Gómez, M.ª I., "El principio de autonomía privada en el sistema económico constitucional" en *El sistema económico en la Constitución española Vol. I*, Ministerio de Justicia Centro de Publicaciones, Madrid, 1994, pág. 360 nota al pie núm. 9.
Curiosamente el Diccionario del Español Jurídico recoge definiciones muy similares de ambos conceptos, sin perjuicio de que la expresión autonomía privada parece conectarla con la materia de Derecho canónico. Así, se define autonomía de la voluntad como "capacidad de los sujetos de derecho para establecer reglas

Como señalábamos, tampoco debe confundirse la expresión autonomía privada con la de libertad contractual, ya que esta no es más que una manifestación de aquella[18]. Esta afirmación es especialmente relevante para nuestro estudio, en tanto en cuanto la autonomía privada, aunque encuentra su máxima expresión en el ámbito contractual (*ex* art. 1255 Cc), alcanza otros espacios de la esfera jurídica de los particulares[19]. Es por ello por lo que la doctrina se ha planteado si cabe extender la autonomía privada al ámbito de los derechos reales, en el sentido de que los particulares podrían crear nuevas figuras de carácter real o moldear las ya existentes.

Debe adelantarse aquí que la inexistencia de un precepto que recoja expresamente la posibilidad de configurar derechos reales distintos de los regulados por el legislador[20], así como la oponibilidad *erga omnes* de esta clase de derechos han dividido a la doctrina entre aquellos que favorecen el juego de la autonomía privada en este ámbito y los que sostienen la necesidad de restringirlo.

El punto nuclear de nuestra investigación será, pues, el de analizar desde una perspectiva moderna el desarrollo de la autonomía privada en el ámbito de los derechos reales, con el fin de tratar de dar una respuesta a los problemas que esta cuestión genera en la práctica jurídica, ya que, como reconoce Parra Lucán, "la autonomía privada es un principio tradicional de nuestro Derecho, sometido a tales transformaciones, que resulta oportuna una reconsideración sistemática de su fundamento, alcance y límites"[21].

---

de conducta para sí mismos y en sus relaciones con los demás dentro de los límites que la ley señala". Por otro lado, la autonomía privada es definida como "facultad jurídica, inherente a toda persona humana, de determinar relaciones jurídicas de las que forma parte, siempre que estén dentro de su esfera de dominio…".

[18] De este modo, "el concepto de libertad contractual queda así encuadrado dentro de la noción, más amplia, de autonomía jurídica de la persona". Lalaguna Domínguez, E., ob. cit., pág. 871.

[19] Andrés Santos, F. J., "Los límites a la autonomía…", ob. cit., pág. 65.

[20] Entre quienes parecen apuntar que es necesaria una norma específica que concrete el principio de autonomía privada encontramos a Garrido Gómez, M.ª I., ob. cit., págs. 373 y 374. Menos tajante se muestra Díez-Picazo y Ponce de León, L., "A vueltas con la autonomía privada…", ob. cit., pág. 18.

[21] Parra Lucán, M.ª A., "La autonomía privada en…", ob. cit., pág. 29.

2. Numerus clausus y numerus apertus: una cuestión sin resolver

2.1. Breve evolución histórica y tratamiento en Derecho comparado

El mayor o menor alcance de la autonomía privada en el ámbito jurídico-real se revela como un debate de tintes clásicos no solo en los sistemas de tradición romanista, sino, como tendremos la ocasión de comprobar, también en aquellos Estados que cuentan con un sistema de *Common Law*. En este sentido, los modelos de derechos reales que se suelen ofrecer en cuanto a la creación de nuevas figuras a manos de los particulares quedan eminentemente condensados en dos corrientes contrapuestas: *numerus clausus* o *numerus apertus*.

El primero de los modelos mencionados consiste en limitar el elenco de derechos reales disponibles a aquellos que hayan sido creados por el legislador (derechos reales típicos o nominados), lo que, lógicamente, restringe la autonomía de los particulares en cuanto a la conformación de nuevas figuras de carácter real. En este sentido, entendemos que la tipicidad (*Typenfixierung*) y el *numerus clausus* (*Typenzwang*), nociones tradicionalmente distinguidas por la doctrina germana, se refieren a un mismo fenómeno tendente a limitar la construcción de figuras convencionales en el ámbito jurídico-real. El término de *numerus clausus* suele emplearse para hacer alusión a exclusividad de la fuente en cuanto a la creación de derechos reales (el legislador es el único que puede crear nuevos derechos reales), mientras que el concepto de tipicidad se reserva para indicar la limitación del contenido de tales derechos[22]. Esta distinción puede resultar útil,

---

[22]	Pueden consultarse al respecto: Scaramuzzino, F. M., "Il numero chiuso" en *Trattato di Diritto immobiliare V. II I diritti reali limitati e la circolazione degli immobili* (dir. Visintini, G.), CEDAM, Milano, 2013, págs. 3 y ss., Comporti, M., "Diritti reali in generale" in *Trattato...*, ob. cit., págs. 225 y ss.; Akkermans, B., *The principle of Numerus Clausus in European Property Law*, Intersentia, Antwerp, Oxford, Portland, 2008, págs. 6 y 7; Consentino, C., *Forme di appartenenza e interessi protetti. Tipicità e numerus clausus dei diritti reali*, Satura Editrice, Napoli, 2010, pág. 10; Struycken, T. H. D., "The *numerus clausus* and party autonomy in the law of property" en *Party autonomy in International Property*

en nuestra opinión, para reconocer en qué supuestos el ordenamiento de un determinado Estado limita la producción de derechos reales, pero no su contenido (posibilidad de modificación de los derechos existentes). Debe señalarse, sin embargo, que, bajo nuestro punto de vista, intentar disociar ambos términos como si se tratase de compartimentos estancos resulta, más que artificioso[23], erróneo desde un punto de vista práctico. Ello se debe, en primer lugar, a que se trata de las dos caras de una misma moneda[24] y, en segundo lugar, a que normalmente en aquellos sistemas en los que los derechos reales solo pueden crearse mediante ley (*numerus clausus*), estos tienden a tener un contenido inderogable (tipicidad).

El modelo de *numerus apertus*, al contrario que el de *numerus clausus*, favorece el libre ejercicio de la autonomía privada en el ámbito jurídico-real, permitiendo que los particulares constituyan figuras distintas de las expresamente previstas por el legislador (derechos reales atípicos o innominados). Existe, pues, libertad en cuanto a la creación de nuevas figuras de carácter real, lo que posibilita atender a las nuevas necesidades socioeconómicas que no hayan sido cubiertas hasta el momento por el legislador.

Se viene sosteniendo que las mayores o menores restricciones de la autonomía privada en un determinado sistema jurídico pueden deberse a razones de carácter histórico. De este modo, gran parte de la doctrina señala que durante la época romana el sistema de derechos reales era de número cerrado[25], teoría que parece ser respaldada por

---

     Law, Sellier, Munich, 2011, págs. 61 y 62; Gatti, E. y Alterini, J. M., ob. cit., págs. 82 y 83; Van der Merwe, C. G., "*Numerus clausus* and the development of new real rights in South Africa", *South African Law Journal* Vol. 119, 2002, pág. 802.

[23]   Román García, A., ob. cit., pág. 108.

[24]   Burdese, A., "Sulla tipicità delle servitù prediali in Diritto romano", *Archivio Giuridico Filippo Serafini* Vol. CCXVIII Fasc. 1-2, 1998, págs. 4 y 5.

[25]   Entre otros, Comporti, M., "Tipicità dei diritti reali e figure di nuove emersione" en *Studi in onore di Cesare Massimo Bianca V. II*, Giuffrè, Milano, 2006, págs. 770 y 771; Wolff, M., *Derecho de cosas. T. III Vol. I...*, ob. cit., pág. 7; Roca Sastre, R. M. ª, *Derecho Hipotecario T. II*, ob. cit., pág. 635; Martín Pérez, A., ob. cit., pág. 19; Peña Bernaldo de Quirós, M., *Derechos Reales. Derecho Hipotecario T. I*, ob. cit., pág. 63; Méndez González, F. P., ob. cit., pág. 797 nota al pie núm. 51; Alguer, J., ob. cit., pág. 83; Castán Tobeñas, J., *Derecho Civil Español, Común y Foral T. II Vol. I*, ob. cit., págs. 78 y 79; Gatti, E. y Alterini, ob. cit., pág. 78. Resulta interesante en este punto la postura de Corbino, quien entiende que

argumentos de índole normativa[26] y sistemática[27]. Esta situación cam-

en un sistema codificado la creación de un derecho real puede corresponder únicamente a la ley, pero en Roma estos podían nacer como consecuencia de otros factores como son la actividad de los pretores o la reflexión jurisprudencial. En este sentido, la diferencia entre los modernos sistemas de derechos reales y el romano sería de tipificación, lo que no puede llevar a negar que de facto el modelo romano funcionase como un sistema cerrado. Corbino, A., "Il numero chiuso dei diritti reali nell'esperienza giuridica romana" en *Le droit romain et le monde contemporain: melanges à la memoire de Henry Kupiszewski*, Universidad de Varsovia, Varsovia, 1996, págs. 106 y 114.

Esta línea de pensamiento, como se ha dicho, adoptada por casi la totalidad de la doctrina nacional como extranjera, encuentra una brecha en lo que se refiere al derecho real de servidumbre Ampliamente Arangio-Ruiz, V., "La cosiddetta tipicità delle servitù e i poteri della giurisprudenza romana", *Il Foro Italiano* Vol. 59, 1934, págs. 52 y ss.

Lo anterior ha llevado a notables romanistas a negar el número cerrado de los derechos reales en la era romana (o al menos durante parte de la misma). Giuffrè, V., *L'emersione dei "iura in re aliena" ed il dogma del "numero chiuso"*, Jovene, Napoli, 1992, págs. 20 y 21. Bajo este punto de vista, la autonomía de la voluntad desempeñó un papel relevante en la configuración de las servidumbres a partir de lo que se conoce como *modus servitutis*. Véase Cursi, M. F., *Modus servitutis. Il ruolo dell'autonomia privata nella costruzione del sistema tipico delle servitù prediali*, Jovene, Napoli, 1999, págs. 8 y ss.; Cursi, M. F., "*Modus servitutis* e tipicità convenzionale tra diritto romano e codice civile", *Rivista di Diritto Civile* Vol. 46 núm. 4, 2000, págs. 471 y ss. Sobre la tipicidad de las servidumbres en el derecho romano pueden consultarse, asimismo, Grosso, G., "L'evoluzione storica delle servitù nel diritto romano e il problema de la tipicità", *Studia et documenta historiae et iuris* núm. 3, 1937, pág. 303; Burdese, A., ob. cit., págs. 3 y ss.

[26]   "Así el principio de tipicidad en los derechos reales en la tradición del Derecho romano (o el principio de *numerus clausus*) se conoce en la época clásica, y será establecido expresamente mediante el Edicto de Salvio Juliano (123 d. C.), manteniéndose vigente, primero por la propia aplicación del Edicto del Pretor y, posteriormente, por su carácter de fuente del Derecho". Román García, A., ob. cit., págs. 30 y 31. En igual sentido, Natucci afirma que en el citado Edicto se encontraban todas las acciones que podían ser atendidas por el Pretor y, por tanto, todos los derechos merecedores de tutela. Natucci, A., *La tipicità dei diritti reali*, ob. cit., pág. 35.

[27]   Se trataba de un sistema eminentemente procesal, basado en las acciones. Alonso Pérez señala que "...las varias formas de *actio* han sido como vainas o membranas en las que se encerraba la voluntad del individuo". Alonso Pérez, M., ob. cit., pág. 303. En este sentido, Akkermans prefiere hablar de un *numerus clausus* del sistema de acciones en la época romana. Akkermans, B., "Standardization of Property rights in European Property Law" en *Property Law Perspective II*

biaría, según señala la tesis tradicional, con el discurrir de los años[28], ya que en coherencia con el sistema feudal imperante en la Edad Media se constituyeron muchos y muy diversos gravámenes sobre la tierra[29], lo que ha llevado a algún autor a calificar el modelo de derechos reales de la época como de *numerus apertus*[30].

Voces autorizadas de la doctrina conectan, sin embargo, el debate del número de los derechos reales con el pensamiento liberal de la Revolución francesa, primer momento en el que parece plantearse seriamente la necesidad de frenar la descontrolada constitución de gravámenes sobre la tierra[31]. No obstante, lo cierto es que la tesis del *numerus clausus* se formulará con posterioridad de la mano de la Pandectística[32].

Este breve análisis nos lleva a concluir que, sin perjuicio del papel que pueda haber jugado la Historia en la adopción de un modelo de

---

(ed. Akkermans, B., Marais, E., y Ramaekers, E.), Intersentia, Cambridge, 2013, págs. 44 y 55.

[28]   Se dice que en el derecho germánico la *Gewere* no solo permitió articular un sistema de disfrute colectivo de los bienes, sino que, asimismo, pareció admitir la constitución de obligaciones con efectos reales siempre y cuando se hallasen referidas a un bien determinado, así como de nuevos derechos de carácter real. Véase Wolff, M., *Derecho de cosas. T. III Vol. I…*, ob. cit., pág. 7; Martín Pérez, A., ob. cit., pág. 19. En contra parece mostrarse Román García, A., ob. cit., pág. 41.

[29]   Grossi, P., ob. cit., págs. 104 y 106.

[30]   Peña Bernaldo de Quirós, M., ob. cit., pág. 63. Parece mostrarse en contra Natucci, A., *La tipicità dei diritti reali*, ob. cit., págs. 39 y 42.

[31]   Acerca del *numerus clausus*, se dice que "en los sistemas de derecho civil se encuentra en las reacciones antifeudales de la Revolución Francesa, que provocaron que los derechos reales tuvieran que ser controlados y especificados". Simón Moreno, H., *El proceso de armonización de los derechos reales*, Tirant Lo Blanch, Valencia, 2013, pág. 340. En sentido similar, Consentino, C., ob. cit., pág. 20. Asimismo, Fusaro aboga por situar el nacimiento del modelo de *numerus clausus* en la época decimonónica, rechazando, de este modo, cualquier conexión de este con el Derecho romano. Fusaro, A., "The *numerus clausus* of property rights" en *Modern Studies in Property Law Vol. I*, Hart Publishing, Oxford y Portland, 2001, pág. 310.

[32]   Struycken, T. H. D., ob. cit., pág. 64; Milo, M., "Property and real rights" en *Elgar Encyclopedia of Comparative Law* (ed. Smits, M.), 1st ed., Edward Elgar Publishing Limited, Cheltenham, 2006, pág. 593. Por su parte, Dalhuisen afirma que la posibilidad de limitar el número de los derechos reales ya habría sido puesta de relieve en el año 1639 con el estudio realizado en Alemania por Hahn. Dalhuisen, J. H., "European Private Law: Moving from a closed to an open system of proprietary rights", *Edinburgh Law Review* Vol. 5 núm. 3, 2001, pág. 281.

derechos reales de número abierto o cerrado en un determinado Estado, es difícil establecer con rotundidad cuál ha sido la postura que se ha adoptado ante la creación de figuras atípicas de carácter jurídico-real en cada momento histórico, teniendo en cuenta que el nacimiento de los derechos subjetivos como categoría se encuentra relacionado, como apuntamos en el párrafo precedente, con la Pandectística. Con ello no se quiere decir que no se pueda realizar un análisis retrospectivo de la materia que aquí nos ocupa, simplemente se apunta que la inexistencia de un sistema de Derecho patrimonial estructurado en muchas etapas de la Historia dificulta, en nuestra opinión, la posibilidad de hablar de auténticos sistemas de *numerus apertus* o *numerus clausus* antes del movimiento codificador, pudiendo limitarnos únicamente a hablar de un mayor o menor juego de la autonomía de los particulares en diversos períodos.

Teniendo en cuenta la influencia de la Historia en la construcción de los sistemas de Derecho patrimonial de los distintos Estados, lo cierto es que las principales razones que pueden llevar a un Estado hoy en día a restringir o permitir el libre desenvolvimiento de la autonomía de la voluntad en el ámbito de los derechos reales creemos que se deben, más que a motivos de carácter ideológico[33] o ético[34], a una cuestión práctica o de política legislativa[35].

Uno de los grandes problemas que surge en torno al número de los derechos reales es que los Estados no suelen decantarse de forma expresa a favor de uno de los modelos anteriormente expuestos, a excepción de algunos de los sistemas imperantes en lugares tan dispa-

---

[33] Se ha afirmado que el *Code civil* podría haber adoptado el sistema de *numerus clausus* por una cuestión de carácter ideológico y no de técnica jurídica. Martín Pérez, A., ob. cit., pág. 20.

[34] Así, parecen entenderlo refiriéndose a la función ética del *numerus clausus* Foëx, B., *Le numerus clausus des droits réels en matière mobilière*, Payot, Lausanne, 1987, págs. 34 y 35; Struycken, T. H. D., ob. cit., págs. 70 y 71.

[35] En este sentido, Peralta Mariscal, L. L., "Análisis crítico del sistema español de *numerus apertus* en materia de derechos reales/ Critical analysis about *numerus apertus* spanish sistem in property rights", *R.C.D.I.* núm.751, septiembre-octubre 2015, págs. 2669 y 2685; De Los Mozos y De Los Mozos, J., L., "Los derechos reales en la sistemática...", ob. cit., pág. 506; Puig Brutau, J., *Fundamentos de Derecho Civil T. III Vol. I...*, ob. cit., pág. 34; Messineo, F., *Manual de Derecho Civil y Comercial T. III...*, ob. cit., pág. 447.

res como, por ejemplo, Argentina[36], Holanda[37], Portugal[38], Japón[39], Corea del Sur[40], Tailandia[41], Etiopía[42] y Luisiana[43], entre otros. Es

---

[36]   El Código civil y comercial argentino establece en su art. 1884 que "*la regula-ción de los derechos reales en cuanto a sus elementos, contenido, adquisición, constitución, modificación, transmisión, duración y extinción es establecida sólo por la ley. Es nula la configuración de un derecho real no prevista en la ley, o la modificación de su estructura*". Esta solución es similar a la que en su día recogió el art. 2502 del anterior Código civil, salvo por el hecho de que en este precepto se disponía que "*...todo contrato o disposición de última voluntad que consti-tuyese otros derechos reales, o modificase los que por este Código se reconocen, valdrá sólo como constitución de derechos personales, si como tal pudiese valer*". Sobre este particular, Blanco, A. E., "*Numerus clausus* en materia de derechos reales. Alcance y efecto en los contratos", *Derecho y Ciencias Sociales* núm. 20, 2019, págs. 72 y ss. Accesible en: http://bit.ly/2Z7XAWE (Página consultada por última vez el 12 de agosto de 2019).

[37]   El art. 3:81 del Código civil neerlandés establece que "*a person to whom an independent and transferable property right (asset) belongs, is able to establish - within the limits of that right - the limited property rights which the law has made available for this purpose...*". Puede consultarse una traducción no oficial en el siguiente enlace: http://bit.ly/2KtFWEz (Página consultada por última vez el 12 de agosto de 2019).

[38]   El Código civil luso establece en su art. 1306 que "*não é permitida a constituição, com caráter real, de restrições ao direito de propriedade ou de figuras parcelares deste direito senão nos casos previstos na lei; toda a restrição resultante de negó-cio jurídico, que não esteja nestas condições, tem natureza obrigacional...*".

[39]   El art. 175 del Código japonés dispone que "*no podrá constituirse derecho real alguno fuera de los previstos en este Código o en las demás leyes*". Barberán, F., y Domingo, R., *Código Civil Japonés. Edición bilingüe y actualizada*, Aranzadi, Cizur Menor, 2006, pág. 141.

[40]   El art. 185 del *Civil Act* coreano dispone que "*no real right can be created at will other than ones provided for by law or costumary law*". Accesible en: http://bit. ly/2yVEZyg (Página consultada por última vez el 12 de agosto de 2019).

[41]   El art. 1298 del Código civil tailandés establece que "*real rights may be created only by the virtue of this Code or other laws*". Puede consultarse una traducción no oficial en: http://bit.ly/2YIhVT5 (Página consultada por última vez el 12 de agosto de 2019).

[42]   El art. 1204.2 del Código civil de Etiopía, refiriéndose al derecho de propiedad dispone que "*such right may neither be divided nor restricted except in accor-dance with the law*". Puede consultarse en el siguiente enlace: http://www.wipo. int/wipolex/en/text.jsp?file_id=398995 (Página consultada por última vez el 12 de agosto de 2019).

[43]   El art. 476 del Código civil de Luisiana dispone que "*one may have various ri ghts in things: 1. Ownership; 2. Personal and predial servitudes; and 3. Such other real rights as the law allows*".

cierto que el funcionamiento de los derechos reales en cuanto a la creación de figuras atípicas no solo se desprende de una norma concreta, sino de la totalidad del sistema[44]; no obstante, en un gran número de Estados la labor de interpretación realizada por la doctrina no ha resultado concluyente como para afirmar con rotundidad cuál es el modelo vigente. Ello no quiere decir que no exista una opinión mayoritaria y generalizada en cuanto a si en un determinado Estado prima un sistema que limita o que, por el contrario, favorece el juego de la autonomía privada en sede de derechos reales, sino que la inexistencia de una clara normativa al respecto impide emitir un veredicto categórico en esta materia.

Debe destacarse, sin embargo, que, bajo nuestro punto de vista, el principal problema que en la actualidad afecta a la cuestión del número de los derechos reales es el hecho de que existen sobradas y serias razones para creer que las nuevas y crecientes exigencias de la sociedad moderna están generando la superación del modelo adoptado por determinados Estados[45] o que, al menos, están fomentando un cambio de modelo como propuesta *de lege ferenda*[46].

---

[44] Comporti, que se mantiene a favor del sistema de *numerus clausus*, sostiene que la inexistencia de una norma concreta que lo reconozca de forma expresa no es definitiva para negar su existencia. Comporti, M., "Tipicità dei diritti reali...", págs. 773 y 774.

[45] Como se expondrá más adelante, en sistemas jurídicos típicamente catalogados como de *numerus clausus* han comenzado a proliferar nuevas figuras de carácter real, mientras que aquellos Estados que permitían un amplio juego de la autonomía privada en sede de derechos reales han establecido una serie de limitaciones a la misma.

[46] La necesidad de satisfacer las exigencias propias de una sociedad moderna y de proteger a los terceros en el tráfico jurídico son los principales argumentos que han hecho inclinar a uno u otro lado de la balanza las posturas acerca de esta cuestión.

2.2. El sistema patrimonial español

A) El **numerus apertus** y sus consecuencias en el ordenamiento jurídico español

Dentro de nuestras fronteras, tanto un sector bastante amplio de la doctrina[47] como la mayor parte de los pronunciamientos de la Dirección General de los Registros y del Notariado[48] se muestran favorables a reconocer el juego de la autonomía privada en el ámbito de los derechos reales. Esta tesis encuentra su principal apoyo en las nor-

---

[47] Entre otros, Núñez Lagos, R., "El Registro de la Propiedad español", *R.C.D.I.* núm. 250, marzo 1949, pág. 146; Pau Pedrón, A., *Elementos de Derecho Hipotecario*, ob. cit., pág. 71. En especial, Albaladejo García, M., *Derecho Civil III...,* ob. cit., págs. 27 y ss.; Alguer, J., ob. cit., pág. 84.

[48] Román García (Román García, A., ob. cit., pág. 179) entiende que es a partir de 1947 cuando se produce un cambio en los pronunciamientos de la Dirección General de los Registros y del Notariado a favor del sistema de *numerus apertus*. Sin embargo, bajo nuestro punto de vista, siempre ha existido una tendencia a reconocer la libre configuración de derechos reales con más o menos limitaciones, salvo el caso aislado de la RDGRN 21 diciembre 1943 (LA LEY 33/1943), que es de las pocas resoluciones, por no decir la única, que se posicionan expresamente a favor del sistema de *numerus clausus*. Entre las resoluciones que podríamos decir que se pronuncian a favor del sistema de derechos reales de *numerus apertus*, admitiendo un mayor o un menor desenvolvimiento de la autonomía de la voluntad, se encuentran: RDGRN 11 abril 1930 (LA LEY 11/1930); RDGRN 13 mayo 1936 (LA LEY 13/1936), RDGRN 1 marzo 1939 (LA LEY 6/1939), RDGRN 27 octubre 1947 (RJ\1947\1480); RDGRN 7 julio 1949 (RJ\1949\1077); RDGRN 29 marzo 1955 (RJ\1955\840); RDGRN 1 agosto 1959 (LA LEY 11/1959); RDGRN 20 septiembre 1966 (TOL940.850); RDGRN 1 abril 1981 (TOL330.410); RDGRN 14 mayo 1984 (TOL962.738); RDGRN 10 abril 1987 (RJ\1987\3217); RDGRN 5 junio 1987 (RJ\1987\4835); RDGRN 21 febrero 2000 (TOL133.040); RDGRN 6 marzo 2001 (TOL123.183); RDGRN 16 julio 2002 (TOL314.103); RDGRN 18 noviembre 2002 (TOL230.599); RDGRN 5 diciembre 2002 (TOL268.255); RDGRN 18 julio 2005 (TOL689.231); RDGRN 4 mayo 2009 (TOL1.517.138); RDGRN 2 noviembre 2009 (TOL1.725.013); RDGRN 14 junio 2010 (TOL1.911.702); RDGRN 8 junio 2011 (TOL2.216.269); RDGRN 10 abril 2014 (TOL4.277.898); RDGRN 8 noviembre 2016 (TOL5.905.286); RDGRN 8 noviembre 2018 (TOL6.927.633); RDGRN 13 febrero 2019 (TOL7.098.405); RDGRN 26 abril 2019 (TOL7.211.168); RDGRN 3 septiembre 2019 (TOL7.554.582); RDGRN 25 septiembre 2019 (TOL7.573.407); RDGRN 8 noviembre 2019 (TOL7.593.799); RDGRN 26 noviembre 2019 (TOL7.643.168).

mas previstas en la legislación hipotecaria, las cuales parecen admitir la creación de derechos no previstos por el legislador[49]. De este modo, el art. 2.2 LH dispone que en el Registro de la Propiedad cabrá la inscripción de "*los títulos en que se constituyan, reconozcan, transmitan, modifiquen o extingan derechos de usufructo, uso, habitación, enfiteusis, hipoteca, censos, servidumbres y otros cualesquiera reales*". Asimismo, ha de señalarse que existen otros preceptos de la Ley Hipotecaria que pueden hacer pensar que el ordenamiento permite la constitución de derechos reales atípicos (arts. 107[50] y 210.2[51] LH), así como la modificación de los tipos existentes (arts. 26[52], 11, 23 y 37[53] LH).

Siguiendo la línea de lo anterior, el Reglamento de desarrollo de la Ley hipotecaria parece acoger la posibilidad de crear figuras atípicas

---

[49]   La Ley de reforma de la Ley Hipotecaria de 30 de diciembre de 1944 ya puso de manifiesto en su Exposición de Motivos que "la mención en el Registro de aquellas circunstancias que constituyen especiales modalidades de la relación que se trata de inscribir es un requisito indispensable en un sistema que, como el nuestro, no acepta la teoría del *numerus clausus*, y en el que las características de los derechos reales no están determinadas por la legislación civil". Mencionado en Gordillo Cañas, A., "Bases del Derecho de Cosas y principios inmobiliario-registrales: sistema español", *A.D.C.* fasc. II, 1995, pág. 554 nota al pie núm. 92.

[50]   Clemente De Diego señala que el art. 107.5 LH ofrece argumentos para creer que nuestro sistema de derechos reales es de *numerus apertus* al indicar que pueden hipotecarse "*los derechos de superficie, pastos, aguas, leñas y otros semejantes de naturaleza real*". Véase Clemente De Diego, ob. cit., pág. 372.

[51]   Este precepto dispone que "*...a instancia de persona con interés legítimo, los asientos relativos a censos, foros y otros gravámenes de naturaleza análoga, establecidos por tiempo indefinido, podrán ser cancelados cuando hayan transcurrido sesenta años desde la extensión del último asiento relativo a los mismos*". Ha de recordarse en este punto, en relación con el estudio anteriormente realizado acerca de las cargas y gravámenes, que en muchas ocasiones, aunque no en todas, el término "gravamen" o "carga" puede estar haciendo alusión a un auténtico derecho real que comporta un poder inherente o inmediato frente a una cosa y que es oponible frente a todos.

[52]   Desde el punto de vista de Peña Bernaldo de Quirós, el art. 26 LH relativo a las disposiciones de disponer avalaría la posibilidad de alterar de algún modo un derecho de carácter típico, en la medida en que el precepto establece que estas pueden haber sido impuestas por la voluntad de las partes (prohibiciones de disponer de carácter convencional). Peña Bernaldo de Quirós, M., *Derechos Reales. Derecho Hipotecario T. I*, ob. cit., pág. 65.

[53]   Igualmente, el establecimiento de condición, término o modo permite jugar, en cierta medida, con los tipos existentes. Véase Peña Bernaldo de Quirós, M., *Derechos Reales. Derecho Hipotecario T. I*, ob. cit., pág. 65.

en varios de sus preceptos, en especial, en su art. 7, que establece que *"no sólo deberán inscribirse los títulos en que se declare, constituya, reconozca, transmita, modifique o extinga el dominio o los derechos reales que en dichos párrafos se mencionan, sino cualesquiera otros relativos a derechos de la misma naturaleza…"*. Esta idea parece apoyarse, asimismo, en el art. 74 RH y en la antigua redacción del art. 621 RH antes de ser modificado por el Real Decreto 1867/1998[54]. También podrían traerse a colación, en nuestra opinión, los arts. 69 y 603 RH[55], aunque es necesario destacar que estos no parecen ofrecer unos argumentos tan claros a favor de la tesis del *numerus apertus* como en el caso de los otros preceptos apuntados.

Aquellos que defienden el juego de la autonomía privada en el ámbito de los derechos reales suelen añadir que, además de las normas mencionadas, tal posibilidad se deduce de otros preceptos del código civil español[56] y

---

[54] Así lo indica GORDILLO CAÑAS, A., "Bases del Derecho de Cosas…", ob. cit., pág. 555. El art. 74 RH dispone que *"la inscripción de las redenciones de foros, subforos y demás derechos reales de naturaleza análoga…"*. Asimismo, la antigua redacción del art. 621 RH, antes de ser modificado por el Real Decreto 1867/1998, establecía que *"los Registradores formarán en fin de cada año, ajustados a los modelos oficiales, siete estados, en los que se comprenderán los datos referentes a los títulos que se hayan inscrito dentro del mismo año, sin tenerse en cuenta los documentos presentados y pendientes de inscripción. En dichos estados se expresarán: (…) en el segundo, los derechos de usufructo, uso, habitación, servidumbre, censos y otros cualesquiera reales, impuestos sobre los inmuebles, con exclusión de las hipotecas, y sus valores en capital y renta"*.

[55] El art. 69 RH que establece que *"…el dueño directo o el útil podrán obtener la inscripción de los foros, subforos y demás derechos reales de igual naturaleza…"*. Por su parte, el art. 603 RH dispone que *"el valor de los censos, pensiones y demás gravámenes de naturaleza perpetua, temporal o redimible no se acumulará al precio de transmisión"*. Sobre este último precepto hay que recordar que el término gravamen también es utilizado para hacer referencia a los derechos reales.

[56] Entre ellos se han señalado, por ejemplo, los arts. 392.2, 467, 470, 523, 594 y 598 Cc y, en especial el art. 1655 Cc, que con la expresión *"los foros y cualesquiera otros gravámenes de naturaleza análoga…"*, podría estar admitiendo la posible constitución de derechos reales distintos de los expresamente previstos. Díez-Picazo y Ponce de León, L., "Autonomía Privada…", ob. cit., pág. 308; Bercovitz Rodríguez-Cano, R., ob. cit., págs. 30 y 31; Gordillo Cañas, A., "Bases del Derecho de Cosas…", ob. cit., pág. 555; Peña Bernaldo de Quirós, M., *Derechos Reales. Derecho Hipotecario T. I*, ob. cit., pág. 65. En este sentido, cabe destacar que aunque De Cossío se muestra reticente a admitir la creación de figuras *ex*

de los derechos civiles autonómicos[57], teniendo en cuenta, además, la posible aplicación analógica para este supuesto del art. 1255 Cc, que reconoce de forma expresa la autonomía privada en sede contractual[58].

Al hilo de lo anterior, debe destacarse que la tesis favorable al número abierto de los derechos reales no solo pasa por admitir que los particulares puedan crear nuevos derechos reales totalmente desconocidos para las normas que pueblan nuestro ordenamiento jurídico, sino, además, por permitir que estos puedan modificar los tipos exis-

---

novo, reconoce que "el Código civil parte de una extraordinaria flexibilidad". De Cossío y Corral, A., *Instituciones de Derecho Civil T. II...*, ob. cit., pág. 37. Debe advertirse, sin embargo, que no todos los artículos mencionados en el párrafo precedente son interpretados por la doctrina en el sentido de que estos sirven de base para otorgar un mayor campo de actuación a la autonomía privada. Así, por ejemplo, un sector de la doctrina sostiene que el art. 392.2 Cc lo que en realidad quiere decir es que en aquellos casos en los que la comunidad deba su origen a un contrato este se regirá por las reglas de la sociedad y no por las de la comunidad de bienes. Véanse Pérez Conesa, C., "Comentario al artículo 392" en *Comentarios al Código Civil T. III* (dir. Bercovitz Rodríguez-Cano, R.), Tirant Lo Blanch, Valencia, 2013, págs. 3241 y 3242; Miquel González, J. M. ª, "Comentario al artículo 392" en *Comentario del Código Civil T. I* (dir. Paz-Ares Rodríguez, C. *et al.*), Ministerio de Justicia, Madrid, 1991, pág. 1070.

[57]   Por lo que se refiere a los derechos civiles autonómicos, creemos que debe matizarse la afirmación realizada por García Cantero en la cual pone de relieve que la regulación en la Compilación de Derecho Civil Foral de Navarra de derechos como el de sobreedificación y subedificación podría sumarse a los argumentos expuestos a favor de un sistema de *numerus apertus*, ya que supone un reconocimiento de supuestos análogos al derecho de superficie. Véase García Cantero, G., "*Numerus clausus et numerus apertus*" dans la modèrne théorie des droits réels (un apperçu sur le droit espagnol)", en *Land Law in Comparative Perspective* (ed. Sánchez Jordán, M.ª E. y Gambaro, A.), Kluwer Law International, The Hague, New York, London, 2002, pág. 99. Nos mostramos de acuerdo con el citado autor en que en los derechos civiles autonómicos pueden encontrarse ejemplos de derechos que hacen pensar en una cierta flexibilidad del sistema, pero queremos advertir que ello no puede servir de base para afirmar que el nuestro es un sistema de *numerus apertus*. En este sentido, ha de tenerse en cuenta que si el derecho se encuentra regulado por normas civiles autonómicas nos moveremos en el plano de la tipicidad. Cosa distinta es que en diversas Comunidades Autónomas existan normas específicas que parecen avalar el juego de la autonomía privada en sede de derechos reales, como pueden ser, entre otras, el art. 3 CDFA y las Leyes 7, 365, 393, 460 y 463 FNN. Así lo estima, apoyándose en Lacruz en lo que se refiere al derecho aragonés, Peña Bernaldo de Quirós, M., *Derechos Reales. Derecho Hipotecario T. I*, ob. cit., pág. 66.

[58]   Así lo entiende Albaladejo García, M., *Derecho Civil III...*, ob. cit., págs. 27 y 28.

tentes a través del amplio margen que nuestro sistema jurídico reserva al desenvolvimiento de la autonomía privada[59].

La tesis hasta aquí expuesta tiene como indiscutible ventaja que un sistema de *numerus apertus* permite dar una solución jurídica efectiva a problemas que se plantean en la práctica social[60] y, según un sector de la doctrina, es compatible con el principio de seguridad jurídica[61]. Sin embargo, debe recalcarse que importantes voces dentro de la doctrina siguen manteniendo que el sistema imperante en nuestro ordenamiento es[62] o, al menos, debería ser[63] restrictivo en lo que a la

---

[59]   Gordillo Cañas, A., "Bases del Derecho de Cosas...", ob. cit., pág. 555; Albaladejo García, M., *Derecho Civil III...*, ob. cit., pág. 27; Peña Bernaldo de Quirós, M., *Derechos Reales. Derecho Hipotecario T. I*, ob. cit., págs. 65 y 66.

[60]   Lacruz Berdejo, J. L. *et al.*, *Elementos de Derecho Civil III Derechos Reales Vol. I*, 2008, ob. cit., págs. 12 y 13.

[61]   Bercovitz Rodríguez-Cano, R., ob. cit., pág. 30. Desde el punto de vista de Gordillo Cañas, este escollo queda salvado como consecuencia de la existencia del Registro de la Propiedad, tema sobre el que nos detendremos en otro apartado de la investigación relativo a la importancia de la información territorial y su incidencia en el modelo de derechos reales. Véase Gordillo Cañas, A., "Bases del Derecho de Cosas...", ob. cit., pág. 554.

[62]   En la doctrina española pueden citarse a Álvarez Caperochipi, J. A., *Curso de Derechos Reales T. I V. I Propiedad y Derechos Reales*, Comares, Granada, 2005, págs. 17 y ss.; Hernández Gil, A., *Derecho de Obligaciones T. I*, Madrid, 1960, págs. 46 y ss.; Martín Pérez, A., ob. cit., págs. 18 y ss. También Pérez Vega, A., "El número de los derechos reales en el ordenamiento jurídico español", *Anuario da Facultade de Dereito da Universidade da Coruña* núm. 9, 2005, págs. 1129 y ss. Ha de repetirse aquí que la Dirección General de los Registros y del Notariado no parece, sin embargo, haber secundado nunca esta tesis, pues, aunque existe algún supuesto en el que se ha defendido la aplicación de la teoría del *numerus clausus*, como es el caso de la RDGRN 21 diciembre 1943 (LA LEY 33/1943), en la mayor parte de pronunciamientos anteriores y posteriores a tal resolución se decanta por un sistema de *numerus apertus*. No ha existido, pues, en nuestra opinión, una evolución de la doctrina de la Dirección General, de una posición favorable del *numerus clausus* al *numerus apertus*, ya que de forma general ha aceptado la creación de figuras atípicas en casi la totalidad de sus pronunciamientos, debiendo admitirse, sin embargo, que tal vez en un primer momento las restricciones a la autonomía de la voluntad eran más estrictas. Estas conclusiones se extraen de la lectura de RDGRN 11 abril 1930 (LA LEY 11/1930); RDGRN 13 mayo 1936 LA LEY (13/1936) y RDGRN 1 marzo 1939 (LA LEY 6/1939).

[63]   Font Boix, V., "El problema sobre el concepto...", ob. cit., pág. 582 nota al pie núm. 22; Castán Tobeñas, J., *Derecho Civil Español, Común y Foral T. II Vol. I*, ob. cit., págs. 80 y ss. Extensamente, Peralta Mariscal, L. L., ob. cit., págs. 2685 y ss.

creación de derechos reales atípicos se refiere, idea que será desarrollada en el siguiente apartado.

### B)	El *número cerrado de los derechos reales. La importancia del principio de seguridad jurídica*

En contraste con la tesis del *numerus apertus*, parte de la doctrina considera que la constitución de figuras de carácter atípico en el ámbito de los derechos reales no solo podría producir efectos perjudiciales para terceros como consecuencia de la oponibilidad *erga omnes* de los derechos reales[64], sino que, además, dificultaría en gran medida la labor del registrador[65], empañaría la realidad registral[66] y afectaría a la circulación de bienes, con su consecuente impacto en la economía de mercado[67]. De este modo, se argumenta que la adopción

---

[64]	Así, se ha llegado a señalar que "...la doctrina construye el sistema de *numerus clausus* como un mecanismo que permita corregir la extensión indiscriminada, principalmente por vía convencional, de la eficacia *erga omnes* que se atribuye al derecho real como condición necesaria para su eficacia". Jiménez Clar, A., ob. cit., pág. 507.

[65]	A favor del sistema de *numerus clausus* como el más idóneo desde el punto de vista de la calificación registral se pronuncia Serrano y Serrano, I., *El Registro de la Propiedad en el Código Civil suizo*, 2ª ed., Talleres tipográficos Cuesta, Valladolid, 1943, pág. 165. En cierta medida, Acedo Pérez, J., "Derechos reales innominados", *R.C.D.I.* núm. 374-375, julio-agosto 1959, pág. 505. Este último autor, sin embargo, estima que el sistema imperante es el de *numerus apertus*, lo que no obsta para que se pronuncie sobre las bondades de un modelo de número cerrado de derechos reales y la necesidad de una reforma legislativa en la materia. Debe tenerse en cuenta, además, la ya mencionada RDGRN 21 diciembre 1943 (LA LEY 33/1943), donde se afirmó de forma clara que el sistema de *numerus clausus* "...encierra las innegables ventajas de facilitar la labor del Registrador en cuanto a su deber de calificación, favorecer los cálculos de los terceros adquirentes y evitar la creación de derechos innominados y ambiguos...".

[66]	Aunque se refiere al derecho suizo, se pronuncia favorablemente sobre la utilidad del sistema de *numerus clausus* en la clarificación del panorama registral Foëx, B., ob. cit., pág. 30.

[67]	Álvarez Olalla, P. *et al.* en *Manual de Derecho Civil...*, ob. cit., pág. 29. Señala este aspecto Jiménez Clar, A., ob. cit., pág. 511. Por su parte, Foëx, B., ob. cit., págs. 31 y ss. recalca que el *numerus clausus* garantiza la libertad de la propiedad.
	El primer estudio dedicado a examinar el tema de la creación y modificación de derechos reales desde una perspectiva económica debe atribuirse, bajo nuestro punto de vista, al comparatista inglés Bernard Rudden. Véase Rudden, B., "Economic Theory v. Property Law: The *Numerus Clausus* Problem" en *Oxford essays in*

de un sistema de número cerrado tiene como finalidad principal la de

---

jurisprudence (ed. Eekelaar, J., y Bell, J.), Claredon Press, Oxford, 1987, págs. 239 y ss. No obstante, ha de señalarse que esta cuestión ha sido especialmente tratada por la doctrina americana desde finales del siglo XX hasta nuestros días. En este sentido, es abundante la literatura que se ha dedicado al tema, siendo especialmente relevantes los siguientes trabajos: Merrill, T. W., y Smith, H. E., "Optimal Standardization in the Law of Property: The *Numerus Clausus* Principle", *Yale Law Journal* Vol. 110 núm. 1, october 2000, págs. 3 y ss. Accesible en: http://bit. ly/2yXbpbC (Página consultada por última vez el 12 de agosto de 2019). Merrill, T. W., y Smith, H. E., "What Happened to Property in Law and Economics", *The Yale Law Journal* Vol. 111 núm. 2, november 2001, págs. 385 y ss. Accesible en: http://bit.ly/31Alrfj (Página consultada por última vez el 12 de agosto de 2019). Smith, H. E., "Property and property rules", *New York University Law Review* Vol. 79 núm. 5, november 2004, págs. 1768 y ss. Accesible en: http://bit. ly/2McY7k8 (Página consultada por última vez el 12 de agosto de 2019). Hansmann, H., y Kraakman, R., "Property, Contract, And Verification: The *Numerus Clausus* Problem And The Divisibility Of Rights", *The Journal Of Legal Studies* Vol. 31 núm. 2, june 2002, págs. 373 y ss. Accesible en: http://bit.ly/2YTGZ4M (Página consultada por última vez el 12 de agosto de 2019). Chang, Y. y Smith, H. E., "The *Numerus Clausus* Principle, Property Customs, and the Emergence of New Property Forms", *Iowa Law Review* Vol. 100, 2015, pág. 2276 y ss. Accesible en: http://bit.ly/2UJ2jNk (Página consultada por última vez el 18 de abril de 2019). Parisi, F., "Entropy in Property", *The American Journal of Comparative Law* Vol. 50 núm. 3, summer 2002, págs. 1 y ss. Accesible en: http://bit. ly/2II0Z66 (Página consultada por última vez el 18 de abril de 2019). Parisi, F., Depoorter, B., y Schulz, N., "Duality in Property: commons and anticommons", *International review of Law and Economics* Vol. 25 núm. 4, 2005, págs. 1 y ss. Accesible en: http://bit.ly/2ULa1X2 (Página consultada por última vez el 18 de abril de 2019). Deeporter. B., y Parisi, F., "Fragmentation of Property Rights: A Functional Interpretation of the Law of Servitudes", *John M. Olin Center for Studies in Law, Economics, and Public Policy Working Papers, march 2003, págs. 13 y ss. Accesible en:* http://bit.ly/2Xsdyqd (Página consultada por última vez el 18 de abril de 2019). Bell, A., y Parchomovsky, G., "Of Property and Federalism", *The Yale Law Journal* Vol. 115 núm. 1, october 2005, págs. 74 y ss. Accesible en: http://bit.ly/2KEiUtH (Página consultada por última vez el 12 de agosto de 2019). Render, M. M., "Complexity in Property", september 2013, págs. 2 y ss. Accesible en: http://bit.ly/2IuN1VD (Página consultada por última vez el 18 de abril de 2019). Davidson, N. M., "Standardization and Pluralism in Property Law", *Vanderbilt Law Review* Vol. 61 núm. 6, november 2008, págs. 1598 y ss. Accesible en: http://bit.ly/2IyMAKj (Página consultada por última vez el 18 de abril de 2019). O´Connor, P., "Contractual specification of new property rights in resources: the problem of measurement costs", *Monash University Law Review* Vol. 39 núm. 1, 2013, págs. 38 y ss. Accesible en: http://bit.ly/2Gy8DP3 (Página consultada por última vez el 18 de abril de 2019). Aunque no se trata de un autor americano, también aborda esta cuestión Baffi, E., "The Anticommons and the Problem of the

establecer una correcta organización del sistema de derechos reales[68], previniendo[69] situaciones que puedan dañar los intereses de terceros, entorpecer la labor registral y, en definitiva, gravar en exceso la propiedad, evitando, así, situaciones de carácter antieconómico.

Los defensores del *numerus clausus* en materia de derechos reales alegan que, dada la relevancia de la materia y la posible conculcación de los intereses de los terceros, no puede realizarse una aplicación analógica de las normas que prevén la libertad de creación de figuras atípicas de carácter obligacional[70]. Sería necesaria, pues, una norma que expresamente admitiese el libre desenvolvimiento de la autonomía de la voluntad en el ámbito de los derechos reales[71] o que, al menos, fuera más clara por lo que respecta a esta cuestión[72].

En la línea de lo anterior, parte de la doctrina considera que las normas que suele ofrecer un sector de la doctrina para respaldar la admisión de la libre creación de figuras atípicas de carácter real no resultan concluyentes[73]. Así, el art. 2 LH al emplear la expresión "*y otros*

---

numerus clausus of Property Rights", 2007, págs. 1 y ss. Accesible en: http://bit.ly/2Zm92LN (Página consultada por última vez el 18 de abril de 2019).

[68] Struycken, T. H. D., ob. cit., pág. 71; Foëx, B., ob. cit., pág. 36. En parecido sentido, aunque refiriéndose a la tipicidad, Gambaro, A., "Note sul principio di tipicità dei diritti reali" en *Clausule e principi generali nell'argomentazione giurisprudenziale degli anni novanta*, CEDAM, Padova, 1998, pág. 229.

[69] Se habla de la función cautelar del *numerus clausus*. Ziff, B., "Yet another function for the *Numerus Clausus* principle of property rights and a useful one at that", 2012, pág. 13. Accesible en: http://bit.ly/2YI2mKZ (Página consultada por última vez el 12 de agosto de 2019).

[70] Así lo explica De Pablo Contreras, P., "El derecho real y sus caracteres", ob. cit., pág. 41.

[71] Este argumento parece descartar la aplicación analógica del art. 1255 Cc al ámbito de los derechos reales. En este sentido se pronuncia Hernández Gil, A., *Derecho de Obligaciones T. I...*, ob. cit., pág. 47. Sobre este punto debe tenerse en cuenta la afirmación realizada por Ihering, quien puso de relieve que "el principio de *numerus clausus* es un principio general del sistema implícito en la organización de las codificaciones". Citado en Pérez Vega, A., ob. cit., pág. 1131.

[72] Lacruz Berdejo, J. L. *et al.*, *Elementos de Derecho Civil III Derechos Reales Vol. I*, 2008, ob. cit., págs. 15 y 16. Por su parte, Servat Adúa señala que "es inútil buscar un texto categórico que aleje toda duda sobre el sistema adoptado por nuestro Derecho positivo". Servat Adúa, J., "Derechos reales y pactos de trascendencia real", *R.C.D.I.* núm. 236, enero 1948, pág. 751.

[73] Véase De Pablo Contreras, P., "El derecho real y sus caracteres", ob. cit., págs. 41 y 42.

cualesquiera reales" simplemente se estaría refiriendo a aquellas figuras que, siendo típicas, no se mencionan de forma expresa en el texto[74].

Más duras son las objeciones que se plantean frente a la creación de figuras jurídico-reales distintas de las contempladas legalmente al amparo del art. 7 RH, no tanto porque tal vez con la expresión "*... sin tener nombre propio en derecho...*" el precepto esté aludiendo más bien al "*...acto o contrato de trascendencia real...*"[75], sino, como señala De Pablo Contreras, por su condición de norma reglamentaria[76]. Sobre este punto no puede olvidarse que existe una reserva de ley en materia de propiedad en virtud de lo dispuesto en nuestra Carta Fundamental en sus arts. 33.2 y 53.1, lo que impide que el ejecutivo pueda regular a través de una norma reglamentaria cuáles son los derechos inscribibles[77] al margen (*praeter legem*) o en contra (*contra legem*) de lo dispuesto en la ley[78].

---

[74]   Lacruz Berdejo, J. L. *et al.*, *Elementos de Derecho Civil III Derechos Reales Vol. I*, 2008, ob. cit., pág. 15; Hernández Gil, A., *Derecho de Obligaciones T. I...*, ob. cit., pág. 47; Martín Pérez, A., ob. cit., pág. 21.

[75]   Véase De Pablo Contreras, P., "El derecho real y sus caracteres", ob. cit., pág. 42. Ello se pone de relieve también en Lacruz Berdejo, J. L. *et al.*, *Elementos de Derecho Civil III Derechos Reales Vol. I*, 2008, ob. cit., págs. 15 y 16; Hernández Gil, A., *Derecho de Obligaciones T. I...*, ob. cit., págs. 47 y 48; Martín Pérez, A., ob. cit., pág. 21.

[76]   Ampliamente en De Pablo Contreras, P., "El derecho real y sus caracteres", ob. cit., pág. 42. Lacruz Berdejo, J. L. *et al.*, *Elementos de Derecho Civil III Derechos Reales Vol. I*, 2008, ob. cit., pág. 16.

[77]   Así, "el acceso al Registro de la propiedad de los actos con trascendencia jurídico-real, y la inscripción de los derechos reales constituidos por los particulares sólo puede ser limitado por normas con rango de ley, en virtud de la reserva de ley del art. 33 de la CE; reserva en modo alguno relativizada por la LH, donde preceptos como los arts. 1 y 2.2 de la misma proclaman el principio de *numerus apertus* en materia de derechos susceptibles de inscripción registral". García García, J. A., *Reserva de Ley y Derecho Civil. Las funciones de las Normas Reglamentarias en el Derecho Civil*, Aranzadi, Cizur Menor, 2006, pág. 405. Véase, asimismo, De Pablo Contreras, P., "El derecho real y sus caracteres", ob. cit., págs. 42 y 43.

[78]   En este sentido, nuestro Alto Tribunal ha recalcado que "*aun cuando la reforma del Reglamento Hipotecario pretenda dar respuesta a las necesidades del tráfico inmobiliario actual y a otras realidades extrarregistrales, lo cierto es que no puede efectuarse en contra o al margen de la Ley Hipotecaria, el Código Civil o cualquier otra disposición con rango de ley, pues el cometido de desarrollo y colaboración propio del Reglamento no puede alcanzarse a costa de aquellos*

Debe resaltarse que, como consecuencia de lo arriba señalado, en el pasado el Tribunal Supremo tuvo que declarar la nulidad de varios preceptos del Real Decreto 1867/1998 de modificación del Reglamento Hipotecario[79], los cuales incidían en aspectos de la configuración de determinados derechos reales como son la duración de los mismos y otras circunstancias necesarias para la inscripción del derecho al margen o en contra de lo dispuesto en la Ley Hipotecaria[80]. En este

---

principios, a pesar de que la Ley pueda contener elementos alógicos insalvables mediante la interpretación, lo que, en tal caso, justificaría su sustitución por vía parlamentaria y no reglamentaria". STS (Sala Tercera) 31 enero 2001 (TOL4.915.905).

[79] STS (Sala Tercera) 24 febrero 2000 (TOL1.716.942) y la ya citada STS (Sala Tercera) 31 enero 2001 (TOL4.915.905). Más detalles en Lois Puente, J. M., "Comentario a las sentencias del Tribunal Supremo que anulan determinados preceptos de la Reforma del Reglamento Hipotecario aprobada por el Real Decreto 1867/1998", *Diario La Ley* T. VII, 2001, págs. 1649 y ss.

[80] Véase De Pablo Contreras, P., "El derecho real y sus caracteres", ob. cit., págs. 42 y 43. Así, se anuló el apartado 2.c) del art. 16 RH que establecía que el plazo máximo para ejercitar el derecho de vuelo no podría exceder de los 10 años, ya que *"...al establecerse como requisito para que tal derecho acceda al Registro de la Propiedad que el plazo máximo para su ejercicio tenga una vigencia no superior a diez años, de alguna manera se está alterando su alcance y eficacia frente a terceros, puesto que los derechos reales tienen acceso al Registro de la Propiedad sin limitación de tiempo por imperativo del artículo 1 de la Ley Hipotecaria, siendo necesario, cuando se trata de derechos reales o de cargas o limitaciones del dominio, el derecho de vuelo es un derecho real que supone una limitación del dominio para los propietarios o copropietarios de inmuebles que no son partícipes del mismo, que conste su inscripción para que surtan efecto frente a terceros. Por esa razón, aun reconociendo que el principio de determinación no tolera gravámenes indefinidos o indeterminados, una limitación del tipo de la que se pretende en el artículo 16 del Reglamento impugnado en relación con el derecho de vuelo debe necesariamente venir establecida por Ley al afectar a lo dispuesto en el precepto mencionado de la Ley Hipotecaria...".* STS (Sala Tercera) 24 febrero 2000 (TOL1.716.942). Más tarde se declararía la nulidad del apartado 2.b) del art. 16 RH por similares motivos, pues este se pronunciaba sobre la necesidad de determinar el número máximo de plantas a construir, ya que *"el principio de especialidad o de determinación del derecho real a inscribir requiere, conforme al artículo 9.2ª de la Ley Hipotecaria, que se exprese la naturaleza, extensión y condiciones del derecho que se inscriba, pero éstas no pueden venir impuestas por el Reglamento, a pesar de lo cual los apartados b) y c) del artículo 16.2 las establecen al margen de lo dispuesto por la legislación urbanística aplicable, razón por la que el apartado b), al igual que ya lo fue antes el c), debe ser declarado nulo de pleno derecho por exigir un requisito para la inscripción*

sentido, el propio Tribunal Constitucional ha puesto de relieve, en relación con los preceptos constitucionales anteriormente citados, que *"prohíbe esta concreta reserva de Ley toda operación de deslegalización de la materia o todo intento de regulación del contenido del derecho de propiedad privada por reglamentos independientes o extra legem..."*[81]. Ha de señalarse, sin embargo, que nuestro texto constitucional no impide en ningún modo *"la remisión del legislador a la colaboración del poder normativo de la Administración para completar la regulación legal y lograr así la plena efectividad de sus mandatos, remisión inexcusable, por lo demás, cuando, como es el caso arquetípico de la propiedad inmobiliaria, las características naturales del bien objeto de dominio y su propia localización lo hacen susceptible de diferentes utilidades sociales, que pueden y deben traducirse en restricciones y deberes diferenciados para los propietarios que, como regla general, sólo por vía reglamentaria pueden establecerse"*[82].

El Reglamento Hipotecario es, pues, un instrumento idóneo para el desarrollo de la Ley Hipotecaria en varios aspectos relacionados con el Registro de la Propiedad[83], pero en ningún caso puede regular *"...los derechos y titularidades susceptibles de ingresar en el Registro de la Propiedad, así como también las condiciones y requisitos de acceso de los títulos y actos en los cuales se constituyen, modifican o extinguen derechos susceptibles de inscripción o constancia registral"*[84].

---

del derecho de vuelo y subsuelo, cual es el número de plantas a construir, que sólo el ordenamiento urbanístico en vigor puede establecer". STS (Sala Tercera) 31 enero 2001 (TOL4.915.905).

En igual sentido, el Tribunal Supremo decretó la nulidad de varios de los apartado del art. 16.1 RH referentes al derecho real de superficie, pues *"el desbordamiento de los límites del Reglamento se aprecia también al establecer en sus apartados a), b), c), d) y e) las circunstancias que deben reunir los títulos públicos en que se establezca el derecho de superficie además de las necesarias para la inscripción, declarando, finalmente, que no serán inscribibles las estipulaciones que sujeten el derecho de superficie a comiso"*. STS (Sala Tercera) 31 enero 2001 (TOL4.915.905).

[81] STC (Pleno) 26 marzo 1987 (TOL79.746).

[82] STC (Pleno) 26 marzo 1987 (TOL79.746).

[83] En este sentido, cabe destacar que la reserva de ley no alcanzaría *"...los aspectos puramente organizatorios y materiales del Registro de la Propiedad, notas marginales en tanto no deriven de las mismas efectos sustantivos o procesales..."*. García García, J. A., *Reserva de Ley...*, ob. cit., pág. 473.

[84] García García, J. A., *Reserva de Ley...*, ob. cit., pág. 469.

Frente a los argumentos anteriormente expuestos, Díez-Picazo ha señalado que, con independencia de que la interpretación de la normativa hipotecaria pueda ofrecer razones para sostener que el nuestro es un sistema de *numerus clausus* o, en su caso, de *numerus apertus*, la enunciación de cuáles son o pueden ser los derechos reales existentes en nuestro sistema de Derecho privado patrimonial debería de estar reservada al Código civil[85], como ocurre en la mayor parte de Estados que reconocen o niegan expresamente la posibilidad de constituir figuras atípicas de carácter real. Mostrándonos de acuerdo con la postura del mencionado autor acerca de que lo más conveniente sería que el Código civil se pronunciase expresamente sobre este punto, debemos, sin embargo, apuntar que el hecho de que la Ley Hipotecaria señale cuáles son los derechos inscribibles tiene un gran peso dada la conexión existente entre nuestro modelo de derechos reales y el funcionamiento del Registro de la Propiedad[86].

Como se ha podido comprobar a lo largo de la exposición, no parecen existir argumentos que resulten concluyentes o definitivos en cuanto a la cuestión objeto de estudio, es decir, en lo que se refiere a re-

---

[85] "Lo que en rigor dicen la L.H. y el R.H. es que se inscriben en el Registro los derechos reales, pero el señalar cuáles son éstos parece que es algo que no corresponde a la Ley del Registro, sino al Código civil...". Díez-Picazo y Ponce de León, L., "Autonomía Privada...", ob. cit., pág. 310. En este sentido, cabe destacar que el art. 621 del Proyecto de Código civil de 1836 sí que parecía permitir el juego de la autonomía privada al establecer que la *"propiedad es el derecho que uno tiene en sus cosas para disponer de ellas a su arbitrio, con tal que no haga un uso prohibido por las leyes o pactos..."*. Para su consulta véase Lasso Gaite, J., *Crónica de la codificación española 4 Codificación Civil Vol. II*, Ministerio de Justicia, Madrid, 1979, pág. 184.

[86] En esta línea, se ha señalado, extensamente, que "...no existe ningún obstáculo a que una ley, una norma con rango de ley, discipline la materia de los derechos reales aún cuando no se trate del Código Civil, pues este último no opera como norma superior ni como «norma de cabecera» del sistema sustantivo de derechos reales. Esto es, a partir del texto constitucional existe en materia de propiedad y derechos reales una reserva de ley, reserva relativa de ley, pero no existe reserva del Código Civil". García García, J. A., "La autonomía de la voluntad en la creación de derechos reales inmobiliarios" en *Derecho y autonomía privada: Una visión comparada e interdisciplinar*. Actas del Congreso Internacional «Límites a la autonomía de la voluntad» celebrado en la Facultad de Derecho de la Universidad de Zaragoza los días 29 y 30 de septiembre de 2016 (dir. Parra Lucán, M.ª A.), Comares, Granada, 2017, pág. 280.

conocer la configuración de nuestro modelo de derechos reales como un sistema cerrado (*numerus clausus*) o abierto (*numerus apertus*). Estos ingredientes han bastado para generar un eterno y recurrente debate doctrinal que, lejos de haberse cerrado en algún momento, adquiere una renovada significación si se toma en consideración la concurrencia de diversos fenómenos que azotan el panorama jurídico como son la aparición de nuevas necesidades de carácter socioeconómico, el desarrollo tecnológico y la ampliación y el aumento de las operaciones transnacionales[87]. Asimismo, la evidente conexión que existe entre esta materia y el Derecho registral, revela la trascendencia práctica que tiene el estudio del desarrollo de la autonomía privada dentro del perímetro de los derechos reales.

3. El debate sobre el número de los derechos reales: una revisión necesaria

La tradicional discusión sobre el mayor o menor alcance de la autonomía de la voluntad en el ámbito de los derechos reales parece lejos de ofrecer unos argumentos claros y definitivos sobre el fenómeno que aquí se plantea. De este modo, los defensores de una u otra postura aportan razones que hacen primar, de un lado, la importancia de permitir la libre autorregulación de los intereses privados (*numerus apertus*) o, de otro, la necesidad de estructurar un sistema de Derecho patrimonial que garantice la seguridad jurídica en el tráfico (*numerus clausus*).

Parte del estancamiento del debate doctrinal acerca del número de los derechos reales se debe, en nuestra opinión, a que en la mayor parte de las ocasiones el fenómeno es abordado por la doctrina a partir de los mismos parámetros de los que partían los maestros de la Escuela Pandectista. En este sentido, debemos recordar que el auténtico origen de la discusión sobre la posible necesidad de limitar el alcance de la autonomía privada en sede de derechos reales se encuentra liga-

---

[87] En palabras de Rivero Hernández, "la cuestión de la autonomía privada en la creación y configuración de los derechos reales, más allá del clásico debate *numerus clausus/numerus apertus* (al que no es ajeno), tiene interés renovado tras más de un siglo de su planteamiento". Rivero Hernández, F., "La autonomía privada en la configuración del usufructo" en *Homenaje al Profesor Manuel Cuadrado Iglesias* (coord. Gómez Gálligo, J.), Aranzadi, Cizur Menor, 2008, pág. 1327.

do al pensamiento liberal de la Revolución Francesa frente a las prácticas del régimen feudal que derivaron en una excesiva fragmentación de la propiedad a través de la constitución de múltiples gravámenes sobre la tierra. En el contexto económico actual, sin embargo, la tierra concebida como activo no juega el mismo papel en nuestra economía de mercado que el que desempeñaba en épocas anteriores[88]. En un mismo sentido, tampoco puede decirse que exista el mismo grado de oscurantismo en la constitución de gravámenes que el que se daba en el pasado, lo que se debe principalmente a la función de publicidad que ha venido siendo desarrollada por los Registros de la Propiedad, sobre todo, a partir del siglo XX.

Es cierto que la oponibilidad *erga omnes* de los derechos reales y la necesidad de salvaguardar el principio de seguridad jurídica son elementos que se mantienen vivos en el debate sobre el número de los derechos reales, pero ello ha de ser puesto en conexión con el contexto jurídico, así como con el panorama socioeconómico actual, con el fin de poder justificar la vigencia de un sistema que impida o, en su caso, permita la creación de derechos reales atípicos[89].

---

[88]   La nuestra es una sociedad que tiende a desvincularse de los activos sólidos en favor de los líquidos. Así, en palabras de Bauman: "estamos asistiendo a la venganza del nomadismo contra el principio de territorialidad y sedentarismo". Véase Bauman, Z., *Modernidad líquida* (trad. Rosenberg, M.), 3ª reimp., Fondo de Cultura Económica, Buenos Aires, 2004, pág. 18. Accesible en: http://bit.ly/2MoA3tt (Página consultada por última vez el 24 de abril de 2019).

[89]   Carrasco critica el hecho de que se justifique el sistema de *numerus clausus* por razones de seguridad jurídica ya que, desde su perspectiva, este modelo de derechos reales "...no ha nacido como un "designio" para la producción de determinados efectos, en el conflicto posible o imaginado entre seguridad actual de los títulos y seguridad del tráfico. El sistema de *numerus clausus* es una contingencia histórica desafortunada...". Carrasco Perera, A., "Orientaciones para una posible reforma de los derechos reales en el Código Civil español", *Ponència a les XIV Jornades de Dret Català a Tossa*, 2006, pág. 3. Accesible en: http://bit.ly/32qQkDz (Página consultada por última vez el 28 de diciembre de 2017).
Bajo nuestro punto de vista, sin embargo, lo importante hoy en día no consiste tanto en esclarecer por qué el legislador decimonónico adoptó un determinado modelo de derechos reales como en desentrañar las incógnitas que se ciernen sobre el modelo imperante en un determinado ordenamiento para poder, así, teniendo en cuenta el panorama jurídico y económico actual, justificar la idoneidad y la vigencia del mismo.

3.1. La tesis de la "sociedad líquida" en el campo de los derechos reales

García Rubio[90], en lo que consideramos una brillante adaptación del pensamiento de Bauman al campo jurídico, ha reflexionado recientemente acerca del papel del Derecho en la era de la "modernidad líquida", expresión con la que el mencionado filósofo pretendió evidenciar la fluidez y la mutabilidad que caracterizan a nuestra sociedad moderna[91]. Así, a propósito del análisis de la codificación en materia de obligaciones y contratos, García Rubio pone el foco de atención sobre la plasticidad del Derecho actual, el cual, recurriendo de nuevo a la metáfora de Bauman, se ha convertido en "…algo fluido, líquido, amorfo…"[92].

La idea planteada en el párrafo anterior, esto es, la constatación de una tendencia general a la flexibilidad y a la maleabilidad del derecho moderno guarda especial relevancia con el tema que nos ocupa. Así, puede decirse que son cada vez más numerosas las voces que entienden que la era de la modernidad (líquida) se aleja cada vez más de la idea de un modelo de derechos reales basado en un conjunto de tipos[93] o, si se prefiere, de "nichos"[94] sólidos en favor de instituciones cada vez más fluidas. Esta idea ha calado hondo en el debate sobre una eventual armonización de los derechos reales en el plano comunitario.

La Unión Europea agrupa a una pluralidad de Estados que cuentan con un sistema de Derecho patrimonial propio y, aunque es cierto

---

[90] García Rubio, M.ª P., "Sociedad líquida y codificación", *A.D.C.* fasc. III, 2016, págs. 744 y ss. Accesible en: http://bit.ly/2KHUuzA (Página consultada por última vez el 13 de agosto de 2019).

[91] Bauman, Z., *Modernidad líquida*, ob. cit., pág. 8. En igual sentido: Bauman, Z., *Vida Líquida* (trad. Santos Mosquera, A.), Paidós Ibérica, Barcelona, 2006, pág. 9.

[92] García Rubio, M.ª P., "Sociedad líquida y codificación", ob. cit., pág. 746. En parecido sentido se pronuncia Domingo, R., "¿Por qué un derecho global?" en *Hacia un derecho global. Reflexiones en torno al derecho y la globalización* (coords. Domingo, R. *et al.*), Aranzadi, Cizur Menor, 2006, pág. 21.

[93] Mannino, al tratar el tema del número de los derechos reales en el ámbito del Derecho de la Unión Europea, señala que la idea de pluralismo jurídico choca por sí misma con la idea de tipicidad. Mannino, V., "Riflessioni sul `mito´ della tipicità e del numero chiuso dei diritti reali" en *Studi in Onore di Remo Martini II*, Giuffrè, Milano, 2009, pág. 603.

[94] Carrasco Perera, A., "Orientaciones para una posible…", ob. cit., pág. 5.

que un amplio número de ellos se asimilan en muchos aspectos, también presentan en ocasiones grandes diferencias que los distancian. Lógicamente este fenómeno adquiere un mayor grado de complejidad si nos referimos al ámbito de los derechos reales, en contraposición con lo que viene ocurriendo en materia contractual. Así y centrándonos en la materia objeto de investigación, puede darse el caso de que las soluciones adoptadas por los ordenamientos jurídicos nacionales de los distintos Estados miembros en cuanto a la creación y modificación de derechos reales se refiere sean, al menos desde un punto de vista formal[95], diversas[96] (*numerus clausus*[97] o *numerus apertus*[98]). A ello ha de sumarse el hecho de que el elenco de derechos reales típicos existente en un determinado ordenamiento jurídico nacional puede no coincidir con el que presentan el resto[99] o, incluso, puede darse el supuesto de que figuras que comparten una denominación común

---

[95] Con el calificativo formal queremos resaltar que son muchos los Estados que, a pesar de haber adoptado formalmente un determinado modelo de derechos reales, en la práctica pueden funcionar de manera diversa. Sobre este punto volveremos en otro epígrafe de este trabajo.

[96] Simón Moreno, H., ob. cit., págs. 109 y 340.

[97] Como caso paradigmático podría citarse Alemania, cuyo sistema ha sido calificado por la mayor parte de la doctrina como un modelo de *numerus clausus*. Véase Núñez Lagos, R., "El Registro de la Propiedad español", ob. cit., págs. 145 y 146.

[98] Es el caso, por ejemplo, de Dinamarca y Noruega según afirma Storme, M. E., "Property Law in a comparative perspective", 2004, pág. 27. Accesible en: http://bit.ly/2YI0SAs (Página consultada por última vez el 13 de agosto de 2019). En igual sentido, Lenwinsohn-Zamir, D., "The objectivity of well-being and the objectives of property law" *New York University Law Review* Vol. 78 núm. 5, 2003, pág. 1733. Accesible: http://bit.ly/2VTChDt (Página consultada por última vez el 18 de abril de 2019). También Sparkes, P., "Centainty of Property: *Numerus clausus* or the Rule with No Name?", *European Review of Private Law* I. 3, 2012, pág. 771 nota al pie núm. 5. Accesible en: http://bit.ly/2OYaVgx (Página consultada por última vez el 15 de agosto de 2019).

[99] España, por ejemplo, regula las servidumbres personales (art. 531 Cc), mientras que otros ordenamientos jurídicos como el francés las rechazan (art. 686 *Code civil*).

presenten notables diferencias entre sí[100], siendo el caso más destacado el del propio derecho de propiedad[101].

Algunos autores han estimado necesario poner de relieve que la situación descrita en el párrafo anterior puede provocar, entre otros aspectos[102], ciertos problemas relacionados con el correcto desenvolvimiento del principio de reconocimiento mutuo[103]. De este modo, la aplicación de la regla *lex rei sitiae* conduciría a que aquellos Estados miembros que hayan adoptado un modelo de *numerus clausus*, alegando la vulneración de su orden público nacional, no reconozcan los derechos reales extranjeros no contemplados en su ordenamiento jurídico[104]. Esta cuestión ha sido recientemente abordada en el Regla-

---

[100] Simón Moreno pone como ejemplo las figuras de la *mortgage* inglesa y de la *hypothek* en Alemania. Simón Moreno, H., ob. cit., pág. 145. Más detalles en Sánchez Jordán, M.ª E., "Garantías sobre bienes inmuebles: la eurohipoteca" en *Derecho Privado Europeo* (coord. Cámara Lapuente, S.), Colex, Madrid, 2003, págs. 993 y ss. Akkermans, por su parte, achaca esta disparidad al diverso modo en el que los derechos reales funcionan a nivel práctico. Akkermans, B., "The *numerus clausus* of property rights" en *Comparative Property Law. Global perspectives* (ed. Graziadei, M. and Smith, L.), Edward Elgar, Cheltenham and Northampton, 2017, pág. 114.

[101] Simón Moreno, H., ob. cit., pág. 145. Debe resaltarse, sin embargo, que el art. 17 de la Carta de los Derechos Fundamentales de la Unión Europea plasma la protección al derecho de propiedad, aunque no puede decirse que lo defina. De este modo, el citado precepto se limita a reconocer que "*toda persona tiene derecho a disfrutar de la propiedad de los bienes que haya adquirido legalmente, a usarlos, a disponer de ellos y a legarlos. Nadie puede ser privado de su propiedad más que por causa de utilidad pública, en los casos y condiciones previstos en la ley y a cambio, en un tiempo razonable, de una justa indemnización por su pérdida. El uso de los bienes podrá regularse por ley en la medida en que resulte necesario para el interés general*".
Directamente relacionado con nuestro tema objeto de estudio, Stevens señala que resulta inútil debatir acerca del mayor o menor desenvolvimiento de la autonomía privada en lo que a la creación y modificación de derechos reales se refiere si no se termina por definir correctamente que se entiende por *property rights*. Stevens, R., ob. cit., pág. 100.

[102] En especial la de prestación de servicios si se tiene en cuenta el papel de la banca en el mercado inmobiliario. Véase Akkermans, B., *The principle of Numerus Clausus...*, ob. cit., págs. 536 y 537.

[103] Consentino, C., ob. cit., págs. 177 y ss.; Akkermans, B., *The principle of Numerus Clausus...*, ob. cit., pág. 536.

[104] Consentino, C., ob. cit., págs. 181 y 182; Akkermans, B., *The principle of Numerus Clausus...*, ob. cit., pág. 536.

La autonomía privada en la construcción de derechos reales atípicos...

mento (UE) 650/2012[105], el cual, sin desconocer la estricta aplicación de la máxima *lex rei sitiae* (y, por ende, el respeto a los modelos de *numerus clausus*[106]) estima que, en aquellos casos en los que el ordenamiento jurídico de un determinado Estado miembro no reconozca un concreto derecho real es posible recurrir a mecanismos de adaptación del mismo a la figura nacional más cercana (*ex* art. 31 Reglamento (UE) 650/2012)[107].

---

[105] Reglamento (UE) n° 650/2012 del Parlamento Europeo y del Consejo, de 4 julio de 2012, relativo a la competencia, la ley aplicable, el reconocimiento y la ejecución de los documentos públicos en materia de sucesiones mortis causa y a la creación de un certificado sucesorio europeo.

[106] Según las letras k) y l) del art. 1.2 quedan excluidas del ámbito de aplicación del Reglamento *"la naturaleza de los derechos reales"* y *"cualquier inscripción de derechos sobre bienes muebles o inmuebles en un registro, incluidos los requisitos legales para la práctica de los asientos, y los efectos de la inscripción o de la omisión de inscripción de tales derechos en el mismo"*.
Ha de tenerse en cuenta, asimismo, que el considerando 15 del mencionado Reglamento establece que el hecho de que el mencionado instrumento permita *"...la creación o la transmisión mediante sucesión de un derecho sobre bienes muebles e inmuebles tal como prevea la ley aplicable a la sucesión..."* no puede, en ningún caso *"...afectar al número limitado (numerus clausus) de derechos reales reconocidos en el ordenamiento jurídico de algunos Estados miembros"*. De este modo, *"no se debe exigir a un Estado miembro que reconozca un derecho real relativo a bienes ubicados en ese Estado miembro si su ordenamiento jurídico desconoce ese derecho"*. Véase Díaz-Ambrona Nardají, M.ª D., "Derecho de sucesiones" en *Derecho civil de la Unión Europea*, Tirant Lo Blanch, Valencia, 2017, pág. 749.

[107] Según el mencionado artículo, *"cuando una persona invoque un derecho real que le corresponda en virtud de la ley aplicable a la sucesión y el Derecho del Estado miembro en el que lo invoque no conozca ese derecho real en cuestión, este deberá, en caso necesario y en la medida de lo posible, ser adaptado al derecho real equivalente más cercano del Derecho de ese Estado, teniendo en cuenta los objetivos y los intereses que aquel derecho real persiga y los efectos inherentes al mismo"*.
Lo dispuesto en el precepto ha de ser puesto en conexión con el considerando 16 del arriba citado Reglamento, el cual dispone que *"...para permitir que los beneficiarios disfruten en otro Estado miembro de los derechos que hayan sido creados o les hayan sido transmitidos mediante sucesión, el presente Reglamento debe prever la adaptación de un derecho real desconocido al derecho real equivalente más cercano del Derecho de ese otro Estado miembro. En el contexto de esa adaptación, se deben tener en cuenta los objetivos y los intereses que persiga el derecho real de que se trate y sus efectos. A fin de determinar el derecho real equivalente más cercano del Derecho nacional, se podrá entrar en contacto con las autoridades o personas competentes del Estado cuya ley se haya aplicado a la sucesión para obtener más información sobre la naturaleza y los efectos de ese*

Dejando a un lado las eternas dudas acerca de la viabilidad[108] o idoneidad[109] de la construcción de un Derecho europeo de derechos reales, lo cierto es que los últimos trabajos sobre la materia parecen apuntar que lo más conveniente sería adoptar un modelo de carácter más o menos flexible en lo que respecta al desarrollo de la autonomía privada en materia de derechos reales[110]. En este sentido, resultan especialmente relevantes las contribuciones realizadas por la doctrina holandesa, destacando las figuras de Van Erp[111] y Akkermans[112]. Así,

---

derecho. A estos efectos, podría recurrirse a las redes existentes en el ámbito de la cooperación judicial en materia civil y mercantil, así como a cualesquiera otros medios disponibles que faciliten la comprensión de la ley extranjera".
Sobre este particular véase la STJUE (Sala Segunda) 12 octubre 2017 (JUR 2017\252986), comentada por Álvarez González, S., "*Legatum per vindicationem* y Reglamento (UE) 650/2012", *La Ley Unión Europea* núm. 55, enero 2018, págs. 1 y ss. (Versión online).

[108] El art. 345 del Tratado de Funcionamiento de la Unión Europea (TFUE) establece, al igual que lo hicieron en su día el art. 222 del Tratado constitutivo de la Comunidad Económica Europea (TCEE) y el art. 295 Tratado de la Comunidad Europea (TCE), que "*los tratados no prejuzgan en modo alguno el régimen de la propiedad en los Estados miembros*".
Siguiendo el hilo de lo anterior, debe destacarse que un sector de la doctrina estima que no existe un soporte normativo lo suficientemente sólido que respalde una eventual armonización de los derechos reales por parte de las instituciones comunitarias. Véase Martín y Pérez de Nanclares, J., "La falta de competencia de la UE para elaborar un Código Civil Europeo: sobre los límites a la armonización en materia de derecho civil" en *Derecho Privado Europeo* (coord. Cámara Lapuente, S.), Colex, Madrid, 2003, págs. 129 y ss. Por el contrario, otro sector doctrinal parece respaldar la actuación comunitaria en lo que a la armonización de los derechos reales se refiere, ya que, desde esta perspectiva, se sostiene que la necesidad de cumplir con los objetivos de la Unión avalaría una regulación de la materia (principio de subsidiariedad), siempre y cuando se actuase de forma proporcionada (principio de proporcionalidad). En este sentido se pronuncian, entre otros, Simón Moreno, H., ob. cit., págs. 122 y ss.; Consentino, C., ob. cit., págs. 168-170.

[109] Sánchez Jordán apunta que parte de la doctrina se muestra reacia a admitir una eventual armonización en el campo de las garantías reales inmobiliarias. Véase Sánchez Jordán, M.ª E., "Garantías sobre bienes inmuebles…", ob. cit., pág. 992.

[110] Mannino, V., "Riflessioni sul `mito´della tipicità…", ob. cit., pág. 603; Akkermans, B., *The principle of Numerus Clausus…*, ob. cit., págs. 552 y 553.

[111] Van Erp, S., "A *Numerus Quasi-Clausus* of Property Rights as a Constitutive Element of Future European Property Law", *Electronic Journal of Comparative Law* Vol. 7.2, june 2003, págs. 1 y ss. Accesible en: https://www.ejcl.org/72/abs72-2.html (Página consultada por última vez el 26 de abril de 2019).

[112] Akkermans, B., *The principle of Numerus Clausus…*, ob. cit., págs. 553 y ss.

mientras que el primero de los autores citados entiende que, en relación con la posible construcción de un modelo europeo de derechos reales, lo más conveniente sería optar por un sistema de *numerus quasi-clausus* que combine flexibilidad y seguridad[113]; Akkermans sostiene que lo propio sería estructurar un sistema "abierto" de derechos reales en el que las nuevas figuras deberían someterse a lo que el autor denomina como *acess test*[114]. Se observa, pues, que en cualquiera de los dos modelos propuestos se permite un cierto desenvolvimiento de la autonomía privada en la creación de nuevas figuras jurídico-reales.

Con las anteriores reflexiones no se pretende, en ningún caso, afirmar, recurriendo nuevamente a la metáfora de Bauman, que se deba renunciar a un sistema dotado de cierta "solidez" y seguridad en materia de derechos reales[115], sino que únicamente se pretende evidenciar que no parece que tenga cabida en el momento actual un sistema

---

[113] Van Erp, S., "A *Numerus Quasi-Clausus*...", ob. cit., págs. 11 y 12.
Entre los autores que se muestran favorables a la tesis de Van Erp pueden citarse, entre otros, a Simón Moreno, H., ob. cit., pág. 347 y Consentino, C., ob. cit., págs. 190 y 191.

[114] Este *test* se compondría de tres fases. La primera es aquella a la que el autor denomina como *objective part*, la cual se dividiría a su vez en dos partes. Así, la primera parte consistiría en comprobar que la figura en cuestión puede encuadrarse dentro de alguna de las facultades que componen lo que Akkermans designa como *primary right*. Por el contrario, la segunda parte de esta primera fase radicaría en examinar si puede constituirse un derecho de carácter real en relación con el objeto de que se trate. En este sentido, Simón Moreno nos advierte que no podría crearse un derecho real sobre bienes *extra commercium*.
La segunda fase, conocida como *subjective part*, consistiría en analizar la voluntad de las partes, la cual deberá traducirse en un interés lícito e inequívoco de crear un derecho de carácter jurídico-real.
En cuanto a la última de las fases, esto es, aquella que el autor bautiza como *characterisation*, supondría, en primer lugar, la comprobación de que esa figura en concreto no se adapta a ninguno de los derechos reales existentes. En el caso de que la respuesta sea negativa deberá tenerse en cuenta a que categoría de derechos reales pertenece para conocer si se aplica el derecho nacional o, en su caso, el europeo (*public policy*). Todas estas reflexiones pueden consultarse en Akkermans, B., *The principle of Numerus Clausus*..., ob. cit., págs. 553 y ss. y Simón Moreno, H., ob. cit., pág. 344.

[115] García Rubio, apoyándose en Muñoz Molina, nos advierte que "...ni siquiera en los tiempos líquidos que nos acometen deberíamos, como juristas, resignarnos a renunciar a «todo lo que era sólido»". García Rubio, M.ª P., "Sociedad líquida y codificación", ob. cit., pág. 780.

que no otorgue un cierto papel (más o menos amplio) a la autonomía privada en la configuración de los derechos reales[116].

3.2. El papel de los modernos sistemas registrales

Publicidad y autonomía privada en materia de derechos reales son dos cuestiones que se hallan estrechamente conectadas[117], hasta el punto de que, como se ha puesto de manifiesto con anterioridad, gran parte de la doctrina estima que la construcción teórica del modelo de *numerus clausus* nace como reacción al entramado de gravámenes ocultos propio del sistema feudal. Esta última idea es precisamente la que ha llevado a un sector de la doctrina ha plantearse si es posible justificar hoy en día un modelo de derechos reales de carácter cerrado, en tanto en cuanto la mayor parte de los Estados cuentan con modernos sistemas de publicidad[118]. En este sentido, Edgeworth ha sostenido que si en el momento de cristalización del *numerus clausus* hubiese existido un sistema registral adecuado, este jamás se hubiese articulado o, al menos, no tal y como quedó configurado[119].

---

[116]   Hace ya más de una década Carrasco, reflexionando acerca de la codificación catalana, manifestó que, bajo su punto de vista, si hay algo más perjudicial que adoptar en pleno siglo XXI un modelo de derechos reales basado en tipos o, como él prefiere, "nichos" cerrados, lo es el hecho de que no se permita el desarrollo paralegal de nuevas figuras de carácter jurídico-real. Carrasco Perera, A., "Orientaciones para una posible...", ob. cit., pág. 5.

[117]   En palabras de Jiménez Clar: "...cualquier opción sobre la eficacia *erga omnes* y el sistema de *numerus clausus* está estrechamente ligada a la calidad de los sistemas de intercambio de información que se hayan implementado en relación con los mismos". Jiménez Clar, A., ob. cit., pág. 516. En el mismo sentido, Simón Moreno apunta que la doctrina suele sostener que la adopción de un modelo de *numerus clausus* o, por el contrario, de *numerus apertus* depende, en gran medida, del sistema de publicidad de los derechos reales. Simón Moreno, H., ob. cit., pág. 345.

[118]   En ese sentido, Akkermans entiende que la mayor parte de los autores que defienden el modelo de derechos reales de *numerus clausus* lo hacen poniendo especial énfasis en la inseguridad que podría provocar el hecho de que los terceros no pudieran tener conocimiento de la existencia o del contenido de los derechos reales. En autor sostiene, en cambio, que el obstáculo señalado se puede superar a través de un adecuado sistema de publicidad. Akkermans, B., *The principle of Numerus Clausus...*, ob. cit., págs. 437-439.

[119]   Edgeworth, B., "The *Numerus Clausus* Principle in Contemporary Australian Property Law", *Monash University Law Review* Vol. 32 núm. 2, 2006, pág. 407. Accesible en: http://bit.ly/2H3wcip (Página consultada por última vez el

Siguiendo la línea de lo anterior, debe ponerse de relieve que es cierto que los derechos reales pueden ser conocidos a través de la publicidad posesoria, sin embargo, también lo es que el actual modelo de Registro de la Propiedad, al menos el nuestro, se erige como una pieza fundamental en el funcionamiento del engranaje del Derecho patrimonial. En este sentido y centrando la cuestión en el tema que nos ocupa, son cada vez más abundantes las voces que estiman que la seguridad que aporta el Registro de la Propiedad como un instrumento de publicidad cada vez más fiable, como consecuencia, en gran parte, del empleo de las nuevas tecnologías[120]; debería desembocar progresivamente en la admisión, en mayor o en menor medida, del juego de la autonomía privada respecto de la creación o modificación de derechos reales[121].

---

13 de agosto de 2019). En cierta medida, Weir, M., "Pushing the Envelope of Proprietary Interests: The Nadir of the *Numerus Clausus* Principle?", *Melbourne University Law Review* Vol. 39 núm. 2, 2015, págs. 657 y 658. Accesible en: http://bit.ly/31Em8Ev (Página consultada por última vez el 13 de agosto de 2019). Es cierto que en el momento de la enunciación de la teoría del *numerus clausus* (siglo XIX) ya se habían constituido o se estaba gestando la constitución de los Registros de la Propiedad de varios Estados, pero no puede decirse que la publicidad registral de aquel momento proporcionase el mismo grado de certeza y fiabilidad que otorgan hoy los modernos Registros de la propiedad.

[120] Así, Nogueroles reflexiona sobre las bondades de los modernos Registros de la Propiedad en una era globalizada. Véase Nogueroles, N., "Registro, globalización y seguridad jurídica" en *Hacia un derecho global. Reflexiones en torno al derecho y la globalización* (coords. Domingo, R. *et al.*), Aranzadi, Cizur Menor, 2006, págs. 99-102. Para un mayor estudio del papel de las nuevas tecnologías en el Registro de la Propiedad: AA.VV., *El impacto de las nuevas tecnologías en la publicidad registral* (dir. Sánchez Jordán, M.ª E.), Aranzadi, Cizur Menor, 2013, págs. 29 y ss.

[121] Así, según sostiene Mattei, la organización de un sistema registral que permitiese dar publicidad a los derechos reales debería de tener como consecuencia lógica, al menos en teoría, el progresivo abandono de la teoría del *numerus clausus*. Mattei, U., *Basic Principles of Property Law. A Comparative Legal and Economic Introduction*, Greenwood Press, Westport Conneticut, 2000, pág. 92.
En cierta medida, Epstein, R. A., "Notice and Freedom of Contract in the Law of Servitudes", *Southern California Law Review* Vol. 55, 1981, pág. 1358. Accesible en: http://bit.ly/2KGtYXg (Página consultada por última vez el 13 de agosto de 2019).
Por el contrario, Arruñada parece centrar la cuestión, más bien, en el tipo de Registro ante el cual nos hallemos. De este modo, aunque el citado autor destaca las bondades de un modelo cerrado en lo que a la seguridad del tráfico se refiere, señala que el *numerus clausus* será mucho más rígido en aquellos sistemas que

Sobre la base del planteamiento anterior, no yerra Akkermans, cuando afirma que, en relación con la creación de nuevos derechos reales, el Registro de la Propiedad puede funcionar, en ocasiones, como una especie de guardián[122], ya que este término es definido por la Real Academia Española como "persona que guarda algo y cuida de ello". En este sentido, el Registro de la Propiedad se encarga de salvaguardar la seguridad en el tráfico, lo que redunda tanto en la protección de los titulares de los derechos reales inscritos como en la de los terceros, en tanto que estos últimos pueden conocer la existencia y el contenido de los mencionados derechos.

Lo hasta aquí expuesto nos lleva a afirmar que en aquellos sistemas donde exista un Registro de la Propiedad que funcione correctamente la tendencia lógica será la de ir permitiendo, en mayor o menor medida, el juego de la autonomía privada. Creemos, sin embargo, que es necesario realizar dos tipos de matizaciones que pasan a) por tener en cuenta la legislación vigente y b) por analizar el papel de garante desarrollado por el Registro de la Propiedad.

En primer lugar, hemos estimado necesario puntualizar que la tesis hasta aquí mantenida no puede llevarnos a afirmar que todos los sistemas jurídicos que cuentan con Registro de la Propiedad hayan adoptado o deban adoptar un modelo de *numerus apertus*. Así, gran parte de los Estados que componen la Europa occidental cuentan con

---

cuenten con un registro de derechos que en aquellos en los que exista un registro de documentos. En este sentido, su razonamiento se debe a que en los registros de derechos se produce un control *ex ante* que exige el mayor grado de rigurosidad posible en la calificación del registrador, mientras que, por el contrario, en el registro de documentos no tiene por qué llevarse a cabo este control previo, ya que solo se deberá realizar un examen cuando exista una colisión de derechos. Este planteamiento es lo que lleva a Arruñada a justificar, en cierta medida, una mayor flexibilidad del modelo de derechos reales cuando el registro que preside el sistema inmobiliario es de documentos. Arruñada, B., *La contratación de derechos de propiedad: Un análisis económico*, Servicios de Estudios del Colegio de Registradores de Madrid, Madrid, 2004, págs. 43, 44, 51 y 52. Accesible en: http://bit.ly/2yWWX3u (Página consultada por última vez el 13 de agosto de 2019).

[122]   Akkermans, aunque no sostiene esta tesis, señala que en aquellos sistemas en los que se permite el juego de la autonomía privada, el Registro de la Propiedad desempeña el papel de guardián. Akkermans, B., "The *numerus clausus* of property...", ob. cit., pág. 103.

modernos sistemas registrales[123], lo que no ha impedido que en algunos de ellos sigan manteniendo, al menos desde el punto de vista formal[124], su modelo de *numerus clausus* en cuanto a la creación y modificación de derechos reales se refiere (el ejemplo más claro tal vez sea el del sistema jurídico holandés). En este sentido, la tesis que aquí se mantiene únicamente quiere evidenciar que la presencia de estos modernos medios de publicidad derivará, al menos, en un relajamiento del modelo del *numerus clausus* estricto o, si se prefiere, en un mayor protagonismo de la autonomía privada en la conformación de derechos reales.

En segundo lugar, hemos creído necesario aclarar que ese papel de "guardián" o garante que desempeñan los modernos Registros de la Propiedad tiene, lógicamente, una serie de limitaciones que se derivan de la propia sistemática del funcionamiento de la institución registral. En este sentido, no nos mostramos del todo conformes con la postura que mantuvo en su día Carrasco, quien pareció sostener que el debate del sobre la autonomía privada y los derechos reales queda superado por la presencia del Registro de la Propiedad[125]. Y es que resulta complicado mantener esta tesis en un sistema como el nuestro en el que la inscripción de los derechos reales es, como regla general, meramente declarativa, esto es, donde los derechos reales pueden existir en el plano extrarregistral[126].

---

[123] Un gran número de Estados europeos cuentan con Registro de la Propiedad, formando parte de la *European Land Registry Association*. La relación de los miembros se encuentra accesible en: https://www.elra.eu/members/ (Página consultada por última vez el 20 de abril de 2019).

[124] Con posterioridad nos pronunciaremos sobre este punto.

[125] En palabras del mencionado autor: "allí donde hay registro con efectos potentes en cuanto a la seguridad de los títulos, no es que triunfe el sistema de *numerus clausus*, sino que se hace innecesario el problema de la calificación previa operada en el plano sustantivo...". Carrasco Perera, A., "Orientaciones para una posible...", ob. cit., pág. 4.

[126] Carrasco estima que el buen funcionamiento del derecho adjetivo derivaría en la innecesaria tipificación y ordenación de los derechos reales en normas como el Código civil. Carrasco Perera, A., "Orientaciones para una posible...", ob. cit., pág. 4. Frente a ello, Simón Moreno, de nuevo en relación con una posible armonización del Derecho privado europeo en materia de propiedad, apunta que el Registro de la Propiedad no puede emplearse como único instrumento que garantice la seguridad de terceros. No obstante, estima que sí que sería posible concebir al Registro de la Propiedad como único guardián de la seguridad en el

Aunque se trate de un argumento ciertamente secundario, nos ha parecido necesario aclarar, con base en la idea señalada en el párrafo anterior, que la presencia del Registro de la Propiedad no puede derivar en una automática supresión del debate sobre el desarrollo de la autonomía privada en sede de derechos reales, ya que se olvida que estos pueden recaer también sobre bienes muebles. Decíamos que ciertamente se trata de un argumento secundario, ya que algunos ordenamientos cuentan ya con algún Registro destinado a dar publicidad a los gravámenes que recaen sobre bienes muebles (p. ej. Registro de Bienes Muebles en España), sin embargo, debe destacarse que no todos los derechos reales que recaen sobre este tipo de bienes pueden ser objeto de inscripción. Esta última idea es precisamente el motivo que ha llevado a varios autores a sostener la vigencia del modelo del *numerus clausus* estricto en materia de derechos reales sobre bienes muebles[127].

Debe concluirse, pues, que aunque la publicidad registral y el alcance de la autonomía privada sean dos cuestiones estrechamente ligadas, la mera existencia de un Registro de la Propiedad no determina por sí mismo que el modelo de derechos reales deba ser abierto. El Registro no puede, en este sentido, traducirse en el otorgamiento de una libertad omnímoda a los particulares en lo que a la creación y modificación de derechos reales se refiere[128], sino que, más bien, debe entenderse como un instrumento que por la lógica de su funcionamiento favorece a que colateralmente se conceda a la autonomía privada un mayor espacio de desarrollo[129].

---

tráfico si se adoptase un sistema de inscripción constitutiva o si los titulares de derechos reales inscritos pudieran solicitar en cualquier momento vía judicial el reconocimiento de sus derechos, los cuales se hallarían protegidos por la fe pública registral. Simón Moreno, H., ob. cit., págs. 347 y 348.

[127] En este sentido, Storme, M. E., ob. cit., pág. 28. Desde el punto de vista de una eventual armonización de los derechos reales a nivel europeo Simón Moreno, H., ob. cit., págs. 349 y 350. Föex señala, sin embargo, que la necesidad de dar publicidad a los derechos reales que recaen sobre bienes muebles no es un argumento de suficiente peso para justificar la adopción de un modelo de *numerus clausus*. Foëx, B., ob. cit., pág. 38.

[128] Gambaro considera, sin embargo, que la tipicidad no es más que una norma auxiliar del sistema de publicidad y no ya un principio de carácter autónomo e independiente. Gambaro, A., ob. cit., pág. 229.

[129] Mostert y Verstappen afirman que son varios los elementos que mantienen el equilibrio entre la flexibilidad y la seguridad jurídica, siendo la publicidad uno

4.　Las bondades de una postura intermedia: el equilibrio entre seguridad y flexibilidad

4.1. Un intercambio de funciones

Tradicionalmente, los derechos de crédito han sido concebidos como una eficaz herramienta jurídica para satisfacer las nuevas necesidades de una sociedad cambiante y cada vez más globalizada. De este modo, se suele decir que, a diferencia de los derechos reales, los derechos personales se caracterizan por su dinamismo y temporalidad[130]. Buena prueba de estas afirmaciones es el hecho de que desde mediados del siglo XX hasta estos últimos años no solo ha aumentado el número de nuevas figuras contractuales que han adquirido tipicidad social[131], sino que, paralelamente, el clásico Derecho de contratos ha

---

de ellos. Mostert, H., y Verstappen, L., ob. cit., pág. 7.

[130]　De Cossío, al tratar específicamente el tema del número de los derechos reales señala, en relación con las mayores restricciones de la autonomía privada sufre en este campo, que "en realidad, esta diferencia de régimen jurídico procede, no de un mero capricho del legislador, sino de la naturaleza de los intereses que se pretenden proteger...". En este sentido, el autor explica que los derechos de carácter personal tienen como principal finalidad la de modificar una determinada situación en aras de satisfacer rápidamente las necesidades del tráfico, los derechos reales, en cambio, tienden, desde su punto de vista, a cubrir intereses duraderos y permanentes. De Cossío y Corral, A., *Instituciones de Derecho Civil T. II...*, ob. cit., pág. 34.

[131]　Así, pueden citarse, entre otras, el contrato de permuta de solar por piso, el contrato de *renting*, el contrato de *confirming*. En este sentido, en la SAP Cantabria (Sección 1ª) 27 septiembre 2004 (TOL7.847.191) se puso de relieve que "*en la práctica cotidiana, administraciones públicas y particulares celebran contratos de renting, con un contenido contractual homogéneo y generalizado. Junto a la tipicidad normativa "se habla de una tipicidad social, para hacer referencia a aquellos contratos que tienen por base las concepciones dominantes en la conciencia social de una época y se individualizan por obra de la doctrina y la jurisprudencia, siendo socialmente típicos aquellos contratos que, aunque carezcan de una disciplina normativa consagrada en la ley, poseen una reiteración en orden a su aparición como fenómeno social, de manera que la reiterada celebración les dota de un "nomen iuris" por el que son conocidos y de una disciplina que se consagra por vía jurisprudencial" (SAP Girona 2 de junio de 1992)*".

sido objeto de ciertas modificaciones con el fin de adaptarlo a la era de la informatización[132].

Debe destacarse, sin embargo, que en las últimas décadas también hemos sido testigos de una creciente restricción de la autonomía privada en materia contractual, al mismo tiempo que hemos podido apreciar una ampliación de figuras de carácter jurídico-real con el fin de satisfacer nuevas necesidades. Ello nos lleva a plantear que, posiblemente, los derechos reales podrían estar experimentando un proceso de dinamización[133] en contraste con la creciente ralentización que han sufrido durante los últimos años los derechos de crédito.

Esta cuestión resulta especialmente relevante para cualquier investigación que se dirija a analizar el número de los derechos reales, ya que todo derecho de carácter patrimonial se dirige a satisfacer una determinada necesidad.

A) El dinamismo de los derechos reales

Dos son las causas que, a nuestro parecer han influido en el proceso de dinamización de los derechos reales: la aparición de nuevas necesidades y el impacto de la crisis económica en el mercado de la vivienda.

En cuanto al primero de los motivos, no puede discutirse la rapidez con la que los cambios sociales y económicos se han venido concatenando desde mediados del siglo pasado ha provocado que en muchas ocasiones la realidad jurídica no se adapte a la realidad social. Como hemos expuesto más arriba, este "vacío" ha sido clásicamente cubierto a través de figuras contractuales atípicas nacidas como consecuencia de la autonomía privada. Debemos hacer notar, sin embargo, que en las últimas décadas son varios los supuestos que han puesto de relieve la fractura de la hegemonía de los derechos de crédito en cuanto a la cobertura jurídica de nuevas necesidades se refiere.

---

[132]   Por ejemplo, la regulación de la contratación electrónica en la Ley 34/2002, de 11 de julio, de servicios de la sociedad de la información y de comercio electrónico.

[133]   Resulta especialmente interesante la reflexión que realiza Akkermans, quien no solo apunta que tras el aparente estatismo de los derechos reales se esconde un universo reinado por el dinamismo, sino que, además, señala que este fenómeno se debe en su mayor parte al rol desempeñado por la autonomía privada. Véase Akkermans, B., "The *numerus clausus* of property…", ob. cit., pág. 117.

El aprovechamiento por turno de bienes inmuebles es, quizás, el mejor ejemplo para reflejar la idea a la cual nos venimos refiriendo. Así, aunque nos detendremos en el estudio de esta figura en el tercer capítulo de este trabajo, resulta conveniente resaltar aquí que es la nueva concepción del turismo la que desembocó en la aparición del fenómeno del tiempo compartido a mediados del siglo pasado[134]. De este modo, la mal llamada multipropiedad nació en la práctica jurídica como consecuencia de la proyección de la autonomía privada, debiendo adelantar que es posible afirmar que antes de la regulación de la institución en el año 1998, una de sus posibles configuraciones era la de un derecho real de goce[135]. Se demuestra, así, que la vía jurídico-real fue apta para colmar una necesidad social que no se había producido hasta aquel momento, sin perjuicio, de que con posterioridad el legislador haya decidido acoger esta nueva figura (mutación de un derecho real atípico en típico)[136].

En cuanto a la segunda de las causas, durante los años que en los que se ha sentido el impacto del estallido de la burbuja inmobiliaria una de las principales preocupaciones desde el punto de vista económico-social ha sido la de tratar de garantizar a los españoles el derecho a una vivienda digna (art. 47 CE). En este sentido, la crisis económica del año 2008 no solo causó una fuerte restricción en la concesión de préstamos bancarios y, por ende, en el normal funcionamiento del mercado inmobiliario[137], sino que, además, provocó que

---

[134]   Díaz-Ambrona Bardají, M.ª D., "Apuntes sobre la multipropiedad", *R.C.D.I.* núm. 658, marzo-abril 2000, págs. 1429 y 1430; Díaz-Ambrona Bardají, M.ª D., "La multipropiedad y el Registro de la Propiedad", *Noticias de la Unión Europea* núm. 265, 2007, pág. 67.

[135]   De Pablo Contreras, P., "La configuración jurídica de la llamada «multipropiedad» a la luz del Anteproyecto de Ley de Conjuntos Inmobiliarios" en *Conjuntos inmobiliarios y multipropiedad. Ponencias y Proyectos de Ley sobre conjuntos inmobiliarios*, Bosch, Barcelona, 1993, págs. 153 y 154.

[136]   Pau Pedrón recalca que el legislador del año 1998 optó por regular un nuevo derecho real, ya que el aprovechamiento por turnos no encajaba dentro de ninguna de las figuras típicas. Pau Pedrón, A., "El nuevo derecho real de aprovechamiento por turno: su configuración y protección en el Anteproyecto de Ley", *Diario La Ley* T. I, 1997, pág. 3. (Versión online). Como dijimos, volveremos sobre esta cuestión en otro lugar de este trabajo.

[137]   Sobre este particular véase Tiana Álvarez, M. A., "Encuesta sobre Préstamos Bancarios en España: abril de 2008", *Boletín Económico-Banco de España*

muchos particulares perdiesen su vivienda debido a la imposibilidad de hacer frente al pago de las cuotas del préstamo hipotecario[138].

La necesidad de dar respuesta a uno de los problemas sociales más graves a los que se ha enfrentado nuestro país desde el momento de la posguerra, ha llevado a que en Cataluña se haya potenciado la regulación de nuevas modalidades dominicales. Este es el caso de la propiedad temporal y la propiedad compartida, recogidas ambas en el Código civil catalán y sobre las cuales nos detendremos en otro punto de este trabajo.

Huelga decir, claro está, que en todos estos supuestos al hablar de regulación nos movemos en el plano normativo, pero nos ha parecido un argumento de peso para destacar el actual dinamismo de los derechos reales. De este modo, no resulta tan descabellado pensar que la necesidad de cubrir aspectos vitales como es el de la búsqueda de una vivienda digna pueda agudizar el ingenio y creatividad de los particulares, potenciando la creación de nuevas figuras no previstas por el legislador.

B) El estatismo de los derechos de crédito

Como se ha apuntado más arriba, a los derechos de carácter personal se les atribuye clásicamente una nota de dinamismo y facilidad de adaptación a las nuevas necesidades sociales, gracias al amplio margen con el que cuenta la autonomía privada en este sector (*ex* art. 1255 Cc). Debe destacarse, sin embargo, que en los últimos años se viene apreciando un amplio intervencionismo estatal en la regulación de determinadas relaciones obligacionales[139]. Así, por ejemplo, hemos

---

4/2008, abril 2008, págs. 43 y ss. Accesible en: http://bit.ly/33LLMcg (Página consultada por última vez el 19 de agosto de 2019).

[138] Es importante destacar que, incluso en el momento actual, gran parte de las ejecuciones hipotecarias que se producen corresponden a aquellas que se constituyeron en el período comprendido entre 2005 y 2008, según pone de relieve el Instituto Nacional de Estadística. Véase: https://bit.ly/3lKWR6v (Página consultada por última vez el 1 de septiembre de 2020).

[139] "Se ha hablado así de una nueva «materialización del Derecho contractual» en los últimos decenios". Andrés Santos, F. J., "Los límites a la autonomía...", ob. cit., pág. 82. Véase, asimismo, Ariza, A.C., "En torno a la autonomía privada contractual en el siglo XXI" en *El Derecho Privado ante la internacionalidad, la*

sido testigos de fuertes restricciones en materia de Derecho de consumo y de la estricta regulación del contrato de arrendamiento[140].

La expansión del fenómeno de la contratación en masa y el empleo sistematizado de contratos de adhesión, ha supuesto que el legislador desempeñe un rol cada vez más proteccionista en aras de tutelar a la parte más vulnerable de la relación obligatoria[141]. En este sentido, no solo existe una normativa general en materia de consumo representada por el Texto Refundido de la Ley General para la Defensa de los Consumidores y Usuarios, sino que, además, se han establecido normas específicas destinadas a regular cuestiones que afectan de forma directa a los consumidores como puede ser la Ley 7/1998, de 13 de abril, sobre condiciones generales de contratación.

Este intervencionismo se ha visto aumentado por las malas prácticas bancarias que han quedado de manifiesto tras la crisis económica del año 2008, no en balde en los últimos años los términos *swap*, preferentes y cláusulas abusivas han resonado con fuerza no solo en el ámbito jurídico[142], sino también en el social, ya que han afectado a un gran colectivo de la sociedad española. En este sentido, se han dictado un buen número de normas encaminadas a proteger a los consumidores frente a la abusividad de los bancos, entre las que destaca la reciente Ley 5/2019, de 15 de marzo, reguladora de los contratos de crédito inmobiliario, cuyo articulado encierra un gran número de normas de marcado carácter imperativo[143], que, como indica la pro-

---

integración y la globalización. Homenaje al Profesor Miguel Ángel Ciuro Caldani (dirs. Alterini, A. A. y Nicolau, N. L.), La Ley, Buenos Aires, 2005, págs. 255 y ss.

[140] Andrés Santos, F. J., "Los límites a la autonomía...", ob. cit., pág. 82.

[141] Ya desde mediados del siglo XX, De Castro advirtió de la necesidad de poner límites a la autonomía privada en materia contractual con el fin de proteger a la parte más débil del contrato. Véase De Castro y Bravo, F., "Las leyes nacionales, la autonomía de la voluntad y los usos en el proyecto de Ley Uniforme sobre la venta", *A.D.C.* fasc. IV, 1958, pág. 1012. Accesible en: http://bit.ly/2Tsyw7C (Página consultada por última vez el 13 de agosto de 2019).

[142] La cuestión de las cláusulas suelo, por ejemplo, ha abierto un amplio debate en el plano jurisprudencial. Así, resultan de especial relevancia en esta materia la STS 9 mayo 2013 (TOL3.671.048) y la STJUE (Gran Sala) 21 diciembre 2016 (TOL7.984.659), entre otras.

[143] Aunque en relación con el Proyecto de Ley, véase Berrocal Lanzarot, A. I., "Consideraciones generales en torno al Proyecto de ley reguladora de los contratos de crédito inmobiliario", *A.C.* núm. 1, enero 2018, pág. 5. (Versión online).

pia Exposición de Motivos[144], se proyectan especialmente sobre la regulación del vencimiento anticipado del préstamo (*ex* art. 24 Ley 5/2019)[145] y de los intereses de demora (*ex* art. 25 Ley 5/2019)[146]. Sobre la cláusula de vencimiento anticipado volveremos en otro lugar de este trabajo.

Por lo que se refiere al contrato de arrendamiento, debe destacarse que nos hallamos igualmente ante una figura contractual en la que la autonomía privada se encuentra sometida a fuertes restricciones, como puede deducirse de la regulación recogida en la Ley 29/1994, de 24 de noviembre, de Arrendamientos Urbanos[147], así como del ar-

---

[144]   La propia Exposición de Motivos de la Ley señala, en relación con la Sección 3ª, que en la misma se "...*aborda la nueva regulación del vencimiento anticipado del contrato de préstamo y de los intereses de demora, sustituyendo el régimen vigente, en el que existía cierto margen a la autonomía de la voluntad de las partes, por normas de carácter estrictamente imperativo. Así, mediante el nuevo régimen del vencimiento anticipado se garantiza que este solo pueda tener lugar cuando el incumplimiento del deudor es suficientemente significativo en atención al préstamo contratado. Del mismo modo dota de una mayor seguridad jurídica a la contratación, y se sustituye el anterior régimen de los intereses de demora, en el que únicamente se establecía un límite máximo para cuantificarlos, por un criterio claro y fijo para su determinación. En ambos casos se persigue impedir la inclusión en el contrato de cláusulas que pudieran ser abusivas y, a la vez, robustecer el necesario equilibrio económico y financiero entre las partes*".

[145]   Refiriéndose al Proyecto de Ley, véase Hernández Torres, E., "El vencimiento anticipado en el proyecto de ley sobre contratos de crédito inmobiliario" en *Los contratos de crédito inmobiliario. Algunas soluciones legales* (coords. Sánchez Lería, R., y Vázquez-Pastor Jiménez, L.), Reus, Madrid, 2018, págs. 228 y 229. La autora estima, sin embargo, que, bajo su punto de vista, es posible que las partes pacten unas condiciones más favorables a las contenidas en el precepto mencionado en el texto principal.

[146]   Aunque hace alusión al Proyecto de Ley, véase Trujillo Cabrera, C., "Los intereses de demora en el proyecto de ley reguladora de los contratos de crédito inmobiliario" en *Los contratos de crédito inmobiliario. Algunas soluciones legales* (coords. Sánchez Lería, R., y Vázquez-Pastor Jiménez, L.), Reus, Madrid, 2018, págs. 241 y ss. No obstante, el autor considera que la imperatividad de la norma provoca más problemas de los que esta pretende solucionar, entre los que destaca el hecho de que la redacción del precepto parece imposibilitar que se pacten condiciones más beneficiosas para los prestatarios.

[147]   El art. 6 LAU señala expresamente que "*son nulas, y se tendrán por no puestas, las estipulaciones que modifiquen en perjuicio del arrendatario o subarrendatario las normas del presente Título, salvo los casos en que la propia norma expresamente lo autorice*".

ticulado de la Ley 49/2003, de 26 de noviembre, de Arrendamientos Rústicos[148].

Lejos de observar una relajación de las restricciones impuestas a la autonomía privada en el campo del derecho de arrendamiento, ha de señalarse que en los últimos años el fenómeno de los denominados alquileres vacacionales ha originado una mayor reglamentación de la materia. Así, son ya varias Comunidades Autónomas[149] que han abordado la regulación de las viviendas vacacionales, entre las que podemos citar a Canarias, en la cual se ha promulgado el Decreto 113/2015, de 22 de mayo, por el que se aprueba el Reglamento de las viviendas vacacionales de la Comunidad Autónoma de Canarias. Debe destacarse, sin embargo, que varios de los preceptos de la citada

---

[148]   El inciso segundo del art. 8.1 LAR dispone expresamente que "*serán nulos los pactos que impongan al arrendatario cualquier restricción sobre los cultivos o sobre el destino de los productos, salvo los que tengan por fin evitar que la tierra sea esquilmada o sean consecuencia de la normativa comunitaria y de disposiciones legales o reglamentarias*". También podría traerse aquí a colación el art. 12.1 del mismo cuerpo legal, que establece que "*los arrendamientos tendrán una duración mínima de cinco años. Será nula y se tendrá por no puesta toda cláusula del contrato por la que las partes estipulen una duración menor*".

[149]   En los últimos tiempos el legislador estatal parece haber dejado en manos de las Comunidades Autónomas la cuestión de la vivienda vacacional. Una muestra de ello es el Real Decreto-ley 7/2019, de 1 de marzo, de medidas urgentes en materia de vivienda y alquiler, el cual modifica la LAU excluyendo del ámbito de aplicación de esta ley "*la cesión temporal de uso de la totalidad de una vivienda amueblada y equipada en condiciones de uso inmediato, comercializada o promocionada en canales de oferta turística o por cualquier otro modo de comercialización o promoción, y realizada con finalidad lucrativa, cuando esté sometida a un régimen específico, derivado de su normativa sectorial turística*" (art. 1.2 del Real Decreto-ley 7/2019).

norma (concretamente los arts. 3.2[150], 12.1[151], 13.3[152] y, en consecuencia, el subapartado tercero del apartado IV del Anexo 2[153]) fueron objeto de anulación, entre otras razones, por entender que la redacción de los mismos infringía la libertad de empresa y la libertad de prestación y servicios[154]. Del mismo modo, se hace necesario apuntar que el éxito de la fórmula del alquiler vacacional se ha visto indudablemente afectado por la crisis sanitaria del covid-19.

De todo lo anterior ha de admitirse que, aunque el desarrollo del Derecho de contratos ha sido extraordinario[155], la autonomía privada

---

[150] Este precepto excluía de su ámbito de aplicación a "...*las edificaciones ubicadas en suelos turísticos que se encuentren dentro de las zonas turísticas o de las urbanizaciones turísticas, así como las viviendas ubicadas en urbanizaciones turísticas o en urbanizaciones mixtas residenciales turísticas, conforme a las definiciones establecidas en la Ley 2/2013, de 29 de mayo, de renovación y modernización turística de Canarias*".

[151] La norma disponía que "*las viviendas vacacionales deberán ser cedidas íntegramente a una única persona usuaria, que figurará como responsable en todo caso de la reserva realizada, y no se permitirá la cesión por habitaciones, existiendo prohibición de formalizar varios contratos al mismo tiempo respecto a la misma vivienda, no permitiéndose, por tanto, el uso compartido de la misma*".

[152] El mencionado artículo preveía que "*una vez presentada la declaración responsable de inicio de actividad, el Cabildo Insular inscribirá de oficio en un plazo máximo de quince días hábiles, la información sobre la actividad de explotación de la vivienda vacacional, en el Registro General Turístico de la Comunidad Autónoma de Canarias, de conformidad con lo establecido en su normativa reguladora y entregará a la persona titular o en su caso, a la explotadora de la vivienda, que haya formulado la declaración, las hojas de reclamaciones, el cartel anunciador de las mismas y el libro de inspección*".

[153] Este precepto obligaba a hacer constar en la declaración responsable "*que la vivienda no se encuentra en zona turística, urbanización turística o en urbanización mixta residencial turística, conforme a las definiciones establecidas en la Ley 2/2013, de 29 de mayo, de renovación y modernización turística de Canarias*".

[154] Véase la STSJ Canarias (Sala de lo Contencioso-Administrativo, Sección 2ª) 21 marzo 2017 (TOL6.336.467) confirmada por la STS (Sala Tercera) 15 enero 2019 (TOL7.058.862). No obstante, cabe destacar que el legislador canario ha intentado regular nuevamente determinados aspectos de la vivienda vacacional a partir del Proyecto de Ley Por la que se modifica la Ley 7/1995, de 6 de abril, de Ordenación del Turismo en Canarias, y la Ley 2/2013, de 29 de mayo, de renovación y modernización turística de Canarias. No obstante, el fin de la legislatura frustró irremediablemente esta iniciativa.

[155] Sobre todo a partir de la regulación de nuevas figuras.

se ha visto notablemente acotada en algunos ámbitos[156]. De este modo, se ha dicho que "cada vez se habla más insistentemente de un Derecho privado social en el que abundan las limitaciones de la voluntad de los individuos inspiradas en el interés público y tendentes a defenderlo"[157].

Bajo nuestra perspectiva, lo hasta aquí expuesto nos sirve para poner de relieve que a partir de los últimos años el concepto individualista de la autonomía privada se encuentra en decadencia en favor de una consideración social de la misma[158], lo que ha derivado en la necesidad de establecer de una serie de limitaciones en el ámbito contractual.

4.2. Las posiciones intermedias

Roca Sastre ya apuntó en su día que las diferencias entre el sistema de *numerus clausus* y el de *numerus apertus* son puramente formales[159], en tanto en cuanto estas se diluyen una vez se pasa de un plano

---

[156]   Hay quien ha sostenido que "se puede afirmar que en nuestro tiempo la libertad en el campo de la contratación se caracteriza por un incremento incesante del número de limitaciones". Lalaguna Domínguez, E., ob. cit., pág. 892.

[157]   Cano Tello, C.A., "El Derecho civil, cauce y límite de la autonomía privada", ob. cit., pág. 808.

[158]   Cano Tello, C.A., "El Derecho civil, cauce y límite de la autonomía privada", ob. cit., pág. 808. Al respecto resultan interesantes las consideraciones de De Castro, quien sostiene que no estamos realmente ante una decadencia de la autonomía privada, ni siquiera ante una nueva noción de la misma, sino, más bien, ante el abandono del individualismo que inspiró la corriente liberal del siglo XIX y del moderno neoliberalismo. De Castro y Bravo, F., "Notas sobre las limitaciones intrínsecas de la autonomía de la voluntad", *A.D.C.* fasc. IV, 1982, pág. 1066.
En la línea de lo anterior, la doctrina suele insistir en que el aumento de contenido imperativo en las relaciones contractuales no debe interpretarse como una desintegración del principio de autonomía privada, sino, todo lo contrario. De este modo, se ha puesto de manifiesto que lo que se pretende con la intervención legislativa es establecer un equilibrio entre las partes contratantes de modo que la autonomía privada pueda desarrollarse sin abusos. Esta es la tesis de Pérez Hereza, J., Sáez-Santurtún Prieto, J., y Marqués Mosquera, C., "Límites a la autonomía de la voluntad en el Derecho Patrimonial" en *Autonomía de la voluntad en el Derecho Privado T. III-1 Derecho Patrimonial 1 Estudios en Conmemoración del 150 aniversario de la Ley del Notariado* (coord. Prats Albentosa, L.), Wolters Kluwer España, Madrid, 2012, pág. 490.

[159]   Roca Sastre, R. M. ª, *Derecho Hipotecario T. II*, ob. cit., pág. 635. Más recientemente, Méndez González, F. P., ob. cit., págs. 800 y 801. En contra parece

puramente teórico al práctico. En este apartado nos encargaremos de analizar este fenómeno.

A) *Numerus clausus flexible*

Por lo que se refiere a aquellos Estados que han acogido expresamente un modelo de número cerrado o que han sido clásicamente encuadrados como tales, debe destacarse que la tendencia general en el plano material es la de abandonar su característica rigidez a través de diversas vías: a) una que podríamos llamar directa, mediante la creación de nuevos derechos reales a manos de los particulares, y b) otra indirecta, mediante el empleo de otras figuras existentes. Más controvertida es, sin embargo, la cuestión de si puede hablarse de la fisura del dogma del *numerus clausus* en aquellos Estados en los que, siendo restrictivos en cuanto al número de los derechos reales, han surgido nuevas figuras por vía de la costumbre como es el caso de Japón, Taiwán, Corea y China[160].

a) Vía directa de abandono de la rigidez del *numerus clausus*

A pesar de que el sistema de *numerus clausus* impone la prohibición de constituir figuras de carácter real distintas de las previstas por el legislador, cada vez es más frecuente presenciar en aquellos Estados que han acogido este modelo la creación de nuevos derechos reales nacidos *ex novo* o a partir de la modificación de figuras típicas como consecuencia del juego de la autonomía privada. Así, aunque la lista de sistemas de número cerrado que está tendiendo a la flexibilización es amplia, nos ha parecido interesante destacar el ejemplo de Francia, por su novedad, y el de Italia, por sus apreciables similitudes con nuestro ordenamiento.

---

mostrarse Peralta Mariscal, L. L., ob. cit., pág. 2679.

[160] En este sentido, hay quien podría considerar que, aunque no sean derechos creados por el legislador, la costumbre también es fuente del derecho. Al respecto véase Chang, Y. y Smith, H. E., ob. cit., págs. 2301 y ss. Concretamente sobre el ordenamiento jurídico japonés, puede consultarse también Barberán, F., y Domingo, R., ob. cit., pág. 141 nota al pie núm. 336.

a') La experiencia francesa: *droit réel de jouissance spéciale*

Como pone de relieve Akkermans[161], el número de los derechos reales nunca ha sido una cuestión pacífica para la doctrina francesa, que siempre ha quedado dividida, de un lado, entre quienes sostienen que el sistema imperante en el Estado galo es de *numerus clausus*[162], y de otro, entre aquellos que defienden que se trata de un modelo de derechos reales que permite el juego de la autonomía privada[163]. Debe destacarse, sin embargo, que este debate se ha reavivado recientemente a raíz de una nueva corriente jurisprudencial.

Es necesario señalar que los tribunales galos siempre se han mostrado reacios a admitir la creación de nuevos derechos reales, negando el juego de la autonomía privada salvo contadas excepciones como *l'arrèt Caquelard* de 1834, en el que la *Cour de Cassation* reconoció un derecho de copropiedad atípico[164], y otros supuestos relacionados con derechos heredados del régimen feudal[165]. Esta situación parece cambiar a partir del año 2012, cuando la Corte francesa se muestra favorable a admitir la existencia de un nuevo derecho real conocido bajo la denominación de *droit réel de jouissance spéciale*.

---

[161]   Hace una relación bastante amplia de autores que se muestran a favor y en contra del modelo de *numerus* clausus. Véase Akkermans, B., *The principle of Numerus Clausus...*, ob. cit., pág. 167.

[162]   Entre otros, Larroumet, C., *Droit Civil T. II Les biens, droits réels principaux*, Economica, Paris, 2004, págs. 34 y 35; Carbonnier, J., *Droit Civil 3 Les biens: monnaie, immeubles, meubles*, Presses Universitaires de France, Paris, 2000, págs. 76 y 77.

[163]   Así, Terré, F., y Simler, P., *Droit Civil. Les Biens*, 9ª ed., Dalloz, Paris, 2014, págs. 65 y 66; Laurent, F., *Droit Civil Français T. VI*, Paris et Bruxelles, 1871, págs. 107-115. La última de las obras citadas se encuentra accesible en: http://bit. ly/2YPqvzy (Página consultada por última vez el 14 de agosto de 2019).

[164]   Consentino, C., ob. cit., págs. 28-30; Akkermans, B., *The principle of Numerus Clausus...*, ob. cit., págs. 163-168; Akkermans, B., "Standardization of Property rights...", ob. cit., págs. 237 y 238.

[165]   Akkermans, B., "Standardization of Property rights...", ob. cit., págs. 237 y 238. Scaramuzzino, por su parte, enumera un amplio número de casos jurisprudenciales en los puede apreciarse un cierto juego de la autonomía privada, sin perjuicio de que en la mayor parte de supuestos la concreta figura haya sido finalmente encuadrada dentro de los derechos reales típicos. Scaramuzzino, F. M., ob. cit., págs. 10 y 11.

La primera alusión que hace la jurisprudencia a esta nueva figura parece recogerse en la sentencia de 23 de mayo de 2012[166], en la que la *Cour de Cassation* trataba de dilucidar la naturaleza jurídica de un pacto que databa de 1837 por el que se dividía un terreno y se acordaba que una de las partes tenía derecho a explotar los árboles que se encontraban en el fundo de la otra[167]. Así, rechazando la clasificación del tribunal de Lyon como un mero derecho de propiedad[168], la Corte lo catalogó como un derecho de goce desmembrado de la propiedad y que, por ende, quedaba extinguido por el transcurso del plazo de 30 años del no uso[169]. Vemos, pues, que, a pesar de no calificarlo expresamente como un derecho real atípico, la jurisprudencia da un paso más en el reconocimiento de nuevas figuras de carácter real nacidas como consecuencia de la autonomía de los particulares[170].

El pronunciamiento de 31 de octubre de 2012[171] es, sin embargo, más preciso en cuanto a la configuración de este nuevo derecho, de ahí que haya adquirido una mayor importancia en la literatura jurídica francesa. Así, la *Cour de Cassation* se ocupó del litigio iniciado por

---

[166]   Cour de cassation, civile, Chambre civile 3, 23 mai 2012 (11-13.202).

[167]   Así, "...*l'acte de partage du 12 juin 1837 par lequel les propriétés avaient été partagées entre Joseph Marie Z..., auteur de M. Y... et Jean-Marie Z..., auteur des consorts X..., aux termes duquel le lot attribué à Joseph Marie Z... comprenait " un canton de bois de sapin d'hêtres, crû et à croître à perpétuité, morts et vivants, à prendre sur le surplus de pâturages au joignant des consorts Z... et A... et de la partie de pâturage arrivée au 1er lot (1 ha 700 a)/ Un autre canton de bois sapin et hêtre crû et à croître à perpétuité vivants et morts à prendre sur le surplus desdits pâturages et bois à l'angle méridional occidental de ladite propriété (69 à 54 cour administrative d'appel) ", le sol et le droit de pâturage appartenant pour les deux cantons de bois au second lot attribué à Jean-Marie Z...*".

[168]   De este modo, "...*le crû et à croître, qui constituait un démembrement de propriété en dissociant la propriété du sol et celle du bois déjà crû et à croître, était de nature perpétuelle et ne pouvait à ce titre se prescrire par un non-usage trentenaire (jugement, p. 7, in fine)...*".

[169]   Así la Corte dictaminó que "...*le droit dit de crû et à croître, droit d'exploiter des arbres situés sur le sol d'un fonds appartenant à un tiers, est un simple droit réel de jouissance démembré de la propriété de ce fonds et s'éteint en conséquence par un non-usage trentenaire; qu'en retenant au contraire que ce droit investissait son titulaire de la pleine propriété des arbres concernés et qu'il ne s'éteignait dès lors pas par un non-usage trentenaire...*".

[170]   Akkermans, B., "Standardization of Property rights...", ob. cit., págs. 237 y 238.

[171]   Cour de cassation, civile, Chambre civile 3, 31 octobre 2012 (11-16.304).

la *Société des auteurs et compositeurs dramatiques* (SACD) en contra de la fundación de *La Maison de Poésie* en virtud de un acuerdo establecido en 1932 por el cual dicha fundación vendía a la sociedad un inmueble reservándose, sin embargo, el derecho de goce de los locales que se estaba ocupando en aquel momento, de tal modo que solo en el caso de que la sociedad lo considerase necesario podría solicitar la segunda planta y los otros locales ocupados por *La Maison* a condición de que le proporcionase de forma gratuita y por el tiempo de su duración un inmueble de características apropiadas[172]. De este modo, la sociedad consideraba que, al tratarse de un derecho de uso y habitación constituido en favor de una persona jurídica, este había quedado extinguido por el paso de los 30 años (*ex* arts. 619 y 625 del *Code civil*[173]), de ahí que en el año 2007 solicitase el desalojo del inmueble ocupado por *La Maison*, así como una indemnización por ocupación sin derecho ni título.

La *Cour de Cassation*, marcando un hito en su línea jurisprudencial afirma que la fundación no ostenta un mero derecho de uso o habitación, sino, más bien, un derecho de goce de carácter perpetuo[174], lo que puede traducirse en el reconocimiento de la existencia de un

---

[172] Así, "*...que par acte notarié des 7 avril et 30 juin 1932, la fondation La Maison de Poésie a vendu à la Société des auteurs et compositeurs dramatiques (la SACD), un hôtel particulier, l'acte mentionnant que "n'est toutefois pas comprise dans la présente vente et en est au contraire formellement exclue, la jouissance ou l'occupation par La Maison de Poésie et par elle seule des locaux où elle est installée actuellement et qui dépendent dudit immeuble" et "au cas où la SACD le jugerait nécessaire, elle aurait le droit de demander que le deuxième étage et autres locaux occupés par La Maison de Poésie soient mis à sa disposition, à charge par elle d'édifier dans la propriété présentement vendue et de mettre gratuitement à la disposition de La Maison de Poésie et pour toute la durée de la fondation, une construction de même importance, qualité, cube et surface pour surface...*".

[173] El art. 619 del Código civil francés establece que "*l'usufruit qui n'est pas accordé à des particuliers ne dure que trente ans*", mientras que el art. 625 prevé que "*les droits d'usage et d'habitation s'établissent et se perdent de la même manière que l'usufruit*".

[174] Concretamente afirma que "*...le propriétaire peut librement instituer un droit de jouissance perpétuel; qu'en statuant comme elle l'a fait, le droit conféré à la Maison de Poésie par l'acte de vente du 30 juin 1932 constituant un droit réel perpétuel de jouissance exclusive, et non un droit d'usage et d'habitation, la cour d'appel a violé les articles 544, 625 et 1134 du code civil...*".

nuevo derecho real distinto de los previstos por el legislador y, por ende, en una superación del *numerus clausus*[175].

Los contornos de este *droit réel de jouissance spéciale* se han ido matizando, sin embargo, en posteriores pronunciamientos. Así, en *l'arrèt* del 28 de enero de 2015[176], la *Cour de Cassation* se ocupó de dilucidar un litigio que versaba sobre un acuerdo por el cual en 1981 el sindicato de copropietarios de un inmueble concedía a la sociedad EDF (posteriormente convertida en ERDF) un derecho de uso sobre un lote compuesto por un transformador de distribución de electricidad pública. En este caso el tribunal, apartándose del fallo de *La Maison de Poésie*, aclara que, aunque las partes pueden crear un derecho de goce especial, este no podrá tener nunca una duración perpetua, por lo que, al no haberse estipulado un plazo, el derecho queda extinguido por el transcurso de los 30 años que se señalan en los arts. 619 y 625 del *Code civil*[177]. Este último pronunciamiento ha originado más dudas acerca de la naturaleza de esta nueva figura de las que ha resuelto. Así, la doctrina gala se ha planteado, entre otras cuestiones, si la fijación de un término es esencial en la constitución de este nuevo derecho[178] o qué ocurre en aquellos supuestos en los que este se constituye en favor de una persona física[179].

---

[175]   Bergel, J-L., "Un droit réel de jouissance spéciale n´est pas limité à trente ans et ne s´éntient que´au terme de la durée pour laquelle il a été consenti", *Revue de Droit Immobilier* núm. 12, décembre 2014, pág. 635.

[176]   Cour de cassation, civile, Chambre civile 3, 28 janvier 2015 (14-10.013).

[177]   De este modo, "...*lorsque le propriétaire consent un droit réel, conférant le bénéfice d'une jouissance spéciale de son bien, ce droit, s'il n'est pas limité dans le temps par la volonté des parties, ne peut être perpétuel et s'éteint dans les conditions prévues par les articles 619 et 625 du code civil...*". Un sector de la doctrina, intentando salvar la posible atipicidad del derecho ante el que nos hallamos, señala que la aplicación de este plazo legal no se debe a que se trate de un derecho de uso típico, sino, a que la norma recoge un plazo general para todos los derechos de goce. Revet, T., "Le droit réel dit «de jouissance spéciale» et le temps*", La Semaine Juridique* núm. 9, mars 2015, pág. 419.

[178]   Feydeau, M-T., "Le droit réel de jouissance spéciale consenti sans limitation de durée est-il perpétuel? La 3e chambre civile lève une incertitude", *La Semaine Juridique* núm. 9, mars 2015, pág. 415.

[179]   Bergel, J-L., "Le «droit réel de jouissance spéciale» ne peut pas être perpétuel", *Revue de Droit Immobilier* núm. 4, avril 2015, pág. 177.

Parte de estos interrogantes parecían haber sido despejados en *l'arrèt* del 8 de septiembre de 2016[180], en el que, volviendo sobre el caso de *La Maison de Poésie*, la *Cour de Cassation* recalcó que el *droit réel de jouissance spéciale* era un derecho distinto de los derechos de uso y habitación recogidos en la legislación civil, señalando que en el caso de *La Maison* las partes no habían creado un derecho perpetuo, sino por el tiempo de la duración de la fundación, por lo que no eran de aplicación los plazos legales contenidos en los arts. 619 y 625 del *Code civil*[181].

No obstante lo anterior, en *l'arrèt* de 7 de junio de 2018[182] la Corte francesa complicó nuevamente la cuestión con un fallo en el que parece alejarse de la doctrina sentada en el pronunciamiento analizado en el párrafo precedente. Así, los hechos del litigio comienzan en el año 2004 con la adquisición por parte de la sociedad civil inmobiliaria *L'Aigle blanc* (en adelante SCI), de diversos lotes, entre los cuales se encontraba uno que contaba con una piscina que formaba parte de un inmueble inserto en un complejo inmobiliario conocido como *Gran Roc*. La sociedad civil inmobiliaria *Argentière Mont-Blanc*, parte vendedora, se había comprometido años atrás (el 20 de agosto de 1970), a través de una convención que se incluyó en el reglamento de la comunidad, a asumir el coste de mantenimiento de la piscina, así como a permitir el acceso gratuito a la misma a todos los vecinos de *Gran Roc*, al menos durante las vacaciones escolares. Este hecho provocó que la SCI solicitase ante los tribunales que se declarase la extinción del mencionado derecho, dado que, a su entender, la duración de este

---

[180]   Cour de cassation, civile, Chambre civile 3, 8 septembre 2016 (14-26.953).

[181]   Así, se señala que "...*attendu qu'ayant relevé que les parties avaient entendu instituer, par l'acte de vente des 7 avril et 30 juin 1932, un droit réel distinct du droit d'usage et d'habitation régi par le code civil, la cour d'appel, qui a constaté que ce droit avait été concédé pour la durée de la Fondation, et non à perpétuité, en a exactement déduit, répondant aux conclusions dont elle était saisie, que ce droit, qui n'était pas régi par les dispositions des articles 619 et 625 du code civil, n'était pas expiré et qu'aucune disposition légale ne prévoyait qu'il soit limité à une durée de trente ans...*". Este pronunciamiento es criticado por Laurent, J., "Maison de Poésie II: combien de temps dure la perpétuité en France?", *La Semaine Juridique* núm. 45, novembre 2016, pág. 2022.

[182]   Cour de cassation, civile, Chambre civile 3, 7 juin 2018 (17-17-240). Este pronunciamiento es analizado por Jariel, L., "Le droit réel attaché à un lot de copropriété conférant le bénéfice d'une jouissance spéciale d'un autre lot est-il perpétuel?", *La Semaine Juridique* núm. 36, 2018, págs. 1523-1526.

había expirado por el transcurso de treinta años (el 20 de agosto de 2000) como consecuencia de lo dispuesto en los arts. 619 y 625 *Code civil*. La *Cour de Cassation* estimó, sin embargo, que las normas aludidas no eran de aplicación, sosteniendo que la figura discutida era un *droit réel de jouissance spéciale* que había sido configurado por las partes como perpetuo[183].

En cualquier caso, lo hasta aquí expuesto permite afirmar que en el ordenamiento jurídico francés parece haber quedado superado, de algún modo, el *numerus clausus* a partir de la creación de un derecho real atípico[184], cuyo contenido puede consistir, según pone de relieve Bergel, en cualquier utilidad que tenga por fin el goce parcial de un determinado bien[185]. En este sentido, cabe destacar que, incluso, los propios notarios han sido conscientes de las numerosas ventajas que puede comportar un derecho de estas características, hasta el punto de que recientemente han propuesto que sea acogido legislativamente y que, al mismo tiempo, se modifique el tiempo de duración que el *Code civil* dispone para el usufructo[186].

---

[183] Así, se dijo que "...*attendu qu'est perpétuel un droit réel attaché à un lot de copropriété conférant le bénéfice d'une jouissance spéciale d'un autre lot ; que la cour d'appel a retenu que les droits litigieux, qui avaient été établis en faveur des autres lots de copropriété et constituaient une charge imposée à certains lots, pour l'usage et l'utilité des autres lots appartenant à d'autres propriétaires, étaient des droits réels sui generis trouvant leur source dans le règlement de copropriété et que les parties avaient ainsi exprimé leur volonté de créer des droits et obligations attachés aux lots des copropriétaires ; qu'il en résulte que ces droits sont perpétuels...*".
No obstante lo anterior, parte de la doctrina sigue advirtiendo de los peligros que puede entrañar la creación de un derecho real limitado de carácter perpetuo. En este sentido, se pronuncia Danos, a colación del análisis que realiza de la Cour de cassation, civile, Chambre civile 3, 6 juin 2019 (18-14.547; 18-15-386). Véase Danos, F., "Servitude et droit réel de jouissance spéciale", *La Semaine Juridique* núm. 27, juillet 2019, pág. 1298.

[184] Sparkes sostiene que la flexibilidad del *numerus clausus* en Francia hace dudar de su vigencia como principio. Sparkes, P., ob. cit., pág. 780.

[185] Véase Bergel, J-L., "Un droit réel de jouissance spéciale...", ob. cit., pág. 635.

[186] Pueden consultarse los siguientes enlaces: http://bit.ly/33xXaIv (Página consultada por última vez el 12 de junio de 2017); http://bit.ly/2YNqn3j (Página consultada por última vez el 14 de agosto de 2019).

b') Italia, flexibilidad en las servidumbres

A diferencia de lo que ocurre en otros ordenamientos jurídicos, el legislador italiano no se ha pronunciado de forma expresa acerca de la cuestión del número de los derechos reales. No obstante lo anterior, tanto la doctrina mayoritaria[187] como la *Corte di Cassazione*[188] vienen afirmando que el sistema de derechos reales italiano es de *numerus clausus*. Así, puede decirse, con Magri[189], que solo una minoría de autores parece pronunciarse a favor del posible juego de la autonomía privada en lo que a la creación de nuevas figuras jurídico-reales se refiere[190].

Teniendo en cuenta lo expuesto en el párrafo precedente, debe advertirse, sin embargo, que un sector de la doctrina moderna ha hecho notar que en los últimos años la práctica privada puede haber favorecido la aparición de nuevas instituciones cuyo carácter parece ser real[191]. En este sentido, Parodi ha señalado que una de las tesis que se han desarrollado en torno a la figura de la *multiproprietà* pasa preci-

---

[187]   Pueden citarse, entre otros, a Barassi, L., *I diritti reali limitati. In particolare l'usufrutto e le servitù*, Giuffrè. Milano, 1947, págs. 61 y 62; Comporti, M., "Diritti reali in generale" in *Trattato...*, ob. cit., págs. 227 y ss.; Natucci, A., *La tipicità dei diritti reali*, ob. cit., págs. 181,190, 196, 197, 203 y 230; Barbero, D., *Sistema del Derecho Privado T. II Derechos de la personalidad...*, ob. cit., pág. 215; Messineo, F., *Manual de Derecho Civil y Comercial T. III...*, pág. 447; Moscati, E., "Il problema del numero chiuso dei diritti reali nell'esperienza italiana" en *Liber Amicorum per Angelo Luminoso. Vontratto e Mercato V. I* (a cura di Corrias, P.), Giuffrè, Milano, 2013, págs. 449 y ss.

[188]   En la Cass. 16-10-2017 n. 24301 se hace alusión al *numerus clausus* de los derechos reales en el ordenamiento jurídico italiano. Se trataba de un supuesto en el que se discutía la naturaleza de un derecho de uso exclusivo sobre una zona común de un edificio. En este sentido, la *Corte di Cassazione* entendió que no se veía vulnerado el principio de *numerus clausus*, dado que el mencionado derecho no era más que una manifestación del derecho de *condominio sulle parti comune*.

[189]   Véase Magri, M., "La sovraposizione di diritti reali tra tipicità ed atipicità", *Rivista del Notariato*, 2002, pág. 1417.

[190]   Esta es la tesis que parecen sostener Alpa, G., y Bessone, M., *Poteri dei privati e statuto della proprietà I Oggetti, situazione soggettive, conformazione dei diritti*, CEDAM, Padova, 1980, pág. 54, Costanza, M., "*Numerus clausus* dei diritti reale e autonomia contrattuale" en *Studi in Onore di Cesare Grassetti Vol. I*, Giuffrè, Milano, 1980, págs. 447 y ss.

[191]   Scaramuzzino hace una enumeración no exhaustiva de algunos de ellos. Scaramuzzino, F. M., ob. cit., págs. 15 y 16.

samente por proclamar su atipicidad[192]. Admitiendo que esta postura (creación de derechos reales atípicos *ex novo*) resulta controvertida en un ordenamiento jurídico como el italiano, debe reconocerse que, al menos, se aprecia una amplia proyección de la autonomía privada a la hora de dotar de contenido a los derechos reales típicos (p. ej. derecho de uso atípico)[193].

Puede decirse que el campo más propicio para el desarrollo de la autonomía privada en el sistema de derechos reales italiano parece ser, al igual que en el nuestro[194], el de las servidumbres. De este modo, se viene permitiendo que las partes doten a las servidumbres del contenido que estas estimen por conveniente (*servitù atipiche*), siempre que respeten el esquema típico previsto por el legislador para la constitución de este tipo de gravámenes[195]. Así, toda servidumbre deberá consistir en un "...

---

[192]   Parodi, N., "Multiproprietà" en *Trattati dei Diritti Reali Vol. II Diritti Reali Parziari* (dir. Gambaro, A., y Morello, U.), Giuffrè, Milano, 2011, pág. 457 y 458.

[193]   Tagliaferri analiza diversos ejemplos de lo que él denomina como supuestos de derecho de uso atípico. En este sentido, resulta particularmente interesante el estudio que realiza de un derecho de uso consistente en limitar el goce de un fundo en beneficio de una persona, constituido con el claro fin de evitar la creación de una servidumbre irregular y la consecuente superación del *numerus clausus* en materia de derechos reales. Véase Tagliaferri, V., "Uso" en *Trattati dei Diritti Reali Vol. II Diritti Reali Parziari* (dir. Gambaro, A., y Morello, U.), Giuffrè, Milano, 2011, págs. 164 y ss. En este caso, sin embargo, sí que creemos que puede decirse que se transgrede la prohibición de crear nuevas figuras de carácter jurídico-real, en tanto en que paradójicamente se termina constituyendo un derecho que no parece encajar con el esquema que la legislación prevé para la creación de un derecho real de uso. De este modo, ha de tenerse en cuenta que el art. 1021 *Codice civile* señala que "*chi ha diritto d'uso di una cosa può servirsi di essa e, se è fruttifera, può raccogliere i frutti per quanto occorre ai bisogni suoi e della sua famiglia.*
        I bisogni si devono valutare secondo la condizione sociale del titolare del diritto".

[194]   Véase RDGRN 14 mayo 1984 (TOL962.738).

[195]   Por lo que se refiere a la doctrina, sostienen esta postura, entre otros, Tiby, M., "Servitù" en *Trattato di Diritto immobiliare. I diritti reali limitati e la circolazione degli immobili* (dir. Visintini, G.), CEDAM, Milano, 2013, pág. 303; Biondi, B., "Servitù ed ordine pubblico", *Giurisprudenza italiana* Vol. 110, 1958, pág. 834; Barbero, D., "Tipicità, predialità e individualità nel problema della identificazione della servitù", *Il Foro Padano* Vol. 12, 1957, pág. 1043; Triola, R., *Le servitù*, Giuffrè, Milano, 2008, pág. 23; Consentino, C., ob. cit., pág. 84; Natucci, A., "Contenuto e modalità di esercizio del rapporto di servitù" en *Trattati di diritto privato V. VII Beni proprietà e diritti reali T. II* (a cura di Gallo, P., e Natucci, A.), G. Giappichelli Editore, Torino, 2001, pág. 115; Guerinoni, E.,

peso imposto sopra un fondo per l'utilità di un altro fondo appartenente a diverso proprietario" (art. 1027 *Codice civile*). Este es precisamente el motivo por el que la *Corte di Cassazione* viene reconociendo el carácter meramente obligatorio de las servidumbres irregulares, en tanto que se estima que no presentan *inerenza* respecto del fundo[196].

"Servitù prediali" en *Trattati dei Diritti Reali Vol. II Diritti Reali Parziari* (dir. Gambaro, A., y Morello, U.), Giuffrè, Milano, 2011, págs. 220, 221, 222, 227, 228 y 229; Vitucci, P., *Utilità e interesse nelle servitù Prediali. La costituzione convenzionale di servitù*, Giuffrè, Milano, 1974, págs. 51 y 52. En contra del empleo del término atipicidad en relación con el derecho de servidumbre: Mannino, V., "La tipicità dei diritti reali nella prospettiva di un diritto europeo uniforme", *Europa e Diritto Privato* núm. 4, 2005, pág. 965.
En cuanto a la jurisprudencia, cabe destacar que la *Corte di Cassazione* señaló en la Cass. 6-7-2017 n. 16698 que *"sul piano dei principi generali, lo schema legale della servitù - peso imposto ad un fondo per l'utilità di un altro fondo (art. 1027 cod. civ.)- lascia ampio margine all'autonomia privata di stabilire, ovviamente nelle servitù volontarie, il contenuto del «vantaggio» per il fondo dominante, cui corrisponda il peso a carico del fondo servente. La cosiddetta utilitas per il fondo dominante (cui deve corrispondere il peso per il fondo servente) può avere in effetti contenuto assai vario, come dimostra la previsione del legislatore, che indica la maggiore comodità o amenità del fondo dominante, o l'inerenza alla destinazione industriale del fondo (art. 1028 cod. civ.). Si deve pertanto ritenere che la tipicità delle servitù volontarie sia di carattere strutturale, non contenutistico..."*. Véase, asimismo, la Cass. 18-3-2019 n. 7561.

[196]   Véase Consentino, C., ob. cit., págs. 27 y 82. En este sentido, la *Corte di Cassazione*, haciéndose eco de su corriente jurisprudencial, pone de relieve en la Cass. 11-2-2014 n. 3091 que *"...in base al principio dell'autonomia contrattuale di cui all'art. 1322 c.c., è consentito alle parti di sottrarsi alla regola della tipicità dei diritti reali su cose altrui attraverso la costituzione di rapporti meramente obbligatori. Pertanto invece di prevedere l'imposizione di un peso su un fondo (servente) per l'utilità di un altro (dominante), in una relazione di asservimento del primo al secondo che si configura come una "qualitas fundi", le parti ben possono pattuire un obbligo personale, configurabile quando il diritto attribuito sia previsto per un vantaggio della persona o delle persone indicate nel realtivo atto costitutivo, senza alcuna funzione di utilità fondiaria (Cass. 4-2-2010 n. 2651; Cass 27-10-2006 n. 23145; Cass. 29-8-1998 n.8611; Cass. 29-8-1991 n.9232"*.
La jurisprudencia anteriormente citada ha sido ratificada en pronunciamientos posteriores como el de la Cass. 14-2-2017 n.3878. Cabe destacar, además, que parte de la doctrina se muestra igualmente contraria a la admisión del carácter real de estas figuras. En este sentido se pronuncian, entre otros, Giovene, A., *La servitù industriale*, A. Morano Editore, Napoli, 1946, págs. 117 y ss.; Tiby, M., "Servitù", ob. cit., pág. 309; Natucci, A., "Contenuto e modalità di esercizio del rapporto di servitù", ob. cit., págs. 117 y 118; Terzago, G. y Terzago, P., *Le servitù prediali*, Giuffrè, Milano, 1999, pág. 6.

En la línea de lo anterior, la posible falta de la nota de *unilateralità* hizo que, en un primer momento, los tribunales italianos inadmitieran el carácter real de las denominadas servidumbres recíprocas[197]. Hoy en día, en cambio, es predominante la tesis que considera que este tipo de gravámenes no suponen la vulneración del *numerus clausus* en materia de derechos reales, ya que nos hallaríamos ante dos servidumbres distintas, pero análogas (un mismo fundo es considerado dominante respecto de una servidumbre y sirviente respecto de la otra)[198]. De este modo, parece que quedaría a salvo el principio *nemini res sua servit*[199].

Un ejemplo clásico de servidumbre atípica es la *servitus non aedificandi*, por la que el propietario del fundo sirviente se obliga a abstenerse de realizar cualquier actividad edificatoria que pueda comprometer el disfrute de la servidumbre existente a favor del fundo dominante[200]. También podría traerse aquí a colación la *servitù di parcheggio*, recientemente admitida por la *Corte di Cassazione*[201]. Mayor controversia ha

---

[197] Consentino, C., ob. cit., págs. 27, 80 y 81.

[198] Fusaro, A., "Dalle obbligazione *propter rem...*", pág. 840; Consentino, C., ob. cit., págs. 80, 81 y 84; Terzago, G. y Terzago, P., ob. cit., pág. 21.

[199] Sobre la interpretación de este principio en el ordenamiento jurídico italiano, véase Triola, R., *Le servitù*, ob. cit., págs. 15 y ss.

[200] Consentino, C., ob. cit., págs. 85 y 86; Triola, R., *Le servitù*, ob. cit., pág. 23.

[201] Durante años los tribunales italianos proclamaron el carácter meramente obligatorio de la institución, en tanto que se entendía que su admisión implicaba la creación de una servidumbre irregular. Véase Bona, C., "Benvenuta, sevitù di parcheggio", *Il Foro Italiano* Vol. 142 núm. 10, 2017, pág. 3031. No obstante lo anterior, en la ya citada Cass. 6-7-2017 n. 16698 se reconoció el carácter real de la figura examinada, ya que se sostuvo que esta suponía una ventaja para el fundo. En este sentido, la *Corte di Cassazione* puso de manifiesto que "*la realitas, che distingue il ius in re aliena dal diritto personale di godimento, implica dunque l'esistenza di un legame strumentale ed oggettivo, diretto ed immediato, tra il peso imposto al fondo servente ed il godimento del fondo dominante, nella sua concreta destinazione e conformazione, al fine di incrementarne l'utilizzazione, sì che l'incremento di utilizzazione deve poter essere conseguito da chiunque sia proprietario del fondo dominante e non essere legato ad una attività personale del soggetto. In questa prospettiva, il carattere della realità non può essere escluso per il parcheggio dell'auto sul fondo altrui quando tale facoltà sia costruita come vantaggio a favore del fondo, per la sua migliore utilizzazione: è il caso del fondo a destinazione abitativa, il cui utilizzo è innegabilmente incrementato dalla possibilità, per chi sia proprietario, di parcheggiare l'auto nelle vicinanze dell'abitazione*".
En cualquier caso, los tribunales italianos han recalcado que, aunque desde el punto de vista teórico no parecen imponerse obstáculos a la creación de una ser-

suscitado, sin embargo, el debate sobre si la *cessione di cubatura* o, si se prefiere, el *trasferimento di cubatura*[202] podría reconducirse al campo de las servidumbres atípicas[203], ya que se suele considerar que se trata de una figura que tiene meros efectos obligatorios[204].

---

vidumbre de aparcamiento, será necesario que se realice un examen de la figura en cuestión para poder emitir un juicio sobre su naturaleza (real o personal). En este sentido, véase la ya citada Cass. 18-3-2019 n. 7561.

[202]   Se suelen emplear como sinónimos para referirse a un mismo fenómeno, aunque se ha hecho notar que la expresión *cessione* suele ligarse a los negocios onerosos o gratuitos *inter vivos*, mientras que el término *trasferimento* se refiere, más bien, a los negocios *mortis causa*. Así, Selvarolo, S. G., *Il negozio di cessione di cubatura*, Edizioni Scientifiche Italiane, Napoli, 1989, pág. 13; Trojani, P. L., "Tipicità e *numerus clausus* dei diritti reali e cessione di cubatura. Lo stato della dottrina e della giurisprudenza ed una ipotesi ricostruttiva originale", *Vita Notarile II*, 1990, págs. 285 y 286.
Libertini define esta figura como "...accordi fra privati proprietari, mediante i quali uno di essi «cede» ad un altro la facoltà di edificare, esistente sul suo terreno secondo le norme urbanistiche, affinché il «cessionario» possa avvalersi di tale facoltà, dinanzi al Comune, per ottenere una concessione a realizzare un volume edilizio maggiore di quello che gli spetterebbe, sul terreno di sua proprietà, secondo le regole generali". Libertini, M., "I «trasferimenti di cubatura»" en *I contratti del comercio dell'industria e del mercado finanziario T. III* (dir. Galgano, F.), UTET, Torino, 1995, pág. 2253.

[203]   Sobre este particular pueden consultarse: Consentino, C., ob. cit., pág. 86; Triola, R., "I diritti edificatori e la c.d. cessione di cubatura" en *Trattato di Diritti immobiliare. I diritti reali limitati e la circulazione degli immobili* (dir. Visentini, G.), CEDAM, Milano, 2013, págs. 79 y ss.; Ceccherini, G., *Il C.D. trasferimento di cubatura*, Giuffrè, Milano, 1985, págs. 17 y ss. Por su parte, Gazzoni señala que "alla luce del nuovo art. 2643, n. 2-bis, c.c. questa teoria non è comunque più proponibile, se non altro perché la norma si riferisce anche al trasferimento di diritti edificatori, trasferimento ovviamente incompatibile con la servitù...". Gazzoni, F., "Cessione di cubatura, "volo" e trascrizione", *Giustizia Civile* Vol. 62, 2012, pág. 102.

[204]   Consentino, C., ob. cit., págs. 88-90. Así lo señalan también Felis, F., "Superficie e fattispecie atipiche. La cessione di cubatura", *Contratto e impresa* Vol. 27 núm. 3, 2011, págs. 639 y 640; Comporti, M., "Tipicità dei diritti reali...", págs. 782 y 783. Debe ponerse de relieve, sin embargo, que existen muchas y muy dispares teorías acerca de la naturaleza de esta figura. Puede consultarse una síntesis de las mismas en Trojani, P. L., ob. cit., págs. 289 y ss.
Se ha apuntado, asimismo, que, aún en el hipotético caso de hallarnos ante una figura de carácter real, la referencia en el art. 2643.2 bis del *Codice civile* a los derechos de edificación como posible objeto de *trascrizione* hace que no pueda hablarse de una institución de carácter atípico ya que se halla prevista por el ordenamiento. Así parece señalarlo Mastropietro, B., "Dalla cessione di cubatura

b)   Vía indirecta de superación del número cerrado de los derechos reales

Debe señalarse, asimismo, que el modelo de *numerus clausus* pierde parte de su fuerza y rigor cuando los particulares pueden "sortearlo" en ciertas ocasiones, ya que es posible llegar al resultado esperado a partir del empleo de otras figuras de carácter personal. Esto es lo que ocurrió en Italia, como ya comentamos al analizar la figura de la obligación *propter rem*, pero es también lo que parece estar sucediendo en Holanda. Así, el Código civil holandés recoge en su art. 6:252 la figura de las denominadas *qualitative obligations (kwalitatieve verplichting)*[205], que, tal y como se encuentran reguladas, se acercan a las obligaciones reales[206]. En este sentido, el citado precepto estipula en su apartado primero que *"it is possible to stipulate by agreement that the obligation of one of the parties to tolerate something or to refrain from doing something with regard to his own registered property, shall pass to all persons who will acquire that registered property under particular title, and that this obligation has to be observed as well by persons who will obtain a right of use of the registered property of a person who has acquired the registered property under the effect of such stipulation"*[207]. Es cierto que, al estar recogidas por el legislador holandés, las *qualitatives obligations* son figuras típicas, pero no puede negarse que por esta vía el sistema de *numerus clausus* puede verse, de algún modo, superado o, al menos, debilitado[208], ya que parte de la doctrina considera que a partir de este tipo de obligaciones se pretende conseguir un resultado similar al que se obtendría

---

al trasferimento in volo dei diritti edificatori: l´art. 2643, n.2 bis, cc.", *Rassegna di Diritto Civile* núm. 2, 2012, pág. 586. Para otro sector de la doctrina, el reconocimiento de la naturaleza real de la *cessione di cubatura* supondría admitir la superación del *numerus clausus* por vía reglamentaria, en tanto en cuanto se prevén en los planes generales. Calzolaio, E., "La tipicità dei diritti reali: spunti per una comparazione", *Rivista di Diritto Civile* Vol. 62 núm. 4, 2016, pág. 1089.

[205]   Milo, M., ob. cit., pág. 597.

[206]   Véase Storme, M. E., ob. cit., pág. 16.

[207]   Accesible en: http://www.dutchcivillaw.com/civilcodebook066.htm (Página consultada por última vez el 12 de junio de 2017).

[208]   Así parecen entenderlo Storme, M. E., ob. cit., pág. 28; Mostert, H., y Verstappen, L., ob. cit., pág. 14.

mediante la constitución de una servidumbre personal[209]. En este sentido, no puede pasarse por alto que el Código civil holandés define el derecho real de servidumbre como una carga que se impone sobre un predio sirviente en beneficio de un predio dominante (art. 5:70.1)[210].

B) *Numerus apertus con limitaciones*

Por lo que respecta a aquellos Estados que parecen haber adoptado desde el punto de vista formal un modelo flexible en cuanto a la creación de nuevas figuras de carácter real, cada vez es más frecuente que en la práctica se limite, de algún modo, el juego de la autonomía privada. Este es el caso de determinados Estados que forman parte de los denominados sistemas mixtos, como Sudáfrica y Escocia[211]. Tomando como referencia el sistema sudafricano, debe destacarse que para que las figuras nacidas como consecuencia de la autonomía privada puedan ser calificadas como reales y, por ende, inscritas en el Registro de la Propiedad, los tribunales vienen exigiendo: a) que la intención de las partes sea la de crear una figura que obligue a los sucesivos propietarios de la cosa y no solo al propietario actual y b) que la naturaleza del derecho sea tal que de su inscripción en el registro se derive la imposición de un gravamen sobre una finca[212].

---

[209] En este sentido, algunos autores consideran que se trata de una figura que funciona de un modo muy parecido a como lo hace el derecho de servidumbre, sin perjuicio de que en este supuesto no existe un fundo dominante. Mostert, H., y Verstappen, L., ob. cit., pág. 14. En parecido sentido, Milo, M., ob. cit., pág. 597.

[210] Así, el precepto estipula que "*an easement is a burden with which an immovable thing, the 'servient land', is encumbered on behalf of another immovable thing, the 'dominant land'*". Accesible en: http://bit.ly/2ksaZqg (Página consultada por última vez el 4 de septiembre de 2019).

[211] Véase Reid, K., y van der Merwe, C. G., "Property Law: some themes and some variations" en *Mixed legal systems in comparative perspective: property and obligations in Scotland and South Africa* (ed. Zimmermann, R., *et al.*), Oxford University Press, Oxford, 2004, págs. 654 y ss. En relación con Escocia, Akkermans, B., *The principle of Numerus Clausus...*, ob. cit., pág. 473 nota al pie núm. 491.

[212] Véase De Waal, M. J., "The Uniformity of Ownership, *Numerus Clausus* and the Reception of the Trust Into South African Law", *European Review of Private Law* I. 3, 2000, pág. 443. También De Waal, M. J., "Identifiying real rights in South African Law: the `subtraction from the *dominium*´ test and its application" en *Contents of real rights*, Wolf Legal Publishers, Nijmegen, 2004, pág. 85.

Ha de señalarse, asimismo, que, aunque algún autor se muestre reacio a establecer una comparación entre los sistemas de *Civil Law* y de *Common Law* en cuanto a la creación de derechos reales atípicos se refiere[213], es cada vez más habitual que la doctrina anglosajona se encargue de abordar el estudio de esta materia, sobre todo, como se puso de relieve con anterioridad, desde la perspectiva del análisis económico del derecho[214]. Así, los autores que han acometido el examen de la cuestión que aquí nos ocupa, destacan que, a pesar de su aparente flexibilidad, el derecho anglosajón establece restricciones a la constitución de nuevas figuras de naturaleza jurídico-real creadas por los particulares, lo que ha derivado en que se afirme que, al menos desde el punto de vista funcional, este opera como un sistema de *numerus clausus*[215].

Puede decirse, así, que la preferencia por la clausura del sistema de derechos reales quedó cristalizada en el *Act* 1925 *sections* 1 y 4, según apuntan autores como Akkermans[216], Consentino[217] o Fusaro[218], aunque es necesario destacar que ya con anterioridad la jurisprudencia se había pronunciado a favor de limitar la creación de figu-

---

[213]   Especialmente, De La Esperanza Martínez-Radio, A., "El *numerus apertus* en materia de derechos reales inmobiliarios", *Noticias C.E.E.*, abril 1986, pág. 48. En cierta medida, Román García, A., ob. cit., pág. 124 y ss.

[214]   Véase la nota al pie núm. 67 de este capítulo.

[215]   Desde esta perspectiva Merrill y Smith han señalado que aunque no se emplee la fórmula latina de *numerus clausus* los países que cuentan con un sistema *Common Law* actúan como tal. Merrill, T. W., y Smith, H. E., "Optimal Standardization...", ob. cit., pág. 4. En sentido similar, Lenwinsohn-Zamir, D., ob. cit., pág. 1730; Storme, M. E., ob. cit., pág. 36. Con respecto al sistema australiano, Edgeworth apunta que en la mayoría de pronunciamientos jurisprudenciales se limita la creación de nuevas figuras, aunque sostiene que el *numerus clausus* no tiene razón de ser en un sistema que cuente con un moderno Registro de la Propiedad. Edgeworth, B., ob. cit., págs. 407, 408, 417, 418 y 419.

[216]   Akkermans, B., *The principle of Numerus Clausus...*, ob. cit., págs. 390, 391 y 454.

[217]   Consentino, C., ob. cit., págs. 39 y 40.

[218]   Fusaro, A., "Il numero chiuso dei diritti reali", *Rivista Critica del Diritto Privato* Vol. 18 fasc. 3, 2000, pág. 445.

ras jurídico-reales atípicas[219] (Keppel *vs* Bailey[220]; Hill *vs* Tupper[221]; King *vs* David Allen and Sons Billposting Ltd[222]). Esta limitación de la autonomía privada no parece extenderse, sin embargo, al plano de la *equity*, en la que en determinadas ocasiones los tribunales han aceptado la constitución de nuevas figuras oponibles frente a terceros, siendo tal vez el caso más destacado el de Tulk *vs* Moxhay[223].

---

[219]   Este tema se trata ampliamente en Akkermans, B., *The principle of Numerus Clausus...*, ob. cit., págs. 388-390.

[220]   Se trataba de un litigio relativo al acuerdo alcanzado entre el titular de una empresa de siderometalurgia y el dueño de una cantera en el año 1795. De este modo, al dueño de la empresa se le permitía construir una vía más eficiente para el transporte de la piedra, siempre y cuando este y sus sucesores se limitasen a extraer el material de una determinada y específica zona de la mencionada cantera. En el año 1833 la empresa, tras cambiar en varias ocasiones de titular, es adquirida por Josep y Crawshay Bailey, quienes, a pesar de conocer la existencia del pacto antes reseñado, comienzan a construir una nueva vía de transporte con el fin de extraer piedra de zonas distintas de las acordadas. Poco después los titulares de la cantera deciden interponer una demanda contra Josep y Crawshay Bailey, con el fin de que estos respetasen el pacto acordado en 1795. Será en 1834 cuando Lord Brougham LC resuelva que no se está ante un nuevo derecho real, poniendo, asimismo, de manifiesto los peligros que entraña el libre desarrollo de la autonomía privada en el ámbito jurídico-real. Estas reflexiones han sido extraídas de la lectura de Akkermans, B., *The principle of Numerus Clausus...*, ob. cit., págs. 388 y 389.

[221]   En este caso la contienda se refería al derecho que el propietario de una finca había otorgado en favor de un sujeto con el fin de que este pudiera usar sus botes en el canal que se hallaba en el mencionado fundo. El juez Pollock CB consideró que se trataba de un derecho meramente personal, por lo que no era oponible a terceros. Véase Akkermans, B., *The principle of Numerus Clausus...*, ob. cit., pág. 389.

[222]   En el litigio se discutió si el derecho a colocar publicidad en la pared de un edificio podría ser considerado como un derecho real, a lo cual Lord Buckmaster LC, el juez encargado de resolver la contienda, respondió negativamente. Akkermans, B., *The principle of Numerus Clausus...*, ob. cit., págs. 389 y 390.

[223]   Este particular supuesto versaba sobre la naturaleza del derecho nacido de un pacto por el que se acordaba destinar el uso de un jardín a actividades de recreo y disfrute. En este sentido, Lord Cottenham LC acabó declarando que se trataba de un derecho de carácter real. Véanse Akkermans, B., *The principle of Numerus Clausus...*, ob. cit., pág. 391; Ziff, B., ob. cit., pág. 4.
    Hay, pues, quien habla de la flexibilidad del *numerus clausus* en determinados casos. Weir, M., ob. cit., pág. 662. La cuestión en el derecho americano es, sin embargo, algo más compleja. Así, como ha señalado algún autor, los particulares pueden sortear fácilmente el *numerus clausus*, ya que pueden cambiar su residencia a otro Estado o, simplemente, recurrir al derecho nacional siempre que

Cuestión más controvertida a lo expuesto con anterioridad es si la existencia de la figura del *trust* puede ser o no determinante en cuanto a el número de los derechos reales de un determinado sistema. En este sentido, se suele argumentar que la causa que explica la inexistencia de la figura del *trust* en los sistemas de *Civil Law* se debe a la interdicción de crear figuras jurídico-reales atípicas[224]. Por el contrario, la doctrina anglosajona estima que la presencia del *trust* no es más que una muestra de que nos hallamos ante un sistema flexible en cuanto a la creación de figuras con alcance real se refiere[225].

II. EL *TEST* DE CONFIGURACIÓN DE DERECHOS REALES

1. *Consideraciones previas*

Como se ha tenido la oportunidad de comprobar a lo largo del epígrafe anterior, resulta evidente que las diferencias existentes entre los sistemas que han adoptado un modelo de *numerus clausus* y aquellos que han acogido uno de *numerus apertus* se están diluyendo[226] hasta el punto de que la doctrina sostiene que su articulación únicamente tiene consistencia en el plano teórico[227]. Este fenómeno se debe, como

---

ello sea posible. Sobre este particular véase Bell, A., y Parchomovsky, G., ob. cit., págs. 75 y 76.

[224] Bolgar, V., "Why no trusts in the civil law?", *The American Journal of Comparative Law*, 1953, pág. 212. En parecido sentido, Worthington, S., "The Disappearing Divide Between Property And Obligation: The Impact of Aligning Legal Analysis and Commercial Expectation", *Texas International Law Journal* Vol. 42 núm 3, 2007, pág. 925. Accesible en: http://bit.ly/2MjVhtI (Página consultada por última vez el 8 de mayo de 2017).

[225] Struycken, T. H. D., ob. cit., pág. 68.

[226] Se ha señalado, pues, que a pesar de que el sistema holandés sea calificado como de *numerus clausus* y el sudafricano de *numerus apertus* estos tienden a acercarse cada vez más. Mostert, H., y Verstappen, L., ob. cit., págs. 3 y 25. En un sentido similar, Milo afirma que los sistemas de *Common Law* comienzan a conocer y a aplicar el principio de *numerus clausus*, al mismo tiempo que los sistemas de *Civil Law* ponen a prueba su flexibilidad. Milo, M., ob. cit., pág. 595.

[227] Así, por ejemplo, Roca Sastre sostiene que "...puede afirmarse que también en nuestro Derecho positivo viene a regir prácticamente la regla de *numerus clau-*

hemos podido comprobar, al hecho de que la rigidez característica de los modelos de derechos reales de número cerrado no permite hacer frente a las nuevas necesidades que surgen en una sociedad cambiante[228], mientras que la excesiva permisividad de los sistemas de *numerus apertus* podría tener graves consecuencias desde el punto de vista de la seguridad jurídica y la protección de los terceros en el tráfico[229].

Las apreciaciones anteriores nos llevan a afirmar que, en relación con la materia que nos ocupa, lo más deseable tanto desde el punto de vista jurídico como desde el socioeconómico sería tratar de hallar un punto intermedio entre la estabilidad que ofrece un sistema de derechos reales de número cerrado y la flexibilidad que aporta un sistema de número abierto[230]. No se trata, pues, de perpetuar un debate teórico infructuoso[231], sino, más bien, de buscar una solución práctica tratando de esclarecer qué límites se imponen a la constitución de nuevas figuras de carácter jurídico-real y cuál es el alcance de los mismos[232].

---

sus, aunque formalmente se diga que impera la regla del *numerus apertus*. En el fondo es un juego de palabras". Roca Sastre, R. M. ª, *Derecho Hipotecario T. II*, ob. cit., pág. 637.

[228]   Así, Worthingtong señala que el *numerus clausus* resulta ineficiente, ya que los particulares recurren a otras vías para llegar al resultado deseado por las mismas. Esta práctica suele derivar en la regulación por parte del legislador de la figura de carácter real. Worthington, S., ob. cit., págs. 925 y 926. Esto es lo que ocurrió, como ya adelantamos, con el derecho de aprovechamiento por turnos de bienes inmuebles, cuya importancia nivel a práctico obligó al legislador español a acogerlo normativamente.

[229]   Comporti, M., "Diritti reali in generale" in *Trattato…*, ob. cit., pág. 228.

[230]   Mostert, H., y Verstappen, L., ob. cit., págs. 24 y 25.

[231]   En palabras de García Cantero "la discusión *numerus clausus-numerus apertus* lleva camino de convertirse en una de las más estériles de la dogmática de los derechos reales, al menos en tanto no se modifique nuestro Derecho positivo". García Cantero, G., Notas a Castán Tobeñas, J., *Derecho Civil Español, Común y Foral T. II Vol. I*, 14ª ed. revisada y puesta al día por García Cantero, G., Reus, Madrid, 1992, pág. 80 nota al pie núm. 3.

[232]   Puede decirse que el primer autor en detenerse en el examen de los límites que han de imponerse a la autonomía privada en sede de derechos reales fue Otero y Valentín. Véase Otero y Valentín, J., "Derechos posibles con relación a las cosas", *R.D.P.*, septiembre 1921, pág. 264; Otero y Valentín, J., "Límites generales en la determinación de derechos reales", *R.D.P.*, abril 1922, págs. 97 y ss. No obstante lo anterior, el estudio más importante sobre la materia fue acometido por Díez-Picazo. Véase Díez-Picazo y Ponce de León, L., "Autonomía Privada…", ob. cit., pág. 306. A este último autor le siguieron, entre otros, Puig Brutau, J., *Fundamen-*

En este sentido, creemos que en nuestro ordenamiento se puede llegar a conseguir ese equilibrio al que nos referimos a través del empleo de un *test* similar al que utilizan los tribunales sudafricanos[233] o al que proponía Akkermans en relación con una posible armonización del Derecho europeo en materia de derechos reales[234].

La aplicación de este *test* correspondería a los diversos operadores jurídicos que, dadas las características de la materia que nos ocupa, son, fundamentalmente, los tribunales[235] y, sobre todo, los registradores de la propiedad. De este modo, bastaría con que el operador jurídico de que se trate aplicase el *test* de configuración para conocer si esa concreta figura puede ser reputada como derecho real o, por el contrario, como un mero derecho obligacional. En este sentido, podría objetarse que el control que se realiza a partir de este *test* es de carácter *ex post*; no obstante, creemos difícil aplicar un mecanismo de control *ex ante* en un ordenamiento en el que la inscripción en el Registro de la Propiedad es, como regla general, meramente declarativa[236].

Es necesario advertir que el único fin de este *test* es, como hemos mencionado, comprobar que un determinado derecho reúne los ele-

---

tos de Derecho Civil T. III Vol. I..., ob. cit., págs. 35 y 36; Méndez González, F. P., ob. cit., págs. 808 y ss.; Camy Sánchez-Cañete, B., *Comentarios a la Legislación Hipotecaria*, Centro de Estudios Hipotecarios, Granada, 1969, pág. 431 y ss.; Mas Badía, M. ª D., "Comentario a la Sentencia 26 julio de 2001", *Cuadernos Civitas de jurisprudencia Civil* núm. 58, enero-marzo 2002, pág. 294; De La Esperanza Martínez-Radio, A., ob. cit., págs. 47 y 48; Peña Bernaldo de Quirós, M., *Derechos Reales. Derecho Hipotecario T. I*, ob. cit., págs. 67 y ss.; González Porras, J. M., notas a Biondi, *Las servidumbres...*, ob. cit., pág. 38; Rivero Hernández, F., "La autonomía privada en...", ob. cit., pág. 1332; García García, J. A., "La autonomía de la voluntad en la creación...", ob cit., págs. 279 y ss.

[233]   De Waal, M. J., "The Uniformity of Ownership, *Numerus Clausus* and the Reception of the Trust Into South African Law", ob. cit., pág. 443; De Waal, M. J., "Identifiying real rights in South African Law: the `subtraction from the *dominium´* test and its application", ob. cit., pág. 85.

[234]   Sobre este *test* nos pronunciamos con anterioridad. Véase Akkermans, B., *The principle of Numerus Clausus...*, ob. cit., págs. 555 y ss.

[235]   Es lo que viene ocurriendo desde hace tiempo en Sudáfrica y, más recientemente, en Holanda, donde la autonomía privada se halla sometida al control jurisprudencial. Sobre ello se pronuncian Struycken, T. H. D., ob. cit., págs. 67, 78, 79 y 80; Waal, M. J., ob. cit., págs. 442 y 443.

[236]   Sobre este tema reflexiona Simón Moreno al estudiar la propuesta realizada por Akkermans. Véase Simón Moreno, H., ob. cit., págs. 344 y ss.

mentos necesarios para que pueda ser reputado como real, de modo que, en el caso de que el operador jurídico sea el registrador, este deberá tener en cuenta, además, las normas en materia hipotecaria para poder decidir si esa concreta figura puede ser objeto de publicidad registral. Hemos creído necesario realizar esta aclaración, ya que es frecuente que en la literatura jurídica se empleen criterios propios del Derecho hipotecario para acotar la autonomía privada en materia de derechos reales[237]. En este sentido, se suelen citar como elementos indispensables para la creación de derechos reales aquellos que se refieren a los requisitos de forma (art. 3 LH)[238], publicidad registral[239] o especialidad (*ex* arts. 9 y 51 LH)[240].

---

[237] A favor de la idea de que la autonomía privada se encuentra limitada por lo dispuesto en la legislación hipotecaria se muestran García García, J. A., "La autonomía de la voluntad en la creación...", ob cit., págs. 280 y ss.; Gómez Gálligo, J., "El principio de especialidad registral" en *Antología de Textos de la Revista Crítica de Derecho Inmobiliario T. I* (coord. Gómez Gálligo, J.), Civitas, Cizur Menor, 2009, pág. 1938; Méndez González, F. P., ob. cit., págs. 812 y 813.

[238] Díez-Picazo y Ponce de León, L., "Autonomía Privada...", ob. cit., págs. 324 y 325. De forma similar, Méndez González, F. P., ob. cit., págs. 812 y 813; Román García, A., ob. cit., págs. 186 y 187; Goñi Rodríguez de Almeida, M., *El principio de especialidad registral*, Colegio de Registradores de la Propiedad, Mercantiles y Bienes Muebles de España, Madrid, 2005, pág. 94; Gómez Gálligo, J., "El principio de especialidad registral", ob. cit., pág. 1938; Rivero Hernández, F., "La autonomía privada en...", ob. cit., pág. 1332; Otero y Valentín, J., "Límites generales en la determinación de derechos reales", ob. cit., pág. 102.

[239] En relación con la publicidad de los derechos inmuebles, Díez-Picazo y Ponce de León, L., "Autonomía Privada...", ob. cit., págs. 324 y 325. También Rivero Hernández, F., "La autonomía privada en...", ob. cit., pág. 1332; Gómez Gálligo, J., "El principio de especialidad registral", ob. cit., pág. 1938; Méndez González, F. P., ob. cit., págs. 812 y 813; Román García, A., ob. cit., págs. 186 y 187.

[240] Así, por ejemplo, Díez-Picazo y Ponce de León, L., "Autonomía Privada...", ob. cit., págs. 323 y 324; Román García, A., ob. cit., pág. 186. También García García, J. M., "Acto de desagravio al principio de especialidad (crítica a las Resoluciones DGRN de 16 de diciembre de 1994, 7 enero de 1994 y 7 de febrero de 1995)", *R.C.D.I.* núm. 629, julio-agosto 1995, pág. 1359. García García se reafirma sobre esta postura en *Derecho Inmobiliario registral o hipotecario T. III Calificación, tracto, especialidad y otros principios*, Civitas, Madrid, 2002, pág. 1477; Rivero Hernández, F., "La autonomía privada en...", ob. cit., pág. 1332; Blasco Gascó, F. de P., *Instituciones de Derecho Civil...*, ob. cit., pág. 46.
La doctrina de la Dirección General de los Registros y del Notariado parece mostrarse, asimismo, favorable a la concepción del principio de especialidad o determinación como un límite a la autonomía privada en la construcción de

Parece olvidarse, sin embargo, que, como hemos venido repitiendo a lo largo de este trabajo, el nuestro no es, como regla general, un sistema de inscripción constitutiva[241], por lo que la creación de los derechos reales no puede hacerse depender de exigencias señaladas en la legisla-

---

nuevas figuras de carácter jurídico-real. En este sentido, RDGRN 5 junio 1987 (RJ\1987\4835); RDGRN 21 diciembre 2007 (RJ\2008\2086); RDGRN 19 mayo 2008 (TOL1.322.353); RDGRN 12 mayo 2010 (TOL1.891.883), RDGRN 8 junio 2011 (TOL2.216.269); RDGRN 6 octubre 2014 (TOL4.535.152); RDGRN 24 octubre 2014 (TOL4.558.460); RDGRN 18 febrero 2016 (LA LEY 11271/2016); RDGRN 18 marzo 2016 (RJ\2016\1352); RDGRN 8 noviembre 2018 (TOL6.927.633); RDGRN 13 febrero 2019 (TOL7.098.405); RDGRN 3 septiembre 2019 (TOL7.554.582); RDGRN 25 septiembre 2019 (TOL7.573.407); RDGRN 8 noviembre 2019 (TOL7.593.799); RDGRN 26 noviembre 2019 (TOL7.643.168).

Ni siquiera nos parece adecuado que determinados autores conciban el principio de especialidad como una manifestación del orden público para justificar su concepción como límite a la autonomía privada en la creación de derechos reales (Fernández-Golfín Aparicio, A., Rivas Martínez, J. J., y Rodríguez Poyo-Guerrero, J-M., *Influencia de la práctica en la evolución de la estructura de los derechos reales*, Junta de Decanos de los Colegios Notariales de España, Madrid, 1989, pág. 21; en cierto sentido García García, J. M., *Derecho Inmobiliario registral o hipotecario T. III...*, ob. cit., pág. 517), pues en la mayor parte de los supuestos se confunde especialidad con el principio de libre circulación de bienes. Así, *"el principio general de libertad de circulación de los bienes propio de nuestro Derecho sustantivo (véase artículos 785 y 1112 del Código Civil) justifica la exigencia registral de la determinación o especialidad".* RDGRN 19 septiembre 2011 (TOL2.253.507).

[241]   Salvo el caso de la hipoteca y de la superficie. De Pablo Contreras, P., "La adqui-

ción hipotecaria[242] como son la forma[243], el principio de especialidad[244] o la propia inscripción en el Registro de la Propiedad[245], sin perjuicio

---

[242] La propia Dirección General de los Registros y del Notariado ha afirmado en alguno de sus pronunciamientos que *"los marcos registrales no deben coartar las soluciones exigidas por las necesidades de las relaciones económicas"*. Véase la RDGRN 13 mayo 1987 (TOL973.533).

[243] Nos adherimos a la tesis de Gordillo Cañas, A., Gordillo Cañas, A., "El objeto de la publicidad en nuestro sistema inmobiliario registral...", ob. cit., págs. 470 y 471. También Espejo Lerdo de Tejada, M., *La reserva de dominio inmobiliaria en el concurso*, ob. cit., págs. 93 y ss.; Espejo Lerdo de Tejada, M., "El derecho real limitado de paso y su creación y configuración voluntarias", ob. cit., pág. 19. La última de las obras citadas se encuentra accesible en: http://bit.ly/2N81ZT4 (Página consultada por última vez el 16 de agosto de 2019).
De este modo, aunque el art. 1280.1 Cc establece que deberán constar en documento público *"los actos y contratos que tengan por objeto la creación, transmisión, modificación o extinción de derechos reales sobre bienes inmuebles"*, ha de tenerse en cuenta, como se ha resaltado en la STS 18 octubre 2002 (TOL4.975.086), que *"cuando el artículo 1280 enumera unos casos en que, dice literalmente, que deberán constar en documento público no significa otra cosa que, como dispone el artículo 1279, las partes podrán compelerse recíprocamente a llenar aquella forma..."*. Así, según la STS 27 enero 1995 (TOL1.667.033) *"...en nuestro ordenamiento positivo rige un sistema espiritualista, hasta el extremo de que, salvo excepciones, ninguna forma es exigida para la validez de los contratos..."* ni tampoco se requiere, en nuestra opinión, una forma específica para la conformación de los derechos reales, salvo el caso de la superficie y la hipoteca. Solo podrá hablarse de un requisito formal, como parece apuntar el primero de los autores arriba citados, en el caso de que se desee inscribir el derecho en cuestión en el Registro de la Propiedad, ya que para ello se requerirá que este conste en escritura pública según lo dispuesto en el art. 3 LH. Así, el precepto señalado establece que *"para que puedan ser inscritos los títulos expresados en el artículo anterior, deberán estar consignados en escritura pública, ejecutoria o documento auténtico expedido por Autoridad judicial o por el Gobierno o sus Agentes, en la forma que prescriban los reglamentos"*. De este modo, es lógico que en la RDGRN 1 marzo 1939 (LA LEY 6/1939) se ponga de relieve la necesidad de que los *"derechos reales inscribibles"* estén sometidos a una determinada forma, pero ello se debe precisamente al hecho de que nos estamos moviendo en el plano registral.

[244] Pérez Hereza, J., Sáez-Santurtún Prieto, J., y Marqués Mosquera, C., ob. cit., pág. 433.

[245] Gordillo Cañas, A., "El objeto de la publicidad en nuestro sistema inmobiliario registral...", ob. cit., págs. 470 y 471. También Espejo Lerdo de Tejada, M., "El derecho real limitado de paso y su creación y configuración voluntarias", ob. cit., pág. 19; Espejo Lerdo de Tejada, M., *La reserva de dominio inmobiliaria en el concurso*, ob. cit., págs. 93 y ss.

de reconocer que los derechos reales (sobre todo los atípicos) deben hallarse mínimamente determinados[246]; pero ello no porque lo prevean las normas hipotecarias, sino porque se halla directamente relacionado con uno de los elementos estructurales necesarios para la conformación de esta categoría de derechos: la absolutividad[247]. Cosa distinta a la anterior, es, como hemos apuntado, que se quiera inscribir un determinado derecho en el Registro de la Propiedad, ya que aquí el registrador deberá tener en cuenta las exigencias propias legislación hipotecaria, además de aplicar el *test* al caso concreto.

Realizadas las matizaciones anteriores, creemos que este *test* de configuración podría constar de tres apartados que consistirían en: a) comprobar que las partes han querido constituir una figura de contornos jurídico-reales, b) confirmar que la figura en cuestión reúne los elementos estructurales básicos para que esta pueda ser reputada como real y c) constatar que no se transgreden ninguno de los límites

---

[246]   Parra Lucán, M.ª A., "La autonomía privada en…", ob. cit., pág. 55; Camy Sánchez-Cañete, B., *Comentarios a la Legislación Hipotecaria*, (…), edición 1969, ob. cit., págs. 434 y 435. En igual sentido, Peña Bernaldo de Quirós se refiere a la necesidad de que la cosa sobre la que recae el derecho real y las facultades que este otorga a su titular se encuentren determinadas. Peña Bernaldo de Quirós, M., *Derechos Reales. Derecho Hipotecario T. I*, ob. cit., págs. 68 y 70.
Sobre las diferencias entre el principio de especialidad civil y registral: Goñi Rodríguez de Almeida, M., *El principio de especialidad registral*, ob. cit., págs. 85 y ss.; Goñi Rodríguez de Almeida, M., "La especialidad de los derechos reales como requisito civil y registral y su extensión a todas las situaciones jurídicas inscribibles", *R.C.D.I.* núm. 699, enero-febrero 2007, págs. 318 y 319; Gordillo Cañas, A., "Bases del Derecho de Cosas…", ob. cit., pág. 566. Gómez Gálligo hace, asimismo, alusión a la distinción entre la especialidad civil y la registral, aunque reduce la cuestión a una diferenciación teórica respecto de aquellas figuras jurídico-reales que no cuentan con publicidad posesoria. Véase Gómez Gálligo, J., "El principio de especialidad registral", ob. cit., pág. 1939.

[247]   En este sentido, Goñi, estima que es la propia esencia del derecho real (oponible *erga omnes* y generador de un deber general de abstención) de la que deriva la necesidad de que este se halle mínimamente determinado. Goñi Rodríguez de Almeida, M., *El principio de especialidad registral*, ob. cit., págs. 87 y 88; Goñi Rodríguez de Almeida, M., "La especialidad de los derechos reales como requisito civil…", ob. cit., pág. 314; Goñi Rodríguez de Almeida, M., "Examen de la evolución jurisprudencial y doctrinal hacia la admisión de un *numerus apertus* en los derechos reales y su estrecha relación con el principio de especialidad", *R.C.D.I.* núm. 693, enero-febrero 2006, págs. 312 y 313.

que se imponen de forma general a la autonomía privada en este sector. Pasamos a analizar cada una de las mencionadas secciones.

2.   *Voluntad encaminada a la creación de derechos reales*

El inicio de este *test* de configuración habrá de consistir, bajo nuestro punto de vista, en un análisis de la voluntad de las partes[248]. En este sentido, Díez-Picazo distingue dos posibles escenarios, de forma que, en el primero de ellos, las partes expresan claramente su voluntad de constituir un derecho real, mientras que, en el segundo, los sujetos implicados se limitan a declarar determinadas aspiraciones, sin especificar si desean que el derecho constituido tenga o no efectos jurídico-reales[249].

En el primero de los supuestos descritos en el párrafo anterior, el operador jurídico de que se trate no deberá realizar una interpretación exhaustiva de la voluntad de las partes, ya que estas se han pronunciado expresamente acerca de su deseo de que la figura en cuestión tenga efectos jurídicos-reales. Ahora bien, este razonamiento no equivale a que baste la voluntad para crear un derecho real, en primer lugar, por el funcionamiento de la teoría del título y del modo[250] y, en segundo lugar, porque es necesario que la figura en concreto reúna los elementos estructurales comunes a todos los derechos reales. De este modo, se comprueba que lo relevante en la creación de los derechos reales (sean estos típicos o atípicos) no es el nombre que le den las partes, sino el hecho de que efectivamente la figura de que se trate aúne una serie de requisitos mínimos necesarios para que pueda ser reputada como tal[251].

---

[248]   Este apartado también se incluye, con bastante acierto, en el *test* que manejan los tribunales sudafricanos y en el que proponía Akkermans. Así, De Waal, M. J., "The Uniformity of Ownership, *Numerus Clausus* and the Reception of the Trust Into South African Law", ob. cit., pág. 443; De Waal, M. J., "Identifying real rights in South African Law: the `subtraction from the *dominium´* test and its application", ob. cit., pág. 85; Akkermans, B., *The principle of Numerus Clausus...*, ob. cit., págs. 556-558.

[249]   Díez-Picazo y Ponce de León, L., "Autonomía Privada...", ob. cit., pág. 323.

[250]   Sobre este punto nos detendremos en otro apartado.

[251]   Albaladejo indica, con acierto, que "...el crear derechos reales depende, sí, de la voluntad de los interesados (y no del simple nombre que den al derecho de que

Por lo que se refiere al segundo de los escenarios, nos encontramos ante la clásica cuestión de la interpretación de la voluntad negocial[252]. De este modo, el operador jurídico deberá indagar si realmente las partes quisieron crear un derecho de carácter real o, por el contrario, no desearon traspasar el plano puramente obligacional[253]. En este sentido, el criterio interpretativo adoptado en la práctica (especialmente en el campo de las servidumbres personales atípicas)[254] es el de que, en caso de duda, se adoptará una postura restrictiva en cuanto a la constitución de gravámenes reales se refiere, ya que la propiedad se presume libre[255]. Ello no significa que la creación de derechos reales se haga depender de la existencia de una voluntad expresa, pero esta habrá de ser, al menos inequívoca[256].

El criterio interpretativo apuntado alcanza, por razones obvias, una mayor significación si el que aplica el *test* es el registrador de la

---

se trate)". Albaladejo García, M., *Derecho Civil III...,* ob. cit., pág. 29. Así lo señalan también Camy Sánchez-Cañete, B., *Comentarios a la Legislación Hipotecaria,* (...), edición 1969, ob. cit., pág. 432; De La Esperanza Martínez-Radio, A., ob. cit., pág. 51. El primero de los autores citados se apoya, además, en la RDGRN 27 octubre 1947 (RJ\1947\1480), según la cual "...*es indudable que el contenido de derechos y obligaciones que integran una relación jurídica y no el nombre que la hayan impuesto los particulares son los que han de servir de base para determinar su verdadera naturaleza...*".

[252] Díez-Picazo y Ponce de León, L., "Autonomía Privada...", ob. cit., pág. 323.

[253] Díez-Picazo y Ponce de León, L., "Autonomía Privada...", ob. cit., pág. 323.

[254] Sobre este punto nos detendremos en otro lugar de este trabajo, baste por ahora insistir en las grandes dificultades que se pueden encontrar en el plano jurídico-práctico para distinguir las servidumbres personales de las obligaciones negativas.

[255] Díez-Picazo y Ponce de León, L., "Autonomía Privada...", ob. cit., pág. 323; Peña Bernaldo de Quirós, M., *Derechos Reales. Derecho Hipotecario T. I,* ob. cit., pág. 70; Rivero Hernández, F., "La autonomía privada en...", ob. cit., pág. 1332; Álvarez Olalla, P. *et al.* en *Manual de Derecho Civil...,* ob. cit., pág. 33; Blasco Gascó, F. de P., *Instituciones de Derecho Civil...,* ob. cit., pág. 46. Sobre la interpretación estricta de la imposición de gravámenes y la presunción de libertad del derecho de propiedad se pronuncian, entre otras: STS 23 diciembre 1988 (TOL1.733.527); STS 9 mayo 1989 (TOL1.732.676); STS 16 mayo 1991 (TOL1.726.795); STS 23 junio 1995 (TOL1.658.525).

[256] Algo parecido parece inferirse del *test* empleado en Sudáfrica y del elaborado por Akkermans. Así, De Waal, M. J., "The Uniformity of Ownership, *Numerus Clausus* and the Reception of the Trust Into South African Law", ob. cit., pág. 443; Akkermans, B., *The principle of Numerus Clausus...,* ob. cit., págs. 556-558.

propiedad[257], ya que, como se expuso en otro lugar de este trabajo, la legislación hipotecaria viene prohibiendo, de forma general[258], el ingreso en el Registro de la Propiedad de figuras de carácter personal (*ex* arts. 1 y 98 LH)[259]. Así, en su tarea de calificación el registrador habrá de realizar esta compleja[260] e importante[261] labor de interpretación[262], en la que tendrá que examinar caso por caso[263] la naturaleza

---

[257]   Véanse Álvarez Olalla, P. *et al.* en *Manual de Derecho Civil...*, ob. cit., pág. 33; Acedo Pérez, J., ob. cit., pág. 499; Román García, A., ob. cit., pág. 161.

[258]   Como señalamos en el primer capítulo de este trabajo, existen determinados derechos de carácter personal que pueden ser objeto de publicidad registral, como es, por ejemplo, el caso que se prevé en el art. 2.5 LH, que permite la posibilidad de inscribir *"los contratos de arrendamiento de bienes inmuebles, y los subarriendos, cesiones y subrogaciones de los mismos"*. No obstante, debemos recordar que estos supuestos son más bien escasos y se deben a una decisión de política legislativa.

[259]   RDGRN 19 mayo 1952 (RJ\1952\1627).

[260]   En este sentido, RDGRN 7 julio 1949 (RJ\1949\1077); RDGRN 6 marzo 2001 (TOL123.183); RDGRN 10 abril 2014 (TOL4.277.898).

[261]   De este modo, se ha apuntado que *"...se debe extremar el cuidado al realizar la calificación, máxime si se tiene en cuenta que, aun con la orientación de numerus apertus, tradicionalmente seguida por este Centro, y que encuentra su justificación en los artículos 2 de la Ley Hipotecaria y 7 de su Reglamento, no es dable ampliar el campo de los derechos de cosas hasta el punto de atribuir naturaleza real a toda convención en la que no se contengan los requisitos típicos de los derechos de tal clase, y evitar que se pueda, al amparo de esa libertad, eludir la aplicación de preceptos tan fundamentales como los artículos 29 y 98 de la Ley Hipotecaria"*. RDGRN 20 septiembre 1966 (TOL940.850).

[262]   Se ha dicho que los registradores de la Propiedad tienen encomendada *"...la misión de velar por la eficacia de las normas fundamentales con el fin de evitar el ingreso en el Registro de derechos, cargas y gravámenes de dudoso carácter que hubiesen permitido la inscripción de toda clase de expectativas sin forma hipotecaria y otorgar amparo frente a terceros, a títulos deficientes o imperfectos"*. RDGRN 29 marzo 1955 (RJ\1955\840). En igual sentido, RDGRN 19 septiembre 1974 (LA LEY 6/1974).
        No obstante lo anterior, Servat Adúa advierte que esta labor interpretativa que realizan los registradores no es idéntica a la que realizan los jueces, ya que la función de estos últimos es la de interpretar las normas que conforman nuestro ordenamiento jurídico. Los registradores de la propiedad, en cambio, no cuentan con auténticas reglas interpretativas, sino que deben crearlas ellos mismos, apoyándose en la doctrina sentada por la Dirección General de los Registros y del Notariado en sus resoluciones, así como en la legislación civil e hipotecaria. Servat Adúa, J., ob. cit., pág. 763.

[263]   La Dirección General de los Registros y del Notariado ha apuntado que la admisión, por parte de nuestro sistema de derecho inmobiliario, de la posibilidad de constituir derechos reales atípicos *"...obliga al Registrador, en una emisión*

de la figura creada por las partes[264] para decidir si puede ser o no objeto de publicidad registral[265].

Teniendo en cuenta lo anterior, se observa, pues, que, en cualquiera de los dos supuestos el operador jurídico no puede limitarse a analizar la voluntad de las partes, ya que si la figura no reúne los caracteres propios de un derecho real, esta no podrá ser calificada como tal. La diferencia entre las dos situaciones descritas estriba, por tanto, en que, en el caso de la voluntad expresa, el operador jurídico conoce la verdadera intención de las partes, sin perjuicio de que después esta pueda o no materializarse en función de que la figura de que se trate presente los caracteres propios de un derecho real. Esta última reflexión nos lleva directamente a abordar el estudio del segundo de los segmentos que componen este *test* de configuración.

3. Elementos estructurales del derecho real

La creación de todo derecho real pasa porque este reúna los caracteres necesarios para que pueda ser reputado como tal[266]. No obstante, hemos creído necesario realizar una distinción entre a) lo que

---

ciertamente no sencilla, como ya ha declarado este Centro, al estudio en cada caso concreto del acto o pacto que se pretende inscribir, al objeto de examinar si se dan o no los caracteres típicos del derecho real, es decir, la absolutidad y la inmediatividad, que determinaría su acceso a los libros registrales, y caso de que no fuera así, poder rechazarlo, a fin de evitar que entren en el Registro derechos de naturaleza personal". RDGRN 1 abril 1981 (TOL330.410).

[264] Así, "*...para decidir la determinación concreta del alcance real o personal de un derecho subjetivo deberá atenderse a los elementos y caracteres constitutivos del mismo...".* RDGRN 29 marzo 1955 (RJ\1955\840).

[265] De este modo, en la SAP Almería (Sección 1ª) 16 julio 2013 (TOL4.469.977) se puso de manifiesto que "*...sólo pueden tener acceso al registro la propiedad y derechos reales tal y como están concebidos en la legislación sustantiva y sin perjuicio de su configuración voluntaria en los términos que se deduzcan del art. 7 del Reglamento Hipotecario (STS 961/2002 de 23 octubre). Aun cuando sea posible la existencia de derechos reales de configuración propia fuera de la legislación, debe de tener el derecho objeto de inscripción naturaleza real".*

[266] El *test* empleado por los tribunales sudafricanos también incluye este apartado, aunque en el mismo parece hacerse depender la naturaleza real del derecho de la inscripción registral. Véase De Waal, M. J., "The Uniformity of Ownership, *Numerus Clausus* and the Reception of the Trust Into South African Law", ob. cit., pág. 443.

pueden denominarse como "requisitos generales" básicos, esto es, las notas comunes a todo derecho real, y b) los "requisitos específicos", que se refieren a los caracteres que ha de presentar una concreta figura para que podamos calificarla como un concreto derecho real.

3.1. Requisitos generales

Para que una figura pueda ser reputada como un derecho real es indispensable que esta presente las notas que caracterizan a este tipo de derechos y que se conocen en la práctica registral bajo la denominación de "*características estructurales típicas de los derechos reales*"[267]. De este modo y dejando a un lado la necesidad de que se

---

[267]   Así, RDGRN 25 abril 2005 (TOL645.166); RDGRN 4 mayo 2009 (TOL1.517.138); RDGRN 14 junio 2010 (TOL1.911.702); RDGRN 8 junio 2011 (TOL2.216.269); RDGRN 10 abril 2014 (TOL4.277.898); RDGRN 24 octubre 2014 (TOL4.558.460); RDGRN 18 febrero 2016 (LA LEY 11271/2016); RDGRN 18 marzo 2016 (RJ\2016\1352); RDGRN 28 abril 2016 (TOL5.747.426); RDGRN 5 septiembre 2017 (TOL6.355.119); RDGRN 8 noviembre 2018 (TOL6.927.633); RDGRN 13 febrero 2019 (TOL7.098.405); RDGRN 26 abril 2019 (TOL7.211.168); RDGRN 3 septiembre 2019 (TOL7.554.582); RDGRN 25 septiembre 2019 (TOL7.573.407); RDGRN 8 noviembre 2019 (TOL7.593.799).También es frecuente que se aluda a las mismas como las "*normas estructurales (normas imperativas) del estatuto jurídico de los bienes*". En este sentido pueden consultarse: RDGRN 4 marzo 1993 (RJ 1993\2471); RDGRN 21 diciembre 2007 (RJ\2008\2086); RDGRN 19 mayo 2008 (TOL1.322.353); RDGRN 12 mayo 2010 (TOL1.891.883); RDGRN 8 junio 2011 (TOL2.216.269); RDGRN 19 diciembre 2013 (TOL4.076.565); RDGRN 10 abril 2014 (TOL4.277.898); RDGRN 18 marzo 2016 (RJ\2016\1352); RDGRN 13 febrero 2019 (TOL7.098.405); RDGRN 26 abril 2019 (TOL7.211.168); RDGRN 3 septiembre 2019 (TOL7.554.582); RDGRN 25 septiembre 2019 (TOL7.573.407); RDGRN 8 noviembre 2019 (RJ 2019\4774); RDGRN 26 noviembre 2019 (TOL7.643.168).
Por lo que se refiere a la doctrina, Camy entiende que uno de los requisitos necesarios para configurar derechos reales es que el contenido de la figura se corresponda con aquel que es propio a esta clase de derechos. Camy Sánchez-Cañete, B., *Comentarios a la Legislación Hipotecaria*, (…), edición 1969, ob. cit., pág. 432. En parecido sentido se pronuncia García García, J. M., "La relación jurídica…", ob. cit., pág. 416. Véase, asimismo, Cano Tello, C.A., ob. cit., pág. 798.
Gordillo Cañas sostiene que para que una figura pueda ser reputada como real ha de presentar los elementos estructurales básicos de estas figuras. Véase Gordillo Cañas, A., "El objeto de la publicidad en nuestro sistema inmobiliario registral…", ob. cit., pág. 471. El autor, sin embargo, se refiere a este extremo como un límite a

cumplan con una serie de elementos básicos de carácter subjetivo[268] y objetivo[269], lo relevante para poder calificar a una determinada figura como real será a) que esta comporte un poder inmediato[270] o inhe-

---

la configuración de derechos reales, punto con el que no nos encontramos del todo de acuerdo. Se trata de un requisito, esto es, de una exigencia previa a la creación del derecho real. Sobre los límites nos detendremos más adelante.

[268] Como todo derecho subjetivo, la creación de un derecho real requiere de la existencia de un titular (o titulares) que lo ostente. Sobre este particular nos pronunciamos en el primer capítulo de este trabajo.

[269] Peña se detiene brevemente sobre este punto. Véase Peña Bernaldo de Quirós, M., *Derechos Reales. Derecho Hipotecario T. I*, ob. cit., págs. 67 y 68. Remitimos, asimismo, al lector al primero de los capítulos de esta obra, donde analizamos esta cuestión.

[270] Rivero Hernández, F., "La autonomía privada en...", ob. cit., págs. 1331 y 1332; Alonso Pérez, M., ob. cit., pág. 264; García García, J. M., "La relación jurídica...", ob. cit., pág. 416; Cruz Gallardo, B., *Principios hipotecarios...*, ob. cit., pág. 62. En igual sentido, Goñi Rodríguez de Almeida, M., *El principio de especialidad registral*, ob. cit., págs. 93 y 94; De La Esperanza Martínez-Radio, A., ob. cit., pág. 51.
La Dirección General de los Registros y del Notariado suele hacer hincapié en la necesidad de que la figura en concreto se caracterice por "*...su inmediatividad, o posibilidad de ejercicio directo sobre la cosa...*". En este sentido, RDGRN 25 abril 2005 (TOL645.166); RDGRN 4 mayo 2009 (TOL1.517.138); RDGRN 14 junio 2010 (TOL1.911.702); RDGRN 8 junio 2011 (TOL2.216.269); RDGRN 10 abril 2014 (TOL4.277.898); RDGRN 24 octubre 2014 (TOL4.558.460); RDGRN 18 febrero 2016 (LA LEY 11271/2016); RDGRN 18 marzo 2016 (RJ\2016\1352); RDGRN 28 abril 2016 (TOL5.747.426); RDGRN 17 abril 2017 (TOL6.055.412); RDGRN 5 septiembre 2017 (TOL6.355.119); RDGRN 8 noviembre 2018 (TOL6.927.633); RDGRN 13 febrero 2019 (TOL7.098.405); RDGRN 26 abril 2019 (TOL7.211.168); RDGRN 3 septiembre 2019 (TOL7.554.582); RDGRN 25 septiembre 2019 (TOL7.573.407); RDGRN 8 noviembre 2019 (TOL7.593.799).
Por lo que se refiere a la jurisprudencia, nuestro Alto Tribunal se ha manifestado que la creación de derechos reales requiere que estos presenten la nota de inmediatividad. Véase la STS 10 diciembre 2013 (TOL4.075.125).

rente[271] sobre la cosa y b) que presente la nota de absolutividad[272], entendida esta en su doble acepción[273], esto es, como un derecho que

---

[271] De La Esperanza Martínez-Radio, A., ob. cit., pág. 51. Recuérdese que existen derechos reales que no otorgan a su titular un poder inmediato sobre la cosa, dado que no existe esa nota de posesión inmediata (hipoteca, derechos reales de adquisición, entre otros). Cuando no se dé ese poder directo e inmediato sobre la cosa habrá que comprobar que existe una inherencia respecto de la misma. Así, en la RDGRN 5 septiembre 2017 (TOL6.355.119) se apunta que "...*cabe recordar las conocidas características que se estima que sirven para conceptuar un derecho como real por contraposición a un derecho personal, tales como la inherencia a una cosa y la oponibilidad a terceros...*".

[272] García García, J. M., "La relación jurídica...", ob. cit., pág. 416; Cruz Gallardo, B., *Principios hipotecarios...*, ob. cit., pág. 62.

[273] Sobre este punto nos detuvimos en otro apartado de este trabajo.

implica un deber general de abstención[274] y que es oponible frente a todos (*erga omnes*)[275] a través de una acción de carácter real[276].

No nos detendremos sobre este punto, ya que fue ampliamente estudiado en el capítulo primero de este trabajo, baste recalcar que para que pueda hablarse de un derecho de contornos jurídico-reales "*...es preciso que la figura que se crea tenga las características de un derecho real*"[277], lo cual, aunque es predicable respecto de cualquier

---

[274]   Rivero Hernández, F., "La autonomía privada en...", ob. cit., págs. 1331 y 1332; De La Esperanza Martínez-Radio, A., ob. cit., pág. 51; Cruz Gallardo, B., *Principios hipotecarios...*, ob. cit., pág. 62. Así, por ejemplo, en la RDGRN 4 mayo 2009 (TOL1.517.138) se señala que para que una figura pueda ser reputada como real es necesario que esta implique "*...un deber general de abstención que posibilite dicho ejercicio (el del poder inmediato o inherente) sin constreñir a un sujeto pasivo determinado*". El paréntesis es nuestro. También se pronuncian en este sentido: RDGRN 25 abril 2005 (TOL645.166); RDGRN 14 junio 2010 (TOL1.911.702); RDGRN 8 junio 2011 (TOL2.216.269); RDGRN 10 abril 2014 (TOL4.277.898); RDGRN 24 octubre 2014 (TOL4.558.460); RDGRN 18 febrero 2016 (LA LEY 11271/2016); RDGRN 18 marzo 2016 (RJ\2016\1352); RDGRN 28 abril 2016 (TOL5.747.426); RDGRN 17 abril 2017 (TOL6.055.412); RDGRN 5 septiembre 2017 (TOL6.355.119); RDGRN 8 noviembre 2018 (TOL6.927.633); RDGRN 13 febrero 2019 (TOL7.098.405); RDGRN 26 abril 2019 (TOL7.211.168); RDGRN 3 septiembre 2019 (TOL7.554.582); RDGRN 25 septiembre 2019 (TOL7.573.407); RDGRN 8 noviembre 2019 (TOL7.593.799).

[275]   Alonso Pérez, M., ob. cit., pág. 264; De La Esperanza Martínez-Radio, A., ob. cit., pág. 51. Concretamente, en la RDGRN 6 marzo 2001 (TOL123.183) se califica a la eficacia *erga omnes* como una nota esencial de cualquier derecho real. También se refieren a la oponibilidad *erga omnes* de los derechos reales, entre otras, RDGRN 10 abril 2014 (TOL4.277.898); RDGRN 18 febrero 2016 (LA LEY 11271/2016); RDGRN 18 marzo 2016 (RJ\2016\1352); RDGRN 5 septiembre 2017 (TOL6.355.119); RDGRN 13 febrero 2019 (TOL7.098.405); RDGRN 26 abril 2019 (TOL7.211.168); RDGRN 3 septiembre 2019 (TOL7.554.582); RDGRN 25 septiembre 2019 (TOL7.573.407); RDGRN 8 noviembre 2019 (TOL7.593.799); RDGRN 26 noviembre 2019 (TOL7.643.168). Nuestro Alto Tribunal menciona, asimismo, a la absolutividad entendida como oponibilidad *erga omnes* en su STS 10 diciembre 2013 (TOL4.075.125).

[276]   RDGRN 5 septiembre 2017 (TOL6.355.119). Cabe destacar aquí que MAYOR DEL HOYO estima que los derechos reales atípicos, siempre que comporten alguna relación posesoria con la cosa y hayan sido inscritos, se encuentran, asimismo, protegidos por la acción real registral. MAYOR DEL HOYO, M.ª V., ob. cit., págs. 159 y 160.

[277]   RDGRN 4 mayo 2009 (TOL1.517.138).

figura (típica o atípica)[278], tiene una especial relevancia en cuanto a la creación de derechos reales atípicos[279].

3.2. Requisitos específicos en caso de derechos reales típicos

La Dirección General de los Registros y del Notariado acierta cuando apunta que las notas señaladas en el apartado anterior son aquellas que se imponen, con carácter general, a la creación de los derechos reales[280]; no obstante, debemos dar un paso más en nuestro análisis. En este sentido, resulta evidente que en el caso de que lo que se persiga sea constituir un derecho real específico, la figura en cuestión deberá reunir los elementos que lo vienen caracterizando.

Siguiendo el hilo de lo anterior, debe destacarse que si lo que se pretende es crear un derecho real típico (por ejemplo, un usufructo), no hay duda de que la concreta figura no solo deberá presentar las notas señaladas en el apartado anterior, sino que, además, tendrá que reunir los elementos estructurales básicos que permiten identificar al derecho en cuestión[281]. Somos conscientes de que nuestro estudio no tiene como finalidad principal la de realizar un examen de los derechos

---

[278]   Gordillo Cañas, A., "El objeto de la publicidad en nuestro sistema inmobiliario registral...", ob. cit., pág. 471. Así, en la RDGRN 5 septiembre 2017 (TOL6.355.119) se puso de relieve que "...*cuando se quiera configurar un derecho como real, bien por ser un derecho típico, bien «ex novo», se debe dotar a la figura en cuestión de un contenido -en especial delimitando nítidamente su contenido y contornos- que la haga inequívocamente identificable como verdadero «ius in re» conforme a las características antes apuntadas (inmediatividad e inherencia y absolutividad)*". El paréntesis es nuestro.

[279]   Así, la Dirección General de los Registros y del Notariado ha puesto de manifiesto que "*la jurisprudencia del Tribunal Supremo y la doctrina de este Centro Directivo han declarado reiteradamente que en nuestro Derecho, en materia de derechos reales, rige el sistema de «numerus apertus», es decir, que no sólo existen los derechos reales típicos, sino que se pueden configurar otros derechos reales, pero siempre que, por sus características y efectos, los derechos innominados así constituidos se constituyan como tales derechos reales*". Véase la RDGRN 18 julio 2005 (TOL689.231).

[280]   RDGRN 4 mayo 2009 (TOL1.517.138).

[281]   Ampliamente en Rivero Hernández, F., "La autonomía privada en...", ob. cit., págs. 1331 y ss. Del mismo modo, RDGRN 3 septiembre 2019 (TOL7.554.582); RDGRN 25 septiembre 2019 (TOL7.573.407); RDGRN 8 noviembre 2019 (TOL7.593.799); RDGRN 26 noviembre 2019 (TOL7.643.168).

reales típicos, pero estas reflexiones son relevantes para el análisis del desenvolvimiento de la autonomía privada en el plano típico (derechos reales típicos de contenido atípico). En este sentido, si lo que se quiere es crear una servidumbre personal atípica, la figura tendrá que contar indudablemente con las notas que caracterizan a este tipo de derechos, esto es, deberá consistir, al menos, en un gravamen impuesto sobre fundo "*...en provecho de una o más personas, o de una comunidad, a quienes no pertenezca la finca gravada*" (art. 531 Cc)[282].

No puede olvidarse, tampoco, que, aunque carezcan de tipicidad legal, son varios los derechos reales atípicos que a lo largo de los años han adquirido tipicidad social, siendo el caso paradigmático el del derecho real de opción o los tanteos y retractos voluntarios. De este modo y siendo conscientes del amplio papel que juega la autonomía privada en el campo de los derechos reales no previstos por el legislador, creemos que será necesario tener en cuenta, las notas que en la práctica vienen caracterizando a ese concreto derecho real atípico. Para ello será indispensable recurrir a la doctrina sentada por nuestro Alto Tribunal y, sobre todo, a la fijada por la Dirección General de los Registros y del Notariado[283], sin olvidar, claro está, las contribuciones realizadas por la doctrina a través de trabajos académicos.

---

[282] Este punto será analizado en el apartado dedicado al estudio del desarrollo de la autonomía privada en el concreto campo de los derechos reales de goce, donde analizaremos detenidamente la figura de las servidumbres personales atípicas.

[283] Algún autor ha llegado, incluso, al punto de hablar de una "labor creadora" desempeñada por los registradores en el ejercicio de sus funciones. Así, Casado Burbano, P., "Principio de tipicidad y labor creadora en el ejercicio de la función registral inmobiliaria y mercantil" en *Ponencias y comunicaciones presentadas al VIII Congreso Internacional de Derecho Registral*, Centro de Estudios Registrales, Madrid, 1990, págs. 82 y 83. En este sentido, el citado autor se apoya en la RDGRN 26 octubre 1973 (RJ 1973\5138), donde se puso de manifiesto que "*... siempre que no se produzca una infracción de las normas legales y por otra parte resulten salvaguardados los principios hipotecarios -lo que no sucedía en los casos examinados por este Centro con anterioridad a este expediente-, no debe haber obstáculo para que, en principio, pueda inscribirse una hipoteca que aparece reconocida en el ordenamiento legislativo, aunque de manera incompleta e insuficiente, ya que esta deficiencia legal puede ser en varios aspectos eficazmente suplida por la actuación de Notarios y Registradores, que, como órganos cualificados, contribuyen así al desarrollo del derecho a través de su actividad creadora y calificadora, al configurar jurídicamente aquellos actos de la vida real carentes, en mayor o menor grado, de regulación legal*".

4. Límites a la autonomía privada en materia de derechos reales

Oliva Blázquez calificó a la cuestión de los límites que se imponen a la libertad contractual como "...uno de los temas más clásicos y apasionantes del Derecho civil"[284]. En el ámbito de los derechos reales no puede decirse, sin embargo, que el examen de los límites que restringen la autonomía privada sea un tema clásico[285], pero sí que puede afirmarse que se trata de una cuestión apasionante desde el punto de vista científico y relevante para el correcto desarrollo del tráfico jurídico. Así, aunque la autonomía privada se halle sujeta a limitaciones tanto en el plano contractual como en el jurídico-real[286], no cabe duda de que estas restricciones adquieren una mayor significación en este último ámbito debido a la oponibilidad *erga omnes* de los derechos reales[287].

Es frecuente que aquellos autores que han tenido la oportunidad de abordar el tema que nos ocupa tiendan a realizar una enumeración de lo que ellos consideran que son o, al menos, deberían ser los límites que se imponen a la autonomía privada en el campo de los derechos reales. En este sentido, cabe destacar que estas "listas" de posibles límites a la creación de nuevas figuras jurídico-reales, aunque suelen variar en algunos aspectos, se encuentran claramente influenciadas por aquella que ofreció en su día Díez-Picazo[288].

---

[284]   Oliva Blázquez, F., "Límites a la autonomía privada en el Derecho de los contratos: la moral y el orden público" en *La autonomía privada en el Derecho Civil* (dir. Parra Lucán, M.ª A.), Aranzadi, Cizur Menor, 2016, págs. 296 y 297.

[285]   El debate tradicional se ha centrado, como hemos expuesto, en el clásico enfrentamiento entre tesis de *numerus clausus*, por un lado, y teoría de *numerus apertus*, por otro; no tanto en analizar los límites que se imponen a la autonomía privada en la creación de derechos reales.

[286]   La doctrina suele señalar que los límites a la autonomía privada en materia contractual son, por otro lado, excepcionales. Así, por ejemplo, Albaladejo García, M., *Derecho Civil II. Derecho de Obligaciones*, 12ª ed., Edisofer, Madrid, 2004, pág. 367. Creemos que estas afirmaciones no pueden trasladarse, sin embargo, al ámbito de los derechos reales, donde ha de existir un control más férreo sobre las nuevas figuras. No obstante, ello no supone que estos límites no requieran de justificación alguna.

[287]   Así lo pone de manifiesto Parra Lucán, M.ª A., "La autonomía privada en...", ob. cit., pág. 55.

[288]   Díez-Picazo y Ponce de León, L., "Autonomía Privada...", ob. cit., págs. 321 y ss.

Por nuestra parte, consideramos que, aunque no exista un precepto análogo al art. 1255 Cc, es posible trasladar los límites que se imponen a la autonomía privada en el campo de los derechos de crédito (ley, moral y orden público) al ámbito de los derechos reales[289], sin perjuicio de reconocer que estas restricciones responderán a diversos parámetros en función del derecho subjetivo de que se trate[290].

Es cierto que a lo apuntado en el párrafo precedente podría objetarse que la autonomía privada en sede derechos reales debería de estar sometida también a otra serie de límites como podría ser la buena fe. No obstante lo anterior, más allá de mostrarnos a favor o en contra de considerar a esta u otras cláusulas generales de nuestro ordenamiento como límites a la creación de nuevas figuras jurídico-reales[291],

---

[289]   Pérez Hereza, J., Sáez-Santurtún Prieto, J., y Marqués Mosquera, C., ob. cit., págs. 432 y ss.; García García, J. A., "La autonomía de la voluntad en la creación...", ob cit., págs. 279 y 280. En contra de trasladar los límites del art. 1255 Cc a otros ámbitos de nuestro ordenamiento parece pronunciarse Bustos Pueche, J. E., "Sobre los límites de la autonomía individual en el Derecho Civil" en *"El libre desarrollo de la personalidad" Artículo 10 de la Constitución*, Universidad de Alcalá Servicio de Publicaciones, Madrid, 1995, pág. 147.

[290]   Así parecen entenderlo Parra Lucán, M.ª A., "La autonomía privada en...", ob. cit., pág. 36; López y López, A. M., "Comentario al artículo 1255", ob. cit., pág. 577. En igual sentido, García García, J. A., "La autonomía de la voluntad en la creación...", ob. cit., pág. 280.

[291]   Por lo que se refiere al Derecho de contratos, debe destacarse que, por ejemplo, Parra Lucán estima excesivo considerar a la buena fe como límite a libertad contractual. Parra Lucán, M.ª A., "La autonomía privada en...", ob. cit., págs. 43 y 44. Por otro lado, Alonso Pérez sostiene, en relación con el art. 1255 Cc, que "no es preciso invocar como límite la buena fe, porque esta, siguiendo una larga tradición procedente del Derecho Romano, es una cláusula o principio general inmerso en los contratos, fuentes de especiales deberes de conducta, protección y lealtad (...), que recoge el art. 1258 Cc". Alonso Pérez, M., ob. cit., pág. 323. En cualquier caso, cabe destacar que en la Propuesta de Código civil de la Asociación de Profesores de Derecho Civil el precepto alusivo a la libertad contractual (art. 521-2.2) dispone que "*las partes pueden determinar el contenido del contrato del modo que tengan por conveniente, estableciendo las estipulaciones que libremente deseen, siempre que no contravengan las leyes, la moral, la buena fe, ni el orden público*". Véase Andreu Martínez, M.ª B. *et al.*, "Capítulo I del Título II del Libro V", ob. cit., pág. 670.
En cuanto a los derechos reales, Santos Briz sostiene que la creación de figuras no recogidas en el ordenamiento está sometida al principio de buena fe en virtud de lo dispuesto en el art. 1258 Cc. Santos Briz, J., *Derecho Civil. Teoría y Práctica T. II...*, ob. cit., pág. 22.

debe tenerse en cuenta que, como indica López y López, sería imposible hacer referencia a todas y cada una de las restricciones a las que se encuentra sometida la autonomía privada, señalando que, además, muchos de estos límites se encuentra implícitos en el propio ordenamiento[292]. Es, por tanto, mucho más recomendable, por cuestiones de seguridad jurídica[293], partir de un esquema general, como el que se recoge en el art. 1255 Cc en materia de contratos o en el art. 594 Cc en relación con las servidumbres voluntarias, que establezca cuáles son los límites genéricos a los que se halla sometida la autonomía de los particulares a la hora de configurar nuevos derechos reales.

Es cierto que en nuestro ordenamiento este esquema no se encuentra expresamente plasmado en ninguna norma; sin embargo, puede deducirse del funcionamiento de nuestro sistema, así como de los pronunciamientos de la Dirección General de los Registros y del Notariado con la ayuda de los estudios realizados por la doctrina, sin perjuicio de señalar que, como propuesta *de lege ferenda*, tal vez lo conveniente sería que el legislador regulase esta materia[294].

---

[292]   López y López, A. M., "Comentario al artículo 1255", ob. cit., pág. 577.

[293]   Un sector de la doctrina ha considerado que no es recomendable ampliar de forma indiscriminada el elenco de límites a la autonomía privada, ya que ello podría dar lugar a la discrecionalidad judicial y, por ende, a la inseguridad jurídica. Pérez Hereza, J., Sáez-Santurtún Prieto, J., y Marqués Mosquera, C., ob. cit., pág. 463.

[294]   Por su parte, García García, J. A. señala que "...no parece que resulte necesario un precepto análogo al 1255 CC referido a la autonomía de la voluntad en materia de derechos reales para que operen aquí los mismos que en aquél se establecen. Y de igual manera, en el caso de que se estableciera que la «ley, la moral y orden público» limitan el poder creador, modificador o configurador de los derechos reales por los particulares no parece que aporte nada que no pueda inferirse ya del sistema del Código Civil y del ordenamiento jurídico en general". García García, J. A., "La autonomía de la voluntad en la creación...", ob cit., pág. 279. Nos mostramos de acuerdo con el autor respecto de su reflexión sobre que los límites que se imponen a la autonomía privada en sede de derechos reales se infieren de la totalidad de nuestro ordenamiento jurídico. No obstante lo anterior, estimamos que no estaría de más que el legislador se pronunciase de manera más clara sobre este punto, sobre todo si se tiene en cuenta el amplio debate doctrinal que, desde antiguo, ha existido en torno a la materia que nos ocupa. En efecto, no es necesario acometer una regulación de la cuestión, pero sí que sería conveniente.

4.1. La ley

La concepción del respeto a la ley como un posible límite a la autonomía privada en materia de derechos reales no solo puede deducirse, en nuestra opinión y en la de un sector de la doctrina[295], de una interpretación sistemática de los arts. 594 y 1255 Cc[296], sino que, además, entendemos que responde a la propia lógica de nuestro ordenamiento[297]. Este razonamiento vendría a suponer que *"...si los contratantes no quieren someterse a una figura de derecho real típica, no existe obstáculo para que se aparten de ella, siempre que no contravengan una prohibición legal"*[298]. De este modo, los particulares no

---

[295] A favor de reputar a la ley como límite a la autonomía privada en la creación de nuevos derechos reales se encuentran Díez-Picazo y Ponce de León, L., "Autonomía Privada...", ob. cit., pág. 322; Román García, A., ob. cit., pág. 184; Otero y Valentín, J., "Límites generales en la determinación de derechos reales", ob. cit., pág. 98; Camy Sánchez-Cañete, B., *Comentarios a la Legislación Hipotecaria*, (...), edición 1969, ob. cit., pág. 433. En cierta medida, Méndez González, F. P., ob. cit., págs. 811 y 812.

[296] Tanto el art. 1255 Cc (libertad contractual) como el art. 594 Cc (servidumbres voluntarias) imponen como límite a la autonomía privada en la creación de nuevas figuras el respeto a la ley. Ello podría llevarnos a pensar que, si se prevé este límite tanto para la constitución de contratos atípicos como para la configuración de servidumbres no previstas en el Código civil, lo más razonable es pensar que el respeto a la ley actúa también en el ámbito de los derechos reales como coto a la autonomía privada.

[297] En este sentido, cabe destacar el razonamiento realizado por Rivero Hernández, quien afirma respecto de los límites contenidos en el art. 1255 Cc que "la cuestión por lo que aquí concierne no es tanto la vigencia de esos límites legales, sino la de su inteligencia y alcance en relación con los derechos reales...". Rivero Hernández, F., "La autonomía privada en...", ob. cit., pág. 1333. Debe tenerse en cuenta, además, que en nuestro ordenamiento rige el principio de legalidad al que alude el art. 9.3 CE.

[298] RDGRN 2 noviembre 2009 (TOL1.725.013). Así, en la RDGRN 11 abril 1930 (LA LEY 11/1930) se puso de relieve que *"...la doctrina condensada en la frase numerus apertus no autoriza la constitución de cualquier relación jurídica inmobiliaria con el carácter y los efectos de un derecho real, ni significa que la voluntad puede configurar situaciones hipotecarias contra los preceptos civiles que impiden la amortización de la propiedad inmueble..."*. En igual sentido, la RDGRN 23 noviembre 1934 (LA LEY 28/1934).
En relación con las servidumbres atípicas, debe tenerse en cuenta la RDGRN 5 diciembre 2002 (TOL268.255), donde se puso de manifiesto que la posibilidad de crear nuevas figuras de carácter real como consecuencia del ejercicio de la autonomía privada *"...es más palpable en materia de servidumbres, donde aparece*

podrían crear, por ejemplo, un derecho de subenfiteusis contraviniendo lo establecido en el art. 1654 Cc[299] ni tampoco podrían constituir, en principio, una garantía real en virtud de la cual el acreedor pudiese apropiarse de la cosa dada en garantía en contra de lo dispuesto en los arts. 1859 y 1884 Cc[300].

Las afirmaciones anteriores han de ser, sin embargo, matizadas, debiendo señalarse, en primer lugar, que al hacer alusión a la ley nos estamos refiriendo estrictamente a las normas de carácter imperativo y prohibitivo. No obstante, debe destacarse que este argumento no se basa tanto en la interpretación que la doctrina ha hecho tradicionalmente de la expresión "ley" que encierran los arts. 594 y 1255 Cc[301],

---

claramente establecida en los artículos 536 y 594 del Código Civil , que sobre la base del principio de autonomía de la voluntad recogido en el artículo 1255 del mismo cuerpo legal, autoriza la constitución de servidumbres siempre que no se contradiga la Ley ni el orden público...".

[299] Blasco Gascó, F. de P., *Instituciones de Derecho Civil...*, ob. cit., pág. 46. El autor se refiere en su obra al art. 1655 Cc, sin embargo, no parece haber duda de que, en realidad, quería hacer alusión al art. 1654 Cc, ya que es en este precepto en el que se dispone que *"queda suprimido para lo sucesivo el contrato de subenfiteusis"*. Al respecto, véase, asimismo, Andrés Santos, F. J., "Comentario al artículo 1654" en *Comentarios al Código Civil* (dir. Domínguez Luelmo, A.), Lex Nova, Valladolid, 2010, pág. 1789.

[300] Este y otros muchos ejemplos pueden consultarse en Peña Bernaldo de Quirós, M., *Derechos Reales. Derecho Hipotecario T. I*, ob. cit., págs. 69 y 70. Sobre este particular, véanse también Álvarez Olalla, P. *et al.* en *Manual de Derecho Civil...*, ob. cit., págs. 32 y 33; Otero y Valentín, J., "Límites generales en la determinación de derechos reales", ob. cit., pág. 98. Nos detendremos en el estudio de la prohibición de pacto comisorio en el último capítulo de este trabajo, debiendo adelantar aquí que existen supuestos en los que en la práctica sí que se viene permitiendo la apropiación de la cosa dada en garantía por el acreedor, como es el supuesto del pacto marciano.

[301] Por lo que se refiere al art. 594 Cc, véanse Busto Lago, J. M., "Comentario al artículo 594" en *Comentarios al Código Civil T. IV* (dir. Bercovitz Rodríguez-Cano, R.), Tirant Lo Blanch, Valencia, 2013, pág. 4575; Karrera Egialde, M. M., "Comentario al artículo 594" en *Código Civil Comentado Vol. I* (dirs. Cañizares Laso, A. *et al.*), 2ª ed., Aranzadi, Cizur Menor, 2016; págs. 2298 y 2299; Díez García, H., "Comentario al artículo 594" en *Comentarios al Código Civil* (coord. Bercovitz Rodríguez-Cano, R.), 3ª ed., Aranzadi, Cizur Menor, 2009, pág. 741.
En cuanto al art. 1255 Cc, véanse Díez-Picazo y Ponce de León, L., "Comentario al artículo 1255" en *Comentario del Código Civil T. II* (dir. Paz-Ares Rodríguez, C. *et al.*), Ministerio de Justicia, Madrid, 1991, pág. 431; Bercovitz Rodríguez-

como en el propio funcionamiento de nuestro sistema normativo. En este sentido, es lógico que las normas imperativas y prohibitivas sean las que limiten de forma general la autonomía privada, ya que las normas de carácter dispositivo pueden ser desplazadas por la voluntad de las partes[302], sin perjuicio de que estas últimas puedan suponer un límite indirecto a la autonomía de los particulares debido a su carácter supletorio[303].

Siguiendo el hilo de lo anterior, debe destacarse que ya en el DCFR (Book II art. II-1:102) y en los PECL (art. 1:102)[304], al enumerar los límites que se imponen a la autonomía privada mencionan, aunque sea en sede contractual, las *mandatory rules*, expresión que puede ser traducida como "normas imperativas"[305]. De este modo, nos referimos aquí a aquellas normas que imponen o prohíben la constitución de un determinado derecho real o que imponen o prohíben un cierto contenido del mismo[306]. Cuestión distinta es, sin embargo, la de esclarecer cuándo una norma puede ser reputada como imperativa y cuándo dispositiva, lo que requerirá obviamente una labor de interpretación[307].

Cano, R., "Comentario al artículo 1255" en *Comentarios al Código Civil* (coord. Bercovitz Rodríguez-Cano, R.), 3ª ed., Aranzadi, Cizur Menor, 2009, pág. 1478; Cano Tello, C.A., "El Derecho civil, cauce y límite de la autonomía privada", ob. cit., pág. 797.

[302] López y López se pronuncia en este sentido, aunque advierte que las normas dispositivas obligarán igualmente a las partes cuando estas no hayan acordado su exclusión. López y López, A. M., "Comentario al artículo 1255", ob. cit., págs. 577 y 578.

[303] Lacruz Berdejo, J. L. *et al.*, *Elementos de Derecho Civil I Parte General Vol. III Derecho Subjetivo. Negocio Jurídico*, 3ª ed. revisada y puesta al día por Delgado Echevarría, J., Dykinson, Madrid, 2005, pág. 137.

[304] Accesible en: http://bit.ly/2NaNdLi (Página consultada por última vez el 8 de agosto de 2017).

[305] Véase Torres García, T. F., "La autonomía privada: luces y sombras" en *Derecho de Obligaciones y Contratos: En Homenaje al Profesor Ignacio Serrano García* (dir. Muñiz Espada, E.), Wolters Kluwer, Madrid, 2016, pág. 85.

[306] Adaptando las apreciaciones que los autores efectúan respecto de la autonomía privada en sede contractual al ámbito de los derechos reales, véanse Díez-Picazo y Ponce de León, L. y Gullón Ballesteros, A., *Sistema de Derecho Civil Vol. I...*, ob. cit., pág. 310; Lacruz Berdejo, J. L. *et al.*, *Elementos de Derecho Civil I Parte General Vol. III...*, ob. cit., pág. 137; Martínez de Aguirre Aldaz, C., "Contenido y eficacia del contrato", ob. cit., pág. 409.

[307] Bercovitz Rodríguez-Cano, R., "Comentario al artículo 1255", ob. cit., pág. 1478; Díez-Picazo y Ponce de León, L., "Comentario al artículo 1255", ob. cit., pág. 431.

No obstante, debe reconocerse que, dada la oponibilidad *erga omnes* de los derechos reales, el número de normas dispositivas será más reducido en el ámbito jurídico-real que en sede contractual.

Debemos continuar aclarando, asimismo, que al hablar de ley como límite a la autonomía privada no lo estamos haciendo en un sentido estricto[308], ya que, aunque es cierto que en materia de propiedad existe una reserva de ley (arts. 33.2 y 53.1 CE), ello no equivale, en nuestra opinión, a que la autonomía de los particulares no se halle constreñida por lo dispuesto en las normas reglamentarias que desarrollan una norma de rango legal, pues recordemos que, según el Tribunal Constitucional, en el ámbito del derecho de propiedad cabe la actuación de reglamentos de desarrollo. En este sentido, puede afirmarse que las partes no podrán ir en contra de lo dispuesto en el planeamiento urbanístico cuando deseen crear un nuevo derecho real[309], sin que ello equivalga a impedir el juego de la autonomía privada dentro los límites trazados por el propio Plan[310].

---

[308] Debe destacarse que un sector de la doctrina considera que en el ámbito de la libertad contractual la referencia a la ley también se realiza en un sentido estricto, ya que existiría una reserva de ley al tratarse de una materia que afecta a la libertad consagrada en el art. 1 CE, así como al principio de libre desarrollo de la personalidad reconocido en el art. 10 CE. Así, Pérez Hereza, J., Sáez-Santurtún Prieto, J., y Marqués Mosquera, C., ob. cit., págs. 437 y ss. En sentido similar, Torres García, T. F., ob. cit., pág. 89.

[309] No podría crearse, por ejemplo, un derecho de vuelo cuando se superen las plantas máximas que permiten las normas urbanísticas.

[310] Así, en la STS 19 julio 2002 (TOL4.975.906) se señala que *"las servidumbres voluntarias pertenecen al campo de la autonomía privada. No son "límites", ni limitaciones legales. Se trata de gravámenes sobre fincas a favor de otras fincas (servidumbres reales, art. 530 Código Civil) o de personas (personales, art. 531 Cc.), que no responden a un fundamento de necesidad, sino de utilidad, en sentido muy flexible de beneficio o comodidad (incluso amenidad). Pueden convenirse para soluciones similares a las forzosas en sede de relaciones de vecindad, pero operan fuera del ámbito de la construcción legal, y obedecen a la autonomía de voluntad de los interesados (SS. 1 marzo 1.994, 18 abril y 30 diciembre 1.995, 1 julio 1.996, 17 junio y 3 noviembre 1.998, 3 noviembre 2.000, 9 marzo 2.001, entre otras; Res. D. G. R. y N. 27 junio 1.995).*
El supuesto de autos pertenece al Derecho voluntario de vecindad, y no está sujeto a restricción alguna derivada de norma de derecho necesario del planeamiento urbanístico, por lo que los afectados podían perfectamente establecer los gravámenes prediales en ejercicio de la autorregulación de intereses –"lex privata"–. La existencia de una mayor permisión urbanística no excluye tal facultad;

Siguiendo la línea de lo anterior, cuando se hace referencia a la ley como límite a la autonomía privada en la conformación de nuevos derechos reales no nos estamos refiriendo únicamente a las normas que se encuadran en la rama del Derecho Privado, como pueden ser el Código civil o la Ley Hipotecaria, sino a cualquiera de las normas imperativas que componen nuestro ordenamiento considerado en su conjunto[311] interpretadas a la luz del texto constitucional[312]. En este sentido, es necesario destacar que las características propias de la materia que nos ocupa harán que la creación de derechos reales atípicos pueda colisionar, en no pocas ocasiones, con la legislación urbanística[313] y medioambiental.

Por lo que se refiere a las consecuencias de la transgresión de este límite, son varios los autores que señalan que se trataría de un negocio ilegal o ilícito[314], lo que provocaría la invalidez del pacto establecido por las partes.

Puede concluirse este apartado afirmando que los particulares pueden, en uso de su autonomía privada, crear nuevas figuras de carácter jurídico-real siempre que no trasgredan la ley y respeten el resto de límites a los cuales vamos a hacer alusión a continuación[315].

---

la concesión de la licencia administrativa de edificación se entiende sin perjuicio de terceros; y por otro lado no cabe apreciar la conculcación de un interés social (general) –en materia de vivienda– que pudiera incidir en una afectación del orden público (art. 594 Código Civil), porque lo que están en liza son dos intereses particulares, de índole privada, no de interés público (S. 24 junio 1.967)".

[311] Torres García, T. F., ob. cit., págs. 87 y 88.

[312] Así, se ha dicho que "hoy no cabe duda de la aplicación a los derechos reales limitados (usufructo), en cuanto derivación del derecho de propiedad (…), de la nueva concepción de la propiedad en el artículo 33 CE, y de cómo la función social de la misma (prototipo de apropiación de las cosas por las personas) debe delimitar su contenido". Rivero Hernández, F., "La autonomía privada en…", ob. cit., pág. 1333.

[313] Díez García, H., "Comentario al artículo 594", ob. cit., pág. 741; Karrera Egialde, M. M., "Comentario al artículo 594", ob. cit., pág. 2299.

[314] Díez-Picazo y Ponce de León, L., "Autonomía Privada…", ob. cit., pág. 322; Román García, A., ob. cit., pág. 184; Rivero Hernández, F., "La autonomía privada en…", ob. cit., pág. 1333.

[315] Como advierte Lalaguna, aunque refiriéndose al ámbito contractual, el peso que tiene la ley como límite a la autonomía privada no quiere decir que sea el único límite ni el más importante. Lalaguna Domínguez, E., ob. cit., pág. 890.

4.2. La moral

Tanto la doctrina clásica como la moderna han encontrado dificultades a la hora de definir el concepto de moral; no solo, en nuestra opinión, porque en la literatura jurídica esta noción se confunde constantemente con otras figuras como el orden público[316] y las buenas costumbres[317], sino, porque, como tendremos la ocasión de compro-

---

[316]　Debe destacarse que las corrientes modernas se muestran favorables a establecer una diferenciación entre moral y orden público. Ha de señalarse, sin embargo, que, a pesar de abogar por la clara distinción entre orden público y moral, la mayor parte de la doctrina no parece terminar por ofrecer un elemento que permita diferenciarlas, limitándose a indicar que, si el legislador ha previsto que la ley, la moral y el orden público funcionen como límites a la libertad contractual, lo lógico es que sean figuras distintas. Así, en relación con la diferenciación entre orden público y moral, se ha dicho que "...mientras se mantenga en el Código civil la mención expresa y separada de ambas figuras, resulta conveniente tratarlas por separado...". Oliva Blázquez, F., "Límites a la autonomía...", ob. cit., pág. 298. Se ha señalado, asimismo, que en lo que respecta al orden público "... debemos excluir su identidad con las leyes imperativas y con la moral, pues en otro caso no tendría sentido su proclamación como tercer límite a la autonomía negocial". Pérez Hereza, J., Sáez-Santurtún Prieto, J., y Marqués Mosquera, C., ob. cit., pág. 485.

Por su parte, Torres García, en un intento más directo de establecer una distinción entre las figuras, señala que "...a diferencia de la moral, el orden público se encarna en las normas extra positivas referentes a los principios o directivas...". Torres García, T. F., ob. cit., pág. 95.

[317]　Conviene destacar que a partir del Proyecto de Código civil de 1888 es cuando se habla de la moral como límite a la libertad contractual, ya que en el anterior Proyecto a cargo de García Goyena se habla de buenas costumbres. Lalaguna Domínguez, E., ob. cit., pág. 891. A esto último hay que sumarle el hecho de que, según la doctrina más autorizada, el propio Código civil emplea las expresiones de "moral" y "buenas costumbres" de manera sinónima. Díez-Picazo y Ponce de León, L. y Gullón Ballesteros, A., *Sistema de Derecho Civil Vol. I...*, ob. cit., pág. 311. Ello explica que en la actualidad un gran número de autores haya optado por equiparar la moral con las buenas costumbres. Entre ellos podemos citar a Bercovitz Rodríguez-Cano, R., "Comentario al artículo 1255", ob. cit., pág. 1479; Martínez de Aguirre Aldaz, C., "Contenido y eficacia del contrato", ob. cit., pág. 409; Lacruz Berdejo, J. L. *et al.*, *Elementos de Derecho Civil I Parte General Vol. III...*, ob. cit., pág. 137; López y López, A. M., "Comentario al artículo 1255", ob. cit., pág. 578.

Debe destacarse, sin embargo, que hay quien señala que existen deferencias entre las dos figuras a las que nos venimos refiriendo. Así, según Oliva Blázquez, la moral podría distinguirse de las buenas costumbres en que aquella tiene una connotación subjetiva, mientras que estas tienen un marcado carácter objetivo y

bar, se trata de un concepto de carácter variable[318] y amplio[319]. Estos factores han contribuido a que la doctrina haya venido ofreciendo definiciones poco precisas o a que, en la mayor parte de las ocasiones, se haya aproximado a la noción de la moral desde una perspectiva eminentemente negativa[320]. De ahí que en la actualidad se haya des-

---

se manifiestan externamente. En este sentido, el autor insiste en que las buenas costumbres no son más que una concreción posterior de la moral. Ha de señalarse, sin embargo, que el propio Oliva Blázquez reconoce que en el plano práctico no existen diferencias entre ambas nociones. Todas estas apreciaciones se ponen de relieve en Oliva Blázquez, F., "Límites a la autonomía…", ob. cit., págs. 300 y 301.

Por su parte, Stammler entiende que la moral y las buenas costumbres son dos expresiones relacionadas, pero que no pueden confundirse. Desde esta perspectiva, el mencionado filósofo sostiene que el significado primitivo de moral se contrapone al ámbito social, sin embargo, reconoce que la expresión *moralidad* encierra diversas acepciones. En este sentido, el autor entiende que cualquier referencia a la moral en relación con las buenas costumbres se debe reconducir a la idea de que "…la voluntad jurídica que se trata de juzgar ha de ser objetivamente legítima en el caso concreto en el que se presente…". Stammler, R., *Tratado de filosofía del derecho* (trad. Roces, W.), Reus, Madrid, 2007, págs. 118, 119, 120 y 496.

[318] Martínez de Aguirre Aldaz, C., "Contenido y eficacia del contrato", ob. cit., pág. 409; Oliva Blázquez, F., "Límites a la autonomía…", ob. cit., págs. 330 y 331; Oliva Blázquez, F., "La moral y el orden público como límites a la autonomía de la voluntad en la contratación" en *Derecho y autonomía privada: Una visión comparada e interdisciplinar. Actas del Congreso Internacional «Límites a la autonomía de la voluntad» celebrado en la Facultad de Derecho de la Universidad de Zaragoza los días 29 y 30 de septiembre de 2016* (dir. Parra Lucán, M.ª A.), Comares, Granada, 2017, pág. 224. En este sentido, el último de los autores citados se apoya en la STC 15 octubre 1982 (LA LEY 7232-JF/0000), donde se puso de manifiesto que la "*moral pública -como elemento ético común de la vida social- es susceptible de concreciones diferentes según las distintas épocas y países por lo que no es algo inmutable desde una perspectiva social…*".

[319] Así, "…es evidente que al no positivizarse la moral en una forma concreta, el margen del intérprete y juzgador para su aplicación es teóricamente amplísimo". Díez-Picazo y Ponce de León, L. y Gullón Ballesteros, A., *Sistema de Derecho Civil Vol. I…*, ob. cit., pág. 311.

[320] Para un análisis más detallado de la aproximación a la noción de moral desde un punto de vista negativo véase Oliva Blázquez, F., "Límites a la autonomía…", ob. cit., págs. 301 y ss. En este sentido, cabe destacar que gran parte de la doctrina intenta desligar la moral como límite a la autonomía privada de cualquier connotación de signo religioso. Así, López y López, A. M., "Comentario al artículo 1255", ob. cit., pág. 578. En un sentido similar, se pronuncia Díez-Picazo y Ponce de León, L., "Comentario al artículo 1255", ob. cit., pág. 432.

cartado cualquier referencia a la moral tanto en el DCFR como en los PECL[321] como límites a la autonomía privada y que hoy en día se cuestione su vigencia como restricción a la creación de figuras atípicas en el campo de los derechos de crédito[322].

No obstante lo anterior, son varios los autores que coinciden en señalar la operatividad de la moral como límite a la autonomía privada no solo en el ámbito contractual (*ex* art. 1255 Cc), sino, también, en el de los derechos reales[323], a pesar de que, curiosamente, el art. 594 Cc no hace referencia expresa a la moral como posible restricción a la constitución de servidumbres voluntarias[324]. A estas observaciones

---

[321]   Esta cuestión es puesta de relieve por Oliva Blázquez, quien, sin embargo, reconoce que la supresión de este término, así como de otros conceptos jurídicos indeterminados, es lógica si se tiene en cuenta que tanto el DCFR como los PECL tienen una finalidad eminentemente armonizadora. Véase Oliva Blázquez, F., "Límites a la autonomía...", ob. cit., págs. 298 y 299.

[322]   Así, como señala Parra Lucán, el legislador francés ha aprovechado la reforma operada en el año 2016 en materia de contratos para eliminar la referencia que el *Code civil* hacía a las *bonnes moeres* como límite a la libertad contractual, mientras que en España tanto la Propuesta de Modernización del Derecho de Obligaciones y Contratos como la Propuesta de los Libros Quinto y Sexto del Código civil siguen refiriéndose a la moral como límite a la creación de figuras contractuales de carácter atípico. Véase Parra Lucán, M.ª A., "La autonomía privada en...", ob. cit., pág. 37. Por lo que se refiere a la reciente Propuesta de Código civil de la Asociación de Profesores de Derecho Civil, se ha optado, en consonancia con las Propuestas anteriores, por mantener el término moral (art. 521-2.2). Véase Andreu Martínez, M.ª B. *et al.*, "Capítulo I del Título II del Libro V", ob. cit., pág. 670.
Por su parte, Díez-Picazo sostiene, en relación con el art. 1255 Cc, que sería conveniente que el legislador se decantase por la supresión del término "moral" o, en su caso, que lo reemplazase por la expresión "buenas costumbres". Díez-Picazo y Ponce de León, L., "Controles públicos y tráficos privados", *Teoría y Derecho: revista de pensamiento jurídico* núm. 5, 2009, pág. 10. Espín, por el contrario, defendió a mediados del siglo XX la relevancia de los límites impuestos en su día por el legislador decimonónico a la autonomía privada, incluido el de la moral. Espín Cánovas, D., "Los límites de la autonomía de la voluntad en el Derecho Privado", *Anales de la Universidad de Murcia* Vol. XIII núm. 1, 1955, págs. 58 y 59.

[323]   Díez-Picazo y Ponce de León, L., "Autonomía Privada...", ob. cit., págs. 322 y 323; Román García, A., ob. cit., pág. 184; Blasco Gascó, F. de P., *Instituciones de Derecho Civil...*, ob. cit., pág. 31. En cierta medida, Méndez González, F. P., ob. cit., págs. 811 y 812.

[324]   Así, el art. 1255 Cc dispone que "*los contratantes pueden establecer los pactos, cláusulas y condiciones que tengan por conveniente, siempre que no sean con-*

doctrinales ha de sumarse el hecho de que en alguna resolución de la Dirección General de los Registros y del Notariado, aunque aislada, se pone de relieve que el registrador hizo constar en su nota de calificación la necesidad de que la creación de figuras jurídico-reales atípicas respete, en todo caso, la moral[325].

Bajo nuestra perspectiva, la clave para tratar de ofrecer una definición de la moral y, por ende, para entender su papel como posible límite a la autonomía privada en el ámbito de los derechos reales pasa por aceptar, como ya habíamos anunciado, que se trata de un concepto actualizable y amplio[326].

Por lo que se refiere a la variación de la noción, debe indicarse que los estudios más recientes en la materia parecen señalar que en la actualidad el concepto de moral como límite a la autonomía privada se refiere a la moral social, entendida como las convicciones éticas por

---

trarios a las leyes, a la moral ni al orden público". Mientras que el art. 594 Cc establece que *"todo propietario de una finca puede establecer en ella las servidumbres que tenga por conveniente, y en el modo y forma que bien le pareciere, siempre que no contravenga a las leyes ni al orden público"*. Este particular parece haber llamado también la atención de diversos autores que destacan el silencio que se guarda sobre la moral como posible límite a la autonomía privada en la creación de servidumbres. Entre ellos pueden citarse, Busto Lago, J. M., "Comentario al artículo 594", ob. cit., pág. 4575; Karrera Egialde, M. M., "Comentario al artículo 594", ob. cit., págs. 2298 y 2299. Por su parte, Navas Navarro sostiene que, en relación con la nueva constitución de servidumbres, no solo actúan como límites la ley y el orden público, sino también la moral a la que alude el art. 1255 Cc. Navas Navarro, S., "Comentario al artículo 594" en *Comentarios al Código Civil* (dir. Domínguez Luelmo, A.), Lex Nova, Valladolid, 2010, pág. 702.

[325] Así, en la nota de calificación que se recoge en la RDGRN 21 febrero 2000 (TOL133.040), el registrador señaló, en relación con la constitución de unas servidumbres recíprocas, que *"admitir la solución escriturada equivale a traspasar los límites de la autonomía privada en la constitución de los derechos reales, pues el sistema de "numerus apertus" que ampara nuestra legislación (artículo 2 de la Ley Hipotecaria y 7 de su Reglamento) está condicionado al cumplimiento de una serie de presupuestos necesarios, cuya falta de verificación vicia la creación de aquéllos. Así: En primer lugar, deben ajustarse al filtro natural que impone el artículo 1255 del Código Civil, leyes, moral y orden público"*.

[326] Estas características son precisamente las que permiten que la moral sea un útil instrumento para acoger los nuevos cambios que se producen en la sociedad. En este sentido se pronuncia Oliva Blázquez, F., "Límites a la autonomía...", ob. cit., págs. 332.

las que se rige una determinada comunidad en el momento que se tome como referencia, debiendo ser interpretadas conforme al contexto constitucional[327]. Debe destacarse, sin embargo, que, en congruencia con la variabilidad que caracteriza al concepto de moral, la definición ofrecida por la doctrina moderna no se puede tener como definitiva, ya que probablemente no encaja con lo que hace siglos se entendía por moral ni, quizás, encaje con lo que se entenderá por ella en un futuro[328].

---

[327] Esta definición se ha construido a partir de las que ofrecen varios autores en sus trabajos, en concreto: Gordillo Cañas, A., Voz "Moral" en *Enciclopedia Jurídica Básica Vol. III*, Civitas, Madrid, 1995, pág. 4342; Cano Tello, C.A., "El Derecho civil, cauce y límite de la autonomía privada", ob. cit., pág. 797; Oliva Blázquez, F., "Límites a la autonomía...", ob. cit., págs. 307 y 308. También, en cierta medida, se han tenido en cuenta las reflexiones de Parra Lucán, M.ª A., "La autonomía privada en...", ob. cit., págs. 37 y 38; Atienza, M., *El sentido del Derecho*, 2ª ed. 2ª reimp., Ariel, Barcelona, 2004, págs. 67 y 113.

Debe tenerse en cuenta que la concepción que hemos expuesto es coherente con la línea que ha seguido el Tribunal Supremo en alguna de sus sentencias en la que, al pronunciarse sobre las actividades inmorales, señala que son aquellas que "...*se oponen a los sentimientos medios de ética, probidez, recato, buenas costumbres o ciudadanía rectamente entendida y ordenadamente practicada que son prevalentes en una comunidad normal y concertada de personas que convergen sus vidas individuales en el común social, y tanto entendiendo la moralidad en su aspecto formal, es decir, al considerar la afectación del acto a los sujetos, como en el material, en razón al objeto mismo sobre el que versan los actos...*". STS 22 mayo 1993 (TOL1.662.953).

Algún autor sigue, sin embargo, haciendo especial hincapié en que la moral no solo se compone de un sustrato social, sino también individual. Es el caso de Llopis Giner, J. M, "La moral y el derecho, una relación doctrinal llevada al Código Civil" en *Homenaje a Juan Berchmans Vallet de Goytisolo T. V*, Junta de Decanos de los Colegios Notariales de España, Madrid, 1988, pág. 628.

También hay quien rechaza el concepto de moral social como posible límite a la autonomía privada. Véase Villa Torrano, A., "La moral como límite a la autonomía privada. Una aproximación desde la metaética" en *Derecho y autonomía privada: Una visión comparada e interdisciplinar. Actas del Congreso Internacional «Límites a la autonomía de la voluntad» celebrado en la Facultad de Derecho de la Universidad de Zaragoza los días 29 y 30 de septiembre de 2016* (dir. Parra Lucán, M.ª A.), Comares, Granada, 2017, pág. 51.

[328] Ejemplo de ello es, como indica Parra Lucán, que en la práctica jurisprudencial la institución de la moral se ha ido trasladando con el devenir de los años del campo de la más estricta intimidad de las relaciones sexuales al ámbito de las transacciones económicas. Véase Parra Lucán, M.ª A., "La autonomía privada en...", ob. cit., págs. 38 y 39.

En cuanto a su amplitud, queremos advertir que la doctrina suele indicar que la función de la moral como límite a la creación de derechos reales atípicos consiste en tratar de garantizar que la constitución de los mismos responda a una necesidad económico-social específica[329]. De este modo, se viene entendiendo que la moral social actúa en este campo como un instrumento de control causal[330], al igual que lo hace en el plano obligacional (*ex* art. 1275 Cc)[331].

La configuración causalista de nuestro sistema exige la existencia de una causa lícita que justifique la creación de cualquier derecho subjetivo de carácter patrimonial, lo que incluye, evidentemente, tanto a los derechos carácter personal (*ex* arts. 1261 y 1275 Cc) como a los de carácter real[332]. No obstante lo anterior, no puede concluirse que la

---

[329] Díez-Picazo y Ponce de León, L., "Autonomía Privada...", ob. cit., págs. 322 y 323; Román García, A., ob. cit., pág. 184; Santos Briz, J., *Derecho Civil. Teoría y Práctica T. II...*, ob. cit., pág. 22; Rivero Hernández, F., "La autonomía privada en...", ob. cit., págs. 1333 y 1334; García García, J. A., "La autonomía de la voluntad en la creación...", ob cit., págs. 284 y 285; Méndez González, F. P., ob. cit., págs. 809-812.
Aunque se refiere expresamente al ámbito contractual, resultan interesantes las reflexiones de Nuzzo, quien pone de relieve que la autonomía privada no puede socavar la propia base sobre que queda sustentada su legitimidad, es decir, que, además del interés individual, la figura que se pretenda crear debe suponer la satisfacción de intereses socialmente válidos. Nuzzo, M., *Utilità sociale e autonomia privata*, Giuffrè, Milano, 1975, pág. 97.

[330] Rivero Hernández, F., "La autonomía privada en...", ob. cit., págs. 1333 y 1334; Román García, A., ob. cit., págs. 80, 184 y 185.

[331] Véase Méndez González, F. P., ob. cit., págs. 809-812. Según este precepto "*los contratos sin causa, o con causa ilícita, no producen efecto alguno. Es ilícita la causa cuando se opone a las leyes o a la moral*". En este sentido, el Tribunal Supremo, al examinar si existía o no causa lícita en relación con un contrato de permuta financiera, ha llegado a afirmar que "*...el propósito perseguido por las partes ha de ser confrontado con la función económica y social en que consiste la causa de cada negocio, de modo que si hay coincidencia, el negocio es reconocido y protegido por el ordenamiento jurídico, pero si no la hay porque el propósito que se persigue es ilícito, tal protección no se otorgará y ese propósito se eleva a la categoría de causa ilícita determinante de la nulidad de pleno derecho del negocio jurídico*". STS 24 noviembre 2016 (TOL5.903.796).

[332] Como indica Díez-Picazo, "todos los negocios jurídicos y en particular los contratos, requieren una causa". Díez-Picazo y Ponce de León, L., "Autonomía Privada...", ob. cit., pág. 325. Es cierto que el art. 1275 Cc se refiere solo a la licitud de la causa en el ámbito contractual, sin embargo, como bien destaca Méndez González, tanto si nos hallamos ante un derecho de naturaleza personal o real,

institución de la causa se rija exactamente por los mismos parámetros en el ámbito personal que en el campo jurídico-real[333]. Así, ha de tenerse en cuenta, en primer lugar, que, a diferencia de lo que ocurre en el plano obligacional, para que pueda hablarse de la creación, adquisición o transmisión de derechos reales no basta, como regla general, con la presencia de una causa-título, sino que se requerirá, asimismo, la existencia de un modo o *traditio* (*ex* art. 609 Cc)[334]. A ello ha de sumarse el hecho de que parte de la doctrina considera que "...no siempre la causa de la relación jurídica-obligatoria servirá también para justificar y caracterizar la relación jurídico-real que se pretende establecer"[335].

Apuntadas las anteriores matizaciones creemos que la moral como instrumento de control causal funciona, en el ámbito de los derechos

---

como ante un derecho típico o atípico, este deberá constar en todo caso de una causa lícita que justifique su creación. Méndez González, F. P., ob. cit., págs. 809-812. En parecido sentido, aunque refiriéndose en especial a los derechos reales atípicos puede consultarse Lacruz Berdejo, J. L. *et al.*, *Elementos de Derecho Civil III Derechos Reales Vol. I*, 2008, ob. cit., pág. 16. Véase también Gordillo Cañas, A., "El objeto de la publicidad en nuestro sistema inmobiliario registral...", ob. cit., pág. 470; Otero y Valentín, J., "Límites generales en la determinación de derechos reales", ob. cit., pág. 99.

[333] Así parecen entenderlo Pérez Hereza, J., Sáez-Santurtún Prieto, J., y Marqués Mosquera, C., ob. cit., págs. 433 y 434. Estos autores insisten en que no existen grandes diferencias entre derechos reales y obligacionales en lo que a la institución de la causa se refiere, ya que la creación de cualquier derecho subjetivo pasa por la necesidad de que su nacimiento se halle debidamente justificado.

[334] Ello ha de predicarse, como indica Méndez González, tanto en lo que se refiere a la creación de derechos reales típicos como atípicos. Méndez González, F. P., ob. cit., págs. 809-812. Véase también Román García, A., ob. cit., págs. 80, 185 y 186.

En relación con lo anterior, debe tenerse en cuenta que la Dirección General de los Registros y del Notariado ha manifestado en alguna ocasión que "...*en nuestro ordenamiento jurídico la sola voluntad de adquirir y transmitir no basta para provocar el efecto traslativo perseguido; por una parte, rige la teoría del título y el modo para la transmisión voluntaria e inter vivos de los derechos reales (cf. art. 609 Código Civil); por otra, la validez del contrato presupone la concurrencia de una causa suficiente que justifique el reconocimiento jurídico del fin práctico querido por los contratantes (cf. arts. 1261-3.º, 1274 a 1277, 1278, etc. Código Civil)*". Véase la RDGRN 30 junio 1987 (RJ\1987\4843).

[335] Román García, A., ob. cit., pág. 196. También se pronuncian en este sentido Méndez González, F. P., ob. cit., págs. 809-812; Díez-Picazo y Ponce de León, L., "Autonomía Privada...", ob. cit., pág. 326.

reales, de manera muy similar a cómo lo hace en el plano jurídico-personal[336]. La exigencia del elemento causal será necesaria tanto para la creación de figuras jurídico-reales típicas como atípicas[337], sin embargo, en este último caso, la atipicidad obligará al operador jurídico a practicar un control o juicio de valor sobre si efectivamente ese derecho satisface necesidades económico-sociales protegibles[338] o, tomando prestada la expresión empleada por el Código transalpino, "merecedoras de tutela" (art. 1322.2 *Codice civile*)[339] no cubiertas por otras figuras[340].

Esa causa o razón en la que se fundamente la creación del derecho real puede obedecer, como apunta la doctrina, a diversos motivos (personales, económicos, sociales)[341], pero habrá de ser *suficiente*[342], esto

---

[336]   Sin llegar a esa coincidencia total que parecen predicar Pérez Hereza, J., Sáez-Santurtún Prieto, J., y Marqués Mosquera, C., ob. cit., págs. 433 y 434.

[337]   Como afirma Peralta Mariscal "todo derecho real debe tener una causa inmanente". Peralta Mariscal, L. L., ob. cit., pág. 2677. Resulta, pues, obvio que se exigirá la existencia de una causa que justifique, por ejemplo, tanto la creación de una servidumbre de paso típica como la constitución de un derecho de retracto voluntario.

[338]   Véanse Goñi Rodríguez de Almeida, M., *El principio de especialidad registral*, ob. cit., pág. 94; Román García, A., ob. cit., págs. 81, 185 y 196; Díez-Picazo y Ponce de León, L., "Autonomía Privada...", ob. cit., págs. 325 y 326; Lacruz Berdejo, J. L. *et al.*, *Elementos de Derecho Civil III Derechos Reales Vol. I*, 2008, ob. cit., págs. 16 y 17; Gómez Gálligo, J., "El principio de especialidad registral", ob. cit., pág. 1938; Parra Lucán, M.ª A., "La autonomía privada en...", ob. cit., pág. 56.

[339]   Sobre la base de este precepto el *Codice civile* admite la constitución de contratos atípicos, siempre y cuando estos nazcan con el fin de satisfacer intereses dignos de tutela desde el punto de vista del ordenamiento jurídico. Véase Bussani, M., *Libertà contrattuale e diritto europeo*, UTET, Torino, 2005, pág. 24. Así, Guarnieri, aunque critica esta fórmula, señala que se trata de un límite positivo impuesto a la autonomía privada, en tanto en cuanto impone que el contrato se responda a los intereses económico-sociales. Guarnieri, A., "Meritevolezza dell'interesse e utilità sociale del contratto", *Rivista di Diritto Civile* Vol. 40, 1994, pág. 801.

[340]   De La Esperanza Martínez-Radio, A., ob. cit., pág. 51; Román García, A., ob. cit., págs. 185 y 196; Díez-Picazo y Ponce de León, L., "Autonomía Privada...", ob. cit., pág. 326; Gómez Gálligo, J., "El principio de especialidad registral", ob. cit., pág. 1938.

[341]   Parra Lucán, M.ª A., "La autonomía privada en...", ob. cit., pág. 56; Peña Bernaldo de Quirós, M., *Derechos Reales. Derecho Hipotecario T. I*, ob. cit., pág. 69.

[342]   La Dirección General de los Registros y del Notariado ha reiterado en numerosas ocasiones que la autonomía privada se halla constreñida por la necesidad de que la creación del derecho real en cuestión se encuentre amparada por "...*una razón justificativa suficiente*...". Así, RDGRN 5 junio 1987 (RJ\1987\4835); RDGRN 21

es, deberá estar encaminada, en todo caso, a "...la satisfacción de una necesidad individual socialmente válida"[343], lo que explica el papel de la moral social como medio para llevar a cabo un efectivo control causal. En este sentido, la doctrina de la Dirección General de los Registros y del Notariado ha querido resaltar el papel de "...*la autonomía de la voluntad en la configuración de nuevos derechos reales para adaptar las categorías jurídicas a las exigencias de la realidad económica y social...* "[344]. Así, entre otros ejemplos, pueden citarse la admisión en la práctica de una servidumbre de garaje como consecuencia de la nueva realidad urbanística[345] o el más conocido derecho de tanteo voluntario[346].

---

diciembre 2007 (RJ\2008\2086); RDGRN 19 mayo 2008 (TOL1.322.353); RDGRN 12 mayo 2010 (TOL1.891.883); RDGRN 8 junio 2011 (TOL2.216.269); RDGRN 19 diciembre 2013 (TOL4.076.565); RDGRN 6 octubre 2014 (LA LEY 150239/2014); RDGRN 24 octubre 2014 (TOL4.558.460); RDGRN 18 febrero 2016 (LA LEY 11271/2016); RDGRN 18 marzo 2016 (RJ\2016\1352); RDGRN 8 noviembre 2018 (TOL6.927.633); RDGRN 13 febrero 2019 (TOL7.098.405); RDGRN 26 abril 2019 (TOL7.211.168); RDGRN 3 septiembre 2019 (TOL7.554.582); RDGRN 25 septiembre 2019 (TOL7.573.407); RDGRN 8 noviembre 2019 (TOL7.593.799); RDGRN 26 noviembre 2019 (TOL7.643.168). En la RDGRN 30 septiembre 1987 (RJ\1987\6579) se habla también de la "...*exigencia de justificación racional en la creación de gravámenes...*". Llama la atención que el propio Akkermans utilice esta misma expresión al incluir en su *test* la exigencia de que la voluntad de las partes revista un *sufficient interest* si estas desean crear una figura de carácter jurídico-real. Este punto se traduce en la necesidad de que la finalidad perseguida por los particulares no podrá ser ilícita. Véase Akkermans, B., *The principle of Numerus Clausus...*, ob. cit., págs. 556-558; Simón Moreno, H., ob. cit., pág. 344.

343 Lacruz Berdejo, J. L. *et al.*, *Elementos de Derecho Civil III Derechos Reales Vol. I*, 2008, ob. cit., pág. 17.

344 RDGRN 25 abril 2005 (TOL645.166); RDGRN 4 mayo 2009 (TOL1.517.138); RDGRN 14 junio 2010 (TOL1.911.702); RDGRN 10 abril 2014 (TOL4.277.898); RDGRN 28 abril 2016 (TOL5.747.426); RDGRN 5 septiembre 2017 (TOL6.355.119). También se ha destacado el rol desempeñado por la autonomía privada como un instrumento de adaptación del derecho a las nuevas necesidades socioeconómicas en Rivero Hernández, F., "La autonomía privada en...", ob. cit., págs. 1330.

345 Concretamente el Centro directivo razonó que la servidumbre surgía como "...*una exigencia de las: relaciones socio-urbanísticas que la realidad genera, y en la que razones de necesidad, utilidad y servicio imponen el que un edificio expanda su garaje a parte del subterráneo de un suelo colindante no edificable*". RDGRN 14 mayo 1984 (TOL962.738).

346 Sobre este punto nos detendremos en otro apartado de este trabajo. Baste señalar ahora que una de las razones que llevaron al Centro directivo a admitir la ins-

Además de suficiente, Díez-Picazo, auténtico pionero en la materia, hizo especial hincapié en la necesidad de que esa razón justificativa implique, como regla general, la afectación permanente y estable del bien sobre el que pesa el derecho real y que esta se deba precisamente a la consecución de esos fines merecedores de tutela[347]. Para exponer esta idea el citado autor recurrió al expediente de la *causa perpetua servitutis*, según la cual las servidumbres habían de tener una causa perpetua (D. 8, 2, 28)[348]. Con independencia del amplio debate que esta máxima ha suscitado en el campo doctrinal[349], lo cierto es que

---

cripción de un derecho de tanteo voluntario en la RDGRN 20 septiembre 1966 (TOL940.850) fue que su creación se hallaba justificada por la existencia de un interés legítimo.

[347] Díez-Picazo y Ponce de León, L., "Autonomía Privada...", ob. cit., págs. 328 y 329. Véase también Peña Bernaldo de Quirós, M., *Derechos Reales. Derecho Hipotecario T. I*, ob. cit., pág. 69.

[348] Díez-Picazo y Ponce de León, L., "Autonomía Privada...", ob. cit., págs. 326 y ss. Gordillo Cañas, sin embargo, no se muestra muy favorable a utilizar la institución de la *perpetua causa servitutis* para exponer la idea que desarrolla Díez-Picazo. Gordillo Cañas, A., "El objeto de la publicidad en nuestro sistema inmobiliario registral...", ob. cit., pág. 470.
En concreto, el Digesto reza "se estimó procedente no considerar como servidumbre de canalón el boquete abierto en la parte baja de la pared de una habitación o de un triclinio con el fin de lavar el pavimento, y que no se adquiera el derecho con el transcurso del tiempo. Esto es verdad si en aquel lugar no cayese agua de lluvia (pues no tiene causa perpetua lo que se hace por mano del hombre), mas la lluvia que cae, aunque no sea constantemente, es por causa natural y por ello se estima que sucede con causa perpetua. Todas las servidumbres de los predios deben tener causas perpetuas, y por esto no puede concederse una servidumbre de acueducto partiendo de un lago o de un estanque; también la causa de verter el estilicidio debe ser natural y perpetua (Paul. 15 Sab.)". Véase D´Ors, A., Hernández-Tejero, F., Fuenteseca, P., García-Garrido, M. y Burillo, J., ob. cit., págs. 350 y 351.

[349] Gran parte de la doctrina considera que la referencia a la causa perpetua estaba relacionada con determinados tipos de servidumbres de agua. De este modo, se ha manifestado que con la expresión "causa perpetua" el pasaje del Digesto realmente no hacía referencia a la servidumbre o a la utilidad de la misma, sino que pretendía poner de relieve la cualidad del agua, esto es, que debía ser *aqua viva* o *aqua perennis*. Este razonamiento ha hecho que determinados autores, entre los que destaca Perozzi, hayan rechazado tal máxima; lo que no ha impedido a Biondi señalar que, aún así, en la jurisprudencia ya se atisbaba la relación existente entre la idea de permanencia en conexión con el derecho real de servidumbre. Todas estas reflexiones surgen a partir de la lectura de las siguientes obras: Perozzi, S., *Scritti Giuridici II Servitù e obbligazioni* (a cura di Brasiello,

hoy en día la nota de perpetuidad se ha difuminado del plano de la *causa servitutis*, pues, únicamente se exige que la utilidad que reporte el fundo sirviente al fundo dominante sea permanente, estable[350].

Díez-Picazo emplea, pues, el expediente de la *causa servitutis* para resaltar que el derecho real debe tener una determinada utilidad permanente que justifique su razón de ser[351]. En este sentido, la idea de *utilitas* traspasa las fronteras del derecho real de servidumbre para alcanzar a todo el sistema de derechos reales y, en especial, a aquellos

---

U.), Giuffrè, Milano, 1948, págs. 93, 94, 109, 110, 115, 135, 143; Biondi, B., *Las servidumbres...*, ob. cit., págs. 370 y ss.; Grosso, G., *Le servitù prediali nel diritto romano*, Giappichelli, Torino, 1969, págs. 112 y ss.; Cerdeira Bravo de Mansilla, G., "Elementos-esenciales, naturales y accidentales-en las servidumbres prediales" en *Tratado de Servidumbres* (coord. Cerdeira Bravo de Mansilla, G.,), La Ley, Madrid, 2015, págs. 172 y 173; Díez-Picazo y Ponce de León, L., "Autonomía Privada...", ob. cit., págs. 327 y 328; Miquel González, J., ob. cit., pág. 217; Fernández de Buján, A., *Derecho Privado Romano*, ob. cit., pág. 393.

350   Díez-Picazo y Ponce de León, L., "Autonomía Privada...", ob. cit., págs. 328 y 329. También en este sentido, Biondi, B., *Las servidumbres...*, ob. cit., pág. 374; Tiby, M., "Servitù", ob. cit., pág. 307; Rebolledo Varela, A. L., "Concepto y caracteres" en *Tratado de Servidumbres T. I Régimen de las servidumbres en el Código Civil* (coord. Rebolledo Varela, A. L.), 3ª ed., Aranzadi, Cizur Menor, 2013, págs. 64 y 65. En cierta medida, González Porras, aunque en el caso del derecho real de servidumbre admite la posibilidad de que la utilidad sea pasajera, siempre y cuando no se consuma en un único acto. González Porras, J. M., notas a Biondi, *Las servidumbres...*, ob. cit., pág. 379.

351   Díez-Picazo y Ponce de León, L., "Autonomía Privada...", ob. cit., págs. 328 y 329. Para fundamentar su tesis el autor se apoya en la STS 13 noviembre 1929, en el cual se pone de relieve que la prestación a la que queda afectada el fundo sirviente ha de ser "*por modo definitivo, permanente y fijo, como todo derecho real, no en el sentido de perpetuo, sino temporal, mientras dure el gravamen, con relación a la misma cosa, como derecho in re que no dependa de pactos bilaterales y recíprocos u otras circunstancias que la hagan movible, inestable y provisional*". El texto de este pronunciamiento se ha consultado en la obra arriba citada, concretamente en la pág. 326.
En la misma línea, Biondi apunta, en relación con las servidumbres atípicas, que es precisamente la utilidad la que permite la construcción de este tipo de figuras y la que justifica que se grave un fundo que, de otro modo, se hallaría libre de cargas. Biondi, B., *Las servidumbres...*, ob. cit., pág. 259. Así, se pone el acento en la necesidad de que los derechos que se creen con un fin específico, ya que "...el poder que implica un derecho subjetivo se concede *por y para algo*, lo que tiene su aplicación en el supuesto de las servidumbres en el concepto romano de la *utilitas*". Batista Montero-Ríos, J., "Las servidumbres en favor de edificio futuro y la adquisición de apartamentos en el edificio a construir", *R.D.P.*, marzo 1962, pág. 192.

que no se encuentran tipificados[352]. No es de extrañar, por tanto, que se haya afirmado, en relación con la servidumbre, que *"su existencia y su ejercicio han de someterse, como todo derecho, a la necesidad, a la pervivencia de la "causa servitutis", en suma, a la función social..."*[353].

4.3. El orden público

Al igual que ocurría con la moral y con otros muchos conceptos fundamentales para el funcionamiento de nuestro ordenamiento jurídico, el Código civil no solo no nos ofrece una definición clara de lo que se debe entender por orden público[354], sino que, además, hace alusión al mismo en preceptos que recogen supuestos muy diversos entre sí[355]. Ello explica, en gran medida, que la mayor parte de los

---

[352]   Díez-Picazo y Ponce de León, L., "Autonomía Privada...", ob. cit., págs. 328 y 329. Sobre este particular nos resulta muy útil la reflexión realizada por Caterini, quien ha manifestado que las relaciones jurídico-reales se hallan vinculadas a la permanencia de la *utilitas*, en tanto en cuanto esta forma parte del objeto de las mismas. Caterini, E., *Il principio di legalità nei rapporti reali*, Edizioni Scientifiche Italiane, Napoli, 1998, págs. 109 y 110.

[353]   SAP Barcelona (Sección 17ª) 6 mayo 2004 (TOL462.230). En igual sentido, SAP Tarragona (Sección 3ª) 13 marzo 2012 (TOL2.580.413); SAP Tarragona (Sección 3ª) 4 septiembre 2012 (TOL2.728.849).

[354]   Según señaló Acedo Penco, el concepto de orden público aparecía plasmado en diversas normas de nuestro ordenamiento, sin que ninguna de ellas ofreciese una definición del mismo. Acedo Penco, A., "El orden público actual como límite a la autonomía de la voluntad en la doctrina y la jurisprudencia", *Anuario de la Facultad de Derecho* núm. 14-15, 1996-1997, pág. 390. Debe destacarse, sin embargo, que esta afirmación se ha visto matizada, ya que, aunque la legislación estatal sigue sin recoger una noción clara de lo que ha de entenderse por orden público, la Compilación de Derecho Civil Foral de Navarra ha venido a plasmar, a partir de la reforma acometida en el año 2019, lo que, a grandes rasgos, se entiende que debería quedar comprendido dentro del límite del orden público (Ley 7 FNN).

[355]   Torres García realiza una compilación la mayor parte de preceptos del Código civil que se refieren expresamente a la noción de orden público, como son los arts. 1.3, 6.2, 12.3, 21.2, 594 y 1255 Cc (aunque la autora no lo menciona, también podría citarse como ejemplo el art. 16.1 Cc). De este modo, Torres García hace especial hincapié en que parte de la complejidad que se encuentra a la hora de hallar una definición de orden público reside en el hecho de que el legislador decimonónico en su día utilizó esta expresión para aludir a cuestiones jurídicas muy diversas entre sí (correcto desenvolvimiento de costumbre, restricción a la renuncia de derechos, aspectos relacionados con la obtención de la nacionalidad, entre otras). Torres García, T. F., ob. cit., pág. 94.

estudios que la doctrina ha realizado sobre el papel del orden público como límite que se impone a la autonomía privada suelan comenzar por afirmar que, a pesar de su relevancia[356], se trata de una noción difícil de delimitar[357], hasta el punto de que De Castro ha señalado que se viene considerando tradicionalmente "...como una figura enigmática e imposible de ser definida"[358].

La labor de tratar de hallar una definición de orden público se complica, al igual que en el caso examinado de la moral, por la constante confusión que existe respecto de otras figuras afines, que, como señala Acedo Penco[359], suelen ser el interés público[360], la ley[361], la

---

Lacruz habla de una "...notable imprecisión en el lenguaje legislativo". Lacruz Berdejo, J. L. *et al.*, *Elementos de Derecho Civil I Parte General Vol. III...*, ob. cit., pág. 139.

[356] En relación con el Derecho contractual, Andrés Santos afirma que todos los ordenamientos jurídicos de corte romanista sancionan con la ineficacia a los contratos que transgredan, de un modo u otro, el orden público, sin perjuicio de reconocer que esta máxima no siempre se manifiesta de la misma manera (reconocimiento expreso o tácito) ni con el mismo alcance. Véase Andrés Santos, F. J., "Los límites a la autonomía...", ob. cit., pág. 78.

[357] En este sentido, Espín Cánovas, D., "Los límites de la autonomía...", ob. cit., pág. 15. Entre los muchos autores que destacan la dificultad de acercarse a la noción de orden público pueden citarse a Pérez Hereza, J., Sáez-Santurtún Prieto, J., y Marqués Mosquera, C., ob. cit., pág. 485; Cano Tello, C.A., "El Derecho civil, cauce y límite de la autonomía privada", ob. cit., pág. 797; Díez-Picazo y Ponce de León, L. y Gullón Ballesteros, A., *Sistema de Derecho Civil Vol. I...*, ob. cit., pág. 312; Gordillo Cañas, A., Voz "Orden público" en *Enciclopedia Jurídica Básica Vol. III*, Civitas, Madrid, 1995, pág. 4635; Parra Lucán, M.ª A., "La autonomía privada en...", ob. cit., pág. 40; Oliva Blázquez, F., "Límites a la autonomía...", ob. cit., pág. 334; Alonso Pérez, M., ob. cit., págs. 329-331.

[358] De Castro y Bravo, F., "Notas sobre las limitaciones intrínsecas...", ob. cit., pág. 1023.

[359] Acedo Penco, A., ob. cit., págs. 330 y ss.

[360] Desde la perspectiva de Acedo Penco, la equiparación entre orden público e interés público no resulta del todo acertada, en tanto el autor sostiene que, aunque es cierto que el orden público salvaguarda el interés general, también permite garantizar, de algún modo, los intereses de los particulares, ya que estos podrán invocarlo para protegerse de determinadas actuaciones de los poderes públicos. Acedo Penco, A., ob. cit., pág. 332. En parecido sentido, Doral García, J. A., *La noción de orden público en el Derecho civil español*, Ediciones Universidad de Navarra, Pamplona, 1967, págs. 57 y 58.

[361] La identificación entre la ley y el orden público ha sido ampliamente defendida por la Escuela exegética francesa, como se ha puesto de relieve en Espín Cánovas, D., "Las nociones de orden público y buenas costumbres como límites de la autono-

moral o, lo que es lo mismo, las buenas costumbres[362] y, sobre todo,

---

mía de la voluntad en la doctrina francesa", *A.D.C.* fasc. III, 1963, págs. 786-790 y 816-817. También un sector de la doctrina española parece haberse inclinado en el sentido señalado, según pone de relieve Acedo Penco, A., ob. cit., pág. 334. No obstante lo anterior, la mayor parte de la doctrina moderna parece mostrarse a favor de mantener la separación entre las nociones de ley y orden público como categorías jurídicas autónomas, ya que se estima que las leyes imperativas no siempre implican una norma de orden público. Véase Doral García, J. A., *La noción de orden público...*, ob. cit., pág. 29; Luna Serrano, A., "El límite del orden público en la constitución de servidumbres prediales", *A.A.M.N.* T. XXV, 1996, págs. 278-280; Martínez de Aguirre Aldaz, C., "Contenido y eficacia del contrato", ob. cit., pág. 410; Díez-Picazo y Ponce de León, L., "Comentario al artículo 1255", ob. cit., pág. 432; De Castro y Bravo, F., "Notas sobre las limitaciones intrínsecas...", ob. cit., pág. 1032; Pérez Hereza, J., Sáez-Santurtún Prieto, J., y Marqués Mosquera, C., ob. cit., pág. 485; Acedo Penco, A., ob. cit., págs. 332 y ss.; Alonso Pérez, M., ob. cit., pág. 331; Blanco, A. E., ob. cit., págs. 74 y 75. Debe tenerse en cuenta, asimismo, que la STS 7 julio 2006 (TOL984.842) señala que el orden público es un *"concepto de gran dificultad e imprecisión, que no es exactamente coincidente con el de norma imperativa, especialmente por cuanto muchas normas imperativas no se refieren ni a la "organización de la comunidad ni a sus principios fundamentales y rectores", y porque en determinadas materias comprendidas dentro del ámbito señalado no se requiere un carácter imperativo expreso para que queden sustraídas a la disponibilidad de los particulares, como ha señalado la más autorizada doctrina"*. En igual sentido, la SAP Madrid (Sección 28ª) 3 febrero 2011 (TOL2.090.476). Desde el punto de vista de López y López, la principal diferencia entre ley imperativa y orden público reside en que, aunque este último se deduce del Derecho positivo, se refiere, más bien, a principios que anidan en el ordenamiento, mientras que las leyes imperativas son normas recogidas expresamente. López y López, A. M., "Comentario al artículo 1255", ob. cit., pág. 579.

[362] Parte de esta confusión se atribuye al hecho de que en el BGB se emplea el término buenas costumbres, en vez del de orden público previsto en el Proyecto, y a que en el ABGB se habla de buenas costumbres y no de orden púbico. Oliva Blázquez, F., "Límites a la autonomía...", ob. cit., pág. 334; De Castro y Bravo, F., "Notas sobre las limitaciones intrínsecas...", ob. cit., pág. 1035. De este modo, la doctrina se divide entre aquellos que entienden que buenas costumbres y orden público son conceptos equivalentes (tesis monista) y entre quienes defienden la autonomía de ambas categorías (tesis dualista). Espín Cánovas, D., "Las nociones de orden público...", ob. cit., págs. 800 y ss. Debe destacarse, sin embargo, que, como apuntábamos más arriba, en la actualidad la tesis mayoritaria, al menos en nuestro Estado, es la de mantener la separación entre buenas costumbres, entendida como moral, y orden público. Entre los autores que sostienen esta postura pueden citarse aquí a López y López, A. M., "Comentario al artículo 1255", ob. cit., pág. 579; Pérez Hereza, J., Sáez-

los principios generales del derecho[363].

A lo anterior debe añadirse el hecho de que, al igual que la moral, se trata de una expresión variable o dinámica[364], flexible[365] y amplia[366]. De este modo, el concepto de orden público no solo es distinto

---

[363]   Santurtún Prieto, J., y Marqués Mosquera, C., ob. cit., pág. 485; Torres García, T. F., ob. cit., pág. 95; Acedo Penco, A., ob. cit., págs. 336 y ss.
Luna Serrano estima que identificar el orden público con los principios generales del derecho es una tesis excesivamente genérica. Luna Serrano, A., "El límite del orden público en la constitución de servidumbres prediales", ob. cit., pág. 278. Desde nuestra perspectiva, parece más exacta la postura de Acedo Penco, quien sostiene que no puede incurrirse en el equívoco de confundir el orden público con los principios generales del derecho, en tanto en cuanto, según su opinión, a estos últimos les falta esa nota esencialidad que caracteriza a los principios que componen el orden público. De este modo, el autor entiende que el orden público se refiere, más bien, al conjunto de principios básicos o fundamentales por los que se rige una determinada comunidad, los cuales, teniendo en cuenta la realidad socioeconómica, pueden ser deducidos de la Carta Fundamental de cada Estado. Acedo Penco, A., ob. cit., pág. 342.
Lo anterior no significa que el orden público no pueda corresponderse, en ciertos supuestos, con un principio general del derecho, pero esta identidad no existirá siempre. En aquellos casos en los que exista esta coincidencia "...dichos principios fundamentales y rectores de la organización de la comunidad actuarán como límite a la autonomía negocial y, además, como fuente normativa del ordenamiento jurídico con arreglo al art. 1.4 CC...". (Pérez Hereza, J., Sáez-Santurtún Prieto, J., y Marqués Mosquera, C., ob. cit., pág. 486.

[364]   Así, se señala que "...el concepto de orden público sería móvil, al igual que los principios rectores que lo conforman". Pérez Hereza, J., Sáez-Santurtún Prieto, J., y Marqués Mosquera, C., ob. cit., pág. 486. En sentido similar, Doral García, J. A., *La noción de orden público...*, ob. cit., págs. 48 y ss.; Lacruz Berdejo, J. L. *et al.*, *Elementos de Derecho Civil I Parte General Vol. III...*, ob. cit., pág. 138; Acedo Penco, A., ob. cit., págs. 346 y 347; Espín Cánovas, D., "Los límites de la autonomía...", ob. cit., págs. 20 y 21; Quesada Sánchez, A. J., "La autonomía de la voluntad y el contrato" en *Conceptos Básicos de Derecho Civil* (coords. Ruiz-Rico, J. M. y Moreno Torres Herrera, M. L.), 3ª ed., Tirant Lo Blanch, Valencia, 2009, pág. 142.

[365]   Lacruz describe el orden público como una noción de carácter flexible. Lacruz Berdejo, J. L. *et al.*, *Elementos de Derecho Civil I Parte General Vol. III...*, ob. cit., pág. 138. En igual sentido, Espín Cánovas, D., "Los límites de la autonomía...", ob. cit., págs. 20 y 21; Acedo Penco, A., ob. cit., págs. 346 y 347.

[366]   La amplitud del concepto de orden público se encuentra estrechamente relacionada con el carácter cambiante del término. De este modo, "la variabilidad del orden público se muestra en la actualidad en un sentido continuamente progresivo o amplificador, es decir, invadiendo campos que nunca tuvieron ese carácter". Espín Cánovas, D., "Los límites de la autonomía...", ob. cit., pág. 21.

según la época que se tome como referencia[367], sino que, además, es empleado en muy diversos sentidos tanto en el plano jurídico[368] (or-

---

[367]   Así, la STS 27 noviembre 2002 (TOL1.709.799), refiriéndose al concepto de orden público, resalta que se trata de una noción *"...de no fácil definición, no ya solamente por su difícil concreción desde un punto de vista conceptual, sino por el sentido que se le ha venido atribuyendo a tenor de las distintas etapas de la vida pública del país"*. Se pronuncia en los mismos términos la STS 17 febrero 2003 (TOL1.710.568).
Siguiendo el hilo de lo anterior, podemos destacar que, por ejemplo, el art. 1 de la ya derogada Ley 45/1959, de 30 de julio, de Orden Público establecía que *"el normal funcionamiento de las Instituciones públicas y privadas, el mantenimiento de la paz interior y el libre y pacífico ejercicio de los derechos individuales políticos y sociales, reconocidos en las Leyes constituyen el fundamento del orden público"*.

[368]   Así, la *"...*diversidad de materias afectadas por el orden público, hace que se hable en la doctrina de diversas clases o subespecies del orden público, como las de orden estatal, fiscal, monetario, penal y civil". Espín Cánovas, D., "Los límites de la autonomía...", ob. cit., pág. 22. Véase, asimismo, Blanco, A. E., ob. cit., págs. 73 y 74.

La autonomía privada en la construcción de derechos reales atípicos...

307

den público constitucional[369], orden público internacional[370], orden público económico[371], entre otros) como fuera de él[372].

---

[369] Bercovitz parece apuntar que no se puede reducir la noción de orden público al orden público constitucional, ya que aquella es más amplia que esta. Bercovitz Rodríguez-Cano, R., "Comentario al artículo 1255", ob. cit., pág. 1479. Así, se ha señalado que "hoy día, de la Constitución cabe deducir la existencia de un orden público constitucional, constituido de principios fundamentales derivados del conjunto de valores que inspiran la Constitución (respeto a los derechos fundamentales, respeto a la libertad de empresa, al derecho a contraer matrimonio, etc.)". Quesada Sánchez, A. J., ob. cit., pág. 142.

[370] En cuanto a las diferencias entre el orden público interno y el orden público internacional, véase Espín Cánovas, D., "Los límites de la autonomía...", ob. cit., pág. 23.

[371] La doctrina señala que la primera referencia a esta noción se encuentra recogida en la Exposición de Motivos de la Ley 110/1963, de 20 de julio, de represión de prácticas restrictivas de la competencia. Oliva Blázquez, F., "Límites a la autonomía...", ob. cit., pág. 337 nota al pie núm. 170. Así, en el mencionado cuerpo legal se establecía que "con la presente Ley viene a delimitarse uno de los aspectos mas importantes del orden público, adjetivándole dentro de un sistema administrativo de economía libre y configurando así un orden público económico".
El concepto de orden público económico no parece, sin embargo, haber sido aclarado por la dicción de la norma transcrita en el párrafo anterior. De ahí que varios autores hayan enunciado distintas teorías acerca de su posible significado. Entre ellos, De Castro entiende que el orden público económico es un concepto distinto del orden público jurídico. De Castro y Bravo, F., "Notas sobre las limitaciones intrínsecas...", ob. cit., págs. 1047 y ss.
Bajo nuestra perspectiva, el orden público económico se trata, más bien, de una parcela de lo que se conoce como orden público general. De este modo, parece que lo más adecuado es afirmar que nos referimos a los principios fundamentales del sistema económico de una determinada sociedad (Díez-Picazo y Ponce de León, L. y Gullón Ballesteros, A., Sistema de Derecho Civil Vol. I..., ob. cit., pág. 313; Pérez Hereza, J., Sáez-Santurtún Prieto, J., y Marqués Mosquera, C., ob. cit., pág. 487) dentro del marco establecido por nuestra Constitución (Alonso Pérez, M., ob. cit., pág. 333 nota al pie núm. 254).

[372] La doctrina resalta el hecho de que la expresión orden público no solo es empleada en el plano jurídico, sino que, además, es utilizada en un sentido vulgar. López y López, A. M., "Comentario al artículo 1255", ob. cit., pág. 579. Así, "en el lenguaje usual el término orden público hace referencia a los disturbios, alborotos o sucesos que trascienden del ámbito particular y alteran la normalidad de la paz ciudadana". Acedo Penco, A., ob. cit., pág. 327. En igual sentido, Martínez de Aguirre señala que "...el orden público al que se refiere el art. 1255 Cc, por un lado se diferencia del sentido corriente de la expresión (tranquilidad y paz exteriores en la convivencia social)...". Martínez de Aguirre Aldaz, C., "Contenido y eficacia del contrato", ob. cit., pág. 410.

En los últimos años tanto la doctrina civilista como la propia jurisprudencia han desarrollado dos posibles tesis en cuanto significado de la noción de orden público se refiere[373]. Así, encontramos, de un lado, a quienes sostienen que el orden público, como límite a la autonomía privada, debe entenderse como un conjunto de principios básicos que rigen en una comunidad en un momento dado[374]; y, de otro, a quienes defienden que esta figura comprende aquellas normas de carácter constitucional que se refieren a los derechos fundamentales y a la dignidad de la persona[375]. Ninguna de estas tesis nos parece, sin embargo, satisfactoria desde el punto de vista científico, ya que, en nuestra opinión, la primera parece obviar el marco constitucional en el que se fundamenta la base de nuestro ordenamiento jurídico y la segunda a) tiende a establecer una identificación entre el derecho

---

Siguiendo el hilo de lo anterior, cabe destacar que el significado vulgar de orden público se recoge, incluso, en el Diccionario del Español Jurídico, el cual plasma, entre otros significados, el de "orden en la calle" o "situación que permite el pacífico ejercicio de los derechos y el cumplimiento de las obligaciones, asegurando la pacífica convivencia".

[373] La STS 21 marzo 2013 (TOL3.707.320) se refiere a este fenómeno, recogiendo, además, una tercera tesis que se encuentra, más bien, vinculada al ámbito societario.

[374] En este sentido parecen pronunciarse Lacruz Berdejo, J. L. *et al., Elementos de Derecho Civil I Parte General Vol. III...*, ob. cit., pág. 138; López y López, A. M., "Comentario al artículo 1255", ob. cit., pág. 579; García Vicente, J. R., "Comentario al artículo 1255" en *Comentarios al Código Civil T. VI* (dir. Bercovitz Rodríguez-Cano, R.), Tirant Lo Blanch, Valencia, 2013, pág. 9017.
Por lo que se refiere a la jurisprudencia, en la STS 5 abril 1966 (RJ\1684\1966) se indica que el orden público nacional "...*está integrado por aquellos principios jurídicos, públicos y privados, políticos, económicos, morales e incluso religiosos, que son absolutamente obligatorios para la conservación del orden social en un pueblo y en una época determinada*". Esta forma de concebir el orden público se reproduce en la STS 31 diciembre 1979 (TOL1.740.952) y, en la más reciente, STS 30 mayo 2007 (TOL1.106.780).

[375] Ello explica que la Exposición de Motivos de la ya derogada Ley de Arbitraje de 1988 estableciese que el concepto de orden público "...*habrá de ser interpretado a la luz de los principios de nuestra Constitución*". Con más detalle en Acedo Penco, A., ob. cit., págs. 370-371.
Díez-Picazo afirma que "pertenecen en la actualidad al orden público del art. 1255 las materias estrictamente situadas dentro del orden público constitucional (p.ej., la dignidad de la persona, sus libertades básicas, su derecho a la igualdad y a la no discriminación)...". Díez-Picazo y Ponce de León, L., "Comentario al artículo 1255", ob. cit., pág. 432.

positivo constitucional y la noción de orden público[376]; b) limita el alcance de esta figura a aquellos preceptos contenidos en la Sección primera del Capítulo segundo del Título primero de nuestra Carta Fundamental[377] y c) su interpretación estricta supone olvidar que la inserción en la Unión Europea y el proceso de internacionalización

---

[376] Acedo Penco, A., ob. cit., pág. 360.

[377] En la SAP Alicante (Sección 4ª) 15 junio 1993 (LA LEY 2897/1993) se señaló que *"respecto al concepto de orden público, conviene precisar que, según la sentencia de 19 de diciembre de 1930, la autónoma voluntad de los contratantes es fuente preferente para resolver las cuestiones que afectan a la convenciones, en todo lo que no se oponga al «orden social, al amparo de las leyes prohibitivas y a la soberanía del territorio donde se pide su ejecución», por lo que el concepto de orden público se confunde con el orden constituido dentro del territorio del Estado. Concepto este que amplía la sentencia de 5 de abril de 1956, que amplía el concepto a «los principios de derecho nacional que éste considera intangibles dentro del territorio de su soberanía; principios públicos y privados, políticos, económicos, morales e incluso religiosos, absolutamente obligatorios para la conservación del orden social de un pueblo y en una época determinada», lo cual, en el fondo, viene a ratificar la idea de imperium que late en estas dos concepciones del orden público, cuyo concepto ha evolucionado, modernamente, partiendo del supuesto de que se trata de un concepto indeterminado, por ello la jurisprudencia, sentencias de 13 de febrero de 1985 y 26 de octubre de 1990, determina que infringe el orden público quien conculca los derechos fundamentales y libertades públicas garantizados por la Constitución Española...".*
En la SAP Islas Baleares (Sección 3ª) 14 febrero 1992 (LA LEY 3782/1992) se adujo que el apartado 5 del art. 45 de la Ley de Arbitraje de 1988 *"recoge el motivo de anulación del laudo por infracción del orden público: contemplado éste conforme a la Constitución, según previene la Exposición de Motivos, incluye toda vulneración de los derechos y libertades fundamentales, interpretadas a la luz de la Jurisprudencia del Tribunal Constitucional, que el texto de aquélla consagra".*
También en la SAP Valladolid (Sección 1ª) 20 febrero 1991 (LA LEY 4123/1991) se dice que *"el concepto de orden público que aquí puede hacerse valer, conforme indica la propia exposición de motivos de la Ley 36/88, debe ser el que se infiera de los principios de nuestra Constitución cuyo intérprete máximo es el Tribunal Constitucional. Así podemos afirmar que, en el sentido material, un Laudo será atentatorio al orden público cuando vulnera los derechos y libertades reconocidas en el capítulo II Título 1º de nuestra Ley fundamental; y, en el aspecto procesal (Sentencia del Tribunal Constitucional 43/1986 de 15 de abril), cuando el Laudo se ha dictado vulnerando los derechos fundamentales y libertades públicas garantizadas a través del art. 24".*
Es claro que en los dos últimos supuestos se está haciendo referencia al orden público en el ámbito del arbitraje y no como límite a la autonomía privada, pero no por ello estas resoluciones dejan de ser útiles para mostrar que se produce la reducción de la noción de orden público al campo de los derechos fundamentales.

conducen "a una complejidad y mutabilidad en el contenido de lo que se admite que puede integrar el orden público"[378].

Desde nuestra perspectiva, el concepto de orden público como límite a la autonomía privada ha de ser entendido, en un sentido amplio, como el conjunto de principios básicos de una determinada comunidad en un momento dado dentro del marco de referencia brindado por la Constitución, lo que no supone que se esté estableciendo una equiparación entre las normas expresamente recogidas en el texto constitucional y orden público, ni que este se reduzca a los derechos fundamentales[379].

Esta concepción amplia de orden público nos parece la más acorde con la propia naturaleza de la figura, ya que la ventaja de contar con un concepto jurídico indeterminado es precisamente la de que su amplitud permita adaptar el Derecho a las nuevas necesidades[380]. De este modo, su configuración como cláusula general requerirá una tarea de concreción que corresponderá, lógicamente, al juzgador[381].

---

[378] Parra Lucán, M.ª A., "La autonomía privada en…", ob. cit., pág. 40.

[379] Según la SAP Barcelona (Sección 15ª) 18 marzo 1991 (LA LEY 4669/1991) *"el orden público (…) ha de entenderse en el sentido amplio de conjunto de principios o directivas que, en cada momento histórico, integran la estructura de un orden jurídico justo según las convicciones de la colectividad, las cuales ha de seguir el legislador al redactar la norma y, en último caso, el Juez al resolver los conflictos, tanto si aparecen positivados por medio de las llamadas normas de orden público, cogentes o inderogables por los particulares, sea la Constitución, norma jerárquicamente suprema -así arts. 14 y siguientes-, sean las leyes ordinarias, como si, afectando a la esencia de la institución de que se trate o al cur (sic) de su tutela jurídica, no lo están pero se obtienen de un proceso de generalización de las normas o de la Jurisprudencia complementaria".*

[380] En la SAP Barcelona (Sección 15ª) 11 junio 2000 (LA LEY 120025/2000) se afirma que *"el concepto de orden público, en cuanto cláusula general o válvula del ordenamiento, está precisado de una adecuada integración, que no puede efectuarse sin tener en cuenta la función que está llamado a cumplir en cada caso".* En similar sentido, Gordillo Cañas señala, en relación con el orden público, que se trata de *"…un concepto cuya utilidad radica justamente en su indeterminación".* Gordillo Cañas, A., Voz "Orden público", ob. cit., pág. 4635.

[381] Como señala Parra Lucán, "dada la amplitud y el carácter abierto de los conceptos que se utilizan para describir los límites a la autonomía, resulta preciso ir más allá de las declaraciones solemnes para llevar a cabo una concreción de hasta dónde llega en cada ámbito la ponderación y el equilibrio entre la autonomía y los principios que justifican su limitación". Parra Lucán, M.ª A., "La autonomía privada en…", ob. cit., pág. 49.

Siguiendo el hilo de lo anterior, nos parece adecuada la postura adoptada por el legislador navarro en cuanto a la modificación de la Ley 7 FNN. En este sentido, la Ley Foral 21/2019, de 4 de abril, de modificación y actualización de la Compilación del Derecho Civil Foral de Navarra o Fuero Nuevo, se decanta por plasmar una noción amplia de lo que ha de entenderse por orden público. De este modo, la vigente Ley 7 FNN estipula que *"se entienden comprendidos en el límite del orden público, entre otros, la efectividad de los derechos humanos, el fundamento de las instituciones jurídicas y la tutela de los valores inherentes al sistema democrático y social constitucionalmente consagrado"*.

En este punto resulta crucial para nuestro estudio analizar, primeramente, si el orden público puede actuar como límite a la autonomía privada en sede de derechos reales y, en caso afirmativo, examinar, con posterioridad, cuál sería su alcance.

Por lo que se refiere al primero de los puntos a tratar, debe señalarse que, aunque es cierto que no existe una norma expresa que se pronuncie a favor de la configuración del orden público como límite a la autonomía privada en sede de derechos reales, un sector de la doctrina más solvente no duda en apoyar tal posibilidad[382]. En este sentido, puede decirse que estos argumentos no descansan tanto en la interpretación conjunta de los arts. 1255 y 594 Cc[383] como, al

---

[382]　Díez-Picazo y Ponce de León, L., "Autonomía Privada...", ob. cit., págs. 322 y 323; Román García, A., ob. cit., pág. 184; Santos Briz, J., *Derecho Civil. Teoría y Práctica T. II...*, ob. cit., pág. 22; Blasco Gascó, F. de P., *Instituciones de Derecho Civil...*, ob. cit., pág. 31; Otero y Valentín, J., "Límites generales en la determinación de derechos reales", ob. cit., pág. 99.
　　Peralta Mariscal, aunque parece mostrarse a favor del *numerus clausus* de los derechos reales, señala, en relación con esta clase de derechos, que "el derecho que se está constituyendo debe respetar las normas de cierre del sistema, como la prohibición de violar la moral, el orden público y las buenas costumbres". Peralta Mariscal, L. L., ob. cit., pág. 2677.

[383]　Según la RDGRN 14 mayo 1984 (TOL962.738) "...*la posibilidad de numerus apertus dentro del campo de los derechos reales -de la que existe abundante jurisprudencia de este Centro- es más palpable en materia de servidumbres prediales, donde aparece claramente establecida en los artículos 536 y 594 del Código Civil, que sobre la base del principio de autonomía de la voluntad recogida en el artículo 1255 del mismo Cuerpo legal, autoriza la constitución de servidumbres siempre que no contravengan la Ley ni el orden público...*".

igual que hemos puesto de relieve en relación con la ley y la moral, en el propio funcionamiento de nuestro ordenamiento y del sistema de Derecho patrimonial[384]. De este modo, la construcción de figuras de carácter real ajenas a las previstas en el ordenamiento no puede afectar en ningún caso al orden público, entendido este en sentido general, aunque obviamente, por razón de la materia, la doctrina se refiera concretamente al orden público económico[385].

---

[384] Así, en la RDGRN 23 octubre 1987 (LA LEY 4230/1987) se puso de manifiesto, asimismo, que "*en la configuración de los derechos reales predominan, en cambio, los criterios de orden público, sin negar totalmente el juego de la autonomía de la voluntad; ello es consecuencia de la propia naturaleza del dominio y de los derechos reales, pues tienen trascendencia erga omnes y afectan directamente al estatuto jurídico del aprovechamiento y circulación de los bienes y, por tanto, a la economía de la nación*". En igual sentido, la RDGRN 26 octubre 1987 (LA LEY 95848-NS/0000).

En la RDGRN 21 diciembre 2007 (RJ\2008\2086) se ha señalado, asimismo, que, aún debiendo admitirse la constitución de figuras jurídico-reales atípicas, "*...esta libertad tiene que ajustarse a determinados límites y respetar las normas estructurales (normas imperativas) del estatuto jurídico de los bienes, dado su significado económico político y la trascendencia erga omnes de los derechos reales, de modo que la autonomía de la voluntad debe atemperarse a la satisfacción de determinadas exigencias, tales como la existencia de una razón justificativa suficiente, la determinación precisa de los contornos del derecho real, la inviolabilidad del principio de libertad del tráfico, etc. (cfr. Resoluciones de 5 de junio, 23 y 26 de octubre de 1987 y 4 de marzo de 1993).*

Estos límites alcanzan especial significación en relación con la hipoteca, pues se imponen en defensa del deudor y en aras de la facilidad de tráfico jurídico inmobiliario, del crédito territorial y, en definitiva, del orden público económico". En igual sentido, RDGRN 19 mayo 2008 (TOL1.322.353) y la RDGRN 8 junio 2011 (TOL2.216.269).

[385] De este modo, Bercovitz ha señalado, que "la discusión en torno a la existencia de un *numerus apertus* o de un *numerus clausus* de derechos reales incide directamente en nuestro orden público económico". Bercovitz Rodríguez-Cano, R. en *Manual de Derecho Civil...*, ob. cit., pág. 29. En igual sentido, Rivero Hernández, F., "La autonomía privada en...", ob. cit., pág. 1334.

Asimismo, tanto autores que han estudiado el artículo 1255 Cc (García Vicente, J. R., ob. cit., pág. 9017), como el art. 594 Cc (Torres Lana, J. A., "Comentario al artículo 594" en *Código Civil. Doctrina y Jurisprudencia T. II* (dirs. Albácar López, J. L. y Torres Lana, J. A.), 2ª ed., Trivium, Madrid, 1991, pág. 1016) señalan que el orden público económico actúa como límite a la autonomía privada.

Debemos destacar aquí que la expresión orden público económico nos resulta más adecuada que la que utiliza algún autor de orden público inmobiliario. En este sentido, se ha dicho que el orden público inmobiliario se compone de deter-

En cuanto al papel del orden público como límite a la autonomía privada en sede de derechos reales, puede decirse que tiene una función eminentemente garantista, es decir, que tiene como principal finalidad la de evitar la violación de una serie de principios básicos relacionados con el Derecho de Cosas[386], como puede ser, por ejemplo, que se respete el principio de libertad de tráfico de bienes[387]. En este

minados "...aspectos que, aunque predicables de todas las relaciones jurídicas, incluso las obligacionales, inciden de modo importante en el campo de las relaciones jurídico reales inmobiliarias, hasta constituir una aplicación específica del concepto de orden público". Fernández-Golfín Aparicio, A., Rivas Martínez, J. J., y Rodríguez Poyo-Guerrero, J-M., ob. cit., pág. 21. Por nuestra parte preferimos, como se ha señalado, emplear la expresión orden público económico, en tanto en cuanto nos parece que la referencia al orden público inmobiliario se halla relacionada, más bien, con el ámbito registral, sin tener en cuenta que en nuestro sistema los derechos reales pueden tener vida al margen del Registro de la Propiedad.

[386]   Lalaguna señala que "la función del orden público como límite de la libertad contractual es una función de garantía: proteger las condiciones favorables al ejercicio normal de la libertad de la persona en el campo de la contratación". Lalaguna Domínguez, E., ob. cit., pág. 891. Entendemos que esta afirmación es trasladable al campo de los derechos reales, desempeñando el orden público, en este caso, la particular tarea de garantizar que no se vulneren principios fundamentales del Derecho de Cosas.

Creemos que esta idea es algo similar a la que se trata de exponer en Fernández-Golfín Aparicio, A., Rivas Martínez, J. J., y Rodríguez Poyo-Guerrero, J-M., ob. cit., págs. 19 y ss. Debe advertirse, sin embargo, que los autores se refieren a lo que ellos consideran determinados principios relacionados con el orden público y económico inmobiliario. No obstante, la idea de concretar el orden público como límite a la autonomía privada en determinados principios básicos del ordenamiento es exactamente lo que desean trasmitir.

Por su parte, Caterini, aunque parece mostrarse aún a favor de la tesis del *numerus clausus*, recalca que el orden público se erige como instrumento de control de los intereses individuales en aras de proteger determinados valores o principios básicos. Caterini, E., ob. cit., pág. 69.

[387]   Véase Pérez Hereza, J., Sáez-Santurtún Prieto, J., y Marqués Mosquera, C., ob. cit., pág. 489. En efecto, la alusión a la necesidad de que los derechos reales atípicos respeten la libertad en el tráfico y no impongan excesivos vínculos a la propiedad son constantes en la doctrina de la Dirección General de los Registros y del Notariado. Así, pueden citarse, entre otros pronunciamientos, RDGRN 4 enero 1927 (LA LEY 1/1927); RDGRN 5 junio 1987 (RJ\1987\4835); RDGRN 21 diciembre 2007 (RJ\2008\2086); RDGRN 19 mayo 2008 (TOL1.322.353); RDGRN 12 mayo 2010 (TOL1.891.883); RDGRN 8 junio 2011 (TOL2.216.269); RDGRN 19 diciembre 2013 (TOL4.076.565); RDGRN 24 octubre 2014 (TOL4.558.460); RDGRN 18 febrero 2016 (TOL5.668.977); RDGRN 18 mar-

punto debe traerse a colación el razonamiento realizado por Parra Lucán, quien, a propósito del análisis de los límites a la autonomía privada en el ámbito de los derechos reales, afirmó que "la valoración de un principio como de orden público no se dirige a limitar la autonomía privada por razones dogmáticas vinculadas a una figura concreta sino a proteger valores que se consideran determinantes de la organización económica, del interés general o, incluso, de un interés particular cuando se considera digno de protección..."[388]. Se observa, pues, que volvemos a acercarnos, al igual que ocurrió con la moral social, a la idea de control causal[389], punto sobre el que ya nos detuvimos en otro apartado de este trabajo.

---

zo 2016 (RJ\2016\1352); RDGRN 8 noviembre 2018 (TOL6.927.633); RDGRN 13 febrero 2019 (TOL7.098.405); RDGRN 26 abril 2019 (TOL7.211.168); RDGRN 3 septiembre 2019 (TOL7.554.582); RDGRN 25 septiembre 2019 (TOL7.573.407); RDGRN 8 noviembre 2019 (TOL7.593.799); RDGRN 26 noviembre 2019 (TOL7.643.168).

[388] Parra Lucán, M.ª A., "La autonomía privada en...", ob. cit., pág. 56.

[389] García García, J. A., "La autonomía de la voluntad en la creación...", ob cit., págs. 284 y 285; Santos Briz, J., *Derecho Civil. Teoría y Práctica T. II...*, ob. cit., pág. 22. En el mismo sentido parece pronunciarse Méndez González, que, aunque se refiere expresamente a los derechos personales, destaca el papel del orden público como instrumento de control causal en el ámbito jurídico-patrimonial. Méndez González, F. P., ob. cit., pág. 810. Así, nos mostramos de acuerdo con Cerdeira cuando afirma que, por ejemplo, las servidumbres atípicas que carecen de utilidad (de causa) van en contra de la ley y el orden público, a lo que añadiríamos que también irían en contra de la moral social. Cerdeira Bravo de Mansilla, G., "Elementos-esenciales, naturales y accidentales-en las servidumbres prediales", ob. cit., págs. 127 y 131.

Capítulo Tercero
LA AUTONOMÍA PRIVADA Y LAS CATEGORÍAS DE DERECHOS REALES

En el capítulo precedente nos ocupamos de estudiar, desde un punto de vista abstracto, el papel que desempeña la autonomía privada respecto de la creación y modificación de los derechos reales, así como de analizar los límites a los que esta se halla sometida (ley, moral y orden público). No obstante lo anterior, hemos de apuntar, con Díez-Picazo[1], que no parece que pueda darse en esta materia una respuesta apriorística y homogénea, ya que han de tenerse en cuenta las especificidades que rodean a las distintas figuras que componen la categoría dogmática de los derechos reales. De este modo, hemos creído conveniente realizar un estudio, siguiendo la brillante sistematización desarrollada en su día por el citado autor[2], centrado en analizar el juego de la autonomía privada en relación con las distintas clases de derechos reales. En este sentido, abordaremos, primeramente, el examen del desenvolvimiento de la autonomía privada en el ámbito dominical, para después centrar el análisis de la cuestión en los *iura in re aliena*, esto es, los derechos reales de goce y disfrute, los derechos reales de garantía y, por último, los derechos reales de adquisición preferente.

I. AUTONOMÍA PRIVADA Y DERECHO DE PROPIEDAD

1. *La propiedad como derecho típico*

Peña Bernaldo de Quirós apunta con acierto que la propiedad "… es el derecho subjetivo típico, el más característico"[3]. Ello justifica que antes de examinar la posible intervención de la autonomía privada en el ámbito dominical sea necesario analizar el concepto de dominio, de

---

[1]   Díez-Picazo y Ponce de León, L., "Autonomía Privada…", ob. cit., págs. 329 y 330.
[2]   Díez-Picazo y Ponce de León, L., "Autonomía Privada…", ob. cit., págs. 329 y 330.
[3]   Peña Bernaldo de Quirós, M., *Derechos Reales. Derecho Hipotecario T. I*, ob. cit., pág. 192.

un lado, y cuáles son los elementos que caracterizan al derecho típico de propiedad, de otro. Una vez realizado este estudio previo, estaremos en condiciones de pronunciarnos sobre el papel de la autonomía privada en el plano dominical.

1.1. El concepto actual del derecho de propiedad

Desde una perspectiva puramente jurídica[4], el término *propiedad*, como señala Peña Bernaldo, puede ser empleado tanto en un sentido amplio (derechos de carácter patrimonial) como estricto (derecho real conocido con el nombre de dominio)[5]. Por razones evidentes, en este apartado nos centraremos en estudiar la última de estas acepciones, es decir, la propiedad como derecho subjetivo de carácter real, sin perjuicio de que, como la mayor parte de la doctrina[6] y de la legislación que compone nuestro ordenamiento jurídico[7], optemos por emplear indistintamente los términos *propiedad* y *dominio*[8].

---

[4]   La expresión *propiedad* es empleada de forma muy diversa en el lenguaje. Así, como señala Clemente de Diego "propiedad (de *prope*, cerca) significa relación de proximidad en sentido vulgar; en el filosófico vale tanto como atributo o cualidad inherente a una cosa, algo que se predica de una cosa con mayor o menor exclusivismo; (…); en el jurídico indica una relación de pertenencia que se expresa por los posesivos mío, tuyo…, o el genitivo de posesión". Clemente De Diego ob. cit., pág. 372.

[5]   Peña Bernaldo de Quirós, M., *Derechos Reales. Derecho Hipotecario T. I*, ob. cit., págs. 191 y 192. En un sentido similar, Albaladejo García, M., *Derecho Civil III…*, ob. cit., págs. 231 y 232. Nótese que el uso del término *propiedad* para hacer alusión a los derechos patrimoniales en general es bastante frecuente en el derecho anglosajón (*property rights*).

[6]   Por citar alguno de ellos, Espín Cánovas, D., *Manual de Derecho Civil Español Vol. II…*, ob. cit., pág. 69.

[7]   No son pocos los casos en los que la legislación vigente utiliza los términos "propiedad" y "dominio" como si fueran sinónimos. Así, por citar algún ejemplo, el art. 447 Cc establece que "*sólo la posesión que se adquiere y se disfruta en concepto de dueño puede servir de título para adquirir el dominio*"; mientras que el art. 595 Cc dispone que "*el que tenga la propiedad de una finca cuyo usufructo pertenezca a otro, podrá imponer sobre ella, sin el consentimiento del usufructuario, las servidumbres que no perjudiquen al derecho del usufructo*".

[8]   Debe destacarse, sin embargo, que son varios los autores que se muestran a favor de establecer una distinción entre *dominio* y *propiedad*. Así, Clemente de Diego sostiene que el término *propiedad* es más amplio que el de *dominio*, siendo aquella el género y esta la especie. Clemente De Diego ob. cit., pág. 375. En sentido

Debemos destacar aquí que, aunque puede afirmarse que la propiedad ha sido tradicionalmente definida como "el señorío más pleno que se puede tener sobre una cosa"[9], no se trata de un concepto estático[10]. Esta última afirmación explica el notable cambio que se ha producido en la concepción del derecho de propiedad privada desde el pasado siglo hasta nuestros días, motivado en gran parte, y como tendremos la ocasión de comprobar, por la consagración constitucional de este derecho. Desde esta perspectiva, entendemos, con Castán[11], que las principales transformaciones que ha sufrido la noción clásica del derecho de propiedad se las debemos, por un lado, a la decadencia

---

similar, aunque con matizaciones, Puig Brutau, J., *Fundamentos de Derecho Civil T. III Vol. I...*, ob. cit., págs. 141 y ss.; Castán Tobeñas, J., *Derecho Civil Español, Común y Foral T. II Vol. I*, ob. cit., págs. 94 y ss.

[9]   Díez-Picazo y Ponce de León, L. y Gullón Ballesteros, A., *Sistema de Derecho Civil Vol. III T. I*, ob. cit., pág. 142. Además, Miñarro Montoya, R., "La propiedad desde el punto de vista del derecho civil: limitaciones del Derecho de Propiedad" en *Propiedad y Derecho Civil*, Fundación Registral, Colegio de Registradores de la Propiedad y Mercantiles de España, Madrid, 2006, pág. 250; Albaladejo García, M., *Derecho Civil III...*, ob. cit., pág. 232; Álvarez Caperochipi, J. A., *Curso de Derechos Reales...*, ob. cit., pág. 14.

[10]   Como afirma Díez-Picazo, el concepto de propiedad es el resultado de un proceso evolutivo. Díez-Picazo y Ponce de León, L., *Fundamentos del Derecho Civil...*, ob. cit., pág. 57. En el mismo sentido, De Los Mozos y De Los Mozos, J. L., "Retorno a la "galaxia" de la función social de la propiedad" en *El sistema económico en la Constitución Española Vol. I*, Ministerio de Justicia, Madrid 1994, pág. 930 y 931.
Barral I Viñals, en línea de lo anteriormente señalado, recalca que es precisamente el hecho de que la propiedad sea un producto histórico lo que provoca su indefinición inicial y obliga a concretar su significado en cada momento. Estas afirmaciones nos parecen, sin embargo, contradictorias con su concepción de la propiedad como un término de carácter apriorístico. Todo ello puede consultarse en Barral I Viñals, I., "Un nuevo concepto de propiedad: la función social como delimitadora del derecho" en *El sistema económico en la Constitución Española Vol. I*, Ministerio de Justicia, Madrid, 1994, pág. 639. De forma muy similar a Barral I Viñals, al menos en cuanto a la necesidad de concretar el significado de propiedad en cada momento histórico se refiere, se pronuncia González García, J., "Concepto y contenido de la propiedad" en *Curso de Derecho Civil III. Derechos reales y registral inmobiliario* (coord. Sánchez Calero, F. J.), 5ª ed., Tirant Lo Blanch, Valencia, 2014, pág. 105.

[11]   Castán Tobeñas, J., *Derecho Civil Español, Común y Foral T. II Vol. I*, ob. cit., pág. 146. En la misma línea Peña Bernaldo de Quirós, M., *Derechos Reales. Derecho Hipotecario T. I*, ob. cit., pág. 204 y ss.

de la perspectiva individualista del dominio y, por otro, a la aparente desintegración del concepto unitario de propiedad como consecuencia de la aparición de diversos estatutos propietarios. A continuación, analizaremos estas dos cuestiones.

A) El encaje de la función social dentro del marco del derecho de propiedad

El art. 348 Cc reza "*la propiedad es el derecho de gozar y disponer de una cosa, sin más limitaciones que las establecidas en las leyes*". Este precepto, inspirado en cierta medida en el art. 544 del *Code civil*[12], nos permite observar la exaltación liberal del momento en el cual se promulgó nuestro Código civil[13]. Desde esta perspectiva, podría decirse que la propiedad quedó configurada como un derecho que, sin llegar a los extremos de la expresión latina *ad coelum usque*

---

[12]   El citado precepto establece que "*la propriété est le droit de jouir et disposer des choses de la manière la plus absolue, pourvu qu'on n'en fasse pas un usage prohibé par les lois ou par les règlements*". En este sentido, Espín pone de relieve que la definición del derecho de propiedad a partir de sus facultades es una técnica empleada por el legislador francés que se propagó al resto de Códigos civiles de tradición latina. Espín Cánovas, D., *Manual de Derecho Civil Español Vol. II...*, ob. cit., págs. 69 y 70. No obstante lo anterior, se aprecia de la lectura de la norma gala que el paralelismo entre esta y el art. 348 de nuestro Código civil no son totales. Esta última apreciación se pone de relieve en Álvarez Olalla, P. *et al.* en *Manual de Derecho Civil...*, ob. cit., pág. 139.

[13]   Sobre la influencia del pensamiento liberal en la concepción de la propiedad durante la época codificadora puede consultarse la breve pero adecuada reflexión que realiza González García, J., "Concepto y contenido de la propiedad", ob. cit., pág. 105.

ad inferos[14], podía considerarse como absoluto[15] o, para ser más precisos, cuasi absoluto[16].

Esta concepción individualista del dominio cambia definitivamente con la promulgación de nuestra Carta Fundamental que, tras referirse a la propiedad y a la herencia, establece que "*la función social de estos derechos delimitará su contenido, de acuerdo con las leyes*" (art.

---

[14] En contra, Rogel Vide, C., ob. cit., págs. 114. A pesar del uso generalizado de la máxima latina transcrita en el texto principal, Schulz advierte que los romanos nunca manejaron un concepto de propiedad. Así, el autor afirma que "no es individualista el concepto romano de la propiedad, sino el derecho romano referente a ésta". Schulz, F., *Derecho Romano Clásico* (trad. Santa Cruz Teigeiro, J.), Bosch, Barcelona, 1960, pág. 325.

[15] Rogel Vide, C., ob. cit., págs. 114; Clemente De Diego ob. cit., pág. 377; Peña Bernaldo de Quirós, M., *Derechos Reales. Derecho Hipotecario T. I*, ob. cit., pág. 193; Álvarez Olalla, P. *et al.* en *Manual de Derecho Civil...*, ob. cit., págs. 139, 140 y 145.

[16] Por mucho que la doctrina tradicional conceptúe el derecho de propiedad como un derecho absoluto, debe señalarse que el dominio nunca se ha configurado como un derecho ilimitado. Sobre este particular véase De Los Mozos y De Los Mozos, J. L., "Notas para una revisión de la llamada función social de la propiedad", en *Estudios de Derecho Civil en Homenaje al Profesor Dr. José Luis Lacruz Berdejo*, Bosch, Barcelona, 1993, págs. 1823 y 1824; Barnés Vázquez, J., *La propiedad constitucional. El estatuto jurídico del suelo agrario*, 1ª ed., Civitas, Madrid, 1988, pág. 114. En este sentido, López Cánovas señala con acierto que de la propia redacción del art. 348 Cc se desprende que el derecho de propiedad no es un derecho absoluto en el sentido de ilimitado en tanto en cuanto en el citado precepto habla de "limitaciones" en materia de propiedad. Véase López Cánovas, A., *La propiedad privada inmobiliaria. Bases constitucionales y régimen estatutario del contenido y función social de la propiedad urbana y la propiedad rústica*, 1ª, Aranzadi, Cizur Menor, 2015, pág. 47.
A las anteriores apreciaciones debe añadirse que, incluso antes de la promulgación de la Constitución Española de 1978 ya existían los que Castán denomina como "instrumentos de socialización de la riqueza", siendo buen ejemplo de ello la previsión contenida en el art. 349 Cc. Castán Tobeñas, J., *Derecho Civil Español, Común y Foral T. II Vol. I*, ob. cit., pág. 149. Así, Pereña Pinedo afirma que "la novedad no radica, pues en el reconocimiento del derecho, y tampoco en la configuración del derecho de propiedad como un derecho limitado (...), sino, insistimos, en la determinación, de forma expresa, de la función social del derecho como marco configurador del contenido de la propiedad que se reconoce". Pereña Pinedo, I., "La función social del derecho de propiedad" en *Propiedad y derecho constitucional* (coord. Bastida Freijedo, F. J.), Colegio de Registradores de la Propiedad y Mercantiles de España, Madrid, 2005, pág. 176.

33.2 CE). De este modo, tanto la doctrina moderna[17] como el máximo intérprete de nuestra Constitución[18] sostienen que la incidencia de la función social en el ámbito del derecho de propiedad ha modificado la acepción clásica del dominio, concebido este como un derecho de carácter absoluto (aunque no ilimitado), según se desprende de la lectura del art. 348 Cc.

La función social ha supuesto, según se ha adelantado en el párrafo precedente, la superación del individualismo frente a la perspectiva social del derecho de propiedad[19]. Ello no quiere decir, sin embargo, que el dominio haya pasado a configurarse como una mera función que se ve obligada a cumplir el propietario de un determinado bien[20]. El derecho de propiedad continúa siendo un auténtico derecho subje-

---

[17] Álvarez Caperochipi, J. A., *Curso de Derechos Reales...*, ob. cit., págs. 14; Espín Cánovas, D., *Manual de Derecho Civil Español Vol. II...*, ob. cit., pág. 70.

[18] En cualquier aproximación a esta materia resulta fundamental la referencia a la STC (Pleno) 26 marzo 1987 (TOL79.746).

[19] Álvarez Caperochipi, refiriéndose a la función social, afirma que "...la teoría viene a subrayar el aspecto social del hombre por encima del egoísmo abusivo e inhumano del individualismo económico y jurídico". Álvarez Caperochipi, J. A., *Curso de Derechos Reales...*, ob. cit., pág. 15.

Es necesario poner de relieve en este punto que la decadencia de la noción individualista del dominio no significa, en nuestra opinión, que hayan existido dos conceptos de propiedad (uno individualista y otro social), sino, más bien, que se ha producido una mutación del significado tradicional del término, que ahora hace hincapié en su dimensión social. A favor del doble concepto de propiedad parece mostrarse, sin embargo, Macías Ibáñez, A., "La función social de la propiedad en la Jurisprudencia del Tribunal Constitucional: algunas cuestiones", *Administración de Andalucía: revista andaluza de administración pública* núm. 22, 1995, pág. 102. Barnés Vázquez, por el contrario, señala con acierto que "la pretendida convivencia de ambos conceptos parece obedecer, de un lado, al olvido de que el ordenamiento jurídico deviene en un todo unitario y armónico que no es susceptible de ser conducido a irreductibles contraposiciones, ordenamiento que está presidido e informado por la Constitución". Barnés Vázquez, J., ob. cit., pág. 31.

[20] Léon Duguit entendía, así, que la propiedad debía ser concebida como una función social y no como un derecho de carácter subjetivo. Sobre este particular véase Miñarro Montoya, R., ob. cit., pág. 243; Lasarte Álvarez, C., *Génesis y constitucionalización de la función social de la propiedad*, Bilbao, 1977, págs. 106 y 107; Barral I Viñals, I., ob. cit., pág. 643. Debe matizarse aquí, sin embargo, que, según López Cánovas, lo que refuta el autor francés es "el concepto —no la existencia— de la propiedad privada como derecho subjetivo, concibiéndola como una función socio-jurídica, para significar que no es un poder jurídico ab-

tivo[21] destinado a satisfacer intereses de carácter privado, sin perjuicio de que tras la promulgación de la Constitución, "...esta satisfacción se cohoneste con las conveniencias de la comunidad, mediante el establecimiento de límites a las facultades del propietario y deberes a cargo del mismo"[22].

---

     soluto, sino que ha de satisfacer necesidades colectivas y no solo individuales". López Cánovas, A., ob. cit., pág. 41.

[21] Es necesario destacar en este punto que no nos mostramos del todo conformes con la concepción, por parte de un sector de la doctrina, del derecho de propiedad como un "derecho subjetivo debilitado". Así parece entenderlo, entre otros, Moro Almaraz, M. J., "Medio ambiente y función social de la propiedad", *R.C.D.I.* núm. 617, julio-agosto 1993, pág. 986. También utiliza esta expresión el Tribunal Constitucional en alguno de sus pronunciamientos, entre los que podemos citar la STC (Pleno) 2 diciembre 1983 (TOL79.276). Nos parece una expresión errónea y confusa, ya que el derecho de propiedad no deja de ser un derecho subjetivo por la presencia de la función social. En el mismo sentido, Barnés Vázquez, J., ob. cit., pág. 114.

[22] Así, lo señala Albaladejo García, M., *Derecho Civil III...,* ob. cit., pág. 235. Entre los autores que también recalcan que la propiedad continúa siendo un derecho subjetivo, podemos señalar a Miñarro Montoya, R., ob. cit., pág. 243; Díez-Picazo y Ponce de León, L., "Propiedad y Constitución" en *Propiedad y Derecho Civil*, Fundación Registral, Colegio de Registradores de la Propiedad y Mercantiles de España, Madrid, 2006, pág. 20; Rogel Vide, C., ob. cit., pág. 116; Roca Baixauli, J., "Interpretaciones de la función social de la propiedad de la tierra a través del artículo 33 de la constitución española" en *El sistema económico en la Constitución Española Vol. I*, Ministerio de Justicia, Madrid, 1994, pág. 1125; Peña Bernaldo de Quirós, M., *Derechos Reales. Derecho Hipotecario T. I*, ob. cit., pág. 192; Castán Tobeñas, J., *Derecho Civil Español, Común y Foral T. II Vol. I*, ob. cit., pág. 148; Lasarte Álvarez, C., *Génesis y constitucionalización...,* ob. cit., págs. 109 y 114; Barral I Viñals, I., ob. cit., pág. 643; De Pablo Contreras, P., "La propiedad" en *Curso de Derecho Civil III Derechos Reales* (coord. De Pablo Contreras, P.), 4ª ed. reimp., Edisofer, Madrid, 2016, págs. 125 y 126. En la misma línea parece pronunciarse González García, J., "Concepto y contenido de la propiedad", pág. 111.
    En relación con lo anterior, el Tribunal Supremo ha señalado en su STS (Sala Tercera) 21 febrero 1981 (TOL967.386) que "...*por mucho que se enfatice sobre la mutación sufrida por el derecho de propiedad en materia urbanística, hasta convertirse en un derecho de los llamados "estatutarios", su declinación, respecto del sentido que ha tenido en sus momentos de mayor esplendor, en los que le estaba permitido, en su ejercicio, hasta el "ius abutendi", no puede llegar al extremo de reducirlo a un derecho inerme, totalmente sometido a cuantas prohibiciones y limitaciones tengan a bien adoptar las distintas autoridades administrativas, por rectas que sean sus intenciones; y no puede llegar a estos extremos porque la propiedad del particular sigue siendo algo más que una simple función*

B) La aparente crisis de la regulación unitaria del derecho de propiedad

En la literatura jurídica moderna se repite constantemente la idea de que se ha ido abandonando progresivamente el modelo de regulación unitaria que existía sobre el derecho de propiedad, hasta el punto de que la doctrina mayoritaria, haciéndose eco de las palabras de Josserand, sostiene que "es preciso hablar hoy no ya de propiedad, sino de las propiedades"[23]. Así, por ejemplo, cada vez es más frecuente que se hable, entre otras, de la propiedad agraria, forestal, urbana, intelectual[24].

La pluralidad en el ámbito dominical se debe, según expone un elevado número de autores, al creciente influjo de la función social tras la promulgación de la Constitución, generándose así una consecuente diversificación del régimen compacto que hasta el momento regía en materia de propiedad[25]. Este fenómeno, según destaca algún autor, ha

---

pública o social, puesto que conserva su núcleo primario de derecho subjetivo, uno de los principales de los que integran la constelación de derechos de la personalidad, amparado en la cobertura legal que le proporciona el Código Civil (artículos 348, 349, 350) y la propia Constitución Española (artículo 33)".

[23]   Citado en Castán Tobeñas, J., _Derecho Civil Español, Común y Foral T. II Vol. I_, ob. cit., pág. 152. Se trata, como hemos apuntado, de un pensamiento que se repite en nuestra literatura jurídica. Así, pueden consultarse, entre otros, Miñarro Montoya, R., ob. cit., pág. 250; López y López, A. M., "Comentario al artículo 348" en _Código Civil Comentado Vol. I_ (dirs. Cañizares Laso, A. _et al._), 2ª ed., Aranzadi, Cizur Menor, 2016, pág. 1447; Lacruz Berdejo, J. L. _et al._, _Elementos de Derecho Civil I Parte General Vol. III…_, ob. cit., pág. 244; Macías Ibáñez, A., ob. cit., pág. 103.

[24]   Véase González García, J., "Límites y limitaciones" en _Curso de Derecho Civil III. Derechos reales y registral inmobiliario_ (coord. Sánchez Calero, F. J.), 5ª ed., Tirant Lo Blanch, Valencia, 2014, págs. 123 y 124. También lo apunta Peña Bernaldo de Quirós, M., _Derechos Reales. Derecho Hipotecario T. I_, ob. cit., pág. 207.

[25]   Véase Castán Tobeñas, J., _Derecho Civil Español, Común y Foral T. II Vol. I_, ob. cit., págs. 152 y ss. Sobre la inexistencia de un contenido apriorístico de la propiedad y la consideración plural del dominio por parte del máximo intérprete de la Constitución véase Moro Almaraz, M. J., ob. cit., págs. 988 y 1020. Acerca de este último punto resulta fundamental el argumento esgrimido por el Tribunal Constitucional en la STC (Pleno) 26 marzo 1987 (TOL79.746), donde se señala que "…_la progresiva incorporación de finalidades sociales relacionadas con el uso o aprovechamiento de los distintos tipos de bienes sobre los que el derecho_

hecho que se hable de un ataque a los propios cimientos del Derecho civil, en tanto en cuanto se habría producido una disgregación del pilar sobre el que descansa nuestro Derecho patrimonial: el dominio[26].

Dicho lo anterior, deben realizarse obligatoriamente una serie de matizaciones a las argumentaciones hasta aquí expuestas. Por un lado, resulta inexacta la afirmación de que la influencia de la función social ha acabado drásticamente con la regulación unitaria del derecho de propiedad, ya que en puridad nunca ha existido una reglamentación totalmente homogénea de este derecho[27]. En este sentido, no cabe más que admitir, como hizo en su día Lacruz, que "la pluralidad de regímenes del dominio es una constante histórica, (...), siendo moderno únicamente el mayor acento social de las diversas disciplinas"[28].

Por otro lado, la creciente aparición de nuevos regímenes dominicales no supone, en nuestra opinión ni en la de la doctrina más autorizada en la materia, la paralela desintegración de la propiedad como institución única[29]. Es cierto que la diversificación del objeto de la propiedad ha producido una consecuente multiplicación de los es-

---

de propiedad puede recaer ha producido una diversificación de la institución dominical en una pluralidad de figuras o situaciones jurídicas reguladas con un significado y alcance diversos".

[26]   Véase Peña Bernaldo de Quirós, M., *Derechos Reales. Derecho Hipotecario T. I*, ob. cit., pág. 207.

[27]   El régimen de la propiedad nunca ha sido unitario, ya que en el propio Código civil se regulan las denominadas propiedades especiales, además de que en este se realiza una clara distinción en la ordenación de la propiedad de bienes muebles, de un lado, y de los bienes inmuebles, de otro. Ello lo explica Peña Bernaldo de Quirós, M., *Derechos Reales. Derecho Hipotecario T. I*, ob. cit., pág. 206. También lo apuntan Álvarez Olalla, P. *et al.* en *Manual de Derecho Civil...*, ob. cit., pág. 146.

[28]   Lacruz Berdejo, J. L. *et al.*, *Elementos de Derecho Civil I Parte General Vol. III...*, ob. cit., pág. 244.

[29]   Como indica Lacruz "...la pluralidad de regímenes del dominio, e incluso la distancia entre ellos, no afecta a la identidad del punto de partida: un concepto de ordenación que vale igualmente para todas sus variedades y regímenes...". Lacruz Berdejo, J. L. *et al.*, *Elementos de Derecho Civil I Parte General Vol. III...*, ob. cit., pág. 245. En este sentido parecen pronunciarse también Díez-Picazo y Ponce de León, L., *Fundamentos del Derecho Civil...*, ob. cit., págs. 57 y 58; Álvarez Olalla, P. *et al.* en *Manual de Derecho Civil...*, ob. cit., pág. 146; Miñarro Montoya, R., ob. cit., pág. 250; Blasco Gascó, F. de P., *Instituciones de Derecho Civil...*, ob. cit., pág. 186.

tatutos propietarios; sin embargo, también lo es que todos ellos comparten un nexo común: un idéntico contenido esencial[30].

1.2. Notas tradicionales del tipo dominical

Nunca se ha manejado una clasificación unívoca de aquellos elementos que han de tenerse como configuradores del tipo dominical; sin embargo, puede decirse que tradicionalmente doctrina y jurisprudencia han venido considerando como caracteres propios del derecho de propiedad los siguientes: a) absolutividad, b) exclusividad, c) perpetuidad, d) generalidad, e) abstracción, f) elasticidad y g) unidad[31]. Pasamos a analizar cada una de las notas citadas.

---

[30]   Así, lo señala López Cánovas, A., ob. cit., págs. 66 y 67. También parece ser la postura mantenida por De Los Mozos en su estudio sobre la propiedad agraria, donde subrayó que no se ha producido un cambio en la relación jurídica, sino que se ha diversificado el objeto de la propiedad. Véase De los Mozos y De Los Mozos, J. L., *Propiedad, herencia y división de la explotación agraria. La sucesión en el Derecho agrario*, Ministerio de Agricultura, Madrid, 1977, págs. 22 y 23. Debemos insistir aquí en que el contenido esencial del derecho de propiedad es único e idéntico para todos los estatutos propietarios. Así, como aclara adecuadamente Macías Ibáñez, la "...función social o utilidad social, se concretaría después por el legislador para cada tipo de bienes, dando lugar a la pluralidad de estatutos propietarios, pero no a una pluralidad de contenidos esenciales", aunque continúa advirtiendo que esta corriente choca con alguno de los razonamientos expresados por el Tribunal Constitucional en alguna de sus sentencias, donde se habla del contenido esencial de la propiedad agraria, como si existiese más de un contenido esencial. Véase Macías Ibáñez, A., ob. cit., pág. 103.

[31]   Esta corriente aparece reflejada en la STS 24 octubre 2005 (TOL738.029), que, aunque no hace una referencia expresa al carácter absoluto de dominio, sí que apunta que "*el derecho de propiedad, según se desprende de lo dispuesto por el artículo 348 del Código civil presenta como caracteres propios ser un derecho: a) unitario; b) general y abstracto, en cuanto comporta la existencia de facultades indeterminadas sobre la cosa pues abarca todas las que no hayan sido excluidas, sin que consista en una mera suma de facultades (sentencia de 2 de octubre de 1975); c) elástico, ya que, en caso de existir algún derecho real que la limite, la facultad que el mismo comporta la recupera el propietario cuando dicho derecho real se extingue (sentencia de 27 de junio de 1991); exclusivo, pues permite excluir del goce a los demás incluso si su uso es inocuo; y e) perpetuo, pues dura mientras exista el objeto (sentencia de 20 de mayo de 1993)*".

A) Absolutividad

Sobre la concepción de la propiedad como derecho absoluto en el sentido de ilimitado no nos detendremos, ya que tratamos este tema más arriba, poniendo de relieve que el dominio siempre ha sido un derecho susceptible de ser limitado. En el caso de que el término *absoluto* se emplee como equivalente a oponibilidad *erga omnes*, la conclusión lógica es la de admitir que se trata de una característica común a todos los derechos de carácter real y, por tanto, no exclusiva del dominio[32].

B) Exclusividad

De forma similar a lo expuesto en el apartado anterior, debe señalarse que, a pesar del empeño de la doctrina tradicional por atribuir al dominio la nota de la exclusividad[33], no puede más que reconocerse que se erige como una característica común a todos los derechos reales[34]. Sobre este punto, Lacruz matiza, sin embargo, que "si por

---

[32] Sobre este particular, véase Álvarez Olalla, P. *et al.* en *Manual de Derecho Civil...*, ob. cit., págs. 139 y 140. Peña Bernaldo apunta, en sintonía con lo expuesto, que el derecho de propiedad "implica un poder *inmediato* sobre una cosa, protegido *frente a todos*. Desde este punto de vista sí cabe calificar a la propiedad de derecho absoluto y exclusivo; el poder que confiere es directo, es decir, independiente de la actuación de otras personas (*absoluto*)...". Peña Bernaldo de Quirós, M., *Derechos Reales. Derecho Hipotecario T. I*, ob. cit., pág. 193. La cursiva es del autor.
Miñarro, de forma diversa a lo que hemos señalado, parece entender que el adjetivo *absoluto* en el ámbito del derecho de propiedad significa, más bien, que el dominio es un derecho que no existe en relación a ningún otro, a diferencia de lo que ocurre con los derechos reales limitados, que se apoyan en la existencia previa de la propiedad. Debe tenerse en cuenta, sin embargo, que el citado autor, con independencia del significado que le dé a la expresión *absoluto*, sostiene que no se trata de una nota esencial del dominio. Miñarro Montoya, R., ob. cit., pág. 253.

[33] Así parece sostenerlo, por ejemplo, Clemente De Diego ob. cit., pág. 377.

[34] Este es el motivo que lleva a Espín a rechazar que la exclusividad sea una nota característica del derecho de propiedad. Espín Cánovas, D., *Manual de Derecho Civil Español Vol. II...*, ob. cit., pág. 70. Igualmente, Álvarez Olalla, P. *et al.* en *Manual de Derecho Civil...*, ob. cit., pág. 140; Montés Penadés, V. L., *La propiedad privada en el sistema de derecho civil contemporáneo*, Civitas, Madrid, 1980, págs. 75 y 76.

exclusividad del dominio se entiende la posibilidad de eliminar a cualquiera de la misma relación con la cosa, se trata de un carácter común a todos los derechos reales (...). Lo singular del dominio es que, comportando tendencialmente las más amplias facultades, no deja lugar a la influencia de otro sujeto cualquiera, y por tanto permite excluir a todos"[35].

C) *Perpetuidad*

Más discutible es, sin embargo, la posibilidad de concebir la perpetuidad como una característica definitoria del dominio. En este sentido, debemos destacar, siguiendo el esquema de González García[36], que clásicamente se viene señalando que el dominio es un derecho de carácter perpetuo, de un lado, porque su subsistencia únicamente parece depender de la existencia de la cosa sobre la cual recae[37] y, de otro, porque, según un sector de la doctrina, la propiedad no se extingue por la prescripción de las acciones reales destinadas a defender la titularidad dominical[38]. Hoy en día, sin embargo, buena parte de la doctrina moderna parece sostener que la perpetuidad no es una nota esencial del dominio, ya que existen diversos ejemplos en nuestro ordenamiento que permiten avalar la existencia de *propiedades temporales* (p. ej. la propiedad que dimane de una sustitución fideicomisaria)[39]. Frente a los argumentos expuestos se suele oponer

---

[35] Lacruz Berdejo, J. L. *et al.*, *Elementos de Derecho Civil I Parte General Vol. III...*, ob. cit., pág. 241. De forma similar, Miñarro Montoya, R., ob. cit., pág. 254; González García, J., "Concepto y contenido de la propiedad", ob. cit., págs. 108 y 109.

[36] González García, J., "Concepto y contenido de la propiedad", ob. cit., pág. 109.

[37] No se extingue ni por la muerte del titular del derecho (sucesión *mortis causa*), además se extiende a los vestigios de la cosa objeto de dominio en el caso de que esta sea destruida. Blasco Gascó, F. de P., *Instituciones de Derecho Civil...*, ob. cit., pág. 182.

[38] Montés Penadés, V. L., ob. cit., pág. 71 nota al pie núm. 102. Véase, asimismo, Puig Brutau, J., *Caducidad, prescripción y usucapión*, 3ª ed. actualizada y ampliada, Bosch, Barcelona, 1996, págs. 122-126.

[39] Álvarez Olalla, P. *et al.* en *Manual de Derecho Civil...*, ob. cit., pág. 140; Espín Cánovas, D., *Manual de Derecho Civil Español Vol. II...*, ob. cit., págs. 70 y 71. Véanse también Ragel Sánchez, L. F., "La propiedad intelectual como propiedad temporal" en *La duración de la propiedad intelectual y las obras de dominio público* (coord. Rogel Vide, C.), Reus, Madrid, 2005, pág. 24; Torrent Cufí F., "La

que "no representa una excepción a la perpetuidad la propiedad "ad tempus", ya que, vencido el plazo, el dominio revierte al anterior dueño o a sus herederos, o bien sigue el curso marcado por el disponente, con las limitaciones legales, como ocurre en las sustituciones fideicomisarias"[40].

Bajo nuestro punto de vista, son correctas las afirmaciones que indican que el dominio es un derecho "tendencialmente"[41] o potencialmente[42] perpetuo, pero ello no supone, en contra de lo que apunta algún autor[43], que la perpetuidad sea un elemento que permita distinguir, en todo caso, el derecho de propiedad de los derechos reales limitados, ya que, como hemos apuntado más arriba, existen supuestos en los que, al igual que los derechos reales limitados, la propiedad tiene carácter temporal[44].

---

propiedad temporal y la compartida", *La notaria* núm. 2, 2015, pág. 29; Nasarre Aznar, S., y Simón Moreno, H., "Fraccionando el dominio: las tenencias intermedias para facilitar el acceso a la vivienda", *R.C.D.I.* núm. 739, septiembre-octubre 2013, pág. 3105 y ss. Accesible en: http://bit.ly/2IrGatH (Página consultada por última vez el 8 de junio de 2019).

[40] Miñarro Montoya, R., ob. cit., pág. 254. De igual modo, Montés Penadés, V. L., ob. cit., págs. 71 y ss.

[41] Álvarez Caperochipi, J. A., *Curso de Derechos Reales...*, ob. cit., pág. 14.

[42] Castán Tobeñas, J., *Derecho Civil Español, Común y Foral T. II Vol. I*, ob. cit., pág. 164 nota al pie núm. 2.

[43] Parece sostenerlo González García, J., "Concepto y contenido de la propiedad", ob. cit., pág. 109. En el mismo sentido, en la STS 20 mayo 1992 (TOL1.659.807) se afirmó que "...es evidente que no se puede confundir un derecho de uso y habitación, derecho real de disfrute limitado en cuanto a su contenido y duración, con el derecho real pleno de dominio sobre el mismo inmueble que es de carácter perpetuo e ilimitado, salvo lo dispuesto en el artículo 348 del Código civil...".

[44] Se realiza una amplia enumeración de las mismas en Nasarre Aznar, S., y Simón Moreno, H., "Fraccionando el dominio: las tenencias intermedias para facilitar...", ob. cit., págs. 1305 y ss. Cabe destacar que Ginebra Molins también expone una síntesis de algunas de las *propiedades temporales* existentes en el Derecho civil catalán. Ginebra Molins, M. E., "¿Es tiempo de superar algunos índices identificadores de la propiedad? en *El derecho de propiedad en la construcción del Derecho Privado europeo* (dir. Lauroba Lacasa. E.), Tirant Lo Blanch, Valencia, 2018, págs. 171-173. Véase, asimismo, Gete-Alonso y Calera, M.ª C., "Propiedad temporal y propiedad compartida. ¿Nuevas modalidades de propiedad o nuevos actos jurídicos de adquisición?, *Revista crítica de Derecho privado* núm. 12, 2015, pág. 386.

Puede concluirse, así, que los derechos reales típicos no se vienen caracterizando por ser perpetuos y este razonamiento lo extendemos no solo respecto de la propiedad, sino, además, respecto de otros derechos reales limitados de los cuales se suele predicar esta nota, como es el caso de los censos[45]. En este sentido, es posible afirmar que, aunque la perpetuidad pueda hallarse presente en el marco en el que se encuadra el tipo dominical, no se trata de un carácter esencial o inherente al mismo[46].

D) Generalidad

Habiendo sido superada la tradicional concepción del dominio como un derecho absoluto, la doctrina moderna prefiere hablar de la generalidad del derecho de propiedad[47]. Así, se suele afirmar que la propiedad, entendida como derecho subjetivo, atribuye a su titular todas las facultades y posibilidades de actuación sobre la cosa objeto de

---

[45]   Álvarez Caperochipi, por ejemplo, sostiene que los censos tienen un carácter perpetuo. Álvarez Caperochipi, J. A., *Curso de Derechos Reales...*, ob. cit., pág. 14. Nosotros debemos señalar, sin embargo, que a nuestro parecer no estamos ante una figura de carácter atemporal. Este razonamiento se basa en la propia lógica de nuestro ordenamiento, el cual no permite crear derechos reales limitados que sean perpetuos o irredimibles [RDGRN 18 noviembre 2002 (TOL230.599)], al mismo tiempo que se apoya en el principio de libre circulación de bienes, como bien se desprende de la posibilidad de redimir los censos [véase la STS 21 noviembre 2002 (TOL4.920.114)]. En este sentido, Andrés Santos sostiene que "... dado que todo censo es redimible *ad libitum* del censatario, no puede considerarse el censo como un gravamen a perpetuidad (al menos, desde el lado del censatario)...". Andrés Santos, F. J., "Comentario al artículo 1608" en *Comentarios al Código Civil* (dir. Domínguez Luelmo, A.), Lex Nova, Valladolid, 2010, pág. 1762.

[46]   Gete-Alonso y Calera, M.ª C., "Propiedad temporal y propiedad compartida. ¿Nuevas modalidades de propiedad o nuevos actos jurídicos de adquisición?, ob. cit., pág. 390. Como afirma Miñarro, "hay otras notas del dominio que, más que caracteres, pueden ser denominadas atributos, y que, supuestos éstos, hacen referencia a la eficacia jurídica que a los poderes en que consiste le es reconocida por el ordenamiento jurídico". Miñarro Montoya, R., ob. cit., pág. 253. Lacruz también distingue entre *caracteres esenciales* y *atributos* del dominio. Lacruz Berdejo, J. L. *et al.*, *Elementos de Derecho Civil I Parte General Vol. III...*, ob. cit., págs. 238 y ss.

[47]   Castán Tobeñas, J., *Derecho Civil Español, Común y Foral T. II Vol. I*, ob. cit., pág. 164.

derecho real[48], sin que ello equivalga, insistimos, al otorgamiento de un poder ilimitado u omnímodo al propietario sobre el bien de que se trate[49]. En este sentido, nos ha parecido muy adecuado el discurso de Miñarro, quien apunta que "la generalidad muestra la idea de atribución plena de la cosa a su dueño en que consiste el dominio y denota que éste comprende todas las facultades y posibilidades de utilización de la cosa, salvo prohibición legal, tanto las actuales como las que pueda ofrecer en el futuro, de acuerdo con su naturaleza y con el destino que, entre las que sean posibles, puede decidir el propietario"[50].

Esa limitación de las facultades del propietario a la que aludíamos es precisamente la que ha hecho que algunos autores[51] duden de la vigencia actual de la generalidad como nota característica del derecho real de propiedad, en tanto en cuanto el titular dominical se halla cada vez más constreñido ante el incesante avance las limitaciones legales de la propiedad (normativa urbanística[52], la legislación de protección del patrimonio histórico[53], entre otras). A pesar de tener que reconocer la aparente corrección de esta reflexión, el aumento del intervencionismo público en el ámbito jurídico-propietario no nos parece un argumento de suficiente peso como para eliminar la generalidad del esquema típico del derecho real de propiedad.

Siguiendo el hilo de nuestra exposición, podemos deducir, al igual que ha hecho gran parte de la doctrina moderna, que la generalidad es uno de los caracteres propios del dominio, pues permite distinguirlo de los derechos reales limitados en la medida en que, en estos últimos, el poder que se atribuye al titular es un poder que versa sobre facultades concretas, como puede ser, entre otras, la del disfrute de un bien ajeno, haciendo suyos los frutos que este produzca (*ex* art. 467 Cc)[54].

---

[48]   Espín Cánovas, D., *Manual de Derecho Civil Español Vol. II...*, ob. cit., pág. 71.
[49]   Álvarez Olalla, P. *et al.* en *Manual de Derecho Civil...*, ob. cit., pág. 141.
[50]   Miñarro Montoya, R., ob. cit., pág. 252.
[51]   Álvarez Olalla, P. *et al.* en *Manual de Derecho Civil...*, ob. cit., pág. 141.
[52]   Álvarez Olalla, P. *et al.* en *Manual de Derecho Civil...*, ob. cit., pág. 141.
[53]   Más detalles en: Bermúdez Sánchez, J., *El derecho de propiedad: límites derivados de la protección arqueológica*, Montecorvo, Madrid, 2003, págs. 103 y ss.
[54]   Véanse Álvarez Olalla, P. *et al.* en *Manual de Derecho Civil...*, ob. cit., pág. 140; González García, J., "Concepto y contenido de la propiedad", ob. cit., pág. 108; Lacruz Berdejo, J. L. *et al.*, *Elementos de Derecho Civil I Parte General Vol. III...*, ob. cit., pág. 239.

En este sentido, hay quien resalta que es precisamente la nota de generalidad la que provoca que en el lenguaje coloquial se confunda el derecho de propiedad con la cosa que constituye el objeto del mismo[55].

De su configuración como un derecho de carácter general se desprende precisamente el principio de libertad del dominio que, como expusimos en otro apartado de este trabajo, supone que el derecho de propiedad se presume libre de cargas[56].

E) *Abstracción*

Directamente relacionada con el carácter general del dominio se encuentra otras de sus notas típicas: la abstracción[57]. En este sentido, con el término *generalidad* se quiere expresar, como poníamos de relieve más arriba, que el derecho de propiedad atribuye a su titular todas las facultades y poderes de actuación sobre la cosa, sin más limitaciones que las establecidas en las leyes para tutelar intereses de carácter colectivo (función social). Con la palabra *abstracción*, en cambio, lo que se pretende resaltar es que el derecho de propiedad "existe con independencia de las facultades que comprende"[58]. La sustracción de alguno de los poderes que se le confiere generalmente al titular dominical no afecta, por tanto, a la existencia del derecho de propiedad[59], ya que, como ha puesto de relieve la mejor doctrina en

---

[55] Miñarro Montoya, R., ob. cit., pág. 252; Lacruz Berdejo, J. L. *et al.*, *Elementos de Derecho Civil I Parte General Vol. III...*, ob. cit., pág. 239.

[56] González García, J., "Concepto y contenido de la propiedad", ob. cit., pág. 108; Miñarro Montoya, R., ob. cit., pág. 252; Lacruz Berdejo, J. L. *et al.*, *Elementos de Derecho Civil I Parte General Vol. III...*, ob. cit., pág. 239.

[57] Blasco Gascó parece emplear, incluso, los términos *generalidad* y *abstracción* de forma sinónima. Véase Blasco Gascó, F. de P., *Instituciones de Derecho Civil...*, ob. cit., pág. 183.

[58] Espín Cánovas, D., *Manual de Derecho Civil Español Vol. II...*, ob. cit., pág. 71. Debe destacarse, además, que, desde la perspectiva de Blasco Gascó, el carácter abstracto del derecho de propiedad también viene a reflejar "la indiscriminación respecto de su objeto: el dominio (potencialmente) el mismo sea cual fuere su objeto, un bien mueble o un bien inmueble, un bien de producción o un bien de consumo o de uso personal, una fina rústica, un paquete de acciones o una nave". Blasco Gascó, F. de P., *Instituciones de Derecho Civil...*, ob. cit., pág. 183.

[59] Castán Tobeñas, J., *Derecho Civil Español, Común y Foral T. II Vol. I*, ob. cit., págs. 157 y 158; Peña Bernaldo de Quirós, M., *Derechos Reales. Derecho Hipotecario T. I*, ob. cit., pág. 194. De forma similar, Clemente De Diego ob. cit.,

incontables ocasiones, este no puede considerarse como una suma o una simple enumeración de facultades[60].

Siguiendo el hilo de lo anterior, debe subrayarse, con Albaladejo, "la imposibilidad o inutilidad de querer definir la propiedad mediante enumeración de las facultades que encierra"[61]. De ahí que no parezca del todo acertada la previsión contenida en el art. 348 Cc, que establece que "*la propiedad es el derecho de gozar y disponer de una cosa...*", ya que en el precepto únicamente se mencionan las facultades de goce y disposición. Frente a la reflexión anterior, se suele argumentar que lo que realiza el Código civil es una relación de las facultades más características del dominio, sin que ello pueda suponer que los poderes del titular dominical se reduzcan a aquellas facultades expresamente enunciadas en la norma (gozar y disponer), sino, más bien, que el resto de poderes que ostenta el propietario de un determinado bien quedan englobados dentro de aquellas[62].

---

pág. 379; Miñarro Montoya, R., ob. cit., pág. 252; Lacruz Berdejo, J. L. *et al.*, *Elementos de Derecho Civil I Parte General Vol. III...*, ob. cit., pág. 240.

[60] Castán Tobeñas, J., *Derecho Civil Español, Común y Foral T. II Vol. I*, ob. cit., págs. 157 y 158; Lacruz Berdejo, J. L. *et al.*, *Elementos de Derecho Civil I Parte General Vol. III...*, ob. cit., págs. 238 y 239; Peña Bernaldo de Quirós, M., *Derechos Reales. Derecho Hipotecario T. I*, ob. cit., pág. 194. También Miñarro Montoya, R., ob. cit., pág. 251; Roca Baixauli, J., ob. cit., pág. 1127; Álvarez Caperochipi, J. A., *Curso de Derechos Reales...*, ob. cit., págs. 14.

[61] Albaladejo García, M., *Derecho Civil III...*, ob. cit., pág. 234.

[62] Albaladejo García, M., *Derecho Civil III...*, ob. cit., págs. 234 y 235. En parecido sentido: Díez-Picazo y Ponce de León, L. y Gullón Ballesteros, A., *Sistema de Derecho Civil T. I Vol. III*, ob. cit., pág. 143. En relación con lo hasta aquí expuesto, cabe mencionar que la reciente Propuesta de Código civil elaborada por la Asociación de Profesores de Derecho Civil ha querido plasmar esta nota distintiva del dominio al puntualizar que "*el propietario conserva las facultades que no se han atribuido a terceros por ley o por título*" (art. 331-1.2 de la Propuesta). No obstante, en el apartado precedente del mencionado precepto se realiza una definición del dominio muy similar a la contenida en nuestro derecho vigente, ya que se señala que "*la propiedad atribuye a su titular el derecho de gozar y disponer de una cosa sin perjuicio de los límites contemplados en este Código y en la legislación especial*" (art. 331-1.1 de la Propuesta). Véase López Fernández, L. M. y Lauroba Lacasa, M.ª E., "Capítulo I del Título III Libro III" en *Propuesta de Código Civil. Asociación de Profesores de Derecho Civil*, Tecnos, Madrid, 2018, pág. 448.

La abstracción del dominio no implica, sin embargo, que "...la propiedad sea compatible con el vaciamiento perpetuo de todas las facultades atribuidas a su titular"[63]. Así, como han puesto de relieve diversos autores[64], es necesario que tanto el legislador como el particular respeten siempre lo que se conoce como contenido esencial del derecho del derecho de propiedad, que puede definirse, en línea con la jurisprudencia del Tribunal Constitucional[65] como aquellas facultades que hacen recognoscible un determinado derecho[66] o, complementariamente[67], como *"aquella parte del contenido del derecho que es absolutamente necesaria para que los intereses jurídicamente protegibles, que dan vida al derecho, resulten real, concreta y efectivamente protegidos"*[68]. En lo que concierne al dominio es necesario tener en

---

[63] Álvarez Olalla, P. *et al.* en *Manual de Derecho Civil...*, ob. cit., pág. 141. Estos autores apuntan, además, que este hecho es el que explica que el derecho real de usufructo tenga siempre un carácter temporal. Esta misma reflexión podría extenderse respecto del derecho real de superficie.

[64] Véase Miñarro Montoya, R., ob. cit., pág. 252. Véase, asimismo, Lacruz Berdejo, J. L. *et al.*, *Elementos de Derecho Civil I Parte General Vol. III...*, ob. cit., pág. 240.

[65] Como señala Agoués, el Tribunal Constitucional no ofrece una definición del contenido esencial del derecho de propiedad, sino que señala unas pautas que nos permiten concretar su significado en cada momento. Agoués Mendizábal, C., "La función social en la propiedad del subsuelo urbano", *Revista Vasca de Administración Pública* núm. 73 (I), 2005, pág. 17. Sobre el tema del contenido esencial del derecho de propiedad, véase Barnés Vázquez, J., ob. cit., págs. 291 y ss.

[66] Como se afirma en la STC (Pleno) 8 abril 1981 (TOL109.335), *"constituyen el contenido esencial de un derecho subjetivo aquellas facultades o posibilidades de actuación necesarias para que el derecho sea recognoscible como pertinente al tipo descrito y sin las cuales deja de pertenecer a ese tipo y tiene que pasar a quedar comprendido en otro, desnaturalizándose por decirlo así. Todo ello referido al momento histórico de que en cada caso se trata y a las condiciones inherentes en las sociedades democráticas, cuando se trate de derechos constitucionales"*.

[67] En la STC (Pleno) 8 abril 1981 (TOL109.335), se apunta que *"los dos caminos propuestos para tratar de definir lo que puede entenderse por "contenido esencial" de un derecho subjetivo no son alternativos ni menos todavía antitéticos, sino que, por el contrario, se pueden considerar como complementarios, de modo que, al enfrentarse con la determinación del contenido esencial de cada concreto derecho, pueden ser conjuntamente utilizados, para contrastar los resultados a los que por una u otra vía pueda llegarse"*.

[68] STC (Pleno) 8 abril 1981 (TOL109.335). En la citada sentencia se señala, además, que *"de este modo, se rebasa o se desconoce el contenido esencial cuando el derecho queda sometido a limitaciones que lo hacen impracticable, lo dificultan más allá de lo razonable o lo despojan de la necesaria protección"*. Siguiendo esta

cuenta, además, que *"la fijación del "contenido esencial" de la propiedad privada no puede hacerse desde la exclusiva consideración subjetiva del derecho o de los intereses individuales que a éste subyacen, sino que debe incluir igualmente la necesaria referencia a la función social, entendida no como mero límite externo a su definición o a su ejercicio, sino como parte integrante del derecho mismo. Utilidad individual y función social definen, por tanto, inescindiblemente el contenido del derecho de propiedad sobre cada categoría o tipo de bienes"*[69].

F)   Elasticidad

Como hemos apuntado en el apartado anterior al estudiar la abstracción del derecho de propiedad, existe la posibilidad de que el titular dominical haya dispuesto por voluntad propia o por imperativo legal de alguna o algunas de las facultades que le han sido atribuidas, sin que por ello se vea desnaturalizado el dominio[70]. En estos supuestos, la elasticidad del derecho de propiedad es la que explica que, cuando la limitación impuesta a los poderes del propietario desapare-

---

línea, el Tribunal Constitucional ha puesto de manifiesto que el contenido esencial del derecho de propiedad ha de entenderse *"...como recognoscibilidad de cada tipo de derecho dominical en el momento histórico de que se trate y como practicabilidad o posibilidad efectiva de realización del derecho"*. STC (Pleno) 26 marzo 1987 (TOL79.746).

[69]   STC (Pleno) 26 marzo 1987 (TOL79.746). Este criterio se confirma en las posteriores STC (Pleno) 19 octubre 1989 (TOL61.182); STC (Pleno) 17 marzo 1994 (TOL82.497); STC (Pleno) 18 noviembre 2004 (TOL516.654). El Tribunal Constitucional añade, además, que *"la incorporación de exigencias sociales al contenido del derecho de propiedad privada, que se traduce en la previsión legal de intervenciones públicas no meramente ablatorias en la esfera de las facultades y responsabilidades del propietario, es un hecho hoy generalmente admitido. Pues, en efecto, esa dimensión social de la propiedad privada, en cuanto institución llamada a satisfacer necesidades colectivas, es en todo conforme con la imagen que de aquel derecho se ha formado la sociedad contemporánea y, por ende, debe ser rechazada la idea de que la previsión legal de restricciones a las otrora tendencialmente ilimitadas facultades de uso, disfrute, consumo y disposición o la imposición de deberes positivos al propietario hagan irreconocible el derecho de propiedad como perteneciente al tipo constitucionalmente descrito"*. Nuevamente la STC (Pleno) 26 marzo 1987 (TOL79.746).

[70]   En cierto sentido, Miñarro Montoya, R., ob. cit., pág. 253.

ce, este recupere las facultades que le fueron sustraídas[71]. De este modo, como ha señalado el Tribunal Supremo, *"...teniendo el dominio un contenido unitario, global y elástico, distinto de sus facultades, no puede haber incompatibilidad entre la propiedad y la atribución del ejercicio de alguna de esas facultades a persona distinta, pues con ello no pierde su integridad potencial determinante de la posibilidad de una recuperación, en su día, de todas las facultades (Sentencias de 3 diciembre 1946, 7 marzo 1963 y 30 enero 1964), aunque subordinada siempre a limitaciones determinadas ya por las leyes, ya por actos convenidos, bien por costumbres establecidas y aceptadas (Sentencias de 22 enero 1914 y 23 diciembre 1946..."*[72].

La elasticidad del dominio pone, pues, de relieve la capacidad de este derecho para expandirse y contraerse, ya que una vez extinguida la limitación que se había impuesto al poder del propietario, este recobra la facultad o las facultades de las que se vio privado (*vis atractiva*)[73]. Esta nota permite diferenciar, por lo tanto, al dominio de los derechos reales de carácter limitado, ya que si, por ejemplo, un bien gravado por un derecho real limitado de usufructo adquiriese la condición de

---

[71]   Miñarro Montoya, R., ob. cit., pág. 253. Ampliamente, Rivera Savatés, V., "La propiedad privada y su índole elástica", *Foro, Nueva Época* Vol. 16 núm. 2, 2013, págs. 249 y ss. Accesible en: http://bit.ly/33DPDHp (Página consultada por última vez el 22 de abril de 2018). En este sentido, se ha señalado que *"... el usufructo limita el derecho del propietario, el cual, por la elasticidad de la propiedad, recupera las facultades integradas en el derecho limitativo cuando éste se extinga (vid. Sentencia del Tribunal Supremo de 17 de mayo de 2004...".* RDGRN 11 octubre 2017 (TOL6.409.451). De forma similar, se resalta el carácter elástico del dominio en las RDGRN 28 mayo 2001 (TOL57.399); RDGRN 24 marzo 2003 (TOL268.173); RDGRN 13 febrero 2004 (TOL376.667); RDGRN 29 diciembre 2005 (TOL802.489). Véase también la STS 6 noviembre 1992 (TOL1.654.887).

[72]   STS 27 junio 1991 (TOL1.727.107).

[73]   Miñarro Montoya, R., ob. cit., pág. 253; Espín Cánovas, D., *Manual de Derecho Civil Español Vol. II...*, ob. cit., pág. 71; Clemente De Diego ob. cit., pág. 378; Castán Tobeñas, J., *Derecho Civil Español, Común y Foral T. II Vol. I*, ob. cit., pág. 165; González García, J., "Concepto y contenido de la propiedad", ob. cit., pág. 108; Peña Bernaldo de Quirós, M., *Derechos Reales. Derecho Hipotecario T. I*, ob. cit., pág. 194; Blasco Gascó, F. de P., *Instituciones de Derecho Civil...*, ob. cit., pág. 183; Lacruz Berdejo, J. L. *et al.*, *Elementos de Derecho Civil I Parte General Vol. III...*, ob. cit., págs. 240 y 241. Véase también Rivera Savatés, V., "La propiedad privada y su índole elástica", ob. cit., pág. 251.

nullius por abandono por parte del que fuera su propietario, no se convertiría el usufructuario en titular dominical de la cosa[74].

G) Unidad

Bajo nuestro punto de vista, cuando se señala el carácter unitario del derecho de propiedad se puede estar haciendo referencia, de un lado, a la unidad de la noción del dominio y, de otro, al fenómeno de la propiedad divida o desmembración del dominio.

Si con *unidad* nos referimos al concepto unitario del dominio, esto es, a que el derecho de propiedad "es siempre único e idéntico, sean cuales fueren las características del objeto sobre el cual se proyecta o la utilidad que dicho objeto tenga para la satisfacción de necesidades sociales"[75], ello fue abordado en otro apartado de este trabajo al tratar la creciente aparición de diversos regímenes del derecho de propiedad. Nos remitimos, pues, a lo que se dijo más arriba, insistiendo solamente en la idea de que el derecho de propiedad es un derecho único, sin perjuicio de la existencia de múltiples estatutos propietarios.

Con el término unidad también se puede estar haciendo alusión a la idea generalizada de que en los sistemas de *Civil Law*, a diferencia de lo que ocurre con los sistemas de *Common Law*[76], el dominio no puede ser objeto de fraccionamiento[77]. De ahí que se haya generado un acalorado debate acerca de la posibilidad de introducir una figura como la del *trust* en nuestro ordenamiento[78].

---

[74]   Rivera Savatés, V., "La propiedad privada y su índole elástica", ob. cit., pág. 251.

[75]   Álvarez Olalla, P. *et al.* en *Manual de Derecho Civil...*, ob. cit., pág. 142.

[76]   Al respecto puede consultarse: Kelly, D. B., "Dividing Possessory rights" en *Law and economic of possession*, Cambridge University Press, Cambridge and New York, 2015, págs. 175 y ss.

[77]   Se ha indicado, así, que "...frente al dominio plural y desmembrado del Antiguo Régimen, en el Código sólo hay un tipo de dominio y un tipo de propietario". Blasco Gascó, F. de P., *Instituciones de Derecho Civil...*, ob. cit., pág. 182. En igual sentido, Montés Penadés, V. L., ob. cit., pág. 68.

[78]   Más detalles en González Beilfuss, C., *El trust: la institución angloamericana y el derecho internacional privado español*, Bosch, Barcelona, 1997, págs. 21 y ss. Cabe destacar que Cámara Lapuente, aún reconociendo la flexibilidad de nuestro sistema en cuanto a la creación de nuevas figuras de carácter jurídico-real, ha querido subrayar las ventajas que se podrían derivar de la regulación del *trust* en nuestro ordenamiento. En este sentido, conviene señalar que tanto el legislador

Las afirmaciones realizadas más arriba deben ser tomadas, sin embargo, con cautela, ya que cada vez es más frecuente encontrar en los sistemas de tradición romanista diversos ejemplos de fraccionamiento espacial, temporal o por facultades del derecho de propiedad[79]. De este modo, entendemos que, aunque no se puede negar que en nuestro ordenamiento jurídico el derecho de propiedad muestra, de forma general, un carácter unitario, existen diversos supuestos en los que se permite una cierta fragmentación del dominio[80].

2. La incidencia de la autonomía privada en el ámbito dominical

Una vez estudiados los elementos del tipo dominical hemos de dar un paso más en nuestra investigación, planteando si es posible el juego de la autonomía privada en la configuración del derecho de propiedad[81].

---

estatal como el autonómico han acogido figuras que se acercan, en mayor o en menor medida, al *trust*. Así, debe hacerse alusión aquí a la Ley (estatal) 41/2003, de 18 de noviembre, de protección patrimonial de las personas con discapacidad y de modificación del Código civil, de la Ley de enjuiciamiento civil y de la normativa tributaria con esta finalidad, a los arts. 227-1 a 227-9 Cc Cat y a las Leyes 44 y 45 FNN. Cámara Lapuente, S., "El *trust* y la fiducia: posibilidades para una armonización europea" en *Derecho Privado Europeo* (coord. Cámara Lapuente, S.), Colex, Madrid, 2003, pág. 1157; Cámara Lapuente, S., "La defensa patrimonial de la persona y la familia mediante «trusts» y patrimonios fiduciarios" en *Homenaje al Profesor Carlos Vattier Fuenzalida* (coord. De La Cuesta Sáenz, J, M.ª *et al.*), 1ª ed., Aranzadi, Cizur Menor, 2013, págs. 236 y ss.

[79]   En este sentido, Blasco Gascó, F. de P., *Instituciones de Derecho Civil...*, ob. cit., pág. 182. Véanse también Lacruz Berdejo, J. L. *et al.*, *Elementos de Derecho Civil I Parte General Vol. III...*, ob. cit., págs. 241 y 242; Puig Brutau, J., *Fundamentos de Derecho Civil T. III Vol. I...*, ob. cit., págs. 169 y ss.; Nasarre Aznar, S., y Simón Moreno, H., ob. cit., págs. 3063 y ss.

[80]   Así parece entenderlo Montés Penadés, V. L., ob. cit., pág. 68. Más detalles en Cortejoso Gonzalo, V., "La división de los dominios y otras especialidades de los derechos reales en agricultura" en *Actas del I Congreso Internacional de Derecho Agrario en Extremadura*, Diputación Provincial de Badajoz, Badajoz, 1987, págs. 163-166.

[81]   En este epígrafe nos referiremos específicamente al derecho de propiedad prototípico y no a la incidencia de la autonomía privada en el ámbito de las denominadas propiedades especiales. Sobre este particular puede consultarse: Díaz Martínez, A., ob. cit., págs. 229 y ss.

2.1. La creación de nuevas modalidades dominicales como una posible solución a la crisis de la vivienda

La crisis financiera mundial iniciada en el año 2008 ha supuesto un vertiginoso aumento del volumen de ejecuciones hipotecarias en nuestro país. De este modo, un sector bastante amplio de la población española ha perdido su vivienda habitual ante la imposibilidad de hacer frente a las cuotas del préstamo hipotecario como consecuencia de factores como la pérdida del empleo[82].

Ante la situación descrita se han promovido diversas medidas de carácter normativo, tanto a nivel europeo como nacional, que se hallan eminentemente encaminadas a paliar las nefastas consecuencias producidas por el estallido de la burbuja inmobiliaria[83].

Entre las iniciativas destinadas a combatir la incontrolada pérdida de vivienda habitual en España, destacan, entre otras por su repercusión social y mediática[84], la dación en pago[85] y el alquiler social.

---

[82] Véase Sánchez Jordán, M.ª E., "El reto de la protección de los particulares ante la crisis", en *El derecho ante la crisis: nuevas reglas del juego* (dir. González Sanfiel, A. M.), Atelier, Barcelona, 2013, págs. 157-163. También Sánchez Jordán, M.ª E., *El régimen de segunda oportunidad del consumidor concursado. En especial, su aplicabilidad a las deudas derivadas de la adquisición de vivienda*, Aranzadi, Cizur Menor, 2016, págs. 27 y ss.

[83] Algunas de las soluciones que se propusieron desde el ámbito privado pueden consultarse en Sánchez Jordán, M.ª E., "El reto de la protección de los particulares ante la crisis", cit., págs. 163 y ss.; Sánchez Jordán, M.ª E., *El régimen de segunda oportunidad...*, ob. cit., págs. 42 y ss.

[84] También se han intentando tomar otra serie de medidas más polémicas como es la de la expropiación temporal del uso de la vivienda habitual proyectada por diversas normas de distintas Comunidades Autónomas (entre otras, Navarra, Andalucía y Canarias). Sobre esta medida hemos opinado ya en Aznar Sánchez-Parodi, I., "La dación en pago y otras medidas de protección del deudor hipotecario; en particular, la expropiación temporal de uso de la vivienda habitual", *R.J.N.* núm. 88-89, 2014, págs. 163 y ss. Ténganse en cuenta también las resoluciones posteriores al trabajo citado, en las que el Tribunal Constitucional declara la inconstitucionalidad de algunas de estas medidas: por ejemplo, STC (Pleno) 22 febrero 2018 (TOL6.537.959); STC (Pleno) 26 abril 2018 (TOL6.599.093).

[85] En la Exposición de Motivos de Real Decreto-Ley 6/2012, de 9 de marzo, de medidas urgentes de protección de crédito hipotecario, por el cual se regula la dación en pago de la vivienda habitual, se pone de manifiesto la necesidad de adoptar "...*medidas que permitan aportar soluciones a esta situación socioeconómica en consonancia con el derecho a disfrutar de una vivienda digna y*

Estas medidas, sin embargo, presentan notables inconvenientes[86] que hacen que, en nuestra opinión, no resulten suficientes o, mejor dicho, adecuadas para hacer frente a la profunda crisis de la vivienda.

Siguiendo el hilo de lo anterior, debe destacarse que la crisis financiera del año 2008 no solo supuso el lanzamiento de muchas familias del que hasta aquel momento era su hogar, sino que, además, provocó una fuerte restricción de adquisición de viviendas, en tanto en cuanto las entidades bancarias limitaron la concesión de préstamos hipotecarios[87]. A pesar de que a lo largo del año 2019 el mercado inmobiliario pareció presentar signos de mejoría[88], resulta patente que la crisis sanitaria del covid-19 ha golpeado nuevamente a nuestra economía[89].

El alquiler como alternativa a la adquisición de la vivienda en propiedad no parece ser una solución de acceso a la vivienda siempre satisfactoria, no tanto por un criterio sociológico unido a la tradicional afirmación de que la población española prefiere comprar a alquilar[90], sino por la deficiente política en materia de alquiler[91], unida a otros

---

adecuada, consagrado en el artículo 47 de la Constitución española, que ha de guiar la actuación de los poderes públicos de conformidad con el artículo 53.3 de la misma. Así lo exige, igualmente, el mandato incluido en el artículo 9.2 de la Norma Fundamental".

[86] Con respecto a la dación en pago nos remitimos a las razones que en su día se expusieron en Aznar Sánchez-Parodi, I., "La dación en pago y otras medidas de protección del deudor hipotecario…", ob. cit., págs. 163 y ss.

[87] Véase Álamo González, D. P., *La dación en pago en las ejecuciones hipotecarias. El control judicial del equilibrio contractual*, Tirant Lo Blanch, Valencia, 2012, pág. 14.

[88] La recuperación económica generó un aumento de la concesión de préstamos y un paralelo incremento del precio de la vivienda. Así, según los datos ofrecidos por el Instituto Nacional de Estadística en mayo de 2019, el número de las hipotecas constituidas sobre viviendas aumentó con respecto al número de hipotecas constituidas en el mes de mayo de 2018. Datos accesibles en: https://bit.ly/2QID9Kj (Página consultada por última vez el 1 de septiembre de 2020).

[89] Véase el Boletín Económico 2/2020 del Banco de España. Accesible en: https://bit.ly/3lxFHca (Página consultada por última vez el 1 de septiembre de 2020).

[90] Nasarre Aznar, S., y Simón Moreno, H., "Fraccionando el dominio: las tenencias intermedias para facilitar…", ob. cit., pág. 3067. También Nasarre Aznar, S., "Cuestionando algunos mitos del acceso de la vivienda en España, en perspectiva europea", *Cuadernos de Relaciones Laborales* Vol. 35 núm. 1, 2017, págs. 51 y ss. Accesible en: http://revistas.ucm.es/index.php/CRLA/article/view/54983/50102 (Página consultada por última vez el 24 de mayo de 2018).

[91] Nasarre Aznar, S., y Simón Moreno, H., "Fraccionando el dominio: las tenencias intermedias para facilitar…", ob. cit., pág. 3067; Nasarre Aznar, S., "Cuestio-

factores como el hasta hace bien poco imparable avance del alquiler vacacional[92], que tuvo como efecto colateral el aumento de la renta de los alquileres residenciales, con la consecuente disminución de los mismos[93].

Todo lo hasta aquí expuesto evidencia la necesidad de articular un sistema capaz de dar una solución coherente y eficaz a la magnitud del problema de la vivienda en nuestra nación. De ahí que Nasarre Aznar y Simón Moreno propongan la potenciación de las mal llamadas *tenencias intermedias*[94], que, según los autores[95], pueden mate-

---

nando algunos mitos del acceso…", ob. cit., págs. 51 y ss.

[92] Como se dijo en otro punto de este trabajo, la crisis sanitaria del covid-19 ha afectado al fenómeno del alquiler vacacional, debiendo admitir; no obstante, que aún se desconoce la evolución que experimentará este sector tras la pandemia. Véase García Amaya, A. y Temes Cordovez, R., "El alquiler vacacional frente al espejo" en *Turismo pos-COVID-19. Reflexiones, retos y oportunidades* (coords. Simancas Cruz, M. *et al.*), Cátedra de Turismo CajaCanarias-Ashotel de la Universidad de La Laguna, La Laguna, 2020, págs. 469 y ss.

[93] Este último fenómeno fue descrito por Delgado Truyols en "El gran dilema del alquiler vacacional (I): problemas sociales, económicos y jurídicos", *El Notario del Siglo XXI: Revista de Colegio Notarial de Madrid* núm. 73, 2017. Accesible en: http://bit.ly/2kdlspk (Página consultada por última vez el 15 de septiembre de 2019).

[94] En opinión de los autores citados en el texto principal, las tenencias intermedias constituyen una vía a caballo entre el dominio y el arrendamiento. Véase Nasarre Aznar, S., y Simón Moreno, H., "Fraccionando el dominio: las tenencias intermedias para facilitar…", ob. cit., págs. 3069 y ss. También Izquierdo Grau, G., "Las facultades dominicales de los propietarios material y formal en la propiedad compartida", *Indret* núm.1, 2019, pág. 4. Accesible en: http://bit.ly/2q5VNSz (Página consultada por última vez el 22 de junio de 2019). En igual sentido, Nasarre Aznar, S., "Cuestionando algunos mitos del acceso…", ob. cit., pág. 63. Esta expresión de tenencias intermedias es, sin embargo, criticada por Gete-Alonso, quien la tilda de equívoca puesto que en realidad la propiedad temporal y compartida no son figuras intermedias entre la propiedad y el arrendamiento, sino que se erigen como modalidades del derecho de propiedad. Gete-Alonso y Calera, M.ª C., "Una primera lectura de la llei 19/2015, de 29 de julio de incorporación de la propiedad temporal y de la propiedad compartida al Libro Quinto del Código Civil de Cataluña", *Revista de Derecho, Empresa y Sociedad* núm. 7, julio-diciembre 2015, págs. 21 y 22. También Gete-Alonso y Calera, M.ª C., "Propiedad temporal y propiedad compartida. ¿Nuevas modalidades de propiedad o nuevos actos jurídicos de adquisición?, ob. cit., págs. 387 y 388.

[95] Nasarre Aznar, S., y Simón Moreno, H., "Fraccionando el dominio: las tenencias intermedias para facilitar…", ob. cit., págs. 3071 y 3072.

rializarse mediante diversas vías: a) a través de la modificación de las instituciones tradicionales del Derecho civil, esencialmente los *iura in re aliena* o b) a través de una práctica bastante habitual en el Derecho comparado de fraccionar el dominio de diversos modos, generalmente temporal (*leasehold*)[96] o porcentualmente (*shared ownership*)[97].

Esta última idea es la que motivó la promulgación de la Ley 19/2015, de 29 de julio, de incorporación de la propiedad temporal y la propiedad compartida al libro quinto del Código civil de Cataluña, con la que se pretende remediar el problema habitacional de dicha Comunidad Autónoma[98]. De este modo, a partir de la citada

---

[96] El mecanismo del *leasehold* consiste esencialmente en que un sujeto (*freeholder*) transfiere a otro un inmueble de su propiedad por un tiempo determinado y, generalmente, a cambio del pago de una renta (propiedad en arrendamiento). En este sentido, aquel que constituyó el *leasehold* sigue ostentando el dominio del bien, de ahí que se le considere como un *landlord*, mientras que quien usa la cosa es un mero *tenant*. La extinción del *leasehold* supone que la propiedad plena revierte al *freeholder*. Véanse Stevens, J., y Pearce, R., *Land Law*, Sweet & Maxwell, London, 2000, pág. 65; Baz Izquierdo, F., *Derecho inmobiliario e hipotecario inglés y su comparación con el sistema inmobiliario español*, EDER-SA, Madrid, 1980, págs. 87-89; Argelich Comelles, C., "Promesas vacías o soluciones habitacionales: la expropiación temporal de viviendas vs. EDMOs", *R.C.D.I.* núm. 765, enero-febrero 2018, pág. 48.

[97] Como explican Nasarre Aznar y Simón Moreno, la *shared ownership* inglesa se fundamenta en un *leasehold*. Nasarre Aznar, S., y Simón Moreno, H., "Fraccionando el dominio: las tenencias intermedias para facilitar...", ob. cit., págs. 3083 y ss. En este sentido, en la *shared ownership* "...el titular que adquiere la propiedad de una porción del inmueble y la tenencia del resto por un plazo de hasta 99 años, y puede ir adquiriendo más porciones, que se pueden financiar". Torrent Cufí F., ob. cit., pág. 30.
Sobre esta figura puede consultarse también Ball, J., "Fragmentando la propiedad para la asequibilidad: la shared ownership o «nuevas» tendencias en Inglaterra y Francia" (trad. Simón Moreno, H.) en *El acceso a la vivienda en un contexto de crisis* (dir. Nasarre Aznar, S.), Edisofer, Madrid, 2011, págs. 208 y ss.; Izquierdo Grau, G., "Estudio de la regulación de la propiedad compartida del Código civil de Cataluña", *R.C.D.I.* núm. 772, marzo 2019, págs. 723 y ss.

[98] En consonancia con lo que veníamos diciendo, en la Exposición de Motivos de la Ley se señala que "*la introducción de estas modalidades de dominio obedece, principalmente, al propósito de aportar soluciones al problema del acceso a la propiedad de la vivienda, flexibilizando las vías de adquisición, ofreciendo fórmulas que permitan abaratar o minorar los costes económicos y respetando la naturaleza jurídica del derecho de propiedad, de conformidad con la tradición jurídica propia. Esta finalidad hace que sean los bienes inmuebles su objeto prin-*

ley quedaron tipificadas en el ordenamiento jurídico catalán, de un lado, la propiedad compartida (similar a la *shared ownership* inglesa) y, de otro, la propiedad temporal (semejante al *leasehold*)[99]. Cabe destacar, sin embargo, que la primera de las figuras mencionadas ya encontraba apoyo en el art. 71 de la Ley (catalana) 18/2007, de 28 de diciembre, del derecho a la vivienda, modificado por el art. 162 de la Ley (catalana) 9/2011, de 29 de diciembre, de promoción de la actividad económica[100].

---

cipal, lo que no implica que no se extienda también a determinados bienes muebles, en concreto a los que sean duraderos y no fungibles y puedan registrarse, o sea que sean identificables. La vivienda es una necesidad básica de la persona, a la que los poderes públicos deben responder creando las condiciones adecuadas y aprobando las normas pertinentes para garantizar el acceso a ella. Por eso, tanto la Constitución (artículo 47) y el Estatuto de autonomía de Cataluña (artículo 26) como la normativa internacional, entre la que destacan el Pacto internacional de derechos económicos, sociales y culturales de las Naciones Unidas de 1966 (artículo 11) y la Carta de derechos fundamentales de la Unión Europea de 2010 (artículo 34), configuran el derecho a la vivienda con un marcado contenido social, vinculado al libre desarrollo de la personalidad tomando como base la dignidad humana". Debemos señalar que sobre estas modalidades dominicales tuvimos la oportunidad de pronunciarnos en nuestro trabajo: Aznar Sánchez-Parodi, I., "La creación de nuevos derechos reales a partir del derecho de propiedad" en *El derecho de propiedad en la construcción del Derecho Privado europeo* (dir. Lauroba Lacasa. E.), Tirant Lo Blanch, Valencia, 2018, págs. 454 y ss. Sobre esta cuestión resulta fundamental: AA.VV., *La propiedad compartida y la propiedad temporal (Ley 19/2015). Aspectos legales y económicos* (dir. Nasarre Aznar, S.), Tirant Lo Blanch, Valencia, 2017, págs. 39 y ss. Desde el punto de vista procesal puede consultarse: Cerrato Guri, E., "Aspectos procesales de la propiedad temporal y de la propiedad compartida de la vivienda habitual", *Indret* núm. 2, 2015, págs. 4 y ss. Accesible en: http://www.indret.com/pdf/1130_es_2.pdf (Página consultada por última vez el 24 de mayo de 2018).

[99]   Sobre los antecedentes en el derecho comparado se detiene Torrent Cufí F., ob. cit., pág. 30.

[100]   El art. 71 de la mencionada Ley 18/2007, bajo el rótulo de *"propiedad compartida"*, señala que *"1. A los efectos de la presente ley, se entiende por propiedad compartida cada una de las formas de acceso a la vivienda protegida intermedias entre el alquiler y la propiedad que implican la transmisión al adquiriente del dominio de una parte de la vivienda y la retención del resto por parte de una tercera persona.*
2. La figura de la propiedad compartida puede implicar o no la transmisión futura o progresiva y por fases al adquiriente del pleno dominio sobre la vivienda.

Por lo que se refiere a la propiedad compartida, esta se basa en conferir *"...a uno de los dos titulares, llamado propietario material, una cuota del dominio, la posesión, el uso y el disfrute exclusivo del bien y el derecho a adquirir, de modo gradual, la cuota restante del otro titular, llamado propietario formal"* (*ex* art. 556-1 Cc Cat.)[101]. De este modo, una de las principales ventajas de esta forma de propiedad es que permite que un sujeto adquiera una vivienda de manera progresiva, lo que supone, por tanto, un menor esfuerzo económico inicial del particular[102].

En cuanto a la propiedad temporal, el art. 547-1 Cc Cat. la define como el derecho que *"...confiere a su titular el dominio de un bien durante un plazo cierto y determinado, vencido el cual el dominio hace tránsito al titular sucesivo"*[103]. En este sentido, puede decirse

---

3. A la parte de la vivienda no transmitida se pueden aplicar las correspondientes ayudas protegidas para el alquiler, según lo establecido por las disposiciones reguladoras de las ayudas para estas tipologías de vivienda.

4. Las administraciones públicas pueden participar en la adquisición de propiedades compartidas".

Izquiero Grau estima que, a pesar de que la figura de la propiedad compartida encontrase apoyo en la citada norma, no puede decirse que se hallase regulada hasta la promulgación de la Ley 19/2015. Véase Izquierdo Grau, G., "Las facultades dominicales de los propietarios material y formal en la propiedad compartida", ob. cit., pág. 5.

[101] Esta figura guarda relación con los censos y la comunidad ordinaria. Gete-Alonso y Calera, M.ª C., "Una primera lectura de la llei...", ob. cit., pág. 28. En este sentido, la mencionada autora e Izquierdo Grau subrayan que nos hallamos ante una comunidad especial. Véase Izquierdo Grau, G., "Estudio de la regulación de la propiedad compartida del Código civil de Cataluña", ob. cit., págs. 731 y 732.

[102] Esta y otras ventajas son resaltadas en Torrent Cufí F., ob. cit., págs. 34 y 35.

[103] Con respecto a la propiedad temporal ha existido una amplia polémica competencial hasta el punto de que se llegó a plantear un recurso de inconstitucionalidad contra el art. 1, DA 1ª, 2ª, 3ª y DF en lo que a esta figura se refería. De ahí que se suspendiese su vigencia y aplicación por Providencia del Tribunal Constitucional (Pleno) 24 mayo 2016 (JUR 2016\122871). La suspensión fue, sin embargo, levantada por el ATC (Pleno) 4 octubre 2016 (TOL6.429.148), declarándose la conformidad de la medida con nuestra Carta Fundamental por la STC (Pleno) 6 julio 2017 (TOL6.319.465). Así, se señaló que *"...la propiedad temporal que regula la Ley 19/2015 no supone la conservación o modificación de una institución existente en el Derecho civil especial de Cataluña, pues ha quedado claro que es una figura jurídico real que no estaba regulada en él al promulgarse la Constitución. Constituye, sin embargo, una actualización a las necesidades presentes de acceso a la vivienda de un principio preexistente en dicho ordenamiento, cual es*

que la propiedad temporal, según el esquema descrito por la norma promulgada por el legislador catalán, se trata de una figura estable, económica y antiespeculativa[104] en relación con los instrumentos tradicionales de acceso a la vivienda[105]. Cabe destacar, asimismo, que el legislador ha querido distinguir esta modalidad del dominio de otras figuras afines entre las que destaca el derecho de superficie (*ex* art. 547-3.2 Cc Cat.)[106]. De este modo, se pretende dotar a la propiedad temporal de un régimen y unos caracteres propios[107], con el fin de poner el acento en que se trata de un mecanismo encaminado a permitir el acceso a la vivienda[108].

---

la utilización de fórmulas de dominio dividido para facilitar el acceso a la propiedad. Por esta razón la regulación recurrida debe calificarse, conforme a nuestra doctrina, como un supuesto de crecimiento orgánico del Derecho civil especial de Cataluña que resulta amparado por la competencia atribuida al legislador autonómico para el "desarrollo" de su Derecho civil especial".

[104] Torrent Cufí F., ob. cit., pág. 32. Véase también Pérez Rivarés, J. A., "La «propiedad temporal» o «leasehold», posible fórmula para facilitar la inversión privada en inmuebles ocupados por la Administración", *Diario La Ley* núm. 7930, septiembre 2012, págs. 2 y ss. (versión online).

[105] Ha de recordarse, sin embargo, que siempre han existido tanto en la normativa civil estatal como en el Derecho catalán otras *propiedades temporales*. Véanse Torrent Cufí F., ob. cit., págs. 28 y 29; Pérez Rivarés, J. A., ob. cit., págs. 3; Nasarre Aznar, S., y Simón Moreno, H., "Fraccionando el dominio: las tenencias intermedias para facilitar...", ob. cit., págs. 3106 y ss.; Gete-Alonso y Calera, M.ª C., "Una primera lectura de la llei...", ob. cit., pág. 21.

[106] La norma establece claramente que "*los regímenes del fideicomiso, de la donación con cláusula de reversión, del derecho de superficie o cualesquiera otras situaciones temporales de la propiedad se rigen por sus disposiciones específicas*".

[107] Gete-Alonso y Calera, M.ª C., "Propiedad temporal y propiedad compartida. ¿Nuevas modalidades de propiedad o nuevos actos jurídicos de adquisición?, ob. cit., pág. 391.

[108] En este sentido, Valle Muñoz, al pronunciarse sobre la regulación de la propiedad temporal y de la propiedad compartida, sostiene que "el actor principal es el propietario poseedor. La normativa se pone a su disposición para garantizar que dicha posesión se prolongue en el tiempo lo máximo posible o para que su cuota en el total dominio se amplíe gradualmente. Este centro de gravedad es el que permite distinguir estas tenencias de otras figuras de carácter real similares que desglosan posesión y propiedad, como el derecho de superficie o el usufructo". Valle Muñoz, J. L., "La propiedad temporal y la propiedad compartida. Especial atención a los aspectos registrales" en *Les modificacions recents del Codi civil de Catalunya i la incidència de la Llei de la Jurisdicció Voluntària en el dret català: materials de les Dinovenes Jornades de Dret Català a Tossa*, Institut de Dret Pri-

Lo hasta aquí expuesto nos lleva a concluir que la creación coherente[109] de nuevas modalidades dominicales se erige como una posible solución a la problemática que asola a nuestro país desde hace ya más de una década tanto en el ámbito social como en el inmobiliario[110].

2.2. Eventuales obstáculos al juego de la autonomía privada en el ámbito propietario

En el apartado anterior observamos cómo la construcción de nuevas modalidades del derecho de propiedad podría ofrecer un remedio a actual crisis en materia de vivienda. En este sentido, también habíamos señalado que entre estas figuras destacaban, por su importancia y novedad, la propiedad temporal y la propiedad compartida acogidas por el Código civil catalán. Desde esta perspectiva, no puede pasar inadvertido el hecho de que las nuevas modalidades dominicales a las cuales nos hemos referido han sido reguladas por el legislador autonómico (concretamente mediante la Ley 19/2015), por lo que se trata de derechos reales de carácter típico, en cuanto emanan de un ente legislativo.

Debe plantearse, pues, en este apartado si sería posible que la voluntad de los particulares pudiese crear nuevas modalidades de carácter dominical.

Siguiendo el hilo de lo anterior, dos son a nuestro parecer los posibles obstáculos que pueden plantearse a la incidencia de la autonomía privada en el ámbito propietario: a) la reserva de ley existente en materia de propiedad y b) el respeto al orden público[111].

---

vat Europeu i Comparat de la Universitat de Girona Documenta Universitaria, Girona, 2017, pág. 150.

[109]   Debe señalarse, con Ball, que "la fragmentación de la propiedad es útil siempre que sea suficientemente segura, no sea muy complicada y sea entendida por sus usuarios". Ball, J., ob. cit., pág. 224.

[110]   En relación con la regulación de la propiedad temporal y la compartida, véase Nasarre Aznar, S., "Cuestionando algunos mitos del acceso...", ob. cit., págs. 62 y ss.

[111]   A esta conclusión llegamos también en nuestro trabajo: Aznar Sánchez-Parodi, I., "La creación de nuevos derechos reales a partir...", ob. cit., págs. 457 y ss.

A) Reserva de ley

Como hemos venido señalando a lo largo de este trabajo, existe una reserva de ley relativa en materia de propiedad (*ex* arts. 33.2 y 53.1 CE) que exige que la regulación de los aspectos relacionados con este derecho se acometa a través de una norma de rango legal, sin perjuicio de que las normas reglamentarias puedan desempeñar una función de carácter colaborativo[112]. Desde esta perspectiva, hay quien sostiene que sería poco coherente y, sobre todo, contrario a la Constitución que se le reconociese al particular una facultad que nuestra norma suprema deniega a la propia Administración Pública[113].

Frente a lo anterior, cabría aducir, con Espejo Lerdo de Tejada (reflexión que nos transmitió oralmente en el acto de defensa de nuestra tesis doctoral), que la reserva de ley contenida en el art. 33.2 CE no se halla encaminada a limitar la voluntad negocial (plano de la autonomía)[114], sino que, por el contrario, fue concebida por el constituyente como un medio de control frente a los posibles excesos de los poderes públicos (plano de la heteronomía)[115]. En este sentido, todo parece indicar, como bien apunta Prats Albentosa[116] apoyándose en la jurisprudencia de nuestro Tribunal Constitucional, que la reserva de ley en materia de propiedad funciona como un freno a la potestad reglamentaria[117].

Ahora bien, los razonamientos expuestos en el párrafo precedente no permiten apoyar una eventual desnaturalización del derecho de propiedad como consecuencia del ejercicio de la autonomía privada. En este sentido, los particulares deberán respetar tanto las bases sobre las que las normas (leyes y reglamentos colaborativos) han ido

---

[112] Sobre el papel de los reglamentos ejecutivos: García García, J. A., *Reserva de Ley...*, ob. cit., págs. 90-92.

[113] Montés Penadés, V. L., ob. cit., págs. 224 y 225.

[114] En contra, Méndez González, F. P., ob. cit., págs. 815 y 816; Blasco Gascó, F. de P., *Instituciones de Derecho Civil...*, ob. cit., pág. 46.

[115] Véase Gordillo Cañas, A., "El objeto de la publicidad en nuestro sistema inmobiliario registral...", ob. cit., pág. 474.

[116] Prats Albentosa, L., "El derecho a la propiedad privada en la Constitución de 1978", *R.J.N.* núm. extr., 2018, págs. 338 y ss.

[117] Ya nos hemos pronunciado en otros lugares de este trabajo sobre el papel de la reserva de ley como instrumento de limitación frente a la actuación del poder ejecutivo.

construyendo el esquema típico del derecho de propiedad[118] como el contenido esencial de este derecho.

Debe concluirse, pues, que, bajo nuestro punto de vista, la reserva de ley no se presenta como un obstáculo al posible juego de la autonomía privada en el ámbito dominical, ya que esta se configura, no como un elemento de contención de la voluntad negocial, sino como un instrumento de freno frente a la actuación del ejecutivo. Así, todo parece indicar que los particulares podrán disciplinar ciertos aspectos relativos al derecho de propiedad dentro de los estrictos márgenes diseñados por la ley y, en su caso, por los reglamentos de carácter colaborativo (*secundum legem*). En este sentido, cabe destacar aquí que tanto un sector de la doctrina[119] como la Dirección General de los Registros y del Notariado[120] han venido a confirmar que la sujeción del dominio a condición, término o modo no es más que un ejemplo de la proyección que puede tener la autonomía privada en sede dominical.

B)   *Vulneración del orden público*

Montés Penadés[121], al igual que otros autores[122], sostienen que la creación de nuevas modalidades propietarias podría afectar al orden

---

[118]   Según Lacruz, "la definición general de la propiedad como derecho pleno, «sin más limitaciones que las establecidas por las leyes», no se dirige a prohibir las restricciones y modalidades aportadas a ella por la voluntad privada, sino a describir el *tipo* primario. La propiedad puede desintegrar su contenido en tantos derechos cuantos autorice la ley, o en tantas secciones o porciones cuantas permitan el estatuto de la propiedad horizontal y las disposiciones urbanísticas, y (…) puede también en alguna manera dividirse por tiempos". Lacruz Berdejo, J. L. *et al.*, *Elementos de Derecho Civil III Derechos Reales Vol. I*, 2008, ob. cit., pág.17.

[119]   Gordillo Cañas, A., "El objeto de la publicidad en nuestro sistema inmobiliario registral…", ob. cit., págs. 474 y 475.

[120]   En este sentido, RDGRN 18 febrero 2016 (TOL5.668.977); RDGRN 18 marzo 2016 (TOL5.683.277); RDGRN 8 noviembre 2018 (TOL6.927.633); RDGRN 13 febrero 2019 (TOL7.098.405); RDGRN 26 abril 2019 (TOL7.211.168); RDGRN 8 agosto 2019 (TOL7.536.501); RDGRN 8 agosto 2019 (TOL7.536.491); RDGRN 9 agosto 2019 (TOL7.554.565); RDGRN 3 septiembre 2019 (TOL7.554.582); RDGRN 25 septiembre 2019 (TOL7.573.407); RDGRN 8 noviembre 2019 (TOL7.593.799); RDGRN 26 noviembre 2019 (TOL7.643.168).

[121]   Montés Penadés, V. L., ob. cit., págs. 224 y 225.

[122]   Fernández-Golfín Aparicio, A., Rivas Martínez, J. J., y Rodríguez Poyo-Guerrero, J-M., ob. cit., pág. 19. Los citados autores sostienen que el principio de pro-

público que, como señalamos, es uno de los límites que se imponen al libre ejercicio de la autonomía privada tanto en el ámbito contractual (*ex* art. 1255 Cc) como en el jurídico-real.

Trayendo a colación las consideraciones expuestas en el capítulo anterior acerca del orden público, debe señalarse que la creación de nuevas formas dominicales podría vulnerar, dependiendo de su configuración, principios tan esenciales para el Derecho patrimonial como el de libre circulación de los bienes.

2.3. Conclusiones

El Tribunal Constitucional afirmó, en su famoso pronunciamiento del año 1987, que la propiedad se configura como un derecho dotado de cierta plasticidad y flexibilidad[123], lo que le ha permitido adaptarse a los cambios propios de la vida moderna y dar una respuesta eficaz a las necesidades sociales y económicas que se han ido generando a lo largo del tiempo. No obstante, como ha expresado muy gráficamente Lacruz, que el dominio sea un derecho maleable o plástico no quiere decir que se trate de un trozo de plastilina que pueda ser moldeado a antojo del legislador[124], que deberá respetar en todo caso el contenido esencial del derecho de propiedad.

En relación con lo apuntado en el párrafo precedente, se ha planteado la posibilidad de que los particulares creen nuevas figuras dominicales siempre y cuando estos, al igual que el legislador, respeten el contenido esencial del derecho de propiedad. En contra de lo que viene sosteniendo la doctrina mayoritaria[125], nada parece empecer, bajo

---

piedad privada forma parte del orden público, por lo que podríamos entender que con base en este razonamiento el posible juego de la autonomía privada en sede dominical.

[123] En la STC (Pleno) 26 marzo 1987 (TOL79.746) se puso de manifiesto que "*de ahí que se venga reconociendo en general aceptación doctrinal y jurisprudencial la flexibilidad o plasticidad actual del dominio que se manifiesta en la existencia de diferentes tipos de propiedades dotadas de estatutos jurídicos diversos, de acuerdo con la naturaleza de los bienes sobre los que cada derecho de propiedad recae*".

[124] Lacruz Berdejo, J. L. *et al.*, *Elementos de Derecho Civil I Parte General Vol. III...*, ob. cit., pág. 255. En el mismo sentido, Miñarro Montoya, R., ob. cit., pág. 250.

[125] Díez-Picazo y Ponce de León, L., "Autonomía Privada...", ob. cit., pág. 329; Peralta Mariscal, L. L., ob. cit., pág. 2678; Camy Sánchez-Cañete, B., *Comentarios a la*

nuestro punto de vista, que los particulares disciplinen ciertos aspectos relacionados con el derecho de propiedad (p. ej. prohibiciones de disponer; sustituciones fideicomisarias, entre otros). Ello deberán hacerlo, claro está, acomodándose, en todo caso, a los márgenes prescritos por las normas y, como ya se dijo más arriba, al propio contenido esencial del derecho de propiedad. Del mismo modo, los particulares deberán respetar los límites a los que se halla sometida, con carácter general, la autonomía privada, cobrando aquí un especial protagonismo las limitaciones que impone la observancia del orden público.

Teniendo en cuenta lo anterior y como señala un sector de la doctrina, apriorísticamente no parece existir ningún obstáculo a la creación de una propiedad temporal por parte de los particulares, ya que, como hemos expuesto, no se trata de un elemento esencial del derecho de propiedad[126]. Debe reconocerse, sin embargo, que este tipo de configuración del derecho de propiedad podría afectar a una nota tan relevante como lo es la de la unidad del dominio.

---

[126] *Legislación Hipotecaria*, (…), 1969, ob. cit., pág. 435. También González y Martínez, J., *Estudios de Derecho Hipotecario (orígenes, sistemas y fuentes)*, Madrid, 1924, pág. 33. Accesible en: https://es.slideshare.net/ARISO/estudios-de-derecho-hipotecario-pdf (Página consultada por última vez el 24 de mayo de 2018).
Torrent Cufí parece apoyar la regulación de la propiedad temporal y compartida en Cataluña mediante la autonomía privada según la interpretación conjunta de los arts. 2 LH y 7 RH. Debe advertirse, sin embargo, que, como ya apuntamos, se trata de derechos típicos. Véase al respecto Torrent Cufí F., ob. cit., pág. 29.
Por su parte, Gete-Alonso afirma que no era necesaria una regulación de la propiedad temporal y la compartida, ya que existe una base normativa suficiente (arts. 2 LH y 7 RH) para poder avalar la creación de nuevas modalidades dominicales. De este modo, la citada autora señala que "la novedad de la norma catalana radica no en crear la propiedad temporal y la propiedad compartida, sino en hacerlas visibles, a través de la tipificación, pues hasta el momento se presentaban como pactos contractuales o formaban parte de otras figuras jurídicas que comportaban poderes jurídicos reales". Continúa diciendo que "…la propiedad temporal, que no quiere un nuevo derecho real, sino que es el derecho de propiedad porque participa, plenamente, de sus caracteres y régimen con excepción de lo que afecta al tiempo. De ahí que la temporalidad implique modalidad de derecho de propiedad y no un nuevo derecho real". Todas estas reflexiones se encuentran recogidas en Gete-Alonso y Calera, M.ª C., "Una primera lectura de la llei…", ob. cit., págs. 21 y 22. De manera similar, Gete-Alonso y Calera, M.ª C., "Propiedad temporal y propiedad compartida. ¿Nuevas modalidades de propiedad o nuevos actos jurídicos de adquisición?, ob. cit., págs. 386 y 387.

II. DERECHOS REALES DE GOCE Y DISFRUTE

1. *El juego de la autonomía privada en el ámbito de los derechos reales de goce y disfrute*

1.1. La postura restrictiva

Para abordar la cuestión que nos ocupa resulta fundamental, en primer lugar, tomar como referencia el compendio de derechos reales de goce y disfrute típicos[127], para así, en segundo lugar, estar en condiciones de plantearnos si existen determinados usos o utilidades respecto de un bien que no se hallen cubiertos por los tipos previstos por el legislador[128]. De este modo, Díez-Picazo destaca que es necesario realizar una distinción entre el derecho real de disfrute pleno y los derechos reales de goce parcial sobre una cosa ajena[129].

Por lo que se refiere al derecho real de disfrute pleno en cosa ajena, es claro que, como señala el autor citado en el párrafo anterior, no cabe otro distinto que el usufructo, sin perjuicio de que el contenido de este derecho típico pueda sufrir modificaciones *ex* art. 467 (usufructo atípico), como es el caso del usufructo con facultad de disposición[130].

En cuanto a los derechos reales de goce parcial sobre una cosa ajena, Díez-Picazo señala que estos quedan encuadrados dentro del

---

[127] En concreto, Díez-Picazo y Ponce de León, L., "Autonomía Privada…", ob. cit., págs. 329. También Lacruz Berdejo, J. L. *et al.*, *Elementos de Derecho Civil III Derechos Reales Vol. I*, 2008, ob. cit., pág.17; Blasco Gascó, F. de P., *Instituciones de Derecho Civil…*, ob. cit., pág. 47.

[128] Así, "…cabe pensar en tantos hipotéticos derechos reales como usos o utilidades puedan constituirse con respecto a un bien". Álvarez Olalla, P. *et al.* en *Manual de Derecho Civil…*, ob. cit., pág. 32.

[129] Díez-Picazo y Ponce de León, L., "Autonomía Privada…", ob. cit., pág. 329. Esta postura es íntegramente compartida por Méndez González, quien reproduce exactamente los mismos argumentos señalados por el primer autor en Méndez González, F. P., ob. cit., pág. 817.

[130] Díez-Picazo y Ponce de León, L., "Autonomía Privada…", ob. cit., págs. 329. El art. 467 Cc establece que "*el usufructo da derecho a disfrutar los bienes ajenos con la obligación de conservar su forma y sustancia, a no ser que el título de su constitución o la ley autoricen otra cosa*".

ámbito de las servidumbres (prediales o personales), debiendo tenerse en cuenta nuevamente que, al igual que en el caso del usufructo, el contenido de esta categoría de derechos puede ser objeto de modificaciones o variaciones a voluntad de los particulares (servidumbres atípicas), siempre y cuando no se vulnere con ello la ley o el orden público (art. 594 Cc)[131].

Con base en lo hasta aquí expuesto, y como señala acertadamente Lacruz[132], la amplitud y flexibilidad que caracteriza a la mayor parte de los tipos existentes en el campo de derechos reales de goce no solo lleva a la mayoría de los autores que han tratado la materia a cuestionarse la necesidad de crear de nuevas figuras en este concreto sector de nuestro Derecho patrimonial, sino también a negar[133] o, al menos, a plantearse la admisibilidad de las mismas. En este último sentido, se señala que resulta harto complicado imaginar una figura que no pueda subsumirse en alguno de los tipos previstos por el legislador en materia de derechos reales de goce y disfrute[134], teniendo en cuenta, además, la posible modificación del contenido que admite la mayor parte de esta clase de derechos (derecho típico de contenido atípico)[135].

---

[131]   Díez-Picazo y Ponce de León, L., "Autonomía Privada…", ob. cit., págs. 329 y 330.

[132]   Lacruz Berdejo, J. L. *et al.*, *Elementos de Derecho Civil III Derechos Reales Vol. I*, 2008, ob. cit., pág.17.

[133]   Díez-Picazo y Ponce de León, L. y Gullón Ballesteros, A., *Sistema de Derecho Civil Vol. III T. I*, ob. cit., pág. 43; Ballester Giner, E., *Derechos reales. De los bienes a la hipoteca*, 3ª ed., Valencia, 1989, pág. 21; Peralta Mariscal, L. L., ob. cit., pág. 2678.

[134]   De Cossío y Corral, A., *Instituciones de Derecho Civil T. II…*, ob. cit., pág. 37; Blasco Gascó, F. de P., *Instituciones de Derecho Civil…*, ob. cit., pág. 47; Peralta Mariscal, L. L., ob. cit., pág. 2678; De La Esperanza Martínez-Radio, A., ob. cit., pág. 51.

[135]   Blasco Gascó, F. de P., *Instituciones de Derecho Civil…*, ob. cit., pág. 47. Sobre este particular Carrasco adopta, sin embargo, una postura crítica en tanto en cuanto ha llegado a afirmar que "es una tarea absurda y de resultados arbitrarios crear nichos y después estirarlos, "a ver dónde llegan", como ocurre con los tipos de servidumbre y usufructo, cuya elasticidad ha permitido al tiempo mantener la ficción de que hay un número de derechos reales, pero proceder en la práctica como si no lo hubiera". Carrasco Perera, A., "Orientaciones para una posible…", ob. cit., pág. 7.

1.2. Críticas a la tesis limitativa

A pesar del peso de los argumentos expuestos en el apartado anterior, son dos las principales razones que nos llevan a refutar la corriente mayoritaria en cuanto a la creación de nuevos derechos reales de goce atípicos se refiere.

La primera de las deficiencias que hallamos en la exposición de la tesis expuesta con anterioridad es, en nuestra opinión, de carácter técnico. Así, debemos resaltar que las voces que han tratado la materia, al referirse a los derechos reales típicos en los que debe subsumirse cualquier figura jurídico-real que comporte un goce respecto de una cosa, fijan únicamente su atención en el derecho real de usufructo y el derecho real de servidumbre. De este modo, salvo contadas excepciones[136], la mayor parte de los autores parecen olvidar que existen otros derechos reales típicos que implican el goce o disfrute respecto de una cosa, distintos de los derechos reales de usufructo y servidumbre, entre los cuales pueden citarse: uso, habitación, censos, superficie, aprovechamiento por turno de bienes inmuebles, además de otros derechos creados o previstos en algunas normativas civiles autonómicas.

El segundo de los inconvenientes que encontramos en el planteamiento de la corriente desarrollada en el apartado anterior estriba, bajo nuestro punto de vista, en que justifica la restricción a la autonomía privada en el ámbito de los derechos reales de goce bajo el argumento de que cualquiera de las utilidades o usos que se proyecten sobre un bien pueden ser reconducidos a las figuras típicas existentes dada su amplitud y flexibilidad. En este sentido, entendemos que el razonamiento expuesto pasa por alto el hecho de que las necesidades emergentes de una sociedad moderna no solo pueden dar, sino que han dado lugar, a la aparición de un buen número de figuras jurídico-reales que no han podido ser subsumidas en ninguno de los derechos reales de goce previstos por el legislador. Así, podrían citarse, entre

---

[136] Peralta Mariscal, además de al usufructo y servidumbre, se refiere a los derechos de uso y habitación. Peralta Mariscal, L. L., ob. cit., pág. 2678.
Por su parte, Lacruz menciona como derechos reales típicos de goce únicamente a las servidumbres y el derecho real de usufructo; no obstante, analiza de forma separada el desarrollo de la autonomía privada en la figura de los censos que, en puridad, también son derechos reales de goce. Véase Lacruz Berdejo, J. L. *et al.*, *Elementos de Derecho Civil III Derechos Reales Vol. I*, 2008, ob. cit., pág.18.

otros, el derecho de aprovechamiento por turnos de bienes inmuebles y derecho real de superficie previos a su regulación; el derecho de vuelo; el derecho real de aprovechamiento ambiental. Sobre este particular nos detendremos más adelante, baste ahora señalar que resulta simplista negar la posible creación de instituciones no previstas en el campo de los derechos reales de goce solo por el hecho de que uno no pueda imaginarse, en un momento dado, nuevas formas de aprovechamiento de los bienes.

Podemos concluir, pues, que aunque tradicionalmente el ejercicio de la autonomía privada en el ámbito de los derechos de goce se hallaba, más bien, encaminado a modificar el contenido de determinados derechos reales típicos[137], existe la posibilidad, cada vez más frecuente en la práctica, de que los particulares creen nuevas figuras en este campo, siempre y cuando se respeten los límites generales a los cuales hemos hecho alusión en otro punto de este trabajo (ley, moral, orden público).

2. *Incidencia de la autonomía privada desde diversas perspectivas*

En este apartado nos encargaremos de analizar las diferentes formas en las que puede incidir la autonomía privada en sede de derechos reales de goce que, como se desprende de las reflexiones expuestas con anterioridad, consisten: a) en la modificación del contenido de los derechos reales típicos o b) en la creación de nuevas figuras (derechos reales de goce *ex novo*).

2.1. Los derechos reales de goce y disfrute típicos

A) *El contenido atípico en el ámbito de los derechos reales típicos*

Como se ha adelantado, nuestro ordenamiento jurídico parece ofrecer base normativa suficiente (arts. 467, 470, 523, 594, 598,

---

[137] En esta línea la DGRN ha señalado que "...*respecto de los derechos reales típicos, y singularmente de los de goce, la autonomía de la voluntad ha ido más bien encaminada a perfilar determinadas características del paradigma legal*". RDGRN 25 abril 2005 (TOL645.166); RDGRN 4 mayo 2009 (RJ\2009\2776).

1648.2 Cc) para afirmar que, como regla general, el contenido de los derechos reales de goce típicos puede ser modificado a voluntad de las partes[138]. De este modo, es cada vez más frecuente encontrar en la práctica jurídica ejemplos de, entre otros, derechos de servidumbre[139], usufructo[140], uso[141] o, incluso, superficie[142] atípicos.

No obstante lo señalado en el párrafo precedente, no puede dejar de advertirse, como hicimos más arriba, que el adjetivo calificativo *atípico*, no puede inducir al equivoco de afirmar que las figuras a las que hacíamos alusión constituyen nuevos derechos reales, esto es, derechos reales atípicos creados *ex novo*. En este sentido, no puede olvidarse nos hallamos en el plano de la tipicidad, ya que la facultad de

---

[138] Aunque no cita todos los preceptos que se relacionan en el texto principal, véase Román García, A., ob. cit., págs. 188 y 189.

[139] Sobre esta particular figura nos detendremos en el próximo apartado de este trabajo.

[140] Resulta fundamental el trabajo de Rivero Hernández, F., *Usufructo, uso y habitación*, Aranzadi, Cizur Menor, 2016, págs. 67-69. Sobre el usufructo con facultad de disposición véase STS 3 marzo 2000 (TOL4.926.901)] y Rivero Hernández, F., "La autonomía privada en…", ob. cit., pág. 1328; Clemente Meoro, M. E., "Comentario al artículo 467" en *Comentarios al Código Civil T. III* (dir. Bercovitz Rodríguez-Cano, R.), Tirant Lo Blanch, Valencia, 2013, págs. 3806 y ss. Álvarez Caperochipi, parece negar el libre desarrollo de la autonomía privada en este sector. Álvarez Caperochipi, J. A., *Curso de Derechos Reales…*, ob. cit., pág. 18. Cabe destacar que en una nueva Propuesta de Código civil se recogen algunas modalidades atípicas del usufructo. Véase Torrelles Torrea, E., "Título V Libro III" en *Propuesta de Código Civil. Asociación de Profesores de Derecho Civil*, Tecnos, Madrid, 2018, pág. 470. Sobre el ordenamiento italiano, véase Poliani, F., "Usufrutto, uso e abitazione" en *Trattato dei diritti reali Vol. II Diritti Reali Parziari* (dir. Gambaro, A. e Morello, U.), Giuffrè, Milano, 2011, págs. 131 y ss.; Musolino, G., "Usufrutto" en *Trattato di Diritto Immobiliare (I diritti reali limitati e la circolazione degli immobili)* (dir. Visintini, G.), CEDAM, Milano, 2013, págs. 117 y ss.

[141] En la STS 26 julio 2001 (TOL4.974.686) se plantea un posible caso de uso atípico. Véase Mas Badía, M. ª D., "Comentario a la Sentencia 26 julio de 2001", ob. cit., págs. 293 y ss.). Otros supuestos controvertidos: SAP Zaragoza (Sección 4ª) 19 mayo 2009 (TOL373.411) y la SAP Santa Cruz de Tenerife (Sección 4ª) 25 abril 2002 (LA LEY 80498/2002).

[142] Para esta cuestión: López Colmenarejo, F., "El derecho de superficie y el principio de autonomía de la voluntad" en *Autonomía de la voluntad en el Derecho Privado T. III-2 Derecho Patrimonial 2 Estudios en Conmemoración del 150 aniversario de la Ley del Notariado* (coord. Prats Albentosa, L.), Wolters Kluwer España, Madrid, 2012, pág. 551 y ss.

variación que el ordenamiento jurídico confiere a los particulares "... no supone la creación de un derecho real atípico sino la modalización del contenido típico de un derecho real que sigue siendo típico"[143].

Una vez ha podido comprobarse que, con carácter general, cabe alterar el contenido de la mayoría de los derechos reales de goce previstos por el legislador, es necesario dar un paso más en nuestro análisis, planteándonos hasta donde puede llegar esta modificación sin desnaturalizar el derecho real típico de que se trate[144]. De este modo, siguiendo a Rivero Hernández[145], entendemos que para responder al interrogante que se nos plantea es necesario tomar primeramente como referencia la estructura típica del derecho real de goce de que se trate, para después centrarnos en el contenido esencial del mismo.

En esta línea, debe señalarse que la estructura típica de un determinado derecho consiste, bajo nuestro punto de vista, en el conjunto de elementos constitutivos que caracterizan, de forma normal, a un concreto derecho previsto por el legislador. Sobre estos elementos deberemos diferenciar, de un lado, aquellos que son disponibles (p. ej. art. 493 Cc) y, de otro, aquellos que resultan inderogables y que, por tanto, forman parte del contenido esencial del derecho.

Siguiendo el hilo de lo anterior puede decirse, recordando la definición que nos ofrece el Tribunal Constitucional en la STC (Pleno) 8 abril 1981 (TOL109.335), que el contenido esencial de un determinado derecho consiste en el conjunto de "...*facultades o posibilidades de actuación necesarias para que el derecho sea recognoscible como pertinente al tipo descrito y sin las cuales deja de pertenecer a ese tipo y tiene que pasar a quedar comprendido en otro, desnaturalizán-*

---

[143]   Blasco Gascó, F. de P., *Instituciones de Derecho Civil...*, ob. cit., pág. 47.

[144]   En relación al usufructo, Rivero Hernández se plantea "... ¿qué modificaciones del régimen legal pueden introducirse en el título sin que el usufructo constituido deje de ser tal?...". Rivero Hernández, F., ob. cit., pág. 1327 nota al pie núm. 1. Así, "...cabe cuestionar, por ejemplo, la viabilidad de un usufructo limitado en el contenido del goce o disfrute sobre el bien que proporcione a su titular, o la posibilidad de constituir una servidumbre sobre un bien mueble, o que imponga al titular del predio sirviente una actividad que no tenga que ver con el mismo (p. ej., recoger la cosecha del predio dominante)...". Álvarez Olalla, P. *et al.* en *Manual de Derecho Civil...*, ob. cit., pág. 32.

[145]   Rivero Hernández, F., ob. cit., págs. 1335 y ss.

dose por decirlo así[146]. En este sentido, y como regla general, para que los particulares puedan modalizar un determinado derecho real de goce, no podrán traspasar en ningún momento el contenido esencial del mismo[147], como se pone de relieve en numerosos ejemplos de la práctica jurídica[148], debiendo tenerse en cuenta, además, que toda

---

[146] Como ha señalado Rivero Hernández refiriéndose al caso concreto del usufructo, el contenido esencial es aquello "...que representa su sustancia y cuyo defecto lo desnaturaliza o lo transforma en otro, y cuya transferencia a otra persona, aun con reserva de alguna facultad para el transmitente, supone un traspaso de su titularidad". Rivero Hernández, F., ob. cit., pág. 1336.

[147] En este sentido, Bigliazzi Geri, L., *Usufrutto, uso e abitazione*, Giuffrè, Milano, 1979, pág. 49; Mas Badía, M. ª D., "Comentario a la Sentencia 26 julio de 2001", ob. cit., págs. 292 y 293; Díez-Picazo y Ponce de León, L. y Gullón Ballesteros, A., *Sistema de Derecho Civil Vol. III T. I*, ob. cit., pág. 43; Muñiz Espada, E., "Comentario al artículo 467" en *Código Civil Comentado Vol. I* (dirs. Cañizares Laso, A. *et al.*), 2ª ed., Aranzadi, Cizur Menor, 2016, pág. 1907.
Rivero Hernández estudia ampliamente esta cuestión en relación a las posibles modificaciones del contenido típico del derecho de usufructo en Rivero Hernández, F., ob. cit., págs. 1343 y ss.

[148] Sobre este particular resulta interesante un supuesto en el que se intentó inscribir en el Registro de la Propiedad un derecho por el que un sujeto donaba a otro el derecho de arrendar y percibir rentas con carácter privativo y por el plazo de treinta años de dos fincas urbanas de las cuales era el propietario el primero. Ante la calificación negativa del registrador y su reiteración por el registrador sustituto, se interpuso recurso gubernativo en el que se puso de manifiesto la validez del derecho real con base en la tesis de *numerus apertus* y a su semejanza con el usufructo, hasta el punto de que podría hablarse de un usufructo especial o modalizado por el título constitutivo. Frente a estas argumentaciones, la Dirección General no solo rechazó la calificación de la figura como un nuevo derecho real atípico, sino que negó la existencia de un usufructo especial, señalando que "*tal construcción no puede ser admitida. Ese pretendido derecho, así constituido, no presenta contornos tales que lo diferencien sustancialmente del usufructo, derecho real típico de goce, pero no resulta baladí la calificación que le dé el constituyente. Configurado como un usufructo al que se sustrae la facultad de poseer y usar para sí, se dispone de un régimen legal que disciplina las relaciones entre el propietario, el usufructuario y el arrendatario, que puede ser conocido por los terceros y dota de seguridad jurídica a las partes y dichos terceros (así, en cuestiones tan relevantes como la responsabilidad por el uso de la cosa, el régimen de reparaciones y mejoras, el pago de cargas y tributos,...); en la forma pretendida por los otorgantes, y sin perjuicio de la posible validez entre ellos, carece de la suficiente claridad y certeza como para dotarle de efectos «erga omnes»*". RDGRN 25 abril 2005 (TOL645.166).
También puede traerse aquí a colación un supuesto relacionado con el derecho de estatge, el cual se define en el art. 54 de la Compilación de Derecho Civil de

alteración del contenido típico habrá de respetar las normas imperativas que existan sobre la materia, la moral y el orden público[149].

Con base en lo anterior, puede decirse que en aquellos supuestos en los que, en un intento de modalizar el contenido de un determinado derecho real, se llegue a desnaturalizar una figura típica, deberemos plantearnos si, a partir de la autonomía privada, ha podido crearse un

---

las Islas Baleares como el *"...derecho personalísimo e intransmisible de habitar gratuitamente en la casa, ocupando privativamente las habitaciones necesarias y compartiendo el uso de las dependencias comunes con los poseedores legítimos del inmueble, sin concurrir a los gastos, cargas y tributos que le afecten..."*. En los hechos descritos en la SAP Islas Baleares (Sección 4ª) 30 enero 1996 (LA LEY 5294/1996), la causante legó a dos de sus hijas un derecho de habitación o de estatge mientras estas permanecieran solteras. Pasado un tiempo una de las legatarias no solo intenta ceder su derecho a un tercero, sino que, además, pretende extender el derecho a la totalidad de la vivienda, alegando que no es beneficiaria de un simple derecho de estatge, sino de uno atípico, más amplio. Frente a estos razonamientos, la Audiencia señala que, partiendo de la inequívoca voluntad de la causante de legar un derecho de estatge, debe tenerse en cuenta que "*la propia Exposición de Motivos de la Ley mencionada expresa que el art. 54 de la Compilación "no cierra el paso "por la vía de remisión al derecho de habitación del Código Civil" a la autonomía de la voluntad expresada en el título constitutivo" (vid. art. 523), siempre "claro está" que se respete su contenido esencial, de otro modo, estaríamos en presencia de un derecho distinto. En este punto resulta oportuno recoger la opinión doctrinal según la cual parece que es esencial al derecho examinado que las necesidades de su titular no determinen la ocupación de toda la casa, pues la Compilación sólo prevé la parcial, en congruencia con el desarrollo de unas especialidades que se fundan en una idea de convivencia íntima. La posibilidad de un estatge sobre la totalidad de la casa es, cuando menos, jurídicamente dudosa, de ahí que las tesis de los recurrentes de que el derecho se extendía sobre la "celda"vivienda", no pueda sustentarse en un auténtico estatge, pues pugna con su contenido esencial típico*".

[149] Clemente Meoro, M. E., "Comentario al artículo 470" en *Comentarios al Código Civil T. III* (dir. Bercovitz Rodríguez-Cano, R.), Tirant Lo Blanch, Valencia, 2013, pág. 3823; Clemente Meoro, M. E., "Comentario al artículo 523" en *Comentarios al Código Civil T. III* (dir. Bercovitz Rodríguez-Cano, R.), Tirant Lo Blanch, Valencia, 2013, pág. 4154.

derecho real atípico *ex novo*[150] o si, en cambio, nos hallamos ante una relación de carácter meramente personal[151].

B)   *Las servidumbres atípicas como ejemplo paradigmático*

a)   Marco general

Nuestro Código civil, a diferencia de lo que ocurre en algunos ordenamientos extranjeros[152], acoge, de un lado, la figura de la servi-

---

[150]   Como apunta Mas Badía, en relación con la posible constitución de un nuevo derecho real basado en el uso, "la creación del derecho atípico empieza allí donde acaba la potencia configuradora del derecho de uso del título constitutivo. Si se desnaturaliza el derecho en relación con sus moldes típicos, entramos de lleno en el terreno del *numerus apertus* o *numerus clausus* en materia de creación de derechos reales". Mas Badía, M. ª D., "Comentario a la Sentencia 26 julio de 2001", ob. cit., pág. 292. Véase también Reverte Navarro, A., "Comentario al artículo 467" en *Comentarios al Código Civil T. III Libro II* (coord. Rams Albesa, J.), Bosch, Barcelona, 2001, pág. 636.

[151]   Nos parece especialmente significativo el supuesto en el que se rechazó la inscripción de un derecho por el cual un sujeto pretendía reservarse el derecho de uso con carácter vitalicio de dos locales donados a sus hijos. De este modo, en la resolución se puso de manifiesto que "...*hay que tener presente la definición y contenido típico que respecto del derecho real de uso se contiene en el artículo 524 del Código Civil, que ha sido entendido en el sentido de implicar un limitado disfrute que tiene por objeto el consumo ordinario que lleva implícito el uso de la cosa (el usuario disfruta para satisfacer una necesidad y no puede obtener beneficios más allá, pues éste es el límite de su derecho); formulación que dista de la más moderna que, por ejemplo, recoge el artículo 562-6 del Código Civil de Cataluña, que dispone que los usuarios pueden poseer y utilizar un bien ajeno en la forma establecida por el título de constitución o, en su defecto, de modo suficiente para atender sus necesidades y las de quienes convivan con ellos. Indudablemente, cabría la modalización de un derecho de uso con base en ese criterio de «numerus apertus» que rige en nuestro Derecho inmobiliario, eso sí, cumpliendo las exigencias institucionales que antes han quedado enunciadas en detalle. Pero nada de ello sucede en el caso del presente recurso, pues no se trata más que del mero reconocimiento de una simple posesión, que ni se explica ni detalla en qué concepto*". Así, se entendió que se trataba de una mera relación de carácter obligacional. Véase la RDGRN 5 septiembre 2017 (TOL6.355.119).

[152]   El *Code civil* prevé en su art. 686 que "*il est permis aux propriétaires d'établir sur leurs propriétés, ou en faveur de leurs propriétés, telles servitudes que bon leur semble, pourvu néanmoins que les services établis ne soient imposés ni à la personne, ni en faveur de la personne, mais seulement à un fonds et pour un*

dumbre predial o "*...gravamen impuesto sobre un inmueble en beneficio de otro perteneciente a distinto dueño*" (art. 530 Cc); y, de otro, la servidumbre personal o "*...en provecho de una o más personas, o de una comunidad, a quienes no pertenezca la finca gravada*" (art. 531 Cc)[153]. Por lo que se refiere a los derechos civiles autonómicos, cabe destacar que en Cataluña, Navarra y Aragón se ha optado por dar cobertura legal únicamente a las servidumbres de carácter predial, rechazándose, así, la opción de regular las servidumbres personales[154]. No obstante lo anterior, los ordenamientos jurídicos citados sí que han acogido lo que se conoce como derechos de aprovechamiento parcial (arts. 563-1 a 563-4 Cc Cat., Ley 423 a 425 FNN, arts. 555 y 584 CDFA); que, si bien, siguen el esquema estructural propio de las servidumbres personales, presentan una distinta denominación[155]. El

---

      fonds, et pourvu que ces services n'aient d'ailleurs rien de contraire à l'ordre public...". Por su parte el *Codice civile* regula únicamente las servidumbres prediales en su articulado (arts. 1027 y ss.).

[153]   Como señala Ossorio, "este precepto carece de precedentes en nuestro Derecho anterior al Código civil (...) el Proyecto de 1851 no contenía ningún precepto concordante con el que comentamos, apareciendo por primera vez esta figura en el Proyecto de 1882, de cuyo artículo 533 fue copiado el 531 del Código vigente". Ossorio Morales, J., *Las servidumbres personales*, EDERSA, Madrid, 1936, págs. 67 y 69.

[154]   Véase Cabanas Trejo, R., "Breve nota sobre la servidumbre personal en el Derecho catalán", *La notaria* núm. 35-36, 2006, págs. 119 y ss. Así, por ejemplo, la Ley 394 FNN señala con contundencia que "*no son servidumbres: (...) Dos. Los derechos de uso o aprovechamiento establecidos en favor de una persona sobre finca ajena, con independencia de toda relación entre predios, los cuales se regirán por lo establecido en el capítulo II del título IV de este libro*".

[155]   Véase Palacios González, M.ª D., "Servidumbres prediales y personales: en especial, las servidumbres personales (típicas y atípicas)" en *Tratado de Servidumbres* (coord. Cerdeira Bravo de Mansilla, G.,), La Ley, Madrid, 2015, págs. 186 y 187; Díaz Brito, F. J., "Comentario a la Ley 423" en *Comentarios al Fuero Nuevo Compilación del Derecho Civil Foral de Navarra* (dir. Rubio Torrano, E.), Aranzadi, Cizur Menor, 2002, pág. 1401-1403; Argudo Périz, J. L., "Los derechos reales de aprovechamiento parcial en la Ley de Derecho Civil Patrimonial", *Revista de Derecho Civil Aragonés* núm. 16, 2010, págs. 179 y ss. Esta última accesible en: http://bit.ly/2Kja0CX (Página consultada por última vez el 7 de agosto de 2019).
      Navas Navarro, tomando como referencia el ordenamiento jurídico catalán, define esta clase de derechos "*...como el derecho constituido a favor de una de varias personas simultáneamente o sucesivamente en virtud del cual se otorga la facultad de extraer una/s concreta/s utilidad/es de una finca ajena*". Navas Nava-

derecho de aprovechamiento parcial se erige, pues, como un nuevo derecho real, que pasa de ser atípico a típico en varios derechos civiles autonómicos[156].

Retornando al derecho del Código civil español, cabe señalar que la dicotomía entre servidumbres prediales, de un lado, y servidumbres personales, de otro, ha dificultado, en gran medida, la labor de construcción de una definición clara y unitaria en cuanto a este tipo de gravamen se refiere[157]. De ahí que, como señala Navas Navarro[158], la doctrina mayoritaria, al abordar la cuestión, haya optado por limitarse a mencionar las diferencias existentes entre servidumbres prediales y personales, para después centrarse en el estudio de las primeras[159],

---

[156] rro, S., *El derecho real de aprovechamiento parcial*, Fundación Registral, Colegio de Registradores de la Propiedad y Mercantiles de España, Madrid, 2007, pág. 122. Debe destacarse, sin embargo, que el régimen supletorio del aprovechamiento parcial varía en los distintos de derechos forales (véanse art. 563-1 Cc Cat., Ley 423 FNN y art. 555 CDFA). Así lo señala Armas Omedes en relación con el Derecho civil catalán. Armas Omedes, F. A., "Los derechos del aprovechamiento parcial", *La notaria* núm. 41, 2007, págs. 183 y 187. En este sentido, cabe destacar que la nueva Propuesta de Código civil elaborada por la Asociación de Profesores de Derecho Civil distingue, de un lado, a las servidumbres (prediales) y, de otro, a los derechos de aprovechamiento parcial, cuyo contenido se corresponde, de forma general, con lo que nuestro derecho vigente conoce con el nombre de servidumbres personales. Así, el art. 371-1 de la citada Propuesta define esta clase de derechos como aquellos que "*1. (...) atribuyen sobre una finca ajena el disfrute de alguna utilidad concreta, como el aprovechamiento forestal en sus diferentes modalidades, la instalación de carteles publicitarios o antenas, el uso de balcones o palcos, y otros similares.*
2. Estos derechos se rigen por su título de constitución, por las normas del presente Capítulo, por las normas del derecho de usufructo en lo pertinente y por la costumbre". Al respecto véanse Lauroba Lacasa, M.ª E., "Título VII del Libro III" en *Propuesta de Código Civil. Asociación de Profesores de Derecho Civil*, Tecnos, Madrid, 2018, págs. 475 y 476; Busto Lago, J. M., "Títulos VIII a X del Libro III" en *Propuesta de Código Civil. Asociación de Profesores de Derecho Civil*, Tecnos, Madrid, 2018, págs. 481 y ss.

[157] Lacruz Berdejo, J. L. *et al.*, *Elementos de Derecho Civil III Derechos reales Vol. II*, ob. cit., págs. 91 y 92. En igual sentido, Guilarte Gutiérrez, V., *La constitución voluntaria de servidumbres en el derecho español*, Montecorvo, Madrid, 1984, pág. 15.

[158] Navas Navarro, S., *El derecho real de aprovechamiento...*, ob. cit., pág. 77.

[159] Entre estos autores podemos señalar a Álvarez Caperochipi, J. A., *Curso de Derechos Reales...*, ob. cit., págs. 165 y ss.; Espín Cánovas, D., *Manual de Derecho*

dada su regulación preponderante en el Código civil[160] y la extendida idea de que tradicionalmente las servidumbres personales han tenido siempre un carácter residual frente a las prediales[161].

No obstante lo anterior, un sector de la doctrina se ha mostrado reacio a describir la servidumbre desde la exclusiva perspectiva de las servidumbres prediales en tanto en cuanto, desde su punto de vista, se trata de una definición incompleta (falta la referencia a las servidumbres personales) y reduccionista (se centra en el aspecto pasivo del gravamen)[162]. Así, un pequeño conjunto de autores, en un intento de ofrecer concepto que aglutine tanto a las servidumbres de carácter predial como aquellas de carácter personal, ha propuesto una definición más amplia de lo que ha de entenderse por servidumbre. De este modo, podría decirse que la servidumbre sería aquel derecho real que otorga a su titular la posibilidad de utilizar parcialmente el fundo ajeno, ya sea en beneficio propio, ya en provecho del inmueble sobre el cual ostenta la titularidad[163].

Civil Español Vol. II..., ob. cit., págs. 354 y ss.; Rebolledo Varela, A. L., "Concepto y caracteres", ob. cit., págs. 49 y ss.; Martínez de Aguirre Aldaz, C., "Las servidumbres" en *Curso de Derecho Civil III Derechos Reales* (coord. De Pablo Contreras, P.), 4ª ed. reimp., Edisofer, Madrid, 2016, pág. 480.

[160] El Código civil recoge la definición de servidumbre personal en el art. 531 Cc, sin llegar a establecer un régimen específico para este tipo de servidumbres. A mayor abundamiento, el citado texto normativo únicamente acoge dos tipos específicos de servidumbres personales: las de pastos (art. 603 Cc) y las de leñas y demás productos de montes (art. 604 Cc). De este modo, las servidumbres personales se regularán por las normas previstas por las servidumbres prediales en todo aquello que les sea compatible.

[161] Ampliamente Cerdeira Bravo de Mansilla, G., "Concepción y tipificación de las servidumbres en el derecho actual: la servidumbre predial de utilidad privada como genuina servidumbre y la más odiosa carga real inmobiliaria" en *Tratado de Servidumbres* (coord. Cerdeira Bravo de Mansilla, G.,), La Ley, Madrid, 2015, págs. 64 y ss.

[162] Así lo señala Blasco Gascó, F. de P., *Instituciones de Derecho Civil...*, ob. cit., pág. 345.

[163] Este concepto ha sido extraído de la lectura conjunta de las definiciones que ofrecen Blasco Gascó, F. de P., *Instituciones de Derecho Civil...*, ob. cit., pág. 346; Álvarez Olalla, P. *et al.* en *Manual de Derecho Civil...*, ob. cit., pág. 287; Rogel Vide, C., ob. cit., pág. 245; Albaladejo García, M., *Derecho Civil III...*, ob. cit., pág. 571; Peña Bernaldo de Quirós, M., *Derechos Reales. Derecho Hipotecario T. I*, ob. cit., pág. 645.

Nosotros nos mostramos de acuerdo con la segunda de las posturas expuestas, al menos en lo que al planteamiento de ofrecer una definición amplia de servidumbre se refiere. Ello por cuanto, aunque se aceptase la tesis de que el tipo general de servidumbre solo puede consistir en un gravamen entre fincas[164], ha de tenerse en cuenta que esta carga "...puede consistir en las cosas más diversas"[165].

La última de las ideas apuntadas enlaza directamente con la materia que nos ocupa, ya que el art. 594 Cc, aplicable tanto a servidumbres prediales como a personales[166], prevé que "*todo propietario de una finca puede establecer en ella las servidumbres que tenga por conveniente, y en el modo y forma que bien le pareciere, siempre que no contravenga a las leyes ni al orden público*"[167]. Así, el ordenamiento jurídico español autoriza a los particulares a constituir servidumbres que, aunque típicas en cuanto derecho previsto por el legislador, consten del contenido (atípico) más dispar[168].

Siguiendo el hilo de lo anterior, las partes podrán crear servidumbres atípicas siempre y cuando con ello no se vulnere el contenido

---

164 Con la opción, claro está, de poder constituir también servidumbres en favor de personas. Véase Cerdeira Bravo de Mansilla, G., "Concepción y tipificación de las servidumbres...", ob. cit., págs. 67 y 68.

165 Albaladejo García, M., *Derecho Civil III...*, ob. cit., pág. 572.

166 Torres Lana, J. A., "Comentario al artículo 594", ob. cit., pág. 1016; Peña Bernaldo de Quirós, M., *Derechos Reales. Derecho Hipotecario T. I*, ob. cit., pág. 663; Díez-Picazo y Ponce de León, L. y Gullón Ballesteros, A*., Sistema de Derecho Civil Sistema de Derecho Civil Vol. III T. II*, 9ª ed., Tecnos, Madrid, 2016, pág. 104; Álvarez Olalla, P. *et al.* en *Manual de Derecho Civil...*, ob. cit., pág. 311; Blasco Gascó, F. de P., *Instituciones de Derecho Civil...*, ob. cit., págs. 358 y 359.

167 Por lo que respecta al derecho autonómico, cabe destacar que el art. 87.1 LDCG establece que "*todo propietario de un predio puede establecer sobre el mismo, por actos inter vivos o mortis causa, las servidumbres de paso que considere convenientes, siempre que no contravenga las leyes y el orden público*".

168 Así lo señala Guilarte Gutiérrez, V., ob. cit., pág. 27. Debemos indicar, asimismo, que, aunque Biondi rechace la posible creación de derechos reales atípicos *ex novo*, no duda en afirmar que "típica es, por tanto, la servidumbre, el contrato, el acto ilícito, la acción en cuanto la autonomía privada no se pueda extralimitar de unos esquemas previos, pero son infinitas las figuras comprendidas en ellos". Biondi, B., *Las servidumbres...*, ob. cit., pág. 28. En igual sentido, Terzago, G. y Terzago, P., ob. cit., pág. 63.

esencial del derecho en cuestión[169]. Debemos advertir, sin embargo, que ese contenido esencial variará según el tipo de servidumbre (real[170] o personal[171]) ante el cual nos hallemos.

No puede pasarse por alto que el proceso de creación de servidumbres atípicas está igualmente sujeto a los límites que se imponen

---

[169] Aunque Cerdeira se refiere concretamente a las servidumbres prediales, nos mostramos de acuerdo con sus reflexiones, siempre y cuando se entiendan referidas a las servidumbres en general y no solo a las prediales. Así, según el citado autor la creación de una servidumbre atípica pasa porque se respeten los elementos esenciales de la servidumbre, sin perjuicio de que las partes puedan jugar con las notas naturales y accidentales del derecho en cuestión. Cerdeira Bravo de Mansilla, G., "Concepción y tipificación de las servidumbres…", ob. cit., págs. 102 y 103. En el sentido del obligado respeto al contenido y caracteres esenciales del derecho real de servidumbre se pronuncian, entre otros, Cobacho Gómez, J. A., "Comentario a los artículos 594 a 599", ob. cit., pág. 1160; Díez García, H., "Comentario al artículo 594", ob. cit., pág. 740; Busto Lago, J. M., "Comentario al artículo 594", ob. cit., pág. 4575.

Algunos otros autores se muestran, sin embargo, contrarios a la postura que acabamos de exponer, ya que, en su opinión, es precisamente la disparidad de contenido en materia de servidumbre (*ex* art. 594 Cc) la que impide que exista un modelo típico de servidumbre que puede ser objeto de modificación o variación. Véase Álvarez Olalla, P. *et al.* en *Manual de Derecho Civil…*, ob. cit., pág. 292.

[170] Al señalar cuáles son las notas esenciales que caracterizan a las servidumbres prediales, la doctrina suele seguir el esquema propuesto por Lacruz, esto es, "… son *presupuestos* del derecho de servidumbre predial la existencia de dos predios distintos y la ajenidad entre los mismos y sus *caracteres* los de ser un derecho subjetivamente real inherente activa y pasivamente a las fincas afectadas, susceptible de procurar a una finca a cargo de otra una utilidad o ventaja directa, potencialmente perpetuo y dispensador de un goce de carácter parcial y específico". Lacruz Berdejo, J. L. *et al.*, *Elementos de Derecho Civil III Derechos reales Vol. II*, ob. cit., pág. 93. Sobre este particular, véanse también Álvarez Caperochipi, J. A., *Curso de Derechos Reales…*, ob. cit., págs. 167 y ss.; Espín Cánovas, D., *Manual de Derecho Civil Español Vol. II…*, ob. cit., págs. 356 y 357; Guilarte Gutiérrez, V., ob. cit., págs. 18 y ss.; Busto Lago, J. M., "Comentario al artículo 530" en *Comentarios al Código Civil T. III* (dir. Bercovitz Rodríguez-Cano, R.), Tirant Lo Blanch, Valencia, 2013, págs. 4189 y ss.; Alonso Pérez, M. ª T., "Comentario al artículo 530" en *Código Civil Comentado Vol. I* (dirs. Cañizares Laso, A. *et al.*), 2ª ed., Aranzadi, Cizur Menor, 2016, págs. 2088 y ss.; Blasco Gascó, F. de P., *Instituciones de Derecho Civil…*, ob. cit., págs. 346 y 347; Luna Serrano, A., "Las servidumbres y el Registro de la Propiedad" en *Libro-Homenaje al Profesor Manuel Amorós Guardiola T. I*, Fundación Registral, Colegio de Registradores de la Propiedad y Mercantiles de España, Madrid, 2006, págs. 1074 y ss.; Rebolledo Varela, A. L., "Concepto y caracteres", ob. cit., págs. 51 y ss.

[171] Sobre este punto nos detendremos en otro apartado de este trabajo.

de forma general a la autonomía privada en el campo del Derecho patrimonial, esto es, la ley[172], la moral[173] y el orden público[174] (art. 1255 Cc) y que se encuentran expresamente recogidos en el art. 594 Cc, salvo la referencia al límite de la moral[175].

---

[172] Por ejemplo, la STS 18 marzo 1994 (TOL1.665.454) versa sobre un supuesto de constitución de una servidumbre que va en contra de lo dispuesto en el Plan vigente de urbanización.

Aunque pueden darse aquí por reproducidas las apreciaciones realizadas en otro apartado de este trabajo acerca de la ley como límite a la autonomía privada, nos parece necesario realizar una puntualización referida al caso concreto de la servidumbre. En este sentido, Cerdeira señala que, mientras que en las servidumbres voluntarias la autonomía privada encuentra su máxima expresión, en las servidumbres de carácter legal se encuentra mucho más acotada, en función de que la utilidad de las mismas sea pública o privada. De este modo, y sin perjuicio de que puedan existir normas de carácter dispositivo, de forma general solo las servidumbres legales impuestas en interés de los particulares "...*podrán ser modificadas por convenio de los interesados cuando no lo prohíba la ley ni resulte perjuicio a tercero*" (*ex* art. 551 Cc). Todos estos argumentos se encuentran expuestos en Cerdeira Bravo de Mansilla, G., "Concepción y tipificación de las servidumbres...", ob. cit., págs. 97 y 98.

[173] Como señalamos en otro punto de este trabajo, a favor de considerar la autonomía privada como límite a la creación de servidumbres atípicas se muestra Navas Navarro, S., "Comentario al artículo 594", ob. cit., pág. 702. También Espín Cánovas, D., *Manual de Derecho Civil Español Vol. II...*, ob. cit., pág. 382.

[174] Sobre este particular véase Biondi, B., "Servitù ed ordine pubblico", ob. cit., págs. 832 y ss. Debe señalarse aquí que, aunque como hemos visto en otro punto de este trabajo, la vulneración del orden público puede tener diversas manifestaciones, en materia de servidumbres destacan la interdicción de constituir servidumbres inútiles o imposibles, la de crear servidumbres universales y la de vulnerar, como señala Luna Serrano, determinados postulados constitucionales entre los que destacan, por ejemplo, la preservación del medio ambiente, la prevención del riesgo a la salud, la protección de la intimidad (STS 8 octubre 1988 [TOL1.733.509]) o la inviolabilidad del domicilio (STS 20 mayo 2008 [TOL1.320.874]). Para extraer las anteriores conclusiones se han consultado las siguientes obras: Luna Serrano, A., "El límite del orden público en la constitución de servidumbres prediales", ob. cit., págs. 300 y ss.; Lacruz Berdejo, J. L. *et al.*, *Elementos de Derecho Civil III Derechos reales Vol. II*, ob. cit., pág. 117; Karrera Egialde, M. M., "Comentario al artículo 594", ob. cit., pág. 2299; Busto Lago, J. M., "Comentario al artículo 594", ob. cit., pág. 4576; Díez García, H., "Comentario al artículo 594", ob. cit., págs. 741 y 742.

[175] Cerdeira Bravo de Mansilla, G., "Concepción y tipificación de las servidumbres...", ob. cit., págs. 97 y ss.

No obstante lo anterior, Cerdeira advierte que, en cualquier caso y con independencia de que las partes califiquen a una determinada figura como servidumbre atípica, deberá tenerse en cuenta, en primer lugar, la voluntad de las mismas, y, en segundo lugar, el contenido de lo que se ha pactado[176]. Como demuestra la práctica registral, esta tarea interpretativa es especialmente relevante a la hora de diferenciar una servidumbre atípica de otros derechos reales limitados como el usufructo y, sobre todo, de figuras de carácter obligatorio[177].

Puede finalizarse señalando que en las últimas décadas la práctica jurídica se ha visto enriquecida con la aparición de una multitud de nuevas figuras en el campo del derecho real de servidumbre (como las servidumbres recíprocas[178], industriales[179] o de utilidad futura[180],

---

[176]   Cerdeira Bravo de Mansilla, G., "Concepción y tipificación de las servidumbres…", ob. cit., pág. 104. Sobre este particular, véanse la STS 19 julio 2002 (TOL4.975.906); STS 8 julio 2003 (TOL4.924.546).

[177]   Cerdeira Bravo de Mansilla, G., "Concepción y tipificación de las servidumbres…", ob. cit., págs. 106 y 107. En relación con la distinción entre obligación y derecho de servidumbre debe consultarse De Ángel Yagüez, R., "Servidumbre negativa y obligación…", ob. cit., págs. 621 y ss.

[178]   En la práctica se vienen admitiendo las servidumbres recíprocas, siempre y cuando con ello no se absorba la totalidad del goce o aprovechamiento correspondiente a la parte de las fincas sobre las que recaen. En este sentido, RDGRN 21 febrero 2000 (TOL133.040); RDGRN 7 abril 2000 (TOL132.991). Cabe destacar además que esta modalidad de servidumbres se halla prevista en el art. 3101-1 de la Propuesta de Código civil elaborada por la Asociación de Profesores de Derecho Civil. Véase Busto Lago, J. M., "Títulos VIII a X del Libro III", ob. cit., pág. 481.

[179]   Esta figura, a diferencia de lo que ha ocurrido en otros ordenamientos (art. 1028 Codice civile), no ha sido expresamente acogida por el legislador. No obstante, se trata de una institución con gran relevancia práctica tanto en el campo de las servidumbres prediales como en el de las personales. Palacios González, M.ª D., ob. cit., págs. 203 y ss. Para un mayor estudio de la figura en el ordenamiento jurídico italiano: Giovene, A., La servitù industriale, ob. cit., págs. 11 y ss.

[180]   Aunque en Derecho civil común no existe una norma equivalente al art. 1029 Codice civile (en el que se reconoce la servitù per vantaggio futuro), sí que existen diversos preceptos legales en nuestro sistema de Derecho patrimonial (arts. 546.3 y 594 Cc, 9 LPH, 8.4 LH, 566-2.3 Cc Cat., Ley 395 FNN) que permiten avalar, de forma general, la constitución de servidumbres en las que, por diversos motivos, la ventaja no sea susceptible de aprovechamiento actual, servidumbres a favor de construcciones futuras y, por último, servidumbres a favor de fundos que aún no hayan sido adquiridos. No obstante, debe puntualizarse que en los supuestos que hemos descrito, el derecho real de servidumbre no nacerá como

entre otras[181]), con el fin de dar una respuesta adecuada a las nuevas necesidades socioeconómicas que han ido surgiendo a lo largo del tiempo[182]. Tanto es así que la Dirección General de los Registros y del Notariado considera que, de forma general, el espacio más propicio para el desarrollo de la autonomía privada es el del derecho real de servidumbre[183]. Debe precisarse, sin embargo, que esta última consideración cobra un mayor sentido en el campo de las servidumbres de carácter personal. Así, aunque no puede negarse que las servidumbres personales se han venido considerando tradicionalmente como figuras residuales o de carácter excepcional, es necesario destacar que hoy

---

tal hasta que la ventaja que reporta la servidumbre sea susceptible de aprovechamiento, se construya el edificio o se adquiera el fundo en cuestión. En este sentido, SAP Barcelona (Sección 17ª) 22 mayo 2009 (TOL1.750.935).

Las reflexiones expuestas en el párrafo precedente han sido extraídas de la lectura de Díaz Fuentes, A., *Servidumbres, serventías y relaciones de vecindad*, Bosch, Barcelona, 2004, págs. 75 y ss.; Cuadrado Iglesias, M., "Comentario al artículo 594" en *Comentario del Código Civil T. I* (dir. Paz-Ares Rodríguez, C. *et al.*), Ministerio de Justicia, Madrid, 1991, pág. 1505; Cobacho Gómez, J. A., "Comentario a los artículos 594 a 599", ob. cit., págs. 1161 y 1162. Para un mayor estudio de la materia: Bonet Correa, J., "La servidumbre en favor de edificio futuro y la adquisición de apartamentos en el edificio por construir", *R.D.N.*, julio-diciembre 1961, págs. 249 y ss.; Batista Montero-Ríos, J., ob. cit., págs. 189 y ss.; Guilarte Gutiérrez, V., ob. cit., págs. 163 y ss.

[181]   Nos parece muy interesante el supuesto que recoge la RDGRN 14 mayo 1984 (TOL962.738), en la cual se discute "...*si puede tener acceso al Registro de la Propiedad el derecho que el titular de dos parcelas colindantes establece a favor de los futuros titulares de una de ellas de que el garaje del edificio que se construya en esta última pueda expanderse a parte del subsuelo de la otra de las citadas parcelas, y teniendo en cuenta que el suelo cuya parte subterránea se invade no es edificable en altura según impone la concesión de la correspondiente licencia administrativa y que además no tendrá conexión física alguna con el edificio a construir en el resto de la parcela invadida*". Finalmente se determina que la servidumbre que se pretende constituir no vulnera ni la ley ni el orden público, debiendo tenerse en cuenta que "...*la servidumbre constituida es una exigencia de las relaciones socio-urbanísticas que la realidad genera, y en la que razones de necesidad, utilidad y servicio imponen el que un edificio expanda su garaje aparte del subterráneo de un suelo colindante no edificable*".

[182]   Cuadrado Iglesias, M., "Comentario al artículo 594", ob. cit., pág. 1504; Karrera Egialde, M. M., "Comentario al artículo 594", ob. cit., pág. 2297. Sobre este punto, véase también Cerdeira Bravo de Mansilla, G., "Concepción y tipificación de las servidumbres...", ob. cit., págs. 101 y ss.

[183]   Véanse RDGRN 14 mayo 1984 (TOL962.738); RDGRN 5 diciembre 2002 (TOL268.255); RDGRN 2 noviembre 2009 (TOL1.725.013).

en día están siendo objeto de un renovado interés como consecuencia de su revitalización en la práctica[184]. Es por ello por lo que nos parece imprescindible realizar un estudio separado de las servidumbres personales atípicas, a las cuales dedicaremos el siguiente apartado de este trabajo.

b) Servidumbres personales atípicas

La paupérrima regulación que realiza nuestro Código civil respecto de las servidumbres personales, así como la dicción de lo dispuesto en el art. 594 Cc, revelan el importante papel que desempeña la autonomía privada en este concreto sector. De este modo, puede decirse que, salvo las concretas manifestaciones de la servidumbre de pastos (art. 603 Cc) y la servidumbre de *"aprovechamiento de leñas y demás productos de los montes de propiedad particular"* (art. 604 Cc), no existen en nuestro Código civil servidumbres personales de contenido típico[185]. Del mismo modo, creemos no errar al afirmar que son escasos los supuestos en los que la legislación especial se ha encargado de regular este tipo de servidumbres, siendo el caso más destacado el de las servidumbres administrativas de paso de redes[186].

---

[184] Cerdeira Bravo de Mansilla, G., "Concepción y tipificación de las servidumbres...", ob. cit., pág. 105. En contra de la importancia práctica de la figura, hasta el punto de dudar su existencia y viabilidad, se pronuncia Álvarez Caperochipi, J. A., *Curso de Derechos Reales...*, ob. cit., pág. 178; Álvarez Caperochipi, J. A., "El derecho de pastos y las servidumbres personales como categorías jurídicas, *R.D.P.*, mayo 1980, págs. 483-485.

[185] De la Cuesta Sáenz, J. M.ª, "Servidumbres personales: su duración en relación con la atipicidad de los derechos reales y con la libertad del dominio" en *Homenaje al Profesor Carlos Vattier Fuenzalida* (coord. De La Cuesta Sáenz, J, M.ª *et al.*), 1ª ed., Aranzadi, Cizur Menor, 2013, pág. 507. Así parece señalarlo también Martínez de Aguirre Aldaz, C., "Las servidumbres", ob cit., pág. 501. El art. 603 Cc establece que *"el dueño de terrenos gravados con la servidumbre de pastos podrá redimir esta carga mediante el pago de su valor a los que tengan derecho a la servidumbre.*
A falta de convenio, se fijará el capital para la redención sobre la base del 4 por 100 del valor anual de los pastos, regulado por tasación pericial". Por su parte, el art. 604 Cc únicamente remite a la norma dispuesta en el precepto transcrito.

[186] Carrillo Donaire, J. A., "Servidumbres administrativas para el establecimiento y protección de tendidos en red" en *Tratado de Servidumbres T. II Régimen de las servidumbres en el Código Civil* (coord. Rebolledo Varela, A. L.), 3ª ed., Aran-

En virtud de lo anterior, las servidumbres personales se regirán, como regla general, por lo pactado por las partes en el título constitutivo (art. 598 Cc), aplicándose subsidiariamente el régimen dispuesto en el Código civil para las servidumbres prediales en todo aquello que fuera compatible con aquellas[187].

Teniendo en cuenta lo expuesto en el párrafo precedente y con independencia del mayor o menor acierto del legislador[188], nuestro ordenamiento no solo permite que las partes creen servidumbres personales de contenido atípico (art. 594 Cc), sino que, además, parece fomentarlo. La constitución de este tipo de servidumbre, pasa, sin embargo, porque la concreta figura responda al esquema propio de las servidumbres personales, esto es, debe consistir en un gravamen que se proyecte sobre un fundo (sirviente), además de establecerse "...*en provecho de una o más personas, o de una comunidad, a quienes no pertenezca la finca gravada*" (*ex* art. 531 Cc).

Siguiendo nuestro hilo discursivo debe recordarse, una vez más, que el juego de la autonomía privada encuentra como límite la vulneración de las normas imperativas y del orden público (art. 594 Cc),

---

zadi, Cizur Menor, 2013, págs. 1263 y ss. No obstante, el autor reconoce que se trata de una cuestión controvertida. Se ha llegado, incluso, a decir que esta servidumbre constituye un *tertium genus*, ya que se trata de una servidumbre de empresa. En este sentido, SAP Segovia 4 noviembre 1996 (AC 1996\2019); SAP Segovia 4 noviembre 1996 (AC 1996\2533); SAP Cáceres (Sección 2ª) 27 septiembre 1997 (AC 1997\1816); SAP Pontevedra (Sección 3ª) 15 julio 2010 (TOL1.951.264); SAP Las Palmas (Sección 3ª) 5 mayo 2014 (TOL4.443.799); SAP Pontevedra (Sección 3ª) 23 julio 2018 (TOL6.836.413). No obstante, como indicaremos más adelante, no creemos que las servidumbres de empresa constituyan una tercera categoría distinta de las servidumbres personales o prediales.

[187] Rebolledo Varela, A. L., "Prediales y personales. Legales o forzosas y voluntarias" en *Tratado de Servidumbres T. I Régimen de las servidumbres en el Código Civil* (coord. Rebolledo Varela, A. L.), 3ª ed., Aranzadi, Cizur Menor, 2013, pág. 80; Álvarez Olalla, P. *et al.* en *Manual de Derecho Civil...*, ob. cit., págs. 309 y 310. También se muestran favorables a la idea de aplicar de forma supletoria las normas propias de las servidumbres prediales en todo aquello que les fuera compatible: Lacruz Berdejo, J. L. *et al.*, *Elementos de Derecho Civil III Derechos reales Vol. II*, ob. cit., pág. 155; Martínez de Aguirre Aldaz, C., "Las servidumbres", ob cit., pág. 501.

[188] Rebolledo Varela explica el rechazo que tradicionalmente ha existido respecto de este tipo de figuras. Rebolledo Varela, A. L., "Prediales y personales. Legales o forzosas y voluntarias", ob. cit., pág. 78.

así como de la trasgresión de los postulados de la moral social (art. 1255 Cc). Aunque debemos remitirnos en este punto a lo expuesto en el apartado dedicado al estudio de los límites que se imponen a la autonomía privada, nos ha parecido importante recordar aquí que no podrán constituirse servidumbres que resulten excesivamente gravosas, ya que ello podría suponer una conculcación de los principios de orden público[189].

Enlazando con lo anterior, nos ha llamado la atención que, de forma general, doctrina[190] y jurisprudencia[191], así como la Dirección General de los Registros y del Notariado[192], vengan admitiendo la constitución de servidumbres personales atípicas de carácter perpetuo. En este sentido, creemos que no cabe la creación de un gravamen de las características señaladas, y ello no porque estimemos que han de aplicarse los límites temporales que el Código civil reserva para el derecho real de usufructo (arts. 513.1, 515 y 521 Cc)[193], sino porque,

---

[189]   Palacios González cree que ello podría ocurrir en el caso de que se constituyese una servidumbre que impidiese el total ejercicio de las facultades dominicales del titular del fundo sirviente. Este y otros ejemplos en Palacios González, M.ª D., ob. cit., pág. 190.

[190]   En este sentido se pronuncian Álvarez Olalla, P. *et al.* en *Manual de Derecho Civil...*, ob. cit., pág. 310; Lacruz Berdejo, J. L. *et al., Elementos de Derecho Civil III Derechos reales Vol. II*, ob. cit., pág. 154; Rebolledo Varela, A. L., "Prediales y personales. Legales o forzosas y voluntarias", ob. cit., pág. 80; Ossorio Morales, J., *Las servidumbres personales*, ob. cit., págs. 147 y ss.; Martínez de Aguirre Aldaz, C., "Las servidumbres", ob cit., pág. 501. También Díaz Fuentes, A., ob. cit., págs. 31, 716, 717 y 718. Más tímidamente parece mostrarse Palacios González, quien no niega la constitución de servidumbres personales de carácter perpetuo, pero entiende que hoy parece difícil que pueda justificarse un gravamen de esas características. Palacios González, M.ª D., ob. cit., págs. 209.

[191]   En la STS 8 mayo 1947 (TOL.4.452.509) el Alto Tribunal, al tratar un litigio en torno a una servidumbre de pastos, entiende "...*insostenible la hipótesis de la temporalidad forzosa de las servidumbres personales...*". En el citado pronunciamiento se admite, sin embargo, la posibilidad de redimir el gravamen *ex* art. 603 Cc.

[192]   En la RDGRN 3 junio 2011 (TOL2.216.268) la Dirección General se mostró favorable a la inscripción de una servidumbre personal de saca o aprovechamiento de piedra "...*hasta el agotamiento de toda la piedra existente en la finca y, en su defecto, durante quinientos años*".

[193]   Tampoco los estiman aplicables Lacruz Berdejo, J. L. *et al., Elementos de Derecho Civil III Derechos reales Vol. II*, ob. cit., pág. 154; Rebolledo Varela, A. L., "Prediales y personales. Legales o forzosas y voluntarias", ob. cit., pág. 80; Díaz Fuentes, A., ob. cit., pág. 717. Asimismo, en la ya citada STS 8 mayo 1947

bajo nuestro punto de vista, ello supone vulneración de los principios de circulación de bienes, de un lado, y libertad fundiaria, de otro, lo que deriva en la consecuente trasgresión del límite del orden público[194]. Así, creemos que estos argumentos también son suficientes para rechazar la idea de permitir la constitución de este tipo de gravámenes como consecuencia de la aplicación analógica de los arts. 603 y 604 Cc, los cuales prevén la redención de las servidumbres de pastos y de aprovechamientos de leñas respectivamente[195].

Siguiendo las premisas anteriormente expuestas, la servidumbre personal podrá, en su caso, acceder al Registro de la Propiedad y constar del contenido más dispar, como bien demuestra el rico casuismo jurisprudencial. En este sentido, no creemos que la inscripción de las servidumbres personales sea constitutiva y ello no solo porque no haya una previsión normativa que así lo disponga, sino porque existe un elemento de publicidad posesoria. Ahora bien, Díez-Picazo y Gullón hacen especial hincapié en la necesidad de la inscripción de las servidumbres en general, con el fin de que se puedan oponer frente

---

(TOL.4.452.509) el Tribunal Supremo insistió en que usufructo y servidumbre personal son dos instituciones diversas, por lo que no le es aplicable a esta el límite temporal de aquella.

No obstante lo anterior, hay quien estima que, en relación con la duración de las servidumbres personales, tiene más sentido aplicar analógicamente las normas del usufructo que el régimen de las servidumbres prediales. Así, De la Cuesta Sáenz, J. M.ª, ob. cit., págs. 498-501.

[194] De la Cuesta Sáenz, J. M.ª, ob. cit., págs. 505 y ss.

[195] No obstante, cabe señalar que alguna de las voces más autorizadas de la doctrina civilista se muestran conformes con esta postura. En este sentido, Pantaleón Prieto, F., "Sobre la libertad del dominio (cláusula de reversión, o de constitución de servidumbre personal perpetua, en favor de una persona jurídica)" en *Estudios Jurídicos en homenaje al Profesor Luis Díez-Picazo T. III Derecho Civil. Derechos Reales. Derecho de Familia*, Civitas, Madrid, 2003, págs. 4134 y ss. Cabe destacar aquí que la jurisprudencia menor también se ha decantado en alguna ocasión por esta tesis. Véanse SAP Valladolid (Sección 3ª) 13 febrero 2001 (TOL1.539.686); SAP Valladolid (Sección 1ª) 19 septiembre 2005 (TOL734.770).

Cabe destacar que De la Cuesta Sáenz no adopta una solución única, señalando que en estos supuestos se puede optar por permitir la redención del gravamen, aplicando analógicamente los arts. 603 y 604 Cc, por negar la constitución de una figura de estas características por contradecir el orden público o por acudir a la tipicidad causal. De la Cuesta Sáenz, J. M.ª, ob. cit., pág. 510.

a terceros de buena fe[196]. Nosotros, aun creyendo que, como regla general no será necesaria la inscripción de este tipo de gravámenes, estimamos que las peculiares características de las servidumbres personales de contenido atípico (posible confusión respecto de los derechos de crédito) aconsejan su constancia registral. Algo parecido señala Palacios González cuando sostiene que, a menos que la servidumbre personal se manifieste externamente a través de signos inequívocos, lo lógico es optar por su inscripción[197].

Reconociendo la imposibilidad de realizar una enumeración exhaustiva[198], la doctrina[199] suele citar como ejemplos de servidumbres personales atípicas: el derecho a ocupar un palco o un asiento de un determinado teatro[200]; el derecho a cazar en un predio ajeno[201]; el derecho de ocupar un balcón durante unos festejos[202]; el derecho a sa-

---

[196] Díez-Picazo y Ponce de León, L. y Gullón Ballesteros, A., *Sistema de Derecho Civil Vol. III T. II*, 2016, ob. cit., págs. 79 y 80.

[197] Palacios González, M.ª D., ob. cit., pág. 193.

[198] En palabras de Ossorio "no cabe, pues, reseñar ni enumerar cuáles sean o puedan ser las *servidumbres personales*; junto a las típicas o nominadas, que el Código civil regula expresamente, cabe constituir infinitas y variadas servidumbres innominadas o atípicas, dentro del concepto abstracto de servidumbre personal que hemos diseñado". Ossorio Morales, J., *Las servidumbres personales*, ob. cit., pág. 132.

[199] Se realiza una enumeración bastante detallada en Palacios González, M.ª D., ob. cit., pág. 185; Rebolledo Varela, A. L., "Prediales y personales. Legales o forzosas y voluntarias", ob. cit., págs. 78 y 79; Martínez de Aguirre Aldaz, C., "Las servidumbres", ob. cit., pág. 500; Díaz Fuentes, A., ob. cit., págs. 708 y ss.

[200] Se menciona en Ossorio Morales, J., *Las servidumbres personales*, ob. cit., pág. 132. También Palacios González, M.ª D., ob. cit., pág. 185; Martínez de Aguirre Aldaz, C., "Las servidumbres", ob. cit., pág. 500; Díaz Fuentes, A., ob. cit., pág. 710.

[201] Álvarez Olalla, P. *et al.* en *Manual de Derecho Civil...*, ob. cit., pág. 310; Martínez de Aguirre Aldaz, C., "Las servidumbres", ob cit., pág. 500; Díaz Fuentes, A., ob. cit., pág. 710.

[202] STS 30 noviembre 1908 citada en Rebolledo Varela, A. L., "Prediales y personales. Legales o forzosas y voluntarias", ob. cit., pág. 79. También en Palacios González, M.ª D., ob. cit., págs. 185, 205 y 206; Díaz Fuentes, A., ob. cit., pág. 709. Modernamente se ha reconocido esta clase de servidumbre en diversos pronunciamientos de las Audiencias Provinciales, entre los que pueden citarse: SAP Valladolid (Sección 3ª) 13 febrero 2001 (TOL.539.686); SAP Valladolid (Sección 1ª) 8 octubre 2001 (TOL1.540.795); SAP Valladolid (Sección 1ª) 19 septiembre 2005 (TOL734.770); SAP Cáceres (Sección 1ª) 25 julio 2007 (TOL1.156.195).

car o aprovechar la piedra de una cantera[203], así como determinadas servidumbres industriales como la de colocación de carteles publicitarios[204] o vitrinas[205], entre otras.

Teniendo en cuenta lo hasta aquí expuesto, queda claro que el problema no residirá en plantearse si es posible o no constituir un gravamen de las características arriba descritas, sino, más bien, en discernir si nos hallamos ante un mero derecho personal o si, por el contrario, nos encontramos ante una figura de tintes jurídico-reales[206]. De este modo, creemos que acierta Martínez de Aguirre cuando recalca que no plantea especiales inconvenientes que se permita a las partes configurar esta concreta figura como un derecho real o, por el contrario,

---

[203] Rebolledo Varela, A. L., "Prediales y personales. Legales o forzosas y voluntarias", ob. cit., pág. 79. También se reconoce este derecho en la STS 30 enero 1964 (RJ\1964\439) y, más recientemente, en la RDGRN 3 junio 2011 (TOL2.216.268).

[204] Palacios González, M.ª D., ob. cit., pág. 206. Se hace referencia a esta figura en la RDGRN 25 noviembre 1992 (RJ\1992\9494) y la RDGRN 19 julio 2018 (TOL6.680.948). También en la SAP Málaga (Sección 5ª) 29 junio 2012 (TOL2.658.025).
No obstante lo anterior, en la SAP Zaragoza (Sección 5ª) 26 octubre 2004 (TOL8.087.861) se entiende que el derecho a colocar carteles en la pared de un edificio no es más que una obligación contraída verbalmente por el anterior propietario del inmueble. Justo una década después, la misma Audiencia Provincial pareció reconocer el carácter real de esta figura. Véase SAP Zaragoza (Sección 4ª) 18 septiembre 2014 (TOL4.535.579).

[205] En la SAP A Coruña (Sección 3ª) 17 septiembre 2001 (AC\2002\940) se debate la posible naturaleza de una servidumbre de vitrina. La Audiencia razona que se trata de una servidumbre constituida a favor de cualquier ocupante del local mientras continúe la actividad comercial que se venía realizando hasta el momento (librería), lo que debería de llevar a concluir que se trata de una servidumbre de carácter personal (ex art. 531 Cc). No obstante lo anterior, la Audiencia, de forma bastante confusa, señala que no se trata ni de una servidumbre personal ni de una servidumbre real, sino una servidumbre de industria o empresa. Creemos que el razonamiento de la Audiencia es inadecuado, en tanto en cuanto parece abogar por la existencia de un tercer tipo de servidumbres (reales, personales y de industria), pues ha de tenerse presente que las servidumbres industriales son prediales o personales. En este sentido se pronuncia Palacios González, M.ª D., ob. cit., pág. 204.

[206] El tema se trata ampliamente en Palacios González, M.ª D., ob. cit., págs. 200 y ss. También hacen hincapié en esta idea Lacruz Berdejo, J. L. et al., Elementos de Derecho Civil III Derechos reales Vol. II, ob. cit., pág. 153; Martínez de Aguirre Aldaz, C., "Las servidumbres", ob cit., pág. 500.

como uno personal, ya que existen otros derechos en nuestro ordenamiento, como veremos más adelante, en los que cabe esa doble configuración[207]. La problemática, insiste el mencionado autor, estriba en saber esclarecer cuándo nos hallamos ante una figura de carácter real y cuándo ante un derecho crediticio[208].

Como apuntamos más arriba, se trata de una cuestión que, debido a las peculiares características de este tipo de gravámenes, requiere una labor interpretativa, siendo necesario comprobar, en primer lugar, que las partes tenían la voluntad (seria[209] y clara[210]) de constituir un derecho de carácter real y, en segundo lugar, que la figura de que se trate reúne los caracteres propios de este tipo de derechos[211]. En este sentido, no puede olvidarse que en aquellos supuestos en que no pueda determinarse el carácter de la concreta figura, se le atribuirá meros efectos *inter partes*, ya que, como hemos apuntado en otros lugares de este trabajo, la propiedad se presume libre[212].

En relación con lo anterior, resultan especialmente conflictivos aquellos supuestos en los que se trata de distinguir entre servidumbres personales negativas y obligaciones de no hacer[213]. Así, parte de la doctrina ha fijado su atención en las denominadas servidumbres de no concurrencia, las cuales consisten en atribuir a una persona física o jurídica el derecho a impedir el desarrollo de una determinada actividad en un concreto fundo con el fin de evitar la competencia[214]. En

---

[207]   Martínez de Aguirre Aldaz, C., "Las servidumbres", ob. cit., pág. 500.

[208]   Martínez de Aguirre Aldaz, C., "Las servidumbres", ob. cit., págs. 500 y 501.

[209]   Palacios González, M.ª D., ob. cit., pág. 189.

[210]   Palacios González, M.ª D., ob. cit., pág. 199. En este sentido, el autor se apoya en la RDGRN 11 abril 1930 y en la STS 4 junio 1964 (RJ\1964\3097).

[211]   Palacios González, M.ª D., ob. cit., pág. 189; Martínez de Aguirre Aldaz, C., "Las servidumbres", ob cit., pág. 501.

[212]   Palacios González, M.ª D., ob. cit., págs. 189 y 200 y ss. En este sentido se pronuncia la SAP Zaragoza (Sección 5ª) 26 octubre 2004 (TOL8.087.861), la cual cita la mencionada autora. Del mismo modo, en la RDGRN 23 noviembre 1934 (LA LEY 28/1934) se rechaza la posible constitución de una servidumbre personal, proclamándose el carácter meramente obligatorio de la figura.

[213]   Rebolledo Varela, A. L., "Prediales y personales. Legales o forzosas y voluntarias", ob. cit., pág. 77.

[214]   Palacios González, M.ª D., ob. cit., pág. 206.

este sentido, tanto la doctrina[215] como la jurisprudencia[216] parecen entender que la figura descrita encaja mejor en el ámbito obligacional que en el jurídico-real[217].

Por nuestra parte, no estimamos que existan inconvenientes a la constitución de un gravamen de las características descritas en el párrafo precedente, siempre, claro está, que este reúna las características propias de los derechos reales[218] y que no se vulnere ninguno de los límites que se vienen imponiendo generalmente a la autonomía privada.

La propia Dirección General de los Registros y del Notariado parece haberse pronunciado a favor de la última de las posturas señaladas. De este modo, en la RDGRN 5 diciembre 2002 (TOL268.255) se debatió si era posible inscribir dos servidumbres personales que consistían, de un lado, en *"...la abstención de ejercer sobre el predio sirviente las actividades o uso de salas de exhibición de películas y otras representaciones audiovisuales o teatrales y/o destinadas a otros espectáculos de entretenimiento..."* y, de otro, en *"...la abstención de ejercer sobre el predio sirviente la venta de palomitas de maíz y dulces o golosinas, a excepción de un centro de entretenimiento familiar"*. El problema jurídico en cuestión se resolvió a favor de la posibilidad de constitución y, por ende, de la inscripción de los citados gravámenes, razonando el Centro directivo que *"el gravamen constituido está*

---

[215]   Principalmente Díez-Picazo y Ponce de León, L. y Gullón Ballesteros, A., *Sistema de Derecho Civil Vol. III T. II*, 2016, ob. cit., pág. 81; le siguen Cuadrado Iglesias, M., "Comentario al artículo 594", ob. cit., pág. 1505; Cobacho Gómez, J. A., "Comentario a los artículos 594 a 599", ob. cit., pág. 1161. En la doctrina italiana Biondi, B., *Las servidumbres...*, ob. cit., págs. 295-297.

[216]   En la STS 9 noviembre 1965 (RJ\1965\4987) se discutió la naturaleza de un pacto por el que los actores cedieron la propiedad de un terreno a un contratista de obras, con la condición de que ni el constructor ni los sucesivos adquirentes de la finca pudieran construir un establecimiento que se destinase a las actividades de hostelería. Finalmente, el Tribunal Supremo se negó la condición de servidumbre, indicando que se trataba de un mero derecho personal.

[217]   Palacios González plantea la posibilidad de que puedan reputarse como obligaciones *propter rem*. Palacios González, M.ª D., ob. cit., págs. 207 y 208.

[218]   A favor de la admisibilidad de esta figura, aunque advirtiendo que ha de tratarse de un gravamen impuesto al fundo, se muestra Puente Muñoz, T., "Servidumbre industrial, servidumbre de empresa, servidumbre de no concurrencia" en *Estudios de Derecho Civil en Honor al Profesor Castán Tobeñas Vol. I*, Ediciones de la Universidad de Navarra, Pamplona, 1969, págs. 529 y ss.

perfectamente delimitado en su contenido y, si bien podría haberse constituido como una simple obligación, al efecto de que el mismo sea oponible a sucesivos titulares del predio sirviente, se constituye como derecho real, es decir, como verdadera servidumbre, la que no contradice la ley ni el orden público, está perfectamente delimitado en su contenido, y obedece a un interés legítimo, como es el del titular de la servidumbre, en beneficio de su actividad comercial".

2.2. Creación de nuevos derechos reales de goce y disfrute

A) Breve introducción

Como se ha adelantado, a lo largo de los años la práctica jurídica se ha visto enriquecida con la aparición de figuras que, consistiendo en el otorgamiento a su titular de un derecho a gozar y a disfrutar de un bien concreto, no se hallaban tipificadas en nuestro ordenamiento. Ello se debe a que, como anunciamos más arriba, los particulares, además de poder modificar determinados aspectos (no esenciales) relativos a los derechos reales típicos de goce, también pueden crear derechos reales *ex novo* que impliquen para su titular el ejercicio de determinadas facultades de goce y disfrute.

Es de destacar que el posible ejercicio de la autonomía privada en el ámbito de los derechos reales de goce no solo ha permitido la creación de nuevas figuras[219] (entre otros, los derechos reales de vue-

---

[219]   En la STS 26 marzo 2014 (TOL4.218.915) se resolvió un litigio basado en los hechos que quedaron condensados en el primer fundamento de derecho del mencionado pronunciamiento, el cual pasamos a reproducir: *"los propietarios de tres fincas, sitas en el término municipal de Denia, alegaron en la demanda que, a principios de la segunda mitad del siglo XX, sus respectivos causantes, puestos de acuerdo entre sí y con el que lo fue de los demandados - propietarios de otra finca vecina -, cedieron a los demás el derecho a usar una porción de cada terreno propio para que el conjunto sirviera a todos de camino de acceso a una vía pública y a la playa.*
También alegaron que, desde entonces, todos los cedentes habían utilizado el camino privado resultante de las unión (sic) de las porciones cedidas, conforme a su destino, hasta que, en agosto de dos mil cuatro, los demandados, por decisión unilateral y sin fundamento jurídico alguno, procedieron a impedir el paso con dos puertas colocadas a ambos lados de la parte de la que eran propietarios...".

Sentado lo anterior, Espejo subraya que el Alto Tribunal resolvió la cuestión centrándose en dilucidar si el mencionado derecho había sido constituido en virtud de título, lo que, una vez confirmado por el órgano jurisdiccional, evitó que este tuviera que pronunciarse sobre la calificación jurídica de dicha figura. En este sentido, cabe destacar que los demandantes alegaban la existencia de un derecho de serventía a su favor, mientras que los demandados sostenían que esta no era una figura reconocida por ninguna norma consuetudinaria valenciana ni por ningún uso local de Denia.

El Tribunal Supremo despachó el asunto afirmando que, aunque en la sentencia de la Audiencia se mencionaba la palabra servantía, ello no se traducía en que "...*el Tribunal de apelación hubiera decidido el conflicto con la aplicación de una costumbre (...) tanto para afirmar el nacimiento del derecho de los demandantes a pasar por una parte de la finca de los demandados, como para determinar su contenido*". Así, el Alto Tribunal se limitó a confirmar la existencia del derecho, pero, repetimos, sin llegar a calificarlo. En este sentido, debe destacarse que en el pronunciamiento únicamente se puso de manifiesto que "*podrá discutirse si el derecho a pasar, voluntariamente constituido, es una modalidad de servidumbre o si quienes lo crearon superaron o no los límites dentro de los que cabe, en nuestro ordenamiento, crear derecho* (sic) *reales atípicos*".

Espejo, dudando de que el Tribunal hubiese llegado a la misma solución si el conflicto hubiese versado sobre un supuesto típico de servidumbre (fundo dominante y fundo sirviente), se detiene sobre el análisis de la naturaleza del derecho. De este modo, el autor concluye que se trata de una figura decididamente atípica, sin que quepa, desde su perspectiva, emitir una calificación jurídica rígida sobre la misma. Espejo advierte, sin embargo, que, lo que él denomina como derecho real de paso limitado, presenta algunas características que lo acercan a determinadas figuras típicas como son la servidumbre de paso, de un lado, y la medianería, de otro.

Por nuestra parte, estimamos que la figura analizada encaja perfectamente en el esquema propio de las servantías. En este sentido, el propio Espejo lo señala en algunos puntos de su trabajo. Debe advertirse, que, aunque la servantía no se halle tipificada legalmente (con la contada excepción de la servantía gallega), sí que se ha ido conformando vía consuetudinaria en algunos lugares como es el caso de Canarias.

La bibliografía consultada para la redacción de esta nota al pie: Espejo Lerdo de Tejada, M., "El derecho real limitado de paso y su creación y configuración voluntarias", ob. cit., págs. 1 y ss.; Afonso Rodríguez, M.ª E., y Sánchez Jordán, M.ª E., "La servantía canaria" en *Bienes en común* (dir. Nasarre Aznar, S.), Tirant Lo Blanch, Valencia, 2015, págs. 273 y ss.

lo y subsuelo[220], el derecho real de aprovechamiento ambiental[221]), sino que ha servido, en muchas ocasiones, como antecedente para la plasmación típica de esos derechos por el legislador una vez que han adquirido tipicidad social[222]. Dentro del último de los supuestos descritos podría encuadrarse, entre otros[223], el derecho de aprovecha-

---

[220] Matheu Delgado, J. A., *Derechos de vuelo y subsuelo. Doctrina registral y jurisprudencial*, Dykinson, Madrid, 2011, págs. 105 y 106. Es de destacar que la reciente Propuesta de Código civil de la Asociación de Profesores de Derecho Civil sí que prevé la regulación del derecho de vuelo en sus arts. 391-1 y ss., normas igualmente aplicables al derecho de subedificación (art. 391-5 de la Propuesta). Véase Busto Lago, J. M., "Títulos VIII a X del Libro III", ob. cit., págs. 479-481. En cualquier caso, resulta aquí interesante la lectura de la SAP A Coruña (Sección 4ª) 2 septiembre 2005 (TOL2.464.086), donde el litigio giraba en torno a la admisibilidad de un derecho de vuelo de carácter indefinido. En este sentido, la Audiencia razonó que una figura de tales características iría en contra del orden público.

[221] La Ley 21/2013, de 9 de diciembre de evaluación ambiental, recoge en su Disposición Adicional 8ª el instituto de los bancos de conservación de la naturaleza, que, según se establece en la propia Disposición, consisten en "...*un conjunto de títulos ambientales o créditos de conservación otorgados por el Ministerio de Agricultura, Alimentación y Medio Ambiente y, en su caso, por las comunidades autónomas, que representan valores naturales creados o mejorados específicamente*". Así, un sector del colectivo registral considera que el titular de los mencionados títulos ambientales o créditos de conservación podría ostentar un derecho real sobre el predio ajeno. Véase, en este sentido, Fandos Pons, P., "Una ´eco-economía´ registral", *Iuris & Lex el Economista*, febrero 2014, pág. 45. Este nuevo derecho real ha sido denominado, por los escasos autores que se han encargado de su estudio, como derecho de aprovechamiento o conservación ambiental. Para un mayor estudio de la figura se recomienda la lectura de Vázquez Asenjo, O., "Bancos de conservación de la naturaleza: el derecho real de conservación ambiental", *GEOSIGreg2014* núm. 6, abril 2015, págs. 3 y ss. Accesible en: http://bit.ly/2HhPNvj (Página consultada por última vez el 20 de agosto de 2019).

[222] Como bien apunta Díaz-Ambrona "...el Derecho es siempre un "posterior", aparece después, cuando los preceptos del ordenamiento jurídico no son plenamente aplicables al nuevo supuesto de hecho y, entonces, es cuando se hace imprescindible la intervención del legislador para encuadrar la figura que nace dentro de los principios ordenadores del sistema". Díaz-Ambrona Bardají, M.ª D., "La multipropiedad y el Registro de la Propiedad", ob. cit., pág. 74.

[223] Puede señalarse también el derecho real de superficie que, "...hasta que fuera recogido en el Reglamento Hipotecario y en la Ley del Suelo constituía un derecho real atípico y, sin embargo, podía ser establecido con efectos reales". Díez-Picazo y Ponce de León, L., "Autonomía Privada...", ob. cit., pág. 321. De la Cuesta, sin embargo, matiza que la autonomía privada no fue suficiente para disciplinar todos los aspectos del derecho real de superficie, por lo que fue necesario pro-

miento por turno de bienes inmuebles, sobre el cual nos detendremos a continuación.

B) *El aprovechamiento por turno de bienes inmuebles*

a) Aparición de la figura y posterior regulación

Durante la década de los años sesenta surge en Francia el derecho de multipropiedad[224] que, en respuesta a los nuevos estándares de la vida moderna[225], ofreció a sus titulares la posibilidad de alojarse en un inmueble durante un determinado período de cada año[226]. La consolidación de esta práctica como alternativa al turismo tradicional hizo que la multipropiedad se expandiera rápidamente a través de un

---

ceder a su regulación. De la Cuesta Sáenz, J. M.ª, "Servidumbres personales: su duración...", ob. cit., pág. 504.

Sobre este punto resulta también relevante la STS 26 noviembre 2002 (TOL4.920.130), en la cual se puso de relieve que antes de ser tipificado por el legislador, el derecho de superficie existía en la práctica jurídica gracias a la proyección de la autonomía privada. En parecido sentido, la SAP Madrid (Sección 18ª) 23 julio 2008 (TOL1.400.987). También se comenta brevemente en la STS 10 diciembre 2013 (TOL4.075.125).

[224] Los autores suelen coincidir en situar la aparición de esta figura en la estación de esquí Super Dévoluy en el año 1965, cuando Luois Poumier idea esta novedosa forma de alojamiento bajo el slogan "no alquile la habitación, compre el hotel, le sale más barato". Véanse al respecto Munar Bernat, P. A., *Regímenes de Multipropiedad en Derecho Comparado*, Ministerio de Justicia, Madrid, 1991, pág. 19; Díaz-Ambrona Bardají, M.ª D., "Apuntes sobre la multipropiedad", ob. cit., págs. 1429 y 1430; Pérez Álvarez, M. A., "Los derechos de aprovechamiento por turno de bienes inmuebles de uso turístico" en *Curso de Derecho Civil III Derechos Reales* (coord. De Pablo Contreras, P.), 4ª ed. reimp., Edisofer, Madrid, 2016, págs. 535 y 536; Lete Achirica, J., "La multipropiedad y la resolución de 4 de marzo de 1993", *R.D.P.*, junio 1995, pág. 524.

No obstante lo anterior, Capote Pérez estima que resulta complejo pronunciarse acerca del origen de esta figura, en tanto que considera que esta no tuvo una evolución unitaria. Capote Pérez, L. J., *El tiempo compartido en España. Un análisis de la fórmula club-trustee desde la perspectiva del derecho español*, Tirant Lo Blanch, Valencia, 2009, pág. 25.

[225] Al respecto Díaz-Ambrona Bardají, M.ª D., "Apuntes sobre la multipropiedad", ob. cit., pág. 1429. En el mismo sentido, Díaz-Ambrona Bardají, M.ª D., "La multipropiedad y el Registro de la Propiedad", ob. cit., pág. 67.

[226] Pérez Álvarez, M. A., "Los derechos de aprovechamiento...", ob. cit., págs. 535 y 536.

amplio número de naciones de la geografía mundial[227], entre las que se encontraba España, donde se asentó en los años setenta, alcanzando un gran apogeo en la década de los ochenta[228].

No obstante el auge de la multipropiedad, la figura fue regulada por un reducido número de países europeos (Portugal, Grecia y Francia) de forma muy dispar[229]. En el caso de España, a pesar de los diversos intentos[230], tampoco había sido objeto de regulación, encontrándose recogida únicamente en algunas normas de carácter autonómico en Comunidades punteras en el sector turístico como Canarias e Islas Baleares[231].

El progresivo aumento del volumen de malas prácticas y, por ende, de los abusos por parte del promotor hacia el consumidor[232], hizo

---

[227] Lete Achirica, J., ob. cit., pág. 524.

[228] Pueden consultarse los datos que ofrece Díaz-Ambrona Bardají, M.ª D., "Apuntes sobre la multipropiedad", ob. cit., pág. 1430. En este sentido, España llegó a convertirse en "*...el segundo país del mundo en número de complejos explotados de esta forma*". Véase la Exposición de Motivos I Ley 42/1998, de 15 de diciembre, sobre derechos de aprovechamiento por turno de bienes inmuebles de uso turístico y normas tributarias.

[229] En Francia, por ejemplo, se optó por una solución societaria, mientras que el legislador griego se inclinó por un arrendamiento clásico con ciertos límites temporales. En Portugal, en cambio, se adoptó la fórmula del derecho de habitación periódica. Véase Pau Pedrón, A., "Configuración jurídica de la multipropiedad en España", *R.C.D.I.* núm. 584, enero-febrero 1988, págs. 12-14; Peña Bernaldo de Quirós, M., *Derechos Reales. Derecho Hipotecario T. I*, ob. cit., pág. 570; Lete Achirica, J., ob. cit., págs. 524 y 525.

[230] Sobre los diversos intentos de regulación: Capote Pérez, L. J., ob. cit., págs. 191 y ss. Véase, asimismo, Pau Pedrón, A., "El nuevo Derecho real de aprovechamiento por turno...", ob. cit., págs. 1 y 2.

[231] Cerdeira Bravo de Mansilla, G., "De nuevo, sobre la multipropiedad: la exigencia constitutiva de escritura pública y su obligatoria inscripción registral en el nuevo régimen de aprovechamiento por turno. (Una réplica cordial)", *R.C.D.I.* núm. 680, noviembre-diciembre 2003, pág. 3146.

[232] Lora-Tamayo Rodríguez, I., "La multipropiedad", *Academia Sevillana del Notariado*, 1988, págs. 30-33; Díaz-Ambrona Bardají, M.ª D., "Apuntes sobre la multipropiedad", ob. cit., págs. 1430 y 1431; Peña Bernaldo de Quirós, M., *Derechos Reales. Derecho Hipotecario T. I*, ob. cit., pág. 570. En este sentido, cabe destacar, en relación con el tema que nos ocupa, que Gete-Alonso apuntó que, al menos en un primer momento, el interés jurídico de la cuestión no radicó tanto en la configuración del derecho como en la utilización de prácticas de carácter abusivo. Véase Gete-Alonso y Calera, M.ª C., "Panorámica general de la configuración de la comunidad especial por turnos en el Código Civil de Cataluña (arts.

necesaria la intervención del legislador comunitario, el cual promulgó la Directiva 94/47/CE del Parlamento Europeo y del Consejo, de 26 de octubre de 1994, relativa a la protección de los adquirentes en lo relativo a determinados aspectos de los contratos de adquisición de un derecho de utilización de inmuebles en tiempo compartido[233].

España, superando el plazo máximo de transposición (29 de abril de 1997)[234], no transpuso la Directiva hasta el año 1998 a través de la Ley 42/1998, de 15 de diciembre, sobre derechos de aprovechamiento por turno de bienes inmuebles de uso turístico y normas tributarias. Este retraso se debió, en gran parte, a la fricción que, desde el Proyecto de Ley de Multipropiedad de 1988, existía entre promotores y empresarios, de un lado, y registradores y notarios, de otro[235]. De este modo, mientras que el primero de los grupos presionaba al legislador para que optase por una regulación de figuras jurídico-personales de carácter flexible en lo que al fenómeno del tiempo compartido se refiere, el segundo de

---

554-1 a 554-12)" en *La regulación de la propiedad horizontal y las situaciones de comunidad en cataluña* (coord. Garrido Melero, M.), Bosch, Barcelona, 2008, pág. 155.

Al hilo de lo anterior, debe señalarse que la Exposición de Motivos I Ley 42/1998 aclaró, con acierto, que "...*el problema no estaba tanto en una teórica insuficiencia legislativa como en el hecho de tratarse de un sector donde el consumidor está especialmente desprotegido, de modo que lo procedente era la elaboración de una Directiva que estableciera una normativa de carácter excepcional y que limitara, en este ámbito, la autonomía de la voluntad hasta donde fuera aconsejable*".

[233] En el propio Considerando número 2 de la citada Directiva que señala que el objetivo de la misma "...*es la creación de una base mínima de normas comunes que permita garantizar el buen funcionamiento del mercado interior y, a través de ello, la protección de los adquirentes...*".

[234] El art. 12.1 de la Directiva disponía que "*los Estados miembros pondrán en vigor las disposiciones legales, reglamentarias y administrativas necesarias para dar cumplimiento a lo establecido en la presente Directiva a más tardar treinta meses después de su publicación en el Diario Oficial de las Comunidades Europeas...*". Dado que la mencionada publicación tuvo lugar el 29 de octubre de 1994, la fecha máxima para transponer la Directiva era el 29 de abril de 1997. Véase Díaz-Ambrona Bardají, M.ª D., "Apuntes sobre la multipropiedad", ob. cit., págs. 1430 y 1431.

Este retraso derivaría en una futura declaración de responsabilidad patrimonial del Estado por parte de un pronunciamiento de la Audiencia Nacional [SAN 7 mayo 2002 (TOL5.262.571)] y, por ende, en la imposición del deber de indemnizar a los recurrentes con cargo al Estado.

[235] Ampliamente Capote Pérez, L. J., ob. cit., págs. 191 y ss.

los sectores implicados hacía lo propio para que este fuera acogido en clave jurídico-real[236]. En este sentido, la normativa comunitaria lo que hizo fue propiciar, de una vez por todas, una regulación que ya llevaba proyectándose desde finales de los años ochenta[237].

Solo una década más tarde desde su transposición, la Directiva 94/47/CE quedaba derogada por la Directiva 2008/122/CE del Parlamento Europeo y del Consejo, de 14 de enero de 2009, relativa a la protección de los consumidores con respecto a determinados aspectos de los contratos de aprovechamiento por turno de bienes de uso turístico, de adquisición de productos vacacionales de larga duración, de reventa y de intercambio.

Para evitar la imposición de una sanción como consecuencia de la demora en la transposición de la nueva Directiva, el Gobierno promulgó el Real Decreto-Ley 8/2012, de 16 de marzo, de contratos de aprovechamiento por turno de bienes de uso turístico, de adquisición de productos vacacionales de larga duración, de reventa y de intercambio[238]. Este instrumento; no obstante, sería derogado poco después por la norma vigente en la actualidad: la Ley 4/2012, de 6 de julio, de contratos de aprovechamiento por turno de bienes de uso turístico, de adquisición de productos vacacionales de larga duración, de reventa y de intercambio y normas tributarias.

---

[236] De nuevo Capote Pérez, L. J., ob. cit., págs. 191 y ss.

[237] Por otro lado, Capote Pérez critica dicha regulación. Véase Capote Pérez, L. J., ob. cit., págs. 318 y 319.

[238] Pérez Álvarez, M. A., "Los derechos de aprovechamiento…", ob. cit., pág. 537. En la propia Exposición de Motivos I se indicaba que "…*no es la primera vez que ha de recurrirse a este instrumento jurídico para eludir el riesgo cierto e inminente de la imposición de sanciones económicas por el incumplimiento del Derecho de la Unión Europea. Así, el dictado del Real Decreto-ley 8/2007 de 14 de septiembre, por el que se modifican determinados artículos de la Ley 23/1992, de 30 de julio, de Seguridad Privada, se justificó en la «existencia de un presupuesto habilitante, al que se refiere la jurisprudencia del Tribunal Constitucional, en el que la necesidad de origen de la norma haya de ser de tal naturaleza que no pueda ser atendida por la vía del procedimiento legislativo de urgencia, debido a la exigencia de su inmediatez». Presupuesto que también concurre en la Directiva 2008/122/CE de 14 de enero del 2009 relativa a la protección de los consumidores con respecto a determinados aspectos de los aprovechamientos por turno de bienes de uso turístico, de adquisición de productos vacacionales de larga duración, de reventa e intercambio*".

b) Dudas sobre la naturaleza jurídica del aprovechamiento por turnos antes de su tipificación

La Ley 42/1998, desterrando las denominaciones de multipropiedad[239] o tiempo compartido[240], opta por regular esta figura como un nuevo derecho real de goce (aprovechamiento por turno de bienes inmuebles), "...*permitiendo sin embargo la configuración del derecho como una variante del arrendamiento de temporada*"[241]. Este esquema cambia a partir de la promulgación de la Ley 4/2012, la cual, en aras de cumplir con los Reglamentos comunitarios[242], estipula que "...*el derecho de aprovechamiento por turno podrá constituirse como derecho real limitado o con carácter obligacional...*" (*ex* art. 23.1).

Se observa, pues, que en la actualidad el derecho de aprovechamiento por turnos de bienes inmuebles puede tener tanto naturaleza

---

[239] Según la Exposición de Motivos I Ley 42/1998 "*el término «multipropiedad» tenía la gran ventaja de haber calado en la opinión pública, hasta el punto de ser, con mucho, la forma más habitual de denominar entre nosotros a la institución, con independencia de que se hubiera constituido como una forma de propiedad o como una forma de derecho personal. Pero es precisamente ese carácter globalizador con el que normalmente se utiliza, por un lado, y el hecho de hacer referencia a una forma concreta de propiedad, por otro, lo que lo hacen un término inadecuado por equívoco*". Véanse también los arts. 1.4 y 8 Ley 42/1998.

[240] En la Exposición de Motivos I Ley 42/1998 se puso de relieve que "*la expresión «tiempo compartido», aunque no parece presentar serios inconvenientes para denominar con ella la forma societaria del derecho francés, no es adecuada para incluir cualesquiera otras fórmulas, tanto si son de derecho personal (el multi-arriendo griego) o de derecho real (el derecho de habitación periódica portugués). Además, tiene el inconveniente de que parece dar a entender que, entre los titulares de estos derechos, lo que se comparte es el tiempo, cuando es precisamente lo contrario, puesto que los titulares lo son respecto de períodos de tiempo diferentes y excluyentes*".

[241] Exposición de Motivos I Ley 42/1998.

[242] Según la Exposición de Motivos III Ley 4/2012 "*...por imperativo de los Reglamentos Comunitarios, en particular el Reglamento ROMA I, la vía intermedia establecida en dicha Ley [Ley 42/1998], consistente en regular detalladamente el derecho real de aprovechamiento por turno y permitir la configuración de este derecho como variante del arrendamiento de temporada, se abre para acoger cualquier otra modalidad contractual de constitución del derecho de naturaleza personal o de tipo asociativo, que tenga por objeto la utilización de uno o varios alojamientos para pernoctar durante más de un periodo de ocupación, a las que resultarán aplicables las disposiciones de esta Ley y de la legislación general de protección del consumidor*".

real como obligacional. De este modo, en el caso de que se configure como un derecho real, este quedará encuadrado, como hemos indicado, dentro de la categoría de derechos reales de goce junto a otros derechos de esta naturaleza que presentan, sin embargo, contornos clásicos (como, por ejemplo, la servidumbre o el usufructo).

Cabe destacar que, antes de que el legislador nacional procediese a su tipificación en el año 1998, la mayor parte de trabajos científicos dedicados al estudio del aprovechamiento por turnos —o, en su denominación originaria, a la multipropiedad—, se afanaban en desentrañar cuál era la naturaleza de esta controvertida figura. Así, hubo quien vio en la mal llamada multipropiedad el nacimiento de un derecho real atípico *ex novo*[243] y quien, por motivos de prudencia, en unos casos, y de convicción, en otros, prefirió reconducir, como la mayor parte de la doctrina italiana[244], esta figura a los moldes tí-

---

[243] De la Llana Vicente, M., "El fenómeno jurídico de la multipropiedad en nuestro ordenamiento jurídico", *Anuario de la Facultad de Derecho de Alcalá de Henares* núm. 4, 1994-1995, pág. 206. Accesible en: https://ebuah.uah.es/dspace/handle/10017/6062 (Página consultada por última vez el 3 de septiembre de 2018). También Muñoz de Dios, aunque más tímidamente, señala que "…realmente, la multipropiedad, aunque queramos tipificarla en la comunidad, siempre será una especie muy *sui generis*, ya que se eliminan gran parte de sus características básicas, y prácticamente surge un nuevo derecho inmobiliario, que merece la protección registral". Muñoz de Dios, G., "La multipropiedad urbana en nuestro derecho", *Estudios Turísticos* núm. 97, 1988, pág. 95.
Para mayor detalle: Capote Pérez, L. J., ob. cit., pág. 42 nota al pie núm. 23.

[244] Sobre la problemática del encaje de la multipropiedad en el ordenamiento jurídico italiano y las distintas soluciones que ofrece: Arrivas, F., "La multiproprietà" en *Giurisprudenza sistematica di Diritto Civile e Commerciale. I Contratti in generale. Aggiornamento 1991-1998* (dir. Alpa, G. e Bessone, M.), UTET, Torino, 1999, págs. 1632 y ss.; Petrone, M., *Multiproprietà. Individuazione dell'oggetto e schemi reali tipici (Profili sostanziali e criteri di qualificazione giuridica)*, Giuffrè, Milano, 1985, págs. 18 y ss.; Vivarelli, M. G., "Multiproprietà" en *I contratti del comercio, dell'industria e del mercato finanziario T. II* (dir. Galgano, F.), UTET, Torino, 1995, págs. 1845 y ss.; Ermini, M., "La multiproprietà immobiliare" en *I conttratti di multiproprietà* (a cura di Cuffaro, V.), Giuffrè, Milano, 2003, págs. 43y ss.; Alpa, G., "La multiproprietà nell'esperienza contemporanea" en *La Multiproprietà: aspetti giuridici della proprietà turnaria e della proprietà turístico-alberghiera* (a cura di Alpa, G.), Zanichelli, Bologna, 1983, págs. 1 y ss.; Tassoni, G., *I diritti a tempo parziale su beni immobili. Un contributo allo studio della multiproprietà*, CEDAM, Padova, 1999, págs. 123 y ss.; Vincenti, U., *Multiproprietà immobiliare. La multiproprietà come tipo di*

picos[245], especialmente, a los ofrecidos por la propiedad[246] y por la comunidad[247].

---

comunione, CEDAM, Padova, 1992, págs. 41 y ss.; Calo, E. y Corda, T. A., *La multipropiedad (Principios teóricos. Precedentes doctrinales y jurisprudenciales. Legislaciones extranjeras)* (trad. De La Cuesta Saenz, J. M.), EDERSA, Madrid, 1985, págs. 76 y ss.; Morello, U., *Multiproprietà e autonomia privata*, Giuffrè, Milano, 1984, págs. 91 y ss.

Por su parte Sangiorgi cree que el fenómeno multipropietario se explica a través de la creación de un nuevo tipo de bien. Véase Sangiorgi, S., *Multiproprietà immobiliare e funzione del contratto*, Jovene, Napoli, 1983, págs. 36 y ss.

A favor de la concepción de la multipropiedad como un derecho real atípico parece mostrarse Caselli, G., *La multiproprietà: problemi giuridici*, 2ª ed., Giuffrè, Milano, 1984, págs. 124 y ss.

[245] Véase Pau Pedrón, A., "El nuevo Derecho real de aprovechamiento por turno...", ob. cit., pág. 3.

[246] Lete Achirica, J., ob. cit., pág. 524; Díaz-Ambrona Bardají, M.ª D., "Apuntes sobre la multipropiedad", ob. cit., págs. 1439 y ss.; Díaz-Ambrona Bardají, M.ª D., "La multipropiedad y el Registro de la Propiedad", ob. cit., págs. 73 y 74. Particularmente interesante es la teoría de la "propiedad cuadridimensional" de Leyva, quien sostiene que los multipropietarios son propietarios de cosas distintas (no hay comunidad), ya que cada uno de ellos disfruta del bien inmueble durante un periodo determinado. Desde esta perspectiva, la multipropiedad consta de un objeto espacio-temporal (cuadridimensional). Leyva de Leyva, A., "La propiedad cuadridimensional: un estudio sobre la multipropiedad", *R.C.D.I.* núm. 566, enero-febrero 1985, págs. 46 y ss.

[247] Lora-Tamayo Rodríguez, I., ob. cit., pág. 6. Esta teoría se ha apoyado, en no pocas ocasiones, en la RDGRN 18 mayo 1983 (RJ\1983\6969), donde se permitió que, atendiendo a las especialidades del Derecho civil navarro, el propietario único de un edificio subterráneo crease una comunidad de garaje, excluyendo la acción de división y el derecho de retracto de comuneros.

En relación con lo anterior, nos parece que en la famosa RDGRN 4 marzo 1993 (RJ 1993\2471), a pesar de lo que cree algún autor (Lete Achirica, J., ob. cit., pág. 524), la Dirección General se pronuncia sobre la licitud de la inscripción de un derecho de multipropiedad concebida como una comunidad atípica. De este modo, en la citada resolución, además de emplearse los términos "*comunidad en multipropiedad, o de propiedad por períodos*" y "*especial comunidad*", la Dirección General recalca el hecho de que "*no se duda de que en España se permite la constitución de nuevas figuras de derechos reales no específicamente previstas por el legislador [cfr. arts. 2.2.º de la Ley Hipotecaria y 7.º del Reglamento Hipotecario y, en concreto, de que se permite alterar por pacto el contenido típico de la copropiedad (cfr. art. 392-II del Código Civil)*".

Debe señalarse en este punto que la doctrina discute sobre si podría tratarse de un tipo de comunidad pro diviso o, por el contrario, si se trata de un tipo de comunidad por cuotas. Así lo señala De Pablo Contreras, P., "La configuración

Desde nuestra perspectiva, y compartiendo el razonamiento del Profesor De Pablo Contreras, resulta bastante atrevido o, más bien, inadecuado intentar esclarecer la naturaleza de una figura tan poco uniforme como lo era la multipropiedad[248]. Por ello, entendemos que antes de su tipificación, la tarea que debía realizar el operador jurídico era, más bien, la de plantearse si una determinada manifestación de la multipropiedad podía quedar configurada al amparo de la autonomía privada[249]. Era, como se observa una vez más, una cuestión de indagar si se habían sobrepasado o no los límites que se imponen a la construcción de figuras jurídico-reales.

No obstante lo anterior, queremos hacer hincapié en el hecho de que una de las posibles configuraciones de la denominada multipropiedad antes de su regulación era la de un derecho real limitado de goce[250], hasta el punto de que esta fue por la que finalmente optó el legislador estatal de 1998[251], manteniéndose vigente en la actualidad, con las particularidades de que hoy día se trata de un derecho típico y de que también puede quedar constituido como un derecho de ca-

---

jurídica de la llamada «multipropiedad» a la luz del Anteproyecto...", ob. cit., pág. 126. Sobre este particular reflexiona Martínez-Piñeiro, quien, finalmente, opta por clasificar a la multipropiedad como una comunidad por cuotas. Martínez-Piñeiro Caramés, E., "Multipropiedad: estudio (conferencia pronunciada el 5 de junio de 1989 en la Delegación de Registradores de Valencia)", *Boletín de Información del Ilustre Colegio Notarial de Granada* núm. 106, 1989, págs. 1707 y ss. En igual sentido parece pronunciarse Martínez Vázquez de Castro, L., *La multipropiedad inmobiliaria*, Reus, Madrid, 1989, págs. 67 y 68.

[248] De Pablo Contreras, P., "La configuración jurídica de la llamada «multipropiedad» a la luz del Anteproyecto...", ob. cit., pág. 126. Como advierte Capote Pérez, "...las distintas fórmulas por las que el tiempo compartido se juridifica conforman un colectivo en constante cambio, siempre creciendo en número, como consecuencia de los más diversos factores". Capote Pérez, L. J., ob. cit., págs. 59 y 60.

[249] Nos ha parecido necesario, debido a su acierto, reproducir las palabras del Profesor De Pablo Contreras, quien, antes de la regulación de la figura que venimos estudiando, ya señaló que "...en el actual estado legislativo y carente la figura de regulación positiva, la pregunta no puede ser qué es la «multipropiedad», sino, de modo bien diverso, si es o no posible en nuestro ordenamiento tal o cual concreta delimitación jurídica al amparo de la autonomía privada, de la figura...". De Pablo Contreras, P., "La configuración jurídica de la llamada «multipropiedad» a la luz del Anteproyecto...", ob. cit., pág. 126.

[250] De Pablo Contreras, P., "La configuración jurídica de la llamada «multipropiedad» a la luz del Anteproyecto...", ob. cit., págs. 153 y 154.

[251] Capote Pérez, L. J., ob. cit., pág. 51.

rácter personal. Debe decirse, que esta solución se aleja, sin embargo, de la postura adoptada por el legislador catalán, quien prefirió reconducir el fenómeno del tiempo compartido al ámbito de la comunidad, viniendo a recoger lo que en el Código civil catalán se conoce como la figura de la comunidad especial por turnos (arts. 554-1 a 554-12 Cc Cat.)[252].

En cualquier caso, lo apuntado en el párrafo precedente en cuanto a la posible configuración de la multipropiedad como un derecho real limitado antes de su tipificación, constituye, a nuestro modo de ver, una prueba más de que los particulares, además de modificar en determinados aspectos los derechos reales de goce regulados por el legislador, también pueden crear, al amparo de la autonomía privada, nuevas figuras de alcance real que comporten el otorgamiento a su titular de un derecho de goce o disfrute sobre un bien concreto.

III. DERECHOS REALES DE GARANTÍA

La flexibilidad que caracteriza a las garantías de carácter personal contrasta con la rigidez que la doctrina viene atribuyendo a las garantías reales[253]. En este sentido, el elevado grado de formalismo que rodea a los derechos reales de garantía, encaminado a garantizar la seguridad en el tráfico jurídico[254], explica que, como veremos más adelante, la mayor parte de la doctrina se venga mostrando contraria

---

[252] Más detalles en Gete-Alonso y Calera, M.ª C., "Panorámica general de la configuración de la comunidad especial por turnos...", ob. cit., págs. 154 y ss.

[253] Según Roca Trías, el control de legalidad sobre los negocios de garantía varía en función de que se trate de una garantía de carácter real o, por el contrario, de carácter personal. Roca Trías, E., "Rasgos básicos de la regulación española" en *Tratado de garantías en la contratación mercantil T. I* (coord. Nieto Carol, U., y Muñoz Cervera, M.), Civitas, Madrid, 1996, págs. 154 y ss. En el mismo sentido, Gardeazábal del Río, F. J., "Las garantías atípicas" en *Autonomía de la voluntad en el Derecho Privado T. III-2 Derecho Patrimonial 2 Estudios en Conmemoración del 150 aniversario de la Ley del Notariado* (coord. Prats Albentosa, L.), Wolters Kluwer España, Madrid, 2012, pág. 200.

[254] Espejo Lerdo de Tejada, M., "Autonomía privada y garantías reales" en *Estudios jurídicos en Homenaje al Profesor Luis Díez-Picazo. Tomo III* (coord. Cabanillas Sánchez, A. *et al.*), Civitas, Madrid, 2003, pág. 3752.

o, al menos, reticente a admitir el libre desarrollo la autonomía privada en este ámbito del Derecho patrimonial.

La corriente restrictiva arriba expuesta choca; sin embargo, con la creciente aparición de nuevas y muy dispares demandas de una sociedad moderna[255], para la cual el sistema de garantías reales diseñado por el legislador puede resultar, en buena medida, obsoleto[256] y, como señalábamos, excesivamente rígido[257] debido a su carácter eminentemente formalista[258].

Con base en el panorama descrito, resulta especialmente relevante detenernos en el análisis del posible juego de la autonomía privada dentro del ámbito de los derechos reales de garantía. Así, en este epígrafe nos encargaremos de abordar, en primer lugar, el estudio del posible alcance de la autonomía privada en sede de derechos reales de garantía típicos, para, en segundo lugar, centrarnos en examinar la posibilidad de creación de figuras jurídico-reales atípicas con fines de garantía.

---

[255]   Grimaldi, desde la perspectiva de la experiencia francesa, plantea que, a pesar de que los particulares buscan en el sistema de garantías la eficacia y la simplicidad, el derecho vigente no parece cumplir con estos anhelados estándares. Grimaldi, M., "Le garanzie reali in Francia. Problemi e prospettive", *Rivista Critica del Diritto Privato* Vol. 17 fasc. 3, 1999, pág. 391.

[256]   Aunque se refiere al ordenamiento jurídico italiano, véase Magnano, M., "L´autonomia privata e le garanzie reali: il tentativo di un superamento del principio di tipicità", *La nuova giurisprudenza civile commentata*, 2002, pág. 576.

[257]   Lobato García-Miján, *La reserva de dominio en la quiebra*, Civitas, Madrid, 1997, págs. 43 y 44. Véase, asimismo, Bussani, M., "Los modelos de las garantías reales en el Civil y en el *Common law*. Una aproximación de derecho comparado" en *Garantías reales mobiliarias en Europa* (coord. Lauroba Lacasa, M.ª E. y Marsal, J.), Marcial Pons, Madrid, 2006, págs. 242 y ss.; Bussani, M., "Patto commissorio, proprietà e mercato. (Appunti per una ricerca)", *Rivista critica del Diritto Privato*, marzo 1997, pág. 113.

[258]   En este sentido, Gabrielli, al pronunciarse sobre las garantías reales, señala que "...en razón de la creciente variedad y multiplicidad de las situaciones a regular, se exige una mayor elasticidad en la definición y configuración del supuesto de hecho". Gabrielli, E., "Autonomía privada y garantías reales" en *El nuevo derecho de las garantías reales. Estudio comparado de las recientes tendencias en materia de garantías reales mobiliarias*, Reus, Madrid, 2008, pág. 355.

1. Modificación de los derechos reales típicos de garantía

Los derechos reales de garantía típicos se encuentran conformados por una serie de derechos de gran raigambre, esto es, la hipoteca, la prenda y la anticresis; a ellos se han unido nuevas figuras introducidas por la legislación especial (la hipoteca mobiliaria y la prenda sin desplazamiento). De este modo, y sin perjuicio de sus respectivas especificidades, el elenco de figuras antes mencionadas se caracteriza por una serie de notas comunes que permiten articular una categoría general de "…derechos reales limitados, accesorios a una obligación, que tienen por finalidad garantizar, de la forma prevista por el ordenamiento para cada uno de estos derechos, el cumplimiento de dicha obligación, o las consecuencias de su incumplimiento"[259].

Centrando la explicación en el tema que nos ocupa, debemos plantearnos en este apartado, al igual que hizo Espejo Lerdo de Tejada[260], si es posible que los particulares, sin desnaturalizar los tipos previstos por el legislador, puedan pactar convenciones que modifiquen, en mayor o menor medida, los derechos reales de garantía típicos. De este modo, y debido a su repercusión práctica, hemos creído conveniente acotar nuestro examen sobre el juego de la autonomía privada al ámbito de los derechos reales de prenda e hipoteca inmobiliaria.

1.1. Pactos hipotecarios

Siguiendo en este apartado, al menos en líneas generales, el esquema propuesto por Guilarte Zapatero, hemos de hacer hincapié en que el derecho real de hipoteca inmobiliaria, auténtica base de nuestro sistema de garantías, es una figura regulada, en su mayor parte, por normas de signo imperativo[261]. En este sentido y como señala el mencionado autor, la inexistencia de desplazamiento posesorio, unida a la

---

[259] Martínez de Aguirre Aldaz, C., "Los derechos reales de garantía" en *Curso de Derecho Civil III Derechos Reales* (coord. De Pablo Contreras, P.), 4ª ed. reimp., Edisofer, Madrid, 2016, pág. 553.

[260] Espejo Lerdo de Tejada, M., "Autonomía privada y garantías reales", ob. cit., pág. 3763.

[261] Guilarte Zapatero, V., "Pactos en la hipoteca inmobiliaria" en *Tratado de garantías en la contratación mercantil T. II Vol. II* (coord. Nieto Carol, U., y Muñoz Cervera, M.), Civitas, Madrid, 1996, pág. 124.

importancia socioeconómica de esta clásica institución, ha motivado que para el nacimiento del derecho real de hipoteca se venga exigiendo su constitución en escritura pública e inscripción en el Registro de la Propiedad (*ex* art. 1875 Cc)[262].

Enlazando con lo anterior, debe señalarse que la inscripción constitutiva del derecho real de hipoteca deriva en que esta figura se halle igualmente sujeta a las normas y principios propios del Derecho registral, teniendo especial importancia, en lo que a nuestro estudio interesa, la aplicación del principio de especialidad o determinación en el ámbito hipotecario[263]. En este sentido, la Dirección General de los Registros y del Notariado ha puesto de relieve en muchas de sus resoluciones el relevante papel que juega el principio de especialidad en relación con el derecho real de hipoteca[264].

Aunque en alguna ocasión pueda ser interpretado de manera más o menos flexible para facilitar el crédito[265], el principio de especialidad exige que el derecho real de hipoteca se halle mínimamente de-

---

[262] Guilarte Zapatero, V., "Pactos en la hipoteca inmobiliaria", ob. cit., pág. 121.

[263] Guilarte Zapatero, V., "Pactos en la hipoteca inmobiliaria", ob. cit., pág. 121.

[264] En la RDGRN 19 mayo 2008 (TOL1.322.353) se indica que "*...el principio de especialidad impone la exacta determinación de la naturaleza y extensión del derecho que ha de inscribirse (cfr. artículos 9.2 de la Ley Hipotecaria y 51.6 del Reglamento Hipotecario), lo que tratándose del derecho real de hipoteca, y dado su carácter accesorio del crédito garantizado (artículos 104 de la Ley Hipotecaria y 1857 del Código Civil), exige, como regla general, la precisa determinación de la obligación a la que sirve*". En igual sentido, RDGRN 8 junio 2011 (TOL2.216.269); RDGRN 19 diciembre 2013 (TOL4.076.565); RDGRN 6 octubre 2014 (TOL4.535.152); RDGRN 24 octubre 2014 (TOL4.558.460).

[265] En la RDGRN 17 enero 1994 (RJ\1994\239) se señaló que "*el principio de especialidad impone, según es doctrina de esta Dirección General, la exacta determinación de la naturaleza y extensión del derecho que ha de inscribirse [cfr. artículos 9.º2. de la Ley Hipotecaria y 51.61, del Reglamento], lo que tratándose del derecho real de hipoteca, y dado su carácter accesorio del crédito garantizado, exige que, como regla general, se expresen circunstancialmente las obligaciones garantizadas (causa, cantidad, interés, plazo de vencimiento, etcétera). Pero también esta Dirección General tiene afirmado que en materia de hipotecas el principio de determinación de los derechos inscribibles se acoge con notable flexibilidad a fin de facilitar el crédito, permitiéndose, en ciertos supuestos, la hipoteca sin la previa determinación registral de todos los elementos de la obligación*". En sentido similar la RDGRN 21 diciembre 2007 (RJ\2008\2086).

terminado[266]. Este es precisamente el motivo por el que, por ejemplo, ha existido cierta controversia sobre la inscripción de la denominada hipoteca en mano común, la cual ha sido finalmente admitida por la doctrina de la Dirección General de los Registros y del Notariado[267].

Las circunstancias arriba descritas revelan, desde un primer momento, que el desarrollo de la autonomía privada en el ámbito hipotecario será bastante más reducido que en el del resto de derechos reales típicos[268].

---

[266] Según la RDGRN 25 abril 2005 (TOL652.826) "*es doctrina reiterada de este Centro Directivo (cfr. Resoluciones de 23 de diciembre de 1987, 3 de octubre de 1991, 3 de noviembre de 2000, 10 de julio de 2001, 12 de septiembre de 2003 y 11 de octubre de 2004, entre otras) que el principio de especialidad impone la exacta determinación de la naturaleza y extensión del derecho que se inscriba (cfr. artículos 9.2.° de la Ley Hipotecaria y 51.6.° del Reglamento Hipotecario), lo que, tratándose del derecho real de hipoteca, y dado su carácter accesorio del crédito garantizado, exige que, como regla general, se expresen circunstanciadamente las obligaciones garantizadas (causa, cantidad, intereses, plazo de vencimiento, etc.); y aunque –con notable flexibilidad, a fin de facilitar el crédito– se permite en ciertos supuestos la hipoteca sin la previa determinación registral de todos sus elementos, siempre se imponen algunas exigencias mínimas, para impedir que tal derecho constituya, en realidad, una mera reserva de rango registral o una especie de hipoteca «flotante», en la que, si bien queda fijada la cifra máxima de responsabilidad hipotecaria, queda, en cambio, al arbitrio del acreedor determinar si esta cifra máxima va a estar integrada por los importes, totales o parciales, de obligaciones ya existentes o con el importe de otras obligaciones que en el futuro pueda contraer el mismo deudor en favor del acreedor*".

[267] Véase nuevamente la RDGRN 8 junio 2011 (TOL2.216.269). Posteriormente, RDGRN 6 octubre 2014 (TOL4.535.152) y RDGRN 24 octubre 2014 (TOL4.558.460). Cabe destacar aquí que Méndez González no encuentra apropiado utilizar la posibilidad de constitución de hipotecas en mano común como un argumento válido para admitir el libre juego de la autonomía privada en el ámbito hipotecario, en tanto en cuanto, desde su perspectiva, lo estipulado en el art. 105 LH permite que el derecho real de hipoteca también pueda establecerse para garantizar obligaciones mancomunadas. Méndez González, F. P., ob. cit., pág. 818 nota al pie núm. 93.

[268] Guilarte Zapatero señala que todas las particularidades apuntadas condicionan en gran medida el juego de la autonomía privada en el ámbito hipotecario. Guilarte Zapatero, V., "Pactos en la hipoteca inmobiliaria", ob. cit., pág. 121. Asimismo, la Dirección General de los Registros y del Notariado ha apuntado, en la RDGRN 21 diciembre 2007 (RJ\2008\2086), que los límites a la autonomía privada "*...alcanzan especial significación en relación con la hipoteca, pues se imponen en defensa del deudor y en aras de la facilidad de tráfico jurídico inmobiliario, del crédito territorial y, en definitiva, del orden público económico*".

Teniendo presentes los razonamientos hasta aquí expuestos, no resulta especialmente problemático pronunciarse sobre la validez de aquellas cláusulas que la ley admite o prohíbe de forma expresa[269]. De este modo, se entiende que las partes podrán, en uso de su autonomía privada, establecer si así lo desean aquellos pactos manifiestamente consentidos por las normas, mientras que, por el contrario, no estarán autorizadas a convenir pactos proscritos por las leyes.

Sobre este punto merece la pena destacar que la cláusula de vencimiento anticipado a la que se refiere el art. 12 LH se erigía como una manifestación de la autonomía privada, pudiendo afirmarse que la mayor parte de las resoluciones de la Dirección General de los Registros y del Notariado que durante la última década han versado sobre la proyección de la voluntad de los particulares en el ámbito hipotecario se referían a dicho pacto[270]. Es necesario recordar, sin embargo,

---

Con posterioridad, RDGRN 19 mayo 2008 (TOL1.322.353); RDGRN 8 junio 2011 (TOL2.216.269); RDGRN 19 diciembre 2013 (TOL4.076.565); RDGRN 6 octubre 2014 (TOL4.535.152); RDGRN 24 octubre 2014 (TOL4.558.460).

En la línea de lo anterior, Román García estima que "resulta imposible el establecimiento de hipotecas contra las múltiples limitaciones que facilitan el crédito territorial…". Román García, A., ob. cit., pág. 187.

[269] Muchos de ellos han sido ampliamente estudiados en Guilarte Zapatero, V., "Pactos en la hipoteca inmobiliaria", ob. cit., págs. 127 y ss. Se añade algún otro supuesto en Blasco Gascó, F. de P., *La hipoteca inmobiliaria y el crédito hipotecario*, Tirant Lo Blanch, Valencia, 2000, págs. 44 y 45.

[270] En la RDGRN 3 octubre 2014 (TOL4.530.990) se puso de relieve que "…*la doctrina jurisprudencial de nuestro Tribunal Supremo ha sancionado reiteradamente la validez de las cláusulas de vencimiento anticipado en los préstamos hipotecarios, así como el carácter dispositivo del artículo 1129 del Código civil, en el sentido de que los supuestos de pérdida del beneficio del plazo por el deudor previstos en dicho precepto pueden ser ampliados al amparo de la autonomía de la voluntad de las partes, conforme al artículo 1255 del mismo Código. Lo que no quiere decir que dichas cláusulas sean válidas en todo caso y circunstancia, sino que lo serán en la medida en que no sean contrarias «a la ley, a la moral y al orden público»*. La propia jurisprudencia ha perfilado estos límites en relación con los citados pactos de vencimiento anticipado". Así, por ejemplo, se ha rechazado la inscripción de cláusulas vencimiento anticipado cuando el prestamista "*incumpliere cualquiera de las obligaciones contraídas en virtud del préstamo contrato*" [(RDGRN 23 octubre 1987 (LA LEY 4230/1987); RDGRN 26 octubre 1987 (LA LEY 95848-NS/0000)], cuando "*…la parte deudora e hipotecante fuese declarada en estado de suspensión de pagos, concurso o quiebra*" o cuando "*…se despachase mandamiento de ejecución o embargo contra la finca*

que, como señalamos en otro apartado de este trabajo, la cláusula de vencimiento anticipado ha sido objeto de una rigurosa regulación por parte de la Ley 5/2019, de 15 de marzo, reguladora de los contratos de crédito inmobiliario. De este modo, el legislador ha estimado conveniente eliminar la autonomía privada en lo que a este pacto se refiere (*ex* art. 24 Ley 5/2019)[271], en aras de proteger al consumidor ante la abusividad de los bancos de su posición dominante.

Más complejo e interesante para nuestro estudio es, sin embargo, emitir un juicio sobre aquellos pactos no contemplados por las normas

---

hipotecada o contra la parte deudora e hipotecante" [RDGRN 5 junio 1987 (RJ\1987\4835)]. Por el contrario, se ha estimado inscribible la cláusula por la que "*...la entidad prestamista presente un requerimiento de pago por la deuda pendiente, añadiendo que «mientras el prestatario no haya incumplido la presente escritura» la entidad prestamista sólo podrá requerir el pago en una serie de casos: a) seis meses desde la muerte del último residente nombrado o b) que el último residente nombrado haya dejado de residir en la finca, especificando que se entiende por dejar de residir (mantenerse ausente seis meses, se tenga o no intención de regresar)*" [RDGRN 21 diciembre 2007 (RJ\2008\2086); RDGRN 24 marzo 2008 (TOL1.279.229); RDGRN 19 mayo 2008 (TOL1.322.353)].

[271]   La mencionada norma señala que "*1. En los contratos de préstamo cuyo prestatario, fiador o garante sea una persona física y que estén garantizados mediante hipoteca o por otra garantía real sobre bienes inmuebles de uso residencial o cuya finalidad sea adquirir o conservar derechos de propiedad sobre terrenos o inmuebles construidos o por construir para uso residencial el prestatario perderá el derecho al plazo y se producirá el vencimiento anticipado del contrato si concurren conjuntamente los siguientes requisitos:*
a) Que el prestatario se encuentre en mora en el pago de una parte del capital del préstamo o de los intereses.
b) Que la cuantía de las cuotas vencidas y no satisfechas equivalgan al menos:
i. Al tres por ciento de la cuantía del capital concedido, si la mora se produjera dentro de la primera mitad de la duración del préstamo. Se considerará cumplido este requisito cuando las cuotas vencidas y no satisfechas equivalgan al impago de doce plazos mensuales o un número de cuotas tal que suponga que el deudor ha incumplido su obligación por un plazo al menos equivalente a doce meses.
ii. Al siete por ciento de la cuantía del capital concedido, si la mora se produjera dentro de la segunda mitad de la duración del préstamo. Se considerará cumplido este requisito cuando las cuotas vencidas y no satisfechas equivalgan al impago de quince plazos mensuales o un número de cuotas tal que suponga que el deudor ha incumplido su obligación por un plazo al menos equivalente a quince meses.
c) Que el prestamista haya requerido el pago al prestatario concediéndole un plazo de al menos un mes para su cumplimiento y advirtiéndole de que, de no ser atendido, reclamará el reembolso total adeudado del préstamo.
2. Las reglas contenidas en este artículo no admitirán pacto en contrario".

tanto en lo que respecta a su prohibición como a su admisión. En este sentido, resulta fundamental proceder al examen de las resoluciones de la Dirección General de los Registros y del Notariado, así como a los pronunciamientos emitidos por los tribunales[272]. De este modo, aunque sería imposible realizar un análisis exhaustivo sobre la aptitud de todos los pactos no previstos por las leyes con los que las partes pretenden modificar la estructura típica del derecho de hipoteca, el análisis casuístico ofrece relevantes aportaciones para nuestro estudio.

Siguiendo el hilo de lo anterior, debe señalarse que, aunque el crédito hipotecario venga considerado como una unidad por parte de la doctrina[273], los elementos reales de la compleja relación hipotecaria limitan, en gran medida, la posibilidad de introducir modificaciones en el esquema típico de la garantía a través de la proyección de la autonomía privada sobre la obligación garantizada (*ex* art. 1255 Cc). Así, resultan especialmente relevantes para nuestra explicación las reflexiones expuestas en algunas de las resoluciones de la Dirección General de los Registros y del Notariado, donde se señala que cada vez es más frecuente[274] que las partes intenten alterar el contenido típico del derecho real de hipoteca estableciendo pactos que "...*pretenden obtener el reconocimiento jurídico a través de la prevalencia que en la bipolar naturaleza del crédito hipotecario corresponde a la relación*

---

[272]   El Centro directivo realmente no se pronuncia sobre la validez de dichos pactos, sino sobre su idoneidad para acceder al Registro de la Propiedad. Debe advertirse, sin embargo, que la inscripción en el Registro es un presupuesto para la validez de cualquier pacto encaminado a modificar la estructura típica de la hipoteca, aunque no es el único. Guilarte Zapatero, V., "Pactos en la hipoteca inmobiliaria", ob. cit., págs. 165 y 166. Véase también Blasco Gascó, F. de P., *La hipoteca inmobiliaria...*, ob. cit., pág. 44.

[273]   Debe advertirse, como hace Guilarte Zapatero, que esta tesis no pretende sostener la idea de una fusión entre la obligación garantizada y la garantía real, sino que, simplemente, apoya la concepción del crédito hipotecario desde una perspectiva unitaria. Guilarte Zapatero, V., "Pactos en la hipoteca inmobiliaria", ob. cit., págs. 124 y 125.

[274]   Este hecho es criticado por la RDGRN 5 junio 1987 (RJ\1987\4835), que indica que "*la creciente importancia del crédito territorial, así como el deseo de asegurarse la plena efectividad de la cobertura hipotecaria estipulada, han desembocado en una excesiva complejidad, cuando no ininteligibilidad del mecanismo negocial instrumentado en contra de la exigencia legal de claridad y precisión en la constitución de los derechos reales, con el consiguiente detrimento para el tráfico inmobiliario*".

personal garantizada –confróntese artículo 105 de la Ley Hipoteca-
ria- y de la proclamación en el plano de los derechos de obligación
del principio de libertad de estipulación (confróntese artículo 1.255
del Código Civil). Ahora bien, esta interacción entre los elementos
personales y reales ínsitos en el crédito hipotecario y la relación de
accesoriedad en que se hallan no puede llevar a la desnaturalización
de estos últimos; la configuración de situaciones jurídico-reales, dada
la importancia económico-social y la trascendencia «erga omnes» del
Estatuto de la Propiedad Inmueble, no queda totalmente confiada a
la autonomía privada...»[275]. De este modo, *"...sin prejuzgar la vali-*
dez interpartes de estas previsiones restrictivas cuando no traspasen
los límites que en el campo del derecho de obligaciones se señalan a
la voluntad privada, su pretendida operatividad jurídico-real deberá
ser excepcionada cuando no resulten cumplidas aquellas exigencias
estructurales..." que se vienen requiriendo para la constitución del
derecho real de hipoteca. Debe entenderse, por tanto, que *"...la fle-*
xibilidad de la configuración de una obligación debe ceder ante las
exigencias del orden público en cuanto el contenido y alcance de esa
misma obligación vengan a determinar (...) el contenido y alcance de
un derecho real (en esta hipótesis el de hipoteca)"[276].

No obstante lo anterior, no cabe afirmar, bajo nuestro punto de
vista, que las partes no puedan, en uso de su autonomía privada, establecer determinados pactos que, no estando previstos en las leyes, se
hallen encaminados a modificar determinados aspectos del derecho
real de hipoteca. Así, en la práctica se vienen admitiendo ciertos pactos

---

[275]　La misma RDGRN 5 junio 1987 (RJ\1987\4835). En la línea de lo anterior,
la RDGRN 23 octubre 1987 (LA LEY 4230/1987), en relación con la admisibilidad de una determinada cláusula, indica que *"...debe tenerse presente el*
doble efecto del contrato en que se contiene; las relaciones obligatorias entre
prestamista y prestatario y la constitución de un derecho real sobre una finca.
En la configuración de los derechos reales predominan, en cambio, los criterios
de orden público, sin negar totalmente el juego de la autonomía de la voluntad⊠
ello es consecuencia de la propia naturaleza del dominio y de los derechos reales,
pues tienen trascendencia erga omnes y afectan directamente al estatuto jurídico
del aprovechamiento y circulación de los bienes y, por tanto, a la economía de la
nación". Igualmente, la RDGRN 26 octubre 1987 (LA LEY 95848-NS/0000).

[276]　Nuevamente la RDGRN 23 octubre 1987 (LA LEY 4230/1987) y la RDGRN 26
octubre 1987 (LA LEY 95848-NS/0000).

que, sin hallarse regulados por las normas, inciden, en mayor o menor medida, sobre el esquema típico del derecho real de hipoteca[277].

Debe destacarse, además, que la introducción de ciertas modificaciones en el esquema típico del derecho real de hipoteca no supone la transgresión del principio de igualdad de acreedores, ya que el legislador ya prevé la preferencia de *"los créditos hipotecarios y los refaccionarios, anotados e inscritos en el Registro de la Propiedad, sobre los bienes hipotecados o que hubiesen sido objeto de la refacción"* (*ex* art. 1923.3 Cc)[278]; regla que, por otro lado, se ve excepcionada en numerosos supuestos debido al abundante número de privilegios que han sido creados por el propio legislador[279]. En este sentido, Garrido señala, en relación con las causas de preferencia, que "el reconocimiento legal es directo cuando la preferencia viene establecida y determinada directamente por la ley (causas de preferencia de origen legal); pero el reconocimiento legal puede ser también indirecto, como sucede cuando la ley deja a las partes cierta libertad de configuración y variación de las formas legales preestablecidas"[280]. De este modo, la modificación de determinados aspectos del derecho real de hipoteca por parte de los particulares no afecta a la preferencia del acreedor

---

[277] Aunque se trate de un trabajo que tiene ya unos cuantos años, Guilarte Zapatero realizó una brillante exposición sobre algunos de los pactos más extendidos en la práctica en el momento en el que acometió su estudio, pronunciándose sobre la validez o inaptitud de los mismos. Ampliamente, Guilarte Zapatero, V., "Pactos en la hipoteca inmobiliaria", ob. cit., págs. 168 y ss. Realiza un estudio similar, aunque añadiendo algún que otro supuesto, Blasco Gascó, F. de P., *La hipoteca inmobiliaria...*, ob. cit., pág. 45. Cabe destacar, sin embargo, que muchos de los pactos a los que aluden los autores se hallan hoy regulados por nuestra legislación hipotecaria.

[278] Este precepto ha de ser puesto en conexión con el art. 90.1.1 LC, según el cual *"son créditos con privilegio especial: 1.º Los créditos garantizados con hipoteca voluntaria o legal, inmobiliaria o mobiliaria, o con prenda sin desplazamiento, sobre los bienes o derechos hipotecados o pignorados"*.

[279] Así, se ha llegado a afirmar que "...la realidad normativa de la proliferación de privilegios y de garantías convierte en ilusoria e incluso ridícula la idea de que la *par conditio* sea la regla y la disparidad de tratamiento de los acreedores la excepción, cuando todas las circunstancias apuntan a lo contrario". Garrido, J. M.ª, *Tratado de las preferencias en el crédito*, Civitas, Madrid, 2000, págs. 729 y 730.

[280] Garrido, J. M.ª, *Tratado de las preferencias en el crédito*, ob. cit., pág. 315.

hipotecario, pues se trata de un supuesto que entra dentro de la previsión contenida en el art. 1923.3 Cc[281].

Puede concluirse, por tanto, que los particulares, dentro del acotado espacio que ofrece el formalismo propio del ámbito hipotecario, pueden incidir en la configuración del derecho real de hipoteca siempre y cuando con ello no se trasgredan los límites generales a los que se ve sometida la autonomía privada (en especial la ley imperativa[282] y el orden público[283]), ni, dada la exigencia de inscripción constitutiva, las normas y principios de corte registral[284]. En este sentido, en la RDGRN 3 septiembre 2005 (TOL710.371), la Dirección General de los Registros y del Notariado admitió la constitución de una hipoteca condicional, teniéndose en cuenta, sin embargo, que lo que quedaba sometido a condición (suspensiva) no era el nacimiento del derecho real de hipo-

---

[281] Según Espejo Lerdo de Tejada "el principal argumento legal para la vigencia de la *par conditio* es el artículo 1925 CC; sin embargo, en él lo único que se contiene es una exigencia incondicionada de tipificación legal de las preferencias; si la Ley tipifica como tales los derechos de prenda e hipoteca, en los que rige la autonomía de la voluntad, habrá que concluir que la flexibilidad de la prenda y la hipoteca no tendrá que ser interpretada de forma restrictiva". Espejo Lerdo de Tejada, M., "Autonomía privada y garantías reales", ob. cit., pág. 3763.

[282] Blasco Gascó, F. De P., *La hipoteca inmobiliaria…*, ob. cit., pág. 46; Espejo Lerdo de Tejada, M., "Autonomía privada y garantías reales", ob. cit., pág. 3763; Guilarte Zapatero, V., "Pactos en la hipoteca inmobiliaria", ob. cit., págs. 167 y 168. Goñi Rodríguez de Almeida también se detiene en el estudio de algunos pactos que no son válidos como consecuencia de la trasgresión de la ley imperativa. Véase Goñi Rodríguez de Almeida, M., *Las cláusulas no inscribibles en el contrato de préstamo hipotecario*, Fundación Registral, Colegio de Registradores de la Propiedad y Mercantiles de España, Madrid, 2006, págs. 27 y ss. Sobre este particular, la RDGRN 24 marzo 2014 (TOL4.227.933) recalca que "*…con independencia del principio de autonomía de la voluntad de las partes recogido en el artículo 1255 del Código Civil, es resaltable que las normas de procedimiento 129 de la Ley Hipotecaria y 682 y 693 de la Ley de Enjuiciamiento Civil son imperativas, esto es, de Derecho necesario y no pueden modificarse por las partes contratantes*".

[283] Recuérdese lo señalado en RDGRN 23 octubre 1987 (LA LEY 4230/1987); RDGRN 26 octubre 1987 (LA LEY 95848-NS/0000); RDGRN 19 mayo 2008 (TOL1.322.353); RDGRN 8 junio 2011 (TOL2.216.269); RDGRN 19 diciembre 2013 (TOL4.076.565); RDGRN 6 octubre 2014 (TOL4.535.152); RDGRN 24 octubre 2014 (TOL4.558.460).

[284] Como ya expusimos, adquiere un importante papel en este campo el principio de especialidad o determinación.

teca, sino la ampliación de la garantía hipotecaria[285]. De este modo, el Centro directivo puso de manifiesto que la creación de un gravamen de las características descritas era viable en nuestro ordenamiento como consecuencia de la proyección de la autonomía privada[286].

---

[285] En la propia resolución se señala que "...*la situación de pendencia no afecta propiamente al derecho real de hipoteca en su integridad sino al aumento de la responsabilidad por ella garantizada*". En este sentido, la doctrina viene entendiendo que no sería posible constituir una hipoteca cuyo nacimiento estuviese sometido a una condición suspensiva. Para mayor detalle: Pardo Núñez, C. y De la Iglesia Monje, M.ª I., "Hipotecas bajo condición suspensiva", *Diario La Ley* núm. 6517, julio 2006, págs. 1 y ss. (Versión online).
Cabe destacar, asimismo, que ninguna de las condiciones previstas hacía referencia al incumplimiento de la obligación, pues, como apuntó el Centro directivo, "...*no cabe admitir la constitución de una hipoteca en la que la falta de pago del débito principal actúe como condición suspensiva del nacimiento de la misma, ya que precisamente ese incumplimiento de la obligación principal, dada la esencia de este derecho real, lo que provoca es su propia efectividad al poner en marcha el ius distrahendi, que presupone una hipoteca plenamente constituida, y de ahí que los interesados no puedan en contravención de lo anterior transformar en una condicio facti añadida al negocio concluido lo que no es más que un elemento estructural o condicio iuris de la eficacia del derecho de hipoteca (cfr. la Resolución de 4 de diciembre de 1980)*".

[286] Así, en la mencionada resolución se afirmó que "...*en nuestro ordenamiento el propietario puede disponer de sus bienes, y, por ende, constituir gravámenes sobre ellos, sin más limitaciones que las establecidas en las Leyes (artículo 348 del Código Civil). No sólo se permite la constitución de nuevas figuras de derechos reales no específicamente previstas por el legislador (cfr. artículos 2.2.º de la Ley Hipotecaria y 7.º del Reglamento), sino también la alteración del contenido típico de los derechos reales legalmente previstos y, en concreto (cfr. artículos 647 del Código Civil y 11, 23 y 37 de la Ley Hipotecaria) sujetarlos a condición, término o modo. Pero es también cierto que esta libertad tiene que ajustarse a determinados límites y respetar las normas estructurales (normas imperativas) del estatuto jurídico de los bienes, dado su significado económico político y la trascendencia erga omnes de los derechos reales, de modo que la autonomía de la voluntad debe atemperarse a la satisfacción de determinadas exigencias, tales como la existencia de una razón justificativa suficiente, la determinación precisa de los contornos del derecho real, la inviolabilidad del principio de libertad del tráfico, etc. (cfr. Resoluciones de 5 de junio [RJ1987, 4835], 23 [RJ 1987, 7660] y 26 de octubre de 1987 y 4 de marzo de 1993). Estos límites alcanzan especial significación en relación con la hipoteca, pues se imponen en defensa del deudor y en aras de la facilidad de tráfico jurídico inmobiliario, del crédito territorial y, en definitiva, del orden público económico.*
Respetados esos límites, la hipoteca voluntaria, como fruto que es de la autonomía de la voluntad plasmada en un negocio jurídico, puede quedar sujeta a una*

1.2. Nuevas modalidades pignoraticias

Como advierte Veiga Copo, "el término prenda se emplea para designar indistintamente el contrato en cuya virtud se crea un tipo especial de garantía real, la cosa u objeto sobre la que ésta recae y el derecho que adquiere el acreedor pignoraticio"[287]. Centrándonos, pues, en la última de sus acepciones, la prenda puede ser definida, desde el punto de vista de la doctrina tradicional y del legislador decimonónico, como aquel derecho real de garantía caracterizado por el desplazamiento posesorio (*ex* art. 1863 Cc), que atribuye a su titular un poder de realización del valor sobre un bien mueble (*ex* art. 1864 Cc)[288].

Debe hacerse notar, sin embargo, que las características propias del esquema clásico del derecho real de prenda han ido desdibujándose poco a poco hasta tal punto de que algún autor la considera una figura irreconocible[289]. Este profundo cambio en el derecho real de prenda se debe, en gran medida, a que su planteamiento clásico, sobre todo en lo que respecta a su desplazamiento posesorio, no parecía ser el adecuado para satisfacer las nuevas demandas socioeconómicas que han ido surgiendo a lo largo del tiempo[290].

---

condición, al igual que puede constituirse por plazo determinado (cfr., por todas, la Resolución de 17 de octubre de 1994 [RJ1994, 7797])".

[287] Veiga Copo, A. B., *Tratado de la prenda*, 2ª ed., Aranzadi, Cizur Menor, 2017, pág. 316.

[288] Véase Peña Bernaldo de Quirós, M., *Derechos Reales. Derecho Hipotecario T. II*, ob. cit., pág. 57. También Blasco Gascó, F. de P., "Comentario al artículo 1863" en *Comentarios al Código Civil* (dir. Domínguez Luelmo, A.), Lex Nova, Valladolid, 2010, pág. 2000; Blasco Gascó, F. de P., "Comentario al artículo 1863" en *Código Civil Comentado Vol. IV* (dirs. Cañizares Laso, A. *et al.*), 2ª ed., Aranzadi, Cizur Menor, 2016, pág. 1217.

[289] Así, se ha dicho que "...las garantías reales mobiliarias constituidas sobre cosa ajena (prenda) han sido descontextualizadas de su regulación y denominación básicas históricas en instrumentos normativos recientes (...) y han sido sustituidas por un genérico derecho de garantía mobiliaria en general que puede cursar mediante diversas manifestaciones". Carrasco Perera, A., Cordero Lobato, E., y Marín López, M. J., *Tratado de los Derechos de Garantía T. I*, 3ª ed., Aranzadi, Cizur Menor, 2015, pág. 645.

[290] Ampliamente en la Exposición de Motivos de la Ley de 16 de diciembre de 1954 sobre hipoteca mobiliaria y prenda sin desplazamiento de posesión. También Rojo Ajuria, L., "Las garantías mobiliarias", *A.D.C. fasc. III*, 1989, págs. 725 y ss. Accesible en: http://bit.ly/2K61N3M (Página consultada por última vez el 26 de julio de 2019); Valverde Y Valverde, C., *Tratado de Derecho Civil Español...*,

Enlazando con la idea anterior, no es de extrañar que con el paso de los años hayan aparecido en la práctica nuevas figuras pignoraticias que han distorsionado, en gran medida, el concepto clásico de la institución[291]. La repercusión de algunas de estas figuras ha merecido su reconocimiento por parte del legislador, pudiendo citarse como ejemplo de ello la regulación de la prenda sin desplazamiento mediante la Ley 16 de diciembre de 1954 sobre hipoteca mobiliaria y prenda sin desplazamiento de posesión[292].

---

[291] ob. cit., pág. 580. Respecto del ordenamiento jurídico italiano, véase Bussani, M., "Lezioni sulle garanzie reali", *Studium Juris* núm. 7, 1998, pág. 718.
Veiga Copo habla de "irrupción atípica" de estas nuevas modalidades del derecho de prenda. Veiga Copo, A. B., ob. cit., pág. 317.

[292] Ha de reconocerse que antes de la promulgación de la mencionada ley, la doctrina jurisprudencial se mostraba, por norma general, reacia a admitir la creación de una prenda sin desplazamiento como consecuencia de la proyección de la autonomía privada. No obstante, cabe destacar que en la STS 23 abril 1929 nuestro Alto Tribunal reconoció la posible constitución de una prenda sin desplazamiento. Así, las partes habían estipulado que los objetos pignorados (coches) quedasen en poder del deudor, con el fin de que no se suspendiese el tráfico de vehículos. Estas reflexiones, incluida la sentencia citada, han sido extraídas de la lectura de Blasco Gascó, F. de P., "Comentario al artículo 1863", ob. cit., págs. 2000 y 2001; Blasco Gascó, F. de P., "Comentario al artículo 1863", ob. cit., págs. 1218 y 1219. Serrano Alonso destaca, asimismo, que los problemas prácticos que originaba el desplazamiento posesorio en el ámbito prendario favorecieron la aparición de nuevas figuras que fueron posteriormente reguladas. Serrano Alonso, E., "Comentario al artículo 1863" en *Comentario del Código Civil T. I* (dir. Paz-Ares Rodríguez, C. *et al.*), Ministerio de Justicia, Madrid, 1991, pág. 1875.
En cualquier caso, el Tribunal Supremo ha puesto de manifiesto que la creación de una prenda sin desplazamiento debe ajustarse a los requisitos establecidos por la legislación especial para su constitución. De este modo, en su STS 21 marzo 2006 (TOL866.949) señaló que "*la desposesión del deudor no puede ser suplida por un acuerdo de las partes por el que aquél quedaría como depositario de las cosas objeto de la garantía, válido y eficaz por ajustado a la Ley de 16 de diciembre de 1.954 para crear la prenda sin desplazamiento, pero no permitido por el artículo 1.863 del Código Civil para la ordinaria, que no contiene ninguna excepción. La misma está exclusivamente representada por lo dispuesto en la citada Ley, que no se ha cumplido por las partes. La jurisprudencia de esta Sala, en este sentido, ha declarado reiteradamente que para la constitución del derecho de prenda se requiere la desposesión de la cosa por el deudor (sentencias de 11 de junio de 1.912, 16 de junio de 1.945 y 26 de marzo de 1.997), constituyendo en este panorama una excepción aislada la sentencia de 23 de abril de 1.929, al admitir el cumplimiento de aquel requisito porque todas las partes interesadas*

Esto es precisamente lo que también ha ocurrido, en nuestra opinión, con la denominada prenda sobre créditos[293], debiendo reconocer, sin embargo, que existen serias dudas acerca de su naturaleza. De este modo, hay quienes defienden la naturaleza personal de la figura[294], quienes entienden que se trata de una modalidad de prenda[295]

---

[293] *convinieron que los coches (objeto de prenda) quedaran en poder del deudor para no suspender el tráfico. En la actualidad ello no podría hacerse sino recurriendo a la Ley de 16 de octubre de 1.954, creada, según su Exposición de Motivos, para evitar los inconvenientes del desapoderamiento de la cosa por el deudor"*. Según la STS 26 septiembre 2002 (TOL4.920.078) *"la prenda de derechos es el derecho real de prenda que no recae sobre una cosa, sino sobre un derecho y al acreedor pignaticio (sic) se le transmite, no la posesión de la cosa, sino el poder en que el derecho consiste, que le permite realizarlo. En el caso de prenda sobre derecho de crédito se producen los mismos efectos que la posesión, por la notificación al deudor y por la facultad del acreedor pignoraticio de percibir directamente el crédito que ha sido objeto de aquella prenda"*. En igual sentido la STS 3 febrero 2009 (TOL1.448.820).
Cabe destacar, además, que puede constituirse una prenda sobre créditos futuros. Esta posibilidad ya se contempló en la STS 20 junio 2007 (TOL1.106.809) y ha quedado finalmente recogida en el art. 54 de la Ley de 16 de diciembre de 1954 sobre hipoteca mobiliaria y prenda sin desplazamiento, tras su modificación por la D.F. 3ª de la Ley 41/2007, de 7 de diciembre; y el art. 90.1.6 de la Ley Concursal, tras la reforma operada por la D.F. 5.4 de la Ley 40/2015 de 1 de octubre, de Régimen Jurídico del Sector Público.

[294] Esta parece ser la postura de Peña quien, apoyándose en De Castro, sostiene que "…no cabe hablar entonces de derecho real porque el derecho no recae sobre una cosa. Ni siquiera sobre un derecho, pues los derechos no pueden ser, a su vez, objeto de derechos. Estamos entonces, como en el usufructo de créditos, ante una especial cotitularidad que afecta al lado activo del crédito (se establece una especial legitimación frente al deudor), sin alteración por lo demás de la deuda". Peña Bernaldo de Quirós, M., *Derechos Reales. Derecho Hipotecario T. II*, ob. cit., pág. 70. En este sentido, el mencionado autor señala que puede conseguirse un efecto similar al que se pretende alcanzar con la prenda de créditos a través de la cesión de créditos. Parte de la doctrina considera, sin embargo, que la cuestión de la prenda de créditos no se resuelve a partir de una simple remisión a las normas de la cesión de créditos, ya que esta no se traduce en un contrato, sino en un efecto jurídico que se deriva de un tipo negocial previo a la creación del crédito. Carrasco Perera, A., Cordero Lobato, E., y Marín López, M. J., *Tratado de los Derechos de Garantía T. II*, 2ª ed., Aranzadi, Cizur Menor, 2008, págs. 236 y ss.; Carrasco Perera, A., Cordero Lobato, E., y Marín López, M. J., *Tratado de los Derechos de Garantía T. II*, 3ª ed., Aranzadi, Cizur Menor, 2015, págs. 229 y ss.

[295] De Cuevillas Matozzi, I., "La pignoración de saldos de depósitos bancarios (nueva modalidad del Derecho real de prenda)", *R.G.D.*, 1994, pág. 6481. De forma algo más tímida se pronuncia Martínez de Aguirre Aldaz, C., "Derechos reales

y, finalmente, quienes sostienen que es un derecho obligatorio que cuenta con eficacia real[296]. En cualquier caso, se trata de una de las cuestiones más complejas de cuantas rodean a la figura que comentamos, de ahí que normalmente la doctrina centre sus esfuerzos en estudiar los efectos jurídicos que se derivan de la prenda de créditos, pasando de soslayo sobre el tema de su naturaleza[297].

Siguiendo el hilo de lo anterior, puede decirse que, aunque la prenda de créditos se hallaba ampliamente extendida en la práctica jurídica, no fue reconocida por el legislador hasta la promulgación del art. 90.1.6 de la Ley 22/2003, de 9 de julio, Concursal[298]. Frente a

---

de garantía sobre bienes muebles", ob. cit., pág. 644. Esta opinión también es sostenida por nuestro Alto Tribunal en varios de sus pronunciamientos, pudiendo citarse, entre otros, STS 26 septiembre 2002 (TOL4.920.078); STS 20 junio 2007 (TOL1.106.809); STS 3 febrero 2009 (TOL1.448.820).

[296] Veiga Copo sostiene que "la garantía en favor del acreedor pignoraticio-cesionario se constituye a través de una cesión limitada del derecho de crédito, mediante la cual se constituye un derecho personal con efectos reales en favor del cesionario. De este modo, la prenda de créditos otorga al acreedor pignoraticio-cesionario un derecho obligatorio real (*verdingliches obligatorisches Recht*). Como derecho obligatorio real es una figura intermedia entre los derechos puramente personales y los derechos propiamente reales, porque comparte características de unos y de otros". Veiga Copo, A. B., ob. cit., págs. 476 y 477. Así parece entenderlo también García Vicente, J. R., "La prenda de créditos: aspectos generales" en *Garantías reales mobiliarias en Europa* (coord. Lauroba Lacasa, M.ª E. y Marsal, J.), Marcial Pons, Madrid, 2006, pág. 45.

[297] El propio Veiga Copo afirma que "la discusión doctrinal al respecto no se caracteriza precisamente por su claridad conceptual. Tampoco nosotros vamos a aportar nada respecto a esta cuestión pues a la postre no pasan de ser disquisiciones dogmáticas que no contribuyen a aclarar nada". Veiga Copo, A. B., ob. cit., págs. 476 y 477.

[298] Así se desprende de lo dispuesto en la STS 30 noviembre 2006 (TOL1.019.357), donde se pone de manifiesto que "*la prenda sobre derechos, y en particular sobre derechos de crédito, está doctrinal y jurisprudencialmente admitida –Sentencias de esta Sala de 25 de junio de 2001, 26 de septiembre de 2002 y 10 de marzo de 2004, entre otras–, y hoy expresamente reconocida en el artículo 90.1-6º de la Ley 22/2003, de 9 de julio, Concursal, caracterizándose porque el desplazamiento de la posesión se sustituye por la notificación de la constitución de la garantía al deudor para que se abstenga de pagar al acreedor titular del crédito pignorado*". A favor del origen atípico de la prenda sobre créditos se muestra claramente Gil Rodríguez, J., "La prenda de derechos de crédito" en *Tratado de garantías en la contratación mercantil T. II Vol. I* (coord. Nieto Carol, U., y Muñoz Cervera, M.), Civitas, Madrid, 1996, págs. 361 y ss. Sobre el tema: Alon-

ello podría objetarse, como ha hecho algún autor, que la prenda de créditos ya se encontraba implícitamente recogida en nuestro ordenamiento[299]. Sin embargo, desde nuestro punto de vista, los argumentos que suele ofrecer la doctrina para sustentar esta última idea (la redacción del art. 1868 Cc[300], la admisión del usufructo sobre derechos de crédito[301] y los antecedentes históricos[302], entre otros[303]) no parecen resultar suficientes como para poder afirmar la existencia de una auténtica regulación previa a la promulgación del art. 90.1.6 LC[304].

La prenda de créditos ha sido, pues, expresamente reconocida por el legislador, sin perjuicio de que parte de la doctrina moderna haya querido hacer notar que no se trata de una institución totalmente perfilada desde el punto de vista normativo en cuanto a la regulación de su régimen jurídico se refiere[305]. Resulta necesario destacar aquí que,

---

so Ledesma, C., "Comentario al artículo 90" en *Comentarios a la legislación concursal T. I* (dir. Pulgar Ezquerra, J. *et al.*), Dykinson, Madrid, 2004, págs. 906 y 907; Garrido, J. M.ª, "Comentario al artículo 90" en *Comentario a la Ley Concursal T. I* (dirs. Rojo Fernández-Río, A., y Beltrán Sánchez, E.), Civitas, Madrid, 2004, pág. 1631; Domínguez Luelmo, A., "Comentario al artículo 90.1.6°" en *Comentarios a la legislación concursal T. II* (dirs. Sánchez-Calero Guilarte, J. y Guilarte Gutiérrez, V.), 1ª ed., Lex Nova, Valladolid, 2004, pág. 1844.

[299] Motivo por el que Aranda Rodríguez, entiende que la prenda sobre créditos nunca ha vulnerado el aparente *numerus clausus* en materia de derechos reales de garantía. Aranda Rodríguez, R., *La prenda de créditos*, ob. cit., págs. 218 y 219.

[300] Este precepto dispone que "*si la prenda produce intereses, compensará el acreedor los que perciba con los que se le deben; y, si no se le deben, o en cuanto excedan de los legítimamente debidos, los imputará al capital*". En este sentido, se ha apuntado que esa prenda que produce intereses no es otra que la prenda de créditos. Véase Peña Bernaldo de Quirós, M., *Derechos Reales. Derecho Hipotecario T. II*, ob. cit., pág. 68. También Aranda Rodríguez, R., *La prenda de créditos*, ob. cit., pág. 219.

[301] En nuestro ordenamiento jurídico se permite el usufructo de créditos como consecuencia de la interpretación conjunta de los arts. 469, 486 y 507 Cc. Aranda Rodríguez, R., *La prenda de créditos*, ob. cit., pág. 219.

[302] Aranda Rodríguez, R., *La prenda de créditos*, ob. cit., págs. 218 y 219.

[303] Véase García Parra, S., *Pignoración de créditos*, Tirant Lo Blanch, Valencia, 2017, págs. 20 y 21.

[304] Aunque el trabajo de García Gil sea anterior al año 2003 y, por ende, a la promulgación de la Ley Concursal, el citado autor ya señalaba la imposibilidad de encontrar un soporte normativo para la prenda de créditos en el Código civil. Gil Rodríguez, J., "La prenda de derechos de crédito", ob. cit., págs. 345 y ss.

[305] García Vicente, J. R., "La prenda de créditos: aspectos generales", ob. cit., págs. 31 y ss.

además del art. 90.1.6 de la Ley Concursal, en la legislación vigente se encuentran otras referencias expresas a la figura que aquí nos ocupa[306].

Una vez comprobado el papel que ha desarrollado la autonomía privada en el ámbito pignoraticio, nos resta poner de relieve que los particulares pueden introducir modificaciones en el esquema típico de la prenda siempre y cuando respeten los límites generales que se imponen a la autonomía privada[307]. Así, la modificación de determinados aspectos del derecho real típico de prenda no supone la vulneración del principio de *par condicio creditorum*, en tanto en cuanto

---

[306]   Primeramente en el Real Decreto-Ley 5/2005, de 11 de marzo, de reformas urgentes para el impulso de la productividad y para la mejora de la contratación pública, que dispone en su art. 7 que "*el objeto de la garantía financiera que se aporte debe consistir exclusivamente en: (...) c) Derechos de crédito, entendiéndose por tales los derechos pecuniarios derivados de un acuerdo en virtud del cual una entidad de crédito otorga un crédito en forma de contrato de préstamo o de crédito*". Además, el art. 54 de la Ley de 16 de diciembre de 1954 sobre hipoteca mobiliaria y prenda sin desplazamiento de posesión, modificado por la D.F. 3ª de la Ley 41/2007, de 7 de diciembre, señala que "*podrán sujetarse a prenda sin desplazamiento los créditos y demás derechos que correspondan a los titulares de contratos, licencias, concesiones o subvenciones administrativas siempre que la Ley o el correspondiente título de constitución autoricen su enajenación a un tercero. Una vez constituida la prenda, el Registrador comunicará de oficio esta circunstancia a la Administración Pública competente mediante certificación emitida al efecto.*
Los derechos de crédito, incluso los créditos futuros, siempre que no estén representados por valores y no tengan la consideración de instrumentos financieros a los efectos de lo previsto en el Real Decreto Ley 5/2005, de 11 de marzo, de reformas urgentes para el impulso a la productividad y para la mejora de la contratación pública, podrán igualmente sujetarse a prenda sin desplazamiento. Para su eficaz constitución deberán inscribirse en el Registro de Bienes Muebles".
En cualquier caso, cabe destacar que en el art. 3122-2 de la Propuesta de Código civil elaborada por la Asociación de Profesores de Derecho Civil se establece que "*pueden ser objeto de prenda los bienes muebles susceptibles de posesión, el dinero, las universalidades de bienes muebles, los derechos de crédito y los valores y demás instrumentos financieros asimilables*". Martín Pérez, J. A., Ramón García Vicente, J. R., y Lauroba Lacasa, M.ª E., "Capítulo II del Título XII del Libro III" en *Propuesta de Código Civil. Asociación de Profesores de Derecho Civil*, Tecnos, Madrid, 2018, pág. 503. El subrayado es nuestro.

[307]   Espejo Lerdo de Tejada, M., "Autonomía privada y garantías reales", ob. cit., pág. 3763; Espejo Lerdo de Tejada, M., *La reserva de dominio inmobiliaria en el concurso*, ob. cit., pág. 90.

no se está creando un nuevo privilegio (art. 1925 Cc y 89.2 LC)[308]. Ello se explica por el hecho de que las nuevas modalidades prendarias no suponen la creación de un nuevo derecho real a mano de los particulares, sino simplemente la modificación de un derecho típico: el derecho real de prenda. De este modo, el acreedor de una nueva modalidad pignoraticia será un acreedor privilegiado en los mismos términos que prevén los arts. 1922.2 Cc y 90 LC[309].

El posterior acogimiento normativo de algunas de estas nuevas modalidades prendarias, como fue el caso de la prenda sin desplazamiento, se debe a una decisión del legislador basada, en nuestra opinión, en la entidad de la modificación acometida en el esquema típico del derecho real de prenda (en este caso, desplazamiento posesorio), la repercusión práctica de la figura y su idoneidad para cubrir necesidades de carácter colectivo.

No obstante lo anterior, debe destacarse que, aunque parezca revelar una revitalización del derecho real de prenda[310], la excesiva fragmentación de la regulación vigente en materia de garantías mobiliarias[311] tiende hacia una disolución de los propios tipos previstos por

---

[308]   Espejo Lerdo de Tejada, M., "Autonomía privada y garantías reales", ob. cit. 3763; Aranda Rodríguez, R., *La prenda de créditos*, ob. cit., pág. 219. Los autores se refieren únicamente al precepto del Código civil por no hallarse vigente aún la Ley Concursal.

[309]   Espejo Lerdo de Tejada, M., "Autonomía privada y garantías reales", ob. cit., pág. 3763; Aranda Rodríguez, R., *La prenda de créditos*, ob. cit., pág. 219. Véase también Garrido, J. M.ª, *Tratado de las preferencias en el crédito*, ob. cit., pág. 315. Según Cordero Lobato: "son encuadrables en el art. 90.1.6.º LC todas las prendas que no cuentan con una regulación especial en la LC, es decir, excluidos los créditos asegurados con prenda de valores representados mediante anotaciones en cuenta (que gozan del privilegio establecido en el art. 90.1.5.º LC) y los créditos garantizados con prenda de crédito (que cuentan con una regulación singular en el art. 90.1.6.º LC), los demás créditos pignoraticios gozan del privilegio del art. 90.1.6.º LC)". Cordero Lobato, E., "Comentario al artículo 90" en *Comentarios a la Ley Concursal Vol. I* (coord. Bercovitz Rodríguez-Cano, R.), Tecnos, Madrid, 2004, pág. 1077.

[310]   Veiga Copo, A. B., ob. cit., pág. 319.

[311]   Desde un punto de vista general, se pronuncian sobre la dispar y contradictoria regulación de las garantías mobiliarias Bercovitz Rodríguez-Cano, R., "Prólogo" en *Garantías mobiliarias en el derecho alemán*, Tecnos, Madrid, 1990, pág. 15; Lobato García-Miján, ob. cit., pág. 43.

el legislador en favor de una única y genérica garantía mobiliaria[312]. Este último hecho ha provocado que la discusión científica acerca del juego de la autonomía privada en el ámbito de las garantías mobiliarias y, por extensión, en el sector prendario, haya perdido fuerza[313].

2. Derechos reales de garantía atípicos

2.1. Obstáculos para su creación

Es necesario plantearse aquí si sería posible crear un derecho real de garantía distinto de los previstos por el legislador (p. ej. un derecho real inmobiliario no accesorio)[314]. En este sentido, cabe poner de relieve que prácticamente la totalidad de la doctrina estima que en nuestro ordenamiento no cabe la creación de derechos reales atípicos de garantía[315]. En este sentido, dos son los argumentos que suelen ofrecer-

---

[312] Carrasco Perera, A., Cordero Lobato, E., y Marín López, M. J., *Tratado de los Derechos de Garantía T. I*, ob. cit., pág. 645.

[313] Carrasco Perera, A., Cordero Lobato, E., y Marín López, M. J., *Tratado de los Derechos de Garantía T. I*, ob. cit., pág. 645.

[314] Se ha hablado de la posibilidad de regular este derecho. Véase Nasarre Aznar, S., y Stöcker, O., "Propuesta de regulación de un derecho real de garantía inmobiliaria no accesorio. El ejemplo de Europa central", *R.C.D.I.* núm. 671, mayo-junio 2002, págs. 915 y ss. Aunque es claro que si se habla de regulación no nos encontramos ante un derecho real atípico, podría plantarse si sería factible que los particulares creasen este derecho como consecuencia de la autonomía privada, ya que, hasta el momento, el mencionado derecho no ha sido acogido normativamente por nuestro legislador.

[315] Entre otros, Álvarez Caperochipi, J. A., *Curso de Derechos Reales...*, ob. cit., pág. 19; Roca Trías, E., ob. cit., pág. 155; Caramés Puentes, J. C., "Algunas garantías inmobiliarias atípicas o indirectas", *Estudios de Deusto* Vol. 29.1, enero-junio 1981, págs. 134 y 135; Méndez González, F. P., ob. cit., págs. 817 y ss.; Peralta Mariscal, L. L., ob. cit., pág. 2678; Díez-Picazo y Ponce de León, L., "Autonomía Privada...", ob. cit., pág. 330; Montés Penadés, V. L., ob. cit., pág. 224; Rubio Garrido, T., *La propiedad inmueble...*, ob. cit. pág. 135 nota al pie núm. 242; Vivas Tesón, I., *La compraventa con pacto de retro en el Código Civil*, Tirant Lo Blanch, Valencia, 2000, pág. 177; De Cuevillas Matozzi, I., ob. cit., pág. 6481; Aranda Rodríguez, R., *La prenda de créditos*, ob. cit., pág. 70. En contra se pronuncia, por ejemplo, Rodríguez-Rosado, B., *Fiducia y pacto de retro en garantía*, Marcial Pons, Madrid, 1998, págs. 174 y ss.

se, generalmente[316], para denegar el juego de la autonomía privada en el ámbito de los derechos reales de garantía: a) la vulneración de la prohibición del pacto comisorio y b) la transgresión de la regla de la *par condicio creditorum*. Pasamos a analizar ambos razonamientos.

A)   La prohibición del pacto comisorio

a)   Significado de la interdicción

El denominado pacto comisorio se viene relacionando, por razones históricas, con instituciones de nuestro ordenamiento que son bastante diversas entre sí[317], concretamente, como apunta MOLL DE ALBA LACUVE[318], con el contrato de compraventa[319], los censos en-

---

[316]   Hay quien señala otros argumentos como pueden ser la vulneración de normas procesales y registrales, en lo que a derechos sobre bienes inmuebles se refiere. Véase Carrasco Perera, A., Cordero Lobato, E., y Marín López, M. J., *Tratado de los Derechos de Garantía T. I*, ob. cit., pág. 645.

[317]   Moll de Alba Lacuve, C., "El pacto comisorio en el Código Civil" en *Libro Homenaje a Jesús López Medel*, Centro de Estudios Registrales, Madrid, 1999, pág. 665; Moll de Alba Lacuve, C., *La resolución por impago de la compraventa inmobiliaria: la figura del pacto comisorio*, Cedecs, Barcelona, 1998, pág. 195; Fernández-Golfín Aparicio, A., Rivas Martínez, J. J., y Rodríguez Poyo-Guerrero, J-M., ob. cit., pág. 117; Reglero Campos, L. F., "El pacto comisorio" en *Garantías reales mobiliarias en Europa* (coord. Lauroba Lacasa, M.ª E. et al.), Marcial Pons, Madrid, 2006, pág. 254; Reglero Campos, L. F., "El pacto comisorio", *Aranzadi civil: revista quincenal* núm.1, 2007, pág. 2 (versión online); Durán Rivacoba, R., "La prohibición del pacto comisorio en la jurisprudencia" en *Estudios sobre ejecución universal*, Universidad de Oviedo. Servicio de Publicaciones, Oviedo, 1997, págs. 15 y ss.; Durán Rivacoba, R., *La propiedad en garantía: prohibición del pacto comisorio*, Aranzadi, Pamplona, 1998, págs. 67 y 68; Bustos Pueche, J. E., "Teoría general sobre los derechos reales de garantía con especial atención al pacto comisorio", *A.D.C.* fasc. II, 1990, págs. 557 y ss. El último de los trabajos citados se halla accesible en: http://bit.ly/2lYMgKw (Página consultada por última vez el 6 de septiembre de 2019).

[318]   Moll de Alba Lacuve, C., "El pacto comisorio en...", ob. cit., pág. 665; Moll de Alba Lacuve, C., *La resolución por impago de la compraventa inmobiliaria...*, ob. cit., págs. 193 y ss.

[319]   El término de pacto comisorio suele relacionarse, desde un punto de vista histórico, con la cláusula resolutoria en el ámbito de la compraventa, a la cual se refiere implícitamente el art. 1504 Cc al señalar que *"en la venta de bienes inmuebles, aun cuando se hubiera estipulado que por falta de pago del precio en*

fitéuticos[320] y los derechos reales de garantía. Centrándonos, por razones obvias, en la última de sus manifestaciones[321], que por otro lado es la que ha merecido un mayor estudio por parte de la doctrina[322], es necesario destacar que tradicionalmente[323] se ha venido entendiendo

---

el tiempo convenido tendrá lugar de pleno derecho la resolución del contrato, el comprador podrá pagar, aun después de expirado el término, ínterin no haya sido requerido judicialmente o por acta notarial. Hecho el requerimiento, el Juez no podrá concederle nuevo término".
No obstante lo anterior, no existe, sin embargo, una identidad entre el pacto comisorio en el sentido estricto (el que se refiere al contrato de garantías) y la resolución por impago. Todos los anteriores razonamientos pueden consultarse en Moll de Alba Lacuve, C., "El pacto comisorio en…", ob. cit., pág. 666. Para un mayor estudio sobre la figura: Moll de Alba Lacuve, C., *La resolución por impago de la compraventa inmobiliaria…*, ob. cit., págs. 33 y ss.; Durán Rivacoba, R., "La prohibición del pacto comisorio. Aproximación general desde la jurisprudencia española" en *Fideicomiso de garantía: análisis integral, función y régimen* (dir. Cabanellas de las Cuevas, G.,), Heliasta, Buenos Aires, 2008, págs. 47-59; Bustos Pueche, J. E., "Teoría general sobre los derechos reales de garantía…", ob. cit., págs. 557 y ss. En este sentido, Clemente Meoro define este pacto como aquel que "…sirve para prever las consecuencias del incumplimiento del pago del precio de la compraventa, determinando la resolución de la relación obligatoria…". Clemente Meoro, M. E., *La facultad de resolver los contratos por incumplimiento*, Tirant Lo Blanch, Valencia, 1998, pág. 54.

320   El comiso del censo enfitéutico, mecanismo mediante el cual el dueño directo puede recuperar el dominio útil de la finca en el caso de que el enfiteuta no pague "…*la pensión durante tres años consecutivos*" o no cumpla "…*la condición estipulada en el contrato o deteriora gravemente la finca*" (*ex* art. 1648 Cc); parece hallarse relacionado con el pacto comisorio de la compraventa en cuanto a su funcionamiento. Véase Moll de Alba Lacuve, C., "El pacto comisorio en…", ob. cit., págs. 679 y 671.

321   Fernández-Golfín Aparicio, A., Rivas Martínez, J. J., y Rodríguez Poyo-Guerrero, J-M., ob. cit., pág. 118. Cabe destacar que, aunque no sea posible ofrecer un concepto unitario de pacto comisorio, puede decirse que todas las manifestaciones a las cuales nos hemos referido más arriba comparten un elemento común: el legislador no se muestra partidario de las mismas. Moll de Alba Lacuve, C., "El pacto comisorio en…", ob. cit., pág. 681.

322   Durán Rivacoba se refiere a ella como la noción clásica del pacto comisorio. Durán Rivacoba, R., "La prohibición del pacto comisorio…", ob. cit., pág. 16.

323   Ello se pone de relieve en la STS 1 marzo 2013 (TOL3.266.757). En este sentido, Mas Alcaraz, afirma con contundencia que "la historia del pacto comisorio puede decirse que es, prácticamente, la historia de su prohibición". Mas Alcaraz, C., "El pacto comisorio" en *Estudios de Derecho Privado Vol. II* (dir. Martínez-Radio, A.), Revista de Derecho Privado, Madrid, 1965, pág. 58. Sobre el desarrollo histórico de la figura puede consultarse la obra citada, además de Feliu Rey, M.

que no cabe que el acreedor haga suya la cosa dada en garantía[324], lo que ha cristalizado en la prohibición del pacto comisorio.

La doctrina no parece ponerse de acuerdo en cuanto al fundamento de esta interdicción, de modo que se han venido construyendo las tesis más dispares para justificar su existencia. Entre las muchas teorías que se han mantenido sobre la materia destacan, entre otras[325], aquellas que sostienen que tal restricción a la autonomía de los particulares tiene su base en la inagotable cruzada contra la usura[326]; en la necesaria protección del deudor[327] y/o de los acreedores de este (*par condicio creditorum*)[328]; en las dudas sobre la licitud de

---

I., *La prohibición del pacto comisorio y la opción en garantía*, Civitas, Madrid, 1995, págs. 33 y ss.; Durán Rivacoba, R., *La propiedad en garantía...*, ob. cit., págs. 17 y ss.; Álvarez Caperochipi, J. A., *Curso de Derechos Reales...*, ob. cit., págs. 217-219.

[324] Durán Rivacoba define el pacto comisorio como "...el acuerdo entre deudor y acreedor para que los bienes ofrecidos en garantía real por el primero ingresen de manera inmediata en el patrimonio del segundo, si llegado el vencimiento del crédito, cuya satisfacción aquéllos salvaguardan, no se cumple". Durán Rivacoba, R., "La prohibición del pacto comisorio...", ob. cit., pág. 15. El Tribunal Supremo lo describe de manera similar en la STS 27 enero 2012 (TOL2.411.988) y en la STS 1 marzo 2013 (TOL3.266.757).

[325] Feliu realiza una brillante exposición de las corrientes que vamos a desarrollar a continuación, por lo que recomendamos su lectura. Véase Feliu Rey, M. I., *La prohibición del pacto comisorio...*, ob. cit., págs. 66 y ss. Véanse, asimismo, Gardeazábal del Río, F. J., ob. cit., págs. 213 y ss.; Durán Rivacoba, R., "La prohibición del pacto comisorio. Aproximación general...", ob. cit., págs. 50 y ss.

[326] Se suele apuntar que este es el fundamento histórico de la interdicción de pacto comisorio. Fínez Ratón, J. M., "Garantías reales: imperatividad de las normas de ejecución *versus* pacto comisorio" en *Estudios jurídicos en Homenaje al Profesor Luis Díez-Picazo. Tomo III* (coord. Cabanillas Sánchez, A. *et al.*), Civitas, Madrid, 2003, págs. 3837 y 3838; Álvarez Caperochipi, J. A., *Curso de Derechos Reales...*, ob. cit., pág. 219.

[327] La doctrina mayoritaria ha venido estimando que esta es la verdadera *ratio* de la prohibición. Así lo señala Álvarez Caperochipi, J. A., *Curso de Derechos Reales...*, ob. cit., pág. 219. Debe apuntarse, sin embargo, que son varios los autores que encuentran argumentos para descartar que este sea el fundamento de la prohibición del pacto comisorio. Véase Bustos Pueche, J. E., ob. cit., págs. 561 y 562; Durán Rivacoba, R., *La propiedad en garantía...*, ob. cit., págs. 91 y ss.

[328] Sobre la cuestión se pronuncia Durán Rivacoba, R., *La propiedad en garantía...*, ob. cit., págs. 96 y ss. También puede consultarse Bustos Pueche, J. E., "Teoría general sobre los derechos reales de garantía...", ob. cit., pág. 562.

la autoejecución (teoría procesalista)[329]. Lejos de constituir una mera cuestión teórica, el fundamento de la prohibición del pacto comisorio ha condicionado el posicionamiento de los autores sobre la licitud de determinadas convenciones[330], como pueden ser el pacto marciano o el denominado pacto *ex intervallo*.

El primero de los pactos mencionados en el párrafo precedente puede definirse como un tipo de pacto comisorio, en virtud del cual las partes acuerdan que, en caso de incumplimiento por parte del deudor, el acreedor podrá hacer suya la cosa dada en garantía, siempre y cuando esta sea valorada de forma objetiva y que, en su caso, se abone al deudor la diferencia entre la cantidad adeudada y el valor de la cosa cuando aquella fuera superior[331]. El pacto *ex intervallo*, por

---

[329] A favor de esta teoría se muestran Moll de Alba Lacuve, C., "El pacto comisorio en…", ob. cit., pág. 682; Bustos Pueche, J. E., "Teoría general sobre los derechos reales de garantía…", ob. cit., págs. 563 y 564. En contra, Fínez Ratón, J. M., ob. cit., págs. 3834 y ss. Sobre este tema véase, asimismo, Durán Rivacoba, R., *La propiedad en garantía…*, ob. cit., págs. 100 y ss.

[330] Tras plantearse la licitud de un pacto encaminado a permitir al acreedor pignoraticio la adquisición en propiedad de la cosa, una vez vencida la deuda y no satisfecha, Fínez Ratón reconoce que "la pregunta no admite respuestas unívocas y en todo caso, habrá de verse relegada al fundamento o ratio de la prohibición del pacto comisorio". Fínez Ratón, J. M., ob. cit., pág. 3837. En un sentido similar, sobre el pacto marciano, Feliu Rey, M. I., *La prohibición del pacto comisorio…*, ob. cit., pág. 90; Redondo Trigo, F., "El pacto marciano, el pacto *ex intervallo* y la fiducia *cum creditore* en las garantías financieras del Real Decreto-Ley 5/2005", *R.C.D.I.* núm. 699, enero-febrero 2007, págs. 362 y 363.

[331] Bustos Pueche, J. E., "Teoría general sobre los derechos reales de garantía…", ob. cit., pág. 566. Sobre la admisibilidad de este pacto se pronuncian, entre otros, Albaladejo García, M., *Derecho Civil III…*, ob. cit., pág. 705, Cordero Lobato, E., "Comentario al artículo 1859" en *Comentarios al Código Civil T. IX* (dir. Bercovitz Rodríguez-Cano, R.), Tirant Lo Blanch, Valencia, 2013, pág. 12760; Caramés Puentes, J. C., ob. cit., pág. 135; Rodríguez Prieto, F., "Sobre el pacto comisorio", *La notaria* núm. 15, 2005, pág. 50; Durán Rivacoba, R., *La propiedad en garantía…*, ob. cit., pág. 72; Reglero Campos, L. F., "Ejecución de las garantías reales mobiliarias e interdicción del pacto comisorio" en *Tratado de garantías en la contratación mercantil T. II Vol. I* (coord. Nieto Carol, U., y Muñoz Cervera, M.), Civitas, Madrid, 1996, págs. 430 y ss.; Reglero Campos, L. F., "El pacto comisorio" en *Garantías reales mobiliarias…*, ob. cit., págs. 261 y ss.; Reglero Campos, L. F., "El pacto comisorio", *Aranzadi civil: revista quincenal* núm.1, ob. cit., pág. 7; Feliu Rey, M. I., *La prohibición del pacto comisorio…*, ob. cit., pág. 95; Guilarte Zapatero, V., "Comentario al artículo 1859" en *Comentarios al Código Civil y Compilaciones Forales T. XXIII* (dir. Albaladejo

el contrario, es el pacto comisorio acordado tras la constitución de la garantía o, en su caso, tras la celebración del contrato principal, pero siempre antes del vencimiento del crédito[332].

No obstante la postura que se adopte sobre la aceptación de las mencionadas convenciones, es necesario adelantar que, al menos, el pacto marciano ha sido acogido por el Real Decreto-Ley 5/2005[333],

---

García, M.), EDERSA, Madrid, 1979, pág. 370; Fernández-Golfín Aparicio, A., Rivas Martínez, J. J., y Rodríguez Poyo-Guerrero, J-M., ob. cit., págs. 118 y 119. Entre los autores que rechazan la licitud del pacto se encuentran Álvarez Caperochipi, J. A., *Curso de Derechos Reales...*, ob. cit., págs. 220 y 221; nuevamente Bustos Pueche, J. E., "Teoría general sobre los derechos reales de garantía...", ob. cit., págs. 566.

[332] Bustos Pueche, J. E., "Teoría general sobre los derechos reales de garantía...", ob. cit., págs. 566. A favor de la admisibilidad de este pacto se muestran Albaladejo García, M., *Derecho Civil III...*, ob. cit., págs. 705 y 706; Durán Rivacoba, R., *La propiedad en garantía...*, ob. cit., pág. 72; Reglero Campos, L. F., "Ejecución de las garantías reales mobiliarias e interdicción del pacto comisorio", ob. cit., págs. 434 y 435; Reglero Campos, L. F., "El pacto comisorio" en *Garantías reales mobiliarias...*, ob. cit., págs. 267 y 268; Reglero Campos, L. F., "El pacto comisorio", *Aranzadi civil: revista quincenal* núm.1, ob. cit., págs. 11 y 12; Feliu Rey, M. I., *La prohibición del pacto comisorio...*, ob. cit., págs. 96 y ss.; Guilarte Zapatero, V., "Comentario al artículo 1859", ob. cit., pág. 371. También la RD-GRN 21 febrero 2013 (TOL3.253.603), donde se señala que "*el comiso prohibido, es el que se conviene ex ante. La ratio de la prohibición no es sino asegurar, en los términos vistos, la conmutatividad de contrato, protegiendo al deudor ante los posibles abusos del acreedor, que se prevalece de la necesidad de crédito que tiene el deudor, y el perjuicio que para el deudor se derivaría de la eventual diferencia entre el importe de la deuda y el valor actualizado del bien objeto de la garantía al tiempo en que es susceptible de ejecución. De ahí que la necesidad de desactivar el pacto cuando más se pone de relieve es cuando nace coetáneamente con la obligación a cuya suerte se liga su efectividad. Por eso tradicionalmente se admitió, si bien con cautelas, la introducción de esta facultad comisoria si se efectuaba con posterioridad al nacimiento de la obligación que se garantizaba, mediante el denominado pacto ex intervalo (Sentencias del Tribunal Supremo de 27 de junio de 1980 y 16 de mayo de 2000)*". No obstante lo anterior, hay quien se muestra en contra de la licitud del pacto. Entre ellos pueden citarse nuevamente a Bustos Pueche, J. E., "Teoría general sobre los derechos reales de garantía...", ob. cit., págs. 566; Caramés Puentes, J. C., ob. cit., pág. 135; Fernández-Golfín Aparicio, A., Rivas Martínez, J. J., y Rodríguez Poyo-Guerrero, J-M., ob. cit., pág. 118.

[333] Véase Ginés Castellet, N., "Propiedad inmobiliaria en garantía y juego del pacto comisorio" en *Nuestro sistema de garantías reales en escenarios de crisis: presente y prospectiva*, 2012, pág. 423 nota al pie núm. 62; Reglero Campos, L. F.,

así como por el Convenio relativo a las garantías internacionales sobre elementos de equipo móvil, hecho en la Ciudad del Cabo el 16 de noviembre de 2001, al cual se adhirió España en junio de 2013[334]. Del mismo modo, hay quien sostiene que el supuesto al que hacen alusión los arts. 6.1 h) y 9 ñ) de la Ley 5/2019, de 15 de marzo, reguladora de los contratos de crédito inmobiliario, podría explicarse mediante su calificación como un pacto marciano[335].

Asimismo, es necesario poner de relieve que REDONDO TRIGO estima que también cabría predicar la validez del pacto *ex intervallo* en el campo de las operaciones financieras al amparo de lo dispuesto en el Real Decreto-Ley 5/2005 [336].

"El pacto comisorio" en *Garantías reales mobiliarias...*, ob. cit., págs. 264 y ss.; Reglero Campos, L. F., "El pacto comisorio", *Aranzadi civil: revista quincenal* núm.1, ob. cit., págs. 9 y ss.

[334] Véase Carrasco Perera, A., Cordero Lobato, E., y Marín López, M. J., *Tratado de los Derechos de Garantía T. I*, ob. cit., págs. 651 y 652. También Sánchez Jordán, M.ª E., "La transmisión de la propiedad del bien hipotecado al acreedor con efectos extintivos de la obligación garantizada. Reflexiones suscitadas por la Ley de contratos de crédito inmobiliario", *R.D.C.* Vol. VII núm. 3, 2020, pág. 53 nota al pie núm. 51.

[335] Así, los mencionados preceptos se refieren a la posibilidad de que el deudor pueda "...dar en pago el inmueble hipotecado en garantía del préstamo, con carácter liberatorio de la totalidad de la deuda derivada del mismo". En este sentido, Sánchez Jordán estima que nos hallamos ante una obligación facultativa o con facultad alternativa. Así, los inconvenientes que se derivarían de la apropiación de la cosa por parte del acreedor se evitarían a través de la concepción de este pacto como un supuesto de pacto marciano, donde se tomarían las respectivas cautelas. No obstante lo anterior, la autora sostiene que hubiese sido deseable que el legislador español hubiese acogido expresamente la posibilidad de establecer una cláusula de carácter marciano al amparo del art. 28.4 Directiva 2014/17/UE de 4 de febrero de 2014, sobre los contratos de crédito celebrados con consumidores para bienes inmuebles de uso residencial, de un modo similar a como lo hizo el legislador italiano.
La relfexiones anteriores pueden consultarse en Sánchez Jordán, M.ª E., "La transmisión de la propiedad del bien hipotecado ...", ob. cit., págs. 35 y ss.

[336] El mencionado autor afirma que "...al verse constreñida la posibilidad admitida por el RDL a que la apropiación se pacte en el momento de la constitución de la garantía financiera, sin precisar que dicho pacto de apropiación ha de coincidir también con el nacimiento de la obligación financiera, entendemos que el nacimiento del pacto de apropiación se puede producir también después por lo que también se estaría admitiendo el llamado pacto *ex intervallo...*". Redondo

b)   Alcance de la prohibición

Debe ponerse de relieve que, aunque no existe consenso en cuanto a la razón de ser de la prohibición del pacto comisorio[337], lo que sí parece claro es que, como señala Álvarez Caperochipi[338], esta tuvo la suficiente repercusión como para quedar cristalizada en buena parte de códigos europeos[339], entre los cuales se encuentra el nuestro[340]. De

---

Trigo, F., "El pacto marciano, el pacto *ex intervallo* y la fiducia *cum creditore* en las garantías financieras del Real Decreto-Ley 5/2005*"*, ob. cit., pág. 361.

[337]   Se habla de un debate infructuoso. Durán Rivacoba, R., "La prohibición del pacto comisorio...", ob. cit., pág. 31.

[338]   Álvarez Caperochipi, J. A., *Curso de Derechos Reales...*, ob. cit., pág. 217. También Méndez González, F. P., ob. cit., pág. 819 nota al pie núm. 94.

[339]   Bussani ha realizado un estudio del pacto comisorio en diversos ordenamientos jurídicos, como son el italiano, el alemán y el francés. Véase Bussani, M., *Il problema del patto commissorio*, G. Giappichelli Editore, Torino, 2000, págs. 9 y ss. Al respecto, cabe señalar que los arts. 1963 (anticresis) y 2744 (prenda e hipoteca) *Codice civile* prevén la prohibición de pacto comisorio.
Por lo que respecta al ordenamiento jurídico alemán, el § 1229 BGB señala, refiriéndose al derecho real de prenda, que *"es nulo un pacto realizado antes de la existencia del derecho a vender, según el cual la propiedad sobre la cosa corresponde o deber ser transmitida al acreedor pignoraticio en caso de no ser satisfecho o no ser satisfecho tempestivamente"*. En cuanto a la hipoteca, el § 1149 BGB establece que *"mientras el crédito a su favor no está vencido, el propietario no puede, con la finalidad de satisfacción, conceder al acreedor el derecho a reclamar la transmisión de la propiedad sobre la finca o efectuar la enajenación de la finca de otro modo que no sea en el curso de la ejecución forzosa"*. Ambas traducciones en: *Código Civil alemán* (dir. Lamarca Marqués, A.), Marcial Pons, Madrid.
En el Derecho francés la previsión sobre la prohibición del pacto comisorio se encontraba recogida en el art. 2078, el cual disponía que *"le créancier ne peut, à défaut de paiement, disposer du gage: sauf à lui à faire ordonner en justice que ce gage lui demeurera en paiement et jusqu'à due concurrence, d'après une estimation faite par experts, ou qu'il sera vendu aux enchères. Toute clause qui autoriserait le créancier à s'approprier le gage ou à en disposer sans les formalités ci-dessus est nulle"*. También el art. 2088 del mismo cuerpo legal establecía que *"le créancier ne devient point propriétaire de l'immeuble par le seul défaut de paiement au terme convenu; toute clause contraire est nulle; en ce cas, il peut poursuivre l'expropriation de son débiteur par les voies légales"*. Estas disposiciones, sin embargo, han sido derogadas por la Ordonnnance n° 2006-346 du 23 mars 2006 relative aux sûretes.

[340]   Debe mencionarse, sin embargo, que en el ámbito de los derechos autonómicos se permiten ciertas manifestaciones del pacto comisorio, especialmente en el Derecho navarro, ya que la Ley 466 FNN establece, para los casos de fiducia en garantía, que *"...si así se hubiere pactado, podrá el acreedor, en caso de mora del*

este modo, el legislador decimonónico contempló de forma expresa la prohibición de pacto comisorio en relación con el derecho real de anticresis, disponiendo que "*el acreedor no adquiere la propiedad del inmueble por falta de pago de la deuda dentro del plazo convenido. Todo pacto en contrario será nulo...*" (art. 1884 Cc)[341]. Menos contundente es, sin embargo, el tenor del art. 1859 Cc, que se limita a disponer que "*el acreedor no puede apropiarse las cosas dadas en prenda o hipoteca, ni disponer de ellas*"[342].

La falta de una sanción expresa de nulidad del pacto comisorio similar a la prevista para el derecho de anticresis ha planteado ciertas dudas en cuanto la imperatividad de la prohibición en el ámbito de los derechos reales de prenda e hipoteca, idea que parece cobrar fuerza si se tienen en cuenta los precedentes del art. 1859 Cc[343]. En este sentido, como recalca Feliu[344], el Proyecto de García Goyena disponía claramente en su art. 1775 que "*el acreedor no puede apropiarse la cosa recibida en prenda ni disponer de ella, aunque así se hubiese*

---

deudor, adquirir irrevocablemente la propiedad de la cosa o la titularidad del derecho, y quedará extinguida la obligación garantizada". Ello parece chocar con la previsión de la Ley 469 FNN que prevé de forma expresa, en relación con el derecho real de prenda, que "*...es nulo el pacto por el que se atribuya al acreedor la propiedad de la cosa por falta de pago*". Sobre el tema Durán Rivacoba, R., "La prohibición del pacto comisorio...", ob. cit., págs. 159 y ss.; Durán Rivacoba, R., *La propiedad en garantía...*, ob. cit., págs. 265 y ss.; Ozcáriz Marco, F., "Comentario a la Ley 463" en *Comentario al Fuero Nuevo. Compilación del Derecho Civil Foral de Navarra* (dir. Rubio Torrano, E.), Aranzadi, Cizur Menor, 2002, págs. 1560 y 1561.

[341] Continúa "*...pero el acreedor en este caso podrá pedir, en la forma que previene la Ley de Enjuiciamiento Civil, el pago de la deuda o la venta del inmueble*" (art. 1884 Cc *in fine*).

[342] Ello guarda relación con lo estipulado en el art. 1858 Cc, que, refiriéndose a los contratos de prenda e hipoteca, establece que "*es también de esencia de estos contratos que, vencida la obligación principal, puedan ser enajenadas las cosas en que consiste la prenda o hipoteca para pagar al acreedor*". También debe tenerse en cuenta que el art. 1869.1 Cc establece que "*mientras no llegue el caso de ser expropiado de la cosa dada en prenda, el deudor sigue siendo dueño de ella*". Véase Reglero Campos, L. F., "Ejecución de las garantías reales mobiliarias e interdicción del pacto comisorio", ob. cit., pág. 423; Reglero Campos, L. F., "El pacto comisorio" en *Garantías reales mobiliarias...*, ob. cit., pág. 255; Reglero Campos, L. F., "El pacto comisorio", *Aranzadi civil: revista quincenal* núm.1, ob. cit., pág. 3.

[343] Albaladejo García, M., *Derecho Civil III...*, ob. cit., págs. 703 y 704.

[344] Feliu Rey, M. I., *La prohibición del pacto comisorio...*, ob. cit., págs. 48 y ss.

estipulado..."[345], previsión aplicable, por otro lado, al derecho real de hipoteca (*ex* art. 1806 del mismo Proyecto)[346]. A ello se añade que, con posterioridad, el Anteproyecto de Código civil de 1888 señalaba en su art. 6 que *"no puede el acreedor apropiarse la cosa recibida en prenda ni disponer de ella, salvo pacto en contrario..."*[347].

No obstante lo anterior, puede decirse, con REGLERO CAMPOS[348], que en nuestra tradición jurídica, el espíritu de la norma, así como la necesaria coherencia con la prohibición contenida en el art. 1884 Cc en sede de anticresis, han constituido argumentos decisivos para inclinar la balanza a favor de la imperatividad del art. 1859 Cc[349]. De este modo, la prohibición de pacto comisorio no solo despliega sus efectos en el ámbito anticrético, sino también en el pignoraticio e hipotecario. Tal es la fuerza con la que actúa esta interdicción en el campo de las

---

[345] Continúa, *"...pero cuando haya llegado el tiempo en que deba pagársele, tiene derecho a hacerla vender en subasta pública, o a que se le adjudique a falta de postura legalmente admisible, por el precio mismo que un tercero habría podido rematarla con arreglo a la ley"*. García Goyena, F., ob. cit., pág. 923.

[346] Según el citado precepto *"lo dispuesto en el art. 1775, es aplicable a la hipoteca"*. García Goyena, F., ob. cit., pág. 939.

[347] Sigue, *"...no existiendo este pacto, y una vez vencido el plazo del pago, tiene el acreedor derecho a que se venda en pública subasta, o hasta que se le adjudique, en defecto de postura legalmente admisible, por el mismo precio en que un tercero hubiera podido rematarla con arreglo a la ley"*. Véase Lasso Gaite, J., ob. cit., pág. 739. Feliu relaciona la redacción del precepto con *"...las ideas liberales plasmadas en la Ley de 1856, la ausencia de la anticresis como figura independiente hasta la redacción definitiva de nuestro CC; la decisiva influencia ejercida por el texto proyectado de Laurent en los redactores del Anteproyecto 1882-1888"*. Feliu Rey, M. I., *La prohibición del pacto comisorio...*, ob. cit., pág. 57.

[348] Reglero Campos, L. F., "Ejecución de las garantías reales mobiliarias e interdicción del pacto comisorio", ob. cit., pág. 425; Reglero Campos, L. F., "El pacto comisorio" en *Garantías reales mobiliarias...*, ob. cit., págs. 256 y 257; Reglero Campos, L. F., "El pacto comisorio", *Aranzadi civil: revista quincenal* núm.1, ob. cit., pág. 4. También Guilarte Zapatero, V., "Comentario al artículo 1859", ob. cit., págs. 368 y ss.

[349] En este sentido pueden citarse, entre otros, a Bustos Pueche, J. E., "Teoría general sobre los derechos reales de garantía...", ob. cit., págs. 560 y 561; Martínez de Aguirre Aldaz, C., "Los derechos reales de garantía", ob. cit., pág. 559; Cordero Lobato, E., "Comentario al artículo 1859", ob. cit., pág. 12761; Rodríguez Prieto, F., ob. cit., pág. 49; Mas Alcaraz, C., ob. cit., págs. 61 y 62.

garantías típicas que Durán Rivacoba ha querido destacar el bajo nivel de litigiosidad que se genera en torno a esta cuestión[350].

Dando un paso más en nuestro discurso, hemos de señalar que la proyección de la prohibición no se ha limitado a los pactos comisorios propios, esto es, a los que se incluyen en contratos de garantía típicos (anticresis, prenda e hipoteca), sino también a los pactos comisorios autónomos, los insertos en contratos de garantía atípicos[351]. Así, se ha hablado entre la doctrina de una vocación general de la interdicción[352], idea que parece encontrar apoyo en la STS 22 diciembre 1988 (TOL1.733.568), donde, a causa de un supuesto de pacto de retroventa en garantía, se puso de relieve que "*...en aquellos casos en que (...) la causa eficiente de la garantía consistente en la transmisión de la propiedad fue el préstamo, la aceptación de estos pactos no es aconsejable: a) Porque si bien es innegable que la doctrina de esta Sala los tiene admitidos para ciertos supuestos, ello no tiene un carácter general en cuanto que en otros los rechaza; b) Porque en el Código Civil existe una concreta prohibición de los mismos para los contratos*

---

[350] El autor señala textualmente que "...los pactos comisorios han desaparecido de las garantías típicas, pues su prohibición, aceptada sin fisuras en el cuerpo jurídico español, impide realizar tentativas inútiles". Durán Rivacoba, R., *La propiedad en garantía...*, ob. cit., pág. 121; Durán Rivacoba, R., "La prohibición del pacto comisorio. Aproximación general...", ob. cit., pág. 65.

[351] Durán Rivacoba, R., *La propiedad en garantía...*, ob. cit., págs. 120 y 121; Durán Rivacoba, R., "La prohibición del pacto comisorio. Aproximación general...", ob. cit., pág. 65. Esta idea también se recalca en la STS 21 febrero 2017 (TOL5.978.303).

[352] Se pronuncia expresamente sobre su alcance general Reglero Campos, L. F., "Ejecución de las garantías reales mobiliarias e interdicción del pacto comisorio", ob. cit., pág. 428; Reglero Campos, L. F., "El pacto comisorio" en *Garantías reales mobiliarias...*, ob. cit., pág. 260; Reglero Campos, L. F., "El pacto comisorio", *Aranzadi civil: revista quincenal* núm.1, ob. cit., pág. 6. Algunos autores sostienen, incluso, que la prohibición de pacto comisorio es un principio general de nuestro ordenamiento. Moll de Alba Lacuve, C., "El pacto comisorio en...", ob. cit., págs. 683 y ss.; Rodríguez Prieto, F., ob. cit., pág. 50.
En contra de la aplicación general de la prohibición del pacto comisorio se pronuncia Blasco Gascó, F. de P., "Comentario al artículo 1859" en *Código Civil Comentado Vol. IV* (dirs. Cañizares Laso, A. *et al.*), 2ª ed., Aranzadi, Cizur Menor, 2016, pág. 1203. También la STSJ Cataluña (Sala de lo Civil y Penal) 29 mayo 1991 (TOL174.903) y la STSJ Cataluña (Sala de lo Civil y Penal) 31 octubre 1991 (TOL174.904).

de garantía a que el art. 1859 se refiere (hipoteca y prenda); c) Porque aun cuando algún sector de la doctrina científica no lo admita, lo cierto es que la más generalizada posición acepta que la prohibición contenida en dicho precepto puede extenderse a otros supuestos, lo cual no rechaza la jurisprudencia de esta Sala, extensión que puede operarse perfectamente para casos como el presente (de mutuo), por virtud de la aplicación analógica de referido precepto y a tenor de lo dispuesto en el art. 4.1 del Código Civil…" [353].

A pesar de la rotundidad del razonamiento expresado por nuestro Alto Tribunal en el extracto de la sentencia transcrita, un conjunto de autores ha destacado que el mencionado órgano jurisdiccional no siempre ha sido tan contundente en sus enjuiciamientos[354]. Así, por ejemplo, Feliu[355] llamó la atención sobre la STS 20 mayo 1986 (TOL1.735.394), donde, en relación con una opción de compra en garantía, se concluyó que no existía un negocio fiduciario[356], sino una obligación *"con una facultad alternativa a favor del acreedor"*[357], para que, en caso de incumplimiento, el prestamista pudiera optar entre

---

[353]   En sentido similar la STS 4 diciembre 2002 (TOL4.920.170).

[354]   En relación con la opción de compra en garantía, Feliu Rey, M. I., *La prohibición del pacto comisorio…*, ob. cit., pág. 153. Rodríguez Prieto, en cambio, califica la postura del Tribunal Supremo de poco tajante. Rodríguez Prieto, F., ob. cit., pág. 50. Véase también Durán Rivacoba, R., "La prohibición del pacto comisorio…", ob. cit., págs. 24 y 25; Durán Rivacoba, R., *La propiedad en garantía…*, ob. cit., págs. 84 y ss.

[355]   Feliu Rey, M. I., *La prohibición del pacto comisorio…*, ob. cit., págs. 144 y ss.

[356]   Reza la citada sentencia *"aquí no se trata de verdadero negocio fiduciario, puesto que éste requiere la coexistencia de una convención expresa y exteriorizada, que normalmente tiene un mayor alcance jurídico que el económico propuesto por las partes en la convención tácita o no exteriorizada («ad exemplum» la compraventa con pacto de retro), pero es el caso que aquí acontece, no hay pacto tácito ni encubierto que disimule la voluntad real de las partes, pues los términos de los contratos analizados son expresivos y no dan lugar a la menor duda"*.

[357]   Esta expresión, utilizada en la sentencia que comentamos, es tildada de equívoca por Feliu, quien señala que "…debemos de desechar desde un principio toda referencia a la «obligación facultativa», también denominada obligación con «facultad alternativa», pues en el caso concreto que contemplamos no actúa en el momento del pago, sino una vez producido el incumplimiento". Feliu Rey, M. I., *La prohibición del pacto comisorio…*, ob. cit., págs. 149 y 150.

reclamar la deuda o ejercitar la opción de compra[358], lo cual, según el mencionado autor, podría traducirse en la vulneración de la prohibición del pacto comisorio[359].

La Dirección General de los Registros y del Notariado a lo largo de los años se ha mostrado, en cambio, mucho más severa en sus resoluciones, declarando, en un gran número de ocasiones, la nulidad de los pactos comisorios insertos en los contratos atípicos de garantía[360]. En este sentido, el dispar tratamiento de la cuestión por parte del Tribunal Supremo y el Centro directivo se debe, claramente, al distinto papel que desempeñan los citados órganos[361]. Así, los registradores, en virtud de su función de calificación (*ex* art.18 LH), han de actuar con cautela y rigurosidad en el examen de los títulos que vayan a ser objeto de inscripción en el Registro de la Propiedad en aras de favorecer la seguridad jurídica en el tráfico jurídico-inmobiliario y de

---

[358] En este sentido, en el mencionado pronunciamiento se indica que "*...no es cierto tal como se afirma en la exposición del motivo que en la sentencia se sostenga que hay una obligación alternativa; no, la sentencia recurrida mantiene con claridad -y así lo ratificamos en la presente- la tesis de que por los recurrentes no había más que una única -valga la redundancia- obligación contraída, la de devolver a su vencimiento, dentro de los tres años de verificado el préstamo, el capital y los intereses estipulados, pero con una facultad alternativa a favor del acreedor, para caso de incumplimiento de esa única obligación -insistimos- y para resarcirse de los perjuicios económicos derivados de tal incumplimiento, cual es la del ejercicio de la acción ejecutiva personal de reclamación de deuda o la de hacer efectiva la acción de compra pactada como garantía de carácter real...*".

[359] Feliu Rey, M. I., *La prohibición del pacto comisorio...*, ob. cit., pág. 151.

[360] Reglero Campos, L. F., "Ejecución de las garantías reales mobiliarias e interdicción del pacto comisorio", ob. cit., pág. 427; Reglero Campos, L. F., "El pacto comisorio" en *Garantías reales mobiliarias...*, ob. cit., pág. 259; Reglero Campos, L. F., "El pacto comisorio", *Aranzadi civil: revista quincenal* núm.1, ob. cit., pág. 6; Rodríguez Prieto, F., ob. cit., pág. 50. Nuevamente, en relación con la opción de compra en garantía, Feliu Rey, M. I., *La prohibición del pacto comisorio...*, ob. cit., pág. 153.
A favor de extender la prohibición del pacto comisorio a las garantías reales atípicas se pronuncian, por ejemplo, RDGRN 10 junio 1986 (RJ 1986\3840); RDGRN 30 junio 1987 (RJ\1987\4843); RDGRN 5 junio 1991 (RJ\1991\4649); RDGRN 5 mayo 1992 (RJ\1992\4837); RDGRN 22 septiembre 1992 (RJ\1992\6919); RDGRN 18 octubre 1994 (RJ\1994\7798); RDGRN 30 septiembre 1998 (TOL132.503); RDGRN 20 julio 2012 (TOL2.654.329); RDGRN 21 febrero 2013 (TOL3.253.603); RDGRN 22 febrero 2013 (TOL3.253.601).

[361] Véase Feliu Rey, M. I., *La prohibición del pacto comisorio...*, ob. cit., págs. 156 y ss.

garantizar el principio de legalidad[362]. Nuestro Alto Tribunal se ve, en cambio, constreñido a la hora de emitir sus decisiones, como pone de relieve Durán Rivacoba, por los errores en el planteamiento del recurso[363], por defectos de carácter procesal[364] o, simplemente, por los propios datos fácticos que se desprendan del supuesto[365]. A ello se suma, claro está, la propia evolución de la corriente jurisprudencial en la interpretación de los negocios atípicos de garantía[366].

No obstante las anteriores apreciaciones, puede sostenerse que, con carácter general, la prohibición del pacto comisorio se viene extendiendo, asimismo, al ámbito de las garantías atípicas[367], en tanto que, como manifiesta Gete-Alonso[368], resultaría poco congruente aplicar la interdicción en el ámbito de los derechos reales de garantía para después admitir este tipo de pactos en sede de negocios de garantía atípicos.

c)	Reflexiones finales

Los razonamientos hasta aquí expuestos ofrecen poderosos argumentos para rechazar la creación de una garantía real atípica que vul-

---

[362]	Feliu Rey, M. I., *La prohibición del pacto comisorio...*, ob. cit., págs. 156-159; Gete-Alonso y Calera, M.ª C., "Comentario a la DGRN de 5 de junio de 1991", *C.C.J.* núm. 27, septiembre-diciembre 1991, págs. 764 y 765.

[363]	Durán Rivacoba, R., "La prohibición del pacto comisorio...", ob. cit., pág. 23; Durán Rivacoba, R., *La propiedad en garantía...*, ob. cit., pág. 83.

[364]	Durán Rivacoba, R., "La prohibición del pacto comisorio...", ob. cit., págs. 23-25; Durán Rivacoba, R., *La propiedad en garantía...*, ob. cit., págs. 83 y 85.

[365]	Durán Rivacoba, R., "La prohibición del pacto comisorio...", ob. cit., págs. 24 y 25; Durán Rivacoba, R., *La propiedad en garantía...*, ob. cit., pág. 85. En sentido similar se pronuncia Feliu Rey, M. I., *La prohibición del pacto comisorio...*, ob. cit., págs. 156-159.

[366]	Durán Rivacoba, R., "La prohibición del pacto comisorio...", ob. cit., pág. 25; Durán Rivacoba, R., *La propiedad en garantía...*, ob. cit., pág. 85.

[367]	Parra Lucán, M.ª A., "Comentario a la STS de 26 de julio de 2004", *C.C.J.* núm. 68, mayo-agosto 2005, pág. 807. También se señala esta postura en Carrasco Perera, A., "Comentario a la resolución de la DGRN de 30 de junio de 1987", *C.C.J.* núm. 15, septiembre-diciembre 1987, pág. 4933. No obstante, como pondremos de relieve más adelante, el autor parece cambiar de opinión en algunas de sus obras posteriores.

[368]	Gete-Alonso y Calera, M.ª C., "Comentario a la STS de 7 de marzo 1990", *C.C.J.* núm. 22, enero-marzo 1990, pág. 342.

nere la prohibición del pacto comisorio, lo que no es, por otro lado, más que la concreción del límite de respeto a las normas imperativas que, de forma general, se impone a la autonomía privada[369]. Así, el Tribunal Supremo manifestó en su STS 16 mayo 2000 (TOL2.471.583) que la introducción de un pacto comisorio en cualquier contrato de garantía conlleva la nulidad de aquel, aunque no necesariamente de la garantía[370]. No obstante, el órgano jurisdiccional advirtió en el mencionado pronunciamiento que *"la nulidad parcial, de contemplación casuística, solo puede tomarse en consideración cuando conste que el contrato se habría celebrado sin la parte nula (Sentencias 4 diciembre 1986, 17 octubre 1987) y cuando la nulidad no trasciende a la totalidad del negocio (Sentencias 30 marzo 1950, 22 abril 1988, 15 febrero 1991, 23 junio 1992)"*[371].

Sentado lo anterior, cabe realizar una serie de matizaciones. De este modo, hemos de comenzar poniendo de relieve que el nacimiento de una garantía real no implica la vulneración automática de la prohibición del pacto comisorio. Así, como afirma GETE-ALONSO, solo habrá transgresión de la máxima cuando las partes creen una garantía que implique una posible apropiación de la cosa dada en garantía por parte del acreedor[372]. Por lo tanto, cabe concluir, con la citada autora, que *"...cuando se prevea que el incumplimiento de la obligación no*

---

[369] Peña Bernaldo de Quirós, M., *Derechos Reales. Derecho Hipotecario T. I*, ob. cit., pág. 69.

[370] Así, *"...la apreciación de la nulidad del pacto comisorio (o de su efecto jurídico) no implica normalmente la ineficacia de la garantía, la cual sigue desenvolviendo su función en los términos convenidos y con arreglo a su naturaleza, y, por consiguiente, el negocio atípico de garantía, en principio, sólo deviene inválido en la medida que acarrea la apropiación definitiva, por el acreedor, del bien cuando se produce el incumplimiento de la obligación"*.

[371] Continúa señalando que *"en el supuesto que se enjuicia, la propia complejidad del negocio, integrado por sub-negocios íntimamente conexionados, e incluso entrelazados, con una pluralidad de cláusulas que inciden, o están relacionadas, con los diversos aspectos o elementos del conjunto, conlleva a la aplicación del criterio de la nulidad total, aparte además de que tal solución es la que aconseja la dogmática jurídica cuando el crédito concedido al deudor está causalizado, en el sentido del art. 1274 CC, a la puesta en garantía, y es la venta la que determina que se conceda el préstamo (deuda) constituyendo una contraprestación de esta concesión, por lo que el efecto de la invalidez incide, impregna, en todo el sinalagma"*.

[372] Gete-Alonso y Calera, M.ª C., "Comentario a la DGRN de 5 de junio de 1991", ob. cit., pág. 764.

origina la consolidación (…) de la propiedad en cabeza del acreedor sino un poder distinto, nada parece que obste considerar válido tal negocio"[373].

Por otro lado, es necesario destacar que en los últimos años se está produciendo una "relajación" de la prohibición[374], de modo que existen algunos supuestos en los que se permite la apropiación del bien por parte del acreedor. Parte de la doctrina considera que la flexibilidad de la máxima obedece, en ocasiones, a las peculiares características de la figura de que se trate, como es el caso del *leasing*[375]. Del mismo modo, hemos de recordar que se viene permitiendo la apropiación del bien por parte del acreedor siempre que se den determinadas circunstancias (pacto marciano y pacto *ex intervallo*)[376].

En virtud de lo señalado en el párrafo precedente, se ha estimado que, al menos como propuesta *de lege ferenda*, la prohibición del pacto comisorio debería de reformularse[377]. Un primer paso ha sido,

---

[373]   Gete-Alonso y Calera, M.ª C., "Comentario a la DGRN de 5 de junio de 1991", ob. cit., pág. 764.

[374]   Durán Rivacoba, R., "La prohibición del pacto comisorio. Aproximación general…", ob. cit., pág. 72. Gardeazábal del Río, F. J., ob. cit., págs. 223-228. En contra parece pronunciarse García Cantero, G., "Venta en garantía, retracto convencional y conversión del negocio (Comentario a la STS de 16 de abril de 2001)", *R.J.N.* núm. 39, 2001, pág. 365.

[375]   Durán Rivacoba, R., "La prohibición del pacto comisorio. Aproximación general…", ob. cit., pág. 72; De Reina Tartière, G., "La propiedad en garantía: negocio indirecto y fiducia", *R.G.L.J.*, julio-septiembre 2011, pág. 308; Blasco Gascó, F. de P., "Comentario al artículo 1859", ob. cit., pág. 1203.

[376]   Gardeazábal del Río, F. J., ob. cit., págs. 223-228; De Reina Tartière, G., ob. cit., pág. 307.

[377]   Carrasco Perera, A., "Orientaciones para una posible…", ob. cit., pág. 11. Como se adelantó, en obras posteriores la postura del mencionado autor llega al extremo de afirmar que la prohibición de pacto comisorio no es más un principio de nuestro ordenamiento jurídico. Carrasco Perera, A., Cordero Lobato, E., y Marín López, M. J., *Tratado de los Derechos de Garantía T. I*, ob. cit., pág. 651. Ha de traerse aquí a colación la solución recogida en la Propuesta de Código civil de la Asociación de Profesores de Derecho Civil, cuyo art. 3121-5 establece que "*1. Es nula la estipulación en que se establezca la apropiación del acreedor de la cosa dada en garantía a cambio de la extinción del crédito cuando exista riesgo de desproporción entre su valor y el importe de la obligación garantizada. 2. Ante el incumplimiento de la obligación garantizada no incurren en esta prohibición los siguientes pactos de apropiación de la cosa dada en garantía por el acreedor: a) Cuando resulten desvinculados de la financiación del deudor.*

desde luego, el acogimiento normativo del pacto marciano (art. 11 Real Decreto-Ley 5/2005[378], Convenio de la Ciudad del Cabo de 16 de noviembre de 2001 y, de forma más dudosa, la Ley 5/2019, de 15

---

b) Cuando la valoración del bien dado en garantía se haya realizado conforme a criterios objetivos, salvo si se trata de la vivienda habitual del deudor o de un tercero.

c) Cuando el derecho real de garantía tiene por objeto dinero u otros bienes o derechos de liquidez semejante". Díez García, H. y Martínez Escribano, C., "Capítulo I del Título XII del Libro III" en *Propuesta de Código Civil. Asociación de Profesores de Derecho Civil*, Tecnos, Madrid, 2018, págs. 501 y 502. Como se observa, en el apartado 2 b) se recoge claramente el pacto marciano.

[378] Según el precepto *"1. Se considera como supuesto de ejecución un incumplimiento de obligaciones o cualquier hecho pactado entre las partes que en caso de producirse permita al beneficiario de la garantía, en virtud del acuerdo de garantía o de la ley, realizar o apropiarse del objeto de dicha garantía; o que produce la aplicación de una cláusula de liquidación por compensación exigible anticipadamente si tal cláusula estuviera prevista por el acuerdo de garantía.*

A los efectos de lo dispuesto en el párrafo anterior, se considerará como cláusula de liquidación por compensación exigible anticipadamente aquella con arreglo a la cual, al producirse un supuesto de ejecución del contrato, tienen lugar los siguientes efectos:

a) Que el vencimiento de las obligaciones de las partes se anticipa, de modo que sean ejecutables inmediatamente y se expresa como una obligación de pago de un importe que representa el cálculo de su valor actual de acuerdo con lo pactado por las partes, o bien se anulan dichas obligaciones y se sustituyen por la obligación de pago de un importe idéntico.

b) Que se tiene en cuenta, simultánea o alternativamente al anterior efecto, lo que cada parte deba a la otra con respecto a dichas obligaciones y la parte cuya deuda sea mayor pagará a la otra parte una suma neta global idéntica al saldo resultante.

2. Al producirse un supuesto de ejecución, el beneficiario podrá ejecutar las garantías financieras aportadas en virtud de un acuerdo de garantía financiera pignoraticia, en las condiciones previstas en el acuerdo, de las maneras siguientes:

a) Si se trata de valores negociables u otros instrumentos financieros, mediante venta o apropiación, de acuerdo, cuando corresponda, con el procedimiento previsto en el artículo decimoquinto y mediante compensación de su valor o aplicación de su valor al cumplimiento de las obligaciones financieras principales.

b) Si se trata de efectivo, mediante compensación de su importe o utilizándolo para ejecutar las obligaciones financieras principales.

c) Si se trata de derechos de crédito, mediante venta o apropiación y mediante compensación de su valor o aplicación del mismo al cumplimiento de las obligaciones financieras principales.

3. La apropiación será posible cuando:

a) Se haya previsto entre las partes en el acuerdo de garantía financiera, y

de marzo, reguladora de los contratos de crédito inmobiliario[379]), de modo que parte de la doctrina moderna considera que esta regulación permite afirmar que hay que dejar de hablar de la interdicción de pacto comisorio como un principio general[380].

Todo lo hasta aquí expuesto nos lleva a concluir que, a pesar de la remarcada relevancia de esta regla en el ámbito de los derechos reales de garantía, no parece que hoy sea la razón principal que debe aducirse para negar la creación de esta clase de derechos por los particulares. De este modo, no es posible emitir un juicio apriorístico

---

b) Las partes hayan previsto en el acuerdo de garantía las modalidades de valoración de los valores negociables u otros instrumentos financieros y los derechos de crédito.

La ejecución de una garantía se hará de conformidad con lo previsto en el acuerdo de garantía financiera correspondiente, sin que, no obstante las condiciones acordadas en el acuerdo de garantía financiera, pueda supeditarse a ninguna exigencia de notificación previa, ni a su aprobación por un tribunal, un funcionario público u otra persona, ni a que deba efectuarse mediante subasta pública o de cualquier otro modo regulado normativamente, ni que deba subordinarse al cumplimiento de cualquier plazo adicional.

4. En los supuestos de disposición del objeto de la garantía regulados en el artículo noveno, cuando se produzca un supuesto de ejecución mientras esté pendiente una obligación de aportar el objeto equivalente, dicha obligación podrá ser extinguida mediante su inclusión en una cláusula de liquidación por compensación exigible anticipadamente".

[379] Ya expusimos en otro punto de este trabajo que los arts. 6.1 h) y 9 ñ) de la mencionada Ley no recogen expresamente un supuesto de pacto marciano, aunque la posibilidad a la que aluden podría calificarse como tal.

[380] Carrasco Perera, A., Cordero Lobato, E., y Marín López, M. J., *Tratado de los Derechos de Garantía T. I*, ob. cit., pág. 651. Los citados autores se apoyan, asimismo, en la STS 24 junio 2010 (TOL1.910.895), donde, en relación con la interdicción de pacto comisorio, se señaló que "...*las razones que en su día justificaron los recelos del legislador, no son aplicables a determinadas modalidades de garantía, como lo demuestra el Real Decreto-Ley 5/2005, de 11 de marzo, de reformas urgentes para el impulso a la productividad y para la mejora de la contratación pública que, al regular el régimen de los acuerdos de compensación contractual y de las garantías financieras, admite de forma expresa la licitud de la apropiación en el primer párrafo del artículo 11.1...*". Este razonamiento se reproduce en la posterior STS 10 noviembre 2011 (TOL2.300.395).
De forma algo más tímida, Redondo Trigo se pregunta: "¿cómo influirá esta posibilidad introducida por el RDL consistente en apropiaciones del bien, dada en garantía en otros sectores del tráfico jurídico-económico, no regulados por el RDL?". Redondo Trigo, F., ob. cit., pág. 369.

sobre la legalidad de todos los negocios atípicos de garantía, sino que deberá analizarse si en un supuesto concreto se ha vulnerado o no la prohibición del pacto comisorio[381].

B)   El principio *par condicio creditorum*

Teniendo en cuenta lo apuntado en el apartado precedente, debe comenzarse señalando que tradicionalmente se estima que el principal obstáculo que se impone a la libre creación de derechos reales de garantía atípicos es la posible vulneración del principio *par condicio creditorum*[382].

---

[381]   Durán Rivacoba, R., *La propiedad en garantía...*, ob. cit., págs. 121 y 123; Durán Rivacoba, R., "La prohibición del pacto comisorio. Aproximación general...", ob. cit., págs. 65 y 67. Véase, asimismo, la STS 21 febrero 2017 (TOL5.978.303). Cabe destacar que De Pablo Contreras sostiene que si no hay vulneración de la interdicción de pacto comisorio no ve inconveniente en que se admita la creación de figuras atípicas en el ámbito de los derechos reales de garantía, las cuales serían inscribibles, desde su punto de vista, al amparo de lo dispuesto en el art. 2.3 LH. De Pablo Contreras, P., "El derecho real y sus caracteres", ob. cit., pág. 45.

[382]   Rojo Ajuria sostiene, a diferencia de la doctrina italiana, que el argumento fundamental para inadmitir el juego de la autonomía privada en el ámbito de los derechos reales de garantía no es la trasgresión de la prohibición del pacto comisorio, sino la del principio *par condicio creditorum*. Rojo Ajuria, L., ob. cit., pág. 760. Del mismo modo, Cruz Moreno subraya que "la dificultad para admitir la entrada en el panorama jurídico de nuevos derechos reales se agudiza sobremanera, cuando de derechos de garantía se trata. Y ello porque (...) conceden privilegios a sus titulares". Cruz Moreno, M., *La prenda irregular*, Colegio de Registradores de la Propiedad y Mercantiles de España, Centro de Estudios Registrales, Madrid, 1995, pág. 163. Vallet de Goytisolo, por su parte, se pregunta "...si debe considerarse lícita y conveniente, o no, la posibilidad ilimitada de crear nuevas garantías de tipo convencional que alteren la prelación legal". Vallet de Goytisolo, J. B., "Las garantías reales" en *Libro-Homenaje al Profesor Manuel Amorós Guardiola. Tomo I*, Fundación Registral, Colegio de Registradores de la Propiedad y Mercantiles de España, Madrid, 2006, pág. 1430.
Entre los autores que estiman que la creación de derechos reales de garantía colisiona con el citado principio se encuentran, entre otros, Caramés Puentes, J. C., ob. cit., pág. 135; Méndez González, F. P., ob. cit., pág. 819; Álvarez Caperochipi, J. A., *Curso de Derechos Reales...*, ob. cit., pág. 19; Álvarez Olalla, P. *et al.* en *Manual de Derecho Civil...*, ob. cit., pág. 32; Díez-Picazo y Ponce de León, L., "Autonomía Privada...", ob. cit., pág. 330; Vivas Tesón, I., *La compraventa con pacto de retro en el Código Civil*, ob. cit., pág. 177.

Desarrollando el razonamiento anterior, Roca Trías[383] sostiene que el principio de igualdad de acreedores se erige como una de las reglas básicas de nuestro Derecho de obligaciones que, no hallándose expresamente recogida en nuestro ordenamiento, encuentra apoyo en la dicción del art. 1911 Cc[384]. De este modo, podemos decir, con Garrido, que la noción tradicional de la máxima *par condicio creditorum* "...se traduce en el tratamiento proporcional de sus créditos (el de los acreedores) en la situación de concurso, como ideal transposición en el plano práctico del principio de igualdad"[385]. No obstante lo anterior, la doctrina moderna ha querido destacar que la aplicación del mencionado principio se ve excepcionada, cada vez con más frecuencia, por el sistema de privilegios diseñado por el legislador[386], según el cual, por motivos de política jurídica, se prevé que determinados créditos tengan preferencia respecto de los otros en el cobro sobre el patrimonio del deudor[387].

Centrándonos en el tema que nos ocupa, lo cierto es que, con independencia de que pueda afirmarse que el principio *par condicio creditorum* ha perdido peso en la actualidad[388], la doctrina tradicio-

---

[383]   Roca Trías, E., ob. cit., pág. 161.

[384]   Según el precepto "*del cumplimiento de las obligaciones responde el deudor con todos sus bienes, presentes y futuros*". Así, cuando la norma impone la "... responsabilidad del deudor con todos sus bienes, ni distingue entre los bienes responsables ni entre los créditos de los que debe responder". Roca Trías, E., ob. cit., pág. 161.

[385]   Garrido, J. M.ª, *Tratado de las preferencias en el crédito*, ob. cit., pág. 722. El paréntesis es nuestro.

[386]   La creación indiscriminada de nuevos privilegios por parte del legislador en los últimos tiempos ha llamado la atención de la doctrina, que se plantea si realmente el principio de igualdad de acreedores es hoy una norma de carácter general. En este sentido parece pronunciarse Bussani, M., "Il modello italiano delle garanzie reali", *Contratto e impresa* Vol. 13, 1997, pág. 165; Bussani, M., "Autonomia privata e responsabilità patrimoniale" en *I nuovi contratti nella prassi civile e commerciale I Questioni generali*, UTET, Torino, 2004, pág. 437. Ampliamente, Garrido, J. M.ª, *Tratado de las preferencias en el crédito*, ob. cit., págs. 729 y ss.

[387]   Roca Trías, E., ob. cit., pág. 161.

[388]   Es bastante contundente al respecto Villoria Rivera, I., "El mito de la *par conditio creditorum*", *Revista de Derecho concursal y paraconcursal* núm. 9, 2008, págs. 319 y ss. El autor se apoya en la SAP Barcelona (Sección 15ª) 5 octubre 2006 (TOL1.081.534), donde se puso de manifiesto que "*es perfectamente ex-*

nal, encabezada por Díez-Picazo, entiende que no cabe la creación de derechos reales atípicos de garantía, ya que estos "...entrañan una facultad de realización del valor, y, sobre todo, una suerte de privilegio o prelación..."[389]. En este sentido, debe traerse aquí a colación el *numerus clausus* en materia de privilegios que se desprende de lo dispuesto en el art. 1925 Cc, que dispone que *"no gozarán de preferencia los créditos de cualquiera otra clase, o por cualquier otro título, no comprendidos en los artículos anteriores"*. De este modo, el mencionado precepto no veda al legislador la posibilidad de crear nuevos privilegios (previstos en el Código civil o en la legislación especial), sino que impide que los particulares doten de preferencia a un crédito por causas no previstas en la ley[390]. Esta idea se ve reforzada, asimismo, por lo dispuesto en el art. 89.2 LC, el cual establece que *"...no se admitirá en el concurso ningún privilegio o preferencia que no esté reconocido en esta Ley"*[391].

No obstante lo anterior, cabe destacar que nuestro derecho sí que admite los negocios de modificación del rango hipotecario, esto es, la posposición con reserva de rango a favor de una hipoteca futura, la posposición sin reserva de rango, la permuta de rango y, por úl-

---

plicable por ello que la Exposición de Motivos de la nueva LC resalte como uno de sus objetivos centrales el de rescatar el principios (sic) de igualdad de trato entre los acreedores, admitiendo excepciones muy contadas y siempre justificadas y reduciendo los privilegios y preferencias a efectos del concurso (Epígrafe V), lo que ha conectado a la legislación española con la de nuestro entorno. Pero resulta inexacto pretender que la LC haya restaurado la igualdad de trato, pues ésta no ha existido nunca".

[389] Díez-Picazo y Ponce de León, L., "Autonomía Privada...", ob. cit., pág. 330.

[390] Cordero Lobato, E., "Comentario al artículo 1925" en *Comentarios al Código Civil T. IX* (dir. Bercovitz Rodríguez-Cano, R.), Tirant Lo Blanch, Valencia, 2013, pág. 13101; Blasco Gascó, F. de P., "Comentario al artículo 1925" en *Comentarios al Código Civil* (dir. Domínguez Luelmo, A.), Lex Nova, Valladolid, 2010, págs. 2090 y 2091.Véase también Román García, A., ob. cit., pág. 187.

[391] Valpuesta Gastaminza considera que esta norma proclama el principio de *numerus clausus* en materia de privilegios, lo que no quiere decir, bajo su punto de vista, que el legislador no pueda crear otros nuevos. La cuestión radica, según opina el autor, en que ni los particulares ni la jurisprudencia puedan crear situaciones privilegiadas no previstas por el legislador. Valpuesta Gastaminza, E., "Comentario al artículo 89" en *Comentarios a la Ley Concursal* (dir. Cordón Moreno, F.), Aranzadi, Cizur Menor, 2004, pág. 704.

timo, los pactos sobre igualdad de rango[392]. Así, aunque solo se ha plasmado normativamente el primero de los negocios mencionados (art. 241 RH), la mejor doctrina considera que todas las convenciones que hemos enumerado son válidas en virtud del principio de libertad contractual[393].

Retomando la cuestión objeto de examen, puede decirse que si se parte de la idea de que los derechos reales de garantía comportan, en todo caso, el otorgamiento de un privilegio al acreedor, el razonamiento lógico sería, claro está, el de rechazar la posible creación de figuras jurídico-reales atípicas en este particular sector[394]. En contraste con la postura anterior, debe destacarse que en los últimos años ha adquirido fuerza la tesis que pasa por negar que los derechos reales de garantía se caractericen, en cualquier caso, por la concesión de un privilegio[395]. De este modo, Espejo Lerdo de Tejada, máximo exponente de la teoría apuntada, sostiene que la tipicidad de las causas de preferencia no es sinónimo de la tipicidad de los derechos reales[396].

Según la corriente anteriormente esbozada, el legislador otorga preferencia a los derechos de realización del valor, esto es, a la prenda (*ex* art. 1922.2 Cc) y a la hipoteca (*ex* art. 1923.3 Cc), precisamente

---

[392] Carrasco Perera, A., Cordero Lobato, E., y Marín López, M. J., *Tratado de los Derechos de Garantía T. I*, ob. cit., pág. 995. En la citada obra se realiza un estudio pormenorizado de cada uno de los negocios señalados.

[393] Carrasco Perera, A., Cordero Lobato, E., y Marín López, M. J., *Tratado de los Derechos de Garantía T. I*, ob. cit., pág. 995.

[394] Esta es la postura que mantiene, por ejemplo, Caramés Puentes, J. C., ob. cit., pág. 135.

[395] Espejo Lerdo de Tejada, M., "Autonomía privada y garantías reales", ob. cit., págs. 3760 y ss.; De Reina Tartière, G., ob. cit., pág. 306; Gardeazábal del Río, F. J., ob. cit., pág. 209.

[396] Espejo Lerdo de Tejada, M., "Autonomía privada y garantías reales", ob. cit., pág. 3760; Espejo Lerdo de Tejada, M., *La reserva de dominio inmobiliaria en el concurso*, ob. cit., pág. 81 nota al pie núm. 80. En palabras de Garrido, "la tipicidad de los derechos de preferencia no está necesariamente ligada a la cuestión sobre la existencia o inexistencia de un *numerus clausus* de derechos reales. Ciertamente, tal discusión puede tener relevancia en tanto afecte a los derechos reales de garantía, pero desde el punto de vista conceptual no cabe admitir un derecho de preferencia que no sea atribuido por ley, ya que no existe ninguna justificación para que un acreedor pueda imponerse a otro al margen de ella". Garrido, J. M.ª, *Tratado de las preferencias en el crédito*, ob. cit., pág. 44 nota al pie núm. 35.

por la dinámica de esta clase de derechos[397]. Así, Espejo Lerdo de Tejada estima que "lo más racional será hacer pasar ese derecho por delante de los acreedores ordinarios; lo contrario, que sobre ese valor puedan concurrir los acreedores del propietario, sería permitirles dirigir su acción contra un derecho ajeno"[398]. De este modo, el mencionado autor llega a la conclusión de que efectivamente esta categoría de derechos conlleva, en todo caso, el nacimiento de un privilegio, por lo que su creación ha de reservarse, como sostiene la doctrina mayoritaria, al legislador[399].

No obstante lo anterior, los defensores de esta corriente de pensamiento recalcan que la función principal de los derechos reales de garantía es, como su propio nombre indica, "...la función de garantía y no la función satisfactoria, que es la que se logra a través de la realización del valor"[400]. Desde esta perspectiva, cabría la posibilidad de que los particulares creasen figuras de trascendencia real con fines de garantía que no tendrían por qué comportar la realización del

---

[397] Espejo Lerdo de Tejada, M., "Autonomía privada y garantías reales", ob. cit., pág. 3761; Espejo Lerdo de Tejada, M., *La reserva de dominio inmobiliaria en el concurso*, ob. cit., págs. 85 y 86. En el mismo sentido, Feliu Rey, M. I., *La prohibición del pacto comisorio...*, ob. cit., pág. 124 nota al pie núm. 255 y Gardeazábal del Río, F. J., ob. cit., pág. 209; De Reina Tartière, G., ob. cit., pág. 306. Garrido, sin embargo, entiende que "sólo la ley atribuye a unos créditos la preferencia sobre otros, con independencia de la existencia o inexistencia de un derecho real". Garrido, J. M.ª, *Tratado de las preferencias en el crédito*, ob. cit., pág. 66 nota al pie núm. 101.

[398] Espejo Lerdo de Tejada, M., "Autonomía privada y garantías reales", ob. cit., pág. 3762; Espejo Lerdo de Tejada, M., *La reserva de dominio inmobiliaria en el concurso*, ob. cit., pág. 88. Véase, asimismo, Gardeazábal del Río, F. J., ob. cit., pág. 209.

[399] Espejo Lerdo de Tejada, M., "Autonomía privada y garantías reales", ob. cit., págs. 3753 y 3760. También Espejo Lerdo de Tejada, M., *La reserva de dominio inmobiliaria en el concurso*, ob. cit., págs. 67 y ss. En el mismo sentido se pronuncian Gardeazábal del Río, F. J., ob. cit., pág. 209; De Reina Tartière, G., ob. cit., pág. 306.

[400] Ferrandis Vilella, J. M., "Introducción al estudio de los derechos reales de garantía", *A.D.C.* fasc. I, 1960, págs. 48-49. Espejo matiza esta afirmación señalando que, aunque se muestra de acuerdo con el citado autor, en los derechos de prenda e hipoteca la función de realización sí que es fundamental. Espejo Lerdo de Tejada, M., "Autonomía privada y garantías reales", ob cit., pág. 3753; Espejo Lerdo de Tejada, M., *La reserva de dominio inmobiliaria en el concurso*, ob. cit., pág. 67.

valor[401]. En este sentido, Espejo Lerdo de Tejada señala, entre otros ejemplos, el de la venta en garantía[402]. De este modo, el mencionado autor sostiene que no se crea un privilegio, sino una situación que los otros acreedores han de respetar como consecuencia de la trascendencia real (oponibilidad *erga omnes*) de la figura[403]. Cosa distinta es que, desde este punto de vista, pueda hablarse de una "preferencia atípica"[404] o, si se prefiere, indirecta, basada en aprovechar "…el efecto de normas cuya función es enteramente ajena a la tutela del crédito, para lograr así un resultado de preferencia, al margen incluso de la graduación de créditos pretendida por el legislador"[405].

Los argumentos anteriormente expuestos podrían ser rebatidos si se atiende a la actual redacción del art. 90 LC, en virtud de la cual no solo se reconoce el privilegio del crédito garantizado con prenda o hipoteca, sino que, por ejemplo, también se otorga preferencia, entre

---

[401] Espejo Lerdo de Tejada, M., "Autonomía privada y garantías reales", ob. cit., págs. 3753 y ss.; Espejo Lerdo de Tejada, M., *La reserva de dominio inmobiliaria en el concurso*, ob. cit., págs. 66 y ss. También Gardeazábal del Río, F. J., ob. cit., pág. 209. Véase, asimismo, Jordano Fraga, F., "Prenda regular, prenda irregular y prenda de crédito", *A.D.C.* fasc. I, 1990, págs. 308 y 309. Accesible en: http://bit.ly/2L1QTwo (Página consultada por última vez el 22 de agosto de 2019).

[402] Espejo Lerdo de Tejada, M., "Autonomía privada y garantías reales", ob. cit., págs. 3769 y 3770.

[403] Así, "…los acreedores quedan afectados por la existencia del derecho real, por cuanto no podrán inmiscuirse en el ámbito de poder que ese derecho conceda, es decir, tendrán que atenerse a las consecuencias que su ejercicio comporte, pero nada más". Espejo Lerdo de Tejada, M., "Autonomía privada y garantías reales", ob. cit., págs. 3762; Espejo Lerdo de Tejada, M., *La reserva de dominio inmobiliaria en el concurso*, ob. cit., pág. 89. En el mismo sentido, Garrido apunta que "…la preferencia deriva de la eficacia *erga omnes* de los derechos reales, pero no de la existencia de un derecho de preferencia, cuya eficacia, como se ha visto, se circunscribe necesariamente a la esfera de los acreedores del deudor común". Garrido, J. M.ª, *Tratado de las preferencias en el crédito*, ob. cit., pág. 118.
En contra parece pronunciarse Rubio Garrido, que estima que es difícil imaginar un derecho real de garantía sin preferencia. Rubio Garrido, T., *La propiedad inmueble…*, ob. cit. pág. 135 nota al pie núm. 242.

[404] Desde esta perspectiva, la preferencia atípica no se traduciría en la creación de causas de preferencia por los particulares al margen de lo dispuesto en la ley, sino en el uso de determinados mecanismos indirectos por el que se conseguiría una situación, en cierta medida, preferente respecto del resto de acreedores. Véase Garrido, J. M.ª, *Tratado de las preferencias en el crédito*, ob. cit., págs. 116 y ss.

[405] Garrido, J. M.ª, *Tratado de las preferencias en el crédito*, ob. cit., pág. 116.

otros, al crédito que ostenta el vendedor en un supuesto de reserva de dominio[406]. Espejo Lerdo de Tejada, siendo consciente de esta posible

---

[406] Espejo Lerdo de Tejada, M., *La reserva de dominio inmobiliaria en el concurso*, ob. cit., pág. 91. Esta figura es calificada por el mencionado autor como una garantía real que no comporta un derecho de realización del valor. Debe tenerse en cuenta, sin embargo, que la naturaleza jurídica de la reserva de dominio ha sido objeto de discusión. Así, tradicionalmente se ha sostenido que se trata de un supuesto en el que la eficacia del negocio transmisivo seguido de la *traditio* se hace depender del cumplimiento de una condición suspensiva (el pago de la totalidad del precio). Estas reflexiones pueden consultarse en la obra citada en esta misma nota al pie en sus págs. 56 y ss.

En cualquier caso, cabe señalar que el art. 90 LC dispone que "*1. Son créditos con privilegio especial:*

1.° Los créditos garantizados con hipoteca voluntaria o legal, inmobiliaria o mobiliaria, o con prenda sin desplazamiento, sobre los bienes o derechos hipotecados o pignorados.

2.° Los créditos garantizados con anticresis, sobre los frutos del inmueble gravado.

3.° Los créditos refaccionarios, sobre los bienes refaccionados, incluidos los de los trabajadores sobre los objetos por ellos elaborados mientras sean propiedad o estén en posesión del concursado.

4.° Los créditos por contratos de arrendamiento financiero o de compraventa con precio aplazado de bienes muebles o inmuebles, a favor de los arrendadores o vendedores y, en su caso, de los financiadores, sobre los bienes arrendados o vendidos con reserva de dominio, con prohibición de disponer o con condición resolutoria en caso de falta de pago.

5.° Los créditos con garantía de valores representados mediante anotaciones en cuenta, sobre los valores gravados.

6.° Los créditos garantizados con prenda constituida en documento público, sobre los bienes o derechos pignorados que estén en posesión del acreedor o de un tercero. Si se tratare de prenda de créditos, bastará con que conste en documento con fecha fehaciente para gozar de privilegio sobre los créditos pignorados.

Los créditos garantizados con prenda constituida sobre créditos futuros sólo gozarán de privilegio especial cuando concurran los siguientes requisitos antes de la declaración de concurso:

a) Que los créditos futuros nazcan de contratos perfeccionados o relaciones jurídicas constituidas con anterioridad a dicha declaración.

b) Que la prenda esté constituida en documento público o, en el caso de prenda sin desplazamiento de la posesión, se haya inscrito en el registro público competente.

c) Que, en el caso de créditos derivados de la resolución de contratos de concesión de obras o de gestión de servicios públicos, cumplan, además, con lo exigido en el artículo 261.3 del texto Refundido de la Ley de Contratos del Sector Público, aprobado por Real Decreto Legislativo 3/2011, de 14 de noviembre.

2. Para que los créditos mencionados en los números 1.° a 5.° del apartado anterior puedan ser clasificados con privilegio especial, la respectiva garantía deberá

crítica, subraya la incoherencia normativa introducida por el mencionado precepto, por lo que aboga por su revisión como propuesta *de lege ferenda* y porque sea interpretado de un modo congruente con el resto del ordenamiento[407]. Debe ponerse de manifiesto, sin embargo, que, aunque el art. 90 LC haya sido modificado desde su entrada en vigor, su redacción no ha variado en cuanto a la calificación como privilegiados de los créditos derivados del *leasing*, de la condición resolutoria o de la reserva de dominio, entre otros[408].

Siguiendo el hilo de lo anterior, es necesario destacar que parte de la doctrina moderna sigue manteniendo que los derechos reales de garantía se caracterizan precisamente por su función de satisfacción[409], de modo que, según señala Gete-Alonso, el *ius distrahendi* es consustancial a toda garantía real (típica o atípica), actuando como un auténtico límite a la proyección de la autonomía de los particulares en este campo[410].

---

estar constituida con los requisitos y formalidades previstos en su legislación específica para su oponibilidad a terceros, salvo que se trate de hipoteca legal tácita o de los refaccionarios de los trabajadores.

3. El privilegio especial solo alcanzará la parte del crédito que no exceda del valor de la respectiva garantía que conste en la lista de acreedores, calculada de acuerdo con lo dispuesto en el apartado 5 del artículo 94. El importe del crédito que exceda del reconocido como privilegiado especial será calificado según su naturaleza".

[407] Espejo Lerdo de Tejada, M., *La reserva de dominio inmobiliaria en el concurso*, ob. cit., pág. 92.

[408] Todas estas figuras fueron calificadas por el autor como garantías reales atípicas en Espejo Lerdo de Tejada, M., "Autonomía privada y garantías reales", ob cit., págs. 3749 y ss.

[409] Se ha dicho que "...las garantías reales tienen por objeto exclusivo satisfacer el interés del acreedor...". Fernández-Golfín Aparicio, A., Rivas Martínez, J. J., y Rodríguez Poyo-Guerrero, J-M., ob. cit., pág. 117

[410] La autora afirma, concretamente, que "...al menos en el régimen del Código Civil, el *ius distrahendi* debe predicarse de las garantías reales, sean típicas o atípicas. No se trata de que éste sea un índice de tipo que identifique las garantías, porque es común a todos, sino de un auténtico límite a la autonomía privada". Gete-Alonso y Calera, M.ª C., "La compraventa con finalidad de garantía", *El contrato de compraventa*, Consejo General del Poder Judicial, Madrid, 1993, pág. 259. Esta postura parece haberse visto plasmada en la Propuesta de Código civil elaborada por la Asociación de Profesores de Derecho Civil, donde se señala que "*en caso de incumplimiento de la obligación garantizada el acreedor con garantía real tiene derecho a promover la realización de las cosas o derechos que*

Teniendo en cuenta lo hasta aquí expuesto, puede observarse que a simple vista la cuestión que nos ocupa no es ni mucho menos pacífica. En este sentido, estimamos conveniente volver sobre la materia objeto de análisis al tratar la venta en garantía en el siguiente apartado. Baste aquí reiterar que los particulares no pueden crear privilegios no reconocidos por el legislador (*ex* art. 1925 Cc y art. 89.2 LC), lo que puede afectar, en mayor o en menor medida, a la constitución de garantías reales no previstas por las normas.

2.2. La venta en garantía

En la normativa civil estatal carecemos de una norma tan esclarecedora como la Ley 463 FNN en materia de garantías[411]; no obstante, parte de la doctrina moderna considera que la expresión *garantía real* permite englobar figuras distintas de los derechos reales típicos de garantía[412]. En este sentido, Peña habla de las *garantías reales atípicas* para hacer referencia "…a las garantías que son distintas de la prenda, de la hipoteca y de la anticresis, pero que también confieren al acreedor facultades de carácter real que aseguran la efectividad de un crédito"[413]. El autor advierte, sin embargo, que no todas las figuras que suelen encuadrarse bajo la citada denominación son, en puridad, atípicas, ya que, en ocasiones, estas cuentan con cobertura legal[414].

---

constituyen su objeto para satisfacer su crédito en los términos y a través de los procedimientos establecidos en las leyes". Díez García, H. y Martínez Escribano, C., "Capítulo I del Título XII del Libro III", ob. cit., pág. 501.

[411] Así, "*el cumplimiento de una obligación, o los efectos de su incumplimiento, podrán asegurarse con fiducia, arras, prenda, hipoteca, anticresis, derecho de retención, depósito en garantía, pacto de retracto, reserva de dominio, condición resolutoria, prohibición de disponer u otras cualesquiera formas de garantía real o personal*". Se observa, pues, que en la norma no solo se enumeran determinados tipos de garantías de carácter real, sino que, además, se prevé de forma expresa la libre creación de nuevas garantías tanto de carácter real como de carácter personal. Sobre este tema: Ozcáriz Marco, F., ob. cit., págs. 1558 y 1559.

[412] Lacruz Berdejo, J. L. *et al.*, *Elementos de Derecho Civil III Derechos reales Vol. II…*, ob. cit., pág. 203.

[413] Peña Bernaldo de Quirós, M., *Derechos Reales. Derecho Hipotecario T. II*, ob. cit., pág. 353.

[414] Peña Bernaldo de Quirós, M., *Derechos Reales. Derecho Hipotecario T. II*, ob. cit., pág. 353. En este sentido, Rivera Fernández ha apuntado que, por ejemplo, "la reserva de dominio queda configurada como una garantía real «típica», al

Siguiendo la línea de lo anterior, Martínez de Aguirre niega que las garantías reales atípicas constituyan una categoría jurídica homogénea[415]. Peña[416], sin embargo, sostiene que estas pueden dividirse entre: a) aquellas encaminadas a garantizar cualquier tipo de crédito y b) las que se establecen en aras de "...asegurar el pago del precio o contraprestación que, por causa de la adquisición de la cosa, el comprador o adquirente debe al transmitente, o a un financiador..."[417].

Aunque no parece existir un consenso sobre qué figuras pueden quedar encuadradas bajo tan vasta y discutida noción[418], la doctrina suele reputar como garantías reales atípicas, entre otras, a la opción

---

estar su contenido expresamente concretado en la Ley de Ventas a Plazos". Rivera Fernández, M., *La posición del comprador en la venta a plazos con pacto de reserva de dominio*, Tirant Lo Blanch, Valencia, 1994, pág. 132. En el mismo sentido se pronuncian Álvarez Olalla, P. *et al.* en *Manual de Derecho Civil...*, ob. cit., pág. 330. Ha de ponerse de relieve, sin embargo, que con posterioridad Rivera Fernández se refiere a una reserva de dominio no sometida a la Ley de Ventas a Plazos. Rivera Fernández, ob. cit., págs. 133 y ss.

Por su parte, Espejo Lerdo señala, en relación con la reserva de dominio, que "hablamos de garantía relativamente atípica siempre que nos movamos en el ámbito de los inmuebles, o de muebles no afectados por la LVPBM, pues si nos encontráramos en el ámbito propio de esta Ley, entonces sería obvio que la garantía representada por la reserva de dominio no puede llamarse atípica". Espejo Lerdo de Tejada, M., *La reserva de dominio inmobiliaria en el concurso*, ob. cit., pág. 66 nota al pie 53.

No obstante lo anterior, ya hemos advertido que la naturaleza jurídica de la reserva de dominio ha sido siempre muy discutida, en tanto que tradicionalmente se ha considerado que se trata de una condición suspensiva.

[415] Martínez de Aguirre Aldaz, C., "Los derechos reales de garantía", ob cit., pág. 561.

[416] Véase la clasificación que realiza el autor en Peña Bernaldo de Quirós, M., *Derechos Reales. Derecho Hipotecario T. II*, ob. cit., pág. 354.

[417] Peña Bernaldo de Quirós, M., *Derechos Reales. Derecho Hipotecario T. II*, ob. cit., pág. 354.

[418] Martínez de Aguirre Aldaz, C., "Los derechos reales de garantía", ob cit., pág. 561. Espejo advierte que, desde su perspectiva, "la descripción exhaustiva de posibles manifestaciones atípicas de las garantías reales es una pretensión vana e incongruente con el afirmado principio jurídico del *numerus apertus*". Espejo Lerdo de Tejada, M., "Autonomía privada y garantías reales", ob. cit., pág. 3766.

de compra en garantía[419], el *leasing*[420] o su modalidad *lease-back*

---

[419] Sobre la noción de este concepto, véase Moll de Alba Lacuve, C., *La resolución por impago de la compraventa inmobiliaria...*, ob. cit., pág. 165; Moll de Alba Lacuve, C., "El pacto comisorio en...", ob. cit., pág. 677.
La admisión de la opción de compra en garantía, como apuntamos con anterioridad, ha suscitado dudas por su posible vulneración de la prohibición del pacto comisorio. En este sentido, Feliu se pronuncia a favor de su validez, siempre y cuando se respete el principio de proporcionalidad, esto es, en su modalidad de pacto marciano. Feliu Rey, M. I., *La prohibición del pacto comisorio...*, ob. cit., págs. 160-161. Rodríguez Prieto también admite esta figura, advirtiendo, sin embargo, que en ocasiones puede entrañar un peligro para el propio acreedor, al no ser inscribible el pacto de compensación por carecer de trascendencia real. Rodríguez Prieto, F., ob. cit., pág. 54. Sobre este punto resulta interesante la RD-GRN 8 abril 1991 (RJ\1991\3138).
Enlazando con lo anterior, debe ponerse de relieve, sin embargo, que la Dirección General de los Registros y del Notariado se ha mostrado en la mayor parte de las ocasiones contraria a la inscripción registral de esta figura. Véanse RDGRN 10 junio 1986 (RJ 1986\3840); RDGRN 29 septiembre 1987 (RJ 1987\7646); RDGRN 5 mayo 1992 (RJ\1992\4837); RDGRN 22 septiembre 1992 (RJ\1992\6919); RDGRN 30 septiembre 1998 (TOL132.503); RDGRN 26 noviembre 2008 (TOL1.444.955).
La jurisprudencia, en cambio, ha admitido en varias ocasiones la licitud de la opción de compra en garantía. Así, la ya citada STS 20 mayo 1986 (TOL1.735.394), pero también pueden señalarse, entre otras, la STS 6 abril 1987 (TOL1.738.902) y la STS 13 mayo 1988 (TOL1.735.265).

[420] Se ofrece una definición de *leasing* en la STS 14 diciembre 2004 (TOL636.365). En este sentido, la garantía del acreedor consiste precisamente en que este es titular del bien arrendado hasta el momento en el que el deudor haya pagado todas las cuotas previstas en el contrato de *leasing* y, en su caso, la cantidad correspondiente a la opción de compra. Martínez de Aguirre Aldaz, C., "Los derechos reales de garantía", ob cit., pág. 562.

(*retroleasing*)[421], la condición resolutoria explícita[422] y la venta en garantía, sobre la que, por razones de complejidad e importancia práctica[423], estimamos necesario detenernos en este apartado.

---

[421] Según Reglero Campos "mediante este negocio los propietarios de un bien (normalmente inmueble), lo transmiten a una entidad financiera, que seguidamente lo cede en arrendamiento financiero a los transmitentes con la correspondiente opción de compra. El *retroleasing* esconde normalmente un préstamo en el que el inmueble sirve de garantía a la entidad financiera al ser ésta titular formal del mismo". Reglero Campos, L. F., "El pacto comisorio" en *Garantías reales mobiliarias...*, ob. cit., pág. 281; Reglero Campos, L. F., "El pacto comisorio", *Aranzadi civil: revista quincenal* núm.1, ob. cit., pág. 21. En sentido similar, Bussani, M., "Il contratto di lease back", *Contratto e impresa* Vol. 2, 1986, pág. 559; Bussani, M., *I singoli contratti 4 Contratti moderni. Factoring, Franchising, Leasing* en *Trattato di Diritto civile* (dir. Sacco, R.), UTET, Torino, 2004, págs. 372 y 373. Para un estudio más detallado de la figura en nuestro ordenamiento: Gardeazábal del Río, F. J., ob. cit., págs. 307 y ss. Téngase en cuenta, asimismo, lo señalado en la STS 15 abril 2010 (TOL1.856.675) acerca de esta figura.

[422] En palabras de Peña, el funcionamiento de esta figura consiste en que "el transmitente se reserva sobre el bien una titularidad preventiva que funciona como un derecho real de garantía indirecta del crédito relativo al precio (o contraprestación), ya que en caso de impago de este crédito el transmitente puede, resolviendo la venta (o negocio transmisivo), reintegrarse en la propiedad del bien enajenado aunque haya pasado a un tercer adquirente". Peña Bernaldo de Quirós, M., *Derechos Reales. Derecho Hipotecario T. II*, ob. cit., págs. 369 y 370. De este modo, entiende que la condición resolutoria explícita es una garantía real atípica, entre otros, Espejo Lerdo de Tejada, M., "Autonomía privada y garantías reales", ob. cit., pág. 3758 nota al pie núm. 37; Espejo Lerdo de Tejada, M., *La reserva de dominio inmobiliaria en el concurso*, ob. cit., págs. 72 y 73; Álvarez Olalla, P. *et al.* en *Manual de Derecho Civil...*, ob. cit., pág. 330; Lobato García-Miján, ob. cit., págs. 332 y ss.; Martínez de Aguirre Aldaz, C., "Los derechos reales de garantía", ob cit., pág. 563. También parece sostener esta tesis Arroyo i Amayuelas, E., "La directiva 2014/17/UE sobre los contratos de crédito con consumidores para bienes inmuebles de uso residencial", *Indret* núm. 2, 2017, pág. 16. Accesible en: http://www.indret.com/pdf/1304.pdf (Página consultada por última vez el 22 de agosto de 2019).

[423] Caramés llega a tildar a esta figura como la garantía real atípica más utilizada por los particulares. Caramés Puentes, J. C., ob. cit., pág. 136. También Reglero Campos, L. F., "El pacto comisorio" en *Garantías reales mobiliarias...*, ob. cit., pág. 270; Reglero Campos, L. F., "El pacto comisorio", *Aranzadi civil: revista quincenal* núm.1, ob. cit., pág. 13; Gete-Alonso y Calera, M.ª C., "Comentario a la DGRN de 5 de junio de 1991", ob. cit., pág. 763; Peña Bernaldo de Quirós, M., *Derechos Reales. Derecho Hipotecario T. II*, ob. cit., pág. 355; Gardeazábal del Río, F. J., ob. cit., pág. 230; Sanciñena Asurmendi, C., "Fiducia y *venta en*

A) La venta en garantía y el negocio fiduciario

Resulta difícil ofrecer una definición sobre una figura tan discutida como lo es la venta en garantía[424]; no obstante, puede decirse, con Sanciñena Asurmendi, que, en líneas generales, la doctrina estima que esta "...consiste en la compraventa de un bien, en la que el deudor es el vendedor y el acreedor el comprador, en garantía del cumplimiento de una deuda o préstamo"[425]. En este sentido, la doctrina[426] ha puesto el acento en que la venta en garantía no se hallaba expresamente reconocida en nuestra normativa civil estatal[427] hasta la promulgación del art. 6.1 Real Decreto-Ley 5/2005, el cual ha venido a admitir la posibilidad de que se transmita la propiedad con fines de garantía en el ámbito de las operaciones financieras[428]. No obstante, es necesario insistir en que el ámbito de aplicación de esta norma se circunscribe a las operaciones de carácter financiero[429], por lo que Redondo Trigo estima necesario estar a la práctica jurídica a la hora de valorar la posible influencia de esta norma en sectores distintos de las garantías

---

[424]   garantía" en *Fideicomiso de garantía: análisis integral, función y régimen* (dir. Cabanellas de las Cuevas, G.,), Heliasta, Buenos Aires, 2008, pág. 78.

[424]   Se discute, incluso, sobre su denominación. Véase Ginés Castellet, N., *La enajenación de bienes inmuebles con fin de garantía*, Fundacion beneficentia et peritia iuris, Madrid, 2004, págs. 38 y 39; Ginés Castellet, N., "La enajenación en garantía: consideraciones sobre su validez y eficacia" en *Fideicomiso de garantía: análisis integral, función y régimen* (dir. Cabanellas de las Cuevas, G.,), Heliasta, Buenos Aires, 2008, págs. 108-110.

[425]   Sanciñena Asurmendi, C., "Fiducia y *venta en garantía*", ob. cit., pág. 90.

[426]   Véase Redondo Trigo, F., ob. cit., pág. 374.

[427]   El Derecho navarro acoge la figura de la fiducia de garantía en la Ley 466 FNN, institución por la que "...*se transmite al acreedor la propiedad de una cosa o la titularidad de un derecho mediante una forma eficaz frente a terceros...*".

[428]   El precepto dispone que "*las operaciones de garantía financiera pueden realizarse mediante la transmisión de la propiedad del bien o derecho de crédito dado en garantía o mediante la pignoración de dicho bien o derecho*".

[429]   El art. 3 Real Decreto-Ley 5/2005 señala que "*este capítulo será aplicable exclusivamente, siempre que reúnan los requisitos en él exigidos, a:*
a) Los acuerdos de compensación contractual financieros.
b) Los acuerdos de garantías financieras, tanto de carácter singular como si forman parte de un acuerdo marco, o resultan de las normas de ordenación y disciplina de los mercados secundarios o de los sistemas de registro, compensación y liquidación o entidades de contrapartida central.
c) Las propias garantías financieras".

de carácter financiero[430]. Hemos de adelantar que, al menos, la jurisprudencia sobre la venta en garantía fuera del ámbito de las garantías financieras no parece haber variado desde el momento de entrada en vigor de la norma[431].

Siguiendo el hilo de lo anterior, tradicionalmente se ha hecho depender el régimen jurídico y los efectos que se derivan de la venta en garantía de la postura que se adopte en relación con la *fiducia cum creditore*[432], en tanto que se estima que esta figura es un tipo de negocio fiduciario. Excedería de los propósitos de esta investigación realizar un estudio detallado de todas y cada una de las tesis que se han desarrollado en torno al negocio fiduciario[433], pero puede afirmarse que, desde finales del siglo XIX hasta nuestros días[434], la jurisprudencia sobre la *fiducia cum creditore* y, en concreto, sobre la venta en garantía[435] ha sufrido una compleja evolución caracterizada por su falta de orden y sus abundantes contradicciones[436]. Las buenas intenciones de la doctrina tampoco han conseguido despejar las numerosas incógnitas que rodean al fenómeno fiduciario, teniendo en cuenta que, como

---

[430]   Redondo Trigo, F., ob. cit., págs. 373 y 374.

[431]   Así, por ejemplo, la STS 30 mayo 2008 (RJ 2008\3190) reproduce los argumentos expuestos en la STS 26 abril 2001 (TOL4.974.272).

[432]   Caramés Puentes, J. C., ob. cit., pág. 136.

[433]   Para un estudio más profundo: De Castro y Bravo, F., *El negocio jurídico*, ob. cit., págs. 379 y ss.

[434]   Vidal realiza un estudio jurisprudencial que arranca en el año 1873. Vidal Martínez, J., *Venta en garantía en el derecho común español*, Civitas, Madrid, 1990, págs. 23 y ss.

[435]   Es necesario destacar que aquí que "venta en garantía" y *fiducia cum creditore* no pueden emplearse como términos sinónimos. Debe hacerse hincapié, pues, en la idea de que la venta en garantía es tratada como un tipo de negocio fiduciario. Advierte sobre este particular Durán Rivacoba, R., *La propiedad en garantía...*, ob. cit., pág. 165.

[436]   Durán Rivacoba, R., *La propiedad en garantía...*, ob. cit., págs. 138 y 150; Marín López, M. J., "Comentario a la STS 26 abril 2001", ob. cit., pág. 164. Así, la STS 22 diciembre 1988 (TOL1.733.568) habla de *"...el siempre espinoso y hasta ahora no unívocamente resuelto tema de los "negocios fiduciarios" y sus efectos..."*. Para un estudio más detallado de la jurisprudencia en esta materia: Vidal Martínez, J., ob. cit., págs. 139 y ss.; Reglero Campos, L. F., "El pacto comisorio" en *Garantías reales mobiliarias...*, ob. cit., págs. 272 y ss.; Reglero Campos, L. F., "El pacto comisorio", *Aranzadi civil: revista quincenal* núm.1, ob. cit., pág. 15; Durán Rivacoba, R., *La propiedad en garantía...*, ob. cit., págs. 137 y ss.

advierte Durán Rivacoba, son varios los autores que a lo largo de los años han modificado su postura en lo que a esta cuestión se refiere[437].

A pesar de lo señalado en el párrafo precedente, sí que puede trazarse un *iter* que, al menos, nos permite afirmar que la tesis que primeramente se mantuvo en relación al negocio fiduciario fue la "teoría del doble efecto", obra de Regelsberger[438]. De este modo, la fiducia así concebida pasó por afirmar que esta consistía en un doble negocio: uno de carácter real y otro de naturaleza obligacional[439]. Esta postura ha sido, sin embargo, abandonada por prácticamente toda la doctrina y la jurisprudencia moderna[440], en tanto que, como advirtió De Castro, tiene un difícil encaje en un sistema como el nuestro, en el que la teoría del título y el modo desempeña un papel tan relevante[441].

---

[437] Durán Rivacoba, R., *La propiedad en garantía...*, ob. cit., págs. 138. En este sentido, cabe destacar que Carrasco afirma en uno de sus trabajos más recientes sobre esta temática que "el presente es el escrito de un converso". Carrasco Perera, A., "Comentario a la sentencia de 30 de mayo de 2008", *C.C.J.* núm. 78, septiembre-diciembre 2008, pág. 1520. Del mismo modo, Albaladejo pone de manifiesto su cambio de opinión tras la lectura de la obra de De Castro. Así, Albaladejo García, M., "El llamado negocio fiduciario es simplemente un negocio simulado relativamente", *A.C.* núm. 4, octubre 1993, págs. 664 y 665. En igual sentido se pronuncia Jordano Barea, J. B., "Mandato para adquirir y titularidad fiduciaria", *A.D.C.* fasc. IV, 1983, págs. 1436 y ss. Accesible en: https://bit.ly/2F4egG8 (Página consultada por última vez el 31 de julio de 2020).

[438] Véase De Castro y Bravo, F., *El negocio jurídico*, ob. cit., págs. 381 y ss.; Gete-Alonso y Calera, M.ª C., "La compraventa con finalidad de garantía", ob. cit., págs. 235-237; Galicia Aizpurua, G., *Causa y garantía fiduciaria*, Tirant Lo Blanch, Valencia, 2012, págs. 182 y ss.

[439] Véase Gete-Alonso y Calera, M.ª C., "La compraventa con finalidad de garantía", ob. cit., pág. 235.

[440] Para Martín, A., "En torno a la fiducia «cum creditore»" en *Estudios Jurídicos en homenaje al Profesor Luis Díez-Picazo T. I Derecho Civil. Parte General*, Civitas, Madrid, 2003, pág. 736; Sanciñena Asurmendi, C., "Fiducia y *venta en garantía*", ob. cit., pág. 85; Aranda Rodríguez, R., *La prenda de créditos*, ob. cit., págs. 140 y ss.; Galicia Aizpurua, G., ob. cit., pág. 185; Gete-Alonso y Calera, M.ª C., "La compraventa con finalidad de garantía", ob. cit., págs. 236-237. Esta última autora, al igual que De Castro, destaca que, en cualquier caso, fueron pocas las ocasiones en las que el Alto Tribunal aplicó la mencionada teoría con todas sus consecuencias. Véase De Castro y Bravo, F., *El negocio jurídico*, ob. cit., pág. 405.

[441] Según el mencionado autor, en el supuesto de la venta en garantía, "...resulta que el negocio transmisor de la propiedad (la venta) carece de su causa propia, al no haber precio (art. 1445) y que no tiene otra causa, porque no puede servir de tal el pacto fiduciario, al haberse predicado la independencia total entre los dos

Con el fin de evitar los problemas técnicos que provocaba la dualidad del negocio, algunos autores optaron por propugnar la unidad del mismo, señalando que este tenía una *causa fiduciae*[442]. Esta corriente de pensamiento sufrió, sin embargo, una posterior evolución que consistió en considerar que la *causa fiduciae* era una causa atípica, apta para producir el efecto transmisivo[443].

Siguiendo el hilo de lo anterior, en los últimos años son varios los autores que han seguido la propuesta formulada en su día por De Castro[444], quien, alejándose de las corrientes expuestas en los párrafos precedentes y eliminando ciertos aspectos de la teoría de la propiedad formal[445], desarrolló la teoría de la titularidad fiduciaria[446]. Así, según el mencionado autor, "...los llamados negocios fiduciarios se manifiestan en dos momentos: el contrato de compraventa, por ejem-

---

negocios, el transmisivo de eficacia real y el pacto de mera eficacia obligatoria". De Castro y Bravo, F., *El negocio jurídico*, ob. cit., pág. 406. Gete-Alonso, al tratar esta cuestión insiste en que no puede producirse una disgregación entre el título y el modo. Gete-Alonso y Calera, M.ª C., "La compraventa con finalidad de garantía", ob. cit., pág. 236. Sobre este tema también se pronuncia Marín López, M. J., "Comentario a la STS 26 abril 2001", ob. cit., págs. 162 y 162.

[442] De Castro y Bravo, F., *El negocio jurídico*, ob. cit., pág. 407. De este modo, Gete-Alonso explica que la particularidad de esta tesis consiste en propugnar que nos hallamos ante un negocio de carácter unitario, pero complejo en cuanto a que se compone de dos negocios simples: "...uno real abstracto, pero solo en el sentido de que no manifiesta su causa, no de no tenerla, y otro obligacional causal, del que nace la causa de los tres: los dos simples y el complejo". Gete-Alonso y Calera, M.ª C., "La compraventa con finalidad de garantía", ob. cit., págs. 236 y 237. En este sentido, véase la STS 7 marzo 1990 (TOL1.729.232).

[443] Lo explican Gete-Alonso y Calera, M.ª C., "La compraventa con finalidad de garantía", ob. cit., págs. 238-239; Galicia Aizpurua, G., ob. cit., págs. 186 y 187.

[444] Parecen seguirla, entre otros, Marín López, M. J., "Comentario a la STS 26 abril 2001", ob. cit., pág. 163; De Ángel Yagüez, R., "Problemas que suscita la «venta en garantía» en relación con los procedimientos de ejecución del deudor", *R.C.D.I.* núm. 494, enero-febrero 1973, págs. 53 y 54; Para Martín, A., "En torno a la fiducia «cum creditore»", ob. cit., págs. 725 y 726. La influencia de De Castro también ha sido notable en Albaladejo García, M., "El llamado negocio fiduciario es simplemente un negocio simulado relativamente", ob. cit., págs. 663 y ss.

[445] La teoría de la propiedad formal consiste, básicamente, en afirmar que el fiduciario adquiere una propiedad formal, mientras que el fiduciante ostenta una propiedad material. De Castro y Bravo, F., *El negocio jurídico*, ob. cit., págs. 409 y 422. Sobre el tema: Galicia Aizpurua, G., ob. cit., págs. 188 y 189; Marín López, M. J., "Comentario a la STS 26 abril 2001", ob. cit., págs. 162 y 163.

[446] De Castro y Bravo, F., *El negocio jurídico*, ob. cit., págs. 419 y ss.

plo simulado o con causa falsa (falta el precio), y los pactos disimulados, también de garantía o mandato…"[447]. Esta parece ser la tesis acogida por el Tribunal Supremo en sus sentencias más recientes, sin perjuicio de que, en ocasiones, se afirme en algún pronunciamiento que el fiduciario ostenta una propiedad formal[448].

B)   La posición del acreedor-comprador

Hemos de comenzar señalando que la venta en garantía se halla sometida, como regla general[449], a la prohibición de pacto comiso-

---

[447]   De Castro y Bravo, F., *El negocio jurídico*, ob. cit., pág. 423. Gete-Alonso, por su parte, insiste en la necesidad de diferenciar la simulación y el negocio fiduciario. Véase Gete-Alonso y Calera, M.ª C., "Comentario a la STS de 7 de mayo de 1987", *C.C.J.* núm. 14, abril-agosto 1987, págs. 4625 y 4626.

[448]   Véase la jurisprudencia citada en Galicia Aizpurua, G., ob. cit., pág. 191 nota al pie núm. 36. Destaca, por su carácter pedagógico, la STS 26 abril 2001 (TOL4.974.272), comentada por Marín López, M. J., "Comentario a la STS 26 abril 2001", ob. cit., págs. 147 y ss. Cabe resaltar que reproducen esta doctrina otras sentencias más modernas como la STS 26 julio 2004 (TOL514.288) y la STS 30 mayo 2008 (RJ 2008\3190).

[449]   Debe recordarse aquí que, según expusimos con anterioridad, parece que el acreedor sí que podría hacerse con la cosa en los supuestos de pacto marciano. Rodríguez Prieto, F., ob. cit., pág. 53. También parece sostener esta tesis Sanciñena Asurmendi, C., "Fiducia y *venta en garantía*", ob. cit., pág. 93 nota al pie núm. 38. Más rigurosa se muestra, en cambio, la STS 13 mayo 1998 (TOL5.119.886) al afirmar que *"en la transmisión de la propiedad con fines de garantía, ante la falta de todo convenio entre las partes sobre la realización de los bienes, ni el acreedor puede apropiárselos porque incurriría en la prohibición del pacto comisorio, que es una prohibición aplicable a toda garantía dada las razones de moralidad e interés general en que se asienta, ni puede determinar el procedimiento de realización forzosa de su crédito: ha de hacerlo acudiendo a las normas de procedimiento legalmente establecidas, que son de ius cogens y de interés público, cuya observancia obliga a los jueces y tribunales a declarar de oficio las nulidades de cuantos actos la contravengan".*

rio[450]. De este modo, el resultado material del negocio no podrá traducirse, en principio, en la apropiación de la cosa dada en garantía[451].

Sentada la premisa anterior, cabe plantearse qué posición ocupa el acreedor en relación con la cosa en los supuestos de venta en garantía. Las discusiones doctrinales y la poca claridad jurisprudencial hacen que resulte ciertamente complejo emitir un juicio sobre la cuestión objeto de examen[452]. No obstante lo anterior, podemos comenzar apuntando que un sector bastante amplio de la doctrina[453] y de la

---

[450] Peña Bernaldo de Quirós, M., *Derechos Reales. Derecho Hipotecario T. II*, ob. cit., pág. 356; Sanciñena Asurmendi, C., "Fiducia y *venta en garantía*", ob. cit., pág. 93. Sobre este punto resulta especialmente relevante la RDGRN 30 junio 1987 (RJ\1987\4843), en la que, en relación con un supuesto de compraventa en garantía de la devolución de un préstamo, se apuntó que "*en la operación celebrada (...) al sacrificio traslativo de una de las partes contratantes no corresponde ninguna promesa o prestación correlativa a cargo de la otra (cf. art. 1274 Código Civil) que lo equilibre; la satisfacción de la exigencia de garantía que acompaña a la concesión del crédito a cubrir no puede merecer tal consideración; la misma esencia de la garantía le priva de virtualidad suficiente para justificar una transmisión definitiva del dominio pleno; a lo sumo podría fundar una transmisión eventual a consolidar en caso de incumplimiento, pero tal hipótesis choca frontalmente con la prohibición legal del pacto comisorio proclamada, entre otros, en los artículos 1859 y 1884 del Código Civil*".

[451] En este sentido, en la STS 26 abril 2001 (TOL4.974.272) se indica que "*la transmisión de la propiedad con fines de seguridad, o "venta en garantía" es un negocio jurídico en que por modo indirecto, generalmente a través de una compraventa simulada, se persigue una finalidad lícita, cual es la de asegurar el cumplimiento de una obligación, y no pueda pretenderse otra ilícita, como la de que, en caso de impago de la obligación, el fiduciario adquiera la propiedad de la cosa, pues se vulneraría la prohibición del pacto comisorio, revelándose la "venta en garantía" como un negocio en fraude de ley (art. 6.4° Cód. civ.)*". Véase también Marín López, M. J., "Comentario a la STS 26 abril 2001", ob. cit., pág. 160.

[452] Aunque refiriéndose al Derecho navarro, Ozcáriz ha calificado a la fiducia sin pacto comisorio como un limbo jurídico. Ozcáriz Marco, F., "Fiducia y otras garantías reales de tercero en Navarra" en *Tratado de las Liberalidades. Homenaje al Profesor Enrique Rubio Torrano* (dirs. Egusquiza Balsameda, M.ª A. y Pérez de Ontiveros Baquero, C.), Aranzadi, Cizur Menor, 2017, pág. 1646.

[453] Peña Bernaldo de Quirós, M., *Derechos Reales. Derecho Hipotecario T. II*, ob. cit., pág. 357; Reglero Campos, L. F., "El pacto comisorio" en *Garantías reales mobiliarias...*, ob. cit., págs. 279 y ss.; Reglero Campos, L. F., "El pacto comisorio", *Aranzadi civil: revista quincenal* núm.1, ob. cit., págs. 19 y ss.; Caramés Puentes, J. C., ob. cit., pág. 140; Vidal Martínez, J., ob. cit., págs. 224 y ss.; Marín López, M. J., "Comentario a la STS 26 abril 2001", ob. cit., págs. 165 y 166; De Ángel Yagüez, R., "Problemas que suscita la «venta en garantía» en relación con

jurisprudencia[454] considera que, en tanto en cuanto el deudor no haya cumplido con la obligación garantizada, al acreedor le asiste un *ius retinendi* sobre la cosa. Desde esta perspectiva, el acreedor ostentaría un derecho de retención sobre la cosa siempre que esta le hubiera sido entregada de hecho o simbólicamente[455]. Es necesario advertir, con Parra Lucán, que no parece quedar del todo claro cuál es la eficacia y el contenido de este peculiar *ius retinendi*[456]. ¿Es oponible a terceros?, ¿otorga algún tipo de privilegio?

Nuestro Alto Tribunal tuvo la oportunidad de pronunciarse sobre este particular en la STS 26 julio 2004 (TOL514.288), donde puso de manifiesto que el derecho de retención era oponible al concurso, por ostentar el acreedor una "*...una posición de superior privilegio...*"[457].

---

los procedimientos de ejecución del deudor", ob. cit., pág. 60; Gardeazábal del Río, F. J., ob. cit., pág. 269.

[454] De forma bastante clara, la STS 25 febrero 1988 (TOL1.732.709) señala que "*la extinción de la obligación en que el fiduciante se halla mediante el pago de lo reconocidamente adeudado, arrastrará la titularidad del fiduciario; pero, en tanto no se produzca el cumplimiento, le asiste a éste un «ius» o «títulus retinendi» que no permite que se le imponga, sin más, la restitución...*". En parecido sentido, STS 22 diciembre 1988 (TOL1.733.568); STS 1 febrero 2002 (TOL4.975.210); STS 14 marzo 2002 (TOL4.975.386); STS 26 julio 2004 (TOL514.288), entre otras. En la STS 7 marzo 1990 (TOL1.729.232) se indica, igualmente, que en tanto no se produzca el cumplimiento de la obligación garantizada el acreedor dispondrá de un derecho de retención, aunque después añade que "*...si el cumplimiento no llega a producirse dentro del plazo para ello estipulado expresamente, [el acreedor] consolidará el pleno dominio en su favor, siempre que no existan otros obstáculos, al margen del propio negocio fiduciario, que impidan al contrato, a través del cual aquél fue instrumentado, desplegar la referida virtualidad transmisiva del dominio*". No obstante, no nos mostramos de acuerdo con esta última afirmación, ya que supondría la apropiación de la cosa por parte del acreedor, lo cual se halla proscrito por los arts. 1859 y 1884 Cc, como ya se señaló en otro lugar de este trabajo. Véanse Marín López, M. J., "Comentario a la STS 26 abril 2001", ob. cit., pág. 166; Gete-Alonso y Calera, M.ª C., "Comentario a la STS de 7 de marzo 1990", ob. cit., pág. 341.

[455] Galicia Aizpurua, G., ob. cit., pág. 192; Reglero Campos, L. F., "El pacto comisorio", *Aranzadi civil: revista quincenal* núm.1, ob. cit., pág. 20; Marín López, M. J., "Comentario a la STS 26 abril 2001", ob. cit., pág. 165.

[456] Parra Lucán, M.ª A., "Comentario a la STS de 26 de julio de 2004", ob. cit., pág. 808. También Galicia Aizpurua, G., ob. cit., pág. 199; Gete-Alonso y Calera, M.ª C., "La compraventa con finalidad de garantía", ob. cit., pág. 263.

[457] Sobre el tema: Reglero Campos, L. F., "El pacto comisorio" en *Garantías reales mobiliarias...*, ob. cit., págs. 280 y 281.; Reglero Campos, L. F., "El pacto comi-

Pasando por alto las críticas que pudieran merecer algunos de los planteamientos teóricos expuestos en la citada sentencia[458], lo cierto es que un sector de la doctrina ha venido considerando desde hace algún tiempo que el derecho del acreedor-comprador no puede consistir en un mero derecho de retención[459], en tanto que la venta en garantía podría quedar reducida a la nada[460]. Estos temores parecen haber quedado confirmados tras la reforma operada por la Ley 38/2011, de 10 de octubre, que vino a introducir el art. 59 bis LC. Así, el mencionado precepto prevé la suspensión del derecho de retención en casos de concurso[461], lo que, en opinión de Valpuesta Gastaminza, revela que el legislador "...no considera a este derecho como una garantía real ni como un privilegio, e incluso así lo contempla para derechos de retención que según los Derechos forales sí son verdaderos derechos de garantía"[462]. No parece, pues, que degradar la posición del acree-

---

[ ] sorio", *Aranzadi civil: revista quincenal* núm.1, ob. cit., pág. 21; Parra Lucán, M.ª A., "Comentario a la STS de 26 de julio de 2004", ob. cit., págs. 797 y ss.

[458] Véase Parra Lucán, M.ª A., "Comentario a la STS de 26 de julio de 2004", ob. cit., págs. 808 y ss.

[459] Gete-Alonso y Calera, M.ª C., "Comentario a la STS de 7 de marzo 1990", ob. cit., pág. 343. En trabajos posteriores, la autora reitera su postura afirmando que resulta bastante paradójico que la doctrina hable del acreedor como un propietario (aunque sea formal), para después otorgarle un mero derecho de retención. Gete-Alonso y Calera, M.ª C., "Comentario a la DGRN de 5 de junio de 1991", ob. cit., pág. 767; Gete-Alonso y Calera, M.ª C., "La compraventa con finalidad de garantía", ob. cit., pág. 264.

[460] Carrasco es bastante contundente al respecto, ya que estima que "...el sistema jurídico no puede aceptar una solución tan chapucera ni de gestión tan costosa como la que supone degradar el título del fiduciario a la nada jurídica y luego mantenerlo como está, *a ver qué pasa* con la deuda subyacente del fiduciante". Carrasco Perera, A., "Comentario a la sentencia de 30 de mayo de 2008", ob. cit., pág. 1530. La cursiva es del autor.

[461] El art. 59 bis LC establece, concretamente, que *"1. Declarado el concurso quedará suspendido el ejercicio del derecho de retención sobre bienes y derechos integrados en la masa activa.*
2. Si en el momento de conclusión del concurso esos bienes o derechos no hubieran sido enajenados, deberán ser restituidos de inmediato al titular del derecho de retención cuyo crédito no haya sido íntegramente satisfecho.
3. Esta suspensión no afectará a las retenciones impuestas por la legislación administrativa, tributaria, laboral y de seguridad social".

[462] Valpuesta Gastaminza, E., "Comentario al artículo 59 bis" en *Comentario a la Ley Concursal* (dir. Pulgar Ezquerra, J.), Wolters Kluwer, Las Rozas, 2016, pág. 794.

dor-comprador a la de un mero poseedor sea una solución adecuada para fundamentar teóricamente la figura de la venta en garantía[463]. En este sentido, algunos autores reiteran que lo que se busca con esta figura es, por el contrario, conseguir el bloqueo externo de la titularidad del fiduciante[464].

Dando un paso más en nuestro discurso, conviene preguntarse si es posible que el acreedor-comprador inste la realización del bien. Ha de reconocerse, sin embargo, que, como explican Marín López[465] y Carrasco[466], no se trata de una cuestión resuelta doctrinalmente[467]. Así, siguiendo el esquema que propone el primero de los autores citados[468], pueden distinguirse dos posturas predominantes. De este modo, como se adelantó en otro lugar de este trabajo, hay quien considera que la creación de una garantía real atípica no tiene por qué comportar el nacimiento de un privilegio. Desde esta perspectiva, parte de la doctrina sostiene que la venta en garantía no lleva aparejada la existencia de un *ius distrahendi*[469].

---

[463] Sobre este punto: Galicia Aizpurua, G., ob. cit., págs. 199 y 200; Gete-Alonso y Calera, M.ª C., "Comentario a la STS de 7 de marzo 1990", ob. cit., pág. 343; Gete-Alonso y Calera, M.ª C., "Comentario a la DGRN de 5 de junio de 1991", ob. cit., pág. 767; Gete-Alonso y Calera, M.ª C., "La compraventa con finalidad de garantía", ob. cit., págs. 264 y ss.; Carrasco Perera, A., "Comentario a la sentencia de 30 de mayo de 2008", ob. cit., págs. 1529 y 1530.

[464] Véase Espejo Lerdo de Tejada, M., "«Fiducia cum creditore»: acreedores del fiduciario y ejercicio por parte del fiduciante de la tercería de dominio. Comentario a la STS de 17 de septiembre 2003 (RJ 2003, 6419)", *Revista Aranzadi de Derecho Patrimonial* núm. 14, 2005, págs. 330 y 331; Espejo Lerdo de Tejada, M., "Autonomía privada y garantías reales", ob. cit., págs. 3769 y 3770. Algo parecido apunta Gete-Alonso y Calera, M.ª C., "La compraventa con finalidad de garantía", ob. cit., pág. 267.

[465] Marín López, M. J., "Comentario a la STS 26 abril 2001", ob. cit., pág. 167.

[466] Carrasco Perera, A., "Comentario a la sentencia de 30 de mayo de 2008", ob. cit., págs. 1526 y 1527.

[467] Gete-Alonso señala que "es este uno de los principales obstáculos a la admisión de la venta en garantía". Gete-Alonso y Calera, M.ª C., "La compraventa con finalidad de garantía", ob. cit., pág. 255.

[468] Marín López, M. J., "Comentario a la STS 26 abril 2001", ob. cit., pág. 167.

[469] Entre otros, Espejo Lerdo de Tejada, M., "Autonomía privada y garantías reales", ob. cit., pág. 3769; Feliu Rey, M. I., *La prohibición del pacto comisorio...*, ob. cit., pág. 124.

En contraste con lo anterior, otro sector doctrinal considera que el acreedor-comprador podría, en caso de incumplimiento, instar la realización del bien a través de los procedimientos previstos en la Lec para las cauciones típicas[470]. Esto nos lleva a preguntarnos si, desde este punto de vista, el acreedor-comprador ostentaría una posición preferente para el cobro[471]. En este sentido, no son pocos los autores, entre los que puede citarse a De Castro[472], que consideran que es posible establecer una equivalencia entre la posición del acreedor-comprador y la que ocupa un acreedor prendario (arts. 1922.2 Cc)[473] o, en su caso, hipotecario (art. 1923.3 Cc)[474]. Así, el mencionado au-

---

[470]   Peña Bernaldo de Quirós, M., *Derechos Reales. Derecho Hipotecario T. II*, ob. cit., págs. 357 y 358. También parecen predicar esta opinión Badosa Coll, F., "Examen de tres «esquemas fiduciarios» en el derecho español" en *Estudios Jurídicos en homenaje al Profesor Luis Díez-Picazo T. I Derecho Civil. Parte General*, Civitas, Madrid, 2003, pág. 228; Sanciñena Asurmendi, C., "Fiducia y *venta en garantía*", ob. cit., págs. 99 y 100; Gete-Alonso y Calera, M.ª C., "Comentario a la DGRN de 5 de junio de 1991", ob. cit., págs. 767 y 768. Debe destacarse, asimismo, que en la STS 22 diciembre 1988 (TOL1.733.568) se puso de manifiesto que el prestamista *"...ostenta como garantías, además del "ius distrahendi" un derecho de preferencia para el cobro de su capital, sin olvidar el derecho a ejercitar judicialmente las oportunas acciones para exigir el cumplimiento del débito, así como el de interesar la venta en pública subasta de los bienes que sirven de garantía al préstamo".*

[471]   Véanse Galicia Aizpurua, G., ob. cit., pág. 195; Peña Bernaldo de Quirós, M., *Derechos Reales. Derecho Hipotecario T. II*, ob. cit., págs. 357 y 358. Fuenteseca plantea la cuestión, aunque no se termina de posicionar al respecto. Fuenteseca, C., *El negocio fiduciario en la Jurisprudencia del Tribunal Supremo*, Bosch, Barcelona, 1997, pág. 226.

[472]   De Castro y Bravo, F., *El negocio jurídico*, ob. cit., pág. 432.

[473]   Esta asimilación parece encontrar apoyo en lo dispuesto en el art. 1871 Cc, que establece que *"no puede el deudor pedir la restitución de la prenda contra la voluntad del acreedor mientras no pague la deuda y sus intereses, con las expensas en su caso".* En este sentido, Reglero Campos, L. F., "El pacto comisorio" en *Garantías reales mobiliarias...*, ob. cit., págs. 280 y 281.; Reglero Campos, L. F., "El pacto comisorio", *Aranzadi civil*, ob. cit., pág. 21. Véase, asimismo, Valpuesta Gastaminza, E., "Comentario al artículo 89", ob. cit., pág. 704. Además, en la STS 19 mayo 1989 (RJ 1989\3780) se habla, incluso, de *"...el negocio base de fiducia, garantía primitiva semejante a la prenda..."*. Del mismo modo, la STS 8 octubre 1981 (TOL1.739.574) señala que *"...muchas de esas enajenaciones significaban en realidad una prenda disfrazada de compraventa...".*

[474]   Caramés Puentes, J. C., ob. cit., pág. 140. Rojo Ajuria señala que la situación creada en la venta en garantía puede equipararse a la constitución de un derecho real de hipoteca, siempre y cuando se cumplan con los requisitos que la ley viene

tor sostiene que "...con la entrega de la cosa, sea real o simbólica, o con la inscripción en un Registro público, la separación de la cosa confiada se hace visible de modo no inferior al de la constitución de una hipoteca o de una prenda"[475]. De Castro advierte, sin embargo, que la admisión de la solución propuesta requeriría de la existencia de una norma consuetudinaria que la reconociera, avalada, en todo caso, por la jurisprudencia[476].

Frente a la tesis anteriormente expuesta se suele aducir que para que la venta en garantía pudiese reconducirse a alguna de las figuras típicas sería necesario que aquella cumpliese con los requisitos de carácter formal que las normas vienen exigiendo, con carácter general, para la constitución de esta clase de garantías[477]. No obstante, no

---

exigiendo para la creación de esta clase de derecho real. Rojo Ajuria, L., ob. cit., pág. 763.

[475] De Castro y Bravo, F., *El negocio jurídico*, ob. cit., pág. 432.

[476] Véase De Castro y Bravo, F., *El negocio jurídico*, ob. cit., pág. 432; Gete-Alonso y Calera, M.ª C., "La compraventa con finalidad de garantía", ob. cit., págs. 272 y 273.

[477] Por lo que se refiere al ámbito prendario, Lobato entiende que, en el caso de que se aceptase tal posibilidad, "...los requisitos formales que la ley exige para la válida constitución de un derecho de garantía se cumplirán de un modo distinto al previsto en la Ley; por ejemplo, la venta en garantía figurará como venta en el Registro de la Propiedad pero no como derecho de garantía, el derecho de prenda no constará en escritura pública (art. 1865 Cc)". Lobato García-Miján, ob. cit., págs. 353 y 354. Peña sostiene, en cambio, que en el caso de los bienes muebles sí que podría sustentarse tal preferencia con base en su posible asimilación con el derecho de prenda (siempre y cuando se cumpliese con sus requisitos). Peña Bernaldo de Quirós, M., *Derechos Reales. Derecho Hipotecario T. II*, ob. cit., pág. 358.
Marín López, por su parte, entiende que para la creación de un derecho de prenda no es necesario seguir ningún tipo de formalidad ni se exige su inscripción en el Registro de la Propiedad, por lo que, aparentemente, no existirían problemas a la hora de realizar una "conversión" de la venta en garantía en el citado derecho. Distinto sería, desde la perspectiva del mencionado autor, en los supuestos de venta en garantía en los que no se hubiese producido un desplazamiento posesorio, ya que para estos casos la ley sí exige unos requisitos de forma e inscripción registral. De ahí que, según la perspectiva del autor no sea posible convertir una venta en garantía en un derecho real de hipoteca mobiliaria o de prenda sin desplazamiento. Marín López, M. J., "Comentario a la STS 5 de mayo de 2005", *C.C.J.* núm. 70, enero-abril 2006, pág. 452. En igual sentido, De Ángel Yagüez, R., "Problemas que suscita la «venta en garantía» en relación con los procedimientos de ejecución del deudor", ob. cit., pág. 60.

parece, al menos a simple vista, que la propuesta de De Castro pase tanto por plantear la posible conversión del negocio de garantía atípico en un derecho de garantía típico[478] como por afirmar la posible equiparación de la posición del acreedor-comprador con la de los acreedores pignoraticios o hipotecarios (posición privilegiada), siempre que así lo reconozcan los tribunales, convirtiéndose esta práctica en una regla consuetudinaria *ex* art. 1.3 Cc.

Enlazando con lo anterior, debe admitirse que los pronunciamientos jurisprudenciales no resultan esclarecedores. De este modo, Marín López[479] y Carrasco[480] evidencian que el Alto Tribunal se ha mostrado en varias ocasiones a favor de proclamar el carácter privilegiado del crédito[481], reconociendo, incluso, el posible ejercicio de una tercería de

---

En cuanto a la hipoteca, Roca Trías ve muy difícil que esta figura pueda asimilarse a la venta en garantía, dado que la primera no cumple con los trámites exigidos para la constitución de la segunda. Roca Trías, E., ob. cit., pág. 161. Igualmente, Peña Bernaldo de Quirós, M., *Derechos Reales. Derecho Hipotecario T. II*, ob. cit., pág. 358; De Ángel Yagüez, R., "Problemas que suscita la «venta en garantía» en relación con los procedimientos de ejecución del deudor", ob. cit., pág. 60. Sobre este punto resulta especialmente relevante la STS 10 diciembre 1992 (TOL1.662.324), en la cual se puso de relieve, en relación con un supuesto de venta en garantía, que "*este contrato indirecto en modo alguno puede convertirse en un derecho real cuasi de hipoteca en cuya virtud se sujeten los locales al cumplimiento de la obligación (el préstamo) que garantizan*".

[478] Es bastante crítico con el expediente de la conversión Carrasco Perera, A., "Comentario a la sentencia de 30 de mayo de 2008", ob. cit., págs. 1530 y 1531. Espejo sostiene que "entender que lo que se propusieron las partes era pactar una garantía típica no es más que reconstruir una hipotética voluntad que muy probablemente tenga poco que ver con la realidad...". Espejo Lerdo de Tejada, M., "Autonomía privada y garantías reales", ob. cit., pág. 3761. En igual sentido, Carrasco Perera, A., "Comentario a la resolución de la DGRN de 30 de junio de 1987", ob. cit., pág. 4937. Del mismo modo, es necesario destacar que Gete-Alonso, aunque se muestra partidaria del posible ejercicio del *ius distrahendi* por parte del acreedor-comprador, llega a dudar de la operatividad práctica de la *fiducia cum creditore*, ya que, según su opinión, resulta curioso que las partes celebren el mencionado negocio para escapar de las formalidades de los derechos reales de garantía típicos para que después se equipare el negocio fiduciario con el resto de garantías reales. Gete-Alonso y Calera, M.ª C., "Comentario a la DGRN de 5 de junio de 1991", ob. cit., pág. 768.

[479] Marín López, M. J., "Comentario a la STS 26 abril 2001", ob. cit., pág. 167.

[480] Carrasco Perera, A., "Comentario a la sentencia de 30 de mayo de 2008", ob. cit., págs. 1526 y 1527.

[481] STS 25 febrero 1988 (TOL1.732.709); STS 19 mayo 1982 (TOL1.739.292).

mejor derecho por parte del acreedor-comprador[482]. Por el contrario, los mencionados autores destacan que también se han dictado sentencias en las que se negaba que el prestamista-comprador ostentase una posición privilegiada[483]. En esta última línea parece pronunciarse la paradigmática STS 26 abril 2001 (TOL4.974.272), donde se afirma que "...*el fiduciario, caso de impago de la obligación garantizada, ha de proceder contra el fiduciante como cualquier acreedor, teniendo la ventaja de que cuenta ya con un bien seguro con el que satisfacerse, pero sin que ello signifique que tiene acción real contra el mismo*"[484].

Todo lo hasta aquí expuesto ha merecido la crítica de un sector de la doctrina moderna, destacando la opinión de Carrasco, quien habla de la inconsistencia de lo que él llama modelo vigente[485]. En este sentido, el autor sostiene que la solución sobre la venta en garantía no pasa por atribuir al acreedor-comprador un *ius retinendi* ni por tratar de esquivar la cuestión sobre la conversión del negocio fiduciario en alguna de las garantías reales típicas, ya que se llega, desde su punto de vista, a una conclusión incoherente con la premisa de la que parte el Alto Tribunal en casi la totalidad de sus sentencias, esto es, que el negocio fiduciario es válido[486].

---

[482] En la STS 7 mayo 1991 (TOL1.727.038), aunque se niega el posible ejercicio de una tercería de dominio por parte del acreedor-fiduciario, se reconoce de forma indirecta que debido a la posición que ocupa este podría hacer valer una tercería de mejor derecho. Esta postura también es defendida por autores como Reglero Campos y Gardeazábal del Río. Reglero Campos, L. F., "El pacto comisorio", *Aranzadi civil: revista quincenal* núm.1, ob. cit., pág. 21; Gardeazábal del Río, F. J., ob. cit., pág. 269. Peña, por su parte, estima que el acreedor-fiduciario sí que podría ejercitar una tercería de dominio, pero no por ser propietario, sino por ser titular de un derecho de carácter real. Peña Bernaldo de Quirós, M., *Derechos Reales. Derecho Hipotecario T. II*, ob. cit., pág. 358 nota al pie núm. 7.

[483] STS 10 diciembre 1992 (TOL1.662.324).

[484] Sobre el tema: Marín López, M. J., "Comentario a la STS 26 abril 2001", ob. cit., pág. 168; Carrasco Perera, A., "Comentario a la sentencia de 30 de mayo de 2008", ob. cit., págs. 1526 y 1527.

[485] Carrasco Perera, A., "Comentario a la sentencia de 30 de mayo de 2008", ob. cit., págs. 1528 y ss.

[486] Carrasco Perera, A., "Comentario a la sentencia de 30 de mayo de 2008", ob. cit., págs. 1528 y 1529. Véase, asimismo, Carrasco Perera, A., Cordero Lobato, E., y Marín López, M. J., *Tratado de los Derechos de Garantía T. I*, ob. cit., pág. 655.

2.3. A modo de conclusión

Clásicamente se ha venido negando la posibilidad de que la autonomía privada tenga cabida en sede de derechos reales de garantía. Así, como hemos tenido ocasión de exponer, la mayor parte de la doctrina ha repetido en numerosas ocasiones que nos hallamos ante una materia en la que rige el *numerus clausus*, entre otras razones, por la posible vulneración de la prohibición del pacto comisorio y, en especial, por la superación del principio de paridad entre acreedores (*par condicio creditorum*).

No obstante lo anterior, también hemos podido comprobar que, dentro del ámbito de los derechos reales de garantía, la autonomía privada encuentra diversas manifestaciones. En este sentido, los particulares pueden modificar distintos aspectos dentro del esquema típico de los derechos reales de garantía, siempre y cuando no se trate de elementos esenciales de esta categoría de derechos y respeten los límites que se imponen a la autonomía privada.

Por lo que se refiere a la creación de derechos reales de garantía atípicos, no puede negarse que, especialmente en los últimos años, la práctica jurídica se ha visto enriquecida por figuras que, cumpliendo una función de garantía, tienen una cierta trascendencia real. El ejemplo más acusado es el de la venta en garantía, que, a pesar de su tortuosa construcción teórica y de las muchas dudas que hoy se siguen cerniendo sobre la misma, ha adquirido un papel relevante en el entramado jurídico-práctico hasta el punto de que, como señalamos más arriba, ha sido acogida normativamente en el ámbito de las garantías financieras.

IV. DERECHOS REALES DE ADQUISICIÓN PREFERENTE

1. Notas preliminares

La construcción teórica de los derechos de adquisición preferente se la debemos a la civilística moderna de nuestro país que, tras fijar su atención en la traducción al español de la monumental obra de Enneccerus, decide sumar al elenco tradicional de derechos reales esta nueva categoría dogmática[487]. Así, la doctrina patria tomó como punto de partida la clasificación desarrollada por Wolff en el ya mencionado Tratado, en donde, al hacer referencia a los derechos reales limitados, distinguió entre derechos reales de disfrute, derechos reales de realización del valor y, finalmente, derechos reales de adquisición preferente[488]. Dentro de esta última clase de derechos, el autor germano estableció, a su vez, una diferenciación entre los "meros derechos potestativos"[489], las denominadas "pretensiones a la transmisión"[490] y, por último, lo que él denominó como "expectativas a la adquisición de la propiedad"[491]. La doctrina española, tras descartar la última de las categorías citadas y, aparentemente, la de los "meros derechos potestativos"[492], tomó como referencia la mencionada categoría de

---

[487]   Lacruz Berdejo, J. L. *et al., Elementos de Derecho Civil III Derechos reales Vol. II*, ob. cit., pág. 341; García Amigo, M., "Derechos reales de adquisición", *R.D.P.*, febrero 1976, pág. 101; Rubio Torrano, E., *El pacto de retroventa*, Tecnos, Madrid, 1990, pág. 110; García Cantero, G., "Comentario al artículo 1506" en *Comentarios al Código Civil y Compilaciones Forales T. XIX* (dir. Albaladejo García, M y Díaz ALABART, S.), EDERSA, Madrid, 1991, págs. 483 y 484. Asimismo, Martínez de Aguirre Aldaz, C., "Hacia la consagración jurisprudencial de los derechos reales de adquisición preferente. (Comentario a la Sentencia de 3 de abril de 1981)", *A.D.C.* fasc. I, 1983, pág. 301 nota al pie núm. 1. Accesible en: http://bit.ly/2Z5fYAc (Página consultada por última vez el 21 de agosto de 2019).

[488]   Wolff, M., *Derecho de cosas. T. III Vol. I...,* ob. cit., págs. 8 y 9.

[489]   El autor encuadra en esta categoría los supuestos de ocupación, como los derechos de caza o aquellos derivados de la pesca. Véase Wolff, M., *Derecho de cosas. T. III Vol. I...,* ob. cit., pág. 8.

[490]   Wolff sitúa entre ellas, por ejemplo, el derecho de tanteo. Wolff, M., *Derecho de cosas. T. III Vol. I...,* ob. cit., pág. 8.

[491]   El autor germano agrupa bajo esta categoría aquellas situaciones en las que una persona ostenta una expectativa a adquirir la propiedad de un bien, poniendo como ejemplo el supuesto del hallazgo de una cosa que ha sido extraviada. Wolff, M., *Derecho de cosas. T. III Vol. I...,* ob. cit., pág. 8.

[492]   La doctrina patria entiende que la categoría de "meros derechos potestativos" se refiere, más bien, a supuestos de adquisición de la propiedad (ocupación). Por lo que se refiere a "las expectativas", la doctrina las suele rechazar basándose en la tesis de que estas no alcanzan la entidad de un auténtico derecho subjetivo. Estas opiniones son las vertidas por Lacruz Berdejo, J. L. *et al., Elementos de Derecho Civil III Derechos reales Vol. II*, ob. cit., pág. 341; García Amigo, M., ob. cit., pág. 101.
        No obstante lo anterior, nos hemos vistos obligados a puntualizar en el texto principal que el rechazo hacia las categorías citadas parece haber sido aparente, al menos, por lo que respecta a la de los derechos potestativos. Sobre este punto volveremos más adelante en este mismo apartado.

las "pretensiones a la transmisión" para cimentar lo que hoy se conoce como "derechos reales de adquisición preferente"[493].

No obstante lo anterior, debe advertirse que el acogimiento de esta nueva categoría dogmática no ha sido del todo pacífico[494]. En este sentido puede decirse, con García Amigo[495], que en la literatura jurídica de nuestro país[496] no solo se ha llegado a dudar de la naturaleza jurídico-real de esta clase de derechos, sino, incluso de su calificación como verdaderos derechos subjetivos, postura que se intenta superar, en ocasiones, a partir de la ya mencionada categoría de "derechos potestativos", entendida esta como una categoría distinta de los derechos patrimoniales tradicionales (derechos reales y personales)[497].

Creemos, al igual que Serrano[498], que la cuestión planteada ha de enfocarse teniendo en cuenta las reflexiones expuestas por De Castro, quien entiende que el debate doctrinal sobre la cuestionada categoría de "derechos potestativos" únicamente ha servido para poner de relieve cierto tipo de facultades, entre las que cita lo que él denomina como "facultades primarias"[499] y "facultades individualizadas"[500]. En

---

[493] Lacruz Berdejo, J. L. *et al.*, *Elementos de Derecho Civil III Derechos reales Vol. II*, ob. cit., pág. 341; García Amigo, M., ob. cit., pág. 101; Rubio Torrano, E., *El pacto de retroventa*, ob. cit., págs. 110 y 111. En opinión de Martínez de Aguirre, gran parte de la cimentación de esta nueva categoría de derechos se debe a los estudios realizados por autores como García Cantero y García Amigo. Véase Martínez de Aguirre Aldaz, C., "Hacia la consagración jurisprudencial...", ob cit., pág. 301.

[494] Serrano Alonso, E., "Notas sobre el derecho de opción", *R.D.P.*, diciembre 1979, pág. 1132.

[495] García Amigo, M., ob. cit., pág. 100. También Roca Sastre, R. M. ª, *Derecho Hipotecario T. III*, 7ª ed., Bosch, Barcelona, 1979, pág. 595.

[496] Especialmente Díez-Picazo y Ponce de León, L. y Gullón Ballesteros, A., *Sistema de Derecho Civil Vol. III T. II*, 2016, ob. cit., pág. 220.

[497] Sobre este aspecto puede consultarse Serrano Alonso, E., "Notas sobre el derecho de opción", ob. cit., págs. 1132 y 1133. En parecido sentido, Roca Sastre, R. M. ª, *Derecho Hipotecario T. III*, 1979, ob. cit., pág. 595.

[498] Serrano Alonso, E., "Notas sobre el derecho de opción", ob. cit., pág. 1133.

[499] De Castro las define como aquellas facultades "...derivadas directamente de la libertad propia de la persona (autonomía en sentido amplio: crear y ejercitar derechos, hacer negocios jurídicos y modificarlos)...". De Castro y Bravo, F., *Compendio de Derecho Civil*, Madrid, 1970, pág. 135.

[500] Según De Castro, aunque este tipo de facultades se presentan como accesorias respecto de una concreta relación jurídico-primaria, puede decirse que son independientes en cuanto a determinados aspectos, como pueden ser aquellos rela-

este sentido, el maestro cree que algunas de las últimas facultades mencionadas han adquirido independencia, hasta el punto de que hoy se las considera derechos subjetivos, como es el caso, en su opinión, de la opción de compra o del retracto convencional[501], los cuales suelen ser calificados como derechos de adquisición, como veremos más adelante.

La postura expuesta en el párrafo precedente nos lleva a afirmar que, bajo nuestro punto de vista, es correcto que se hable de "derecho potestativo" en referencia a los derechos de adquisición cuando lo que se quiere es poner de relieve que el ejercicio de ese derecho subjetivo queda al arbitrio de su titular[502], pero rechazamos que se emplee esta expresión para defender la existencia de una categoría jurídica distinta dentro de los derechos patrimoniales tradicionales[503].

En cualquier caso, la categoría de derechos de adquisición ha sido acogida por la doctrina mayoritaria[504]; muestra de ello es que, como

---

cionados con su plazo de ejercicio o su posible renuncia. De Castro y Bravo, F., *Compendio de Derecho Civil*, ob. cit., pág. 135.

[501] De Castro y Bravo, F., *Compendio de Derecho Civil*, ob. cit., pág. 135.

[502] Ysàs i Solanes entiende que la expresión "derecho potestativo" es empleada tanto para hacer alusión a determinadas figuras que no alcanzan el grado de derecho subjetivo como para subrayar que el ejercicio de un determinado derecho subjetivo "…es facultad exclusiva del titular que puede ejercitarlo a su arbitrio dentro del plazo de duración del mismo, pero no afecta a la naturaleza del derecho de adquisición, que puede ser personal o real, voluntario o legal". Ysàs i Solanes, M., "El derecho de opción", *A.D.C.* fasc. IV, 1989, pág. 1233. Accesible en: http://bit.ly/33SUk18 (Página consultada por última vez el 21 de agosto de 2019). Como prueba de lo anterior, se refieren a la opción como derecho potestativo, por ejemplo, Ruano García, J. P., "Inscripción del derecho de opción. Aspecto sustantivo y aspecto registral. (Examen especial de la opción de compra).", *R.C.D.I.* núm. 576, septiembre-octubre 1986, pág. 1471; Pérez Gurrea, R., "La opción de compra en el tráfico inmobiliario: análisis jurisprudencial y efectos registrales", *R.C.D.I.* núm. 727, septiembre-octubre 2011, pág. 2892.

[503] Como indica Serrano, gran parte de la doctrina niega la existencia de esta categoría y aquel sector que la admite, encuadra dentro de la misma situaciones de carácter muy dispar. De ahí que lo más sensato sea, como señala el mencionado autor, rechazar la catalogación de los derechos reales de adquisición dentro de esta discutida categoría. Serrano Alonso, E., "Notas sobre el derecho de opción", ob. cit., pág. 1133.

[504] García Amigo, M., ob. cit., pág. 100; Lacruz Berdejo, J. L. *et al.*, *Elementos de Derecho Civil III Derechos reales Vol. II*, ob. cit., pág. 341; Martínez de Aguirre Aldaz, C., "Hacia la consagración jurisprudencial…", ob cit., pág. 301; García Cantero, G., "Comentario al artículo 1506", ob. cit., pág. 488.

apunta García Amigo[505], la mayoría de manuales modernos dedicados al estudio de los derechos reales reservan un capítulo al examen de esta clase de derechos[506]. Este encuadre se debe a que gran parte de nuestros autores considera que se trata de derechos que pueden configurarse como reales, lo que no obsta la posibilidad, como veremos más adelante, de que puedan ser constituidos como derechos de naturaleza meramente crediticia[507]. En este sentido, cabe destacar que la principal objeción que encuentran Díez-Picazo y Gullón a la hora de calificar a los derechos de adquisición como auténticos derechos reales se debe, sobre todo, a que, en su opinión, estos no comportan un poder inmediato sobre la cosa[508]. Estimamos, sin embargo, que este impedimento se ve fácilmente superado si se recurre a la idea de inherencia. De este modo, algún autor ha afirmado que "...la «inmediación», característica de los derechos reales, no tanto consiste en la actuación-posible-directa sobre la cosa, cuanto en la actuación sobre ella sin intermediación del propietario..."[509].

---

[505]   García Amigo, M., ob. cit., pág. 100.

[506]   Pueden citarse, entre otros, a Pérez Álvarez, M. A., "Derechos reales de adquisición", ob. cit., págs. 655 y ss.; Lacruz Berdejo, J. L. *et al.*, *Elementos de Derecho Civil III Derechos reales Vol. II*, ob. cit., págs. 341 y ss.; Peña Bernaldo de Quirós, M., *Derechos Reales. Derecho Hipotecario T. I*, ob. cit., págs. 723 y ss.; Albaladejo García, M., *Derecho Civil III...*, ob. cit., págs. 799 y ss.
Resulta curioso que, dudando de su conceptuación como derechos reales y como propios derechos subjetivos, Díez-Picazo y Gullón estudien los derechos de adquisición preferente en el volumen que dedican al examen de los "derechos reales en particular". Véase Díez-Picazo y Ponce de León, L. y Gullón Ballesteros, A., *Sistema de Derecho Civil Vol. III T. II*, 2016, ob. cit., pág. 220.

[507]   Lacruz Berdejo, J. L. *et al.*, *Elementos de Derecho Civil III Derechos reales Vol. II*, ob. cit., pág. 342.

[508]   Díez-Picazo y Ponce de León, L. y Gullón Ballesteros, A., *Sistema de Derecho Civil Vol. III T. II*, 2016, ob. cit., pág. 220.

[509]   Lacruz Berdejo, J. L. *et al.*, *Elementos de Derecho Civil III Derechos reales Vol. II*, ob. cit., pág. 342. También Rubio Torrano, E., *El pacto de retroventa*, ob. cit., pág. 111. Asimismo, el art. 3111-1 de la Propuesta de Código civil de la Asociación de Profesores de Derecho Civil dispone claramente que "*son derechos reales de adquisición, el tanteo, el derecho de retracto, el derecho de opción y el derecho de readquisición*". Véase Mas Badía, M. ª D., "Título XI del Libro III" en *Propuesta de Código Civil. Asociación de Profesores de Derecho Civil*, Tecnos, Madrid, 2018, pág. 488.

Centrándonos, por el momento, en su manifestación jurídico-real, los derechos de adquisición pueden ser definidos inicialmente como "... aquellos que facultan a su titular para, concurriendo ciertos requisitos, convertirse en propietario de la cosa sobre la que recaen"[510]. Hay, sin embargo, quien, buscando una mayor rigurosidad, prefiere añadir el calificativo "preferente" a la expresión "derechos de adquisición", con el fin de poner el acento en el hecho de que la cosa se adquiere con preferencia a cualquier otra persona[511]. Sea como fuere, lo cierto es que la doctrina suele emplear indistintamente ambas expresiones ("derechos de adquisición" a secas o "derechos de adquisición *preferente*") para referirse a los derechos de tanteo, retracto y opción[512].

No obstante lo anterior, Sanciñena sostiene que el derecho de opción no puede quedar encuadrado dentro de la categoría de derechos de adquisición *preferente*, ya que, en su opinión, no existe un tercero sobre el cual se adquiera con preferencia la cosa, a diferencia de lo que ocurriría, por ejemplo, en el caso de los tanteos y retractos legales[513]. De este modo, mientras que en su monografía dedicada al estudio de la opción de compra la autora opta por catalogar esta figura dentro de la más amplia categoría de derechos de adquisición[514], en un trabajo posterior estima que tampoco resulta del todo satisfactorio recurrir a una categoría tan general que puede agrupar bajo su seno figuras tan dispares[515]. Desde nuestra perspectiva, las objeciones esgrimidas por la citada autora se resuelven fácilmente si se parte de la magnífica definición que ofrece Puig Brutau, para quien los "derechos reales de adquisición preferente son los que permiten hacer la adquisición deri-

[510] Albaladejo García, M., *Derecho Civil III...*, ob. cit., pág. 799. En parecido sentido se pronuncia Rubio Torrano, E., *El pacto de retroventa*, ob. cit., pág. 97.
[511] Véase la definición que ofrece Sanciñena de los derechos de adquisición preferente. Sanciñena Asurmendi, C., *La opción de compra*, 2ª ed., Dykinson, Madrid, 2007, pág. 162. En este sentido, Camy entiende que la preferencia es la nota típica de esta clase de derechos. Camy Sánchez-Cañete, B., *Comentarios a la Legislación Hipotecaria Vol. I*, 2ª ed., Aranzadi, Pamplona, 1974, pág. 153.
[512] Santos Briz, J., "Derechos reales de adquisición o de preferencia en la práctica jurídica española", *R.D.P.*, abril 1971, pág. 337.
[513] Sanciñena Asurmendi, C., *La opción de compra*, ob. cit., págs. 162-164.
[514] Sanciñena Asurmendi, C., *La opción de compra*, ob. cit., págs. 162-164.
[515] Sanciñena Asurmendi, C., "Comentario a la STS 25 de junio de 2010", *C.C.J.* núm. 86, mayo-agosto 2011, págs. 858 y 859.

vativa de una cosa excluyendo o desplazando a cualquier otro posible adquirente"[516].

Siguiendo el hilo de lo anterior, los derechos de adquisición pueden dividirse, en función de su origen, en derechos de carácter legal, de un lado, y derechos de carácter negocial, de otro[517]. De este modo, los primeros serían aquellos que nacen *ope legis*, en contraste con los segundos, que deben su existencia al concreto negocio jurídico (*inter vivos* o *mortis causa*) proyectado por las partes[518].

Los derechos de tanteo y retracto de carácter legal[519] cuentan con una regulación poco homogénea en nuestro ordenamiento jurídico[520] y ello no tanto por el hecho de que el Código civil dedique una mayor atención a los retractos frente a los tanteos[521], sino por la confusa

---

[516] Puig Brutau, J., *Fundamentos de Derecho Civil T. III. Vol. III Prenda, Anticresis, Hipoteca inmobiliaria y mobiliaria, Reserva de dominio, Venta fiduciaria, Anotación preventiva, Tanteo, Retracto, Opción, Censos*, 2ª ed., Bosch, Barcelona, 1974, pág. 393.

[517] García Amigo, M., ob. cit., págs. 104 y 105. También Serrano Alonso, E., "Notas sobre el derecho de opción", ob. cit., pág. 1136; Rubio Torrano, E., *El pacto de retroventa*, ob. cit., págs. 111 y 112.

[518] García Amigo, M., ob. cit., págs. 104 y 105; Díez Soto, M., "Comentario al artículo 1507" en *Comentarios al Código Civil T. VIII* (dir. Bercovitz Rodríguez-Cano, R.), Tirant Lo Blanch, Valencia, 2013, pág. 10663; Rubio Torrano, E., *El pacto de retroventa*, ob. cit., págs. 111 y 112. Este planteamiento se muestra acorde con el art. 3111-2 de la Propuesta de Código civil de la Asociación de Profesores de Derecho Civil, cuya redacción establece que "*los derechos reales de adquisición nacen directamente de la ley o se constituyen voluntariamente con sujeción a los límites generales de la autonomía de la voluntad y de los establecidos en este Título*". Además, el art. 3113-1.1 de la mencionada Propuesta dispone que "*la constitución de los derechos de adquisición preferente puede hacerse por actos inter vivos o mortis causa, a título gratuito u oneroso*". Véase Mas Badía, M. ª D., "Título XI del Libro III", ob. cit., págs. 495 y ss.
Cabe señalar aquí que en la RDGRN 9 septiembre 2013 (TOL3.962.814) se hace alusión a la existencia de un derecho de tanteo (voluntario) establecido por vía testamentaria. Más adelante nos detendremos en el estudio de este particular derecho de adquisición.

[519] Díez Soto, M., "Comentario al artículo 1507", ob. cit., pág. 10663.

[520] Pérez Álvarez, M. A., "Derechos reales de adquisición", ob. cit., pág. 655; Lacruz Berdejo, J. L. *et al.*, *Elementos de Derecho Civil III Derechos reales Vol. II*, ob. cit., pág. 344.

[521] Como veremos, tanteo y retracto pueden calificarse como dos manifestaciones de un mismo derecho.

sistematización que realiza el legislador decimonónico respecto de los mismos[522]. A ello ha de sumarse, en nuestra opinión, la patente dispersión legislativa en materia de tanteos y retractos legales, provocada, en su mayor parte, por la creciente consagración de esta clase de derechos en leyes especiales[523].

En cuanto a la opción, son varios los autores que estiman que en nuestra normativa estatal existe una pluralidad de supuestos legales que, aunque no hacen mención expresa a la citada figura, sí que se adaptan a su estructura[524]. De este modo, se suele ofrecer un buen número de ejemplos con el fin de demostrar que en nuestro ordenamiento jurídico la categoría dogmática de la opción cuenta con respaldo legal (el derecho de reversión previsto en los arts. 54 y 55 de la Ley de 16 de diciembre de 1954 sobre expropiación forzosa, la redención de censos recogida en el Código civil, entre otros)[525].

Pasando por alto el hecho de que muchos de los ejemplos que se han venido ofreciendo tradicionalmente se inspiran en normas que se

---

[522] De este modo, los derechos de adquisición preferente que se contemplan en nuestro Código civil no se hallan recogidos en el Libro III dedicado a la regulación "de los diferentes modos de adquirir la propiedad", sino en el Libro IV del citado cuerpo legal, el cual lleva por título "de las obligaciones y contratos". Asimismo, cabe señalar que dentro del Libro IV, la regulación de esta clase de derechos se encuadra en el Capítulo VI del Título IV, cuyo articulado se agrupa bajo el rótulo "de la resolución de la venta". Estas reflexiones pueden consultarse en Lacruz Berdejo, J. L. *et al.*, *Elementos de Derecho Civil III Derechos reales Vol. II*, ob. cit., págs. 344 y 345. También, en menor medida, en Santos Briz, J., "Derechos reales de adquisición...", ob. cit., pág. 339.

[523] Se recogen varios ejemplos de leyes especiales que tipifican nuevos derechos de adquisición en Pérez Álvarez, M. A., "Derechos reales de adquisición", ob. cit., págs. 664 y 665. Cabe apuntar aquí que Roca Sastre habla de los peligros derivados de la proliferación descontrolada de retractos legales. Roca Sastre, R. M. ª, *Derecho Hipotecario T. III*, 1979, ob. cit., págs. 598-600.

[524] Véanse García Amigo, M., ob. cit., págs. 117-121; Serrano Alonso, E., "Notas sobre el derecho de opción", ob. cit., págs. 1136 y 1137; Sanciñena Asurmendi, C., *La opción de compra*, ob. cit., págs. 117 y ss.; Roca Sastre, R. M. ª, *Derecho Hipotecario T. III*, 1979, ob. cit., pág. 543; Torres Lana, J. A., *Contrato y derecho de opción*, Trivium, Madrid, 1982, págs. 173 y ss. También Ysàs i Solanes, M., ob. cit., págs. 1235 y ss.

[525] Estos y otros ejemplos en García Amigo, M., ob. cit., págs. 117-121; Sanciñena Asurmendi, C., *La opción de compra*, ob. cit., págs. 117 y ss.

hallan hoy derogadas (art. 23 de la Ley de Montes de 1957[526]; art. 81 del Decreto 4104/1964, de 24 de diciembre, por el que se aprueba el Texto Refundido de la Ley de Arrendamientos Urbanos[527]; art. 45 del Decreto 118/1973, de 12 de enero, por el que se aprueba el texto de la Ley de Reforma y Desarrollo Agrario[528]; arts. 96 y ss. del Decreto 745/1959, de 29 de abril, por el que se aprueba el Reglamento para la aplicación de la legislación sobre arrendamientos rústicos[529], entre

---

[526]   Este precepto disponía que "*en los casos de condominio, cuando el suelo pertenezca a un particular o a Entidad pública, y el vuelo sea de la propiedad del Estado o de alguna Entidad pública, podrán refundirse los dos dominios a favor del dueño del vuelo indemnizando previamente al del suelo por el procedimiento y reglas que para la fijación del justo precio se contienen en la Ley de Expropiación Forzosa. Se exceptúan de este precepto los convenios con el Patrimonio Forestal del Estado*". Estimaba que se trataba de un supuesto de opción García Amigo, M., ob. cit., pág. 120.

[527]   La norma señalaba que "*los inquilinos y arrendatarios que deseen instalarse en el inmueble reedificado antes de desalojar el que vaya a derruirse…*" podrían "*…optar, en forma alternativa, por una indemnización en metálico no inferior a diez anualidades de la renta revalorizada, o porque el arrendador ponga a su disposición vivienda en renta adecuada a sus necesidades y posibilidades económicas, situada en la misma población, o bien porque se les reserve para ocuparla en arrendamiento y en igualdad de condiciones que un tercero una vivienda en la finca reconstruida*". Fue reputado como un derecho de opción por Ysàs i Solanes, M., ob. cit., págs. 1235 y 1236.

[528]   Esta norma establecía que "*cuando de algún modo se infrinja lo prevenido en el artículo 44…*" —el cual se refería a la división o segregación de la finca rústica— "*…los dueños de las fincas colindantes con las parcelas que resulten de extensión inferior a la unidad mínima de cultivo tendrán el derecho de adquirirlas, cualquiera que sea su poseedor y a salvo lo dispuesto en la Ley Hipotecaria, por el justo precio que, a falta de acuerdo, se determine judicialmente*". Este supuesto fue calificado de opción por García Amigo, M., ob. cit., pág. 118.

[529]   El art. 96.1 de la citada norma establecía que "*el colono que se hallare al corriente en el pago del canon arrendaticio, podrá, durante todo el tiempo de la prórroga establecida en el artículo 91 del presente texto legal, y siempre que el arrendador o la persona subrogada en sus derechos no hubiera recabado la entrega para su cultivo directo y personal, ejercitar el derecho de acceso a la propiedad del mismo, avisando al arrendador su propósito en tal sentido con seis meses de antelación al término correspondiente y satisfaciéndole al contado dentro de dicho plazo una cantidad en metálico equivalente al resultado de capitalizar al dos por ciento el valor de la cantidad de trigo por la que en el año agrícola 1953-1954 se hubiere modulado la renta al precio fijado para dicho cereal, sin premios ni modificaciones, en la campaña triguera correspondiente a la fecha que se ejercite el derecho de acceso*". Este precepto y los que le seguían regulaban, pues, el derecho de acceso a

otros), creemos que la mayor parte de ellos no terminan de encajar dentro del concepto de derecho de opción, entendido en un sentido amplio[530], como aquel "...que *faculta* a una (o más) persona para que, a *su arbitrio* y dentro de *un tiempo máximo* pactado, pueda *decidir* acerca del *perfeccionamiento de un contrato principal*, generalmente de *compraventa*, frente a *otra persona* (o a varias) que, de momento, queda *vinculada a soportar los resultados* de dicha libre decisión del titular del derecho de opción"[531].

Enlazando con lo anterior, estimamos que no constituyen verdaderos ejemplos de opciones de carácter legal el supuesto previsto en el art. 1406 Cc[532]; el derecho de reversión dispuesto en los arts. 54 y 55 de la Ley de 16 de diciembre de 1954 sobre expropiación forzosa[533]; la redención de censos establecida en el articulado del Código civil[534];

---

la propiedad en los arrendamientos rústicos, figura que García Amigo calificó de derecho de opción legal. Así, García Amigo, M., ob. cit., págs. 117 y 118.

[530] Roca Sastre, en cuyas palabras nos apoyamos, advierte que no pretende ofrecer una definición del derecho de opción. Véase Roca Sastre, R. M. ª, *Derecho Hipotecario T. III*, 1979, ob. cit., pág. 542. Ello puede deberse, en nuestra opinión, al hecho de que son muchas las figuras que se suelen arropar bajo el manto de la institución que aquí nos ocupa, por lo que resulta infructuoso tratar construir un concepto unitario que las englobe a todas. En este sentido, González Y Martínez, J., "El llamado derecho de opción", *R.C.D.I.* núm. 87, marzo 1932, pág. 191.

[531] Roca Sastre, R. M. ª, *Derecho Hipotecario T. III*, 1979, ob. cit., pág. 542. La cursiva es del autor. Por su parte, el art. 3111-1.3 de la Propuesta de Código civil de la Asociación de Profesores de Derecho Civil, define al derecho de opción como aquel que "...*faculta a su titular para adquirir la propiedad u otro derecho real sobre un bien por el precio o contraprestación y dentro del plazo de tiempo fijados en el título que lo constituye*". Mas Badía, M. ª D., "Título XI del Libro III", ob. cit., pág. 489.

[532] Este ejemplo lo ofrece Ysàs i Solanes, M., ob. cit., pág. 1236. El precepto se limita a señalar que en los casos de liquidación de la sociedad de gananciales "*cada cónyuge tendrá derecho a que se incluyan con preferencia en su haber...*" determinados tipos de bienes. No se trata, por tanto, de un derecho de opción en el sentido estricto de la expresión, sin perjuicio de que cada cónyuge pueda adquirir preferentemente esos bienes.

[533] Esta figura es estudiada como un supuesto de "opción legal" por García Amigo, M., ob. cit., págs. 119 y 120; Sanciñena Asurmendi, C., *La opción de compra*, ob. cit., págs. 131 y ss. En contra, Serrano Alonso, E., "Notas sobre el derecho de opción", ob. cit., pág. 1137.

[534] Lo menciona García Amigo, M., ob. cit., pág. 120. Serrano entiende, sin embargo, que no son derechos de adquisición, sino que un mecanismo articulado por las normas para liberar al bien de que se trate de los gravámenes que sobre él pesan. Serrano Alonso, E., "Notas sobre el derecho de opción", ob. cit., pág. 1137.

el derecho previsto en el art. 164 Decreto 118/1973, de 12 de enero, por el que se aprueba el texto de la Ley de Reforma y Desarrollo Agrario[535]; el supuesto de permuta forzosa prevista en los arts. 261 y ss. del último de los cuerpos legales mencionados[536]; el derecho de suscripción de acciones previsto en el art. 44 del Real Decreto Legislativo 1/2010, de 2 de julio, por el que se aprueba el texto refundido de la Ley de Sociedades de Capital[537].

Es cierto que no sería del todo descabellado abrir un debate sobre si las figuras citadas en el párrafo precedente confieren o no a un sujeto un derecho de adquisición, pero, desde luego, lo que sí es claro es que si se toma en consideración la definición de opción que se dio con anterioridad, se llega a la conclusión de que ninguno de los supuestos mencionados son auténticas opciones. Desde esta perspectiva, creemos que el único ejemplo de opción legal que existe en nuestro ordenamiento jurídico son determinado tipo de opciones financieras[538],

---

[535] A favor de su concepción como derecho de opción se pronuncian, en cambio, García Amigo, M., ob. cit., pág. 118; Serrano Alonso, E., "Notas sobre el derecho de opción", ob. cit., pág. 1137; Sanciñena Asurmendi, C., *La opción de compra*, ob. cit., págs. 123 y s. Según el primer inciso de la norma citada "*dentro de los cinco años siguientes a la terminación de la mejora, y siempre durante la vigencia del contrato, el arrendatario podrá acceder a la propiedad de la finca, que será excluida del Catálogo cuando el Plan Individual de Mejora se haya realizado a satisfacción de la Administración*".
Nuestra negativa se basa en el mismo argumento que expone en su trabajo Torres Lana, quien señala que en este supuesto concreto "el ejercicio de tal derecho inicia una trasferencia, coactiva para el enajenante, en la que éste debe prestar su consentimiento o verlo suplido por la intervención del juez; por el contrario, ya sabemos que un derecho de opción perfecciona un contrato al que se hallaba previamente vinculado". Torres Lana, J. A., *Contrato y derecho de opción*, ob. cit., pág. 175.

[536] Cree que es una opción legal García Amigo, M., ob. cit., págs. 118 y 119. Se trata, sin embargo, de un simple supuesto de permuta forzosa que podrá exigirse por "*el dueño de una o más fincas rústicas...*" en determinadas circunstancias.

[537] Aunque se referían a la legislación anterior, sostenían que podían reputarse como supuestos de opción, entre otros, Ysàs i Solanes, M., ob. cit., pág. 1236; Roca Sastre, R. M.ª, *Derecho Hipotecario T. III*, 1979, ob. cit., pág. 543 nota al pie núm. 2; Sanciñena Asurmendi, C., *La opción de compra*, ob. cit., págs. 129 y 130.

[538] Sanciñena hace alusión a alguna de ellas. Sanciñena Asurmendi, C., *La opción de compra*, ob. cit., págs. 127-129.

entre las que podrían citarse la opción *call* y la opción *put*[539]. En cualquier caso, todo dependerá, claro está, del concepto de derecho de opción que se maneje[540].

Por lo que se refiere a los derechos reales de adquisición de origen negocial, no existe en la normativa civil estatal vigente una regulación de los mismos[541], salvo, claro está, el supuesto del retracto convencional (arts. 1507 a 1520 Cc)[542] y unos pocos preceptos que prevén la

---

[539]   El art.1.5 de la Resolución de 21 de diciembre de 2010, de la Comisión Nacional del Mercado de Valores, por la que se publica el Reglamento del Mercado Secundario Oficial de Futuros y Opciones (MEFF) dispone que "*los términos utilizados en el presente Reglamento y en su normativa complementaria tendrán el significado que se les atribuye a continuación, salvo que se establezca expresamente otro alcance o significado en alguno de los casos en que sean utilizados...*", de modo que se dice que en la opción *call* "*...el comprador de esta Opción tiene el derecho, pero no la obligación, de comprar el Activo Subyacente objeto del Contrato al Precio de Ejercicio. El vendedor de la Opción tiene la obligación de vender dicho Activo Subyacente si el comprador ejercita su derecho. Puesto que la liquidación puede realizarse por diferencias, en ese caso no se produciría una compraventa, sino sólo una transmisión de efectivo*". El mismo precepto señala, en relación con la opción *put*, que "*el comprador tiene el derecho de vender el Activo Subyacente objeto del Contrato al Precio de Ejercicio. El vendedor tiene la obligación de comprar dicho Activo Subyacente si el comprador ejerce su derecho. Puesto que la liquidación puede realizarse por diferencias, en ese caso no se produciría una compraventa, sino sólo una transmisión de efectivo*".
Enlazando con lo anterior, cabe destacar que la propia norma define al contrato de opción como el "*contrato por el cual, el comprador adquiere el derecho, pero no la obligación, de comprar (CALL) o vender (PUT) el Activo Subyacente a un precio pactado (Precio de Ejercicio) en una fecha futura (Fecha de Liquidación)*".

[540]   Talma Charles, por ejemplo, estima que la opción no tiene por qué ir precedida de un contrato previo a la opción como podría ser el de compraventa en el caso de la opción de compra. De este modo, el autor estima que la "opción adquisitiva" en sí misma considerada es un título apto para adquirir derechos personales y para transmitir la propiedad o cualesquiera otros derechos reales, seguida de la tradición. Talma Charles, J., "La adquisición preferente: análisis de su replanteamiento sistemático" en *Homenaje al Profesor Manuel Cuadrado Iglesias V. I* (coord. Gómez Gálligo, J.), Aranzadi, Cizur Menor, 2008, págs. 344 y ss.

[541]   No obstante y como se ha apuntado, en la Propuesta de Código civil de la Asociación de Profesores de Derecho Civil sí que se recogen este tipo de figuras. En concreto, el art. 3113-1 y ss. de la mencionada propuesta. Véase Mas Badía, M. ª D., "Título XI del Libro III", ob. cit., págs. 495 y ss.

[542]   García Amigo, M., ob. cit., pág. 121.

posibilidad de que las partes constituyan determinado tipo de tanteos y retractos (art. 25.4 LAU, art. 396 Cc y D.T. 2ª LPH)[543].

En los siguientes apartados nos centraremos en realizar un examen de aquellas figuras que, siendo encuadradas dentro de los derechos reales de adquisición preferente, han sido creadas como consecuencia de la proyección de la autonomía de los particulares; no sin antes advertir que también existe algún ejemplo de incidencia de la autonomía privada en el campo de los tanteos y retractos de origen legal. En este sentido, cabe destacar que tanto la doctrina[544] como la Dirección General de los Registros y del Notariado[545] ha reconocido la posibilidad de excluir, en ciertos supuestos, la aplicación del retracto de comuneros.

Teniendo en cuenta lo anterior, restringiremos nuestro estudio al análisis del retracto convencional, de los tanteos y retractos voluntarios y, por último, del derecho de opción[546].

2. El retracto convencional

2.1. Precisiones terminológicas

Antes de adentrarnos en el examen de la figura que aquí nos ocupa, nos vemos en la necesidad de hacer una serie de precisiones de carácter terminológico. En este sentido, resulta pertinente, en primer lugar, esclarecer las sombras que rodean al vocablo "retracto", para

---

[543] Peña Bernaldo de Quirós, M., *Derechos Reales. Derecho Hipotecario T. I*, ob. cit., pág. 734.

[544] Véase Díez Soto, M., "Comentario al artículo 1522" en *Comentarios al Código Civil T. VIII* (dir. Bercovitz Rodríguez-Cano, R.), Tirant Lo Blanch, Valencia, 2013, pág. 10737. Refiriéndose al Derecho civil catalán: Fernández Piera, A., "Los derechos de adquisición preferente en la comunidad de bienes" en *La regulación de la propiedad horizontal y las situaciones de comunidad en cataluña* (coord. Garrido Melero, M.), Bosch, Barcelona, 2008, págs. 127 y 128. Este último autor hace especial hincapié en la necesidad de que nos hallemos ante una situación de comunidad creada voluntariamente.

[545] RDGRN 18 mayo 1983 (RJ\1983\6969).

[546] Díez Soto, M., "Comentario al artículo 1507", ob. cit., pág. 10663.

después examinar el adjetivo "convencional", apoyándonos, en líneas generales, en el esquema propuesto por Rivera Sabatés[547].

Siguiendo el hilo de lo anterior, es necesario comenzar señalando, con Riaza, que el origen etimológico de la palabra "retraer" se encuentra en la palabra latina *retractus*[548]. Desde una perspectiva morfológica el término "retraer" se construye a partir de verbo "traer" y del prefijo "re"[549]. Teniendo en cuenta que la partícula "re" significa, según el Diccionario de la Real Academia Española, "repetición"; la adición de este prefijo al verbo "traer", únicamente nos conduce a afirmar que "retraer" significa volver a traer[550]. Así, puede decirse que, desde un punto de vista léxico, el retracto es un supuesto de readquisición de una cosa[551].

Una vez se ha analizado la expresión "retracto" desde una perspectiva puramente gramatical, conviene preguntarse por su significado técnico-jurídico actual[552]. De este modo, debemos comenzar señalando que el término "retracto" tiene, como afirma Rubio Torrano, un

---

[547] Rivera Sabatés, V., *El retracto convencional*, Comares, Granada, 2001, págs. 2 y ss.

[548] Riaza, N., *Los retractos: errores dominantes sobre la materia*, Reus, Madrid, 1919, pág. 82.

[549] Riaza, N., ob. cit., pág. 82; Rivera Sabatés, V., *El retracto convencional*, ob. cit., pág. 2; Vivas Tesón, I., *La compraventa con pacto de retro en el Código Civil*, ob. cit., pág. 36; Badenes Gasset, R., *La preferencia adquisitiva en el derecho español (tanteo, retracto, opción)*, Bosch, Barcelona, 1958, pág. 34.

[550] Riaza, N., ob. cit., pág. 82; Rivera Sabatés, V., *El retracto convencional*, ob. cit., pág. 2; Vivas Tesón, I., *La compraventa con pacto de retro en el Código Civil*, ob. cit., pág. 36; Feliu Rey, M. I., *El tanteo convencional*, Civitas, Madrid, 1997, pág. 36; Badenes Gasset, R., *La preferencia adquisitiva en el derecho español (tanteo, retracto, opción)*, ob. cit., pág. 34.

[551] En palabras de Feliu, "«re-traer» (volver a traer) equivale a «readquirir» o «recobrar», presuponiendo que la cosa retraída hubiese existido en el patrimonio del retrayente con anterioridad al retracto...". Feliu Rey, M. I., *El tanteo convencional*, ob. cit., pág. 36. Por su parte, Vivas Tesón señala que "*retrayendo* se vuelve una cosa a su primitivo lugar, se recupera un objeto que salió del mismo patrimonio, retorna lo que en él existía con anterioridad y, de este modo, el comprador vuelve a su precio y el vendedor a la cosa que a aquél transmitió". Vivas Tesón, I., *La compraventa con pacto de retro en el Código Civil*, ob. cit., pág. 36. Véase también Badenes Gasset, R., *La preferencia adquisitiva en el derecho español (tanteo, retracto, opción)*, ob. cit., págs. 33 y 34.

[552] Rivera Sabatés, V., *El retracto convencional*, ob. cit., págs. 5 y ss.

alcance polisémico[553]. En este sentido, ha de tenerse en cuenta que el Código civil utiliza de forma diversa la expresión a la cual venimos haciendo alusión. Así, en relación con la figura que nos ocupa, señala el art. 1507 Cc que *"tendrá lugar el retracto convencional cuando el vendedor se reserve el derecho de recuperar la cosa vendida, con obligación de cumplir lo expresado en el artículo 1.518 y lo demás que se hubiese pactado"*[554]. Por el contrario, el art. 1521 Cc contempla lo que se conoce como retracto legal, esto es, *"el derecho de subrogarse, con las mismas condiciones estipuladas en el contrato, en lugar del que adquiere una cosa por compra o dación en pago"* (art. 1521 Cc)[555].

De las definiciones expuestas en el párrafo anterior, se observa que retractos legales y convencionales presentan, como señala con contundencia Azpiazu, insalvables diferencias que los separan[556]. De este modo, como apunta Vivas Tesón, puede afirmarse que no solo difieren

---

[553] Rubio Torrano, E., "Comentario a la STS 3 marzo 1995", *C.C.J.* núm. 38, abril-agosto 1995, pág. 798. Debemos advertir que Rivera Sabatés, cuyo esquema nos ha servido de soporte en este apartado, entiende que el significado jurídico del término "retracto" se corresponde, en puridad, con la figura que recogen el art. 1507 Cc y ss. El citado autor reconoce, sin embargo, las diversas acepciones del término retracto. Rivera Sabatés, V., *El retracto convencional*, ob. cit., págs. 5 y ss. No obstante lo anterior, creemos que es más acertado optar por el significado técnico-jurídico plural del vocablo "retracto", ya que, como se señalará en el texto principal, doctrina y jurisprudencia lo utilizan para aludir a otro tipo de figuras de carácter jurídico.

[554] El mencionado art. 1518 Cc dispone que *"el vendedor no podrá hacer uso del derecho de retracto sin reembolsar al comprador el precio de la venta, y además: 1.º Los gastos del contrato y cualquier otro pago legítimo hecho para la venta. 2.º Los gastos necesarios y útiles hechos en la cosa vendida"*.

[555] En este sentido, debe tenerse en cuenta que según la STS 14 junio 2004 (TOL483.353) *"el retracto legal da derecho al retrayente a adquirir la cosa retraída en el estado que tenía en el momento de darse aquella compraventa que dio lugar al retracto; es decir, si el adquirente –retraído– realiza actos de disposición sobre la cosa, tras haberla adquirido y antes de producirse el retracto, serán ineficaces y si han tenido acceso al Registro de la Propiedad se cancelarán las inscripciones"*.

[556] Azpiazu, J., "El retracto y el Registro de la Propiedad", *R.C.D.I.*, febrero 1954, pág. 86. También Badenes Gasset, R., *La preferencia adquisitiva en el derecho español (tanteo, retracto, opción)*, ob. cit., pág. 31. Feliu, de manera bastante expresiva, apunta que "el retracto convencional no tiene con el retracto legal, y por ende con el retracto negocial, más que una desdichada relación de homonimia...". Feliu Rey, M. I., *El tanteo convencional*, ob. cit., pág. 34.

en su origen (negocial en un caso y legal en otro)[557], sino también en otros aspectos tan importantes como su funcionamiento[558], los sujetos intervinientes[559] y los presupuestos de ejercicio[560], entre otros[561].

Centrándonos ahora en el término "convencional", ha de tenerse en cuenta que este pone el acento en el origen negocial de la figura que aquí nos ocupa[562]. No obstante, esta expresión no puede llevar a establecer una identificación entre el retracto convencional recogido en el art. 1507 Cc y ss. con aquellas figuras que, habiendo nacido como consecuencia de la autonomía privada, presentan una estructura similar a la de los retractos legales, esto es, los retractos voluntarios.

Siguiendo el hilo de lo anterior, aunque es cierto que, como apunta Marín López, tanto el retracto voluntario como el retracto convencional son figuras de origen negocial[563], ambos difieren en puntos vitales

---

[557] Vivas Tesón, I., *La compraventa con pacto de retro en el Código Civil*, ob. cit., págs. 83 y 84.

[558] Mientras que el retracto legal consiste, como se indicó más arriba, en un derecho de subrogación en la posición de un tercer adquirente, el retracto convencional se basa en otorgar a su titular un poder de recuperación de la cosa que un día enajenó. Vivas Tesón, I., *La compraventa con pacto de retro en el Código Civil*, ob. cit., págs. 84 y 85.

[559] Vivas Tesón, I., *La compraventa con pacto de retro en el Código Civil*, ob. cit., pág. 84. Como indica Rubio Torrano, en el esquema del retracto legal intervienen el transmitente, el retrayente y el adquirente, mientras que, en el caso del retracto convencional, solo intervienen el transmitente (también retrayente) y el adquirente. Véase Rubio Torrano, E., "Comentario a la STS 3 marzo 1995", ob. cit., pág. 799.

[560] Así, mientras que en el caso del retracto convencional el retrayente conoce las condiciones de su ejercicio, en el caso de los retractos legales lo más frecuente es que exista un desconocimiento sobre tales extremos. Vivas Tesón, I., *La compraventa con pacto de retro en el Código Civil*, ob. cit., pág. 85.

[561] Véase Vivas Tesón, I., *La compraventa con pacto de retro en el Código Civil*, ob. cit., págs. 86-88. También Badenes Gasset, R., *La preferencia adquisitiva en el derecho español (tanteo, retracto, opción)*, ob. cit., págs. 32 y 33.

[562] Rivera Sabatés, V., *El retracto convencional*, ob. cit., pág. 10.

[563] Marín López, J. J., "Comentario a la STS 13 mayo 2009", *C.C.J.* núm. 82, enero-abril 2010, pág. 392. Esta coincidencia es la que lleva a García Amigo a encuadrar ambas figuras en lo que, como ya señalamos, él denomina indistintamente como "derechos reales de adquisición voluntarios" o "derechos negociales". García Amigo, M., ob. cit., pág. 121.

como son su regulación[564], el negocio jurídico que les da vida[565], su estructura[566] y funcionamiento[567], los sujetos intervinientes[568] y, finalmente, en el diverso papel que cumple la autonomía privada en cuanto a su configuración[569]. Se observa que, salvo determinadas ex-

---

[564] El retracto convencional se halla regulado en los arts. 1507 Cc y ss., mientras que el retracto voluntario no se encuentra contemplado en la normativa civil estatal. Aranda Rodríguez, R., "Comentario al artículo 1507" en *Código Civil Comentado Vol. IV* (dirs. Cañizares Laso, A. *et al.*), 2ª ed., Aranzadi, Cizur Menor, 2016, pág. 258. De este modo, Peña clasifica al retracto convencional como derecho nominado y a los retractos voluntarios como derechos innominados. Peña Bernaldo de Quirós, M., *Derechos Reales. Derecho Hipotecario T. I*, ob. cit., págs. 725 y 726.

[565] Así, mientras que el pacto de retro se halla siempre ligado a un supuesto de compraventa, el retracto voluntario puede tener su origen en cualquier otro negocio (tanto *inter vivos* como *mortis causa*). En este sentido, Marín López, J. J., "Comentario a la STS 13 mayo 2009", ob. cit., pág. 392.

[566] Pérez Álvarez estima que el retracto convencional responde a una estructura diversa que aquella que presentan tanto los retractos legales como los voluntarios. Pérez Álvarez, M. A., "Derechos reales de adquisición", ob. cit., pág. 659. Véase también la reflexión que se realiza en De La Iglesia Monje, M., *El derecho de retracto convencional*, Lex Nova, Valladolid, 2002, pág. 96.

[567] En el caso del retracto convencional se produce una readquisición del bien por parte de quien un día fue su propietario (el vendedor), mientras que, en el supuesto de retracto voluntario, el retrayente adquiere de forma preferente una cosa que, hasta el momento, no había formado parte de su patrimonio. Marín López, J. J., "Comentario a la STS 13 mayo 2009", ob. cit., pág. 392. En el mismo sentido, en la STS 13 mayo 2009 (TOL1.525.368) se señala que el retracto voluntario se diferencia "...*del retracto convencional y del pacto de retro en que no hay readquisición*...". Véase, asimismo, la STS 25 abril 1992 (TOL1.659.900) y la SAP Segovia 28 febrero 1998 (AC\1998\757).

[568] Como ocurre en el caso de los retractos legales, en los retractos voluntarios intervienen tres sujetos (transmitente, adquirente y retrayente). En el retracto convencional intervienen, como señalamos más arriba, únicamente dos sujetos: el transmitente-vendedor (que actúa a su vez como retrayente) y el adquirente-comprador. Aunque se refiere a la distinción entre retractos legales y convencionales (art. 1507 Cc) estas reflexiones son expuestas, como ya apuntamos, por Rubio Torrano, E., "Comentario a la STS 3 marzo 1995", ob. cit., pág. 799.

[569] De este modo, deben traerse a colación las reflexiones de Marín López, que señala que "...mientras que en el retracto convencional la autonomía de la voluntad consiste básicamente en acordar el pacto de retro, cuyos elementos esenciales se encuentran ya diseñados por los artículos 1507 a 1520 CC (sin perjuicio, como es lógico, de posibles pactos entre las partes que modifiquen el diseño legal en aquello que no sea imperativo), en el retracto convencional -entendemos que el autor no se refiere al retracto convencional, sino al voluntario- el campo de juego

cepciones (por ejemplo, la regulación), las diferencias apuntadas son muy similares a las que nos sirven para distinguir los retractos legales de los retractos convencionales y ello, precisamente, por el hecho de que los retractos voluntarios presentan un esquema similar al de los retractos legales.

De todo lo hasta aquí expuesto se deduce que, aunque el retracto convencional sea la institución que mejor se adapta al significado original del término "retracto"[570], este es utilizado hoy en día para referirse a otras figuras que se distancian de aquel (retractos legales y retractos voluntarios)[571].

Continuando con la idea anterior, debe tenerse en cuenta, asimismo, que la mayor parte de la doctrina y la jurisprudencia han usado a lo largo del tiempo diversos términos para referirse indistintamente al retracto convencional. Entre ellos pueden citarse, por ejemplo, el de derecho de retroventa, pacto de retroventa, pacto de retro, retroventa o venta a carta de gracia, entre otros[572]. Del mismo modo, la figura

---

de la autonomía de la voluntad es muy superior...". Marín López, J. J., "Comentario a la STS 13 mayo 2009", ob. cit., pág. 392.

[570] Rubio Torrano, E., "Comentario a la STS 3 marzo 1995", ob. cit., pág. 799; Albaladejo García, M., *Derecho Civil III...*, ob. cit., pág. 809. Azpiazu llega al punto de calificar al retracto convencional como "único verdadero retracto". Véase Azpiazu, J., ob. cit., pág. 86.

[571] Mateo Sanz, J. B., *El retracto convencional: relación jurídica y derecho subjetivo*, Dykinson, Madrid, 2000, pág. 24; Rivera Sabatés, V., *El retracto convencional*, ob. cit., pág. 12. En este sentido, la STS 22 abril 2008 (TOL1.320.864) reconoce que son tres los retractos que admite nuestro ordenamiento: "...*el convencional previsto en los artículos 1507 y siguientes del Código civil, el legal que establecen tanto el Código civil como diversas leyes especiales y el llamado voluntario...*". Igualmente, la RDGRN 10 abril 2014 (TOL4.277.898).

Puig Brutau sigue sosteniendo, sin embargo, que debería de reservarse el término retracto para hacer alusión al retracto convencional. Puig Brutau, J., *Fundamentos de Derecho Civil T. III. Vol. III...*, ob. cit., págs. 394 y 395. También parece compartir esta opinión Badenes Gasset, R., *La preferencia adquisitiva en el derecho español (tanteo, retracto, opción)*, ob. cit., págs. 33 y 34.

[572] Todos estos ejemplos y muchos otros pueden consultarse en Mateo Sanz, J. B., ob. cit., págs. 19 y 20. Véase, asimismo, Vivas Tesón, I., *La compraventa con pacto de retro en el Código Civil*, ob. cit., págs. 30 y 31.

Según Aranda, "la razón de una u otra denominación no es más que el momento en que se encontraba el jurista". Aranda Rodríguez, R., "Comentario al artículo 1507", ob. cit., pág. 256. En parecido sentido, De La Iglesia Monje, M., ob. cit., pág. 34.

que nos ocupa recibe una denominación diversa en alguno de los Derechos civiles territoriales, como es el caso de los Derechos catalán[573] y navarro[574].

Habiendo tratado de esclarecer, en la medida de lo posible, el significado y alcance del término "retracto", conviene centrarse a continuación en su manifestación como retracto convencional.

2.2. Naturaleza jurídica

El retracto convencional ha sido (y es todavía hoy) objeto de debate tanto por la doctrina *iusprivatista* patria[575] como extranjera[576]. Así, no solo se ha discutido copiosamente acerca de su naturaleza[577], sino que también se ha dudado de su licitud, entre otras razones, por los peligros que desde antiguo nuestros autores atribuyen a esta institu-

---

No obstante lo anterior, un sector de la doctrina prefiere ser más riguroso, exigiendo que las expresiones empleadas se usen para calificar correctamente los concretos elementos que componen la figura que nos ocupa. De este modo, de la exposición que realiza Rivera Sabatés se desprende que a la hora de utilizar las expresiones citadas más arriba habrá de ponerse especial atención en si nos hallamos ante el derecho de retracto convencional en sentido estricto, el pacto que lo alberga o, finalmente, el contrato-base. Véase Rivera Sabatés, V., *El retracto convencional*, ob. cit., págs. 1 y ss. De forma similar, Díez Soto sostiene que la doctrina viene utilizando de manera indistinta diversas expresiones para referirse, de un lado, al derecho de retracto y, de otro, al pacto que se añade a la compraventa. Díez Soto, M., "Comentario al artículo 1507", ob. cit., pág. 10679.

Con independencia de las buenas intenciones de los autores señalados en el párrafo anterior, lo cierto es que, como ya señalamos, doctrina y jurisprudencia emplean de manera indistinta las expresiones ya citadas.

[573] El art. 568-1.1 d) Cc Cat. habla del "derecho de redimir en la venta a carta de gracia". Así, el art. 568-28 Cc Cat. define a esta figura como el "...*derecho de adquisición voluntaria que faculta al vendedor para readquirir el bien vendido...*".

[574] Las Leyes 575 FNN y ss. utilizan indistintamente las expresiones venta a retro, derecho de retraer, venta con pacto de retro y venta a carta de gracia. Así lo señala Aranda Rodríguez, R., "Comentario al artículo 1507", ob. cit., pág. 256.

[575] Haremos mención a la misma a lo largo de este apartado.

[576] Más detalles en Rivera Sabatés, V., *El retracto convencional*, ob. cit., págs. 217 y ss.

[577] Castán Tobeñas, J., *Derecho Civil Español, Común y Foral T. II Vol. I*, ob. cit., pág. 68; Aranda Rodríguez, R., "Comentario al artículo 1507", ob. cit., pág. 257; Roca Sastre, R. M. ª, *Derecho Hipotecario T. III*, 1979, ob. cit., pág. 619.

ción, destacando, entre otros, la posible vulneración de la prohibición del pacto comisorio[578], la usura[579].

Centrándonos en este apartado en la controvertida cuestión de su naturaleza jurídica, debemos comenzar advirtiendo que cualquier aproximación al problema jurídico que se nos plantea nos obliga a realizar un análisis retrospectivo de la figura del retracto convencional. En este sentido, creemos que no erramos al afirmar que solo puede comprenderse el asunto que nos ocupa si se parte de unos breves, aunque esperamos que esclarecedores, apuntes de carácter histórico-jurídico[580].

La doctrina suele situar el origen de la figura en la era romana[581]. Son escasas, sin embargo, las menciones que se hacen a esta figura en el Derecho romano, lo cual puede deberse al hecho de que, como apunta Vivas Tesón, el *pactum de retrovendendo* no pareció desempeñar un importante rol en la vida socioeconómica de la época[582]. Lo cierto es que la doctrina apunta que la única referencia clara sobre esta figura se recoge en la Constitución del Emperador Alejandro Se-

---

[578] García Cantero, G., "Comentario al artículo 1506", ob. cit., págs. 547 y 548.
[579] Rubio Torrano, E., *El pacto de retroventa*, ob. cit., págs. 74 y ss.
[580] En el mismo sentido, Vivas Tesón, I., *La compraventa con pacto de retro en el Código Civil*, ob. cit., pág. 97. No en vano hay quien afirma que, de las instituciones que se vienen calificando como derechos de adquisición preferente, "*el retracto convencional* es la figura de mayor solera y tradición histórica". Álvarez Caperochipi, J. A., *Curso de Derechos Reales...*, ob. cit., pág. 205.
[581] Ondovilla Durán, A., "Naturaleza del retracto convencional. La acción que en su virtud compete al vendedor, ¿es real o personal?", *R.G.L.J.*, 1876, pág. 266; Vivas Tesón, I., *La compraventa con pacto de retro en el Código Civil*, ob. cit., pág. 98.
[582] Vivas Tesón, I., *La compraventa con pacto de retro en el Código Civil*, ob. cit., pág. 101.

vero (C.4,54,2)[583], del cual se desprende el carácter obligacional de este tipo de pacto[584].

Será en la era del *ius commune* cuando el pacto de retroventa alcanzará un mayor desarrollo, motivado ello tanto por las carencias propias del sistema de ordenación del crédito de la época como por la consagración de la tierra como principal activo[585]. En cuanto al tema que nos ocupa, Roca Sastre sostiene que durante una primera etapa del Derecho intermedio, el pacto de retro tendría, al igual que en la época romana, un alcance meramente personal[586]. No obstante, el autor advierte que en una fase posterior no se dudó en afirmar la trascendencia jurídico-real del retracto convencional[587].

Así las cosas, el pacto de retro llegó a ser regulado en el Código de las Siete Partidas; más concretamente, en la Ley 42 Título 5 Partida 5, bajo el rótulo "de los que venden por cierto precio a otros alguna cosa, con condicion quel vendedor, o su heredero, la puedan cobrar tornando el precio"[588]. Esta norma no consiguió, sin embargo, despe-

---

[583] Vivas Tesón, I., *La compraventa con pacto de retro en el Código Civil*, ob. cit., págs. 104 y 105; Roca Sastre, R. M.ª, *Derecho Hipotecario T. III*, 1979, ob. cit. págs. 616 y 617; Badenes Gasset, R., *La preferencia adquisitiva en el derecho español (tanteo, retracto, opción)*, ob. cit., pág. 9. El pasaje arriba señalado indica que "si tus ascendientes vendieron un fundo con el pacto de que fuese restituido si ellos mismos o sus herederos le hubiesen ofrecido el precio al comprador, ya en algún tiempo ya dentro de ciertos plazos, si estando tú dispuesto a cumplir la estipulación dicha no se atuviese a ella el heredero del comprador, a fin de que se observe la fe en el contrato se te dará la acción de lo pactado (*actio praescriptis verbis*) o la venta (*ex vendito*), habida cuenta de lo que después de ofrecida la cantidad en virtud del pacto fue a poder de tu adversario por razón de este fundo". La traducción ha sido extraída de Roca Sastre, R. M.ª, *Derecho Hipotecario T. III*, 1979, ob. cit., págs. 616 y 617 nota al pie núm. 1.

[584] Roca Sastre, R. M.ª, *Derecho Hipotecario T. III*, 1979, ob. cit., págs. 616 y 617; Ondovilla Durán, A., ob. cit., pág. 275.

[585] Vivas Tesón, I., *La compraventa con pacto de retro en el Código Civil*, ob. cit., pág. 108. Véase asimismo Rubio Garrido, T., *La propiedad inmueble...*, ob. cit. pág. 34; Ondovilla Durán, A., ob. cit., pág. 266. Precisamente, el auge de la figura durante esta época es la que lleva a Rubio Torrano a señalar que se trata de una figura que, más bien, aparece en el derecho común y no en el derecho romano. Rubio Torrano, E., *El pacto de retroventa*, ob. cit., pág. 37.

[586] Roca Sastre, R. M.ª, *Derecho Hipotecario T. III*, 1979, ob. cit., pág. 617.

[587] Roca Sastre, R. M.ª, *Derecho Hipotecario T. III*, 1979, ob. cit., pág. 617.

[588] Según esta Ley "por cierto precio vendiendo un ome a otro alguna cosa, poniendo tal pleyto entre si en la vendida que quando quier (1) que el vendedor (2), o

jar las sombras que tradicionalmente ha planteado la figura objeto de examen[589], pero creemos que puede afirmarse con certeza que la Ley de Partidas siguió al Derecho romano en lo que se refiere a la naturaleza (personal) de la acción otorgada al vendedor en los supuestos de pacto de retroventa[590].

---

sus herederos (3), tornassen el precio al comprador, o a los suyos, que fuessen tenudos a tornarle (4) aquella cosa que assi vendiese (b); dezimos, que si tal pleyto fuere puesto en la vendida, que deue ser guardado: e si el comprador o sus herederos, non quisieren guardar el pleyto, nin tornar la cosa, assi como es sobredicho, si pena fuere puesta en el pleyto, deuela pechar. E si el vendedor, o sus herederos, quisieren rescebir la pena (5) deuese partir de la cosa vendida; fueras ende, si el pleyto fue puesto, que tornasse la cosa, e pechasse (6) la pena. E si pena non fue puesta en el pleyto, entonce el comprador (7) es tenudo de tornar la cosa en todas guisas (8), si es en poder; e si en su poder non es (9), deue pechar (10) al vendedor todos los daños, en los menoscabos, que le vinieron porque non torno aquella cosa, que assi auia vendida".
Más detalles sobre el tema en: Vivas Tesón, I., *La compraventa con pacto de retro en el Código Civil*, ob. cit., pág. 111.

[589]   García Cantero afirma que "la transcrita Ley de Partidas no es, ciertamente, un modelo de claridad". García Cantero, G., "Comentario al artículo 1506", ob. cit., pág. 513.

[590]   Roca Sastre, R. M. ª, *Derecho Hipotecario T. III*, 1979, ob. cit., pág. 617. Véase, asimismo, García Cantero, G., "Comentario al artículo 1506", ob. cit., pág. 513. En este sentido y de forma muy expresiva, Rivera Sabatés llegó a afirmar que "con el directo pero lejano antecedente de las Partidas (5,5,42), cuya diamantina expresión no permitía sino una interpretación monodireccional, se sostuvo, en la esfera doctrinal patria el talante meramente personal de la acción rescatadora". Rivera Sabatés, V., *El retracto convencional*, ob. cit., pág. 199. Prueba de esta postura es que Badenes Gasset afirma que el texto de la Ley de las Partidas a la que se ha hecho referencia "...más ampliado viene a ser en esencia igual a aquella ley del *Codex*...". Badenes Gasset, R., *La preferencia adquisitiva en el derecho español (tanteo, retracto, opción)*, ob. cit., pág. 14.
Por su parte, Rubio Torrano también estima que la acción que otorgaba el retracto convencional era personal. Rubio Torrano, E., *El pacto de retroventa*, ob. cit., pág. 71.
No obstante lo anterior, Vivas Tesón señala que la doctrina de la época siguió debatiendo acerca de la naturaleza jurídica de la acción otorgada al retrayente en los supuestos de pacto de retroventa. Vivas Tesón, I., *La compraventa con pacto de retro en el Código Civil*, ob. cit., pág. 112.

El cambio de criterio en cuanto a la naturaleza jurídica parece ir conectado con las normas hipotecarias de 1861[591] y 1869[592], las cuales influyeron notablemente en los pronunciamientos de los tribunales y en la doctrina de la Dirección General de los Registros y del Notariado[593]. Así, puede apreciarse cómo, a partir de este período, se dan diversas soluciones prácticas respecto de la caracterización de la acción derivada del retracto convencional, que pasan, en unos casos, por reafirmar su carácter obligacional; por guardar, en otros supuestos, silencio respecto de su naturaleza, y, como mayor novedad, por predicar el carácter mixto de la acción derivada del pacto de retroventa, siempre y cuando se hubiese anotado en los Registros de la Propiedad (especialmente la STS 12 mayo 1875)[594]. Esta última postura mereció las críticas de algunos de los autores de la época que, como Ondovilla Durán, rechazaron la existencia de acciones de naturaleza mixta[595].

La codificación supuso una oportunidad para poner punto y final a la confusión descrita en el párrafo precedente y para adoptar una pauta clara acerca de la caracterización de la acción otorgada al vendedor en los supuestos de retracto convencional[596]. De este modo, existían dos caminos posibles a tomar: o se adoptaba un criterio restrictivo (naturaleza meramente personal); o, por el contrario, se opta-

---

[591] García Cantero insiste en que el cambio de criterio se da a partir de la promulgación de la citada norma. Véase García Cantero, G., "Comentario al artículo 1510" en *Comentarios al Código Civil y Compilaciones Forales T. XIX* (dirs. Albaladejo García, M y Díaz Alabart, S.), EDERSA, Madrid, 1991, pág. 580. Rivera Sabatés sostiene, en cambio, que la Ley Hipotecaria de 1861 no supuso una gran novedad respecto de la cuestión que nos ocupa, ya que se limitó a recoger en su articulado la prohibición de hipotecar los bienes enajenados a través de un contrato de compraventa con pacto de retro hasta que esta quedase consumada o, en su caso, resuelta. Rivera Sabatés, V., *El retracto convencional*, ob. cit., pág. 201.

[592] Esta norma permitía hipotecar los bienes vendidos mediante una compraventa con pacto de retro, siempre y cuando se cumpliera con una serie de requisitos. Rivera Sabatés, V., *El retracto convencional*, ob. cit., pág. 201.

[593] Rivera Sabatés, V., *El retracto convencional*, ob. cit., pág. 202.

[594] Rivera Sabatés, V., *El retracto convencional*, ob. cit., pág. 202. También Badenes Gasset, R., *La preferencia adquisitiva en el derecho español (tanteo, retracto, opción)*, ob. cit., pág. 25; Rubio Torrano, E., *El pacto de retroventa*, ob. cit., págs. 86-95.

[595] Ondovilla Durán, A., ob. cit., pág. 279.

[596] García Cantero, G., "Comentario al artículo 1510", ob. cit., pág. 581; Rivera Sabatés, V., *El retracto convencional*, ob. cit., pág. 205.

ba por un uno amplio (oponibilidad del derecho frente a terceros)[597]. Ante esta tesitura, el legislador se inclinó, como era de esperar[598], por la segunda de las soluciones expuestas, de modo que el art. 1510 Cc reza todavía hoy: "*el vendedor podrá ejercitar su acción contra todo poseedor que traiga su derecho del comprador, aunque en el segundo contrato no se haya hecho mención del retracto convencional; salvo lo dispuesto en la Ley Hipotecaria respecto de terceros*"[599].

No obstante la claridad del precepto[600], la doctrina civilista parece haberse resistido a abandonar el ya eterno debate sobre la naturaleza jurídica del retracto convencional, proponiendo diversas teorías sobre la cuestión "…según se cargue el acento sobre la venta que se deshace o sobre la retroventa que tiene lugar al ejercitarse el derecho a retraer"[601]. Así, las corrientes que han tenido una mayor acogida en nuestro ordenamiento son, de un lado, la que considera a la retroven-

---

[597] García Cantero, G., "Comentario al artículo 1510", ob. cit., pág. 581; Rivera Sabatés, V., *El retracto convencional*, ob. cit., pág. 205.

[598] Son varios los autores que estiman que la adopción de un criterio restrictivo hubiese sido contradictorio, ya que carecía de sentido regular el pacto de retro para después limitar su alcance. Véanse García Cantero, G., "Comentario al artículo 1510", ob. cit., pág. 581; Rivera Sabatés, V., *El retracto convencional*, ob. cit., pág. 205; Rubio Torrano, E., "Comentario al artículo 1510" en *Comentario del Código Civil T. II* (dir. Paz-Ares Rodríguez, C. *et al.*), Ministerio de Justicia, Madrid, 1991, pág. 994.

[599] Este precepto tiene su antecedente directo en el art. 1439 del Proyecto de García Goyena, el cual se inspiró a su vez en el art. 1664 del *Code civil*, debiendo advertirse, sin embargo, que la doctrina francesa mantiene un criterio unánime a la hora de deducir el carácter real de la acción del pacto de retroventa a partir de la lectura de este último precepto. Véanse Roca Sastre, R. M. ª, *Derecho Hipotecario T. III*, 1979, ob. cit., pág. 618; Álvarez Caperochipi, J. A., *Curso de Derechos Reales…*, ob. cit., pág. 208; Rubio Torrano, E., "Comentario al artículo 1510", ob. cit., pág. 995.
       La Propuesta de Código civil de la Asociación de Profesores de Derecho Civil es más clara sobre la cuestión, ya que en su articulado se reconoce la oponibilidad (art. 3113-17) y el carácter real del "derecho de readquisición" (art. 3111-1.1). Véase Mas Badía, M. ª D., "Título XI del Libro III", ob. cit., págs. 488 y ss.

[600] El art. 1510 Cc es bastante claro en cuanto al carácter real de la acción derivada de la retroventa. En este sentido, Castán Tobeñas, J., *Derecho Civil Español, Común y Foral T. II Vol. I*, ob. cit., pág. 68; Badenes Gasset, R., *La preferencia adquisitiva en el derecho español (tanteo, retracto, opción)*, ob. cit., pág. 25.

[601] Vivas Tesón, I., *La compraventa con pacto de retro en el Código Civil*, ob. cit., pág. 152.

ta como una condición resolutoria expresa de carácter potestativo[602] y, de otro, aquella que sostiene que nos hallamos, más bien, ante un derecho real[603].

No resulta difícil, en contra de alguna opinión[604], estar de acuerdo con la segunda de las posturas referidas en el párrafo anterior y ello no tanto por los serios reparos que pueden oponerse a la calificación de la retroventa como condición resolutoria[605], sino que se debe al

---

[602]   Esta ha sido la postura que tradicionalmente ha experimentado un mayor apoyo entre la doctrina y jurisprudencia de nuestra nación. Véase Vivas Tesón, I., *La compraventa con pacto de retro en el Código Civil*, ob. cit., págs. 158 y ss.; De La Iglesia Monje, M., ob. cit., págs. 35 y ss. En este sentido, puede decirse que esta es la tesis mantenida por Rubio Torrano, E., *El pacto de retroventa*, ob. cit., págs. 141 y ss. García Cantero, sin embargo, pone de relieve que no estamos ante una condición potestativa en el sentido estricto, ya que, además de la voluntad del retrayente, es necesario que se cumpla con los requisitos estipulados en el art. 1518 Cc para que esta despliegue sus efectos. Así, García Cantero, G., "Comentario al artículo 1507" en *Comentarios al Código Civil y Compilaciones Forales T. XIX* (dirs. Albaladejo García, M y Díaz ALABART, S.), EDERSA, Madrid, 1991, págs. 555 y 556.

[603]   Podría decirse que esta es la tesis mayoritaria entre la doctrina moderna. Vivas Tesón, I., *La compraventa con pacto de retro en el Código Civil*, ob. cit., pág. 174. Sostienen esta postura, entre otros, Peña Bernaldo de Quirós, M., *Derechos Reales. Derecho Hipotecario T. I*, ob. cit., pág. 736; Santos Briz, J., "Derechos reales de adquisición...", ob. cit., pág. 341; Mateo Sanz, J. B., ob. cit., pág. 80.

[604]   Según Vivas Tesón, resulta casi imposible dar una respuesta unitaria sobre la cuestión de la naturaleza jurídica de la retroventa. Vivas Tesón, I., *La compraventa con pacto de retro en el Código Civil*, ob. cit., págs. 191 y 192.

[605]   Como apunta Vivas Tesón, la retroventa no parece presentar los caracteres propios de una condición ni adaptarse completamente al funcionamiento retroactivo que viene caracterizando a esta figura. Ampliamente en Vivas Tesón, I., *La compraventa con pacto de retro en el Código Civil*, ob. cit., págs. 165 y ss. Por lo que se refiere al primero de los defectos señalados, la STS 28 diciembre 1984 (TOL1.737.348) acierta al señalar que nos hallamos ante "...*una condición en sentido técnico al referir la resolución de derechos adquiridos por el comprador a un acaecimiento futuro e incierto absolutamente independiente de la voluntad de la vendedora, pugnando con ello el pacto de reversión estipulado con el carácter de condición potestativa y dependiente de la sola voluntad del vendedor que el retracto convencional significa...*". Asimismo, la STS 17 marzo 1997 (TOL5.114.531), señala, en relación a los hechos litigiosos, que "*estamos ante una condición resolutoria cuya efectividad dependía del cumplimiento o incumplimiento de la obligación relativa a la iniciación de una actividad de hostelería en la finca comprada dentro del plazo de dos años contados desde la venta, que no cabe estimar como retracto convencional, el cual se produciría si el vendedor*

simple hecho de que la acción que se atribuye al retrayente es de indudable carácter real (*ex* art. 1510 Cc)[606]. Este argumento se ve reforzado, además, por la posibilidad de hipotecar el derecho de retracto (*ex* art. 107.8 LH), así como por la previsión contenida en el art. 1520 Cc, que establece que "*el vendedor que recobre la cosa vendida, la recibirá libre de toda carga o hipoteca impuesta por el comprador, pero estará*

---

se hubiera reservado el derecho de recuperar la cosa transmitida mediante la satisfacción de las prestaciones indicadas en el artículo 1518 y lo demás que se hubiese pactado, tal como dispone el artículo 1507, siempre mediante su iniciativa unilateral en el plazo marcado dentro de los límites fijados en el artículo 1508, que es distinto de lo establecido en la cláusula tercera del mencionado contrato de compraventa, donde el hipotético retracto aducido por la recurrente no opera por la voluntad exclusiva del vendedor, sino en función del cumplimiento o no de los requisitos voluntariamente aceptados por el comprador...". En igual sentido, la STS 23 octubre 2002 (TOL2.411.615), el referirse al retracto convencional, señala que "*...se trata en definitiva de un pacto de reversión estipulado con el carácter de condición potestativa (S. 26 diciembre de 1984). Son notas características: a), que su ejercicio dependa de la simple voluntad del vendedor (SS. 28 diciembre 1984 y 25 abril 1992) –a su iniciativa unilateral, SS. 3 abril 1981 y 17 marzo 1997-, por lo que no concurre tal requisito en los supuestos de operatividad de condición resolutoria expresa (casos de las Sentencias de 28 de diciembre de 1984 y 17 marzo 1997...*".

En cuanto al segundo de los inconvenientes expuestos, Díez Soto, quien no parece mostrarse reacio a aplicar el régimen de la condición al pacto de retro cuando sea ello posible, realiza, sin embargo, una serie de matizaciones en cuanto a la retroactividad que se viene predicando respecto de la figura del retracto convencional. En este sentido, en mencionado autor apunta que el efecto retroactivo no afecta a los intereses de los terceros frente a los cuales no pueda hacerse valer el derecho de retracto. Véase Díez Soto, M., "Comentario al artículo 1510" en *Comentarios al Código Civil T. VIII* (dir. Bercovitz Rodríguez-Cano, R.), Tirant Lo Blanch, Valencia, 2013, págs. 10687 y 10688.

Todas estas críticas y algunas otras más son contestadas fervientemente por Rivera Sabatés, V., *El retracto convencional*, ob. cit., págs. 148 y ss.

[606]   Como afirma con agudeza Rivera Sabatés: "*...la acción traduce el vivo reflejo del derecho del que emana, y comparte su misma esencia y sustancia*". Rivera Sabatés, V., *El retracto convencional*, ob. cit., págs. 207 y 208. Véase, asimismo, Rubio Torrano, E., *El pacto de retroventa*, ob. cit., pág. 96. En este sentido, ya antes de la codificación, Ondovilla conectó la acción con la naturaleza del derecho, señalando que "*...disputar, pues, cual es la acción que del retracto convencional nace, es lo mismo que dudar de su naturaleza*". Ondovilla Durán, A., ob. cit., pág. 266.

obligado a pasar por los arriendos que éste haya hecho de buena fe y según costumbre del lugar en que radique"[607].

Puede concluirse, pues, que, con independencia del mayor o menor acierto a la hora de afirmar que el pacto de retro queda configurado como una condición resolutoria[608], lo que es claro es que el retracto convencional ha de considerarse como un derecho[609] real[610] de adqui-

---

[607] Véase Díez Soto, M., "Comentario al artículo 1510", ob. cit., pág. 10689.

[608] Algún autor, en lo que parece un intento de conciliar las tesis anteriormente expuestas, no teme afirmar que el pacto de retro queda configurado como una condición resolutoria que encierra un auténtico derecho de carácter real. En este sentido, Aranda Rodríguez, R., "Comentario al artículo 1507", ob. cit., pág. 257. Así, hay quien sostiene que hay que distinguir, de un lado, la naturaleza del pacto de retro accesorio a la venta (condición resolutoria) y, de otro, la del retracto convencional (derecho de carácter real). Véase Lacruz Berdejo, J. L. *et al.*, *Elementos de Derecho Civil II Derecho de obligaciones Vol. II Contratos y cuasicontratos. Delito y cuasidelito*, 5 ª ed. rev. y puesta al día por Rivero Hernández, F., Dykinson, Madrid, 2013, págs. 72 y 73.

[609] Rivera Sabatés, V., *El retracto convencional*, ob. cit., págs. 208 y 209.

[610] Puede citarse, por ejemplo, la STS 23 octubre 2002 (TOL2.411.615). Así, el retracto convencional presenta los caracteres propios de los derechos reales, ya que, como explicamos en otro punto de este trabajo, aunque no pueda hablarse de una verdadera inmediatez, sí que existe inherencia respecto de la cosa. Véanse Rivera Sabatés, V., *El retracto convencional*, ob. cit., págs. 209 y 210; Vivas Tesón, I., *La compraventa con pacto de retro en el Código Civil*, ob. cit., págs. 177 y 178. En contra de lo anterior parece mostrarse Álvarez Caperochipi, quien hace depender la eficacia real del pacto de retroventa de su inscripción en el Registro de la Propiedad. Álvarez Caperochipi, J. A., *Curso de Derechos Reales...*, ob. cit., pág. 208.

sición[611] (preferente)[612] que se asemeja en muchos sentidos al derecho de opción[613]. Sobre este último punto cabe destacar que un sector de la doctrina considera que el retracto convencional no es más que un tipo de opción[614]. Esta tesis parece casar con la moderna corriente que

---

[611] Puig Brutau, al estudiar los derechos de adquisición preferente de origen negocial, rehúsa examinar la figura del retracto convencional por entender que no se trata de un derecho de adquisición, sino, más bien, de readquisición. Puig Brutau, J., *Fundamentos de Derecho Civil T. III. Vol. III...*, ob. cit., pág. 397. En este sentido, la ya citada STS 23 octubre 2002 (TOL2.411.615) apunta que uno de los caracteres propios del retracto convencional es "*...que consista en un derecho a retraer o recuperar, no a adquirir de nuevo, y por faltar esta nota de readquisición no se consideró retracto convencional el supuesto examinado en la Sentencia de 25 de abril de 1992*".
Nosotros entendemos que, aunque técnicamente sea más correcto hablar de "readquisición", ello no impide encuadrarlo dentro de la categoría de derechos reales de adquisición. Creemos que en este sentido se pronuncia Vivas Tesón, quien, a pesar de reconocer esta matización, señala que parte de la doctrina moderna sitúa el retracto convencional dentro de los derechos reales de adquisición preferente. Consúltese Vivas Tesón, I., *La compraventa con pacto de retro en el Código Civil*, ob. cit., pág. 179. Es de destacar que el art. 3111-1.4 de la Propuesta de Código civil de la Asociación de Profesores de Derecho Civil califica a este derecho como "de readquisición", aunque lo agrupa dentro del rótulo de los "derechos de adquisición". Véanse arts. 3111-1 y ss. Mas Badía, M. ª D., "Título XI del Libro III", ob. cit., pág. 489.

[612] Un conjunto de autores niega la nota de preferencia en esta figura ya que, desde su perspectiva, no se trata de una característica propia de esta clase de derechos, en tanto en cuanto no es necesario que el comprador enajene la cosa a un tercero para que pueda hablarse de retracto convencional. Arechederra Aranzadi, L., "Los derechos de tanteo y retracto convencionales configurados con carácter personal", *R.D.P.*, febrero 1980, págs. 124 y 125. Rivera Sabatés, V., *El retracto convencional*, ob. cit., pág. 215; Mateo Sanz, J. B., ob. cit., págs. 81 y ss. Por nuestra parte, no rechazamos el empleo del mencionado adjetivo, ya que, en realidad, lo que se intenta poner de relieve es que el titular del retracto convencional adquirirá preferentemente la cosa frente a cualquier potencial adquirente, exista este o no.

[613] Ello se pone de relieve en la Propuesta de Código civil de la Asociación de Profesores de Derecho Civil, ya que el art. 3113-20 del citado texto señala, respecto del "derecho de readquisición", que "*en lo no previsto en esta Sección se aplican las normas que regulan el derecho de opción*". Mas Badía, M. ª D., "Título XI del Libro III", ob. cit., pág. 500. La Propuesta se halla claramente inspirada en el art. 568-28 Cc Cat., el cual dispone que "*el derecho de redimir (...) se rige por lo establecido por la presente sección y, si no es de aplicación, por las normas del derecho de opción, en la medida que sean de aplicación*".

[614] En especial, García Cantero, G., "Comentario al artículo 1506", ob. cit., pág. 542; García Amigo, M., ob. cit., págs. 121 y 122. Más tímidamente Rubio To-

considera que, en el ámbito de los derechos reales de adquisición, el derecho de opción es género, mientras que tanteos y retractos no son más que un subtipo de aquel[615].

No obstante lo anterior, nosotros no creemos que pueda existir una identificación total entre derecho de opción y retracto convencional. Se trata de instituciones similares, lo que no quiere decir que sean idénticas. Así, Vivas Tesón manifiesta que, entre otras cosas, la posición del titular del derecho varía en función de que nos hallemos ante un retracto convencional (readquisición del bien) o de un derecho de opción en el sentido estricto (adquisición del bien por primera vez)[616]. En este sentido, nuestro Alto Tribunal también ha subrayado las diferencias entre ambas instituciones en la STS 24 octubre 1990 (TOL1.729.472)[617], al igual que lo hizo en su día la Dirección General de los Registros y del Notariado en su RDGRN 27 marzo 1947 (RJ 1947\440)[618].

---

rrano, E., *El pacto de retroventa*, ob. cit., pág. 119.

[615] Lacruz Berdejo, J. L. *et al.*, *Elementos de Derecho Civil III Derechos reales Vol. II*, ob. cit., pág. 344.

[616] Vivas Tesón, I., *La compraventa con pacto de retro en el Código Civil*, ob. cit., págs. 182 y ss. Abunda en los motivos esgrimidos para mantener la separación teórico-práctica de ambas figuras Rivera Sabatés, V., *El retracto convencional*, ob. cit., págs. 158 y ss.

[617] En el citado pronunciamiento se puso de relieve que *"...el derecho de opción, de naturaleza jurídica personal, es un contrato principal, pues no puede sostenerse que se halle subordinado a la declaración de voluntad del optante manifestándose conforme con los términos de la oferta, ni puede decirse que sea una mera cláusula de otro contrato, aunque en el caso debatido se incluya materialmente en otro contrato. Además, la opción origina un contrato unilateral, pues sólo crea para el concedente la obligación de mantener su oferta y que para el optante el derecho de aceptarla o dejarla caducar. Pero en su fase evolutiva posterior, realizada la opción positiva en el plazo señalado, se torna en bilateral, puesto que el optante asume ya las obligaciones derivadas de la oferta (pago del precio, recepción de la cosa, etc.). Es, por último, un contrato consensual, creador a favor del optante de un mero derecho obligacional. Características que, junto a otras e incluso por sí solas, son suficientes para no confundir la opción contractual con el derecho real de retracto en cualquiera de sus variedades"*.

No obstante las apreciaciones anteriores, conviene destacar que, bajo nuestro punto de vista, el derecho de opción puede configurarse, asimismo, como un derecho real. Sobre ello nos pronunciaremos más adelante.

[618] En la mencionada resolución se afirmó *"que la posible analogía que pudiera guardar dicha relación jurídica con el retracto convencional queda descartada desde*

Debe finalizarse apuntando que la catalogación descrita en los párrafos anteriores no obsta, desde luego, la posibilidad de que la retroventa pueda ser libremente configurada por las partes como un derecho de naturaleza meramente personal (*ex* art. 1255 Cc)[619].

2.3. Ámbito de actuación de la autonomía privada

Los riesgos e inseguridades que históricamente se han venido imputando a la institución del retracto convencional no solo han servido para justificar su regulación[620], sino que también parecen explicar la especial atención que el legislador ha prestado a la reglamentación de esta figura (hasta catorce preceptos)[621]. Así, aunque el origen de la retroventa sea negocial[622], la mayor parte de las normas que el Código

---

el momento que carece de los dos elementos esenciales exigidos por el Código Civil en sus artículos 1507 y 1508, y que son la consignación expresa del derecho de retraer, cumpliendo lo prevenido en el artículo 1518, y el establecimiento de un plazo para su ejercicio que, en defecto de pacto expreso, lo señala taxativamente dicho Cuerpo Legal, por todo lo cual pudiera estimarse que el contenido de dicha relación guarda mayor afinidad con el denominado derecho de opción, pero configurado en este caso como simple compromiso o promesa de venta, según lo demuestran las siguientes circunstancias: primera, la transmisión del dominio de la finca vendida se verificó total y definitivamente sin ninguna reserva ni limitación, según se hace constar en la propia escritura; segunda, la obligación contenida en la estipulación de referencia crea sólo un vínculo obligacional entre los contratantes y sus herederos, como aparece de su tenor literal «viene obligado el señor B., y en su caso sus herederos, a ceder a la señora R. M. o a los suyos»; tercera, existe una absoluta indeterminación en cuanto al plazo para el ejercicio del derecho concedido a la vendedora, y cuarta, de todo ello se deduce que no ha pretendido constituirse un típico derecho de opción con carácter real, figura esta que, sin hallarse todavía regulada en nuestro régimen hipotecario y cuyo acceso al Registro ha sido ampliamente discutido, puede, no obstante, ser admitida con un criterio progresivo al amparo de la doctrina del «numerus apertus»".

[619] Rivera Sabatés, V., *El retracto convencional*, ob. cit., pág. 207; Aranda Rodríguez, R., "Comentario al artículo 1507", ob. cit., pág. 265.

[620] Díez Soto, M., "Comentario al artículo 1507", ob. cit., págs. 10682 y10683; Vivas Tesón, I., *La compraventa con pacto de retro en el Código Civil*, ob. cit., págs. 49 y 50.

[621] Díez Soto, M., "Comentario al artículo 1507", ob. cit., pág. 10683; Vivas Tesón, I., *La compraventa con pacto de retro en el Código Civil*, ob. cit., págs. 47 y ss.

[622] Sobre esta cuestión nos detuvimos más arriba. No obstante, véase Vivas Tesón, I., *La compraventa con pacto de retro en el Código Civil*, ob. cit., pág. 47.

civil dedica a su regulación tienen un marcado carácter imperativo[623], pudiendo citarse como ejemplos, entre otros, los arts. 1509[624], 1514[625], 1515[626], 1517[627] y, en cierta medida, el art. 1518 Cc[628]. La inclusión de

---

[623] Rubio Torrano, E., "Comentario al artículo 1507" en *Comentario del Código Civil T. II* (dir. Paz-Ares Rodríguez, C. *et al.*), Ministerio de Justicia, Madrid, 1991, pág. 990.

[624] Así lo señala Vivas Tesón, I., *La compraventa con pacto de retro en el Código Civil*, ob. cit., pág. 51. La norma impone categóricamente que "*si el vendedor no cumple lo prescrito en el artículo 1.518, el comprador adquirirá irrevocablemente el dominio de la cosa vendida*".

[625] La norma prevé que "*cuando varios, conjuntamente y en un solo contrato, vendan una finca indivisa con pacto de retro, ninguno de ellos podrá ejercitar este derecho más que por su parte respectiva.*
Lo mismo se observará si el que ha vendido por sí solo una finca ha dejado varios herederos, en cuyo caso cada uno de éstos sólo podrá redimir la parte que hubiese adquirido". Desde nuestra perspectiva, la utilización de las expresiones "*ninguno de ellos podrá*" y "*sólo podrá redimir*" dejan bastante claro el carácter imperativo del precepto.

[626] Se cita como norma imperativa en Vivas Tesón, I., *La compraventa con pacto de retro en el Código Civil*, ob. cit., pág. 51. Según el precepto: "*en los casos del artículo anterior, el comprador podrá exigir de todos los vendedores o coherederos que se pongan de acuerdo sobre la redención de la totalidad de la cosa vendida; y, si así no lo hicieren, no se podrá obligar al comprador al retracto parcial*".

[627] Este artículo dispone que "*si el comprador dejare varios herederos, la acción de retracto no podrá ejercitarse contra cada uno sino por su parte respectiva, ora se halle indivisa, ora se haya distribuido entre ellos.*
Pero si se ha dividido la herencia, y la cosa vendida se ha adjudicado a uno de los herederos, la acción de retracto podrá intentarse contra él por el todo". En este sentido, el uso de locuciones como "*no podrá ejercitarse*", nos revelan que se trata de una norma de *ius cogens*.

[628] Estima que se trata de un precepto imperativo Vivas Tesón, I., *La compraventa con pacto de retro en el Código Civil*, ob. cit., pág. 51. En este sentido, la norma establece que "*el vendedor no podrá hacer uso del derecho de retracto sin reembolsar al comprador el precio de la venta, y además:*
1.º Los gastos del contrato y cualquier otro pago legítimo hecho para la venta.
2.º Los gastos necesarios y útiles hechos en la cosa vendida".
Debe matizarse, sin embargo, que nos hallamos ante lo que la doctrina conoce como una norma de "carácter mínimo imperativo", ya que, como se verá en este mismo apartado, las partes pueden obligarse a reembolsar una cantidad mayor de aquellas que menciona el precepto pero no ocupa, pero no menor. Sánchez González, M.ª y Benavente Moreda, P., "Comentario al artículo 1518" en *Jurisprudencia civil comentada. Código Civil T. III* (dir. Pasquau Liaño, M.), 2ª ed., Comares, Granada, 2009, pág. 3083. En parecido sentido, García Cantero, G., "Comentario al artículo 1518" en *Comentarios al Código Civil y Compilaciones*

preceptos coercitivos en la Sección primera del Capítulo VI del Título IV descubre, pues, las intenciones de nuestro legislador decimonónico, que no son otras que las de delimitar de forma precisa las fronteras impuestas a la autonomía privada en este particular sector[629].

Las restricciones a las que hemos hecho referencia en el párrafo anterior no implican, sin embargo, que los particulares no puedan configurar determinados aspectos relacionados con la figura que nos ocupa. En este sentido, puede decirse que el margen otorgado a la autonomía privada en este ámbito es bastante razonable[630], de modo que las partes, más allá de ponerse de acuerdo sobre el nacimiento de un derecho de retracto convencional, pueden modificar todos los aspectos de esta figura, siempre y cuando no se vulnere, huelga decir, ninguna norma de carácter imperativo[631], ni se vaya en contra de la moral o el orden público[632].

El propio Código civil prevé en su articulado una serie de preceptos que favorecen claramente la posibilidad de intervención de las partes, siendo así que, por ejemplo, el art. 1507 Cc establece que para que haya retracto convencional es necesario que el que vende *"...se reserve el derecho de recuperar la cosa vendida, con obligación de cumplir lo expresado en el artículo 1.518 y..."* —continúa el precepto— *"...lo demás que se hubiese pactado"*. Las partes podrán, por tanto, convenir que, además de reembolsar las cantidades a las que se refiere el art. 1518 Cc, el vendedor deba cumplir con otra serie de

---

Forales T. XIX (dirs. Albaladejo García, M y Díaz Alabart, S.), EDERSA, Madrid, 1991, pág. 603; Aranda Rodríguez, R., "Comentario al artículo 1518" en *Código Civil Comentado Vol. IV* (dirs. Cañizares Laso, A. *et al.*), 2ª ed., Aranzadi, Cizur Menor, 2016, págs. 273 y 274.

[629]　Díez Soto, M., "Comentario al artículo 1507", ob. cit., pág. 10683; Vivas Tesón, I., *La compraventa con pacto de retro en el Código Civil*, ob. cit., págs. 49 y ss.

[630]　Díez Soto y Vivas Tesón prefieren hablar de "amplitud", término que nos parece un tanto exagerado si se compara, como ya veremos con el desarrollo de la autonomía privada en el campo del retracto voluntario. Véase Díez Soto, M., "Comentario al artículo 1507", ob. cit., pág. 10683; Vivas Tesón, I., *La compraventa con pacto de retro en el Código Civil*, ob. cit., págs. 50 y 51. Por lo que se refiere al distinto juego de la autonomía privada en el campo de los retractos voluntarios puede consultarse Marín López, J. J., "Comentario a la STS 13 mayo 2009", ob. cit., pág. 392.

[631]　Marín López, J. J., "Comentario a la STS 13 mayo 2009", ob. cit., pág. 392.

[632]　Díez Soto, M., "Comentario al artículo 1507", ob. cit., pág. 10683.

obligaciones adicionales[633]. Se puede, pues, por voluntad de las partes aumentar la carga del retrayente, pero nunca disminuirla (art. 1507 en relación con el art. 1518 Cc)[634].

---

[633] Albácar López, J. L., "Comentario al artículo 1518" en *Código Civil. Doctrina y Jurisprudencia T. V*, 2ª ed., Trivium, Madrid, 1991, pág. 415.

[634] Albácar López, J. L., "Comentario al artículo 1507" en *Código Civil. Doctrina y Jurisprudencia T. V* (dir. Albácar López, J. L.), 2ª ed., Trivium, Madrid, 1991, pág. 387; Albácar López, J. L., "Comentario al artículo 1518", ob. cit., pág. 415; Sánchez González, M.ª y Benavente Moreda, P., "Comentario al artículo 1518", ob. cit., pág. 3083; Rubio Torrano, E., "Comentario al artículo 1518" en *Comentario del Código Civil T. II* (dir. Paz-Ares Rodríguez, C. *et al.*), Ministerio de Justicia, Madrid, 1991, pág. 1002. Esta tesis parece encontrar apoyo, según estiman Sánchez González y Benavente Moreda, en la RDGRN 27 abril 1990 (RJ\1990\2947), en la cual se deniega el acceso al Registro Mercantil de una cláusula, cuyo contenido principal rezaba "*...en caso de transmisión forzosa de acciones, los restantes accionistas tendrán un derecho de retracto que podrán ejercitar -únicamente sobre la totalidad de las acciones objeto de transmisión forzosa- durante los seis (6) meses siguientes a la adjudicación, pagando al contado un precio igual a (a) el valor neto contable de las acciones según el último balance de la sociedad que haya sido aprobado por la Junta General de Accionistas, o (b) el precio de adjudicación, o (c) el importe de la deuda, en caso de adjudicación en pago a los acreedores, aquel de ellos que sea el menor...*". En este sentido, en la citada resolución se puso de manifiesto que "*...en las cláusulas deben respetarse las exigencias imperativas del régimen de la responsabilidad universal (cfr. artículo 1911 del Código Civil) y por ello no puede dejarse al arbitrio de los demás socios o de la sociedad sustituir el precio ya obtenido por otro inferior -previsto en los Estatutos para el caso de tal enajenación forzosa- de modo que, en detrimento de los acreedores ejecutantes, quede en beneficio injustificado de los socios parte del valor de los bienes que responden de la deuda ejecutada, como tampoco cabe, sin norma especial que imponga otra cosa, que el ejercicio del derecho de retracto pueda significar perjuicio para el rematante (cfr. lo que para los retractos establecen los artículos 1525, 1518 y 1640 del Código Civil) si es que no se quiere inutilizar prácticamente la licitación y menoscabar la seriedad de las ventas públicas*". Díez Soto, por el contrario, no parece encontrar inconvenientes al hecho de que las partes pacten el reembolso de cantidades inferiores a las establecidas en el art. 1518 Cc. Díez Soto, M., "Comentario al artículo 1518" en *Comentarios al Código Civil T. VIII* (dir. Bercovitz Rodríguez-Cano, R.), Tirant Lo Blanch, Valencia, 2013, págs. 10706 y 10707. El citado autor parece encontrar apoyo en Vivas Tesón, I., *La compraventa con pacto de retro en el Código Civil*, ob. cit., pág. 426. Esta solución sería coherente, como indican los mencionados autores, con el actual art. 568-31 Cc Cat. (ellos se refieren al art. 328.1 de la derogada Compilación de Derecho Civil de Cataluña), el cual estipula, en relación con la venta a carta de gracia, que "*para obtener la redención, el redimente debe*

Enlazando con la idea anterior, cabe destacar que el inciso primero del art. 1508 Cc establece que el retracto convencional "...*durará, a falta de pacto expreso, cuatro años contados desde la fecha del contrato*"[635]. De este modo, los particulares podrán acordar el plazo de ejercicio del derecho de retracto que ellas estimen por conveniente, no pudiendo, sin embargo, configurarse como un plazo de prescripción[636] ni superar, en ningún caso, los diez años de duración (*ex* art. 1508 inciso segundo)[637].

Además de las posibilidades que ofrece la normativa, la doctrina insiste en la idea de que las partes podrán insertar en el contrato de

---

pagar al titular de la propiedad gravada: a) El precio fijado para la redención en el momento de la venta, que puede ser diferente del precio de esta. *Si no se fija expresamente ningún precio para la redención, se entiende que este es el mismo de la venta, calculado en dinero constante desde la fecha de la venta"*. Rubio Torrano se muestra, asimismo, a favor de la última de las tesis apuntadas. Rubio Torrano, E., *El pacto de retroventa*, ob. cit., pág. 227.

[635] Vivas Tesón, I., *La compraventa con pacto de retro en el Código Civil*, ob. cit., pág. 51.

[636] Se trata de un plazo de caducidad, por lo que la doctrina estima que la estipulación que acordase su configuración como un plazo de prescripción contravendría el orden público. García Cantero, G., "Comentario al artículo 1508" en *Comentarios al Código Civil y Compilaciones Forales T. XIX* (dirs. Albaladejo García, M y Díaz ALABART, S.), EDERSA, Madrid, 1991, págs. 569 y 570; Albácar López, J. L., "Comentario al artículo 1508" en *Código Civil. Doctrina y Jurisprudencia T. V* (dir. Albácar López, J. L.), 2ª ed., Trivium, Madrid, 1991, pág. 396.

[637] Este apartado tiene un indudable carácter imperativo. Así, Albácar López, J. L., "Comentario al artículo 1508", ob. cit., pág. 396; Pérez Conesa, M. ª C., "Comentario al artículo 1508" en *Comentarios al Código Civil* (coord. Bercovitz Rodríguez-Cano, R.), 3ª ed., Aranzadi, Cizur Menor, 2009, pág. 1767; García Cantero, G., "Comentario al artículo 1508", ob. cit., págs. 569 y 570; Fernández-Golfín Aparicio, A., Rivas Martínez, J. J., y Rodríguez Poyo-Guerrero, J-M., ob. cit., pág. 120. Nos deja bastante perplejos que De Otto y Crespo se mostrase claramente a favor de permitir la existencia de un pacto de retro por tiempo ilimitado. Véase De Otto y Crespo, N., "Del retracto convencional", *R.G.L.J.*, 1862, págs. 244 y 245.

Por otro lado, cabe destacar que en la Propuesta de Código civil de la Asociación de Profesores de Derecho Civil se ha optado, igualmente, por el límite temporal máximo de diez años de lo que allí se denomina "derecho de readquisición". En defecto de pacto se aplicará, asimismo, el límite de diez años antes mencionado (véase art. 3113-16 de la Propuesta). Mas Badía, M. ª D., "Título XI del Libro III", ob. cit., pág. 500.

compraventa con pacto de retro cualquier cláusula que estimen oportuna, siempre y cuando no se superen los límites impuestos por el art. 1255 Cc[638]. Así, puede acordarse, por ejemplo, que el vendedor continúe en la posesión del bien mientras dure el derecho de retracto convencional[639].

Puede finalizarse el apartado subrayando que, a pesar de las múltiples restricciones que el legislador ha impuesto en la materia, las partes cuentan con un cómodo margen que les permite configurar un buen número de aspectos relacionados con el retracto convencio-

---

[638] Vivas Tesón, I., *La compraventa con pacto de retro en el Código Civil*, ob. cit., págs. 51 y 52; Díez Soto, M., "Comentario al artículo 1507", ob. cit., pág. 10683. Esta idea se deduce, además, de la redacción del ya mencionado art. 3111-2 de la Propuesta de Código civil de la Asociación de Profesores de Derecho Civil. Mas Badía, M. ª D., "Título XI del Libro III", ob. cit., pág. 489.

[639] Este y otros ejemplos en Vivas Tesón, I., *La compraventa con pacto de retro en el Código Civil*, ob. cit., págs. 51 y 52; Díez Soto, M., "Comentario al artículo 1507", ob. cit., pág. 10683. Con respecto a la cláusula específica a la cual hemos hecho referencia, debe señalarse que la STS 19 septiembre 1997 (TOL5.156.584) se decantó por su validez, afirmando que "...*la sentencia recurrida ha infringido lo dispuesto en los artículos 1507 y 1518 del Código Civil, ya que cuando proclama la imposibilidad del ejercicio o de la existencia misma de un pacto de retroventa, por el dato fáctico de estar el posible retrayente en posesión del objeto a retraer, en la frase* «... *estos (los demandados y ahora recurridos) lógicamente no podían retraer algo que ya les pertenecía»; hay que afirmar que dicha imposibilidad no tiene fundamento alguno con respecto a la doctrina jurisprudencial de esta Sala, que establece en su sentencia de 14 diciembre de 1.956, que a su vez recoge lo establecido en las sentencias de 13 noviembre de 1.906, 13 de marzo de 1.913, 26 de mayo de 1.930, y que dice "... la persona que enajenó el dominio de una cosa en virtud de un contrato de compraventa y que se reservó durante cierto tiempo el derecho a recuperarlo, devolviendo al otro contratante la suma recibida y los gastos consignados en el artículo 1518 del Código Civil; el convenio concertado constituye una venta con pacto de retro regulado en el artículo 1507 del Cuerpo legal citado, aun cuando el inmueble transmitido hubiese quedado en poder del primero hasta el vencimiento de aquel plazo,...; todo ello recogido, a su vez, por la sentencia de 23 marzo de 1.957, que asimismo proclama* «... *sin que pueda estimarse que altera su naturaleza jurídica (compraventa en pacto de retro) la conversión pactada de que el vendedor continuará en posesión de las fincas vendidas hasta el cumplimiento de la condición resolutoria, porque este particular no afecta a la esencia del contrato y es sólo una consecuencia del carácter convencional del contrato voluntario»*".

nal[640]. Este espacio para la libertad, sin embargo, no puede compararse en ningún caso con la infinidad de posibilidades que ofrecen otras figuras como los tanteos y retractos voluntarios[641], los cuales nos encargaremos de examinar en el siguiente apartado.

3. Tanteos y retractos voluntarios

Tanteos y retractos suelen estudiarse de manera conjunta, dado que se entiende que no son más que dos manifestaciones de un mismo derecho, que, sin embargo, entrarán en juego en distintos momentos (el tanteo antes de la perfección del contrato traslativo y el retracto con posterioridad)[642]. Así, en palabras de Lacruz, puede decirse que, en un sentido general, los tanteos y retractos "...nacen (al menos, son ejercitables) con ocasión de la enajenación de una cosa, mediante venta u otro negocio traslativo y facultan a su titular para sustituir al (tanteo) o subrogarse en la posición del (retracto) adquirente de aquélla, pagando su precio"[643].

---

[640] Vivas Tesón afirma que nos hallamos ante "...una óptima combinación de *lo querido* -manifestado en lo *expresamente pactado*- por las partes contratantes y *lo impuesto* por normas extrínsecas a la voluntad contractual". Vivas Tesón, I., *La compraventa con pacto de retro en el Código Civil*, ob. cit., pág. 51. La cursiva es del autor.

[641] En relación con los retractos voluntarios. Marín López, J. J., "Comentario a la STS 13 mayo 2009", ob. cit., pág. 392.

[642] Santos Briz, J., "Derechos reales de adquisición...", ob. cit., pág. 337. En parecido sentido, Puig Brutau, J., *Fundamentos de Derecho Civil T. III. Vol. III...*, ob. cit., págs. 402 y 403; González Pacanowska, I., "Retracto de origen voluntario" en *Homenaje al Profesor Juan Roca*, Universidad de Murcia. Secretariado de Publicaciones, Murcia, 1989, págs. 324 y ss.; Fernández-Golfín Aparicio, A., Rivas Martínez, J. J., y Rodríguez Poyo-Guerrero, J-M., ob. cit., pág. 126. Esta postura ha sido acogida recientemente por la Propuesta de Código civil de la Asociación de Profesores de Derecho Civil, cuyo art. 3111-1.2 dispone que "*el derecho de tanteo y el de retracto son facultades de un mismo derecho de adquisición preferente que faculta a su titular para adquirir la propiedad u otro derecho real sobre un bien cuando su propietario o titular decide enajenarlo o efectivamente lo enajena, con preferencia al adquirente y en las mismas condiciones*". Véase Mas Badía, M. ª D., "Título XI del Libro III", ob. cit., pág. 488.

[643] Lacruz Berdejo, J. L. *et al.*, *Elementos de Derecho Civil III Derechos reales Vol. II*, ob. cit., pág. 343.

Como se adelantó, junto a los tanteos y los retractos legales, la doctrina suele hablar de tanteos y retractos voluntarios[644], convencionales[645] o negociales[646] para referirse a aquellos derechos que, presentando una estructura similar a los legales, nacen como consecuencia de la proyección de la autonomía privada[647]. Debe advertirse, sin embargo, que, aunque algunos autores hayan optado por usar de forma indistinta los calificativos ya mencionados[648], nosotros, al igual que la mayor parte de la doctrina moderna[649] preferimos referirnos a esta clase de derechos con la expresión "tanteos y retractos voluntarios".

---

[644] Este término es empleado, entre otros, por Pérez Álvarez, M. A., "Derechos reales de adquisición", ob. cit., pág. 659; Peña Bernaldo de Quirós, M., *Derechos Reales. Derecho Hipotecario T. I*, ob. cit., pág. 725; Albaladejo García, M., *Derecho Civil III...*, ob. cit., pág. 806.

[645] Hablan tanto de tanteos como de retractos convencionales Santos Briz, J., "Derechos reales de adquisición...", ob. cit., págs. 337 y 338; Sanciñena Asurmendi, C., "Comentario a la STS 25 de junio de 2010", ob. cit., pág. 854.
Por su parte, se habla de tanteo convencional en Feliu Rey, M. I., *El tanteo convencional*, ob. cit., págs. 13 y ss.; Castán Tobeñas, J., *Derecho Civil Español, Común y Foral T. II Vol. I*, ob. cit., pág. 70; Camy Sánchez-Cañete, B., *Comentarios a la Legislación Hipotecaria Vol. I*, 1974, ob cit. pág. 160; Chico y Ortiz, J. M.ª, *Estudios sobre Derecho Hipotecario T. I*, ob. cit., pág. 429; De Pablo Contreras, P., "El derecho real y sus caracteres", ob. cit., pág. 45. También en Amorós Guardiola, M., "Prohibición contractual de disponer y derecho de adquisición preferente", *A.D.C.*, 1965, pág. 981. Accesible en: http://bit.ly/31XQrWS (Página consultada por última vez el 22 de agosto de 2019).

[646] García Amigo utiliza este término de "derechos negociales" junto al de "derechos voluntarios" a lo largo de su trabajo. Véase García Amigo, M., ob. cit., págs. 104 y ss.

[647] Así, aunque únicamente se refiera al tanteo, la STS 20 julio 1998 (TOL5.156.987) pone de manifiesto que "...*si bien no se halla regulado en nuestro derecho positivo, es admitido por la doctrina y la jurisprudencia (sentencias de 13 diciembre de 1958, 3 de abril de 1964, 25 de abril de 1992 y 19 de noviembre de 1992) al amparo del principio de la autonomía de la voluntad sancionado por el artículo 1255 del Código Civil , debiendo estarse en cuanto a su titularidad y ejercicio a lo pactado*".

[648] Rivera Sabatés nos advierte de que la doctrina es variable en el uso de estos adjetivos, lo que no ayuda a esclarecer el panorama que se nos plantea. Rivera Sabatés, V., *El retracto convencional*, ob. cit., pág. 12. De La Rica, por ejemplo, habla indistintamente de "tanteo voluntario" y de "tanteo convencional". De La Rica y Arenal, R., "El derecho de tanteo: Su naturaleza. Posibilidad de inscripción. Efectos de ésta. Título inscribible y circunstancias de la inscripción", *R.C.D.I.* núm. 535, septiembre-octubre 1979, págs. 1041 y ss.

[649] Rivera Sabatés, V., *El retracto convencional*, ob. cit., pág. 11.

Debiendo reconocer que se trata de una decisión personal de cada autor[650], ha de señalarse que nuestra predilección por el término voluntario, en contraposición con la expresión legal, se debe no solo a que es más amplio[651], sino que, como tuvimos la ocasión de señalar más arriba, nos permite, en el caso concreto del retracto, distinguirlo del retracto convencional de los arts. 1507 Cc y ss.[652]. Asimismo, este adjetivo concede la posibilidad de apreciar una similitud con la terminología empleada en la Compilación de Derecho Civil Foral de Navarra[653] y el Código civil catalán[654], cuerpos normativos que, a

---

[650]   Rivera Sabatés, V., *El retracto convencional*, ob. cit., pág. 11.

[651]   Así lo entiende Badenes quien, en relación con el tanteo, sostiene que la utilización del término voluntario permite "…no excluir de lo que denominamos *preferencia establecida por voluntad de los particulares*, los casos de posible constitución de este derecho por voluntad unilateral". Badenes Gasset, R., *La preferencia adquisitiva en el derecho español (tanteo, retracto, opción)*, ob. cit., pág. 37. La cursiva es del autor.

[652]   Rubio Torrano, E., "Comentario a la STS 3 marzo 1995", ob. cit., pág. 800. En parecido sentido, González Pacanowska, I., "Retracto de origen voluntario", ob. cit., pág. 322.
Mateo Sanz reconoce, asimismo, la necesidad de reservar el término de retracto convencional para el pacto de retroventa. Mateo Sanz, J. B., ob. cit., pág. 26. Esta matización es harto importante, ya que, por ejemplo, Camy, que apunta la distinción entre ambos tipos de figuras, utiliza el término "retracto convencional" para referirse a los retractos que nacen de la autonomía privada (opuestos a los retractos legales), entendiendo que la denominación que hace el Código civil del pacto de retroventa es inadecuada. Véase Camy Sánchez-Cañete, B., *Comentarios a la Legislación Hipotecaria Vol. I*, 1974, ob cit. pág. 159. A los razonamientos expuestos por el autor habría que objetar que, con independencia de que se estime más o menos acertada la denominación que el legislador reserva para el pacto de retroventa, lo cierto es que esta figura se halla tipificada bajo el nombre de "retracto convencional". De este modo, se observa que la utilización de la expresión "retracto convencional" para aludir a los retractos que, teniendo una estructura similar a los legales, nacen de la autonomía privada, entraña riesgo de confusión. Tal vez ese sea el motivo por el que la STS 3 marzo 1995 (TOL1.667.078) hable de *"retracto convencional «sui generis»"*, para distinguirlo del *"retracto convencional "strictu sensu" del artículo 1507 del Código Civil"*.

[653]   La Ley 460 FNN habla de "los derechos de opción, tanteo y retracto voluntario…".

[654]   El art. 568-1.1 Cc Cat. engloba dentro de los derechos de adquisición voluntaria a *"el tanteo, que faculta a su titular para adquirir a título oneroso un bien en las mismas condiciones pactadas con otro adquirente"* y al *"…retracto, que faculta a su titular para subrogarse en el lugar del adquirente con las mismas condiciones*

diferencia del Código civil español, se han ocupado de regular este tipo de derechos.

Las razones expuestas en el párrafo anterior nos llevan a alejarnos de la figura del pacto de retro, para centrarnos a continuación en el estudio de los retractos (y tanteos) de carácter voluntario, debiendo comenzar por el examen de su naturaleza jurídica.

3.1. Naturaleza jurídica

A) Tanteos y retractos voluntarios de carácter personal

Aparentemente no parece existir en nuestro ordenamiento obstáculo alguno que impida a las partes constituir tanteos o, en su caso, retractos voluntarios de naturaleza obligacional (*ex* art. 1255 Cc), de modo que únicamente vinculasen a las partes y a sus herederos (*ex* art. 1257 Cc)[655]. Esta solución se muestra, además, acorde con lo dispuesto en la Ley 460 FNN, que reconoce de forma expresa la posibilidad de que "*los derechos de opción, tanteo y retracto voluntario...*" se constituyan como derechos personales, rigiéndose, en este caso, por lo dispuesto en el título II del libro IV de la Compilación de Derecho Civil Foral de Navarra, relativo a las estipulaciones[656]. La cuestión,

---

[655] *convenidas en un negocio jurídico oneroso una vez ha tenido lugar la transmisión*".
Según la SAP Las Palmas (Sección 4ª) 26 marzo 2008 (TOL7.033.418) "...*la configuración de un tanteo con efectos puramente personales pertenece al ámbito de autonomía de los particulares garantizado por el Código Civil, a la vez que constituye una consecuencia natural de la eficacia meramente inter partes de todo contrato (art. 1257 CC)*". Admiten esta posibilidad: Mas Badía, M. ª D., "Los derechos reales de adquisición de constitución voluntaria: una propuesta de regulación sistemática en el Código civil", *R.C.D.I.* núm. 777, enero-febrero 2020, pág. 133; Díez Soto, M., *Los tanteos y retractos legales a la luz de la reciente doctrina jurisprudencial*, Reus, Madrid, 2017, pág. 161; Díez Soto, M., "Comentario al artículo 1507", ob. cit., págs. 10668-10670; Marín López, J. J., "La eficacia del tanteo convencional", *Aranzadi civil: revista quincenal* núm. 1, 2005, pág. 2276; De La Rica, R., "El derecho de tanteo:...", ob. cit., pág. 1045; Roca Sastre, R. M. ª, *Derecho Hipotecario T. III*, 1979, ob. cit., pág. 587; González Pacanowska, I., "Retracto de origen voluntario", ob. cit., pág. 334.

[656] Se hace necesario señalar que la norma a la que se alude en el texto principal es el producto de una reciente modificación acometida por la Ley Foral 21/2019, de 4 de abril, de modificación y actualización de la Compilación del Derecho

sin embargo, no parece ser tan sencilla, ya que podría discutirse la utilidad[657] y, por ende, la viabilidad[658] de un derecho de adquisición preferente inoponible frente a terceros.

Ciertamente resulta complicado hablar de adquisición preferente cuando nos hallamos ante figuras de corte obligacional que carecen, por su propia naturaleza, de oponibilidad *erga omnes*[659] y que tampoco pueden obtenerla, a diferencia de otros derechos personales (como, por ejemplo, el arrendamiento o la opción de compra en su vertiente obligacional)[660], a través de su constancia registral (o, en su caso, por imperativo legal), en tanto en cuanto ni los tanteos ni los retractos

---

Civil Foral de Navarra o Fuero Nuevo. En este sentido, la ley original establecía que *"los derechos de opción, tanteo y retracto voluntarios, tendrán carácter real cuando así se establezca; si se constituyen con carácter personal se regirán por las disposiciones del vivos o mortis causa, salvo disposición en contrario..."*. A pesar de su confusa redacción, la doctrina siempre entendió que la norma hacía referencia al entonces vigente título IX del Libro III de la Compilación de Derecho Civil Foral de Navarra, relativo a las estipulaciones. En este sentido, véase Arechederra Aranzadi, L., "Los derechos de tanteo y retracto convencionales configurados con carácter personal", ob. cit., pág. 131; Cilveti Gubía, B., "Comentario a la Ley 460" en *Comentarios al Fuero Nuevo Compilación del Derecho Civil Foral de Navarra* (dir. Rubio Torrano, E.), Aranzadi, Cizur Menor, 2002, pág. 1527.

[657] Sobre los retractos, Aranda Rodríguez, R., "Retracto convencional: legitimación pasiva y ejercicio en las subastas judiciales. Analogías y diferencias entre compraventa y subasta judicial. Estudio a propósito de la sentencia del Tribunal Supremo de 3 de marzo de 1995", *A.D.C.* fasc. IV, 1996, pág. 896. Accesible en: http://bit.ly/2M5bRND (Página consultada por última vez el 7 de agosto de 2019). Véase también Amorós Guardiola, M., "Prohibición contractual de disponer y derecho de adquisición preferente", ob. cit., pág. 984. En relación con el derecho catalán: Monserrat Valero, A., "Los derechos voluntarios de adquisición en el Código civil de Cataluña: clases y funcionamiento", *A.D.C.* fasc. III, 2010, pág. 1130. Accesible en: https://bit.ly/3ip3FE8 (Página consultada por última vez el 5 de agosto de 2020).

[658] Arechederra se pregunta: "¿pueden subsistir como tales con un alcance meramente personal?". Arechederra Aranzadi, L., "Los derechos de tanteo y retracto convencionales configurados con carácter personal", ob. cit., págs. 123 y ss. En igual sentido, Arechederra Aranzadi, L., "Tanteo convencional y traspaso de negocio", *R.C.D.I.* núm. 536, enero-febrero1980, pág. 34.

[659] Feliu Rey, M. I., *El tanteo convencional*, ob. cit., pág. 104.

[660] La opción de compra será analizada en otro punto de este trabajo.

voluntarios así configurados pueden tener acceso al Registro de la propiedad por no preverlo norma alguna[661].

Teniendo en cuenta lo hasta aquí expuesto, la vulneración de un derecho de tanteo o retracto configurado como un derecho personal generaría, a lo sumo, una pretensión indemnizatoria respecto de aquel que se hubiese obligado a seguir un determinado comportamiento[662],

---

[661]   Sobre la imposibilidad de acceso al Registro del tanteo voluntario configurado como un derecho personal: Roca Sastre, R. M. ª, *Derecho Hipotecario T. III*, 1979, ob. cit., pág. 587; González Pacanowska, I., "Retracto de origen voluntario", ob. cit., pág. 334; Mas Badía, M. ª D., "Los derechos reales de adquisición de constitución voluntaria...", ob. cit., pág. 136. Cañizares Laso, sin embargo, parece mostrarse favorable a la inscripción en el Registro de la Propiedad de este tipo de figuras, adquiriendo, por ello, eficacia real. Cañizares Laso, A., "Tanteo y opción. Frustración del interés del titular del derecho. (Comentario a la STS. Sala 1.ª-24 de octubre de 1990)", *A.D.C.* fasc. II, 1991, pág. 931. Accesible en: http://bit.ly/2TZH1XZ (Página consultada por última vez el 22 de agosto de 2019).
En un sentido parecido a la última de las autoras citadas, Arechederra entiende que pueden inscribirse derechos que, aún teniendo naturaleza personal, han sido descritos como reales por las partes, aunque curiosamente, en otro punto de su obra rechaza tajantemente la inscripción de los tanteos voluntarios de carácter personal. Arechederra Aranzadi, L., "Los derechos de tanteo y retracto convencionales configurados con carácter personal", ob. cit., págs. 127 y 132.
Nosotros nos mostramos de acuerdo con la postura de Roca, ya que, como regla general, no pueden inscribirse en el Registro derechos de naturaleza personal (*ex* art. 98 LH), por lo que el acceso al mismo de un derecho de tanteo o retracto voluntario de carácter obligacional solo sería viable si una norma lo previese expresamente. En el caso de que, por algún descuido, alguna de estas figuras hubiese accedido al Registro, debería de solicitarse su cancelación (*ex* art. 353.3 RH). Así lo entiende en el supuesto específico de los tanteos Marín López, J. J., "La eficacia del tanteo convencional", ob. cit., pág. 2288. Este razonamiento encuentra apoyo, además, en la RDGRN 19 septiembre 1974 (LA LEY 6/1974). En cualquier caso, nuestro Alto Tribunal ha entendido en alguno de sus pronunciamientos que la oponibilidad *erga omnes* no se hace depender del acceso al Registro de la Propiedad, sino de la naturaleza real de la figura de que se trate. En este sentido se pronuncia la STS 3 marzo 1995 (TOL1.667.078). Sobre el tema, también, Feliu Rey, M. I., *El tanteo convencional*, ob. cit., págs. 103 y 104.

[662]   A favor de la indemnización en los supuestos de incumplimiento del tanteo voluntario personal: Cañizares Laso, A., "Tanteo y opción. Frustración del interés del titular del derecho. (Comentario a la STS. Sala 1.ª-24 de octubre de 1990)", ob. cit., pág. 933; De La Rica, R., "El derecho de tanteo:...", ob. cit., pág. 1045; Marín López, J. J., "La eficacia del tanteo convencional", ob. cit., pág. 2275; Feliu Rey, M. I., *El tanteo convencional*, ob. cit., págs. 102 y ss.; Camy Sánchez-Cañete, B., *Comentarios a la Legislación Hipotecaria Vol. I*, 1974, ob. cit.

pero el bien seguiría irremediablemente en manos de quien lo adquirió, ya que se trataría de una figura con mera eficacia *inter partes*[663].

El fenómeno que Feliu ha bautizado bajo el nombre de "improsperabilidad del ejercicio de la preferencia contra tercero" se ha ido, sin embargo, suavizando a partir de diversos pronunciamientos jurisprudenciales, en los cuales se ha concedido cierta plasticidad a la máxima recogida en el art. 1257 Cc[664]. De este modo, ha llegado a afirmarse que "...*la fuerza obligatoria de los contratos, relatividad de lo acordado en ellos, afecta generalmente sólo a los contratantes y sus*

---

pág. 160; González Pacanowska, I., "Retracto de origen voluntario", ob. cit., págs. 328 y 329. Véase también la SAP Las Palmas (Sección 4ª) 26 marzo 2008 (TOL7.033.418).

Por su parte, Arechederra entiende que en el caso del retracto no existiría ni siquiera una indemnización, ya que la ineficacia del derecho no se debería en puridad al incumplimiento del que enajenó el bien, sino, más bien, a la idiosincrasia de esta clase de derechos. Distinta respuesta da el autor, sin embargo, para el caso de que nos hallemos ante un tanteo voluntario, supuesto en que, según su opinión, la falta de comportamiento debido por el propietario desemboca en la irremediable violación del derecho del "tanteante"; tampoco parece mostrarse contrario a la idea de solicitar una indemnización para aquellos casos en los que el retracto se hubiese constituido a través de un negocio oneroso. Véase Arechederra Aranzadi, L., "Los derechos de tanteo y retracto convencionales configurados con carácter personal", ob. cit., págs. 128 y 129.

[663] Marín López, J. J., "La eficacia del tanteo convencional", ob. cit., pág. 2275; Feliu Rey, M. I., *El tanteo convencional*, ob. cit., págs. 102 y ss. En este sentido, el Tribunal Supremo ha manifestado que "*como derecho de crédito que es, el tanteo convencional no produce efectos erga omnes, de modo que, en caso de incumplimiento de la obligación correlativa (es decir, de omitir la deudora la notificación y celebrar la venta sin respetar la preferencia), la acreedora podía exigir la indemnización de los daños y perjuicios sufridos, pero no convertirse en compradora sustituyendo al tercer adquirente (recuerda la Sentencia de 3 de marzo de 1.995 que el derecho real, para ser tal, ha de estar constituido por una serie de características como la inmediatividad física o jurídica, publicidad, seguridad jurídica etc., que lo proyecten al campo del tráfico jurídico con una serie de garantías frente al tercero que le permitan esa eficacia erga omnes que no se comprendería sin aquéllas y que está paladina y taxativamente recogida para el retracto legal en el artículo 37.3º de la Ley Hipotecaria)*". Véase STS 16 diciembre 2004 (TOL645.281). Véase también la SAP Asturias (Sección 5ª) 6 marzo 2002 (TOL199.958).

[664] Feliu Rey, M. I., *El tanteo convencional*, ob. cit., págs. 104 y ss.; Arechederra Aranzadi, L., "Tanteo convencional y traspaso de negocio", ob. cit., pág. 34. Ello ha sido criticado por González Pacanowska, I., "Retracto de origen voluntario", ob. cit., pág. 335.

herederos; pero ya de antiguo (Sentencia de 14 de mayo de 1928) se declaró que también obliga el contrato al sucesor a título particular de los contratantes y en general a los adquirentes de los derechos de éstos...[665]. Así, el Alto Tribunal entiende que existen supuestos en los que "*...el contratante a título particular, como lógica consecuencia de la relatividad de los contratos, ha de soportar los efectos de los que celebró con anterioridad quien le transmitió el derecho adquirido, sin que sea obstáculo dicha relatividad para que en otro aspecto pueda producir determinados efectos para los causahabientes a título singular...*"[666].

La oponibilidad de la preferencia se hace depender, sin embargo, del comportamiento del tercer adquirente. Así, tanto el tanteo como el retracto (voluntario) de carácter personal podrán hacerse valer frente al comprador que hubiese conocido su existencia, actuando de mala fe[667]. De este modo, la preferencia será inoponible en aquellos supuestos en los que el adquirente hubiese procedido con desconocimiento

---

[665] STS 24 octubre 1990 (TOL1.729.472). Esta doctrina ya había sido puesta de manifiesto en la STS 16 febrero 1973 (RJ\1943\477), en la cual se puso de relieve que el principio de relatividad de los contratos "*...no es tan absoluto que no puedan extenderse a personas no intervinientes en lo pactado los efectos del contrato, cuando se adquiere por virtud de negocios jurídicos posteriores a otros entre el que transmite y adquirentes anteriores, en razón a la regla «nemo plus iuris ad alium transferre potest, quam ipso haberet», que impone el contratante, a título particular, la necesidad de soportar los efectos de los contratos precedentes que celebró quien transmita...*". Sobre este particular, véase, asimismo, Infante Ruiz, F. J., "Comentario al artículo 1257" en *Código Civil Comentado Vol. III* (dirs. Cañizares Laso, A. *et al.*), 2ª ed., Aranzadi, Cizur Menor, 2016, págs. 586-588.

[666] Nuevamente, STS 24 octubre 1990 (TOL1.729.472).

[667] Marín López, J. J., "Comentario a la STS 13 mayo 2009", ob. cit., pág. 408; Marín López, J. J., "La eficacia del tanteo convencional", ob. cit., pág. 2277; Mas Badía, M. ª D., "Los derechos reales de adquisición de constitución voluntaria...", ob. cit., pág. 136; Díez Soto, M., *Los tanteos y retractos legales...*, ob. cit., pág. 161. Así, para el supuesto específico del tanteo, González Pacanowska afirma que "*...no se trata de hacer valer el derecho como retracto, sino de hacer oponible el contenido del pacto estableciendo el tanteo a quien lo conoce y de alguna manera coopera a su incumplimiento...*". González Pacanowska, I., "Retracto de origen voluntario", ob. cit., pág. 336.
Hay autores que, sin embargo, ponen más énfasis en la necesidad de que se demuestre la mala fe del tercero. Este es el caso de Cañizares Laso, A., "Tanteo y opción. Frustración del interés del titular del derecho. (Comentario a la STS. Sala 1.ª-24 de octubre de 1990)", ob. cit., pág. 934. Feliu, por el contrario, estima que

del acuerdo alcanzado entre el cedente y el titular del derecho de adquisición[668].

No obstante lo anterior, y como apunta Feliu en su trabajo[669], la jurisprudencia no siempre ha recurrido a los mismos expedientes a la hora de hacer valer el derecho de adquisición frente al tercer adquirente, de modo que, en algunos supuestos, ha optado por declarar la nulidad del contrato existente entre aquel y el concedente[670], mientras que, en otros, se ha decantado por declarar la resolución del mismo[671]. Estas soluciones, sin embargo, no parecen haber contentado a

---

no se trata tanto de una cuestión de mala fe como de conocimiento. Feliu Rey, M. I., *El tanteo convencional*, ob. cit., pág. 114.

Sobre este tema resultan ilustrativas las reflexiones vertidas por nuestro Tribunal Supremo en la STS 16 diciembre 2004 (TOL645.281), donde se expone que *"...la doctrina y la jurisprudencia, sin negar la eficacia meramente relativa del contrato, admiten su oponibilidad a terceros, cuando estos han conocido su contenido o debido conocerlo de obrar diligentemente; y que han protegido en cierta medida al titular de la preferencia frente al tercer adquirente (al respecto, Sentencias de 24 de octubre de 1.990 y 25 de abril de 1.992)"*. Véase también la STS 27 febrero 2008 (TOL1.343.833).

[668] Feliu Rey, M. I., *El tanteo convencional*, ob. cit., pág. 114.

[669] Feliu Rey, M. I., *El tanteo convencional*, ob. cit., págs. 105 y ss.

[670] Feliu Rey, M. I., *El tanteo convencional*, ob. cit., págs. 108 y ss. El autor se apoya en la STS 16 febrero 1973 (RJ\1943\477) y en la STS 24 octubre 1990 (TOL1.729.472). En relación con este último pronunciamiento debe tenerse en cuenta, sin embargo, que el derecho sobre el que versa el litigio es calificado en las distintas instancias como derecho de opción, postura que no parece compartir la mejor doctrina, que entiende que se trata de un claro supuesto de derecho de tanteo voluntario. Véanse Feliu Rey, M. I., *El tanteo convencional*, ob. cit., págs. 111 y 112; Cañizares Laso, A., "Tanteo y opción. Frustración del interés del titular del derecho. (Comentario a la STS. Sala 1.ª-24 de octubre de 1990)", ob. cit., págs. 931 y ss.

[671] Feliu Rey, M. I., *El tanteo convencional*, ob. cit., págs. 105 y ss. El autor señala como ejemplo la STS 13 diciembre 1958 (TOL4.531.457) y la STS 25 abril 1992 (TOL1.659.900). En este último pronunciamiento se puso de relieve que *"...aparte de haber sido objeto de estudio por la doctrina más atenta, también ha sido reconocido por esta Sala, en la sentencia de 30 de abril de 1.964, y con mayor precisión en la de 13 de diciembre de 1.958, que declaró que en estos casos se contiene la prohibición de efectuar la venta a otras personas ajenas al contrato que creó la obligación en el plazo preestablecido. Los derechos surgidos no están condicionados por los requisitos establecidos para las precisas figuras propiamente retractuales, sino por las condiciones del pacto que reguló sus particularidades"*.

un sector de la doctrina, sobre todo en lo que respecta a la declaración de nulidad del negocio, ya que, desde su perspectiva, el hecho de que se haya celebrado un contrato en perjuicio de un derecho de adquisición de carácter personal no parece que pueda afectar a la validez de este si se tienen en cuenta los requisitos que impone el art. 1261 Cc[672]. Frente a esta argumentación podría objetarse, tal vez, que la nulidad del contrato se ampara en la existencia de una causa ilícita en cuanto *"...se opone a las leyes o a la moral"* (*ex* art. 1255 Cc), postura que, por otro lado, no permite alcanzar el resultado de justicia material que se pretende (*ex* art. 1306.1 Cc)[673].

En cualquier caso, Feliu sostiene que, en los supuestos de tanteo voluntario de carácter personal, lo más adecuado para asegurar la adquisición sería conceder a su titular un correlativo derecho de retracto en aquellos casos en los que se hubiese producido su incumplimiento[674]. Esta postura no ha sido, sin embargo, acogida por un determinado sector de la doctrina[675], la cual entiende que para que la inobservancia de un tanteo pueda transmutar en un derecho de retracto

---

[672] En contra de la nulidad del contrato traslativo celebrado entre el concedente y un tercer adquirente: Arechederra Aranzadi, L., "Tanteo convencional y traspaso de negocio", ob. cit., págs. 28, 29 y 39; Cañizares Laso, A., "Tanteo y opción. Frustración del interés del titular del derecho. (Comentario a la STS. Sala 1.ª-24 de octubre de 1990)", ob. cit., pág. 933. En el mismo sentido, en la SAP Segovia 28 febrero 1998 (AC\1998\757) se llegó a afirmar que *"...ejercitándose por la actora la acción de anulabilidad del contrato de compraventa, y no la del ejercicio del derecho de adquisición preferente frente al comprador, resulta inviable su progreso por cuanto en dicho contrato determinante de la transmisión combatida, visto lo actuado, concurren los requisitos exigidos en el art. 1261 del Código Civil para la eficacia y validez de aquélla (S. 13 octubre 1993 [RJ 1993\7511]), y sin perjuicio de la subsistencia, en su caso, de las acciones que pudieran asistir a los demandantes derivadas del derecho reconocido frente al comprador..."*.

[673] Feliu Rey, M. I., *El tanteo convencional*, ob. cit., pág. 116.

[674] Feliu Rey, M. I., *El tanteo convencional*, ob. cit., pág. 121.

[675] Arechederra Aranzadi, L., "Los derechos de tanteo y retracto convencionales configurados con carácter personal", ob. cit., págs. 129 y 131.

sería necesario, en primer lugar, que aquel tuviera carácter real[676] y, en segundo lugar, que así hubiese sido previsto por las partes[677].

La STS 16 diciembre 2004 (TOL645.281) parece situarse en línea con la tesis descrita en el párrafo anterior[678], concluyendo que "...*una*

---

[676]   Cañizares Laso, A., "Tanteo y opción. Frustración del interés del titular del derecho. (Comentario a la STS. Sala 1.ª-24 de octubre de 1990)", ob. cit., pág. 931. Esta también parece ser la tesis sostenida por Cilveti, encargada de realizar el "Comentario a la Ley 462" en *Comentarios al Fuero Nuevo Compilación del Derecho Civil Foral de Navarra* (dir. Rubio Torrano, E.), Aranzadi, Cizur Menor, 2002, págs. 1553 y 1554. Merece la pena destacar, además, la redacción del art. 568-15 Cc Cat., el cual establece que "*el derecho real de tanteo implica el de retracto si falta la notificación fehaciente de los elementos esenciales del acuerdo de transmisión o si la transmisión se ha hecho en condiciones diferentes de las que constaban en la notificación o antes de vencer el plazo para ejercer el tanteo*".

[677]   Marín López entiende que, a falta de norma, la voluntad de las partes es determinante en esta cuestión. De este modo, el citado autor cree que no puede afirmarse que en todo supuesto que se produzca el incumplimiento de un tanteo este derivará en un derecho de retracto. Véase Marín López, J. J., "La eficacia del tanteo convencional", ob. cit., pág. 2277.

[678]   Ello parece deducirse, asimismo, de los razonamientos expuestos en la STS 16 diciembre 2004 (TOL645.281), que, aunque extensos, merece la pena reproducir por su importancia para el tema que nos ocupa. Así, "*la afirmación de que tanteo y retracto son dos modalidades de un mismo derecho de adquisición preferente no constituye mas que una verdad relativa, ya que, precisamente, al operar uno antes de la venta y el otro después de ella, el que en el segundo haya siempre terceros directamente afectados en sus derechos dota a ambos de sustantividad jurídica, por más que pertenezcan al mismo género.*
Esa sustantividad explica que cuando tienen origen legal unas veces consistan sólo en el retracto (artículos 1.522 y 1.523 del Código Civil) y otras en el retracto previo tanteo, ya sea cumulativamente (artículos 1.636 a 1.638 del Código Civil), ya sólo para el caso de que la notificación precisa para el tanteo hubiera faltado (artículos 25 de la Ley 29/1.994, de 24 de noviembre, de Arrendamientos Urbanos, y 88 de la Ley 83/1.980, de 31 de diciembre, de Arrendamientos Rústicos). Tratándose de derechos de adquisición preferente de origen convencional, cual es el caso, es la voluntad de los constituyentes la determinante del alcance de los mismos, de conformidad con lo dispuesto en el artículo 1.255 del Código Civil. Precisamente, esa relación entre el contenido del derecho y la potestad normativa creadora de quienes lo crean trasladaría la cuestión litigiosa a la interpretación de la voluntad común de los contratantes de veintiuno de noviembre de mil novecientos setenta y cinco, que, como se dijo antes, corresponde a la soberanía de los Tribunales de instancia. Pero es lo cierto que la Sentencia de apelación, al calificar el tanteo nacido de ese contrato como derecho de adquisición preferente de naturaleza personal, no real, ha dejado indirectamente resuelto el tema hermenéutico y, directamente, el de calificación".

cosa es que el contrato que dio vida a la preferencia sea oponible al tercero que lo conoce, otra que el contrato de compraventa se pueda calificar como dañoso para el titular del tanteo (y, por lo tanto, ser impugnado) y otra distinta que el adquirente deba soportar en su esfera jurídica la eficacia directa del primer contrato o, con otras palabras, la preferencia adquisitiva (...) cual si se tratase de una derecho real y no meramente de crédito...".

Por nuestra parte, entendemos que no existe inconveniente en que se pacte el otorgamiento de un derecho de tanteo personal a la vez que un derecho de retracto de carácter igualmente obligacional, como ha demostrado la práctica jurisprudencial[679]. No obstante, no parece poder avalarse, con carácter general, la "transformación" de un tanteo voluntario de carácter personal en un derecho de retracto[680].

A pesar de lo anterior, parece oportuno señalar que, aunque formalmente no se admita la conversión del tanteo voluntario de carácter personal en retracto, ha habido ocasiones en las que los pronunciamientos del Tribunal Supremo han llegado a un resultado semejante (al menos desde un punto de vista material) al que se obtiene a partir de la concesión de un derecho de retracto[681]. Así, en alguna ocasión

---

[679] El supuesto de hecho de la STS 25 abril 1992 (TOL1.659.900) constituye, en nuestra opinión, un claro ejemplo. Así, "*el referido negocio obligacional viene a revestir la forma de retracto voluntario pactado, determinante de adquisición preferencial, en virtud del cual los integrantes de la Comunidad estaban facultados para comprar la planta dedicada a garajes, en caso de su enajenación a tercero y en las condiciones convenidas, al no haber utilizado el derecho de opción y de tanteo que también fueron otorgados y sin que el ejercicio de dicho retracto voluntario exija necesariamente haber hecho uso del tanteo...*".

[680] Sí parece poder sostenerse, por el contrario, que la constitución de un retracto voluntario de carácter personal implica, a su vez, la concesión previa de un derecho de tanteo, ya que, como bien apunta Feliu, la lealtad contractual impone al concedente la necesidad de poner en conocimiento del retrayente su deseo de transmitir el bien de que se trate. Feliu Rey, M. I., *El tanteo convencional*, ob. cit., pág. 155.

[681] Feliu Rey, M. I., *El tanteo convencional*, ob. cit., pág. 121. El autor encuentra apoyo en la STS 13 diciembre 1958 (TOL4.531.457) y la STS 25 abril 1992 (TOL1.659.900). Creemos, sin embargo, que se trata de supuestos distintos, constituyendo únicamente el primero de ellos un auténtico ejemplo de lo que el autor pretende explicar. En este sentido, aunque la STS 13 diciembre 1958 (TOL4.531.457) parece versar sobre un supuesto de retracto voluntario, un vistazo de la cláusula pactada por las partes nos lleva afirmar que nos hallamos,

se ha condenado al tercer adquirente a otorgar escritura pública de venta en favor del titular del derecho de tanteo personal[682], lo que se asemeja al modo de operar del retracto[683].

Recapitulando las ideas expuestas en este apartado podría concluirse que los particulares podrán configurar tanteos y retractos voluntarios con carácter personal; no obstante, el incumplimiento de esta clase de derechos dará lugar únicamente a una indemnización, con la marcada excepción de aquellos supuestos en los que el tercer adquirente haya actuado de mala fe, al conocer la existencia del derecho de adquisición. En este último caso, la jurisprudencia parece reconocer la extensión de la pretensión indemnizatoria al tercer adquirente, pero rechaza la conversión del tanteo personal en un derecho de retracto. No obstante lo anterior, debe señalarse que en alguno de sus pronunciamientos, el Tribunal Supremo ha condenado al tercer adquirente a vender el bien al titular del derecho de tanteo, lo cual, si se piensa, tiene el mismo efecto que si realmente se le hubiese otorgado un derecho de retracto.

---

más bien, ante un supuesto de tanteo voluntario. Así, se dice que "*si algún día el señor Javier o sus descendientes o quien en derecho haya, tratase de arrendar o vender el trozo de terreno que constituye el paso sobre que se contrata, se ha de ofrecer antes al dueño que a la sazón lo sea de la casa NUM000 de la calle del DIRECCION000, por si le conviniese adquirirlo y el pacto consignado en la cláusula novena que según sus términos, veda al señor Javier enajenar el trozo discutido de no ser con la precisa condición de reservas en favor de lo que a la sazón sean dueños de la casa transferida, el "derecho de retracto" (así dice) por espacio de un mes a contar desde el día siguiente al en que se hubiere fijado la venta*".

Por el contrario, la STS 25 abril 1992 (TOL1.659.900) se refiere a un supuesto en el que las partes habían previsto no solo un derecho de tanteo voluntario, sino también un derecho de retracto, por lo que no parece que el supuesto de hecho se asimile a totalmente a la sentencia parcialmente transcrita en el párrafo precedente. En este sentido, se atribuyó un derecho de retracto voluntario porque así lo habían previsto las partes.

[682]　Véase la STS 13 diciembre 1958 (TOL4.531.457) citada en la nota al pie anterior.

[683]　Así, se ha dicho que el retracto supone que "…el retrayente debe de dirigir su acción contra el adquirente -propietario actual- y que éste debe otorgar a favor de aquel escritura de transmisión de la finca". González Pacanowska, I., "Retracto de origen voluntario", ob. cit., pág. 332.

B)   Tanteos y retractos voluntarios de carácter real

Como se ha expuesto en el apartado anterior, nuestro ordenamiento no parece oponer obstáculos a la creación de tanteos y retractos voluntarios de naturaleza obligacional (*ex* art. 1255 Cc), sin perjuicio, claro está, de los inconvenientes prácticos que pueden derivarse de su mera eficacia *inter partes*. El verdadero problema se plantea, pues, en el ámbito jurídico-real[684], ya que, el Código civil español carece de normas tan claras como la Ley 460 FNN[685] o los arts. 568-13 a 568-15 Cc Cat., en las que se reconoce la posible constitución de tanteos y retractos voluntarios con carácter real[686].

Obviando el debate sobre si los derechos de adquisición pueden ser considerados como auténticos derechos reales[687], puede decirse que los principales inconvenientes que se oponen a la posibilidad de admitir la constitución de tanteos y retractos voluntarios de naturaleza real quedan condensados en la doctrina sentada por la RDGRN 4 enero 1927 (LA LEY 1/1927). Aunque puedan resultar extensas, merece la pena reproducir, tomando las palabras de la propia resolución, las "*gravísimas razones*"[688] que, en opinión de la Dirección General

---

[684]   De La Rica, R., "El derecho de tanteo:...", ob. cit., pág. 1045; Díez Soto, M., "Comentario al artículo 1507", ob. cit., págs. 10670 y 10671. Así, en la RDGRN 10 abril 2014 (TOL4.277.898) se recuerdan "*...las dificultades señaladas por nuestra doctrina en relación con la caracterización de los derechos reales, tanto por la falta de una enumeración cerrada de los mismos, como por las dudas que con cierta frecuencia se plantean a la hora de interpretar sus características propias, como la inmediatividad o su carácter absoluto o eficacia «erga omnes», lo que en la práctica ha derivado en dudas y debates en torno a ciertos derechos sobre su condición de verdaderos y propios derechos reales, tanto en la doctrina como en la jurisprudencia. En este ámbito o zona de derechos de naturaleza real discutida se sitúan los tanteos y retractos voluntarios*".

[685]   Donde se estipula que "*los derechos de opción, tanteo y retracto voluntario, tendrán carácter real cuando así se establezca...*". Sobre este tema, véase Cilveti Gubía, B., "Comentario a la Ley 460", ob. cit., págs. 1524 y ss.

[686]   También es claro al respecto el inciso primero del § 1094 BGB, según el cual "*una finca puede ser gravada de forma que aquel a cuyo favor se constituye el gravamen tiene derecho de tanteo frente al propietario*". *Código Civil alemán* (dir. Lamarca Marqués, A.), Marcial Pons, Madrid.

[687]   Feliu Rey, M. I., *El tanteo convencional*, ob. cit., pág. 123.

[688]   Amorós Guardiola habla, en cambio, de "*...razones no muy convincentes*". Amorós Guardiola, M., "Prohibición contractual de disponer y derecho de adquisición preferente", ob. cit., pág. 980.

de los Registros y del Notariado, justificaban el criterio restrictivo en cuanto a *"...la admisión de derechos reales modelados sobre el tipo de un derecho de preferencia..."*; entre las cuales se encontraban *"...primero, el silencio de nuestra legislación hipotecaria sobre tal preemptio; segundo, la duración indefinida que se le atribuye; tercero, los vínculos que impondría la propiedad frenando las mejoras y estimulando al abandono de las fincas, ya que el precio de venta no se fija en el mercado libre como en el tanteo, sino de una vez para siempre; cuarto, las dificultades que su desenvolvimiento judicial y extrajudicial presentaría, por la indeterminación de los plazos en que haya de hacerse la oferta, y de los efectos de las ventas realizadas sin aviso; quinto, el no responder la figura creada al criterio legal de reconstitución de la propiedad desmenbrada (sic) o de parcelación agronómica, ni a la finalidad de evitar indivisiones o situaciones anormales de la propiedad, y, en fin, porque en la escritura calificada no se transfiere el pleno dominio de la casa, sino la nuda propiedad, con lo cual se plantea un nuevo problema de extensión de la aludida prohibición..."*.

La resolución transcrita ha sido tradicionalmente interpretada en clave negativa respecto de la creación de tanteos (y retractos) voluntarios de naturaleza real[689], sin perjuicio de que haya quien entienda que la Dirección General de los Registros y del Notariado, más bien, se limitó a señalar las restricciones que se imponían a la libre configuración de esta clase de figuras[690].

Aunque nos mostremos más conformes con la última de las posturas señaladas en el párrafo precedente, lo cierto es que habrá que esperar hasta mediados del siglo pasado para apreciar una clara tendencia a la admisión de este tipo de figuras. En este sentido, la RDGRN 20 septiembre 1966 (TOL940.850) marcará el inicio de un nuevo perío-

---

[689] Badenes Gasset, R., *La preferencia adquisitiva en el derecho español (tanteo, retracto, opción)*, ob. cit., pág. 26; Castán Tobeñas, J., *Derecho Civil Español, Común y Foral T. II Vol. I*, ob. cit., pág. 70; Puig Brutau, J., *Fundamentos de Derecho Civil T. III. Vol. III...*, ob. cit., pág. 398; Peña Bernaldo de Quirós, M., *Derechos Reales. Derecho Hipotecario T. I*, ob. cit., pág. 734; Roca Sastre, R. M. ª, *Derecho Hipotecario T. III*, 1979, ob. cit., pág. 587. Asimismo, RDGRN 10 abril 2014 (TOL4.277.898).

[690] De La Rica, R., "El derecho de tanteo:...", ob. cit., pág. 1046.

do[691], ya que podría decirse que es a partir de este momento cuando la doctrina[692], el Tribunal Supremo[693] y la propia Dirección General de los Registros y del Notariado[694] comienzan a reconocer abiertamente la posibilidad de constituir tanteos y retractos voluntarios de carácter real, siendo escasas las voces que hoy en día se pronuncian en contra de su admisión[695].

---

[691] Véase la RDGRN 10 abril 2014 (TOL4.277.898), en la cual se hace una brillante exposición de la evolución de la doctrina de la Dirección General de los Registros y del Notariado. Sobre la resolución de 1966 volveremos más adelante.

[692] Castán Tobeñas, J., *Derecho Civil Español, Común y Foral T. II Vol. I*, ob. cit., pág. 70; De La Rica, R., "El derecho de tanteo:...", ob. cit., págs. 1041 y ss.; García Amigo, M., ob. cit., págs. 121 y ss.; Lacruz Berdejo, J. L. *et al.*, *Elementos de Derecho Civil III Derechos reales Vol. II*, ob. cit., pág. 358; Pérez Álvarez, M. A., "Derechos reales de adquisición", ob. cit., pág. 657; Peña Bernaldo de Quirós, M., *Derechos Reales. Derecho Hipotecario T. I*, ob. cit., págs. 726 y 734; Rivera Sabatés, V., *El retracto convencional*, ob. cit., págs. 10 y 11. Debe tenerse en cuenta que otros autores ya se habían mostrado a favor de esta postura con anterioridad, como es el caso de Badenes Gasset, R., *La preferencia adquisitiva en el derecho español (tanteo, retracto, opción)*, ob. cit., págs. 26 y 27.

[693] STS 29 abril 2005 (TOL641.867); STS 22 abril 2008 (TOL1.320.864); STS 13 mayo 2009 (TOL1.525.368). Marín López entiende, sin embargo, que la sentencia del año 2008 únicamente confirmó la naturaleza real del retracto como *obiter dicta*, mientras que, desde su punto de vista, el argumento decisivo para resolver el litigio planteado en las sentencias de los años 2005 y 2009 fue el comportamiento del tercer adquirente. Véase Marín López, J. J., "Comentario a la STS 13 mayo 2009", ob. cit., págs. 395, 406 407. A pesar de reconocer la corrección de las matizaciones realizadas por el anterior autor, creemos que no puede negarse el hecho de que todas las sentencias mencionadas avalan la posible configuración jurídico-real de tanteos y retractos voluntarios.

[694] Como se pone de manifiesto en la RDGRN 25 abril 2005 (TOL645.166) *"del análisis del elevado número de resoluciones que este Centro Directivo ha dedicado a la cuestión, puede colegirse que han constituido campo propio de la autonomía de la voluntad para la creación de derechos nuevos ciertos casos de derechos de preferente adquisición (el tanteo convencional, cuyo carácter real no ha recibido sanción legal hasta la reciente legislación catalana)..."*. En idéntico sentido: RDGRN 4 mayo 2009 (RJ\2009\2776); RDGRN 10 abril 2014 (TOL4.277.898); RDGRN 18 febrero 2016 (TOL5.668.977); RDGRN 28 abril 2016 (TOL5.747.426); RDGRN 17 abril 2017 (TOL6.055.412); RDGRN 8 noviembre 2018 (TOL6.927.633); RDGRN 26 abril 2019 (TOL7.211.168). Sobre este particular: Mas Badía, M. ª D., "Los derechos reales de adquisición de constitución voluntaria...", ob. cit., pág. 132.

[695] Modernamente: Álvarez Caperochipi, J. A., *Curso de Derechos Reales...*, ob. cit., pág. 19; Álvarez Olalla, P. *et al.* en *Manual de Derecho Civil...*, ob. cit., pág. 32. Anteriormente y en relación con el derecho de tanteo: Santos Briz, J., "Derechos

Habiéndose aceptado, pues, de manera generalizada la libertad de las partes para crear este tipo de figuras, conviene concentrar nuestros esfuerzos en concretar cuáles son los requisitos que se vienen exigiendo para la válida constitución de tanteos y retractos voluntarios de naturaleza jurídico-real, así como en señalar los límites a los que se ve constreñida la autonomía privada en este particular sector.

3.2. Elementos para su configuración como derecho real

El art. 20 de la ya derogada Ley (catalana) 22/2001, de 31 de diciembre, de regulación de los Derechos de Superficie, de Servidumbre y de Adquisición Voluntaria o Preferente puntualizaba que los derechos de adquisición preferente únicamente podían adquirir la condición de derechos reales cuando quedaban constituidos como tales en escritura pública y eran inscritos en el registro correspondiente, conforme a la legislación aplicable[696]. De este modo, el legislador catalán aclaraba cuáles eran exactamente los elementos necesarios para que se pudiese constituir un derecho de adquisición preferente de naturaleza real, lo que incluía, desde luego, a los tanteos y retractos de carácter voluntario[697].

A falta de una norma tan esclarecedora en nuestra normativa civil estatal, tendremos que ayudarnos de las enseñanzas de la doctrina, así como de las soluciones propuestas por la casuística, para responder a la compleja cuestión que un día formuló Amorós Guardiola, esto es,

---

reales de adquisición...", ob. cit., pág. 340; Roca Sastre, R. M. ª, *Derecho Hipotecario T. III*, 1979, ob. cit., págs. 587 y 588.

[696] El precepto aplicable hoy en día es el art. 568-2.1 Cc Cat., que dispone que *"los derechos reales de adquisición se constituyen en escritura pública y, si recaen sobre bienes inmuebles, deben inscribirse en el Registro de la Propiedad"*. Nos ha parecido, sin embargo, más interesante para nuestra exposición citar la norma antecesora, en tanto en cuanto resulta más precisa al afirmar ese *"son reales sólo cuando..."* (art. 20 Ley 22/2001).

[697] Marín López, J. J., "Comentario a la STS 13 mayo 2009", ob. cit., págs. 402 y 403. En este sentido, la Ley 22/2001 señalaba como derecho de adquisición voluntario *"el derecho de tanteo"*, añadiendo que este *"...supone el derecho de retracto cuando ya ha tenido lugar la transmisión"* (art. 19 Ley 22/2001).

"¿cuáles serán los requisitos o condiciones del derecho de adquisición así concedido para que participe de esta naturaleza *in rem*?"[698].

A) Asimilación a los tanteos y retractos de origen legal

Es indudable que la creación de un tanteo o un retracto voluntario de naturaleza real pasa necesariamente por su acomodo al esquema estructural típico de sus figuras homónimas de rango legal[699], lo que no impide, claro está, la modificación de sus notas accidentales[700] y ello con más razón si se tiene en cuenta que se trata de derechos nacidos a partir de la autonomía privada. Este paralelismo, sin embargo, no puede llegar hasta el extremo de identificar de forma automática los tanteos y los retractos de origen legal con los voluntarios, en tanto en cuanto difieren en su fuente de creación, con todas las implicaciones que ello conlleva en relación con su posible oponibilidad respecto de terceras personas[701]. De ahí que consideremos lógico que se tomen ciertas cautelas a la hora de reconocer el carácter real de los derechos de adquisición voluntaria que aquí nos ocupan.

Pasamos, pues, a estudiar cuáles son los elementos que en la práctica jurídica se estiman necesarios para calificar a un tanteo o retracto voluntario como derecho real, apoyándonos, en gran medida, en el esquema propuesto por Feliu[702], el cual se inspira lógicamente en los argumentos expuestos en la ya mencionada RDGRN 20 septiembre 1966 (TOL940.850)[703].

---

[698]   Amorós Guardiola, M., "Prohibición contractual de disponer y derecho de adquisición preferente", ob. cit., pág. 981.

[699]   Feliu Rey, M. I., *El tanteo convencional*, ob. cit., pág. 154; Díez-Picazo y Ponce de León, L. y Gullón Ballesteros, A., *Sistema de Derecho Civil Vol. III T. II*, 8ª ed., Tecnos, Madrid, 2012, pág. 227; Fernández-Golfín Aparicio, A., Rivas Martínez, J. J., y Rodríguez Poyo-Guerrero, J-M., ob. cit., pág. 127.

[700]   García Amigo, M., ob. cit., pág. 121; Díez Soto, M., "Comentario al artículo 1507", ob. cit., pág. 10670.

[701]   Díez Soto, M., "Comentario al artículo 1507", ob. cit., pág. 10671.

[702]   Feliu Rey, M. I., *El tanteo convencional*, ob. cit., págs. 133 y ss.

[703]   Gran parte de la doctrina considera que en esta resolución se recogen todos los elementos necesarios para aceptar la inscripción de un derecho de tanteo o retracto de carácter voluntario. Así, Díez Soto, M., "Comentario al artículo 1507", ob. cit., pág. 10676; Arechederra Aranzadi, L., "Los derechos de tanteo y retracto convencionales configurados con carácter personal", ob. cit., pág. 127.

a)   Caracteres propios de un derecho real

Como dijimos en otro punto de este trabajo, la creación de una figura jurídico-real no queda supeditada a un aspecto meramente volitivo, sino que es necesario que, además, concurran en ella las notas que caracterizan a todo derecho real[704], cuales son: a) la absolutividad y b) el poder inmediato o, como sería el caso de los derechos de adquisición, la inherencia respecto del bien gravado[705]. De no darse estos

---

Cabe destacar que algunas de las soluciones que se recogen en la mencionada resolución han sido plasmadas en la reciente Propuesta de Código civil de la Asociación de Profesores de Derecho Civil. Así, el art. 3111-3.2 dispone que los derechos de adquisición voluntarios "...*solo tienen naturaleza real si cumplen los siguientes requisitos:*
Que en el título constitutivo se manifieste que el derecho se configura con tal carácter.
Que el título constitutivo se formalice en escritura pública y, si el derecho recae sobre bienes inmuebles, se inscriba en el Registro de la Propiedad.
Que su constitución obedezca a la satisfacción de intereses legítimos.
Que el objeto sobre el que recae el derecho se encuentre claramente determinado".
Asimismo, el art. 3113-1.2 de la Propuesta establece que "*el título constitutivo del derecho de adquisición ha de contener como mínimo las siguientes menciones:*
Sujeto o sujetos a favor de quienes se constituye.
El objeto sobre el que recae.
El plazo de duración del derecho.
La voluntad del constituyente o constituyentes de configurar el derecho como real.
En su caso la prima convenida para conceder el derecho de adquisición. La prima no se considera anticipo del precio, salvo pacto en contrario.
El domicilio del titular del derecho de adquisición preferente o del concedente de la opción a los efectos de las notificaciones preceptivas. Adicionalmente las partes pueden señalar una dirección electrónica para la práctica de las citadas notificaciones siempre que se garantice la autenticidad de la comunicación y de su contenido, y quede constancia fehaciente del envío y recepción, y del momento en que se hizo".
Véase Mas Badía, M. ª D., "Título XI del Libro III", ob. cit., págs. 489 y 495.

[704]   RDGRN 4 mayo 2009 (RJ\2009\2776); RDGRN 10 abril 2014 (TOL4.277.898); RDGRN 18 febrero 2016 (TOL5.668.977); RDGRN 17 abril 2017 (TOL6.055.412); RDGRN 26 abril 2019 (TOL7.211.168). Como afirma Amorós Guardiola, "no se trata de que los contratantes puedan convertir a su arbitrio un derecho personal en real...". Amorós Guardiola, M., "Prohibición contractual de disponer y derecho de adquisición preferente", ob. cit., pág. 980.

[705]   Véase Díez Soto, M., *Los tanteos y retractos legales...*, ob. cit., pág. 170. En la STS 3 marzo 1995 (TOL1.667.078) se afirma con rotundidad que "*precisamente esa eficacia "erga omnes" que está paladina y taxativamente recogida para el retracto legal en el artículo 37-3º de la misma Ley se echa de menos en lo que*

elementos nos hallaremos ante una figura de contornos puramente obligacionales[706].

Cosa distinta a lo apuntado en el párrafo precedente es la de que se venga exigiendo que la voluntad encaminada a crear un derecho de tanteo o retracto voluntario de carácter real conste, si no de manera expresa, sí, al menos, de forma inequívoca[707]. Es este precisa-

---

atañe al retracto convencional "sui generis" que en el presente pleito se contempla. Piénsese que el derecho real para ser tal ha de estar constituido por una serie de características como la inmediatividad física o jurídica, publicidad, seguridad jurídica, etc., que lo proyecten al campo del tráfico jurídico con una serie de garantías frente al tercero que le permitan esa eficacia "erga omnes" que no se comprendería sin aquéllas...". Feliu, sin embargo, estima que lo realmente relevante no es que se dé ese poder inmediato o inherente sobre la cosa, sino que el derecho como tal se configure como oponible. En este sentido, el autor entiende que no se trata tanto de una cuestión de naturaleza como de eficacia real. Feliu Rey, M. I., *El tanteo convencional*, ob. cit., págs. 134 y 135.

[706] Este fue precisamente uno de los motivos por los que la RDGRN 20 septiembre 1966 (TOL940.850) admitió la inscripción de un derecho de tanteo voluntario. En cambio, la RDGRN 19 septiembre 1974 (LA LEY 6/1974) evidenció la falta de estas notas en la figura sobre la que se discutía. En este sentido, se solicitaba la inscripción de una escritura de compraventa, planteándose si era necesario que previamente se notificase al titular de un derecho de tanteo pactado en una escritura de compraventa anterior que tuvo acceso al Registro de la Propiedad. De este modo, la Dirección General de los Registros y del Notariado apreció que la figura en cuestión no reunía los requisitos necesarios para que pudiese ser reputada como un derecho real, por lo que debía cancelarse a instancia de parte.

[707] Véanse Marín López, J. J., "La eficacia del tanteo convencional", ob. cit., pág. 2285; Amorós Guardiola, M., "Prohibición contractual de disponer y derecho de adquisición preferente", ob. cit., pág. 982.

En cuanto a la doctrina de la Dirección General de los Registros y del Notariado, debe señalarse que la primera resolución en establecer claramente este requisito fue la RDGRN 6 marzo 2001 (TOL123.183), aunque puede decirse que esta idea se deducía ya de la redacción de la citada RDGRN 20 septiembre 1966 (TOL940.850), que estima inscribible el derecho discutido por el hecho de que *"existe convenio en el que se concede al titular la facultad erga omnes, de adquirir la parcela o participación indivisa, sin crear un simple derecho de crédito".* En cualquier caso, se trata de una doctrina que ha quedado consolidada a partir de las últimas resoluciones·sobre el tema que nos ocupa, ya que se pone de relieve que dentro de las características necesarias para crear derechos de adquisición preferente voluntarios de carácter real se incluyen *"...su configuración expresa como tales o estableciendo estipulaciones que indirectamente, pero de forma clara, permitan colegir la naturaleza real del derecho constituido por prever expresamente los efectos propios de tales derechos para el ca-*

mente uno de los motivos por los cuales se rechazó la inscripción del derecho de adquisición debatido en la RDGRN 18 febrero 2016 (TOL5.668.977)[708].

Lo anterior se debe, en nuestra opinión, a que, aunque es cierto que este tipo de derechos toma como referencia la estructura de los tanteos y retractos legales (de naturaleza real)[709], se trata de figuras que también pueden configurarse como derechos de carácter personal[710]. De ahí que se exija que las partes manifiesten su voluntad expresa o, en todo caso, que se pueda inferir de manera clara a través de una simple labor de interpretación[711].

b)   Determinación del precio por tercero

Entre los aspectos que han de ser examinados a la hora de decidir si el derecho que se crea puede ser considerado un retracto (o tanteo) voluntario de carácter real está el relativo a la fijación del precio. En este sentido, el precio de adquisición del bien no puede fijarse de ante-

---

so de su contravención". Véanse, en este sentido, las RDGRN 10 abril 2014 (TOL4.277.898); RDGRN 18 febrero 2016 (TOL5.668.977); RDGRN 17 abril 2017 (TOL6.055.412); RDGRN 8 noviembre 2018 (TOL6.927.633); RDGRN 26 abril 2019 (TOL7.211.168).

[708]   Así, en la mencionada resolución se puso de relieve que *"...en la escritura en que se pacta el derecho de adquisición preferente debatido no se expresa que éste tenga carácter real, tampoco se establece que será inscribible, no se determinan las consecuencias en caso de que se incumpla lo estipulado, y no aparece determinado el concreto contenido y extensión de las facultades que integran el derecho cuyo su acceso al Registro se pretende..."*.

[709]   Feliu plantea la pregunta: *"¿por qué se ha de exigir una declaración expresa de las partes acerca de su trascendencia real, si es algo ínsito a la figura, de forma que, de suyo, las preferencias se establecen para hacerlas valer frente a cualquiera?"*. Feliu Rey, M. I., *El tanteo convencional*, ob. cit., pág. 135.

[710]   La propia Dirección General de los Registros y del Notariado ha reconocido, en su RDGRN 6 marzo 2001 (TOL123.183), que *"...en un sistema como el español, en que se establece el «numerus apertus» de los derechos reales una de las cuestiones más difíciles de resolver, en el caso de un derecho atípico, o que puede configurarse indistintamente como real o personal, como el que se contempla en el presente supuesto, es la de determinar el carácter del derecho convenido"*.

[711]   Así parece sostenerlo Feliu Rey, M. I., *El tanteo convencional*, ob. cit., pág. 135. También Díez Soto, M., *Los tanteos y retractos legales...*, ob. cit., págs. 169 y 170.

mano[712], ya que ello iría en contra del principio de libre circulación de los bienes[713]. De este modo, es preciso que el precio quede determinado "...*por terceras personas, en el momento de la transmisión...*"[714] a través de un "...*procedimiento similar al regulado en el artículo 1447 del Código Civil*"[715], siendo esta máxima aplicable, lógicamente, al derecho de tanteo, pero también al retracto voluntariamente configurado[716]. En el caso del tanteo, como apunta Feliu, se deduce de la lógica de su funcionamiento, mientras que en el supuesto del retracto se debe a que este se deriva precisamente de la frustración de un derecho de tanteo[717]. En este sentido, resulta poco probable que se constituya un retracto sin que le preceda un derecho de tanteo, por lo que el precio de adquisición en un supuesto de retracto será el mismo que el que se fijó para el tanteo en el momento de la transmisión[718].

No obstante lo anterior, debe advertirse que no nos hallamos ante un supuesto de indeterminación del precio de adquisición, sino que este quedará determinado, como se ha señalado, por un tercero a través de un sistema "...*con las garantías necesarias...*"[719] en el momen-

---

[712]   En una interpretación conjunta de la RDGRN 4 enero 1927 (LA LEY 1/1927) y la RDGRN 20 septiembre 1966 (TOL940.850).

[713]   Véase la RDGRN 4 enero 1927 (LA LEY 1/1927).

[714]   RDGRN 20 septiembre 1966 (TOL940.850). En el mismo sentido, Feliu Rey, M. I., *El tanteo convencional*, ob. cit., págs. 136 y 137; Díez-Picazo y Ponce de León, L. y Gullón Ballesteros, A., *Sistema de Derecho Civil Vol. III T. II*, 2012, ob. cit., pág. 227.

[715]   RDGRN 20 septiembre 1966 (TOL940.850). El inciso primero del art. 1447 Cc establece, en relación con el contrato de compraventa, que "*para que el precio se tenga por cierto bastará que lo sea con referencia a otra cosa cierta, o que se deje su señalamiento al arbitrio de persona determinada...*".
       La resolución mencionada más arriba también tomaba como modelo de referencia el procedimiento previsto en el art. 20 de la derogada Ley de 17 de julio de 1953 sobre Régimen Jurídico de las Sociedades de Responsabilidad Limitada, el cual disponía que "...*para el ejercicio del derecho de tanteo que se concede en el presente artículo, el precio de venta, en caso de discrepancia será fijado por tres peritos,   nombrados uno por cada parte, y un tercero, de común acuerdo, o si éste no se logra, por el juez...*".

[716]   Todas estas reflexiones pueden consultarse en Feliu Rey, M. I., *El tanteo convencional*, ob. cit., págs. 136 y 137.

[717]   Feliu Rey, M. I., *El tanteo convencional*, ob. cit., págs. 136 y 137.

[718]   Feliu Rey, M. I., *El tanteo convencional*, ob. cit., págs. 136 y 137.

[719]   RDGRN 20 septiembre 1966 (TOL940.850).

to en el que se vaya a producir la transmisión del bien sobre el que pesa el derecho de adquisición preferente. Ese tercero podrá ser un (posible) comprador del bien o cualquier otra persona que se designe a través de medios objetivos, siendo este último supuesto el aplicable para aquellos casos en los que la enajenación no se realice a título de compraventa[720].

c)   Fijación de plazos

Cabe comenzar destacando que en relación con los derechos de tanteo y de retracto voluntarios se suelen distinguir dos tipos de plazos: el de vigencia, de un lado, y el de ejercicio, de otro[721]. Así, mientras que el primero de los plazos citados se refiere necesariamente al tiempo durante el cual la propiedad se halla gravada por el derecho de adquisición voluntario, el segundo de los mismos hace alusión al tiempo en el cual se debe ejercitar el derecho una vez se haya notificado la pretensión de enajenar (tanteo) o se haya producido la transmisión del bien a un tercero (retracto)[722].

Por lo que se refiere al plazo de duración, Peña aconseja distinguir entre los tanteos y retractos voluntarios de carácter autónomo, por un lado, y aquellos que se constituyen en el seno de una determinada relación jurídica, de otro[723].

En el primero de los supuestos descritos en el párrafo anterior, la doctrina de la Dirección General de los Registros y del Notariado ha puesto de manifiesto, en varias ocasiones, la imposibilidad de que se

---

[720]   Díez Soto, M., "Comentario al artículo 1507", ob. cit., pág. 10676.

[721]   Arechederra Aranzadi, L., "Tanteo convencional y traspaso de negocio", ob. cit., págs. 32 y 33; Peña Bernaldo de Quirós, M., *Derechos Reales. Derecho Hipotecario T. I*, ob. cit., pág. 735; Feliu Rey, M. I., *El tanteo convencional*, ob. cit., págs. 137 y ss.; Mas Badía, M. ª D., "Los derechos reales de adquisición de constitución voluntaria...", ob. cit., págs. 145 y ss. También la RDGRN 10 abril 2014 (TOL4.277.898).

[722]   Arechederra se refiere únicamente al derecho de tanteo, pero creemos que desde el punto de vista técnico es más adecuado hablar de retracto una vez se ha producido la enajenación del bien. Arechederra Aranzadi, L., "Tanteo convencional y traspaso de negocio", ob. cit., págs. 32 y 33.

[723]   Peña Bernaldo de Quirós, M., *Derechos Reales. Derecho Hipotecario T. I*, ob. cit., págs. 726 y 727. En el mismo sentido la RDGRN 10 abril 2014 (TOL4.277.898).

cree un gravamen de duración indefinida[724], por lo que sería necesario concretar su tiempo de vigencia[725]. En este punto, cabría plantarse qué ocurriría en aquellos casos en los que las partes no se hubieran pronunciado expresamente sobre el tiempo de duración del derecho en cuestión[726]. Sobre este particular la práctica nos ha ofrecido dos posibles respuestas, que consisten en la aplicación analógica del límite impuesto por los arts. 781 y 785.2 Cc (el segundo grado)[727], de un lado, y la negación del carácter real del derecho por indeterminación del plazo[728], de otro. Por nuestra parte, estimamos, con la mejor doctrina, que resulta más razonable la primera de las soluciones propuestas, ya que nos parece que los preceptos antes mencionados encierran un

---

[724]   RDGRN 4 enero 1927 (LA LEY 1/1927); RDGRN 20 septiembre 1966 (TOL940.850). Esta postura es compartida por Peña Bernaldo de Quirós, M., *Derechos Reales. Derecho Hipotecario T. I*, ob. cit., pág. 726. Véase, asimismo, Mas Badía, M. ª D., "Los derechos reales de adquisición de constitución voluntaria…", ob. cit., pág. 145; Díez Soto, M., *Los tanteos y retractos legales…*, ob. cit., pág. 170. Teniendo en cuenta lo expuesto en el texto principal, no cabría, en ningún caso, crear un tanteo o un retracto voluntario de carácter indefinido, ni siquiera en aquellos supuestos en los que las fincas sean vecinas o provengan de una situación previa de comunidad.

[725]   RDGRN 10 abril 2014 (TOL4.277.898). Véanse, asimismo, Feliu Rey, M. I., *El tanteo convencional*, ob. cit., pág. 139; Amorós Guardiola, M., "Prohibición contractual de disponer y derecho de adquisición preferente", ob. cit., pág. 982. El plazo máximo de duración de este tipo de derechos en la Propuesta de Código civil de la Asociación de Profesores de Derecho Civil es de "…*treinta años desde la fecha de su constitución para la primera transmisión…*" y de "…*diez años a computar desde la primera enajenación si se ha pactado su ejercicio en segundas y ulteriores transmisiones*", sin perjuicio de que el derecho pueda ser sometido a "…*prórrogas sucesivas, cada una de las cuales no puede exceder del plazo de diez años*" (art. 3113-4.1 y 2 de la Propuesta).

[726]   En la Propuesta de Código civil de la Asociación de Profesores de Derecho Civil se soluciona la cuestión, al disponer que "*si no se ha fijado plazo de duración en el título constitutivo se entiende que es de diez años a contar desde el día en que quedó constituido el derecho*" (art. 3113-4.3 de la Propuesta). "Título XI del Libro III", ob. cit., pág. 496.

[727]   Parece el caso de la RDGRN 20 septiembre 1966 (TOL940.850).

[728]   En la STS 3 marzo 1995 (TOL1.667.078) se estima inaplicable el límite impuesto por los arts. 781 y 785.2 Cc, siendo el argumento principal de su inaplicación el hecho de que el litigio versaba sobre un derecho de retracto voluntario y no sobre una prohibición de disponer. En este sentido, la indeterminación del plazo de duración, así como la de su plazo de ejercicio, derivó en que el Tribunal Supremo estimase que se trataba de una figura de contornos crediticios.

principio general extensible a cualquier tipo de gravamen que se pretenda imponer sobre el derecho de propiedad[729].

Enlazando con lo anterior, cabe destacar que recientemente el Centro directivo ha señalado que no es necesario que las partes manifiesten de forma expresa "*...que la preferencia se concreta o no a la primera transmisión, cuando por los términos de la redacción del pacto correspondiente este extremo sobre el ejercicio del derecho esté suficientemente determinado...*"[730].

En cuanto al plazo de duración respecto de los tanteos y retractos dependientes de un determinado derecho subjetivo, debe señalarse que la duración de aquellos podrá coincidir con el que se hubiese estipulado para este[731]. Esta posibilidad exige, sin embargo, la vigencia efectiva y real (no putativa) de dicha relación jurídica principal[732].

En cualquier caso, estimamos que, aunque pueda predicarse la necesidad de determinar el tiempo de duración del tanteo o retracto voluntario de carácter real[733], no nos parece un argumento adecuado

---

[729] Véase al respecto Feliu Rey, M. I., *El tanteo convencional*, ob. cit., págs. 139 y 150; Díez Soto, M., "Comentario al artículo 1507", ob. cit., pág. 10677; Aranda Rodríguez, R., "Retracto convencional: legitimación pasiva y ejercicio en las subastas judiciales. Analogías y diferencias entre compraventa y subasta judicial. Estudio a propósito de la sentencia del Tribunal Supremo de 3 de marzo de 1995", ob. cit., pág. 894.

[730] RDGRN 10 abril 2014 (TOL4.277.898). En este sentido, la solución adoptada en la Propuesta de Código civil de la Asociación de Profesores de Derecho Civil ha sido la de establecer que el derecho de adquisición "*en defecto de pacto solo puede ejercerse respecto de la primera transmisión onerosa*" (art. 3113-5 b) de la Propuesta). Mas Badía, M. ª D., "Título XI del Libro III", ob. cit., pág. 496.

[731] Peña Bernaldo de Quirós, M., *Derechos Reales. Derecho Hipotecario T. I*, ob. cit., págs. 726 y 727. Véase la RDGRN 10 abril 2014 (TOL4.277.898) y la STS 19 noviembre 1993 (TOL1.663.563).

[732] Resulta muy interesante la lectura de la RDGRN 18 febrero 2016 (TOL5.668.977), en la que las partes alcanzaron un pacto por el cual una de ellas ostentaría un derecho de adquisición preferente análogo al que tendría un arrendatario, aclarando, sin embargo, que el titular de dicho derecho no ostentaba tal posición, esto es, no era arrendatario. Sobre este particular, la Dirección General de los Registros y del Notariado entendió que no podía aplicarse a un derecho de adquisición preferente el plazo de 30 años que, por analogía con el usufructo, se imponía a los contratos de arrendamientos en los que no se fijase plazo de duración, ya que precisamente el titular del derecho no era arrendatario.

[733] RDGRN 26 abril 2019 (TOL7.211.168).

para distinguir esta clase de figuras de aquellas que tienen una mera naturaleza personal, ya que, salvo alguna contada excepción[734], en nuestro ordenamiento no se admite la constitución de vínculos perpetuos, ya sean estos reales o personales[735].

Finalmente, se ha puesto también, de relieve la necesidad de que las partes fijen un plazo breve dentro del cual el titular del derecho podrá ejercitar el tanteo o, en su caso, el retracto de que se trate[736]. A falta de pacto expreso sobre este término, podría plantearse, al igual que hicimos con el plazo de duración, si sería posible aplicar analógicamente los plazos previstos para los tanteos y retractos legales[737]. Sin embargo, esta última cuestión no resulta en ningún modo pacífica, ya que mientras que la Dirección de los Registros y del Notariado[738] y, sobre todo, el Tribunal Supremo[739] se muestran, en general, bastante

---

[734] En la Ley 462 FNN se establece que los tanteos y retractos "...*pueden constituirse bien por tiempo determinado, bien por tiempo indefinido o «para perpetuo». Si no se dispone otra cosa, sólo podrán ejercitarse respecto a la primera enajenación que se realice de los bienes sujetos a ellos*". Del mismo modo, el art. 568-13.1 Cc Cat. estipula que "*el derecho real de tanteo puede constituirse por tiempo indefinido para la primera transmisión...*".

[735] Feliu Rey, M. I., *El tanteo convencional*, ob. cit., pág. 132. En este sentido, es bastante criticable que el Tribunal Supremo califique de personal un derecho de retracto voluntario por el mero hecho de que el plazo de duración se encuentre indeterminado. Se admite, pues, indirectamente la constitución de un derecho personal perpetuo.

[736] En este sentido, Peña Bernaldo de Quirós, M., *Derechos Reales. Derecho Hipotecario T. I*, ob. cit., pág. 735. En cuanto a la doctrina de la Dirección General de los Registros y del Notariado, pueden consultarse: RDGRN 4 enero 1927 (LA LEY 1/1927); RDGRN 20 septiembre 1966 (TOL940.850); RDGRN 10 abril 2014 (TOL4.277.898).

[737] Díez Soto, M., "Comentario al artículo 1507", ob. cit., pág. 10677.

[738] Recientemente se ha señalado en la RDGRN 10 abril 2014 (TOL4.277.898) que "*...a pesar de que este Centro Directivo ha afirmado en alguna ocasión incidentalmente la aplicación analógica de algún precepto de los consagrados por el Código Civil a los retractos convencionales a los voluntarios (así respecto del artículo 1.520 del Código en Resolución de 13 de septiembre de 2013), lo cierto es que dicha aplicación analógica en el concreto ámbito ahora cuestionado ha sido rechazada explícitamente por el Tribunal Supremo, cuyo criterio en esta sede debe ser admitido*".

[739] La STS 3 marzo 1995 (TOL1.667.078) rechaza la aplicación analógica del plazo de ejercicio previsto en el art. 1508 Cc para el supuesto de pacto de retro. En el mismo sentido se pronuncia la STS 3 abril 1981 (TOL1.739.600).

reticentes a la hora de recurrir a la analogía[740], la doctrina no parece rechazar la idea[741]. Por nuestra parte, no creemos que existan graves inconvenientes a la idea de aplicar analógicamente los plazos de ejercicio previstos en el Código civil para los supuestos de tanteo (1637 Cc) y retracto (art. 1524 Cc)[742] a sus homónimos de carácter voluntario, ya que comparten la misma estructura. Ahora bien, no creemos, sin embargo, que quepa aplicar el límite temporal dispuesto en art. 1508 Cc respecto del retracto convencional[743] ni el previsto en el art. 14 RH para la inscripción del derecho de opción en su modalidad jurídico-personal[744], precisamente porque estas figuras presentan un esquema distinto al de los tanteos y retractos de carácter voluntario.

---

[740] Feliu Rey, M. I., *El tanteo convencional*, ob. cit., págs. 143 y ss.

[741] Feliu Rey, M. I., *El tanteo convencional*, ob. cit., págs. 139 y ss. También Albaladejo García, M., *Derecho Civil III...*, ob. cit., pág. 838 nota al pie núm. 50, aunque después parece contradecirse en la pág. 840, nota al pie núm. 52. Lo mismo ocurre con Rubio Torrano, quien se muestra aparentemente a favor de aplicar analógicamente las normas de los retractos legales, aunque termina diciendo que resulta una solución "algo forzada". Rubio Torrano, E., "Comentario a la STS 3 marzo 1995", ob. cit., pág. 802.

[742] Feliu Rey, M. I., *El tanteo convencional*, ob. cit., págs. 139 y ss. En contra parece mostrarse Aranda Rodríguez, R., "Retracto convencional: legitimación pasiva ...", ob. cit., pág. 895.

[743] Rivera Sabatés, V., *El retracto convencional*, ob. cit., págs. 14 y 15; Rubio Torrano, E., "Comentario a la STS 3 marzo 1995", ob. cit., pág. 802; Aranda Rodríguez, R., "Retracto convencional: legitimación pasiva ...", ob. cit., págs. 894 y 895. Precisamente la STS 3 abril 1981 (TOL1.739.600) rechazó la aplicación del art. 1508 Cc a un supuesto de retracto voluntario porque "...*mientras en el retracto convencional el derecho puede ejercitarse durante todo el plazo contractual o legal establecido, por la simple voluntad del retrayente, por el contrario la acción que corresponde según el pacto a los sucesores del señor Jose Ignacio nace no por mera voluntad de éste, sino en el caso de que la parcela en cuestión sea enajenada o se pretenda enajenar a persona distinta del propio señor Valentín o de su esposa*...". En el mismo sentido, en la reciente RDGRN 26 abril 2019 (TOL7.211.168) se señaló que el tanteo voluntario "...*no se identifica totalmente con el pacto de retro en la venta a carta de gracia por lo que no se le puede aplicar, salvo que se hubiera así pactado expresamente, el plazo de caducidad previsto en el artículo 1508 del Código Civil*...".
En contra de lo anterior, véase Feliu Rey, M. I., *El tanteo convencional*, ob. cit., págs. 137 y ss.

[744] El propio Amorós Guardiola, que se pronuncia a favor de aplicar las normas previstas en el art. 14 RH al tanteo voluntario, no se muestra muy convencido a la hora de aplicar el límite temporal de cuatro años al que se refiere la norma.

Encontramos un argumento adicional para apoyar nuestra tesis en el derecho catalán. De este modo, cabe destacar que, según la normativa catalana, si las partes no han previsto un plazo de ejercicio, el derecho de tanteo voluntario "*...caduca en el plazo de dos meses...*" (art. 568-14.4 Cc Cat.). Este plazo de ejercicio coincide precisamente con el que el art. 568-19.1 Cc Cat. prevé para el ejercicio del retracto legal de colindantes (dos meses). Ello refleja que el legislador catalán ha sido consciente de la identidad de estructura que existe entre los tanteos y los retractos voluntarios y sus homónimos de carácter legal.

d) Interés legítimo

Los tanteos y los retractos de carácter voluntario no requieren, a diferencia de lo que ocurre en el caso de los legales, de la necesaria existencia de una determinada situación o relación jurídica previa prevista por razones de política legislativa[745], como puede ser la de disminuir el número de miembros de una comunidad o, en su caso, ponerle fin (retracto de comuneros); la de fomentar la reunión de la propiedad (tanteo y retracto enfitéutico), o la de evitar la extensión del modelo agrícola minifundista (retracto de colindantes), entre otras[746]. En principio, bastaría, por tanto, la mera voluntad de las partes (seguida, claro está, de los requisitos expuestos en los apartados precedentes) para poder crear un derecho de adquisición de carácter real[747]. La doctrina[748] y la Dirección General de los Registros y del

---

Amorós Guardiola, M., "Prohibición contractual de disponer y derecho de adquisición preferente", ob. cit., pág. 982.

[745] Lacruz Berdejo, J. L. *et al.*, *Elementos de Derecho Civil III Derechos reales Vol. II*, ob. cit., pág. 358; Arechederra Aranzadi, L., "Los derechos de tanteo y retracto convencionales configurados con carácter personal", ob. cit., pág. 125; Arechederra Aranzadi, L., "Tanteo convencional y traspaso de negocio", ob. cit., pág. 31.

[746] Estos y otros ejemplos en García Amigo, M., ob. cit., págs. 108 y ss.

[747] Lacruz señala que nace "...de su voluntario establecimiento". Lacruz Berdejo, J. L., *Elementos de Derecho Civil III Derechos reales Vol. II*, ob. cit., pág. 358.

[748] Arechederra Aranzadi, L., "Tanteo convencional y traspaso de negocio", ob. cit., pág. 31; Feliu Rey, M. I., *El tanteo convencional*, ob. cit., págs. 135 y 136; Marín López, J. J., "La eficacia del tanteo convencional", ob. cit., pág. 2286; De La Rica, R., "El derecho de tanteo:...", ob. cit., pág. 1047.

Notariado[749] vienen entendiendo, sin embargo, que el nacimiento de esta clase de derechos no puede obedecer al mero capricho, sino que ha de responder a un interés legítimo.

Sobre esta razón justificativa, debe decirse que puede ser, en principio, cualquiera que sea merecedora de tutela jurídico-real[750]. Asimismo, ha de tenerse en cuenta que, en consonancia con lo expuesto en el segundo capítulo de este trabajo, ese interés legítimo en el que se ha fundamentado la creación del tanteo o retracto de que se trate ha de hallarse presente durante todo el tiempo de vigencia de dicho derecho[751].

B) Acerca de la inscripción en el Registro de la Propiedad

Parte de la doctrina considera que la eficacia real de los tanteos y retractos voluntarios se hace depender, no solo de la concurrencia de los elementos previstos en el apartado anterior, sino también de su otorgamiento en escritura pública y, en el caso de que recaigan sobre bienes inmuebles, de su forzosa inscripción en el Registro de la Propiedad con las exigencias que se contemplan en las normativa hipo-

---

[749] Esta fue una de las razones por la que se denegó la inscripción de la figura discutida en la RDGRN 4 enero 1927 (LA LEY 1/1927) y también uno de los motivos por el que sí se admitió el acceso al Registro de la Propiedad del tanteo debatido en la RDGRN 20 septiembre 1966 (TOL940.850).

[750] Marín López, J. J., "La eficacia del tanteo convencional", ob. cit., pág. 2286. Así, por ejemplo, en el supuesto debatido en la RDGRN 20 septiembre 1966 (TOL940.850) la creación del tanteo voluntario quedaba justificada porque favorecía la reunificación de la finca inicialmente dividida.

[751] Marín López, J. J., "La eficacia del tanteo convencional", ob. cit., pág. 2286. Para apoyar su tesis, el autor recurre a la SAP Alicante (Sección 7ª) 22 mayo 2001 (AC\2001\2401), la cual versa sobre un supuesto en el que cuatro particulares establecieron, por razones de amistad, un derecho de tanteo sobre una finca en la cual habían edificado un inmueble. Transcurridos 25 años desde aquel pacto, se discute si este se mantiene vigente, ya que una de las viviendas fue adquirida por un tercero sin que se ejercitase el mencionado derecho de tanteo. La Audiencia estimó, finalmente, que la causa que motivó la constitución del derecho voluntario (amistad) había desaparecido, por lo que admite la aplicación de la cláusula *rebus sic stantibus*. Huelga decir, no obstante, que en este supuesto nos hallábamos ante un derecho de carácter puramente obligacional.

tecaria[752], adquiriendo especial relevancia en este campo aquellas que se derivan del principio de especialidad (arts. 9 LH y 51 RH)[753]. Esta postura, sin embargo, choca, como ha puesto de manifiesto el propio Tribunal Supremo, con el principio de libertad constitutiva que rige en nuestro ordenamiento, el cual únicamente puede ceder ante una previsión normativa impuesta por razones de política legislativa (p. ej. derecho real de hipoteca)[754]. De este modo, ante la ausencia de una norma en nuestra normativa civil estatal[755] que se pronuncie de manera expresa sobre este punto, debe entenderse que el legislador no hace depender la constitución de los tanteos y retractos voluntarios de su inscripción en el Registro de la Propiedad.

Enlazando con lo anterior, podremos encontrarnos con dos escenarios: a) que el derecho de adquisición voluntario de carácter real se halle inscrito, y b) que no exista constancia registral del mismo[756]. En el primero de los supuestos mencionados, la doctrina no plantea du-

---

[752] Marín López, J. J., "La eficacia del tanteo convencional", ob. cit., pág. 2276; García Amigo, M., ob. cit., págs. 105 y 127; Arechederra Aranzadi, L., "Los derechos de tanteo y retracto convencionales configurados con carácter personal", ob. cit., págs. 127 y 128. La SAP Las Palmas (Sección 4ª) 26 marzo 2008 (TOL7.033.418) afirma expresamente que *"un derecho convencional de tanteo no inscrito carece de efectos reales"*.

[753] En la RDGRN 17 abril 2017 (TOL6.055.412) se rechazó la inscripción de un derecho de adquisición voluntario concedido al arrendatario por no hallarse suficientemente determinado. Se trataba de un contrato de arrendamiento al cual no le era aplicable ni la legislación de los arrendamientos urbanos ni la de los arrendamientos rústicos. Siendo, pues, el régimen aplicable el dispuesto en el Código civil y al no prever el citado cuerpo legal la atribución de un derecho de adquisición al arrendatario, la Dirección General de los Registros y del Notariado sostuvo que las partes deberían haber detallado los aspectos relacionados con el derecho en cuestión (sobre todo en lo que se refiere a la fijación de los plazos de ejercicio y duración).

[754] Esta idea se desprende de la redacción de la STS 13 mayo 2009 (TOL1.525.368).

[755] Recuérdese que el art. 568-2 Cc Cat. exige que los derechos de adquisición se otorguen en escritura pública y, si recaen sobre inmuebles, que se inscriban en el Registro de la Propiedad. En el mismo sentido, el art. 3111-3. 2 b) de la Propuesta de Código civil de la Asociación de Profesores de Derecho Civil. Mas Badía, M. ª D., "Título XI del Libro III", ob. cit., pág. 489.

[756] Fernández-Golfín Aparicio, A., Rivas Martínez, J. J., y Rodríguez Poyo-Guerrero, J-M., ob. cit., pág. 129. Los autores se refieren expresamente al derecho de tanteo convencional; sin embargo, estimamos posible extender este esquema a los tanteos y retractos voluntarios de manera general.

das en cuanto a la oponibilidad del derecho frente a terceros[757], postura que ha querido matizar nuestro Alto Tribunal en su STS 3 marzo 1995 (TOL1.667.078), recordando que "...*la categoría de Derecho Real no se produce por el simple acceso al Registro de la Propiedad sino que deviene por su íntima naturaleza jurídica que la inviste de una eficacia "erga omnes"...*".

Por lo que se refiere al segundo de los escenarios mencionados, nos topamos con el clásico debate sobre la eficacia de los derechos reales no inscritos, siendo adecuada, a nuestro parecer, la solución que se adopta en la STS 29 abril 2005 (TOL641.867), precisamente a colación de un derecho de adquisición de carácter voluntario. De este modo, en el citado pronunciamiento se puso de relieve que "...*aún siendo este derecho (...) inscribible registralmente, y a pesar de que no lo fue, (...), su oponibilidad a terceros deriva de ese carácter que mantiene de oponibilidad "erga omnes", si bien aquí, la condición de tercero de buena fe, no hipotecario, queda más restringida, es decir, sólo respecto a los que conocen, fuera del Registro (este, no es operable), la realidad del derecho que se ha establecido...*"[758]. Ello se debe a que, como hemos señalado en otros puntos de este trabajo, la falta de publicidad del derecho real deriva en que este no pueda oponerse "...a los terceros de buena fe que efectiva y realmente..." desconocen su existencia[759]. En este sentido, cabe destacar que por publicidad no solo ha de entenderse aquella que se deriva de la inscripción el Registro de la Propiedad, ya que esta puede obtenerse a través de otros medios[760].

---

[757] González Pacanowska, I., "Retracto de origen voluntario", ob. cit., pág. 340; Díez Soto, M., "Comentario al artículo 1507", ob. cit., págs. 10674 y 10675, Fernández-Golfín Aparicio, A., Rivas Martínez, J. J., y Rodríguez Poyo-Guerrero, J-M., ob. cit., pág. 129.

[758] La citada STS 29 abril 2005 (TOL641.867).

[759] Espejo Lerdo de Tejada, M., "El derecho real limitado de paso y su creación y configuración voluntarias", ob. cit., pág. 19. Véanse, asimismo, Espejo Lerdo de Tejada, M., *La reserva de dominio inmobiliaria en el concurso*, ob. cit., págs. 93 y ss.; Gordillo Cañas, A., "El objeto de la publicidad en nuestro sistema inmobiliario registral...", ob. cit., págs. 470 y 471. En parecido sentido, Rubio Torrano, E., "Comentario a la STS 3 marzo 1995", ob. cit., pág. 801.

[760] Amorós Guardiola, M., "Prohibición contractual de disponer y derecho de adquisición preferente", ob. cit., págs. 983 y 984.

Este último planteamiento ha llevado a la mayoría de los estudiosos a proclamar que lo realmente relevante no es tanto determinar el carácter real o personal de los tanteos y los retractos voluntarios, ya que, desde su perspectiva, no se trata de un problema de naturaleza jurídica, sino de eficacia[761]. Ciertamente, no podemos hacer otra cosa que admitir que, con independencia de que se trate de un derecho real o personal, los derechos de adquisición constituidos negocialmente serán eficaces frente a terceros en la medida que estos tengan conocimiento de los mismos. Ahora bien, nos parece un planteamiento algo cómodo el de limitar la cuestión a la eficacia del derecho sin tener en cuenta su naturaleza jurídica[762], ya que los derechos personales ni cuentan inicialmente con eficacia *erga omnes* ni pueden adquirirla por medio de su inscripción en el Registro de la Propiedad. En este sentido, los derechos personales únicamente podrán hacerse valer frente a terceros cuando estos conozcan su contenido.

El debate sobre la cuestión no puede quedar limitado a la oponibilidad de los derechos, pasándose por alto la tipología del derecho, ya que es precisamente esta última la que hace que derechos reales y personales tengan, por lo general, diversa eficacia.

3.3. Límites a la autonomía privada

Los tanteos y los retractos de carácter real constituidos negocialmente han de respetar, al igual que cualquier figura jurídico-real, lo previsto en las normas imperativas, así como los dictados de la moral

---

[761] Marín López, J. J., "Comentario a la STS 13 mayo 2009", ob. cit., págs. 406-408; Feliu Rey, M. I., *El tanteo convencional*, ob. cit., pág. 154; Díez Soto, M., "Comentario al artículo 1507", ob. cit., págs. 10674 y 10675; Amorós Guardiola, M., "Prohibición contractual de disponer y derecho de adquisición preferente", ob. cit., págs. 983 y 984. Así parecen sostenerlo también Díez-Picazo y Ponce de León, L., "Autonomía Privada...", ob. cit., pág. 330; Peralta Mariscal, L. L., ob. cit., pág. 2678.

[762] Amorós Guardiola señala que "si admitimos la inscripción del derecho de tanteo voluntario (...), tendremos resuelto el problema de su eficacia *erga omnes* sin necesidad de abordar el tema, más hondo y dudoso, de su plena naturaleza real". Amorós Guardiola, M., "Prohibición contractual de disponer y derecho de adquisición preferente", ob. cit., pág. 984.

social y el orden público[763]. Esta cuestión ha sido ampliamente tratada a lo largo de este trabajo, por lo que no merece la pena detenerse
nuevamente en cuestiones de carácter general. Sí es necesario destacar,
sin embargo, que en este campo juega una especial relevancia la delimitación temporal del derecho de adquisición de que se trate, como
ya tuvimos la ocasión de comprobar más arriba. De este modo, algún
autor sostiene que iría en contra de la ley "…no limitar la duración
de los derechos reales voluntarios de adquisición constituidos con independencia de toda otra relación jurídica con el dueño de la cosa…
"[764]. Otro sector de la doctrina entiende, en cambio, que se trata de
una cuestión de orden público[765].

4. El derecho de opción

En los anteriores apartados de este trabajo nos hemos centrado
en abordar el estudio de los derechos de adquisición preferente que,
habiendo sido constituidos voluntariamente, cuentan con nombre
propio en Derecho, bien porque se hallan regulados (retracto convencional), bien porque adoptan la estructura de un derecho típico
(tanteos y retractos voluntarios)[766]. Procede, pues, acometer un análisis sobre aquellas figuras que, otorgando a su titular un derecho de
adquisición, son producto de la autonomía de los particulares tanto
en lo que se refiere a su origen como en lo que respecta a su reglamentación[767]. En este sentido, y sin querer rechazar la posible existencia

---

[763] García Amigo, M., ob. cit., pág. 121. Así parece entenderlo también De La Rica,
R., "El derecho de tanteo:…", ob. cit., pág. 1048. Esta postura se mantiene acorde con el ya citado art. 3111-2 de la Propuesta de Código civil de la Asociación
de Profesores de Derecho Civil. Mas Badía, M. ª D., "Título XI del Libro III", ob.
cit., pág. 489.

[764] Peña Bernaldo de Quirós, M., *Derechos Reales. Derecho Hipotecario T. I*, ob.
cit., pág. 69.

[765] Aranda Rodríguez, R., "Retracto convencional: legitimación pasiva y ejercicio
…", ob. cit., pág. 893.

[766] En efecto, respecto del tanteo voluntario se ha afirmado que "…no se crea un
derecho *ex-novo*, una nueva figura jurídica sin nombre propio, lo que se hace
es dotar a un derecho preexistente de caracteres reales no reconocidos por la
ley…". De La Rica, R., "El derecho de tanteo:…", ob. cit., pág. 1047.

[767] Los tanteos y los retractos voluntarios son atípicos en cuanto a su origen, pero
adoptan la misma estructura que los legales. Es similar a lo que ocurre con las

de otros derechos de adquisición preferentes innominados[768], creemos más provechoso concentrarnos en el examen del derecho de opción, tanto por su importancia en el tráfico jurídico[769], como por el extenso debate teórico que suscita[770].

---

servidumbres atípicas.

[768] Martínez de Aguirre reconoce que, además de los derechos de opción, tanteo y retracto, pueden existir otros derechos de adquisición preferente, postura que compartimos totalmente. Martínez de Aguirre Aldaz, C., "Hacia la consagración jurisprudencial…", ob cit., págs. 303 y ss. No obstante, no nos mostramos del todo de acuerdo con el ejemplo que da el autor. En este sentido, Martínez de Aguirre Aldaz estudia el supuesto contenido en la STS 3 abril 1981 (TOL1.739.600), donde dos sujetos, propietarios de unas fincas pro indiviso, deciden agruparlas en una sola para después segregarla en dos. Debido a la división, uno de los sujetos adquirió una finca de mayores dimensiones, por lo que este otorgó al otro un derecho de adquisición preferente sobre su finca para el caso de decidiera traspasarla a un tercero a través de negocio *inter vivos* o *mortis causa*, siendo requisito indispensable para el ejercicio de tal derecho la consignación por parte de su titular de una determinada cantidad. Además de lo anterior, se convino que "…*si transcurridos seis meses desde la fecha en que el señor Jose Ignacio o sus sucesores tuvieren noticia del traspaso, no se satisfaciera* (sic) *dicha cantidad, quedaría nula y sin efecto esa cláusula, y para mejor acatación* (sic) *se hacía constar que deberá darse conocimiento en forma legal, por parte del señor Valentín, su esposa o sus sucesores, al señor Jose Ignacio o sus sucesores, en todos los casos antes citados, y para los actos inter vivos con ocho días de anticipación*". Martínez de Aguirre Aldaz califica el derecho descrito en el párrafo anterior como una figura mixta, a caballo entre los tanteos y retractos voluntarios y el derecho de opción, siendo así que la consignación acerca, desde su punto de vista, esta figura al último de los derechos mencionados. Nosotros, sin embargo, entendemos que se trata de un derecho de tanteo y retracto voluntario y no de un derecho de opción. Nuestra postura se debe a que si, como venimos sosteniendo, los tanteos y retractos voluntarios han de adaptarse al esquema de sus homónimos legales, lo lógico es que en estos se exija la consignación del precio (*ex* arts. 1518 y 1525 Cc). Sobre este punto resultan muy interesantes las reflexiones expuestas por Sanciñena Asurmendi, quien estima que la consignación es un requisito de ejercicio de los tanteos y retractos voluntarios, sin perjuicio de que las partes, en uso de su autonomía privada, puedan eliminar esta nota. Sanciñena Asurmendi, C., "Comentario a la STS 25 de junio de 2010", ob. cit., págs. 851. En contra de la aplicación de los arts. 1518 y 1525 Cc a los tanteos y retractos voluntarios se muestra, en cambio, la sentencia que la última autora comenta, esto es, la STS 25 junio 2010 (TOL1.893.534).

[769] Albaladejo García, M., *Derecho Civil III…*, ob. cit., pág. 838.

[770] Torres Lana afirma, de forma acertada, a nuestro juicio, que el debate "…comprende prácticamente desde el nacimiento de la opción hasta su extinción". Torres Lana, J. A., *Contrato y derecho de opción*, ob. cit., pág. 7.

4.1. El contrato de opción y el derecho de opción

Antes de entrar de lleno en nuestro estudio, creemos necesario advertir que el término opción es empleado en el ámbito jurídico[771] para hacer referencia a instituciones que, aunque estrechamente relacionadas, presentan notables diferencias entre sí. De este modo, los operadores jurídicos emplean indistintamente el vocablo opción para aludir, entre otras figuras[772], tanto al contrato de opción[773] como al derecho de opción[774], lo cual creemos que ha introducido un cierto grado de confusión a la hora de abordar el análisis de la materia que nos ocupa[775].

Enlazando con lo anterior, debe tenerse en cuenta que el derecho de opción es, como dijimos más arriba, aquel que otorga a su titular la facultad de decidir, a su libre arbitrio y durante un determinado período establecido al efecto, sobre la perfección o no de un contrato

---

[771] Nigon afirma que "la terminología jurídica no conoce la palabra *opción*; esta palabra no figura en nuestro Código". Citado en González Y Martínez, J., "El llamado derecho de opción", ob. cit., pág. 188. La cursiva es del autor. Nosotros creemos, en cambio, que una cosa es que la palabra opción no se encuentre recogida, salvo contadas excepciones, en la legislación y otra bien distinta es que carezca de significado en el ámbito jurídico.

[772] Torres Lana enumera hasta tres significados del término opción. Torres Lana, J. A., *Contrato y derecho de opción*, ob. cit., págs. 172 y 173. Así, además de los que relacionamos en el texto principal, el autor recalca que la palabra opción puede referirse al "...acto mismo de elección en que cabalmente la opción consiste...". La exclusión de esta última acepción de nuestro hilo discursivo se debe a que la facultad de optar en sí misma considerada carece, como señala en propio autor, de relevancia jurídica a menos que se conecte con el título constitutivo.

[773] Se refieren a la opción como contrato, entre otros, Pérez Gurrea, R., ob. cit., pág. 2883.

[774] Entre los autores que utilizan el término opción para referirse al derecho de opción podemos citar a Pérez Gurrea, R., ob. cit., pág. 2893.

[775] Mezquita del Cacho expone perfectamente la cuestión, indicando que la doctrina utiliza normalmente el término opción tanto para hacer alusión a la problemática que rodea al contrato de opción, como para referirse al derecho que surge a partir de la citada convención. Mezquita del Cacho, J. L., "El pacto de opción y el derecho que origina", *R.C.D.I.* núm. 273, febrero 1951, pág. 76.

principal[776]. El contrato de opción sería, en cambio, la convención que originaría el derecho subjetivo previamente descrito[777].

Estimamos, pues, que a la hora de realizar cualquier estudio sobre la opción es importante establecer una clara distinción entre las instituciones descritas en el párrafo precedente, ya que, aunque desde un punto de vista teórico, la doctrina es, por lo general, perfectamente consciente de las diferencias que las separan[778], hay autores que parecen confundirlas. Así, son varios los trabajos en los que se ha expuesto una pretendida evolución de la figura de la opción, concretamente de la opción de compra, como precontrato hasta su posterior emancipación como derecho subjetivo[779]. Sin embargo, nos parece que una cosa es el contrato de opción y otra bien distinta es el derecho (subjetivo) que este origina, con independencia de la naturaleza que tenga[780].

---

[776] Nos inspiramos nuevamente en la noción que ofrece Roca Sastre, R. M. ª, *Derecho Hipotecario T. III*, 1979, ob. cit., pág. 542. También en Sanciñena Asurmendi, C., *La opción de compra*, ob. cit., pág. 159, aunque esta última autora se centra concretamente en la opción de compra.

[777] Pérez Gurrea se refiere al contrato de opción como el "...soporte jurídico del derecho...". Pérez Gurrea, R., ob. cit., pág. 2883. En parecido sentido Leña Fernández, R., "Algunas cuestiones prácticas en torno a la opción de compra", *Academia Sevillana del Notariado* T. IV, 1991, pág. 105.

[778] Creemos que, en términos generales, Mezquita del Cacho acierta con su exposición, no en balde su trabajo lleva por título: "El pacto de opción y el derecho que origina". Véase Mezquita del Cacho, J. L., "El pacto de opción y el derecho que origina", *R.C.D.I.* núm. 273, ob. cit., págs. 73 y ss. También Mezquita del Cacho, J. L., "El pacto de opción y el derecho que origina", *R.C.D.I.* núm. 274, marzo 1951, pág. 174. Asimismo, son claros en este sentido los trabajos de Torres Lana, J. A., *Contrato y derecho de opción*, ob. cit., págs. 172 y ss.; Ruano García, J. P., ob. cit., págs. 1471 y ss.; Lacruz Berdejo, J. L., *Elementos de Derecho Civil III Derechos reales Vol. II*, ob. cit., pág. 358. De igual modo, Sanciñena distingue en su estudio el contrato de opción (de compra) del derecho de opción (de compra). Sanciñena Asurmendi, C., *La opción de compra*, ob. cit., págs. 9 y ss.

[779] Ramón Chornet titula uno de los epígrafes de su trabajo "evolución del derecho de opción: del precontrato al derecho real". Ramón Chornet, J. C., "Derecho de opción: cancelación de cargas ulteriores y breve apunte sobre su naturaleza real", *R.C.D.I.* núm. 591, marzo-abril 1989, págs. 311 y 312.

[780] No resulta, en nuestra opinión, del todo acertado el enfoque de Brancós i Núñez, el cual dedica gran parte de sus esfuerzos a distinguir la opción de compra de otras figuras como el precontrato para después preguntarse: "¿hasta qué punto llega a independizarse el derecho de opción del contrato que la genera? ¿Tiene la opción naturaleza personal ligada al contrato o, por el contrario, llega a in-

El derecho de opción nace a partir de un contrato calificado de opción, pero no son la misma cosa[781], por lo que poco interesan en un estudio dedicado al análisis de la creación de nuevos derechos subjetivos de adquisición las diversas teorías que surgen en torno al contrato que los origina (si se trata o no de un precontrato, por ejemplo)[782], más allá de la pura curiosidad científica. De ahí que estimemos necesario ceñirnos al concreto estudio del derecho de opción, por lo que, salvo que se especifique lo contrario, todas las alusiones que se hagan a partir de aquí a la opción han de entenderse referidas al derecho subjetivo.

---

dependizarse pasando a ser un derecho real?". Brancós i Núñez, E., "La opción de compra: la evolución jurisprudencial y su actual utilidad como instrumento habitual en el tráfico inmobiliario", *A.A.M.N.* T. XXXIII, 1994, págs. 254 y ss. Tampoco nos parece correcta la exposición realizada por Puig Brutau en la que, al estimar necesario establecer una diferenciación entre el derecho de opción y otras figuras, señala que "de manera especial hay que distinguir entre opción y oferta irrevocable, entre contrato de opción y precontrato, entre contrato de opción y contrato condicional y entre opción y derecho de adquisición preferente". Puig Brutau, J., *Fundamentos de Derecho Civil T. III. Vol. III...*, ob. cit., págs. 502 y ss. Distinto sería si distinguiese, por un lado, el contrato de opción de otras figuras afines y el derecho de opción de otra clase de derechos que, desde el punto de vista del autor, no pueden ser confundidos con aquel. Es claro que Puig Brutau reconoce las diferencias que existen entre un contrato y un derecho subjetivo, pero desde un punto de vista metodológico y para evitar confusiones al lector, hubiese sido más adecuado separar ambas cuestiones.

781 Es cierto que "*la propiedad y los demás derechos sobre los bienes se adquieren y transmiten...*", entre otras causas, "*...por consecuencia de ciertos contratos mediante la tradición*" (art. 609 Cc), pero el contrato es distinto del derecho que nace del mismo.

782 De Castro apunta, por ejemplo, que el tema sobre la naturaleza del derecho de opción es independiente del debate sobre la diferenciación o, en su caso, la identificación existente entre el contrato de opción y el precontrato. De Castro y Bravo, F., "La promesa de contrato", *A.D.C.* fasc. IV, 1950, pág. 1167. Accesible: http://bit.ly/2Hqfyd8 (Página consultada por última vez el 26 de agosto de 2019).

De igual modo, Serrano, al analizar la tesis de De Castro, recalca que cuando este equipara la opción al precontrato se está refiriendo claramente a la opción como contrato y no como derecho. Serrano Alonso, E., "Notas sobre el derecho de opción", ob. cit., págs. 1138 y 1139. No obstante, Serrano apunta que De Castro considera que el contrato de opción no origina un auténtico derecho subjetivo.

La variedad de supuestos que suelen englobarse bajo el paraguas del derecho de opción[783], así como la diversa función que estas figuras desempeñan[784], nos obliga a acotar, aún más, nuestro campo de investigación. Es por ello por lo que hemos creído más provechoso centrar nuestro estudio en un tipo concreto de derecho de opción, siendo por su importancia práctica[785] la elección más idónea, a nuestro parecer, la del análisis del derecho de opción de compra sobre bienes inmuebles[786], el cual abordaremos en el siguiente apartado.

4.2. El derecho de opción de compra de bienes inmuebles

La inexistencia de referencias legales en nuestra normativa civil estatal al derecho de opción de compra[787] (más allá de la previsión contenida en el art. 14 RH a efectos registrales[788] y alguna que otra

---

[783] Torres Lana indica que existen múltiples manifestaciones del derecho de opción. Torres Lana, J. A., *Contrato y derecho de opción*, ob. cit., pág. 179. También Díez Soto, M., "Comentario al artículo 1507", ob. cit., pág. 10664.

[784] Hablando de la opción desde una perspectiva general Torres Lana, J. A., *Contrato y derecho de opción*, ob. cit., págs. 4-7. Véase también Ysàs i Solanes, M., ob. cit., págs. 1226 y 1227.

[785] Roca Sastre, R. M.ª, *Derecho Hipotecario T. III*, 1979, ob. cit., págs. 543 y 544; Díez Soto, M., "Comentario al artículo 1507", ob. cit., pág. 10664; Torres Lana, J. A., *Contrato y derecho de opción*, ob. cit., pág. 179; Peña Bernaldo de Quirós, M., *Derechos Reales. Derecho Hipotecario T. I*, ob. cit., pág. 729. Aunque Peña habla de derecho de opción en general, nos parece que se está refiriendo, más bien, a su concreta manifestación como opción de compra.

[786] La mayor parte de la doctrina ha tomado, asimismo, esta decisión. En este sentido, Ramón Chornet, J. C., ob. cit., pág. 312; Roca Sastre, R. M.ª, *Derecho Hipotecario T. III*, 1979, ob. cit., pág. 543.

[787] En la Compilación de Derecho Civil Foral de Navarra el derecho de opción se halla recogido, como hemos indicado con anterioridad, en la Ley 460, debiendo tenerse en cuenta, además, que se hacen referencias específicas a la opción de compra en la Ley 461, así como en la Ley 517 FNN. Por lo que se refiere al Código civil catalán, la figura de la opción queda específicamente recogida en los arts. 568-8 y ss. Cc Cat., aunque se alude concretamente al derecho de opción de compra en los arts. 547-5 (en relación con la propiedad temporal) y 569-35 Cc Cat. (respecto de la hipotecabilidad del arrendamiento con opción de compra).

[788] Brancós i Núñez, E., ob. cit., pág. 253; Torres Lana, J. A., *Contrato y derecho de opción*, ob. cit., pág. 8. Sobre este precepto nos detendremos más adelante.

mención en preceptos aislados de la legislación especial[789]) refleja la aptitud de la autonomía privada como fuente creadora de derechos[790]. El derecho de opción es, pues, fruto de la práctica jurídica, sin perjuicio de que su construcción como categoría dogmática se la debamos a la inestimable labor de la jurisprudencia, de la Dirección General de los Registros y, como no podía ser de otro modo, al buen hacer académico[791].

La atipicidad de la institución ha provocado ciertamente amplios debates, sobre todo en lo que concierne a su naturaleza jurídica[792], lo cual se ha materializado en diversas tesis, siendo las más relevantes, en nuestra opinión: a) la teoría que considera a la opción como un mero derecho de crédito, sin perjuicio de reconocer sus posibles efectos frente a terceros *ex* art. 14 RH[793]; b) la teoría que sostiene la

---

[789] Tempranamente se hizo referencia al derecho de opción en la legislación fiscal. Véase Saldaña, J., "La opción y el Registro de la Propiedad", *R.C.D.I.* núm. 45, octubre 1928, pág. 737. También se hace mención a la opción de compra en otros preceptos como los que se señalan en Sanciñena Asurmendi, C., *La opción de compra*, ob. cit., pág. 12; entre ellos destaca, por ejemplo, el art. 13 LAU.

[790] Torres Lana, J. A., *Contrato y derecho de opción*, ob. cit., pág. 8. Esta cuestión será analizada con mayor detenimiento en otro apartado.

[791] Brancós i Núñez, E., ob. cit., pág. 253. En el mismo sentido, se ha apuntado en la RDGRN 28 septiembre 1982 (RJ 1982\5369) "*que la falta de una regulación adecuada del derecho de opción en nuestras Leyes ha tenido que ser suplida en general por la Jurisprudencia que al enfrentarse con las cuestiones que este derecho planteaba, ha ido perfilando su configuración y efectos, aparte de la singular norma contenida en el art. 14 del Reglamento Hipotecario respecto a la inscripción de este derecho en el Registro de la Propiedad, normativa incompleta y merecedora de una pronta reforma que complemente la actual regulación legal*".

[792] Talma Charles, J., ob. cit., pág. 339. Ramón Chornet lo llega a calificar como "...uno de los temas más controvertidos del Derecho civil patrimonial". Ramón Chornet, J. C., ob. cit., pág. 333.

[793] Puig Brutau, J., *Fundamentos de Derecho Civil T. III. Vol. III...*, ob. cit., págs. 506 y ss.; Santos Briz, J., "Derechos reales de adquisición...", ob. cit., págs. 376 y 377; Cañizares Laso, A., "Tanteo y opción. Frustración del interés del titular del derecho. (Comentario a la STS. Sala 1.ª-24 de octubre de 1990)", ob. cit., pág. 933; Cañizares Laso, A., "Prescripción y caducidad: la opción de compra, un ejemplo de derecho potestativo", *Mercantil: cuaderno jurídico* núm. 5, 2010, pág. 34; Sanciñena Asurmendi, C., *La opción de compra*, ob. cit., pág. 12; Torres Lana, J. A., *Contrato y derecho de opción*, ob. cit., págs. 183 y ss.; Delgado Cordero, A. M.ª, "Configuración jurisprudencial de la opción de compra. Comentario a la STS de 6 de julio 2001 (RJ 2001, 4996)", *Revista Aranzadi de Derecho Patrimonial* núm. 8, 2002, pág. 231.

naturaleza estrictamente real del derecho de opción[794]; y c) la postura que defiende su configuración como derecho real o personal en función de la voluntad de las partes[795]. En este sentido y más que realizar una síntesis de las tesis anteriormente enunciadas, creemos necesario plantearnos, en primer lugar, si es posible que a partir de la autonomía privada se cree un derecho de opción de carácter personal para después abordar la cuestión más controvertida de si los particulares pueden crear un derecho de opción de carácter real[796].

Cabe destacar que son varios los autores que incluyen en sus estudios una cuarta tesis, al considerar que el hecho de que la opción (de naturaleza personal) pueda ser inscrita en el Registro de la Propiedad confiere a su titular una especie de *ius ad rem* o vocación real. Ello lo explican Pérez Gurrea, R., ob. cit., pág. 2893; Serrano Alonso, E., "Notas sobre el derecho de opción", ob. cit., pág. 1142-1144; Leña Fernández, R., ob. cit., págs. 106-108. Nosotros hemos preferido no incluirla en el texto principal, en primer lugar, porque, como apuntan los dos últimos autores citados, su planteamiento no dista mucho de la tesis anteriormente enunciada (derecho personal que adquiere efectos reales por la inscripción) y, en segundo lugar, porque como vimos en otro punto de este trabajo, la categoría teórica del *ius ad rem* es ampliamente discutida.

[794] Así parecen entenderlo Serrano Alonso, E., "Notas sobre el derecho de opción", ob. cit., pág. 1145; Saldaña, J., "La opción y el Registro de la Propiedad", ob. cit., págs. 747 y 748; Ramón Chornet, J. C., ob. cit., pág. 334. También Amorós Guardiola, M., "Comentario a la Resolución de 7 de diciembre de 1978", ob. cit., pág. 1508 nota al pie núm. 2. Debe destacarse, sin embargo, que este último autor entiende que para que adquiera la condición de derecho real es necesaria su constancia registral (inscripción constitutiva). Véase Amorós Guardiola, M., "Comentario a la Resolución de 7 de diciembre de 1978", ob. cit., pág. 1514. Sobre este tema volveremos más adelante.

[795] Entre otros, García Amigo, M., ob. cit., pág. 105; Ysàs i Solanes, M., ob. cit., págs. 1233-1235; Lacruz Berdejo, J. L., *Elementos de Derecho Civil III Derechos reales Vol. II*, ob. cit., pág. 359; Ruano García, J. P., ob. cit., págs. 1471 y ss.; Castán Tobeñas, J., *Derecho Civil Español, Común y Foral T. II Vol. I*, ob. cit., págs. 70 y 71; Peña Bernaldo de Quirós, M., *Derechos Reales. Derecho Hipotecario T. I*, ob. cit., págs. 727-729; Mezquita del Cacho, J. L., "El pacto de opción y el derecho que origina", *R.C.D.I.* núm. 274, ob. cit., pág. 187; Badenes Gasset, R., *La preferencia adquisitiva en el derecho español (tanteo, retracto, opción)*, ob. cit., págs. 221 y 222.

[796] Díez Soto subraya que el verdadero problema es esclarecer si puede crearse un derecho de opción de naturaleza jurídico real. Díez Soto, M., "Comentario al artículo 1507", ob. cit., pág. 10667.

A)   *Su naturaleza jurídica*

a)   La opción como derecho personal

No parecen existir graves inconvenientes a la hora de admitir la configuración de un derecho de opción de carácter puramente crediticio, siempre y cuando ello no suponga una transgresión de los ya repetidos límites a la autonomía privada dispuestos en el art. 1255 Cc[797]. Ciertamente frente a esta postura podría objetarse, como ya apuntamos en el apartado dedicado al estudio de los tanteos y retractos de naturaleza personal, que un derecho de adquisición de alcance estrictamente *inter partes* carecería de utilidad práctica[798]. No obstante, ya se vio más arriba que, aunque en puridad no pueda hablarse de preferencia, ello no impide que se constituya un derecho de las características que aquí se comentan[799].

Así las cosas, si el concedente hubiese transmitido el bien objeto de opción de compra a un tercero, solo restaría al optante la posibilidad de exigir el cumplimiento del contrato de opción por equivalencia y, en su caso, una indemnización por los daños y perjuicios causados y la devolución de la prima en el supuesto de que se tratase de un contrato oneroso[800]. De este modo, no podría oponerse el derecho frente

---

[797]   Díez Soto, M., "Comentario al artículo 1507", ob. cit., págs. 10666 y 10667; Rubio Garrido, T., "Comentario a la STS 14 de junio de 2002", *C.C.J.* núm. 60, octubre-diciembre 2002, pág. 1129.

[798]   Esto es lo que parece opinar Saldaña, J., "La opción y el Registro de la Propiedad", ob. cit., págs. 747 y 748. También Ramón Chornet, J. C., ob. cit., pág. 335 y Orteu Castells, J. O., *¿Es inscribible el contrato de opción?*, Bosch, Barcelona, 1957, pág. 70.

[799]   Aunque en relación con los tanteos, nos parecen aplicables las reflexiones expuestas por Feliu Rey, M. I., *El tanteo convencional*, ob. cit., pág. 104.

[800]   Es lo que se viene a deducir de la lectura conjunta del trabajo de Díez Soto y las sentencias en las que este se apoya, esto es, la STS 13 noviembre 1992 (TOL1.654.957) y la STS 10 marzo 2009 (TOL1.499.153). Véase Díez Soto, M., "Comentario al artículo 1507", ob. cit., págs. 10666 y 10667. Cabe señalar, sin embargo, que en la STS 10 marzo 2009 (TOL1.499.153), la calificación del derecho como de opción de compra es más controvertida, ya que se trataba del "...*derecho a formar parte de la Reunión de Autopromoción que se ha constituido para la construcción del edificio a construir... con una participación o cuota suficiente para que cuando se otorgue la escritura de obra nueva y régimen de*

al tercer adquirente debido a que el alcance de los derechos crediticios se limita a las partes y sus causahabientes (art. 1257 Cc). Esta norma general debe, sin embargo, ser matizada, ya que se encuentran puntuales, aunque importantes excepciones a la misma, como tuvimos la oportunidad de comprobar en otro punto de este trabajo.

Enlazando con lo anterior, no puede olvidarse que el derecho de opción constituido con carácter crediticio podrá hacerse valer frente al tercero que hubiese adquirido el bien objeto de opción cuando este hubiese tenido conocimiento de la existencia del pacto que vinculaba al concedente y al optante[801]. Esta excepción al principio de relatividad de los contratos[802] fue expuesta extensamente en el apartado dedicado al estudio de los tanteos y retractos voluntarios, por lo que nos remitimos a las reflexiones allí expuestas.

Por otro lado, el derecho de opción de carácter personal también será oponible al tercero cuando, de acuerdo con lo previsto en el art. 14 RH, "...*el contrato de opción de compra o el pacto o estipulación expresa que lo determine en algún otro contrato inscribible...*" se halle inscrito en el Registro de la Propiedad.

---

propiedad, con la cuota asignada promuevan la construcción del piso que ocupe la totalidad de la cuarta planta [...] y una plaza de aparcamiento". También se refiere a la posibilidad de exigir una indemnización por daños y perjuicios Cañizares Laso, A., "Prescripción y caducidad: la opción de compra, un ejemplo de derecho potestativo", ob. cit., pág. 34.

[801]   Así en la STS 13 febrero 1997 (TOL5.114.372) se llegó a la conclusión de que "*existiendo un contrato de opción vigente y conocido por la recurrente -conforme hecho probado firme- en el momento de la incorporación de las dos fincas a su haber social no le asiste condición blindada de tercero de buena fe, ajeno a la relación de opción, la que le afecta, así como sus consecuencias en cuanto a su cumplida ejecución (Sentencias de 17-12-1959, 9-2 y 5-10-1965, 24-10-1990 y 24-2-1993)...*".

[802]   Se menciona expresamente en la ya citada STS 13 febrero 1997 (TOL5.114.372), al señalar que este principio "*...en cuanto a sus límites subjetivos, ha sido mitigado en su rigidez por la doctrina de esta Sala, al admitir que las obligaciones y los derechos dimanantes de los mismos transciende a los causahabientes de uno de los contratantes a título particular por actos intervivos que se introducen en la relación jurídica creada, mediante negocio posterior celebrado con el primitivo contratante (sentencias de 14-5-1928, 20-2-1981, 2-11-1981 y 27-5-1989)*".

b)   La opción como derecho real

Según Saldaña, uno de los criterios más acertados para despejar la ecuación que se proyecta sobre la admisibilidad de una opción de carácter real consiste en deducir la postura que al respecto mantienen el legislador y la jurisprudencia[803].

Poca luz pueden arrojar, sin embargo, los preceptos de la normativa civil estatal sobre la viabilidad de una opción de compra de contornos jurídico-reales[804], ya que las escasas normas que se refieren expresamente a la figura objeto de estudio no se pronuncian, en ningún supuesto, sobre la naturaleza jurídica del derecho[805], ni siquiera en el caso del tan debatido art. 14 RH[806].

La jurisprudencia no parece ser mucho más esclarecedora. De este modo, aunque durante la primera mitad del siglo pasado[807] se aprecia

---

[803]   Saldaña, J., "La opción y el Registro de la Propiedad", ob. cit., págs. 744 y ss.

[804]   Al igual que ocurre con los tanteos y retractos voluntarios, el legislador navarro (Leyes 460 y 461 FNN) y el catalán (arts. 568-8 y ss. Cc Cat.) se pronuncian a favor de la configuración en clave jurídico-real del derecho de opción.

[805]   Saldaña encuentra en la legislación fiscal apoyo para reconocer la naturaleza jurídico-real del derecho de opción. De este modo, el autor sostiene que el hecho de que a la opción se le aplique el mismo tipo de tributación que a los derechos reales revela su verdadera naturaleza. Saldaña, J., "La opción y el Registro de la Propiedad", ob. cit., págs. 744 y ss. Pasando por alto el hecho de que esta normativa tributaria ya no se encuentra en vigor, nosotros creemos que no era suficiente para inclinar la balanza a favor del carácter real de la opción; sí que podía tratarse de un indicio, pero nada más.

[806]   Así, como ha afirmado Díez Soto, "el precepto en cuestión, sin embargo, no prejuzga la naturaleza del derecho de opción". Véase Díez Soto, M., "Comentario al artículo 1507", ob. cit., pág. 10667. Un sector de la doctrina se ha apoyado en el art. 14 RH para sustentar la tesis obligacionista respecto del derecho de opción. En este sentido, Puig Brutau, J., *Fundamentos de Derecho Civil T. III. Vol. III...*, ob. cit., págs. 507 y 508. Del mismo modo, puede citarse, por ejemplo, la STS 9 octubre 1987 (RJ 1987\6928), que, tras explicar lo que ha de entenderse por contrato de opción, subraya que "*con estos precedentes, y a la vista del artículo 14 del Reglamento Hipotecario, la naturaleza predicable de esta figura jurídica es la de un contrato y no la de un derecho real...*".

[807]   Brancós i Núñez toma la reforma reglamentaria del año 1947 como punto de referencia, lo cual no es de extrañar si se tiene en cuenta que, como se explicó en la nota al pie anterior, parte de la doctrina considera que el art. 14 RH ha influido, de algún modo, en el debate sobre la naturaleza del derecho. Consúltese Brancós i Núñez, E., ob. cit., pág. 258.

una clara tendencia a predicar el carácter personal del derecho de opción de compra[808], en las décadas posteriores su postura fue cambiante. Así, nos encontramos con pronunciamientos en los que el Tribunal Supremo remarcó la naturaleza jurídico-real del derecho de opción[809], mientras que, en otros, el Alto Tribunal se decantaba por proclamar el carácter meramente crediticio de la figura, sin perjuicio, claro está, de reconocer los efectos *erga omnes* derivados de la inscripción (art. 14 RH)[810]. Ha de admitirse, sin embargo, que desde los albores del nuevo milenio la jurisprudencia del Tribunal Supremo parece mostrarse conforme con la última de las tesis señaladas[811], aunque es cierto que en la STS 22 diciembre 2005 (TOL795.316) resta importancia a la cuestión, apuntando que, con independencia de sus cambios de postura, la cuestión de la naturaleza queda diluida si se trata de un derecho de opción inscrito en el Registro de la Propiedad[812].

---

[808] Brancós i Núñez cita diversas resoluciones de la Dirección General de los Registros y del Notariado que, según el autor, se pronuncian en tal sentido. Véase Brancós i Núñez, E., ob. cit., pág. 258.

[809] STS 26 septiembre 1991 (TOL1.727.642); STS 24 marzo 1992 (TOL1.654.821); STS 10 septiembre 1998 (TOL5.157.001).

[810] En este sentido, la STS 9 octubre 1987 (RJ 1987\6928); STS 9 octubre 1989 (TOL1.731.764); STS 13 febrero 1997 (TOL5.114.372). Véase también Delgado Cordero, A. M.ª, ob. cit., pág. 231.

[811] Véase: STS 11 abril 2000 (TOL2.549.487); STS 5 noviembre 2003 (TOL324.940); STS 17 marzo 2009 (TOL1.485.187); STS 19 febrero 2014 (TOL4.218.595). En el trabajo de Brancós i Núñez, que data del año 1994, el autor ya declaraba la consolidación de esta doctrina jurisprudencial. Brancós i Núñez, E., ob. cit., pág. 258. Nosotros, sin embargo, creemos que esta orientación se fija a partir del año 2000, teniendo en cuenta las sentencias que en esta nota al pie se relacionan.
También conviene destacar aquí que el éxito del ejercicio de la tercería de dominio por parte del optante parece hacerse depender del hecho de que la opción se halle inscrita o no en el Registro de la Propiedad. En este sentido, el Tribunal Supremo ha venido a reconocer la prevalencia de una opción inscrita sobre el crédito por el que posteriormente se practicó una anotación preventiva de embargo [STS 6 julio 2006 (TOL979.412)]. Por el contrario, el ejercicio de la tercería de dominio no ha prosperado en aquellos supuestos en los que no existía constancia registral del derecho de opción. En este sentido, STS 11 abril 2002 (TOL4.975.461) y STS 23 mayo 2007 (TOL1.078.713).

[812] Esta afirmación se matizará más adelante. Del mismo modo, cabe destacar que el Alto Tribunal vino a recalcar en su STS 30 noviembre 1988 (TOL1.733.291) que la problemática de la opción reside no tanto en esclarecer su naturaleza como en delimitar su eficacia (jurídico-real según el citado pronunciamiento).

Llegados a este punto, conviene traer a colación un pensamiento que se viene repitiendo a lo largo de este trabajo y es que, como regla general, en nuestro ordenamiento no se hallan impedimentos a la hora de admitir la creación de nuevas figuras jurídico-reales o la modificación de los tipos existentes mediante la autonomía privada, siempre, desde luego, que no se transgredan los límites a los que esta se halla sujeta[813]. De este modo, no parecen apreciarse, al menos desde el punto de vista teórico[814], obstáculos a la creación de un derecho de opción de carácter real, como ha puesto de manifiesto en numerosas ocasiones la propia la Dirección General de los Registros y del Notariado[815].

Teniendo en cuenta lo hasta aquí expuesto, el derecho de opción puede constituirse por las partes como un derecho meramente crediticio o, por el contrario, como un derecho de naturaleza jurídico-real. No obstante, ha de recalcarse nuevamente que para que un derecho quede configurado como real será totalmente necesario, además de que conste la voluntad inequívoca de otorgarle este estatus[816], que la concreta figura reúna los elementos propios de esta categoría de derechos[817].

---

[813] Ruano García, J. P., ob. cit., pág. 1473.
[814] Talma Charles, J., ob. cit., pág. 342.
[815] Ruano García, J. P., ob. cit., pág. 1473. Es lo que se infiere de la lectura de la RDGRN 27 marzo 1947 (RJ 1947\440); RDGRN 7 septiembre 1982 (LA LEY 258/1982); RDGRN 29 enero 1986 (LA LEY 298/1986); RDGRN 30 septiembre 1987 (RJ\1987\6579), algunas de ellas citadas por el autor antes mencionado. Cabe señalar, asimismo, que el Centro directivo habla de "...*derecho real de opción de compra...*" en la RDGRN 12 junio 2017 (TOL6.197.991).
[816] Serrano Alonso, E., "Notas sobre el derecho de opción", ob. cit., pág. 1146; Leña Fernández, R., ob. cit., pág. 111. No nos detendremos más en esta cuestión, ya que resultan aplicables las consideraciones que se realizaron respecto de los derechos de tanteos y retractos voluntarios de carácter real.
[817] Véase Brancós i Núñez, E., ob. cit., pág. 261; Leña Fernández, R., ob. cit., págs. 111, 112 y 116. Aunque abandera la tesis que rechaza la configuración del derecho de opción como figura jurídico-real, Puig Brutau apunta que no basta la mera voluntad de los particulares para crear un derecho real. Puig Brutau, J., *Fundamentos de Derecho Civil T. III. Vol. III...*, ob. cit., pág. 508.
Según razona la RDGRN 10 abril 2014 (TOL4.277.898) "*...se puede decir que si bien en la mayoría de las ocasiones el que un derecho sea real o personal depende de la voluntad del legislador si impone una obligación pasiva universal mandando a todos que respeten un derecho, lo modela como real, y si no la impone, lo reduce a personal, en relación con otros supuestos, precisamente a causa de su atipicidad, hay que entender que el legislador ha transmitido esta facultad a las propias partes contratantes, que podrán constituir el correlativo derecho*

Enlazando con lo anterior, la configuración de un derecho de opción como real pasa por el hecho de que este sea absoluto y que comporte un poder inmediato o inherente respecto de la cosa[818]. Este es precisamente el punto más debatido por la doctrina, ya que, al igual que en el supuesto de los tanteos y los retractos voluntarios, hay quien opina que el derecho de opción no otorga a su titular un poder inmediato en relación con el bien ni es por sí mismo oponible *erga omnes*[819]. No estimamos necesario ahondar en el tema, en tanto en cuanto creemos que son perfectamente aplicables aquí las reflexiones que se hicieron respecto de los tanteos y retractos voluntarios, sin perjuicio de que se haga referencia a la oponibilidad del derecho de opción cuando tratemos determinados aspectos registrales.

Huelga decir que, aunque a diferencia de lo que ocurre con los tanteos y retractos voluntarios el derecho de opción no se apoye en ningún molde típico[820], a la hora de su creación deberán tenerse en cuenta las notas que en la práctica vienen caracterizando a esta figura. Ahora bien, somos conscientes de que el derecho de opción es una institución cuyo origen y configuración depende de la voluntad de las partes. De ahí que resulte inútil enumerar los caracteres del derecho de opción, ya que, salvo ciertos rasgos que nos permiten identificarlo, la mayor parte de sus notas dependerán de la autonomía privada.

B)   *Efectos del derecho de opción de compra*

A lo largo de nuestro estudio hemos podido comprobar la íntima relación que existe entre el Registro de la Propiedad y los derechos

---

como personal o como real, siempre que se cumplan las exigencias estructurales propias de los derechos de esta naturaleza (…) (v.gr. en relación con el derecho de opción de compra ex artículo 14 del Reglamento Hipotecario)". En idéntico sentido, RDGRN 17 abril 2017 (TOL6.055.412); RDGRN 8 noviembre 2018 (TOL6.927.633); RDGRN 26 abril 2019 (TOL7.211.168). Véase también la RDGRN 13 febrero 2019 (TOL7.098.405).

[818]   Se infiere de la lectura de la RDGRN 18 marzo 2016 (TOL5.683.277).

[819]   Véase Santos Briz, J., "Derechos reales de adquisición…", ob. cit., págs. 376 y 377; Cañizares Laso, A., "Tanteo y opción. Frustración del interés del titular del derecho. (Comentario a la STS. Sala 1.ª-24 de octubre de 1990)", ob. cit., pág. 933.

[820]   Recordemos que los tanteos y retractos voluntarios tomaban la estructura básica de sus homónimos legales.

reales que no comportan ningún tipo de posesión, entre los cuales se viene encuadrando la hipoteca como ejemplo paradigmático, pero también los tanteos y los retractos voluntarios de carácter real y, cómo no, la figura que aquí nos ocupa[821]. De ahí que estimemos necesario abordar, en primer lugar, determinados aspectos relevantes del derecho de opción inscrito, para después adentrarnos en el examen del derecho de opción que carece de constancia registral.

a)   Opción de compra inscrita

Hemos de comenzar señalando que tanto la opción real como la personal son susceptibles de ser inscritas en el Registro de la Propiedad. En este sentido, Ysàs i Solanes[822] sostiene que dos son las posturas que pueden mantenerse al respecto, de modo que:

a) La vía de acceso al Registro de la Propiedad de la opción personal se apoyará en lo dispuesto en el art. 14 RH, mientras que el derecho de opción real podrá inscribirse, como cualquier otro derecho de esta categoría, con base en lo dispuesto en los arts. 1 y 2 LH[823].

b) La opción, con independencia de su naturaleza, será inscribible en virtud de lo establecido en el art. 14 RH[824].

Por nuestra parte, nos hallamos de acuerdo con la primera de las tesis mencionadas, ya que los derechos reales son inscribibles por sí mismos[825], de modo que, como vimos en otro punto de este trabajo, ninguna norma reglamentaria puede imponer requisitos de inscrip-

---

[821]   Véase Ramón Chornet, J. C., ob. cit., pág. 335. También Talma Charles, J., ob. cit., págs. 342 y 343.

[822]   Ysàs i Solanes, M., ob. cit., pág. 1234. También Albaladejo García, M., *Derecho Civil III...*, ob. cit., págs. 846 y 847.

[823]   Ysàs i Solanes, M., ob. cit., pág. 1234; Albaladejo García, M., *Derecho Civil III...*, ob. cit., págs. 846 y 847.

[824]   Ysàs i Solanes, M., ob. cit., pág. 1234; Albaladejo García, M., *Derecho Civil III...*, ob. cit., págs. 846 y 847.

[825]   Ysàs i Solanes, M., ob. cit., págs. 1234 y 1235; Ruano García, J. P., ob. cit., págs. 1474, 1479 y 1480. Roca Sastre también parece mantener esta opinión, aunque lo hace de forma algo contradictoria, ya que este autor estima que la opción tiene carácter personal, sin perjuicio de su inscripción. Véase Roca Sastre, R. M.ª, *Derecho Hipotecario T. III*, 1979, ob. cit., pág. 547.

ción distintos de los previstos en la ley. De este modo, entendemos que las condiciones de inscripción a las cuales se refiere el art. 14 RH[826] son únicamente exigibles en los supuestos de inscripción de opciones personales[827], argumento que encuentra apoyo en algunos de los pronunciamientos de nuestro Tribunal Supremo, como pueden ser las SSTS 9 octubre 1987 (RJ 1987\6928) y 9 octubre 1989 (TOL1.731.764)[828].

No obstante lo anterior, un sector de la doctrina[829], así como la Dirección General de los Registros y del Notariado[830] mantienen la

---

[826] El art. 14 RH estipula que *"será inscribible el contrato de opción de compra o el pacto o estipulación expresa que lo determine en algún otro contrato inscribible, siempre que además de las circunstancias necesarias para la inscripción reúna las siguientes:*
Primera. Convenio expreso de las partes para que se inscriba.
Segunda. Precio estipulado para la adquisición de la finca y, en su caso, el que se hubiere convenido para conceder la opción.
Tercera. Plazo para el ejercicio de la opción, que no podrá exceder de cuatro años. En el arriendo con opción de compra la duración de la opción podrá alcanzar la totalidad del plazo de aquél, pero caducará necesariamente en caso de prórroga, tácita o legal, del contrato de arrendamiento".

[827] Ysàs i Solanes, M., ob. cit., pág. 1235; Ruano García, J. P., ob. cit., págs. 1479 y 1480. Así lo estima también Brancós respecto de la exigencia de convenio expreso. Brancós i Núñez, E., ob. cit., pág. 259. Con respecto al plazo de duración de cuatro años, véase Leña Fernández, R., ob. cit., págs. 72 y ss.

[828] Ambas sentencias se pronunciaron a favor de la naturaleza jurídico personal del derecho de opción, señalando que *"...la naturaleza predicable de esta figura jurídica es la de un contrato y no la de un derecho real, tratándose en puridad de doctrina, de un derecho personal que puede tener efectos frente a terceros mediante la inscripción, pero sin que esta inscripción tenga la virtud de transmutar la naturaleza de los derechos, convirtiendo a los personales en reales, ya que no se tiene un poder directo sobre la cosa, sino únicamente la facultad de exigir del sujeto pasivo el necesario comportamiento para que el contrato prefigurado sea llevado a su consumación, y buena prueba de ello lo suministra el propio artículo 14 citado..."*. No obstante, claudica apuntando que *"...si fuera un derecho real sería inscribible sin necesidad de requisitos complementarios"*.

[829] Albaladejo García, M., *Derecho Civil III...*, ob. cit., págs. 847 y 848.

[830] Esta doctrina es sintetizada en la obra de Leña Fernández, R., ob. cit., pág. 69. En este sentido, la RDGRN 6 marzo 2014 (TOL4.182.197) ha venido a subrayar que *"...cualquiera que sea la posición doctrinal que se adopte respecto de la naturaleza del derecho de opción, es indudable que al acceder al Registro provoca efectos reales que afectan a todo tercero que con posterioridad obtenga un derecho sobre la finca y para ello deben cumplirse los requisitos del artículo 14 del Reglamento Hipotecario".*

tesis contraria, esto es, estiman que para la inscripción de la opción ha de exigirse, con carácter general, el cumplimiento de los requisitos establecidos en el art. 14 RH tanto en el caso de que este se halle configurado como un derecho personal, como en el supuesto de que se trate de un derecho de naturaleza real. Así, por ejemplo, son varias las resoluciones en las que se ha puesto de manifiesto que el plazo de cuatro años del art. 14.3 RH es aplicable a cualquier opción[831], límite que, en teoría, solo puede superarse en los supuestos en los que el mencionado derecho se halle ligado a un contrato de arrendamiento, en cuyo caso "...*la duración de la opción podrá alcanzar la totalidad del plazo de aquél, pero caducará necesariamente en caso de prórroga, tácita o legal, del contrato de arrendamiento*" (art. 14 RH). La rigurosidad de la norma se ha ido matizando, sin embargo, por la propia doctrina de la Dirección General de los Registros y del Notariado, como veremos más adelante.

El debate expuesto en los párrafos precedentes suele derivar en la relativización de la cuestión de la naturaleza jurídica de la opción, en un acto de rendición ante la idea de que, con independencia de la posición que se adopte, tanto el derecho de opción de carácter personal como aquel que es configurado como un derecho real tendrán acceso registral y, por ende, serán oponibles frente a terceros[832]. Nosotros aceptamos esta afirmación, en el sentido de que la discusión pierde parte de su peso si se tiene en cuenta que el derecho de opción, cualquiera que sea su configuración, podrá constar en el Registro de la

---

[831]   RDGRN 30 septiembre 1987 (RJ 1987\6579); RDGRN 14 febrero 2013 (TOL3.244.103) y la RDGRN 18 marzo 2016 (TOL5.683.277). En concreto, en la reciente RDGRN 13 febrero 2019 (TOL7.098.405) se ha puesto de manifiesto que "*la necesaria existencia del plazo halla su fundamento en las exigencias estructurales de configuración de los derechos reales, como ha quedado antes expuesto. Todas esas razones que, encaminadas a favorecer el tráfico jurídico, proscriben el acceso al Registro de gravámenes indefinidos justifican la existencia de un plazo cuyo límite máximo el legislador ha considerado conveniente fijar, para su acceso registral...*".

[832]   Ysàs i Solanes, M., ob. cit., pág. 1235. También Amorós Guardiola, M., "Comentario a la Resolución de 7 de diciembre de 1978", *R.C.D.I.* núm. 541, noviembre-diciembre 1980, pág. 1508. Este fenómeno también es puesto de relieve en Fernández-Golfín Aparicio, A., Rivas Martínez, J. J., y Rodríguez Poyo-Guerrero, J-M., ob. cit., pág. 135.

Propiedad y hacerse valer frente a sujetos ajenos a las partes[833]. No obstante, creemos que no por ello ha de pasarse por alto la cuestión de su naturaleza, no solo por aspectos de carácter teórico[834], sino por las implicaciones prácticas a las que aludiremos a continuación.

A efectos registrales, la naturaleza del derecho de opción será relevante para determinar si se aplican (derecho de opción personal) o, por el contrario, no (derecho de opción real) los requisitos a los que alude el art. 14 RH[835]. Evidentemente, nuestra postura solo tiene sentido si se parte de la premisa de que el derecho real de opción es inscribible por sí mismo ya que, como vimos, hay quien estima que las exigencias del art. 14 RH son aplicables con independencia de la naturaleza jurídica de la opción. Partiendo, pues, desde nuestra postura, resultará relevante esclarecer la naturaleza del derecho, con el fin de poder conocer si la figura en cuestión ha de cumplir con los requisitos a los que se refiere el art. 14 RH.

Frente a lo anterior, Albaladejo ha apuntado que, en realidad, se trata de exigencias que se proyectan *a priori* respecto de cualquier derecho de opción, esté configurado como real o personal[836], razonamiento que no podemos compartir. En este sentido, no parece que sea lógico que si se trata de un derecho real se exija para su inscripción el "*convenio expreso de las partes para que se inscriba*"[837] y, mucho

---

[833] A diferencia de lo que ocurría en el caso de los tanteos y retractos voluntarios, en tanto en cuanto aquellos que tengan un mero carácter personal no podrán acceder al Registro de la Propiedad.

[834] Ya hemos mencionado que el derecho de opción, configurado como derecho personal, no muta por el hecho de que este se halle inscrito. Sin ánimo de ser repetitivos, véase nuevamente la STS 9 octubre 1987 (RJ 1987\6928) y la STS 9 octubre 1989 (TOL1.731.764). En el mismo sentido, es importante tener en cuenta que el derecho real de opción lo es por sí mismo y no porque se halle inscrito. Sobre esta idea volveremos más adelante.

[835] Así lo entiende también Roca Sastre, aunque después admite que podrían aplicarse al derecho real de opción los requisitos recogidos en los arts. 14.2 y 3 RH, pero no la constancia del convenio expreso. Roca Sastre, R. M. ª, *Derecho Hipotecario T. III*, 1979, ob. cit., págs. 551 y ss.

[836] Albaladejo García, M., *Derecho Civil III…*, ob. cit., pág. 847. También sostiene esta opinión Badenes Gasset, R., *La preferencia adquisitiva en el derecho español (tanteo, retracto, opción)*, ob. cit., pág. 222.

[837] En contra Albaladejo García, M., *Derecho Civil III…*, ob. cit., pág. 847 nota al pie núm. 58.

menos, que se establezca un plazo máximo para su duración a partir de una norma reglamentaria[838].

Otro punto a tener en cuenta a la hora de reafirmar, desde el punto de vista registral, la importancia de precisar si nos hallamos ante un derecho personal o real, es que, en caso de transmisión de un derecho de opción de carácter personal, el adquirente no se verá beneficiado por la fe pública registral aunque este se halle inscrito (art. 34 LH)[839].

Realizadas las matizaciones anteriores, el derecho de opción inscrito, ya sea real o personal, será oponible *erga omnes*[840] y no producirá el cierre registral, por lo que el titular dominical podrá transmitir el bien inmueble de que se trate (no constituye una prohibición de disponer), "...*sin perjuicio de que el titular del derecho de opción pueda exigir de todo propietario del inmueble afectado, sea el concedente, sean posteriores adquirentes del mismo, la venta de la cosa afectada*"[841].

b)   Opción real de compra no inscrita

Más arriba explicamos las consecuencias jurídicas que se derivan de la vulneración de un derecho personal de opción no inscrito (posibilidad de exigir el cumplimiento por equivalencia y una indemnización por daños y perjuicios). Conviene, pues, centrarnos en los efectos que se originan de una opción real no inscrita, lo que conecta con otra cuestión harto complicada, a la que nos hemos enfrentado con anterioridad: la oponibilidad de derechos reales no susceptibles de posesión.

---

[838]   Cosa distinta es que se deba hacer constar el plazo de duración (el que hayan establecido las partes) como consecuencia del principio de especialidad. Ruano García, J. P., ob. cit., pág. 1480.

[839]   Roca Sastre, R. M. ª, *Derecho Hipotecario T. III*, 1979, ob. cit., pág. 570; Ysàs i Solanes, M., ob. cit., pág. 1252; Ruano García, J. P., ob. cit., pág. 1476; Leña Fernández, R., ob. cit., pág. 114.

[840]   En el caso de la opción de carácter personal, la oponibilidad ha de ser entendida, como bien sostiene Badenes, como la subrogación del tercer adquirente en la posición contractual que ostentaba el concedente. Badenes Gasset, R., *La preferencia adquisitiva en el derecho español (tanteo, retracto, opción)*, ob. cit., pág. 225.

[841]   La STS 9 junio 1990 (TOL1.729.101). Véase, asimismo, Brancós i Núñez, E., ob. cit., págs. 275 y 276; Ruano García, J. P., ob. cit., págs. 1480 y 1481.

Sin ánimo de realizar repeticiones innecesarias, ha de hacerse hincapié en el hecho de que algunas de las voces con más peso en el ámbito inmobiliario-registral han sostenido que la inscripción del derecho real de opción presenta un carácter constitutivo, en tanto que, desde este enfoque, se entiende que el único medio para que la institución que nos ocupa pueda producir efectos frente a terceros y, por ende, actuar en el tráfico como un auténtico derecho real es a partir de su constancia registral[842].

A pesar de tener que reconocer la importancia de la inscripción en relación con los derechos reales no posedibles[843], consideramos que el posicionamiento descrito en el párrafo anterior resulta excesivo[844]. En este sentido, creemos, junto con un sector de la doctrina, que en relación con el derecho de opción no puede hablarse de inscripción constitutiva en un sentido similar a la que se predica respecto del derecho real de hipoteca (*ex* art. 1875 Cc)[845]. Así, entendemos que para que la inscripción del derecho real de opción pudiese ser reputada como constitutiva hubiese sido necesario que una ley lo hubiese previsto así[846], como ocurre en el Derecho catalán (*ex* art. 568-2 Cc

---

[842] Amorós Guardiola, M., "Comentario a la Resolución de 7 de diciembre de 1978", ob. cit., pág. 1514. De La Rica y Arenal, R., *Comentarios al nuevo Reglamento Hipotecario T. I*, Madrid, 1948, pág. 27. Del mismo modo, conviene señalar que en la RDGRN 22 enero 2018 (TOL6.489.233) se habló de "…*la transcendencia «erga omnes» que adquiere el derecho de opción a resultas de su inscripción…*".

[843] Ramón Chornet habla de una inscripción "fundamental". Ramón Chornet, J. C., ob. cit., pág. 336.

[844] Esta visión es la que parece tener Roca Sastre, como comenta Ruano García. Véanse Roca Sastre, R. M. ª, *Derecho Hipotecario T. I*, 7ª ed., Bosch, Barcelona, 1979, pág. 213; Ruano García, J. P., ob. cit., pág. 1477.

[845] Ramón Chornet, J. C., ob. cit., pág. 336. En un sentido similar, Ruano García, J. P., ob. cit., págs. 1477 y 1478; Mezquita del Cacho, J. L., "El pacto de opción y el derecho que origina", *R.C.D.I.* núm. 275, abril 1951, pág. 258; Rubio Garrido, T., "Comentario a la STS 14 de junio de 2002", ob. cit., pág. 1130.

[846] Roca Sastre, R. M. ª, *Derecho Hipotecario T. I*, 1979, ob. cit., pág. 213.

Cat.[847]). Distinto es que se proponga *de lege ferenda* el acogimiento de tal previsión por parte del legislador[848].

Con base en lo anterior, no deben existir dudas a la hora de afirmar que la opción configurada como derecho real por las partes puede existir en el plano sustantivo sin que sea necesaria su inscripción, como bien nos demuestra el Derecho navarro (Leyes 460 y 461 FNN)[849]. Ahora bien, entendemos, con Talma Charles, que el problema no reside tanto en el hecho de que, desde un punto de vista abstracto, se pueda configurar una opción de carácter real no inscrita, sino en si esta podrá funcionar en el plano jurídico como lo hace un verdadero derecho real, esto es, con oponibilidad *erga omnes*[850]. Es por ello por lo que estimamos que, aunque la inscripción no sea constitutiva en un sentido estricto, resulta esencial para que el derecho pueda desplegar sus efectos frente a terceros, ya que nos parece difícil predicar la oponibilidad de un derecho que no comporta ningún tipo de posesión ni se halla inscrito en el Registro de la Propiedad[851]. Distinto es que el tercero conozca a partir de cualquier medio la existencia del derecho

---

[847]   Recordemos que el mencionado precepto establece en su inciso primero que "*los derechos reales de adquisición se constituyen en escritura pública y, si recaen sobre bienes inmuebles, deben inscribirse en el Registro de la Propiedad*".

[848]   Recuérdese el art. 3111-3. 2 b) de la Propuesta de Código civil de la Asociación de Profesores de Derecho Civil. Mas Badía, M. ª D., "Título XI del Libro III", ob. cit., pág. 489.

[849]   Ramón Chornet, J. C., ob. cit., pág. 336 nota al pie núm. 20.

[850]   Talma Charles, J., ob. cit., págs. 342 y 343. Algo similar parece entender Amorós Guardiola, cuando señala "…que la opción no inscrita o sin eficacia real no puede funcionar como tal derecho frente a posibles terceros posteriores". Amorós Guardiola, M., "Comentario a la Resolución de 7 de diciembre de 1978", ob. cit., pág. 1514. Recordemos; no obstante, que el último de los autores señalados se muestra a favor de la inscripción constitutiva del derecho de opción.

[851]   En palabras de Rubio Garrido: "…será muy difícil probar que un tercer adquirente conocía o debió conocer su preexistencia (pues, precisamente, la vía principal para acreditarlo -máxime cuando discurrimos de un gravamen que no proporciona un *ius possidendi*- no es transitable, al faltar la publicidad que el RP preconstituye y facilita)". Rubio Garrido, T., "Comentario a la STS 14 de junio de 2002", ob. cit., pág. 1130. En este sentido, el derecho real de opción solo será oponible en el plano sustantivo ante sujetos que no se hallen protegidos por los arts. 32 y 34 LH. Véase Ramón Chornet, J. C., ob. cit., pág. 336. De manera similar, Mezquita del Cacho, J. L., "El pacto de opción y el derecho que origina", *R.C.D.I.* núm. 275, ob. cit., pág. 264.

de opción, pudiendo hacerse valer, en este caso, frente a aquel, con independencia de su naturaleza jurídica[852].

C)   Límites a la autonomía privada

El derecho de opción es, como venimos repitiendo, una figura de carácter atípico, tanto en su origen como en su configuración, lo que supone *"...que su contenido se rige esencialmente por el principio de autonomía de la voluntad sin otros límites que los que se derivan de su aplicación (Sentencias de 14 de marzo de 1991 y 21 de marzo de 1998, entre otras muchas)"*[853]. Estos límites serán, una vez más, aquellos que se imponen a la autonomía privada de forma general, esto es, la ley, la moral y el orden público[854], los cuales han sido analizados a lo largo de nuestro estudio.

Con el fin de evitar repeticiones innecesarias, creemos que puede resultar más provechoso centrarnos en alguna manifestación concreta

---

[852]   Díez Soto, M., "Comentario al artículo 1507", ob. cit., pág. 10668. El autor se apoya en la STS 28 abril 2009 (TOL1.514.769), en la que se opone un derecho de opción no inscrito a la esposa del concedente (a la cual se le había transmitido la mitad indivisa del inmueble), por tener conocimiento de su existencia. El Alto Tribunal no se pronuncia, en cambio, acerca de la naturaleza jurídica del derecho discutido.

[853]   RDGRN 14 febrero 2013 (TOL3.244.103). En igual sentido, la RDGRN 18 marzo 2016 (TOL5.683.277) y la RDGRN 13 febrero 2019 (TOL7.098.405). Una prueba de la relevancia de la autonomía privada en este sector es la doctrina sentada por la RDGRN 7 diciembre 1978 (LA LEY 110/1978), en la cual el Centro directivo admite que las partes puedan pactar *"...con ocasión de conceder un derecho de opción de compra, que la escritura pública de ejercicio de la opción de compra pueda otorgarse unilateralmente por el optante..."*, siempre y cuando este haya cumplido con sus obligaciones.

[854]   RDGRN 14 febrero 2013 (TOL3.244.103); RDGRN 18 marzo 2016 (TOL5.683.277); RDGRN 13 febrero 2019 (TOL7.098.405). Por lo que respecta a la doctrina, véase García Amigo, M., ob. cit., pág. 121; Ruano García, J. P., ob. cit., pág. 1473. Nuevamente, el art. 3111-2 de la Propuesta de Código civil de la Asociación de Profesores de Derecho Civil. Mas Badía, M. ª D., "Título XI del Libro III", ob. cit., pág. 489.

Amorós Guardiola sostiene, en cambio, que no basta con la aplicación de estos límites genéricos, sino que será necesario, además, prestar especial atención a las restricciones que se derivan de la naturaleza y función que estos derechos desempeñan. Amorós Guardiola, M., "Comentario a la Resolución de 7 de diciembre de 1978", ob. cit., págs. 1508 y 1509.

del juego de la autonomía privada en el ámbito del derecho de opción, para así observar las restricciones a las que esta se halla sometida. En este sentido, nos ha parecido interesante abordar el tema del plazo, y ello no solo por los problemas prácticos que, como vimos, se producen en torno a esta cuestión en el ámbito registral, sino también por las controversias que este puede causar en el plano extrarregistral.

Enlazando con lo anterior, las partes podrán, en uso de su autonomía privada, establecer el plazo de duración del derecho real de opción que estas estimen por conveniente, no pudiendo, sin embargo, guardar silencio en cuanto a su fijación[855]. De este modo, la indeterminación del plazo del derecho real de opción vulneraría, claramente, el límite del orden público[856].

Dejando a un lado el plano sustantivo, ya hemos visto que la doctrina de la Dirección General de los Registros y del Notariado entiende que la duración del derecho de opción, con independencia de su naturaleza, no podrá sobrepasar los cuatro años cuando se pretenda su inscripción (art. 14 RH). Nosotros, como ya expusimos, no termi-

---

[855] En la RDGRN 14 febrero 2013 (TOL3.244.103) se apuntó que *"en concreto y por lo que se refiere al plazo durante el que el optante puede ejercer su derecho, las partes pueden darle el alcance que estimen oportuno siempre que se respeten aquellos límites teniendo declarado el Alto Tribunal que incluso en el supuesto de que las partes no lo hayan fijado, dicha circunstancia no afecta a la validez del contrato ni del derecho de opción (artículo 1128 del Código Civil y Sentencia del Tribunal Supremo de 18 de mayo de 1993)"*. Esta última afirmación, es decir, la posibilidad de que las partes no fijen un plazo de duración solo es extensible respecto de la validez contrato de opción, pero no puede predicarse en relación con el derecho real de opción.

[856] Aunque en la RDGRN 30 septiembre 1987 (RJ 1987\6579) se resalta el papel de la autonomía privada, se reconoce, con carácter general, que es necesario *"...que las exigencias estructurales en la configuración de los derechos reales (libre circulación de bienes, exigencia de justificación racional en la creación de gravámenes, no amortización ni infundado entorpecimiento de las posibilidades económicas de aquéllos, etc.), puestas en conexión con la finalidad a que atiende el derecho de opción impongan la necesaria limitación de su dimensión temporal..."*. También se cita esta resolución en la RDGRN 18 marzo 2016 (TOL5.683.277). En este sentido, la Propuesta de Código civil de la Asociación de Profesores de Derecho Civil parece atajar el problema señalando que, en defecto de pacto, se aplicará el límite de diez años, que el mismo texto prevé como límite máximo de duración del derecho de opción (art. 3113-9.1 de la Propuesta). Mas Badía, M. ª D., "Título XI del Libro III", ob. cit., pág. 497.

namos de compartir esta tesis, ya que, siempre que se fije un plazo de duración, consideramos que el derecho real de opción será susceptible de inscripción[857].

En cualquier caso, este límite, que a ojos de la doctrina de la Dirección General de los Registros y del Notariado se desprende de una norma de carácter imperativo, se ha ido suavizando con el tiempo. Así, se viene admitiendo que las partes prorroguen la duración del derecho real de opción[858], aunque siempre con efectos *ex nunc* respecto de terceros[859].

En línea con lo anterior, el Centro directivo ha puesto recientemente de manifiesto que, a efectos registrales, cabe que las partes establezcan un derecho de opción por un plazo superior a los cuatro años, siempre que este se encuentre ligado a otro derecho. Como señalamos con anterioridad, la norma únicamente prevé como excepción al plazo en ella previsto el supuesto de arrendamiento con opción de compra, siendo que "*...la duración de la opción podrá alcanzar la totalidad del plazo de aquél, pero caducará necesariamente en caso de prórroga, tácita o legal, del contrato de arrendamiento*" (art. 14 RH). En este sentido, la Dirección General de los Registros y del Notariado, en aras de acomodar el derecho vigente a la realidad social[860], ha venido

---

[857] Remitimos nuevamente a Ruano García, J. P., ob. cit., pág. 1480.

[858] Así, la RDGRN 30 septiembre 1987 (RJ 1987\6579) afirma que la necesidad de la fijación temporal del derecho real de opción "*...no puede llevar a posiciones en exceso rigoristas que, so pretexto de aplicación del mandato reglamentario aludido y transgrediendo sus propios términos, recorte injustificadamente la autonomía de la voluntad e impida la adecuada satisfacción de los legítimos intereses concurrentes, y sin que por ello quepa admitir soluciones por las que se pretenda dar cobertura jurídica a fines claramente contrarios al ordenamiento vigente...*". Esta última resolución es comentada en Fernández-Golfín Aparicio, A., Rivas Martínez, J. J., y Rodríguez Poyo-Guerrero, J-M., ob. cit., págs. 141-143.

[859] Véase nuevamente la RDGRN 30 septiembre 1987 (RJ 1987\6579). De forma similar, la mencionada Propuesta de Código civil prevé en su art. 3113-9.2 que "*las partes pueden pactar prórrogas sucesivas, cada una de las cuales no puede exceder del plazo máximo...*" de diez años. Mas Badía, M. ª D., "Título XI del Libro III", ob. cit., pág. 497.

[860] Así, la RDGRN 19 mayo 2016 (TOL5.747.992) ha puesto de manifiesto que "*de otra forma sería imposible el avance y adaptación del derecho al devenir de los tiempos*".

a superar la postura que hasta entonces mantenía[861], permitiendo que los particulares estipulen un plazo de duración que supere los cuatro años previstos en el art. 14 RH en los supuestos en los que la opción se halle ligada a otro derecho distinto del arrendamiento, como, por ejemplo, el derecho de superficie[862].

La doctrina de la Dirección General de los Registros y del Notariado coincide, en buena medida, con la normativa civil navarra (Ley 461 FNN), así como con la catalana (art. 568-8.3 Cc Cat.), debiendo destacar, sin embargo, que la Compilación de Derecho Civil Foral de Navarra ha sido recientemente modificada en lo que a la cuestión que nos ocupa se refiere. Así, la anterior redacción de la Ley 461 FNN establecía, de modo similar a la normativa catalana vigente[863], que *"...cuando el derecho de opción de compra se haya constituido como anejo a un arrendamiento, superficie, hipoteca u otro derecho real inscribible en el Registro de la Propiedad, su duración podrá alcanzar la totalidad del plazo de éstos, así como sus prórrogas voluntarias, expresas o tácitas"*. La modificación acometida por la Ley Foral

---

[861]   Por ejemplo, en la RDGRN 14 febrero 2013 (TOL3.244.103), en la cual se afirmó, en relación con el art. 14 RH, *"...que para poder acceder a los libros registrales, el derecho de opción debe de estar necesariamente sujeto a plazo y que este no debe exceder el de cuatro años. Es cierto que el propio precepto permite un plazo superior en el supuesto de arrendamiento con opción pero sólo para este supuesto y con limitaciones"*.

[862]   Como se argumenta en la RDGRN 18 marzo 2016 (TOL5.683.277), *"podrá decirse que el artículo 14 impide la inscripción de un derecho de opción por más de cuatro años, pero también cabe entender que cuando se trata de una opción complementaria de otra figura jurídica que lo admita (como el derecho de superficie), siempre que esté suficientemente delimitada, pueda acceder a los libros registrales configurada al amparo de los principios de libertad civil y «numerus apertus» en materia de derechos reales"*.

Nos ha parecido interesante destacar aquí que la solución adoptada por la doctrina de la Dirección General de los Registros y del Notariado ha sido tenida en cuenta por los redactores de la ya citada Propuesta de Código civil, ya que esta prevé que *"...cuando el derecho de opción se constituye como anejo a un arrendamiento, superficie, hipoteca u otro derecho inscribible en el Registro de la Propiedad, su duración puede alcanzar, sin excederla, la totalidad de la de este, con las prórrogas correspondientes"* (art. 3113-9.3 de la Propuesta). Mas Badía, M.ª D., "Título XI del Libro III", ob. cit., pág. 497.

[863]   Según el art. 568-8.3 Cc Cat., *"la duración del derecho de opción constituido como pacto o estipulación integrados en otro negocio jurídico no puede superar la de este, con las prórrogas correspondientes"*.

21/2019 no solo ha venido a suprimir la mención que se hacía en la Ley 461 FNN del derecho real de hipoteca, sino que también ha establecido que, aunque la duración de la opción podrá coincidir con la del derecho al cual aquella se encuentra ligada, ello no incluye al plazo de duración de las prórrogas de este[864].

---

[864] Así, "...*cuando el derecho de opción de compra se haya constituido como anejo a un arrendamiento, superficie u otro derecho real inscribible en el Registro de la Propiedad, su duración podrá alcanzar la totalidad del plazo de estos pero no al de sus prórrogas...*".

CONCLUSIONES

CAPÍTULO PRIMERO

1. Los derechos reales pueden ser definidos como aquellos derechos subjetivos de carácter patrimonial que se caracterizan por su inmediatez o inherencia a la cosa (elemento interno), así como por su absolutividad (elemento externo). Debe tenerse en cuenta, sin embargo, que esta última nota ha de ser entendida en su doble acepción. Así, puede decirse que los derechos reales son absolutos porque imponen a los terceros un deber general de abstención. En igual sentido, la absolutividad de esta clase de derechos se traduce en la posibilidad de hacerlos valer *erga omnes* a través de una acción real.

2. La diferenciación y clasificación de los derechos subjetivos patrimoniales ha de realizarse atendiendo al distinto poder que estos otorgan, a su eficacia frente a terceros y a su distinto sistema de tutela.

3. La necesidad de fijar unos correctos criterios para la distinción de los derechos reales y de los derechos personales no es una mera cuestión teórica, sino que, por el contrario, tiene importantes consecuencias prácticas. En este sentido, la catalogación de una determinada figura en una u otra categoría dogmática conlleva la aplicación de un distinto régimen normativo. Así, la calificación de un derecho como real o personal implicará, entre otras consecuencias jurídicas, un distinto tratamiento en cuanto a sus formas de adquisición y transmisión, a sus causas de extinción y al sistema de publicidad.

4. Los diversos intentos de reconstrucción del *ius ad rem* como categoría dogmática no parecen haber prosperado. En este sentido, estimamos que la expresión *ius ad rem* se emplea en la actualidad para aludir, de un lado, a una figura que desarrolló un importante papel histórico en el ámbito del Derecho canónico y del Derecho feudal y, de otro, a una situación equivalente a la de un derecho de carácter obligacional.

5. Las obligaciones *propter rem* son figuras de naturaleza cre-diticia que se caracterizan por imponer al sujeto que en cada momento sea titular de un concreto derecho real (deudor *ob rem*) la realización de una conducta (positiva o negativa) como consecuencia de la relación de accesoriedad que este tipo de obligaciones presentan respecto del *ius in re*.

6. No resulta posible, en nuestra opinión, vedar apriorísticamen-te el juego de la autonomía privada en sede de obligaciones *propter rem*. De este modo, estimamos que los particulares po-drán crear obligaciones reales no previstas por el legislador. Será necesario, sin embargo, que la figura en cuestión adopte la estructura propia de este tipo de obligaciones y que el ejercicio de la autonomía privada no se traduzca en una transgresión de los límites a los que alude el art. 1255 Cc.

7. Pueden apreciarse una serie de notas más o menos comunes en todas aquellas figuras que vienen siendo calificadas como cargas reales en el sistema de Derecho patrimonial español. No creemos, empero, que, dada la amplitud del término car-ga, sea posible construir una categoría dogmática unitaria y coherente.

8. La realización un *facere* no puede erigirse como el contenido principal de un derecho real. Ello no impide, sin embargo, que una conducta positiva pueda configurarse como una presta-ción de carácter accesorio respecto de un *ius in re*, en cuyo caso nos hallaremos ante una obligación *propter rem*. Por el contrario, en aquellos supuestos en los que el contenido prin-cipal del derecho consista en el cumplimiento de una conducta eminentemente positiva, la figura deberá ser reputada como meramente crediticia.

CAPÍTULO SEGUNDO

1. La tradicional discusión sobre el mayor (*numerus apertus*) o menor (*numerus clausus*) alcance de la autonomía de la volun-tad en el ámbito de los derechos reales parece lejos de ofrecer unos argumentos claros y definitivos sobre la cuestión objeto de estudio.

2. Parte del estancamiento del debate doctrinal se debe, en nuestra opinión, a que, en la mayoría de las ocasiones, el fenómeno que aquí se plantea es abordado por la doctrina a partir de los mismos parámetros de los que partían los maestros de la Escuela Pandectista. En este sentido, la cuestión objeto de estudio debe ser analizada atendiendo al contexto socioeconómico actual, así como a la incidencia de la información territorial proporcionada por los modernos sistemas registrales.

3. En las últimas décadas se ha producido una creciente restricción de la autonomía privada en el ámbito contractual (normativa de consumidores, legislación en materia arrendaticia, entre otros). Por el contrario, es cada vez más frecuente que la práctica jurídica se vea enriquecida con la aparición de una pluralidad de figuras jurídico-reales destinadas a satisfacer necesidades de carácter colectivo no cubiertas hasta el momento por el legislador.

4. Las diferencias existentes entre los sistemas de *numerus clausus* y los sistemas de *numerus apertus* son, en la mayor parte de ocasiones, puramente formales. En este sentido, hemos apreciado que en aquellos sistemas de Derecho patrimonial en los que se ha adoptado un modelo de número cerrado, existe una tendencia a abandonar su característica rigidez. Es frecuente, en cambio, que en aquellos ordenamientos en los parece regir un sistema aparentemente flexible en cuanto a la creación de nuevas figuras jurídico-reales, se impongan una serie de limitaciones al juego de la autonomía privada.

5. La rigidez característica de los modelos de derechos reales de número cerrado no permite hacer frente a las nuevas necesidades que surgen en una sociedad cambiante, mientras que la excesiva permisividad de los sistemas de *numerus apertus* podría afectar a la seguridad jurídica en el tráfico.

6. Estimamos que lo más conveniente, en lo que a la cuestión que nos ocupa se refiere, es tratar de hallar un punto intermedio entre la estabilidad propia de los sistemas de número cerrado y la flexibilidad que aportan los modelos de *numerus apertus*. Ese equilibrio se podría alcanzar empleando un *test* similar al que utilizan los tribunales sudafricanos o al que propone

Akkermans en relación con una eventual armonización del Derecho europeo. Bastaría con que el operador jurídico de que se trate aplicase el *test* de configuración para conocer si esa concreta figura puede ser reputada como derecho real o, por el contrario, como un mero derecho obligacional.

7. El test de configuración constaría de tres apartados. La primera de las fases consistiría en comprobar que las partes realmente querían constituir una figura de contornos jurídico-reales (análisis de la voluntad). En una segunda fase, el operador jurídico de que se trate debería de enjuiciar si el derecho en cuestión reúne los requisitos necesarios para que pueda ser reputado como real. Por último, el tercer apartado de este test se basaría en constatar que no se trasgreden ninguno de los límites que, de forma general, se vienen imponiendo a la autonomía privada en este particular sector.

8. En el campo de los derechos reales no existe un precepto análogo al art. 1255 Cc; no obstante, estimamos que los límites a los que hace referencia la citada norma (ley, moral y orden público) son trasladables al ámbito jurídico-real, sin perjuicio de reconocer que estas restricciones responderán a distintos parámetros en función del derecho subjetivo de que se trate.

CAPÍTULO TERCERO

1. Los particulares pueden moldear, dentro de los márgenes previstos por las normas, determinados aspectos no esenciales del derecho de propiedad. Así, no parece que existan obstáculos a la creación de una propiedad temporal, ya que la perpetuidad no es, bajo nuestro punto de vista, un elemento esencial del tipo dominical.

2. El juego de la autonomía privada en el campo de los derechos reales de goce no solo se limita a la posible modificación de los derechos reales típicos (especialmente las servidumbres), sino que también permite que los particulares creen figuras no previstas por el legislador, siempre y cuando ello no suponga una violación de la ley, de la moral o del orden público.

3. El libre ejercicio de la autonomía privada en el ámbito de los derechos reales de goce ha posibilitado la creación de nuevas figuras jurídico-reales (p. ej. derecho de aprovechamiento ambiental), al mismo tiempo que ha servido de base para la posterior regulación de aquellos derechos que han adquirido una mayor tipicidad social (p. ej. derecho de aprovechamiento por turnos de bienes inmuebles).

4. La incidencia de la autonomía privada en el ámbito de los derechos reales de garantía típicos es posible (pactos en el ámbito hipotecario, nuevas modalidades prendarias, entre otros), siempre que ello no suponga una desnaturalización del tipo de derecho de que se trate. Del mismo modo, los particulares deberán respetar los límites que generalmente se vienen imponiendo a la autonomía privada.

5. Los obstáculos que tradicionalmente se han impuesto a la creación de nuevas figuras jurídico-reales en el ámbito de los derechos de garantía son, de un lado, la prohibición de pacto comisorio, y, de otro, la posible vulneración del principio *par condicio creditorum*. Es posible, sin embargo, apreciar la existencia en la práctica de una serie de figuras que, cumpliendo una función de garantía, tienen una cierta trascendencia real, siendo el ejemplo más destacado el de la denominada venta en garantía.

6. La autonomía privada encuentra un amplio margen de actuación en el ámbito de los derechos reales de adquisición preferente. En este sentido, existen una pluralidad de figuras de origen convencional, entre las que destacan el retracto convencional, los tanteos y los retractos voluntarios y el derecho de opción.

7. La especial atención que ha prestado el legislador a la reglamentación del retracto convencional, no se traduce en la imposibilidad de que los particulares modifiquen determinados aspectos relacionados con esta figura. En este sentido, el propio Código civil prevé una serie de preceptos que favorecen el juego de la autonomía privada.

8. Los tanteos y los retractos voluntarios son aquellas figuras que, habiendo nacido como consecuencia de la proyección de

la autonomía privada, adoptan una estructura similar a la de sus homónimos de carácter legal. Pueden ser configurados por las partes como derechos personales (art. 1255 Cc) o, por el contrario, como derechos de carácter real.

9. Los tanteos y los retractos voluntarios han de amoldarse a la estructura de sus homónimos legales para que puedan ser reputados como derechos reales. La inscripción de este tipo de gravámenes no es constitutiva por no preverlo así ninguna norma. Cuestión distinta es que la falta de inscripción pueda frustrar la oponibilidad natural de este tipo de derechos reales ante terceros de buena fe que desconocían su existencia. En cualquier caso, esta clase de derechos podrán hacerse valer frente a cualquiera que tuviera conocimiento de los mismos a través de medios extrarregistrales.

10. El derecho de opción es atípico en cuanto a su origen y reglamentación. Aunque existen diversas manifestaciones de esta figura, la que tiene una mayor importancia práctica es la denominada opción de compra. Al igual que ocurría con los tanteos y retractos voluntarios, el derecho de opción de compra puede quedar configurado como un derecho meramente crediticio o, por el contrario, como un derecho de naturaleza real.

La inscripción de la opción real no puede reputarse como constitutiva en sentido estricto, sin perjuicio de que, al igual que ocurría con los tanteos y retractos voluntarios de carácter real no inscritos, su oponibilidad carecer de operatividad frente a terceros de buena fe que desconocían la existencia del gravamen. Es, por ello, por lo que la inscripción juega un papel relevante en el ámbito de los derechos reales no posedibles. En todo caso, la opción real no inscrita será oponible frente a cualquiera que conociera su existencia a través de medios ajenos al Registro de la Propiedad.

BIBLIOGRAFÍA

AA.VV., *El impacto de las nuevas tecnologías en la publicidad registral* (dir. SÁNCHEZ JORDÁN, M.ª E.), Aranzadi, Cizur Menor, 2013.

AA.VV., *La propiedad compartida y la propiedad temporal (Ley 19/2015). Aspectos legales y económicos* (dir. NASARRE AZNAR, S.), Tirant Lo Blanch, Valencia, 2017.

ABELLA RUBIO, J. M. ª, "La renuncia de los comuneros a sus cuotas", *A.C.* núm. 3, junio 2003. (Versión online).

ABERKANE, H., *Essai d´une théorie générale de l´obligation propter rem en droit positif français*, Librarie générale de droit et jurisprudence, París, 1957.

ACEDO PENCO, A., "El orden público actual como límite a la autonomía de la voluntad en la doctrina y la jurisprudencia", *Anuario de la Facultad de Derecho* núm. 14-15, 1996-1997.

ACEDO PÉREZ, J., "Derechos reales innominados", *R.C.D.I.* núm. 374-375, julio-agosto 1959.

ADÁN GARCÍA, M.ª E., "Comentario al artículo 1549" en *Código Civil Comentado Vol. IV* (dirs. CAÑIZARES LASO, A. *et al.*), 2ª ed., Aranzadi, Cizur Menor, 2016.

AFONSO RODRÍGUEZ, M.ª E., y SÁNCHEZ JORDÁN, M.ª E., "La serventía canaria" en *Bienes en común* (dir. NASARRE AZNAR, S.), Tirant Lo Blanch, Valencia, 2015.

AGNESE, E., "Note in tema di obbligazioni reali atipiche e di «scopo economico» nei consorzi di urbanizzazione", *Diritto e giurisprudenza* Vol. 119 fasc. 4, 2004.

AGOUÉS MENDIZÁBAL, C., "La función social en la propiedad del subsuelo urbano", *Revista Vasca de Administración Pública* núm. 73 (I), 2005.

AGÜERO ORTIZ, A., "La maldición de ser propietario de inmuebles urbanos o la imposibilidad de abandono de la propiedad de la vivienda o local por sus acuciantes gastos. Comentario a la Resolución de 30 de agosto de 2013, de la Dirección General de los Registros y del Notariado", *Centro de Estudios de Consumo*, febrero 2014. http://bit.ly/2YPphDu, recuperado por última vez el 7 de agosto de 2019.

AHRENS, H., *Cours de droit naturel*, 2ª ed. rev., Meline, Cans et Compagne, Bruxelles, 1844.

AKKERMANS, B., *The principle of Numerus Clausus in European Property Law*, Intersentia, Antwerp, Oxford, Portland, 2008.

• "Standardization of Property rights in European Property Law" en *Property Law Perspective II* (ed. AKKERMANS, B., MARAIS, E., y RAMAEKERS, E.), Intersentia, Cambridge, 2013.

- "The *numerus clausus* of property rights" en *Comparative Property Law. Global perspectives* (ed. Graziadei, M. and Smith, L.), Edward Elgar, Cheltenham and Northampton, 2017.

Álamo González, D. P., *La dación en pago en las ejecuciones hipotecarias. El control judicial del equilibrio contractual*, Tirant Lo Blanch, Valencia, 2012.

Albácar López, J. L., "Comentario al artículo 1507" en *Código Civil. Doctrina y Jurisprudencia T. V* (dir. Albácar López, J. L.), 2ª ed., Trivium, Madrid, 1991.
- "Comentario al artículo 1508" en *Código Civil. Doctrina y Jurisprudencia T. V* (dir. Albácar López, J. L.), 2ª ed., Trivium, Madrid, 1991.
- "Comentario al artículo 1518" en *Código Civil. Doctrina y Jurisprudencia T. V* (dir. Albácar López, J. L.), 2ª ed., Trivium, Madrid, 1991.

Albaladejo García, M., "El llamado negocio fiduciario es simplemente un negocio simulado relativamente", *A.C.* núm. 4, octubre 1993.
- *Derecho Civil III. Derecho de bienes*, 10ª ed., Edisofer, Madrid, 2004.
- *Derecho Civil II. Derecho de Obligaciones*, 12ª ed., Edisofer, Madrid, 2004.

Albertario, E., "Servitù e obbligazione", *Rivista del Diritto Commerciale* II, 1927.

Albiez Dohrmann, K., "Comentario al artículo 1623" en *Código Civil. Doctrina y Jurisprudencia T. VI* (dirs. Albácar López, J. L. y Santos Briz, J.), 2ª ed., Trivium, Madrid, 1991.

Alguer, J., "Ensayos varios sobre temas fundamentales de derecho civil", *R.J.C.*, 1931.

Alonso Ledesma, C., "Comentario al artículo 90" en *Comentarios a la legislación concursal T. I* (dir. Pulgar Ezquerra, J. et al.), Dykinson, Madrid, 2004.

Alonso Pérez, M. ª T., "Comentario al artículo 530" en *Código Civil Comentado Vol. I* (dirs. Cañizares Laso, A. et al.), 2ª ed., Aranzadi, Cizur Menor, 2016.
- "Comentario al artículo 533" en *Código Civil Comentado Vol. I* (dirs. Cañizares Laso, A. et al.), 2ª ed., Aranzadi, Cizur Menor, 2016.
- "Comentario al artículo 544" en *Código Civil Comentado Vol. I* (dirs. Cañizares Laso, A. et al.), 2ª ed., Aranzadi, Cizur Menor, 2016.
- "Comentario al artículo 546" en *Código Civil Comentado Vol. I* (dirs. Cañizares Laso, A. et al.), 2ª ed., Aranzadi, Cizur Menor, 2016.

Alonso Pérez, M., "La autonomía privada y su expresión fundamental, el negocio jurídico" en *Tratado de Derecho Civil T. II Normas civiles y derecho subjetivo*, Iustel, Madrid, 2014.

Alpa, G., y Bessone, M., *Poteri dei privati e statuto della proprietà I Oggetti, situazione soggettive, conformazione dei diritti*, CEDAM, Padova, 1980.

ALPA, G., "La multiproprietà nell'esperienza contemporanea" en *La Multiproprietà: aspetti giuridici della proprietà turnaria e della proprietà turístico-alberghiera* (a cura di ALPA, G.), Zanichelli, Bologna, 1983.

ÁLVAREZ CAPEROCHIPI, J. A., "El derecho de pastos y las servidumbres personales como categorías jurídicas, *R.D.P.*, mayo 1980.
- *Curso de Derechos Reales T. I V. I Propiedad y Derechos Reales*, Comares, Granada, 2005.

ÁLVAREZ GONZÁLEZ, S., "*Legatum per vindicationem* y Reglamento (UE) 650/2012", *La Ley Unión Europea* núm. 55, enero 2018. (Versión online).

ÁLVAREZ OLALLA, P. *et al.* en *Manual de Derecho Civil. Derechos Reales* (coord. BERCOVITZ RODRÍGUEZ CANO, R.), 4ª ed., Bercal, Madrid, 2013.

ÁLVAREZ SUÁREZ, U., "Esquema de la distinción entre los derechos reales y personales, *R.F.D.M.* núm. 12, 1943.
- *Curso de Derecho Romano T. I*, EDERSA, Madrid, 1955.

AMORÓS GUARDIOLA, M., "Prohibición contractual de disponer y derecho de adquisición preferente", A.D.C. fasc. IV, 1965. http://bit.ly/31XQrWS, recuperado por última vez el 22 de agosto de 2019.
- "Comentario a la Resolución de 7 de diciembre de 1978", *R.C.D.I.* núm. 541, noviembre-diciembre 1980.
- "Legado de cosa gravada" en *Estudio de Derecho Civil en Homenaje al Profesor J. Beltrán Heredia y Castaño*, Ediciones Universidad de Salamanca, Salamanca, 1984.
- *Estudios Jurídicos T. I*, Colegio de Registradores de la Propiedad y Mercantiles de España, Centro de Estudios, Madrid, 2009.

ANDRÉS SANTOS, F. J., "Comentario al artículo 1604" en *Comentarios al Código Civil* (dir. DOMÍNGUEZ LUELMO, A.), Lex Nova, Valladolid, 2010.
- "Comentario al artículo 1608" en *Comentarios al Código Civil* (dir. DOMÍNGUEZ LUELMO, A.), Lex Nova, Valladolid, 2010.
- "Comentario al artículo 1623" en *Comentarios al Código Civil* (dir. DOMÍNGUEZ LUELMO, A.), Lex Nova, Valladolid, 2010.
- "Comentario al artículo 1654" en *Comentarios al Código Civil* (dir. DOMÍNGUEZ LUELMO, A.), Lex Nova, Valladolid, 2010.
- "Los límites a la autonomía privada en la perspectiva histórico-comparatista" en *La autonomía privada en el Derecho Civil* (dir. PARRA LUCÁN, M.ª A.), Aranzadi, Cizur Menor, 2016.

ANDREU MARTÍNEZ, M.ª B. *et al.*, "Capítulo I del Título I del Libro V" (coords. ATAZ LÓPEZ, J. y GONZÁLEZ PACANOWSKA, I.) en *Propuesta de Código Civil. Asociación de Profesores de Derecho Civil*, Tecnos, Madrid, 2018.
- "Capítulo I del Título II del Libro V" (coords. ATAZ LÓPEZ, J. y GONZÁLEZ PACANOWSKA, I.) en *Propuesta de Código Civil. Asociación de Profesores de Derecho Civil*, Tecnos, Madrid, 2018.

ARANA DE LA FUENTE, I., "Comentario al artículo 395" en *Código Civil Comentado Vol. I* (dirs. CAÑIZARES LASO, A. *et al.*), 2ª ed., Aranzadi, Cizur Menor, 2016.

ARANDA RODRÍGUEZ, R., *La prenda de créditos*, Marcial Pons, Barcelona, 1996.

- "Retracto convencional: legitimación pasiva y ejercicio en las subastas judiciales. Analogías y diferencias entre compraventa y subasta judicial. Estudio a propósito de la sentencia del Tribunal Supremo de 3 de marzo de 1995", *A.D.C.* fasc. IV, 1996. http://bit.ly/2M5bRND, recuperado por última vez el 7 de agosto de 2019.
- "Comentario al artículo 1507" en *Código Civil Comentado Vol. IV* (dirs. CAÑIZARES LASO, A. *et al.*), 2ª ed., Aranzadi, Cizur Menor, 2016.
- "Comentario al artículo 1518" en *Código Civil Comentado Vol. IV* (dirs. CAÑIZARES LASO, A. *et al.*), 2ª ed., Aranzadi, Cizur Menor, 2016.

ARANGIO-RUIZ, V., "La struttura dei diritti reali sulla cosa altrui in diritto romano", *Archivio Giuridico Filippo Serafini* Vol. LXXXI, 1909.

- Voz "*Ius in re aliena*" en *Dizionario Pratico del Diritto Privato, Francesco Villardo Vol. III Parte II* (dir. SCIALOJA, V.), Milano, 1934.
- "La cosiddetta tipicità delle servitù e i poteri della giurisprudenza romana", *Il Foro Italiano* Vol. 59, 1934.
- *Instituciones de Derecho Romano* (trad. a la 10ª ed. italiana CARAMÉS FERRO, J. M.), Depalma, Buenos Aires, 1986.

ARCO TORRES, M. A. y PONS GONZÁLEZ, M., *Régimen Jurídico de las servidumbres (doctrina científica y jurisprudencial. Formularios)*, 5ª ed., Comares, Granada, 2008.

ARECHEDERRA ARANZADI, L., "Tanteo convencional y traspaso de negocio", *R.C.D.I.* núm. 536, enero-febrero1980.

- "Los derechos de tanteo y retracto convencionales configurados con carácter personal", *R.D.P.*, febrero 1980.

ARGELICH COMELLES, C., "Promesas vacías o soluciones habitacionales: la expropiación temporal de viviendas vs. EDMOs", *R.C.D.I.* núm. 765, enero-febrero 2018.

ARGUDO PÉRIZ, J. L., "Los derechos reales de aprovechamiento parcial en la Ley de Derecho Civil Patrimonial", *Revista de Derecho Civil Aragonés* núm. 16, 2010. http://bit.ly/2Kja0CX, recuperado por última vez el 7 de agosto de 2019.

ARIAS RAMOS, J., y ARIAS BONET, J. A., *Derecho Romano T. I Parte General. Derechos Reales*, 18ª ed. (2ª reimp.), EDERSA, Madrid, 1990.

- *Derecho Romano T. II Obligaciones. Familia. Sucesiones*, 18ª ed. (2ª reimp.), EDERSA, Madrid, 1990.

ARIZA, A. C., "En torno a la autonomía privada contractual en el siglo XXI" en *El Derecho Privado ante la internacionalidad, la integración y la glo-*

balización. Homenaje al Profesor Miguel Ángel Ciuro Caldani (dirs. AL-TERINI, A. A. y NICOLAU, N. L.), La Ley, Buenos Aires, 2005.

ARMAS OMEDES, F. A., "Los derechos del aprovechamiento parcial", *La notaria* núm. 41, 2007.

ARMONE, G., y CAFAGGI, F., "Commentario al articolo 1030" en *Codice Civile Annotato con la giurisprudenza* (coord. CENDON, P.), UTET, 1995, Torino.

ARRIVAS, F., "La multiproprietà" en *Giurisprudenza sistematica di Diritto Civile e Commerciale. I Contratti in generale. Aggiornamento 1991-1998* (dir. ALPA, G. e BESSONE, M.), UTET, Torino, 1999.

ARROYO I AMAYUELAS, E., "La directiva 2014/17/UE sobre los contratos de crédito con consumidores para bienes inmuebles de uso residencial", *Indret* núm. 2, 2017. http://www.indret.com/pdf/1304.pdf, recuperado por última vez el 22 de agosto de 2019.

ARRUÑADA, B., *La contratación de derechos de propiedad: Un análisis económico*, Servicios de Estudios del Colegio de Registradores de Madrid, Madrid, 2004. http://bit.ly/2yWWX3u, recuperado por última vez el 13 de agosto de 2019.

ATARD, R., "Algunas construcciones jurídicas que exige el desenvolvimiento técnico de nuestro sistema hipotecario", *R.D.P.*, septiembre 1924.

ATIENZA, M., *El sentido del Derecho*, 2ª ed. 2ª reimp., Ariel, Barcelona, 2004.

AVILÉS GARCÍA, J., "La renuncia abdicativa de dominio en la propiedad horizontal y sus implicaciones registrales" en *Comunidad de Bienes* (coord. REYES LÓPEZ, M.ª J.), Tirant Lo Blanch, Valencia, 2014.

AZNAR SÁNCHEZ-PARODI, I., "La dación en pago y otras medidas de protección del deudor hipotecario; en particular, la expropiación temporal de uso de la vivienda habitual", *R.J.N.* núm. 88-89, 2014.

• "La creación de nuevos derechos reales a partir del derecho de propiedad" en *El derecho de propiedad en la construcción del Derecho Privado europeo* (dir. LAUROBA LACASA. E.), Tirant Lo Blanch, Valencia, 2018.

AZPIAZU, J., "El retracto y el Registro de la Propiedad", *R.C.D.I.*, febrero 1954.

BADENES GASSET, R., *La preferencia adquisitiva en el derecho español (tanteo, retracto, opción)*, Bosch, Barcelona, 1958.

• *El contrato de compraventa T. I*, Bosch, Barcelona, 1979.

BADOSA COLL, F., "Examen de tres «esquemas fiduciarios» en el derecho español" en *Estudios Jurídicos en homenaje al Profesor Luis Díez-Picazo T. I Derecho Civil. Parte General*, Civitas, Madrid, 2003.

BAFFI, E., "The Anticommons and the Problem of the *numerus clausus* of Property Rights", 2007. http://bit.ly/2Zm92LN, recuperado por última vez el 18 de abril de 2019.

BALBI, G., *Le obbligazioni propter rem*, Giappicheli, Torino, 1950.

BALL, J., "Fragmentando la propiedad para la asequibilidad: la shared ownership o «nuevas» tendencias en Inglaterra y Francia" (trad. SIMÓN MORENO, H.) en *El acceso a la vivienda en un contexto de crisis* (dir. NASARRE AZNAR, S.), Edisofer, Madrid, 2011.

BALLESTER GINER, E., *Derechos reales. De los bienes a la hipoteca*, 3ª ed., Valencia, 1989.

• "Un nuevo *ius ad rem* (reflexiones de un jubilado)" en *Estudios de derecho inmobiliario registral en homenaje al profesor Celestino Cano Tello* (coord. CLEMENTE MEORO, M. E.), Tirant Lo Blanch, Valencia, 2002.

BALLESTER MARTÍNEZ, A., "Los censos: concepto y naturaleza", *Espacio, tiempo y forma. Serie IV, Historia moderna* núm. 18-19, 2005-2006.

BARASSI, L., *I diritti reali nel nuovo codice civile*, Giuffrè, Milano, 1943.

• *I diritti reali limitati. In particolare l'usufrutto e le servitù*, Giuffrè. Milano, 1947.

• *Diritti reali e possesso T. I I diritti reali*, Giuffrè, Milano, 1952.

• *Instituciones de Derecho Civil T. II* (trad. DE HARO DE GOYTISOLO, R. G.; FALCÓN CARRERAS, M. y PLASENCIA MONLEÓN, A.), Bosch, Barcelona, 1955.

BARBER CÁRCAMO, R., "Comentario a la Ley 405" en *Comentarios al Fuero Nuevo Compilación del Derecho Civil Foral de Navarra* (dir. RUBIO TORRANO, E.), Aranzadi, Cizur Menor, 2002.

BARBERÁN, F., y DOMINGO, R., *Código Civil Japonés. Edición bilingüe y actualizada*, Aranzadi, Cizur Menor, 2006.

BARBERO, D., "Tipicità, predialità e individualità nel problema della identificazione della servitù", *Il Foro Padano* Vol. 12, 1957.

• *Sistema del Derecho Privado T. II Derechos de la personalidad. Derecho de familia. Derechos reales* (trad. SENTIS MELENDO, S.), EJEA, Buenos Aires, 1967.

• *Sistema del Derecho Privado T. IV Contratos. Hechos constitutivos de obligación* (trad. SENTIS MELENDO, S.), EJEA, Buenos Aires, 1967.

BARNÉS VÁZQUEZ, J., *La propiedad constitucional. El estatuto jurídico del suelo agrario*, 1ª ed., Civitas, Madrid, 1988.

BARRAL I VIÑALS, I., "Un nuevo concepto de propiedad: la función social como delimitadora del derecho" en *El sistema económico en la Constitución Española Vol. I*, Ministerio de Justicia, Madrid, 1994.

BATISTA MONTERO-RÍOS, J., "Las servidumbres en favor de edificio futuro y la adquisición de apartamentos en el edificio a construir", *R.D.P.*, marzo 1962.

BAUMAN, Z., *Modernidad líquida* (trad. ROSENBERG, M.), 3ª reimp., Fondo de Cultura Económica, Buenos Aires, 2004. http://bit.ly/2MoA3tt, recuperado por última vez el 24 de abril de 2019.
- *Vida Líquida* (trad. SANTOS MOSQUERA, A.), Paidós Ibérica, Barcelona, 2006.

BAZ IZQUIERDO, F., *Derecho inmobiliario e hipotecario inglés y su comparación con el sistema inmobiliario español*, EDERSA, Madrid, 1980.

BELFIORE, A., *Interpretazione e dommatica nella teoria dei diritti reali*, Giuffrè, Milano, 1979.

BELL, A., y PARCHOMOVSKY, G., "Of Property and Federalism", *The Yale Law Journal* Vol. 115 núm. 1, october 2005. http://bit.ly/2KEiUtH, recuperado por última vez el 12 de agosto de 2019.

BELTRÁN DE HEREDIA DE ONÍS, P., "La tradición como modo de adquirir la propiedad", *R.D.P.*, febrero 1967.

BERCOVITZ RODRÍGUEZ-CANO, R., "Prólogo" en *Garantías mobiliarias en el derecho alemán*, Tecnos, Madrid, 1990.
- "Comentario al artículo 1156" en *Comentarios al Código Civil* (coord. BERCOVITZ RODRÍGUEZ-CANO, R.), 3ª ed., Aranzadi, Cizur Menor, 2009.
- "Comentario al artículo 1255" en *Comentarios al Código Civil* (coord. BERCOVITZ RODRÍGUEZ-CANO, R.), 3ª ed., Aranzadi, Cizur Menor, 2009.

BERGEL, J-L., "Un droit réel de jouissance spéciale n´est pas limité à trente ans et ne s´éntient que´au terme de la durée pour laquelle il a été consenti", *Revue de Droit Immobilier* núm. 12, décembre 2014.
- "Le «droit réel de jouissance spéciale» ne peut pas être perpétuel", *Revue de Droit Immobilier* núm. 4, avril 2015.

BERMÚDEZ SÁNCHEZ, J., *El derecho de propiedad: límites derivados de la protección arqueológica*, Montecorvo, Madrid, 2003.

BERROCAL LANZAROT, A. I., "Consideraciones generales en torno al Proyecto de ley reguladora de los contratos de crédito inmobiliario", *A.C.* núm. 1, enero 2018. (Versión online).

BETTI, E., *Teoria generale delle obbligazioni T. I*, Giuffrè, Milano, 1953.

BIANCA, C. M., *La autorità private*, Jovene, Napoli, 1977.
- "Oneri reali e obbligazioni reali: tra *numerus clausus*, principio di relatività dei contratti e funzione sociale della proprietà" en *A l´europe du troisieme millenaire. Mélanges offerts à Giuseppe Gandolfi à l´ocassion du dixième anniversaire de la fondation de l´Académie Vol. I*, Giuffrè, Milano, 2004.

BIGLIAZZI GERI, L., *Usufrutto, uso e abitazione*, Giuffrè, Milano, 1979.
- "Oneri reali e obbligazioni *propter rem*" in *Trattato di Diritto Civile e Commerciale Vol. XI T. III*, Giuffrè, Milano, 1984.

BINDING, K., "Thon, Rechtsnorm und subjectives Recht. - Untersuchungen zur allgemeinen Rechtslehre. Weimar bei Böhlau, 1878. XVII und 374 S.", *Die Kritische Vierteljahresschrift für Gesetzgebung und Rechtswissenschaft* núm. 21, 1879. http://bit.ly/2Y5vk3n, recuperado por última vez el 23 de junio de 2019.

BIONDI, B., "Servitù, obbligazioni *propter rem*, natura e contenuto", *Giurisprudenza italiana* Vol. 104, 1952.
- "Servitù ed ordine pubblico", *Giurisprudenza italiana* Vol. 110, 1958.
- *Las servidumbres* (trad. GONZÁLEZ PORRAS, J. M.), Comares, Granada, 2002.
- *Los bienes*, 2ª ed. actualizada, Bosch, Barcelona, 2003.

BLANCO, A. E., "*Numerus clausus* en materia de derechos reales. Alcance y efecto en los contratos", *Derecho y Ciencias Sociales* núm. 20, 2019. http://bit.ly/2Z7XAWE, recuperado por última vez el 12 de agosto de 2019.

BLASCO GASCÓ, F. DE P., *La hipoteca inmobiliaria y el crédito hipotecario*, Tirant Lo Blanch, Valencia, 2000.
- "Comentario al artículo 1863" en *Comentarios al Código Civil* (dir. DOMÍNGUEZ LUELMO, A.), Lex Nova, Valladolid, 2010.
- "Comentario al artículo 1925" en *Comentarios al Código Civil* (dir. DOMÍNGUEZ LUELMO, A.), Lex Nova, Valladolid, 2010.
- *Instituciones de Derecho Civil. Derechos Reales. Derecho Registral Inmobiliario*, Tirant Lo Blanch, Valencia, 2014.
- "El derecho real" en *Derecho Civil III* (coord. DE VERDA Y BEAMONTE, J. R. y SERRA RODRÍGUEZ, A.), 3ª ed., Tirant Lo Blanch. Valencia, 2014.
- "Comentario al artículo 1859" en *Código Civil Comentado Vol. IV* (dirs. CAÑIZARES LASO, A. *et al.*), 2ª ed., Aranzadi, Cizur Menor, 2016.
- "Comentario al artículo 1863" en *Código Civil Comentado Vol. IV* (dirs. CAÑIZARES LASO, A. *et al.*), 2ª ed., Aranzadi, Cizur Menor, 2016.

BOLGAR, V., "Why no trusts in the civil law?", *The American Journal of Comparative Law* Vol. 2 núm. 2, 1953.

BONA, C., "Benvenuta, sevitù di parcheggio", *Il Foro Italiano* Vol. 142 núm. 10, 2017.

BONET CORREA, J., "La servidumbre en favor de edificio futuro y la adquisición de apartamentos en el edificio por construir", *R.D.N.* núm. 33-34, julio-diciembre 1961.
- "La renuncia exonerativa y el abandono liberatorio del Código Civil", *R.G.L.J.*, septiembre 1961.

BONFANTE, P, "La regola *servitus in faciendo consistere nequit*" en *Studi in onore di Alfredo Ascoli*, Giuseppe Principato, Messina, 1931.

- *Instituciones de Derecho Romano*, 5ª ed. 2ª reimp., Reus, Madrid, 2002.

BONNECASE, J., *Elementos de Derecho Civil T. II Derecho de las obligaciones, de los contratos y del crédito* (trad. CAJICA JR., J. M.), José M. Cajica Jr, Puebla, 1945.

BONOMONTE, C., "Obbligazioni *propter rem* e obbligazioni personali", *Giurisprudenza italiana* Vol. 139, 1987.

BRANCA, G., "Commentario al articolo 1030" en *Commentario del Codice Civile. Libro Terzo. Della Propietà*, 2ª ed., Zanichelli y Soc. ed. del Foro Italiano, Bologna y Roma, 1959.

BRANCÓS I NÚÑEZ, E., "La opción de compra: la evolución jurisprudencial y su actual utilidad como instrumento habitual en el tráfico inmobiliario", *A.A.M.N.* T. XXXIII, 1994.

BURDESE, A., "Sulla tipicità delle servitù prediali in Diritto romano", *Archivio Giuridico Filippo Serafini* Vol. CCXVIII fasc. 1-2, 1998.

BUSSANI, M., "Il contratto di lease back", *Contratto e impresa* Vol. 2, 1986.

- "Il modello italiano delle garanzie reali", *Contratto e impresa* Vol. 13, 1997.
- "Patto commissorio, proprietà e mercato. (Appunti per una ricerca)", *Rivista critica del Diritto Privato*, marzo 1997.
- "Lezioni sulle garanzie reali", *Studium Juris* núm. 7, 1998.
- *Il problema del patto commissorio*, G. Giappichelli Editore, Torino, 2000.
- *I singoli contratti 4 Contratti moderni. Factoring, Franchising, Leasing* en *Trattato di Diritto civile* (dir. SACCO, R.), UTET, Torino, 2004.
- "Autonomia privata e responsabilità patrimoniale" en *I nuovi contratti nella prassi civile e commerciale I Questioni generali*, UTET, Torino, 2004.
- *Libertà contrattuale e diritto europeo*, UTET, Torino, 2005.
- "Los modelos de las garantías reales en el Civil y en el *Common law*. Una aproximación de derecho comparado" en *Garantías reales mobiliarias en Europa* (coord. LAUROBA LACASA, M.ª E. y MARSAL, J.), Marcial Pons, Madrid, 2006.

BUSSI, E., "Il diritto di censo come onere reale", *Il Foro della Lombardia* I, 1933.

BUSTO LAGO, J. M., "Comentario al artículo 530" en *Comentarios al Código Civil T. III* (dir. BERCOVITZ RODRÍGUEZ-CANO, R.), Tirant Lo Blanch, Valencia, 2013.

- "Comentario al artículo 533" en *Comentarios al Código Civil T. III* (dir. BERCOVITZ RODRÍGUEZ-CANO, R.), Tirant Lo Blanch, Valencia, 2013.

- "Comentario al artículo 544" en *Comentarios al Código Civil T. III* (dir. BERCOVITZ RODRÍGUEZ-CANO, R.), Tirant Lo Blanch, Valencia, 2013.
- "Comentario al artículo 546" en *Comentarios al Código Civil T. III* (dir. BERCOVITZ RODRÍGUEZ-CANO, R.), Tirant Lo Blanch, Valencia, 2013.
- "Comentario al artículo 575" en *Comentarios al Código Civil T. III* (dir. BERCOVITZ RODRÍGUEZ-CANO, R.), Tirant Lo Blanch, Valencia, 2013.
- "Comentario al artículo 594" en *Comentarios al Código Civil T. IV* (dir. BERCOVITZ RODRÍGUEZ-CANO, R.), Tirant Lo Blanch, Valencia, 2013.
- "Comentario al artículo 599" en *Comentarios al Código Civil T. IV* (dir. BERCOVITZ RODRÍGUEZ-CANO, R.), Tirant Lo Blanch, Valencia, 2013.
- "Saneamiento por cargas ocultas y gravámenes urbanísticos" en *Tratado de la compraventa. Homenaje al Profesor Rodrigo Bercovitz T. II*, Aranzadi, Cizur Menor, 2013.
- "Títulos VII a X del Libro III" en *Propuesta de Código Civil. Asociación de Profesores de Derecho Civil*, Tecnos, Madrid, 2018.

BUSTOS PUECHE, J. E., "Teoría general sobre los derechos reales de garantía con especial atención al pacto comisorio", *A.D.C.* fasc. II, 1990. http://bit.ly/2lYMgKw, recuperado por última vez el 6 de septiembre de 2019.
- "Sobre los límites de la autonomía individual en el Derecho Civil" en *"El libre desarrollo de la personalidad" Artículo 10 de la Constitución*, Universidad de Alcalá Servicio de Publicaciones, Madrid, 1995.

BUTERA, A., "Sulla efficacia reale degli oneri che impongono un determinato tipo nella costruzione degli edifici", *Il Foro Italiano* Vol. 54, 1929.

CABALLERO LOZANO, J. M.ª, *Las prohibiciones de disponer. Su proyección como garantía de las obligaciones*, Bosch, Barcelona, 1993.

CABANAS TREJO, R., "Breve nota sobre la servidumbre personal en el Derecho catalán", *La notaria* núm. 35-36, 2006.

CALAZA LÓPEZ, S., *El binomio procesal: derecho de acción-derecho de defensa. Desde la concepción clásica romana hasta la actualidad*, Dykinson, Madrid, 2011.

CALO, E. y CORDA, T. A., *La multipropiedad (Principios teóricos. Precedentes doctrinales y jurisprudenciales. Legislaciones extranjeras)* (trad. DE LA CUESTA SAENZ, J. M.ª), EDERSA, Madrid, 1985.

CALZOLAIO, E., "La tipicità dei diritti reali: spunti per una comparazione", *Rivista di Diritto Civile* Vol. 62 núm. 4, 2016.

CÁMARA LAPUENTE, S., "La defensa patrimonial de la persona y la familia mediante «trusts» y patrimonios fiduciarios" en *Homenaje al Profesor Carlos Vattier Fuenzalida* (coord. DE LA CUESTA SÁENZ, J, M.ª et al.), 1ª ed., Aranzadi, Cizur Menor, 2013.

CAMY SÁNCHEZ-CAÑETE, B., *Comentarios a la Legislación Hipotecaria*, Centro de Estudios Hipotecarios, Granada, 1969.

- *Comentarios a la Legislación Hipotecaria Vol. I*, 2ª ed., Aranzadi, Pamplona, 1974.
- *Comentarios a la Legislación Hipotecaria Vol. I*, 3ª ed., Aranzadi, Pamplona, 1982.

CANO TELLO, C. A., "El Derecho civil, cauce y límite de la autonomía privada", *R.C.D.I.* núm. 533, julio-agosto 1979.
- *Iniciación al estudio del Derecho Hipotecario*, Civitas, Madrid, 1982.

CAÑIZARES LASO, A., "Tanteo y opción. Frustración del interés del titular del derecho. (Comentario a la STS. Sala 1.ª-24 de octubre de 1990)", *A.D.C.* fasc. II, 1991. http://bit.ly/2TZH1XZ, recuperado por última vez el 22 de agosto de 2019.
- "Prescripción y caducidad: la opción de compra, un ejemplo de derecho potestativo", *Mercantil: cuaderno jurídico* núm. 5, 2010.

CAPOTE PÉREZ, L. J., *El tiempo compartido en España. Un análisis de la fórmula club-trustee desde la perspectiva del derecho español*, Tirant Lo Blanch, Valencia, 2009.

CARAMÉS PUENTES, J. C., "Algunas garantías inmobiliarias atípicas o indirectas", *Estudios de Deusto* Vol. 29.1, enero-junio 1981.

CARBONNIER, J., *Droit Civil 3 Les biens: monnaie, immeubles, meubles*, Presses Universitaires de France, Paris, 2000.

CARNELUTTI, F., *Teoría General del Derecho. Metodología del Derecho* (trad. POSADA, C. G.), Comares, Granada 2003.

CARONI, P., "El derecho de superficie en el derecho Suizo" (trad. DE LOS MOZOS Y DE LOS MOZOS, J. L.), *R.D.P.*, abril 1974.

CARRASCO PERERA, A., "Comentario a la resolución de la DGRN de 30 de junio de 1987", *C.C.J.* núm. 15, septiembre-diciembre 1987.
- "Orientaciones para una posible reforma de los derechos reales en el Código Civil español", *Ponència a les XIV Jornades de Dret Catalá a Tossa*, 2006. http://bit.ly/32qQkDz, recuperado por última vez el 28 de diciembre de 2017.
- "Comentario a la sentencia de 30 de mayo de 2008", *C.C.J.* núm. 78, septiembre-diciembre 2008.
- "Comentario al artículo 1121" en *Comentarios al Código Civil T. VI* (dir. BERCOVITZ RODRÍGUEZ-CANO, R.), Tirant Lo Blanch, Valencia, 2013.

CARRASCO PERERA, A., CORDERO LOBATO, E., y MARÍN LÓPEZ, M. J., *Tratado de los Derechos de Garantía T. II*, 2ª ed., Aranzadi, Cizur Menor, 2008.
- *Tratado de los Derechos de Garantía T. I*, 3ª ed., Aranzadi, Cizur Menor, 2015.
- *Tratado de los Derechos de Garantía T. II*, 3ª ed., Aranzadi, Cizur Menor, 2015.

CARRERAS MARAÑA, J. M., "Por la inscripción voluntaria del contrato de arrendamiento, ¿deja de existir un derecho personal y surge un derecho real?", *Cuaderno de arrendamientos urbanos* núm. 303, enero-febrero 2010.

CARRILLO DONAIRE, J. A., "Servidumbres administrativas para el establecimiento y protección de tendidos en red" en *Tratado de Servidumbres T. II Régimen de las servidumbres en el Código Civil* (coord. REBOLLEDO VARELA, A. L.), 3ª ed., Aranzadi, Cizur Menor, 2013.

CASADO BURBANO, P., "Principio de tipicidad y labor creadora en el ejercicio de la función registral inmobiliaria y mercantil" en Ponencias y comunicaciones presentadas al VIII Congreso Internacional de Derecho Registral, Centro de Estudios Registrales, Madrid, 1990.

CASELLI, G., *La multiproprietà: problemi giuridici*, 2ª ed., Giuffrè, Milano, 1984.

CASTÁN TOBEÑAS, J., *Derecho Civil Español, Común y Foral T. II Vol. I*, 14ª ed. revisada y puesta al día por GARCÍA CANTERO, G., Reus, Madrid, 1992.

CATERINI, E., *Il principio di legalità nei rapporti reali*, Edizioni Scientifiche Italiane, Napoli, 1998.

CECCHERINI, G., *Il C.D. trasferimento di cubatura*, Giuffrè, Milano, 1985.

CERDEIRA BRAVO DE MANSILLA, G., *Derecho o Carga real: Naturaleza jurídica de la hipoteca*, 1ª ed., Cedecs, Barcelona, 1998.

- "De nuevo, sobre la multipropiedad: la exigencia constitutiva de escritura pública y su obligatoria inscripción registral en el nuevo régimen de aprovechamiento por turno. (Una réplica cordial)", *R.C.D.I.* núm. 680, noviembre-diciembre 2003.

- "El embargo (preventivamente anotado) como carga real procesal (una réplica fraternal)" en *Estudios Jurídicos en homenaje al Profesor José María Miquel T. I*, 1 ª ed., Aranzadi, Cizur Menor, 2014.

- "Concepción y tipificación de las servidumbres en el derecho actual: la servidumbre predial de utilidad privada como genuina servidumbre y la más odiosa carga real inmobiliaria" en *Tratado de Servidumbres* (coord. CERDEIRA BRAVO DE MANSILLA, G.,), La Ley, Madrid, 2015.

- "Servidumbres positivas y negativas" en *Tratado de Servidumbres* (coord. CERDEIRA BRAVO DE MANSILLA, G.,), La Ley, Madrid, 2015.

- "Elementos-esenciales, naturales y accidentales-en las servidumbres prediales" en *Tratado de Servidumbres* (coord. CERDEIRA BRAVO DE MANSILLA, G.,), La Ley, Madrid, 2015.

CERRATO GURI, E., "Aspectos procesales de la propiedad temporal y de la propiedad compartida de la vivienda habitual", *Indret* núm. 2, 2015. http://www.indret.com/pdf/1130_es_2.pdf, recuperado por última vez el 24 de mayo de 2018.

CHANG, Y. y SMITH, H. E., "The *Numerus Clausus* Principle, Property Customs, and the Emergence of New Property Forms", *Iowa Law Review* Vol. 100, 2015. http://bit.ly/2UJ2jNk, recuperado por última vez el 18 de abril de 2019.

CHICO Y ORTIZ, J. M.ª, *Estudios sobre Derecho Hipotecario T. I*, Marcial Pons, Madrid, 1981.

CILVETI GUBÍA, B., "Comentario a la Ley 460" en *Comentarios al Fuero Nuevo Compilación del Derecho Civil Foral de Navarra* (dir. RUBIO TORRANO, E.), Aranzadi, Cizur Menor, 2002.

• "Comentario a la Ley 462" en *Comentarios al Fuero Nuevo Compilación del Derecho Civil Foral de Navarra* (dir. RUBIO TORRANO, E.), Aranzadi, Cizur Menor, 2002.

CLAPS, G., *Delle cosiddette obbligazioni reali e dell'abbandono liberatorio nel diritto civile italiano*, Fratelli Bocca Editori, Torino, 1897.

CLAVERÍA GONSÁLBEZ, L.-H., "Comentario al artículo 333" en *Comentario del Código Civil T. I* (dir. PAZ-ARES RODRÍGUEZ, C. *et al.*), Ministerio de Justicia, Madrid, 1991.

CLEMENTE DE DIEGO, F., *Instituciones de derecho civil T. I*, Nueva ed. revisada y puesta al día por DE COSSÍO Y CORRAL, A. Y GULLÓN BALLESTEROS, A., Madrid, 1959.

CLEMENTE MEORO, M. E., *La facultad de resolver los contratos por incumplimiento*, Tirant Lo Blanch, Valencia, 1998.

• *El acreedor del dominio*, Tirant Lo Blanch, Valencia, 2000.

• "Comentario al artículo 467" en *Comentarios al Código Civil T. III* (dir. BERCOVITZ RODRÍGUEZ-CANO, R.), Tirant Lo Blanch, Valencia, 2013.

• "Comentario al artículo 470" en *Comentarios al Código Civil T. III* (dir. BERCOVITZ RODRÍGUEZ-CANO, R.), Tirant Lo Blanch, Valencia, 2013.

• "Comentario al artículo 513" en *Comentarios al Código Civil T. III* (dir. BERCOVITZ RODRÍGUEZ-CANO, R.), Tirant Lo Blanch, Valencia, 2013.

• "Comentario al artículo 523" en *Comentarios al Código Civil T. III* (dir. BERCOVITZ RODRÍGUEZ-CANO, R.), Tirant Lo Blanch, Valencia, 2013.

COBACHO GÓMEZ, J. A., "Comentario a los artículos 594 a 599" en *Comentarios al Código Civil T. III Libro II* (coord. RAMS ALBESA, J.), Bosch, Barcelona, 2001.

COCA PAYERAS, M., *Tanteo y retracto, función social de la propiedad y competencia autonómica*, Real Colegio de España, Bolonia, 1988.

COMPORTI, M., "Tipicità dei diritti reali e figure di nuove emersione" en *Studi in onore di Cesare Massimo Bianca V. II*, Giuffrè, Milano, 2006.

• "Diritti reali in generale" in *Trattato di Diritto Civile e Commerciale Vol. III T. I*, 2ª ed., Giuffrè, Milano, 2011.

CONSENTINO, C., *Forme di appartenenza e interessi protetti. Tipicità e numerus clausus dei diritti reali*, Satura Editrice, Napoli, 2010.

CORBINO, A., "Il numero chiuso dei diritti reali nell'esperienza giuridica romana" en *Le droit romain et le monde contemporain: melanges à la memoire de Henry Kupiszewski*, Universidad de Varsovia, Varsovia, 1996.

CORDERO LOBATO, E., "Comentario al artículo 90" en *Comentarios a la Ley Concursal Vol. I* (coord. BERCOVITZ RODRÍGUEZ-CANO, R.), Tecnos, Madrid, 2004.

- "Comentario al artículo 1859" en *Comentarios al Código Civil T. IX* (dir. BERCOVITZ RODRÍGUEZ-CANO, R.), Tirant Lo Blanch, Valencia, 2013.

- "Comentario al artículo 1925" en *Comentarios al Código Civil T. IX* (dir. BERCOVITZ RODRÍGUEZ-CANO, R.), Tirant Lo Blanch, Valencia, 2013.

CORDÓN MORENO, F., "Comentario al artículo 80" en *Comentarios a la Ley Concursal* (dir. CORDÓN MORENO, F.), Aranzadi, Cizur Menor, 2004.

CORTEJOSO GONZALO, V., "La división de los dominios y otras especialidades de los derechos reales en agricultura" en *Actas del I Congreso Internacional de Derecho Agrario en Extremadura*, Diputación Provincial de Badajoz, Badajoz, 1987.

COSTANZA, M., "*Numerus clausus* dei diritti reale e autonomia contrattuale" en *Studi in Onore di Cesare Grassetti Vol. I*, Giuffrè, Milano, 1980.

COVIELLO, L., *Le servitù prediali: lezioni dell'anno 1925-1926* (a cura di STOLFI, G.), Napoli, 1926.

CRISTÓBAL MONTES, A., *La estructura y los sujetos de la obligación*, Civitas, Madrid, 1990.

CRUZ GALLARDO, B., *Principios hipotecarios y particularidades de la ejecución hipotecaria sobre los consumidores. Práctica registral y procesal*, La Ley, Las Rozas, 2014.

CRUZ MORENO, M., *La prenda irregular*, Colegio de Registradores de la Propiedad y Mercantiles de España, Centro de Estudios Registrales, Madrid, 1995.

CUADRADO IGLESIAS, M., "Comentario al artículo 594" en *Comentario del Código Civil T. I* (dir. PAZ-ARES RODRÍGUEZ, C. *et al.*), Ministerio de Justicia, Madrid, 1991.

- "Comentario al artículo 599" en *Comentario del Código Civil T. I* (dir. PAZ-ARES RODRÍGUEZ, C. *et al.*), Ministerio de Justicia, Madrid, 1991.

CUADRADO PÉREZ, C., *La servidumbre de propietario*, Fundación Registral, Colegio de Registradores de la Propiedad y Mercantiles de España, Madrid, 2008.

CUENA CASAS, M., "Comentario al artículo 609" en *Código Civil Comentado Vol. II* (dirs. CAÑIZARES LASO, A. *et al.*), 2ª ed., Aranzadi, Cizur Menor, 2016.

CURSI, M. F., *Modus servitutis. Il ruolo dell'autonomia privata nella costruzione del sistema tipico delle servitù prediali*, Jovene, Napoli, 1999.
- "*Modus servitutis* e tipicità convenzionale tra diritto romano e codice civile", *Rivista di Diritto Civile* Vol. 46 núm. 4, 2000.
D'AVANZO, W., *La surrogatoria*, CEDAM, Padova, 1939.
D'ORS, A., HERNÁNDEZ-TEJERO, F., FUENTESECA, P., GARCÍA-GARRIDO, M. y BURILLO, J., *El Digesto de Justiniano T. I*, Aranzadi, Pamplona, 1968.
DABIN, J., *El derecho subjetivo* (trad. OSSET, F. J.), EDERSA, Madrid, 1955.
- "Une nouvelle definition de droit réel", *R.T.D. Civ.*, 1962.
DALHUISEN, J. H., "European Private Law: Moving from a closed to an open system of proprietary rights", *Edinburgh Law Review* Vol. 5 núm. 3, 2001.
DANOS, F., "Servitude et droit réel de jouissance spéciale", *La Semaine Juridique* núm. 27, juillet 2019.
DAVIDSON, N. M., "Standardization and Pluralism in Property Law", *Vanderbilt Law Review* Vol. 61 núm. 6, november 2008. http://bit.ly/2IyMAKj, recuperado por última vez el 18 de abril de 2019.
DE AMUNÁTEGUI RODRÍGUEZ, C., *La renuncia y el abandono en la servidumbre*, Tirant Lo Blanch, Valencia, 1999.
DE ÁNGEL YAGÜEZ, R., "Problemas que suscita la «venta en garantía» en relación con los procedimientos de ejecución del deudor", *R.C.D.I.* núm. 494, enero-febrero 1973.
- "Servidumbre negativa y obligación de no hacer", *R.C.D.I.* núm. 514, mayo-junio 1976.
DE BUEN, D., *Derecho civil común Vol. I*, 3ª ed., Reus, Madrid, 1936.
- "La teoría de la relación jurídica en el Derecho Civil" en *Libro-Homenaje al profesor Don Felipe Clemente de Diego*, Madrid, 1940.
DE CASSO ROMERO, I., *Derecho Hipotecario o del Registro de la Propiedad*, 4ª ed. revisada, Instituto de Derecho Civil, Madrid, 1951.
DE CASTRO GARCÍA, J., "Los arrendamientos y el Registro de la Propiedad", *R.C.D.I.* núm. 467, noviembre-diciembre 1971.
DE CASTRO VÍTORES, G., *La obligación real en el derecho de bienes*, Centro de Estudios Registrales, Madrid, 2000.
DE CASTRO Y BRAVO, F., "La promesa de contrato", *A.D.C.* fasc. IV, 1950. http://bit.ly/2Hqfyd8, recuperado por última vez el 26 de agosto de 2019.
- "Las leyes nacionales, la autonomía de la voluntad y los usos en el proyecto de Ley Uniforme sobre la venta", *A.D.C.* fasc. IV, 1958. http://bit.ly/2Tsyw7C, recuperado por última vez el 13 de agosto de 2019.
- *Compendio de Derecho Civil*, Madrid, 1970.
- *Temas de Derecho Civil*, reimp. ed. 1972, Madrid, 1976.

- "Notas sobre las limitaciones intrínsecas de la autonomía de la voluntad", A.D.C. fasc. IV, 1982.
- *Derecho Civil de España*, Civitas, Madrid, 1984.
- *El negocio jurídico*, Civitas, Madrid, 1985.

DE COSSÍO Y CORRAL, A., *Instituciones de Derecho Civil T. II (Derechos Reales y Derecho Hipotecario. Derecho de Familia y Derecho de Sucesiones)*, 1ª ed. revisada y puesta al día por DE COSSÍO Y MARTÍNEZ, M. y LEÓN ALONSO, J., Civitas, Madrid, 1988.

DE COUTO GÁLVEZ, R. M., *Venta como libre de finca gravada*, Centro de Estudios Registrales, Madrid, 1996.

DE CRISTOFARO, G., "Commentario al articolo 1030" en *Codice Civile e Leggi Collegate. Commento giurisprudenziale sistematico* (coord. CIAN G.,), CEDAM, Milano, 2010.

DE CUEVILLAS MATOZZI, I., "La pignoración de saldos de depósitos bancarios (nueva modalidad del Derecho real de prenda)", *R.G.D.* núm. 597, 1994.

DE CUPIS, A., *Il danno: teoria generale della responsabilità civile Vol. I*, 2ª ed., Giuffrè, Milano, 1966.

DE GRADO SANZ, M.ª C., y RUANO BORRELLA, J. P., "Inscripción de arrendamientos de bienes inmuebles. Efectos en cuanto a tercero del arrendamiento no inscrito. El derecho de retorno", *R.C.D.I.* núm. 583, noviembre-diciembre 1987.

DE JUGLART, M., *Obligation réelle et servitudes en droit privé français*, Imprimerie Fredou & Manville, Bordeaux, 1937.

DE LA CÁMARA ÁLVAREZ, M., "Notas críticas sobre la naturaleza de la hipoteca como derecho real", *R.D.P.*, mayo 1949.

DE LA CUESTA SÁENZ, J. M.ª, "Servidumbres personales: su duración en relación con la atipicidad de los derechos reales y con la libertad del dominio" en *Homenaje al Profesor Carlos Vattier Fuenzalida* (coord. DE LA CUESTA SÁENZ, J, M.ª et al.), 1ª ed., Aranzadi, Cizur Menor, 2013.

DE LA ESPERANZA MARTÍNEZ-RADIO, A., "El *numerus apertus* en materia de derechos reales inmobiliarios", *Noticias C.E.E.*, abril 1986.

DE LA IGLESIA MONJE, M., *El derecho de retracto convencional*, Lex Nova, Valladolid, 2002.

DE LA LLANA VICENTE, M., "El fenómeno jurídico de la multipropiedad en nuestro ordenamiento jurídico", *Anuario de la Facultad de Derecho de Alcalá de Henares* núm. 4, 1994-1995. https://ebuah.uah.es/dspace/handle/10017/6062, recuperado por última vez el 3 de septiembre de 2018.

DE LA RICA Y ARENAL, R., *Comentarios al nuevo Reglamento Hipotecario T. I*, Madrid, 1948.

- "El derecho de tanteo: Su naturaleza. Posibilidad de inscripción. Efectos de ésta. Título inscribible y circunstancias de la inscripción", *R.C.D.I.* núm. 535, septiembre-octubre 1979.

DE LOS MOZOS Y DE LOS MOZOS, J. L., "La obligación real, aproximación a su concepto" en *Libro-Homenaje a Mª Ramón Roca Sastre, Junta de Decanos de los Colegios Notariales Vol. II*, Madrid, 1976.

- *Propiedad, herencia y división de la explotación agraria. La sucesión en el Derecho agrario*, Ministerio de Agricultura, Madrid, 1977.
- "Los derechos reales en la sistemática de Vélez Sarsfield", *R.D.P.*, junio 1986.
- *Estudios sobre derecho de los bienes*, Montecorvo, Madrid, 1991.
- "Notas para una revisión de la llamada función social de la propiedad" en *Estudios de Derecho Civil en Homenaje al Profesor Dr. José Luis Lacruz Berdejo*, Bosch, Barcelona, 1993.
- "Retorno a la "galaxia" de la función social de la propiedad" en *El sistema económico en la Constitución Española Vol. I*, Ministerio de Justicia, Madrid 1994.

DE LUCA, A., *Gli oneri reali e le obbligazioni "ob rem"*, Athenaeum, Roma, 1915.

DE OTTO Y CRESPO, N., "Del retracto convencional", *R.G.L.J.*, 1862.

DE PABLO CONTRERAS, P., "La configuración jurídica de la llamada «multipropiedad» a la luz del Anteproyecto de Ley de Conjuntos Inmobiliarios" en *Conjuntos inmobiliarios y multipropiedad. Ponencias y Proyectos de Ley sobre conjuntos inmobiliarios*, Bosch, Barcelona, 1993.

- "El derecho real y sus caracteres" en *Curso de Derecho Civil III Derechos Reales* (coord. DE PABLO CONTRERAS, P.), 4ª ed. reimp., Edisofer, Madrid, 2016.
- "La propiedad" en *Curso de Derecho Civil III Derechos Reales* (coord. DE PABLO CONTRERAS, P.), 4ª ed. reimp., Edisofer, Madrid, 2016.
- "Protección de la posesión y del derecho a poseer" en *Curso de Derecho Civil III Derechos Reales* (coord. DE PABLO CONTRERAS, P.), 4ª ed. reimp., Edisofer, Madrid, 2016.
- "Adquisición y extinción de los derechos reales. La ocupación" en *Curso de Derecho Civil III Derechos Reales* (coord. DE PABLO CONTRERAS, P.), 4ª ed. reimp., Edisofer, Madrid, 2016.
- "La adquisición derivativa *inter vivos*" en *Curso de Derecho Civil III Derechos Reales* (coord. DE PABLO CONTRERAS, P.), 4ª ed. reimp., Edisofer, Madrid, 2016.
- "La usucapión" en *Curso de Derecho Civil III Derechos Reales* (coord. DE PABLO CONTRERAS, P.), 4ª ed. reimp., Edisofer, Madrid, 2016.
- "Comentario al artículo 1936" en *Código Civil Comentado Vol. IV* (dirs. CAÑIZARES LASO, A. *et al.*), 2ª ed., Aranzadi, Cizur Menor, 2016.

DE REINA TARTIÈRE, G., "La propiedad en garantía: negocio indirecto y fiducia", *R.G.L.J.*, julio-septiembre 2011.

DE ROVIRA MOLA, A., Voz "Gravamen", *Nueva Enciclopedia Jurídica T. X* (dir. MASCAREÑAS, C. E.), Francisco Seix, Barcelona, 1960.

DE RUGGIERO, R., *Instituciones de Derecho Civil T. I Introducción y parte general. Derecho de las personas, Derechos Reales y Posesión* (trad. a la 4ª ed. italiana SERRANO SUÑER, R. y SANTA-CRUZ TEJEIRO, J.), Reus, Madrid, 1944.

- *Istituzioni di diritto civile Vol. I Introduzione e parte generale, diritto delle persone, diritti di famiglia, diritto ereditario e diritti reali*, 9ª ed., Giuseppe principato, Milano-Messina, 1961.
- *Istituzioni di diritto civile Vol. II Diritti di obbligazione e contratti, tutela dei diritti*, 9ª ed., Giuseppe principato, Milano-Messina, 1961.

DE WAAL, M. J., "The Uniformity of Ownership, *Numerus Clausus* and the Reception of the Trust Into South African Law", *European Review of Private Law* I. 3, 2000.

- "Identifiying real rights in South African Law: the `subtraction from the *dominium*' test and its application" en *Contents of real rights*, Wolf Legal Publishers, Nijmegen, 2004.

DEL OLMO GARCÍA, P., "Comentario al artículo 1156" en *Comentarios al Código Civil* (dir. DOMÍNGUEZ LUELMO, A.), Lex Nova, Valladolid, 2010.

DEEPORTER. B., y PARISI, F., "Fragmentation of Property Rights: A Functional Interpretation of the Law of Servitudes", *John M. Olin Center for Studies in Law, Economics, and Public Policy Working Papers, march 2003*. http://bit.ly/2Xsdyqd, recuperado por última vez el 18 de abril de 2019.

DEIANA, G., "In tema di obligationes *propter rem* accessorie ad un rapporto di servitù", *Rivista del Diritto Commerciale* II, 1952.

DELGADO CORDERO, A. M.ª, "Configuración jurisprudencial de la opción de compra. Comentario a la STS de 6 de julio 2001 (RJ 2001, 4996)", *Revista Aranzadi de Derecho Patrimonial* núm. 8, 2002.

DELGADO TRUYOLS, A., "El gran dilema del alquiler vacacional (I): problemas sociales, económicos y jurídicos", *El Notario del Siglo XXI: Revista de Colegio Notarial de Madrid* núm. 73, 2017. http://bit.ly/2kdlspk, recuperado por última vez el 15 de septiembre de 2019.

DEMOGUE, R., *Les notions Fondamentales du Droit privé*, París, 1911. https://gallica.bnf.fr/ark:/12148/bpt6k5457266z/f455.image.texteImage, recuperado por última vez el 23 de junio de 2019.

DESCHENAUX, H., "Obligations *propter rem*" en *Ius et Lex Festgabe Zum 70 Geburtstag von Max Gutzwiller*, Verlag Helbing & Litchtenhahn, Basel, 1959.

DESCORGES, R., *Les biens*, Hachette Supérieur, Paris, 2007.

Díaz-Ambrona Bardají, M.ª D., "Apuntes sobre la multipropiedad", *R.C.D.I.* núm. 658, marzo-abril 2000.

- "La multipropiedad y el Registro de la Propiedad", *Noticias de la Unión Europea* núm. 265, 2007.
- "Derecho de sucesiones" en *Derecho civil de la Unión Europea*, Tirant Lo Blanch, Valencia, 2017.

Díaz Brito, F. J., "Comentario a la Ley 423" en *Comentarios al Fuero Nuevo Compilación del Derecho Civil Foral de Navarra* (dir. Rubio Torrano, E.), Aranzadi, Cizur Menor, 2002.

Díaz Fuentes, A., *Servidumbres, serventías y relaciones de vecindad*, Bosch, Barcelona, 2004.

Díaz Martínez, A., "Límites de la autonomía de la voluntad en la organización del régimen de propiedad horizontal: promotor inmobiliario, propietarios singulares y comunidad" en *Derecho y autonomía privada: Una visión comparada e interdisciplinar. Actas del Congreso Internacional «Límites a la autonomía de la voluntad» celebrado en la Facultad de Derecho de la Universidad de Zaragoza los días 29 y 30 de septiembre de 2016* (dir. Parra Lucán, M.ª A.), Comares, Granada, 2017.

Diéguez Oliva, R., *El principio de accesoriedad y la patrimonialización del rango*, Fundación Registral, Colegio de Registradores de la Propiedad y Mercantiles de España, Madrid, 2009.

Díez García, H., "Comentario al artículo 575" en *Comentarios al Código Civil* (coord. Bercovitz Rodríguez-Cano, R.), 3ª ed., Aranzadi, Cizur Menor, 2009.

- "Comentario al artículo 594" en *Comentarios al Código Civil* (coord. Bercovitz Rodríguez-Cano, R.), 3ª ed., Aranzadi, Cizur Menor, 2009.

Díez García, H. y Martínez Escribano, C., "Capítulo I del Título XII del Libro III" en *Propuesta de Código Civil. Asociación de Profesores de Derecho Civil*, Tecnos, Madrid, 2018.

Díez Pastor, J. L., "En torno a la definición formal de los derechos reales", *A.A.M.N.* T. XIV, 1965.

Díez Soto, M., "Comentario al artículo 1507" en *Comentarios al Código Civil T. VIII* (dir. Bercovitz Rodríguez-Cano, R.), Tirant Lo Blanch, Valencia, 2013.

- "Comentario al artículo 1510" en *Comentarios al Código Civil T. VIII* (dir. Bercovitz Rodríguez-Cano, R.), Tirant Lo Blanch, Valencia, 2013.
- "Comentario al artículo 1518" en *Comentarios al Código Civil T. VIII* (dir. Bercovitz Rodríguez-Cano, R.), Tirant Lo Blanch, Valencia, 2013.

- "Comentario al artículo 1522" en *Comentarios al Código Civil T. VIII* (dir. BERCOVITZ RODRÍGUEZ-CANO, R.), Tirant Lo Blanch, Valencia, 2013.
- *Los tanteos y retractos legales a la luz de la reciente doctrina jurisprudencial*, Reus, Madrid, 2017.

DÍEZ-PICAZO Y PONCE DE LEÓN, L., "La autonomía privada y el derecho necesario en la Ley de Arrendamientos Urbanos", *A.D.C.* fasc. IV, 1956.

- "Autonomía Privada y Derechos Reales" en *Libro Homenaje a Ramón Mª Roca Sastre Vol. II*, Junta de Decanos de los Colegios Notariales, Madrid, 1976.
- "Los límites del derecho de propiedad en la legislación urbanística" en *Estudios de Derecho Privado*, Civitas, Madrid, 1980.
- "Comentario al artículo 1255" en *Comentario del Código Civil T. II* (dir. PAZ-ARES RODRÍGUEZ, C. *et al.*), Ministerio de Justicia, Madrid, 1991.
- "Comentario al artículo 1258" en *Comentario del Código Civil T. II* (dir. PAZ-ARES RODRÍGUEZ, C. *et al.*), Ministerio de Justicia, Madrid, 1991.
- "Propiedad y Constitución" en *Propiedad y Derecho Civil*, Fundación Registral, Colegio de Registradores de la Propiedad y Mercantiles de España, Madrid, 2006.
- *Fundamentos del Derecho Civil Patrimonial Vol. I Introducción. Teoría del contrato*, 6ª ed., Aranzadi, Cizur Menor, 2007.
- *Fundamentos del Derecho Civil Patrimonial Vol. III. Las Relaciones Jurídico-Reales, El Registro de la Propiedad, La posesión*, 5ª ed., Aranzadi, Cizur Menor, 2008.
- "Controles públicos y tráficos privados", *Teoría y Derecho: revista de pensamiento jurídico* núm. 5, 2009.
- "A vueltas con la autonomía privada en materia jurídica" en *Autonomía de la voluntad en el Derecho Privado T. III-1 Derecho Patrimonial 1 Estudios en Conmemoración del 150 aniversario de la Ley del Notariado* (coord. PRATS ALBENTOSA, L.), Wolters Kluwer España, Madrid, 2012.

DÍEZ-PICAZO Y PONCE DE LEÓN, L. y GULLÓN BALLESTEROS, A., *Sistema de Derecho Civil Vol. III T. II*, 8ª ed., Tecnos, Madrid, 2012.

- *Sistema de Derecho Civil Vol. III T. I*, 9ª ed., Tecnos, Madrid, 2016.
- *Sistema de Derecho Civil Vol. III T. II*, 9ª ed., Tecnos, Madrid, 2016.
- *Sistema de Derecho Civil Vol. I*, 13ª ed., Tecnos, Madrid, 2016.

DISTASO, N., "Diritto reale, servitù e obbligazione *propter rem*", *Rivista trimestrale di diritto e procedura civile*, giugno 1953.

- *Natura giuridica dell'ipoteca. Contributo alla teoria dei diritti reali di garanzia*, Giuffrè, Milano, 1953.

Domingo, R., "¿Por qué un derecho global?" en *Hacia un derecho global. Reflexiones en torno al derecho y la globalización* (coords. Domingo, R. *et al.*), Aranzadi, Cizur Menor, 2006.

Domingo Oslé, R., Cuena Boy, F., *et al.*, *Textos de Derecho Romano* (coord. Domingo Oslé, R.), Aranzadi, Pamplona, 1998.

Domínguez Luelmo, A., "Comentario al artículo 90.1.6°" en *Comentarios a la legislación concursal T. II* (dirs. Sánchez-Calero Guilarte, J. y Guilarte Gutiérrez, V.), 1ª ed., Lex Nova, Valladolid, 2004.

- "Comentario al artículo 609" en *Comentarios al Código Civil* (dir. Domínguez Luelmo, A.), Lex Nova, Valladolid, 2010.
- "Comentario al artículo 1876" en *Comentarios al Código Civil* (dir. Domínguez Luelmo, A.), Lex Nova, Valladolid, 2010.
- "Comentario a los artículos 1962 y 1963" en *Comentarios al Código Civil* (dir. Domínguez Luelmo, A.), Lex Nova, Valladolid, 2010.

Domínguez Platas, J., *Obligación y derecho real de goce*, Tirant Lo Blanch, Valencia, 1994.

- Voz "Gravamen" en *Enciclopedia Jurídica Básica Vol. II*, Civitas, Madrid, 1995.

Doral García, J. A., *La noción de orden público en el Derecho civil español*, Ediciones Universidad de Navarra, Pamplona, 1967.

Durán Rivacoba, R., "La prohibición del pacto comisorio en la jurisprudencia" en *Estudios sobre ejecución universal*, Universidad de Oviedo. Servicio de Publicaciones, Oviedo, 1997.

- *La propiedad en garantía: prohibición del pacto comisorio*, Aranzadi, Pamplona, 1998.
- "La prohibición del pacto comisorio. Aproximación general desde la jurisprudencia española" en *Fideicomiso de garantía: análisis integral, función y régimen* (dir. Cabanellas de las Cuevas, G.,), Heliasta, Buenos Aires, 2008.

Echevarría Summers, F., "Comentario al artículo 395" en *Comentarios al Código Civil* (coord. Bercovitz Rodríguez-Cano, R.), 3ª ed., Aranzadi, Cizur Menor, 2009.

Edgeworth, B., "The *Numerus Clausus* Principle in Contemporary Australian Property Law", *Monash University Law Review* Vol. 32 núm. 2, 2006. http://bit.ly/2H3wcip, recuperado por última vez el 13 de agosto de 2019.

Enneccerus, L., *Tratado de Derecho Civil T. I Parte General I* (trad. a la 39ª ed. alemana Pérez González, B., y Alguer, J.), Bosch, Barcelona, 1934.

Epstein, R. A., "Notice and Freedom of Contract in the Law of Servitudes", *Southern California Law Review* Vol. 55, 1981. http://bit.ly/2KGtYXg, recuperado por última vez el 13 de agosto de 2019.

ERMINI, M., "La multiproprietà immobiliare" en *I conttratti di multiproprietà* (a cura di CUFFARO, V.), Giuffrè, Milano, 2003.

ESCRICHE, J., Voz "Carga" en *Diccionario Razonado de Legislación y Jurisprudencia*, Librería Garnier, París, 1869.

ESPEJO LERDO DE TEJADA, M., "Autonomía privada y garantías reales" en *Estudios jurídicos en Homenaje al Profesor Luis Díez-Picazo. Tomo III* (coord. CABANILLAS SÁNCHEZ, A. *et al.*), Civitas, Madrid, 2003.

- "«Fiducia cum creditore»: acreedores del fiduciario y ejercicio por parte del fiduciante de la tercería de dominio. Comentario a la STS de 17 de septiembre 2003 (RJ 2003, 6419)", *Revista Aranzadi de Derecho Patrimonial* núm. 14, 2005.
- *La reserva de dominio inmobiliaria en el concurso*, Aranzadi, Cizur Menor, 2006.
- "El derecho real limitado de paso y su creación y configuración voluntarias", *R.D.C.* Vol. I núm. 4, octubre-diciembre 2014. http://bit.ly/2N81ZT4, recuperado por última vez el 16 de agosto de 2019.

ESPÍN ALBA, I., "Comentario al artículo 395" en *Comentarios al Código Civil* (dir. DOMÍNGUEZ LUELMO, A.), Lex Nova, Valladolid, 2010.

ESPÍN CÁNOVAS, D., "La transmisión de los derechos reales en el Código Civil Español", *R.D.P.* núm. 339, junio 1945.

- "Los límites de la autonomía de la voluntad en el Derecho Privado", *Anales de la Universidad de Murcia* Vol. XIII núm. 1, 1955.
- "Las nociones de orden público y buenas costumbres como límites de la autonomía de la voluntad en la doctrina francesa", *A.D.C.* fasc. III, 1963.
- *Manual de Derecho Civil Español Vol. II Derechos Reales*, 5ª ed., EDERSA, Madrid, 1977.

ESPINAR LAFUENTE, F., "Sobre la distinción entre derechos reales y obligacionales", *R.G.L.J.*, mayo 1962.

FADDA, C., y BENSA, P. notas a WINDSCHEID, B., *Diritto delle Pandette Vol. IV*, UTET, Torino, 1926.

FAIRÉN, M., "Derechos reales y de crédito (apuntes dogmáticos para el estudio de su distinción)", *R.D.N.* núm. 23, enero-marzo 1959.

- "Derechos reales y de crédito (apuntes dogmáticos para el estudio de su distinción)", *R.D.N.* núm. 25-26, julio-diciembre 1959.

FANDOS PONS, P., "Una ´eco-economía´ registral", *Iuris & Lex el Economista*, febrero 2014.

FEDELE, A., *Il problema della responsabilità del terzo per pregiudizio del credito*, Giuffrè, Milano, 1954.

FELIS, F., "Superficie e fattispecie atipiche. La cessione di cubatura", *Contratto e impresa* Vol. 27 núm. 3, 2011.

FELIU REY, M. I., *La prohibición del pacto comisorio y la opción en garantía*, Civitas, Madrid, 1995.

• *El tanteo convencional*, Civitas, Madrid, 1997.

FERNÁNDEZ-GOLFÍN APARICIO, A., RIVAS MARTÍNEZ, J. J., y RODRÍGUEZ POYO-GUERRERO, J-M., *Influencia de la práctica en la evolución de la estructura de los derechos reales*, Junta de Decanos de los Colegios Notariales de España, Madrid, 1989.

FERNÁNDEZ DE BUJÁN, A., *Derecho Privado Romano*, 10ª ed., Iustel, Madrid, 2017.

FERNÁNDEZ PIERA, A., "Los derechos de adquisición preferente en la comunidad de bienes" en *La regulación de la propiedad horizontal y las situaciones de comunidad en cataluña* (coord. GARRIDO MELERO, M.), Bosch, Barcelona, 2008.

FERNÁNDEZ VILLAVICENCIO ÁLVAREZ OSSORIO, M.ª C., "Servidumbres, servidumbre de propietario y propiedad horizontal" en *Tratado de Servidumbre* (dir. CERDEIRA BRAVO DE MANSILLA, G.), La Ley, Madrid, 2015.

FERRANDIS VILELLA, J. M., "Introducción al estudio de los derechos reales de garantía", *A.D.C.* fasc. I, 1960.

FERRARA, F., *Trattato di Diritto Civile italiano Vol. I Dottrine Generali Parte I*, Athenaeum, Roma, 1921.

FERRARI, F., *Atipicità dell'illecito civile una comparazione*, Giuffrè, Milano, 1992.

FERRI, L., *La autonomía privada* (trad. SANCHO MENDIZÁBAL, L.), Comares, Granada, 2001.

FERRINI, C. y PULVIRENTI, G., *Servitù Prediali Vol. I*, Eugenio Marghieri y UTET, Napoli y Torino, 1908.

FERRINI, C., *Manuale di Pandette* (curata da GROSSO, G.), 4ª ed., Società Editrice Libraria, Milano, 1953.

FEYDEAU, M-T., "Le droit réel de jouissance spéciale consenti sans limitation de durée est-il perpétuel? La 3e chambre civile lève une incertitude", *La Semaine Juridique* núm. 9, mars 2015.

FIGUEIRAS DACAL, M., *El sistema de protección jurídica por el Registro de la Propiedad. Síntesis de su explicación teórica y de su aplicación práctica*, Dijusa, Madrid, 2001.

FÍNEZ RATÓN, J. M., "Garantías reales: imperatividad de las normas de ejecución *versus* pacto comisorio" en *Estudios jurídicos en Homenaje al Profesor Luis Díez-Picazo. Tomo III* (coord. CABANILLAS SÁNCHEZ, A. *et al.*), Civitas, Madrid, 2003.

FLÓREZ DE QUIÑONES Y TOMÉ, V., "La extinción de las cargas y la nueva Ley Hipotecaria", *A.A.M.N.* T. III, 1946.

FOËX, B., *Le numerus clausus des droits réels en matière mobilière*, Payot, Lausanne, 1987.

Foncillas, J. Mª, "El *jus ad rem* en el derecho civil moderno", *R.C.D.I.* núm.100, abril 1933.

- "El *jus ad rem* en el derecho civil moderno", *R.C.D.I.* núm.101, mayo 1933.
- "El *jus ad rem* en el derecho civil moderno", *R.C.D.I.* núm.102, junio 1933.
- "El *jus ad rem* en el derecho civil moderno", *R.C.D.I.* núm.110, febrero 1934.

Font Boix, V., "El problema sobre el concepto y naturaleza del derecho real. Consideraciones en torno a la obra de Ludovico Barassi", *Revista de Derecho Español y Americano* núm. 16, 1958.

- "Posibilidad de nuevos tipos de derechos reales: posición de la ley, la doctrina y la jurisprudencia", *Revista de Derecho español y americano* núm. 24, 1960.

Fuenteseca, C., *El negocio fiduciario en la Jurisprudencia del Tribunal Supremo*, Bosch, Barcelona, 1997.

Funaioli, C. A., "Oneri reali e obbligazioni *propter rem*: a proposito della distinzione fra diritti di credito e diritti reali", *Giustizia Civile* Vol.3, 1953.

Fusaro, A., "Il numero chiuso dei diritti reali", *Rivista Critica del Diritto Privato* Vol. 18 fasc. 3, 2000.

- "The *numerus clausus* of property rights" en *Modern Studies in Property Law Vol. I*, Hart Publishing, Oxford y Portland, 2001.
- "Dalle obbligazione *propter rem* alle servitù prediali: i vincoli di fonte negoziale al contenuto della proprietà", *Rassegna di Diritto Civile* núm. 3, 2016.

Gabrielli, E., "Autonomía privada y garantías reales" en *El nuevo derecho de las garantías reales. Estudio comparado de las recientes tendencias en materia de garantías reales mobiliarias*, Reus, Madrid, 2008.

Galicia Aizpurua, G., *Causa y garantía fiduciaria*, Tirant Lo Blanch, Valencia, 2012.

Gallego Brizuela, C., "Comentario al artículo 6" en *Ley de Propiedad Horizontal comentada y con jurisprudencia*, La Ley, Las Rozas, 2014.

- "Comentario al artículo 9" en *Ley de Propiedad Horizontal comentada y con jurisprudencia*, La Ley, Las Rozas, 2014.
- "Comentario al artículo 21" en *Ley de Propiedad Horizontal comentada y con jurisprudencia*, La Ley, Las Rozas, 2014.

Gambaro, A., "Note sul principio di tipicità dei diritti reali" en *Clausule e principi generali nell'argomentazione giurisprudenziale degli anni novanta*, CEDAM, Padova, 1998.

Gandolfi, G, Voz "Onere reale" en *Enciclopedia del diritto T. XXX*, Giuffrè, Milano, 1980.

García Alguacil, M., *Consolidación y derechos reales en cosa propia. La consolidación como causa de extinción de los derechos reales limitados,* Comares, Granada, 2002.

García Amaya, A. y Temes Cordovez, R., "El alquiler vacacional frente al espejo" en *Turismo pos-COVID-19. Reflexiones, retos y oportunidades* (coords. Simancas Cruz, M. *et al.*), Cátedra de Turismo CajaCanarias-Ashotel de la Universidad de La Laguna, La Laguna, 2020.

García Amigo, M., "Derechos reales de adquisición", *R.D.P.*, febrero 1976.

García Cantero, G., "Comentario al artículo 1506" en *Comentarios al Código Civil y Compilaciones Forales T. XIX* (dirs. Albaladejo García, M y Díaz Alabart, S.), EDERSA, Madrid, 1991.

- "Comentario al artículo 1507" en *Comentarios al Código Civil y Compilaciones Forales T. XIX* (dirs. Albaladejo García, M y Díaz Alabart, S.), EDERSA, Madrid, 1991.
- "Comentario al artículo 1508" en *Comentarios al Código Civil y Compilaciones Forales T. XIX* (dirs. Albaladejo García, M y Díaz Alabart, S.), EDERSA, Madrid, 1991.
- "Comentario al artículo 1510" en *Comentarios al Código Civil y Compilaciones Forales T. XIX* (dirs. Albaladejo García, M y Díaz Alabart, S.), EDERSA, Madrid, 1991.
- "Comentario al artículo 1518" en *Comentarios al Código Civil y Compilaciones Forales T. XIX* (dirs. Albaladejo García, M y Díaz Alabart, S.), EDERSA, Madrid, 1991.
- Notas a Castán Tobeñas, J., *Derecho Civil Español, Común y Foral T. II Vol. I*, 14ª ed. revisada y puesta al día por García Cantero, G., Reus, Madrid, 1992.
- "Venta en garantía, retracto convencional y conversión del negocio (Comentario a la STS de 16 de abril de 2001)", *R.J.N.* núm. 39, 2001.
- "*Numerus clausus et numerus apertus*" dans la modèrne théorie des droits réels (un apperçu sur le droit espagnol)", en *Land Law in Comparative Perspective* (ed. Sánchez Jordán, M.ª E. y Gambaro, A.), Kluwer Law International, The Hague, New York, London, 2002.

García García, A., "Aspectos prácticos del *scrip dividend* español", *Revista de Derecho del Mercado de Valores* núm.14, Primer semestre 2014. (Versión online).

García García, J. A., *Reserva de Ley y Derecho Civil. Las funciones de las Normas Reglamentarias en el Derecho Civil,* Aranzadi, Cizur Menor, 2006.

- "La autonomía de la voluntad en la creación de derechos reales inmobiliarios" en *Derecho y autonomía privada: Una visión comparada e interdisciplinar*. Actas del Congreso Internacional «Límites a la autonomía de la voluntad» celebrado en la Facultad de Derecho de la

Universidad de Zaragoza los días 29 y 30 de septiembre de 2016 (dir. PARRA LUCÁN, M.ª A.), Comares, Granada, 2017.

GARCÍA GARCÍA, J. M., "La relación jurídica desde las perspectivas práctica y teórica", *R.C.D.I.* núm. 601, noviembre-diciembre 1990.

- "Acto de desagravio al principio de especialidad (crítica a las Resoluciones DGRN de 16 de diciembre de 1994, 7 enero de 1994 y 7 de febrero de 1995)", *R.C.D.I.* núm. 629, julio-agosto 1995.

- *Derecho Inmobiliario registral o hipotecario T. V (Urbanismo y Registro)*, Civitas, Madrid, 1999.

- *Derecho Inmobiliario registral o hipotecario T. III Calificación, tracto, especialidad y otros principios*, Civitas, Madrid, 2002.

- "Teoría general de los bienes y las cosas", *R.C.D.I.* núm. 676, marzo-abril 2003.

- "Comentario al artículo 1876" en *Código Civil Comentado Vol. IV* (dirs. CAÑIZARES LASO, A. *et al.*), 2ª ed., Aranzadi, Cizur Menor, 2016.

GARCÍA GOYENA, F., *Concordancias, motivos y comentarios del Código Civil Español* (reimp. ed. 1852), Zaragoza, 1974.

GARCÍA PARRA, S., *Pignoración de créditos*, Tirant Lo Blanch, Valencia, 2017.

GARCÍA RUBIO, M.ª P., "Comentario al artículo 1258" en *Comentarios al Código Civil* (dir. DOMÍNGUEZ LUELMO, A.), Lex Nova, Valladolid, 2010.

- "Sociedad líquida y codificación", *A.D.C.* fasc. III, 2016. http://bit.ly/2KHUuzA, recuperado por última vez el 13 de agosto de 2019.

GARCÍA VICENTE, J. R., "La prenda de créditos: aspectos generales" en *Garantías reales mobiliarias en Europa* (coord. LAUROBA LACASA, M.ª E. y MARSAL, J.), Marcial Pons, Madrid, 2006.

- "Comentario al artículo 1255" en *Comentarios al Código Civil T. VI* (dir. BERCOVITZ RODRÍGUEZ-CANO, R.), Tirant Lo Blanch, Valencia, 2013.

GARDEAZÁBAL DEL RÍO, F. J., "Las garantías atípicas" en *Autonomía de la voluntad en el Derecho Privado T. III-2 Derecho Patrimonial 2 Estudios en Conmemoración del 150 aniversario de la Ley del Notariado* (coord. PRATS ALBENTOSA, L.), Wolters Kluwer España, Madrid, 2012.

GARRIDO, J. M.ª, *Tratado de las preferencias en el crédito*, Civitas, Madrid, 2000.

- "Comentario al artículo 90" en *Comentario a la Ley Concursal T. I* (dirs. ROJO FERNÁNDEZ-RÍO, A., y BELTRÁN SÁNCHEZ, E.), Civitas, Madrid, 2004.

GARRIDO GÓMEZ, M.ª I., "El principio de autonomía privada en el sistema económico constitucional" en *El sistema económico en la Constitución española Vol. I*, Ministerio de Justicia Centro de Publicaciones, Madrid, 1994.

GATTI, E. y ALTERINI, J. M., *El derecho real. Elementos para una teoría general*, Abeledo-Perrot, Buenos Aires, 1993.

GAUDEMET, E., *Étude sur le transport de dettes a titre particulier*, Librairie nouvelle de droit et jurisprudence, Paris, 1898.

GAZIN, H., *Essai critique sur la notion de patrimoine dans la doctrine classique*, Arthur Rosseau, París, 1910.

GAZZONI, F., "Cessione di cubatura, "volo" e trascrizione", *Giustizia Civile* Vol. 62, 2012.

GETE-ALONSO Y CALERA, M.ª C., "Comentario a la STS de 7 de mayo de 1987", *C.C.J.* núm. 14, abril-agosto 1987.

- "Comentario a la STS de 7 de marzo 1990", *C.C.J.* núm. 22, enero-marzo 1990.

- "Comentario a la DGRN de 5 de junio de 1991", *C.C.J.* núm. 27, septiembre-diciembre 1991.

- "La compraventa con finalidad de garantía", *El contrato de compraventa*, Consejo General del Poder Judicial, Madrid, 1993.

- "Panorámica general de la configuración de la comunidad especial por turnos en el Código Civil de Cataluña (arts. 554-1 a 554-12)" en *La regulación de la propiedad horizontal y las situaciones de comunidad en cataluña* (coord. GARRIDO MELERO, M.), Bosch, Barcelona, 2008.

- "Propiedad temporal y propiedad compartida. ¿Nuevas modalidades de propiedad o nuevos actos jurídicos de adquisición?, *Revista crítica de Derecho privado* núm. 12, 2015.

- "Una primera lectura de la llei 19/2015, de 29 de julio de incorporación de la propiedad temporal y de la propiedad compartida al Libro Quinto del Código Civil de Cataluña", *Revista de Derecho, Empresa y Sociedad* núm. 7, julio-diciembre 2015.

GIL RODRÍGUEZ, J., "La prenda de derechos de crédito" en *Tratado de garantías en la contratación mercantil T. II Vol. I* (coord. NIETO CAROL, U., y MUÑOZ CERVERA, M.), Civitas, Madrid, 1996.

- "Comentario al artículo 333" en *Código Civil Comentado Vol. I* (dirs. CAÑIZARES LASO, A. *et al.*), 2ª ed., Aranzadi, Cizur Menor, 2016.

GINER DE LOS RÍOS, F. y CALDERÓN, C., *Principios de Derecho Natural*, 1916.

GINEBRA MOLINS, M. E., "¿Es tiempo de superar algunos índices identificadores de la propiedad? en *El derecho de propiedad en la construcción del Derecho Privado europeo* (dir. LAUROBA LACASA. E.), Tirant Lo Blanch, Valencia, 2018.

GINÉS CASTELLET, N., *La enajenación de bienes inmuebles con fin de garantía*, Fundacion beneficentia et peritia iuris, Madrid, 2004.

- "La enajenación en garantía: consideraciones sobre su validez y eficacia" en *Fideicomiso de garantía: análisis integral, función y régimen* (dir. CABANELLAS DE LAS CUEVAS, G.,), Heliasta, Buenos Aires, 2008.
- "Propiedad inmobiliaria en garantía y juego del pacto comisorio" en *Nuestro sistema de garantías reales en escenarios de crisis: presente y prospectiva*, 2012.

GINOSSAR, S., *Droit réel, propiété et créance. Elaboration d'un système rationnel des droits patrimoniaux*, Libreairie Générale de droit et de jurisprudence, Paris, 1960.

GIORGIANNI, M., *La obligación. La parte general de las obligaciones* (trad. VERDERA Y TUELLS, E.), Bosch, Barcelona, 1958.

- "Los derechos reales" en *Antología de Textos de la Revista Crítica de Derecho Inmobiliario T. I* (coord. GÓMEZ GÁLLIGO, F. J.) (trad. DÍEZ-PICAZO Y PONCE DE LEÓN, L.), Civitas, Cizur Menor, 2009.

GIOVENE, A., *La servitù industriale*, A. Morano Editore, Napoli, 1946.

GIUFFRÈ, V., *L'emersione dei "iura in re aliena" ed il dogma del "numero chiuso"*, Jovene, Napoli, 1992.

- *L'autonomia dei privati. Prospezzioni e propettazioni futuribili*, Jovene, Napoli, 2013.

GÓMEZ-MORÁN ETCHART, A., "Para una determinación del concepto de derecho real", *R.F.D.U.O.* Vol. IV núm. 79, 1956.

GÓMEZ GÁLLIGO, F. J., *Las prohibiciones de disponer en el derecho español*, Centro de Estudios Registrales, Madrid, 1992.

- "El principio de especialidad registral" en *Antología de Textos de la Revista Crítica de Derecho Inmobiliario T. I* (coord. GÓMEZ GÁLLIGO, J.), Civitas, Cizur Menor, 2009.

GÓMEZ GÁLLIGO, F. J., y DEL POZO CARRASCOSA, P., *Lecciones de Derecho Hipotecario*, Marcial Pons, Madrid, 2000.

GÓMEZ PÉREZ, P., "Los derechos llamados subjetivamente reales", *Información Jurídica* núm. 162-163, noviembre-diciembre 1956.

GÓMEZ ROJO, M.ª E., "Teorías medievales sobre el *ius ad rem*", *Anuario de Estudios Medievales* núm. 29, 1999. http://bit.ly/2KqZV5I, recuperado por última vez el 6 de agosto de 2019.

GONZÁLEZ BEILFUSS, C., *El trust: la institución angloamericana y el derecho internacional privado español*, Bosch, Barcelona, 1997.

GONZÁLEZ GARCÍA, J., "Notas para un concepto de carga", *R.G.L.J.*, febrero 1986.

- "Concepto y contenido de la propiedad" en *Curso de Derecho Civil III. Derechos reales y registral inmobiliario* (coord. SÁNCHEZ CALERO, F. J.), 5ª ed., Tirant Lo Blanch, Valencia, 2014.

- "Límites y limitaciones" en *Curso de Derecho Civil III. Derechos reales y registral inmobiliario* (coord. SÁNCHEZ CALERO, F. J.), 5ª ed., Tirant Lo Blanch, Valencia, 2014.

GONZÁLEZ PACANOWSKA, I., "Retracto de origen voluntario" en *Homenaje al Profesor Juan Roca*, Universidad de Murcia. Secretariado de Publicaciones, Murcia, 1989.

GONZÁLEZ PALOMINO, J., "La liberación de cargas y la nueva Ley Hipotecaria", *R.G.L.J.*, septiembre 1945.

GONZÁLEZ PORRAS, J. M., notas a BIONDI, *Las servidumbres* (trad. GONZÁLEZ PORRAS, J. M.), Comares, Granada, 2002.

GONZÁLEZ Y MARTÍNEZ, J., *Estudios de Derecho Hipotecario (orígenes, sistemas y fuentes)*, Madrid, 1924. https://es.slideshare.net/ARISO/estudios-de-derecho-hipotecario-pdf, recuperado por última vez el 24 de mayo de 2018.

- "La teoría del título y el modo", *R.C.D.I.* núm. 2, febrero 1925.
- "Evolución y alcance de la división de los derechos reales y personales", *R.C.D.I.* núm. 82, 1931.
- "El llamado derecho de opción", *R.C.D.I.* núm. 87, marzo 1932.

GOÑI RODRÍGUEZ DE ALMEIDA, M., *El principio de especialidad registral*, Colegio de Registradores de la Propiedad, Mercantiles y Bienes Muebles de España, Madrid, 2005.

- *Las cláusulas no inscribibles en el contrato de préstamo hipotecario*, Fundación Registral, Colegio de Registradores de la Propiedad y Mercantiles de España, Madrid, 2006.
- "Examen de la evolución jurisprudencial y doctrinal hacia la admisión de un *numerus apertus* en los derechos reales y su estrecha relación con el principio de especialidad", *R.C.D.I.* núm. 693, enero-febrero 2006.
- "La especialidad de los derechos reales como requisito civil y registral y su extensión a todas las situaciones jurídicas inscribibles", *R.C.D.I.* núm. 699, enero-febrero 2007.
- "La importancia de la inscripción en el Registro de los arrendamientos urbanos sometidos al Código civil", *R.C.D.I.* núm. 717, enero-febrero 2010.
- "La renuncia al dominio en un régimen de propiedad horizontal", *R.C.D.I.* núm. 746, noviembre-diciembre 2014.

GORDILLO CAÑAS, A., "Hipoteca voluntaria: el *iter* de su formación y la determinación de su momento constitutivo", *Academia Sevillana del Notariado* T. IV, 1991.

- "Bases del Derecho de Cosas y principios inmobiliario-registrales: sistema español", *A.D.C.* fasc. II, 1995.

- Voz "Moral" en *Enciclopedia Jurídica Básica Vol. III*, Civitas, Madrid, 1995.
- Voz "Orden público" en *Enciclopedia Jurídica Básica Vol. III*, Civitas, Madrid, 1995.
- "El objeto de la publicidad en nuestro sistema inmobiliario registral: la situación jurídica de los inmuebles y las limitaciones dispositivas y de capacidad de obrar del titular", *A.D.C.* fasc. II, 1998. http://bit.ly/2ZDaGs0, recuperado por última vez el 5 de agosto de 2019.
- "El principio de fe pública registral (I)", *A.D.C.* fasc. II, 2006. http://bit.ly/2GQnfsN, recuperado por última vez el 6 de agosto de 2019.
- "El *acto o contrato de trascendencia real* y las prohibiciones de disponer como una de sus manifestaciones" en *Estudios de Derecho de Obligaciones. Homenaje al Profesor Mariano Alonso Pérez T. II* (coord. LLAMAS POMBO), La Ley, Madrid, 2006.

GRIMALDI, M., "Le garanzie reali in Francia. Problemi e prospettive", *Rivista Critica del Diritto Privato* Vol. 17 fasc. 3, 1999.

GROSSI, P., *Le situazioni reali nell'esperienza giuridica medievale*, CEDAM, Padova, 1968.

GROSSO, G., "L'evoluzione storica delle servitù nel diritto romano e il problema de la tipicità", *Studia et documenta historiae et iuris* núm. 3, 1937.
- "Servitù e obbligazione *propter rem*", *Rivista del Diritto Commerciale* I, 1939.
- *I problemi dei diritti reali nell'impostazione romana*, Giappichelli, Torino, 1944.
- "Tipicità delle obbligazioni *propter rem*" en *Giurisprudenza completa della Corte Suprema di Casazione. Sezione Civile*, 1951.
- "Ancora sulle servitù reciproche e sulla tipicità delle obbligazioni *propter rem*", *Il Foro Padano* I, 1954.
- *Le servitù prediali nel diritto romano*, Giappichelli, Torino, 1969.

GUARNERI, A., *Diritti reali e diritti di credito: valore attuale di una distinzione*, CEDAM, Milano, 1979.
- "Meritevolezza dell'interesse e utilità sociale del contratto", *Rivista di Diritto Civile* Vol. 40, 1994.

GUERINI, A., "Le obbligazioni *propter rem*" en *Le obbligazioni Vol. I* (a cura di FRANZONI, M.), UTET, Torino, 2004.

GUERINONI, E., "Servitù prediali" en *Trattati dei Diritti Reali Vol. II Diritti Reali Parziari* (dir. GAMBARO, A., y MORELLO, U.), Giuffrè, Milano, 2011.

GUILARTE GUTIÉRREZ, V., *La constitución voluntaria de servidumbres en el derecho español*, Montecorvo, Madrid, 1984.

GUILARTE ZAPATERO, V., "Comentario al artículo 1859" en *Comentarios al Código Civil y Compilaciones Forales T. XXIII* (dir. ALBALADEJO GARCÍA, M.), EDERSA, Madrid, 1979.

- "Pactos en la hipoteca inmobiliaria" en *Tratado de garantías en la contratación mercantil T. II Vol. II* (coord. NIETO CAROL, U., y MUÑOZ CERVERA, M.), Civitas, Madrid, 1996.

GUTIÉRREZ JEREZ, L. J., "La renuncia abdicativa de dominio sobre un local de negocio y la adquisición del dominio por el Estado. Resolución de la Dirección General de los Registros y del Notariado de 30 agosto de 2013", *Consejo Consultivo para la pequeña y la mediana empresa*, enero 2014. http://www.ccopyme.org/articulo.php?a=104, recuperado por última vez el 16 de noviembre de 2016.

GUTIÉRREZ SANTIAGO, P., "Comentario al artículo 334" en *Comentarios al Código Civil* (coord. BERCOVITZ RODRÍGUEZ-CANO, R.), 3ª ed., Aranzadi, Cizur Menor, 2009.

HANSMANN, H., y KRAAKMAN, R., "Property, Contract, And Verification: The *Numerus Clausus* Problem And The Divisibility Of Rights", *The Journal Of Legal Studies* Vol. 31 núm. 2, june 2002. http://bit.ly/2YTGZ4M, recuperado por última vez el 12 de agosto de 2019.

HEDEMANN, J. W., *Tratado de Derecho Civil Vol. II Derechos Reales* (trad. y notas de DÍEZ PASTOR, J. L. y GONZÁLEZ ENRÍQUEZ, M.), EDERSA, Madrid, 1955.

HERNÁNDEZ GIL, A., *Derecho de Obligaciones T. I*, Madrid, 1960.
- *Derechos Reales. Derecho de Sucesiones. Obras completas T. IV*, Espasa Calpe, Madrid, 1989.

HERNÁNDEZ GIL, F., "Concepto u naturaleza jurídica de las obligaciones *propter rem*", *R.D.P.*, octubre 1962.

HERNÁNDEZ TORRES, E., "El vencimiento anticipado en el proyecto de ley sobre contratos de crédito inmobiliario" en *Los contratos de crédito inmobiliario. Algunas soluciones legales* (coords. SÁNCHEZ LERÍA, R., y VÁZQUEZ-PASTOR JIMÉNEZ, L.), Reus, Madrid, 2018.

HIDALGO GARCÍA, S., "Comentario al artículo 1257" en *Comentarios al Código Civil* (dir. DOMÍNGUEZ LUELMO, A.), Lex Nova, Valladolid, 2010.

HUERTA TRÓLEZ, A., "El derecho real. El derecho de propiedad. Adquisición: el título y el modo. Pérdida de dominio" en *Instituciones de Derecho Privado T. II Reales Vol. I* (dir. GARRIDO DE PALMA, V. M.), 2ª ed., Aranzadi, Cizur Menor, 2017.

IGLESIAS SANTOS, J., *Derecho Romano*, 18ª ed. revisada y puesta al día por IGLESIAS-REDONDO, J., Sello Editorial, Barcelona, 2010.

IHERING, R. v., citado en PÉREZ VEGA, A., "El número de los derechos reales en el ordenamiento jurídico español", *Anuario da Facultade de Dereito da Universidade da Coruña* núm. 9, 2005.

INFANTE RUIZ, F. J., "Comentario al artículo 1257" en *Código Civil Comentado Vol. III* (dirs. CAÑIZARES LASO, A. *et al.*), 2ª ed., Aranzadi, Cizur Menor, 2016.

Izquierdo Grau, G., "Estudio de la regulación de la propiedad compartida del Código civil de Cataluña", *R.C.D.I.* núm. 772, marzo 2019.

* "Las facultades dominicales de los propietarios material y formal en la propiedad compartida", *Indret* núm.1, 2019. http://bit.ly/2q5VNSz, recuperado por última vez el 22 de junio de 2019.

Jallu, O., *Essai critique sur l'idée de continuation de la personne*, Librairie Nouvelle de Droit et Jurisprudence, Paris, 1902.

Jariel, L., "Le droit réel attaché à un lot de copropriété conférant le bénéfice d'une jouissance spéciale d'un autre lot est-il perpétuel?", *La Semaine Juridique* núm. 36, 2018.

Jiménez Clar, A., "Algunas consideraciones sobre el sistema del numerus clausus como instrumento de intercambio de información territorial" en Homenaje a Víctor Manuel Garrido de Palma (coord. Sánchez González, J. C. *et al.*), Civitas, Cizur Menor, 2010.

Jordano Barea, J. B., "Naturaleza, estructura y efectos del negocio fiduciario", *R.D.P.*, octubre 1958.

* "Mandato para adquirir y titularidad fiduciaria", *A.D.C.* fasc. IV, 1983. https://bit.ly/2F4egG8, recuperado por última vez el de 31 de julio de 2020.

Jordano Fraga, F., "Prenda regular, prenda irregular y prenda de crédito", *A.D.C.* fasc. I, 1990. http://bit.ly/2L1QTwo, recuperado por última vez el 22 de agosto de 2019.

Josserand, L., citado en Castán Tobeñas, J., *Derecho Civil Español, Común y Foral T. II Vol. I*, 14ª ed. revisada y puesta al día por García Cantero, G., Reus, Madrid, 1992.

Kant, I., *Principios metafísicos del Derecho* (trad. Lizarraga. G.), Madrid, 1873. http://fama2.us.es/fde/ocr/2006/principiosMetafisicosKant.pdf, recuperado por última vez el 18 de mayo de 2019.

Karrera Egialde, M. M., "Comentario al artículo 594" en *Código Civil Comentado Vol. I* (dirs. Cañizares Laso, A. *et al.*), 2ª ed., Aranzadi, Cizur Menor, 2016.

* "Comentario al artículo 599" en *Código Civil Comentado Vol. I* (dirs. Cañizares Laso, A. *et al.*), 2ª ed., Aranzadi, Cizur Menor, 2016.

Kelly, D. B., "Dividing Possessory rights" en *Law and economic of possession*, Cambridge University Press, Cambridge and New York, 2015.

Kohler, J., citado en Barassi, L., *Diritti reali e posseso T. I I diritti reali*, Giuffrè, Milano, 1952.

Lacruz Berdejo, J. L. *et al.*, *Elementos de Derecho Civil III. Derechos reales. Vol. I Posesión y Propiedad*, Bosch, Barcelona, 1979.

* *Elementos de Derecho Civil III Derechos Reales Vol. I Posesión y propiedad*, 3ª ed., Bosch, Barcelona, 1990.

- *Elementos de Derecho Civil I Parte General Vol. III Derecho Subjetivo. Negocio Jurídico*, 3ª ed. revisada y puesta al día por DELGADO ECHEVARRÍA, J., Dykinson, Madrid, 2005.
- *Elementos de Derecho Civil III Derechos Reales Vol. I Posesión y propiedad*, 3ª ed. revisada y puesta al día por LUNA SERRANO, A., Dykinson, Madrid, 2008.
- *Elementos de Derecho Civil III Derechos reales Vol. II Derechos reales limitados. Situaciones de cotitularidad*, 3ª ed. revisada y puesta al día por LUNA SERRANO, A., Dykinson, Madrid, 2009.
- *Elementos de Derecho Civil Parte General: Introducción Vol. I*, 5 ª ed. rev. y puesta al día por DELGADO ECHEVARRÍA, J.), Dykinson, Madrid, 2012.
- *Elementos de Derecho Civil II Derecho de obligaciones Vol. II Contratos y cuasicontratos. Delito y cuasidelito*, 5 ª ed. rev. y puesta al día por RIVERO HERNÁNDEZ, F., Dykinson, Madrid, 2013.

LALAGUNA DOMÍNGUEZ, E., "La libertad contractual", *R.D.P.*, octubre 1972.

LAMARCA MARQUÉS, A., *Código Civil alemán* (dir. LAMARCA MARQUÉS, A.), Marcial Pons, Madrid, 2008.

LARROUMET, C., *Droit Civil T. II Les biens, droits réels principaux*, Economica, Paris, 2004.

LASARTE ÁLVAREZ, C., *Génesis y constitucionalización de la función social de la propiedad*, Bilbao, 1977.
- *Propiedad y derechos reales de goce. Principios de Derecho Civil IV*, 10ª ed., Marcial Pons, Madrid, 2010.

LASSO GAITE, J., *Crónica de la codificación española 4 Codificación Civil Vol. II*, Ministerio de Justicia, Madrid, 1979.

LAURENT, F., *Droit Civil Français T. VI*, Paris et Bruxelles, 1871. http://bit.ly/2YPqvzy, recuperado por última vez el 14 de agosto de 2019.

LAURENT, J., "Maison de Poésie II: combien de temps dure la perpétuité en France?", *La Semaine Juridique* núm. 45, novembre 2016.

LAUROBA LACASA, M.ª E., "Título VII del Libro III" en *Propuesta de Código Civil. Asociación de Profesores de Derecho Civil*, Tecnos, Madrid, 2018.

LEIBLE, S., "La reserva de dominio en el derecho alemán" (trad. RIPOLLÉS ITURRALDE, E. y ALBIEZ DOHRMANN, K. J.), *R.D.P.*, abril 1999.

LENWINSOHN-ZAMIR, D., "The objectivity of well-being and the objectives of property law" *New York University Law Review* Vol. 78 núm. 5, 2003. http://bit.ly/2VTChDt, recuperado por última vez el 18 de abril de 2019.

LEÑA FERNÁNDEZ, R., "Algunas cuestiones prácticas en torno a la opción de compra", *Academia Sevillana del Notariado* T. IV, 1991.

LETE ACHIRICA, J., "La multipropiedad y la resolución de 4 de marzo de 1993", *R.D.P.*, junio 1995.

Lévy, M. E., "L'exercice du droit collectif. Notes sur les principes et sur la méthode juridiques", *R.T.D. Civ.*, 1903.

Leyva de Leyva, A., "La propiedad cuadridimensional: un estudio sobre la multipropiedad", *R.C.D.I.* núm. 566, enero-febrero 1985.

Libertini, M., "I «trasferimenti di cubatura»" en *I contratti del comercio dell'industria e del mercado finanziario T. III* (dir. Galgano, F.), UTET, Torino, 1995.

Llamas Pombo, E., "Comentario al artículo 1095" en *Comentarios al Código Civil* (dir. Domínguez Luelmo, A.), Lex Nova, Valladolid, 2010.

Llopis Giner, J. M, "La moral y el derecho, una relación doctrinal llevada al Código Civil" en *Homenaje a Juan Berchmans Vallet de Goytisolo T. V*, Junta de Decanos de los Colegios Notariales de España, Madrid, 1988.

Lobato García-Miján, *La reserva de dominio en la quiebra*, Civitas, Madrid, 1997.

Lois Puente, J. M., "Comentario a las sentencias del Tribunal Supremo que anulan determinados preceptos de la Reforma del Reglamento Hipotecario aprobada por el Real Decreto 1867/1998", *Diario La Ley T. VII*, 2001.

López Cánovas, A., *La propiedad privada inmobiliaria. Bases constitucionales y régimen estatutario del contenido y función social de la propiedad urbana y la propiedad rústica*, 1ª, Aranzadi, Cizur Menor, 2015.

López Colmenarejo, F., "El derecho de superficie y el principio de autonomía de la voluntad" en *Autonomía de la voluntad en el Derecho Privado T. III-2 Derecho Patrimonial 2 Estudios en Conmemoración del 150 aniversario de la Ley del Notariado* (coord. Prats Albentosa, L.), Wolters Kluwer España, Madrid, 2012.

López Fernández, L. M., y Lauroba Lacasa, M.ª E., "Capítulo I del Título III Libro III" en *Propuesta de Código Civil. Asociación de Profesores de Derecho Civil*, Tecnos, Madrid, 2018.

López Hernández, C. V., *La protección frente a los gravámenes ocultos*, Tirant Lo Blanch, Valencia, 2008.

López y López, A. M., *Derecho Civil. Parte General* (coord. López y López, A. M., y Montés Penadés, V. L.), 2ª ed., Tirant Lo Blanch, Valencia, 1995.

- "Comentario al artículo 348" en *Código Civil Comentado Vol. I* (dirs. Cañizares Laso, A. *et al.*), 2ª ed., Aranzadi, Cizur Menor, 2016.
- "Comentario al artículo 1255" en *Código Civil Comentado Vol. III* (dirs. Cañizares Laso, A. *et al.*), 2ª ed., Aranzadi, Cizur Menor, 2016.

Lora-Tamayo Rodríguez, I., "La multipropiedad", *Academia Sevillana del Notariado T. Extra I*, 1988.

Loscertales Fuertes, D., *Propiedad Horizontal. Comunidades y urbanizaciones*, 6ª ed., Sepín, Madrid, 2004.

LUNA SERRANO, A., "El límite del orden público en la constitución de servidumbres prediales", *A.A.M.N.* T. XXV, 1996.

• "Las servidumbres y el Registro de la Propiedad" en *Libro-Homenaje al Profesor Manuel Amorós Guardiola T. I*, Fundación Registral, Colegio de Registradores de la Propiedad y Mercantiles de España, Madrid, 2006.

LUPO COSTI, M., "Un caso di obbligazione *propter rem*", *Giurisprudenza italiana* Vol. 131, 1979.

LUZZATO, R., *La compraventa según el nuevo Código Civil italiano* (trad. a la 1ª ed. italiana BONET RAMÓN, F.), Reus, Madrid, 1953.

MACÍAS IBÁÑEZ, A., "La función social de la propiedad en la Jurisprudencia del Tribunal Constitucional: algunas cuestiones", *Administración de Andalucía: revista andaluza de administración pública* núm. 22, 1995.

MAGNANO, M., "L'autonomia privata e le garanzie reali: il tentativo di un superamento del principio di tipicità", *La nuova giurisprudenza civile commentata*, 2002.

MAGRI, M., "La sovraposizione di diritti reali tra tipicità ed atipicità", *Rivista del Notariato*, 2002.

MAGRO SERVET, V., *Aspectos procesales y sustantivos de las acciones de cesación del art. 7.2 LPH en las comunidades de propietarios: doctrina, jurisprudencia aplicable, praxis y formularios*, La Ley, Madrid, 2011.

MANNA, L., *Le obbligazioni propter rem*, CEDAM, Padova, 2007.

MANNINO, V., "La tipicità dei diritti reali nella prospettiva di un diritto europeo uniforme", *Europa e Diritto Privato* núm. 4, 2005.

• "Riflessioni sul `mito´ della tipicità e del numero chiuso dei diritti reali" en *Studi in Onore di Remo Martini II*, Giuffrè, Milano, 2009.

MANZANO FERNÁNDEZ, M.ª D. M., "La inscripción de los contratos de arrendamiento en la nueva Ley de Arrendamientos Urbanos", *R.C.D.I.* núm. 637, noviembre-diciembre 1996.

MARCOS JIMÉNEZ, M, *Parcelaciones y reparcelaciones urbanísticas y el Registro de la Propiedad*, Montecorvo, Madrid, 1976.

MARÍN LÓPEZ, J. J., "La eficacia del tanteo convencional", *Aranzadi civil: revista quincenal* núm. 1, 2005.

• "Comentario a la STS 13 mayo 2009", *C.C.J.* núm. 82, enero-abril 2010.

MARÍN LÓPEZ, M. J., "Comentario a la STS 26 abril 2001", *C.C.J.* núm. 58, enero-marzo 2002.

• "Comentario a la STS 5 de mayo de 2005", *C.C.J.* núm. 70, enero-abril 2006.

• "Comentario al artículo 1156" en *Comentarios al Código Civil T. VI* (dir. BERCOVITZ RODRÍGUEZ-CANO, R.), Tirant Lo Blanch, Valencia, 2013.

MARTÍN PÉREZ, A., *Derechos Reales T. I La posesión*, Madrid, 1958.

MARTÍN PÉREZ, J. A., RAMÓN GARCÍA VICENTE, J. R., y LAUROBA LACASA, M.ª E., "Capítulo II del Título XII del Libro III" en *Propuesta de Código Civil. Asociación de Profesores de Derecho Civil*, Tecnos, Madrid, 2018.

MARTÍN Y PÉREZ DE NANCLARES, J., "La falta de competencia de la UE para elaborar un Código Civil Europeo: sobre los límites a la armonización en materia de derecho civil" en *Derecho Privado Europeo* (coord. CÁMARA LAPUENTE, S.), Colex, Madrid, 2003.

MARTÍNEZ ALCUBILLA, M., Voz "Cargas reales" en *Diccionario de la Administración Española T. II*, 4ª ed., Administración, Madrid, 1886.

MARTÍNEZ-PIÑEIRO CARAMÉS, E., "Multipropiedad: estudio (conferencia pronunciada el 5 de junio de 1989 en la Delegación de Registradores de Valencia)", *Boletín de Información del Ilustre Colegio Notarial de Granada* núm. 106, 1989.

MARTÍNEZ DE AGUIRRE ALDAZ, C., "Hacia la consagración jurisprudencial de los derechos reales de adquisición preferente. (Comentario a la Sentencia de 3 de abril de 1981)", *A.D.C.* fasc. I, 1983. http://bit.ly/2Z5fYAc, recuperado por última vez el 21 de agosto de 2019.

- "Las servidumbres" en *Curso de Derecho Civil III Derechos Reales* (coord. DE PABLO CONTRERAS, P.), 4ª ed. reimp., Edisofer, Madrid, 2016.

- "Los derechos reales de garantía" en *Curso de Derecho Civil III Derechos Reales* (coord. DE PABLO CONTRERAS, P.), 4ª ed. reimp., Edisofer, Madrid, 2016.

- "Derechos reales de garantía sobre bienes muebles" en *Curso de Derecho Civil III Derechos Reales* (coord. DE PABLO CONTRERAS, P.), 4ª ed. reimp., Edisofer, Madrid, 2016.

- "Contenido y eficacia del contrato" en *Curso de Derecho Civil (II) Vol. I* (coord. MARTÍNEZ DE AGUIRRE ALDAZ, C.), 5ª ed., Edisofer, Madrid, 2018.

MARTÍNEZ-GIL PARDO DE VERA, J., "La autonomía de la voluntad en la propiedad horizontal" en *Autonomía de la voluntad en el Derecho Privado T. III-2 Derecho Patrimonial 2 Estudios en Conmemoración del 150 aniversario de la Ley del Notariado* (coord. PRATS ALBENTOSA, L.), Wolters Kluwer España, Madrid, 2012.

MARTÍNEZ-CARDÓS RUIZ, J., "El *ius ad rem*", *R.D.P.*, enero 1988.

MARTÍNEZ VÁZQUEZ DE CASTRO, L., *La multipropiedad inmobiliaria*, Reus, Madrid, 1989.

MARTÍNEZ VELENCOSO, L. M., "La protección de los adquirentes de inmuebles en el Derecho alemán: caracteres y efectos de la *Vormerkung*", *R.C.D.I.* núm. 657, enero 2000.

MARUFFI, P.C., "Servitù prediali ed oneri reali", *Rivista del Diritto Commerciale* II, 1946.

MAS ALCARAZ, C., "El pacto comisorio" en *Estudios de Derecho Privado Vol. II* (dir. MARTÍNEZ-RADIO, A.), Revista de Derecho Privado, Madrid, 1965.

MAS BADÍA, M. ª D., "Comentario a la Sentencia 26 julio de 2001", *Cuadernos Civitas de jurisprudencia Civil* núm. 58, enero-marzo 2002.

• "Título XI del Libro III" en *Propuesta de Código Civil. Asociación de Profesores de Derecho Civil*, Tecnos, Madrid, 2018.

• "Los derechos reales de adquisición de constitución voluntaria: una propuesta de regulación sistemática en el Código civil", *R.C.D.I.* núm. 777, enero-febrero 2020.

MASTROPIETRO, B., "Dalla cessione di cubatura al trasferimento in volo dei diritti edificatori: l'art. 2643, n.2 bis, cc.", *Rassegna di Diritto Civile* núm. 2, 2012.

MATEO SANZ, J. B., *El retracto convencional: relación jurídica y derecho subjetivo*, Dykinson, Madrid, 2000.

MATEO Y VILLA, I., "La renuncia abdicativa del derecho real limitado y su inscripción en el Registro de la Propiedad", *R.D.C.* Vol. I núm. 2, 2014.

MATHEU DELGADO, J. A., *Derechos de vuelo y subsuelo. Doctrina registral y jurisprudencial*, Dykinson, Madrid, 2011.

MATTEI, U., *Basic Principles of Property Law. A Comparative Legal and Economic Introduction*, Greenwood Press, Westport Conneticut, 2000.

MAYOR DEL HOYO, M.ª V., *La acción real registral*, Fundacion beneficentia et peritia iuris, Madrid, 2004.

MÉNDEZ GONZÁLEZ, F. P., "Derechos y titularidades reales", *R.C.D.I.* núm. 736, marzo 2013.

MERRILL, T. W., y SMITH, H. E., "Optimal Standardization in the Law of Property: The *Numerus Clausus* Principle", *The Yale Law Journal* Vol. 110 núm. 1, october 2000. http://bit.ly/2yXbpbC, recuperado por última vez el 12 de agosto de 2019.

• "What Happened to Property in Law and Economics", *The Yale Law Journal* Vol. 111 núm. 2, november 2001. http://bit.ly/31Alrfj, recuperado por última vez el 12 de agosto de 2019.

MERRYMAN, J. H., "Policy, autonomy and the *numerus clausus* in Italian and American Property Law", *The American Journal of Comparative Law* Vol. 12 núm. 2, 1963.

MESSINEO, F., *Le servitù*, Giuffrè, Milano, 1949.

• *Manual de Derecho Civil y Comercial T. III* (trad. SENTIS MELENDO, S.), Ediciones Jurídicas Europa-América, Buenos Aires, 1954-1956.

• *Manual de Derecho Civil y Comercial T. IV* (trad. SENTIS MELENDO, S.), Ediciones Jurídicas Europa-América, Buenos Aires, 1955.

Mezquita del Cacho, J. L., "El pacto de opción y el derecho que origina", *R.C.D.I.* núm. 273, febrero 1951.

- "El pacto de opción y el derecho que origina", *R.C.D.I.* núm. 274, marzo 1951.
- "El pacto de opción y el derecho que origina", *R.C.D.I.* núm. 275, abril 1951.

Michon, L., *Obligations propter rem dans le Code Civil*, Nancy, 1891.

Milo, M., "Property and real rights" en *Elgar Encyclopedia of Comparative Law* (ed. Smits, M.), 1st ed., Edward Elgar Publishing Limited, Cheltenham, 2006.

Miñarro Montoya, R., "La propiedad desde el punto de vista del derecho civil: limitaciones del Derecho de Propiedad" en *Propiedad y Derecho Civil*, Fundación Registral, Colegio de Registradores de la Propiedad y Mercantiles de España, Madrid, 2006.

Miquel González, J., *Derecho Privado Romano*, Marcial Pons, Madrid, 1992.

Miquel González, J. M.ª, "Comentario al artículo 392" en *Comentario del Código Civil T. I* (dir. Paz-Ares Rodríguez, C. *et al.*), Ministerio de Justicia, Madrid, 1991.

- "Comentario al artículo 395" en *Comentario del Código Civil T. I* (dir. Paz-Ares Rodríguez, C. *et al.*), Ministerio de Justicia, Madrid, 1991.
- "Comentario al artículo 609" en *Comentario del Código Civil T. I* (dir. Paz-Ares Rodríguez, C. *et al.*), Ministerio de Justicia, Madrid, 1991.

Moll de Alba Lacuve, C., *La resolución por impago de la compraventa inmobiliaria: la figura del pacto comisorio*, Cedecs, Barcelona, 1998.

- "El pacto comisorio en el Código Civil" en *Libro Homenaje a Jesús López Medel*, Centro de Estudios Registrales, Madrid, 1999.

Monserrat Valero, A., "Los derechos voluntarios de adquisición en el Código civil de Cataluña: clases y funcionamiento", *A.D.C.* fasc. III, 2010. https://bit.ly/3ip3FE8, recuperado por última vez el 5 de agosto de 2020.

Montero Aroca, J., "Acción y tutela judicial" en *Derecho Jurisdiccional. Parte General*, Tirant Lo Blanch, 2018.

Montés Penadés, V. L., *La propiedad privada en el sistema de derecho civil contemporáneo*, Civitas, Madrid, 1980.

Morello, U., *Multiproprietà e autonomia privata*, Giuffrè, Milano, 1984.

Moreno Flórez, R. M., "El *ius ad rem* y el artículo 1473 del Código Civil", *R.C.D.I.* núm.733, septiembre-octubre 2012.

Moreno-Torres Herrera, M.ª L. y Álvarez Lata, N., "Comentario al artículo 1156" en *Jurisprudencia civil comentada. Código Civil T. III* (dir. Pasquau Liaño, M.), 2ª ed., Comares, Granada, 2009.

MORENO QUESADA, B., "La categoría de los derechos patrimoniales", *R.G.L.J.*, junio 1967.

- "Configuración del derecho real" en *Curso de Derecho Civil III. Derechos reales y registral inmobiliario* (coord. SÁNCHEZ CALERO, F. J.), 5ª ed., Tirant Lo Blanch, Valencia, 2014.
- "Dinámica de los derechos reales" en *Curso de Derecho Civil III. Derechos reales y registral inmobiliario* (coord. SÁNCHEZ CALERO, F. J.), 5ª ed., Tirant Lo Blanch, Valencia, 2014.

MORO ALMARAZ, M. J., "Medio ambiente y función social de la propiedad", *R.C.D.I.* núm. 617, julio-agosto 1993.

MOSCATI, E., "Il problema del numero chiuso dei diritti reali nell'esperienza italiana" en *Liber Amicorum per Angelo Luminoso. Vontratto e Mercato V. I* (a cura di CORRIAS, P.), Giuffrè, Milano, 2013.

MOSTERT, H., y VERSTAPPEN, L., "Practical approaches to the *Numerus Clausus* of the Land Rights. How Legal Professionals in South Africa and the Netherlands deal with Certainty and Flexibility in Property Law", december 2014. https://papers.ssrn.com/sol3/papers.cfm?abstract_id=2572838, recuperado por última vez el 23 de enero de 2017.

MOUTÓN Y OCAMPO, L., Voz "Carga" en *Enciclopedia Jurídica Española T. V*, Francisco Seix, Barcelona, 1953.

MUCIUS SCAEVOLA, Q., *Código Civil comentado y concordado extensamente e ilustrado con la exposición de los principios científicos de cada institución y un estudio comparativo de los principales códigos europeos y americanos T. XVIII Vol. II*, 2ª ed. revisada y puesta al día por Bonet Ramón, F., Madrid, 1970.

MUNAR BERNAT, P. A., *Regímenes de Multipropiedad en Derecho Comparado*, Ministerio de Justicia, Madrid, 1991.

MUÑIZ ESPADA, E., "Comentario al artículo 467" en *Código Civil Comentado Vol. I* (dirs. CAÑIZARES LASO, A. *et al.*), 2ª ed., Aranzadi, Cizur Menor, 2016.

- "Comentario al artículo 513" en *Código Civil Comentado Vol. I* (dirs. CAÑIZARES LASO, A. *et al.*), 2ª ed., Aranzadi, Cizur Menor, 2016.

MUÑOZ DE DIOS, G., "La multipropiedad urbana en nuestro derecho", *Estudios Turísticos* núm. 97, 1988.

MUSOLINO, G., "Usufrutto" en *Trattato di Diritto Immobiliare (I diritti reali limitati e la circolazione degli immobili)* (dir. VISINTINI, G.), CEDAM, Milano, 2013.

NASARRE AZNAR, S., "Cuestionando algunos mitos del acceso de la vivienda en España, en perspectiva europea", *Cuadernos de Relaciones Laborales* Vol. 35 núm. 1, 2017. http://revistas.ucm.es/index.php/CRLA/article/view/54983/50102, recuperado por última vez el 24 de mayo de 2018.

NASARRE AZNAR, S., y SIMÓN MORENO, H., "Fraccionando el dominio: las tenencias intermedias para facilitar el acceso a la vivienda", *R.C.D.I.* núm. 739, septiembre- octubre 2013. http://bit.ly/2IrGatH, recuperado por última vez el 8 de junio de 2019.

NASARRE AZNAR, S., y STÖCKER, O., "Propuesta de regulación de un derecho real de garantía inmobiliaria no accesorio. El ejemplo de Europa central", *R.C.D.I.* núm. 671, mayo-junio 2002.

NAVARRO CASTRO, M., *La tradición instrumental*, Bosch, Barcelona, 1996.

NAVARRO FERNÁNDEZ, J. A., "Comentario al artículo 1549" en *Jurisprudencia civil comentada. Código Civil T. III* (dir. PASQUAU LIAÑO, M.), 2ª ed., Comares, Granada, 2009.

NAVAS NAVARRO, S., *El derecho real de aprovechamiento parcial*, Fundación Registral, Colegio de Registradores de la Propiedad y Mercantiles de España, Madrid, 2007.

• "Comentario a los artículos 530 a 536" en *Comentarios al Código Civil* (dir. DOMÍNGUEZ LUELMO, A.), Lex Nova, Valladolid, 2010.

• "Comentario al artículo 546" en *Comentarios al Código Civil* (dir. DOMÍNGUEZ LUELMO, A.), Lex Nova, Valladolid, 2010.

• "Comentario al artículo 575" en *Comentarios al Código Civil* (dir. DOMÍNGUEZ LUELMO, A.), Lex Nova, Valladolid, 2010.

• "Comentario al artículo 594" en *Comentarios al Código Civil* (dir. DOMÍNGUEZ LUELMO, A.), Lex Nova, Valladolid, 2010.

• "Comentario al artículo 599" en *Comentarios al Código Civil* (dir. DOMÍNGUEZ LUELMO, A.), Lex Nova, Valladolid, 2010.

NATUCCI, A., *La tipicità dei diritti reali*, CEDAM, Padova, 1988.

• "Contenuto e modalità di esercizio del rapporto di servitù" en *Trattati di diritto privato V. VII Beni proprietà e diritti reali T. II* (a cura di GALLO, P., e NATUCCI, A.), G. Giappichelli Editore, Torino, 2001.

NIGON, E., citado en GONZÁLEZ Y MARTÍNEZ, J., "El llamado derecho de opción", *R.C.D.I.* núm. 87, marzo 1932.

NOGUEROLES, N., "Registro, globalización y seguridad jurídica" en *Hacia un derecho global. Reflexiones en torno al derecho y la globalización* (coords. DOMINGO, R. *et al.*), Aranzadi, Cizur Menor, 2006.

NÚÑEZ LAGOS, R., "Mandatario sin poder", *R.D.P.*, septiembre 1946.

• "El Registro de la propiedad español", *R.C.D.I.* núm. 250, marzo 1949.

NUZZO, M., *Utilità sociale e autonomia privata*, Giuffrè, Milano, 1975.

O'CALLAGHAN MUÑOZ, X., "Comentario al artículo 1623" en *Comentario del Código Civil T. II* (dir. PAZ-ARES RODRÍGUEZ, C. *et al.*), Ministerio de Justicia, Madrid, 1991.

O'CONNOR, P., "Contractual specification of new property rights in resources: the problem of measurement costs", *Monash University Law Review*

Vol. 39 núm. 1, 2013. http://bit.ly/2Gy8DP3, recuperado por última vez el 18 de abril de 2019.

OERTMANN, P., *Introducción al Derecho Civil* (trad. a la 3ª ed. SANCHO SERAL, L.), Labor, Barcelona, 1933.

OLIVA BLÁZQUEZ, F., "Comentario al artículo 1156" en *Código Civil Comentado Vol. III* (dirs. CAÑIZARES LASO, A. *et al.*), 2ª ed., Aranzadi, Cizur Menor, 2016.

- "Límites a la autonomía privada en el Derecho de los contratos: la moral y el orden público" en *La autonomía privada en el Derecho Civil* (dir. PARRA LUCÁN, M.ª A.), Aranzadi, Cizur Menor, 2016.

- "La moral y el orden público como límites a la autonomía de la voluntad en la contratación" en *Derecho y autonomía privada: Una visión comparada e interdisciplinar. Actas del Congreso Internacional «Límites a la autonomía de la voluntad» celebrado en la Facultad de Derecho de la Universidad de Zaragoza los días 29 y 30 de septiembre de 2016* (dir. PARRA LUCÁN, M.ª A.), Comares, Granada, 2017.

ONDOVILLA DURÁN, A., "Naturaleza del retracto convencional. La acción que en su virtud compete al vendedor, ¿es real o personal?", *R.G.L.J.*, 1876.

ORTEGA CARRILLO DE ALBORNOZ, A., *Derecho Privado Romano*, Promotora Cultural Malagueña, Málaga, 1999.

ORTEGA PARDO, G., "Derechos reales limitados", *A.D.C.* fasc. II, 1952.

ORTEU CASTELLS, J. O., *¿Es inscribible el contrato de opción?*, Bosch, Barcelona, 1957.

OSSORIO MORALES, J., "Las servidumbres *in faciendo* en Derecho español", *R.D.P.*, junio 1934.

- *Las servidumbres personales*, EDERSA, Madrid, 1936.

OTERO Y VALENTÍN, J., "Derechos posibles con relación a las cosas", *R.D.P.*, septiembre 1921.

- "Límites generales en la determinación de derechos reales", *R.D.P.*, abril 1922.

OURLIAC, P. y DE MALAFOSSE, J., *Derecho Romano y francés histórico T. II* (trad. FAIRÉN, M.), Bosch, Barcelona, 1960.

OZCÁRIZ MARCO, F., "Comentario a la Ley 463" en *Comentario al Fuero Nuevo. Compilación del Derecho Civil Foral de Navarra* (dir. RUBIO TORRANO, E.), Aranzadi, Cizur Menor, 2002.

- "Fiducia y otras garantías reales de tercero en Navarra" en *Tratado de las Liberalidades. Homenaje al Profesor Enrique Rubio Torrano* (dirs. EGUSQUIZA BALSAMEDA, M.ª A. y PÉREZ DE ONTIVEROS BAQUERO, C.), Aranzadi, Cizur Menor, 2017.

PALACIOS GONZÁLEZ, M.ª D., "Servidumbres prediales y personales: en especial, las servidumbres personales (típicas y atípicas)" en *Tratado de Servi-*

dumbres (coord. Cerdeira Bravo de Mansilla, G.,), La Ley, Madrid, 2015.

Pantaleón Prieto, A. F., "Comentario a la STS 25 junio 1983", *C.C.J.* núm. 3., septiembre-diciembre 1983.

- "Sobre la libertad del dominio (cláusula de reversión, o de constitución de servidumbre personal perpetua, en favor de una persona jurídica)" en *Estudios Jurídicos en homenaje al Profesor Luis Díez-Picazo T. III Derecho Civil. Derechos Reales. Derecho de Familia*, Civitas, Madrid, 2003.

Para Martín, A., "En torno a la fiducia «cum creditore»" en *Estudios Jurídicos en homenaje al Profesor Luis Díez-Picazo T. I Derecho Civil. Parte General*, Civitas, Madrid, 2003.

Pardo Núñez, C. y De la Iglesia Monje, M.ª I., "Hipotecas bajo condición suspensiva", *Diario La Ley* núm. 6517, julio 2006. (Versión online).

Parisi, F., "Entropy in Property", *The American Journal of Comparative Law* Vol. 50 núm. 3, summer 2002. http://bit.ly/2II0Z66, recuperado por última vez el 18 de abril de 2019.

Parisi, F., Depoorter, B., y Schulz, N., "Duality in Property: commons and anticommons", *International review of Law and Economics* Vol. 25 núm. 4, 2005. http://bit.ly/2ULa1X2, recuperado por última vez el 18 de abril de 2019.

Parodi, N., "Multiproprietà" en *Trattati dei Diritti Reali Vol. II Diritti Reali Parziari* (dir. Gambaro, A., y Morello, U.), Giuffrè, Milano, 2011.

Parra Lucán, M.ª A., "Comentario a la STS de 26 de julio de 2004", *C.C.J.* núm. 68, mayo-agosto 2005.

- "Comentario al artículo 609" en *Comentarios al Código Civil T. IV* (dir. Bercovitz Rodríguez-Cano, R.), Tirant Lo Blanch, Valencia, 2013.
- "La autonomía privada en el Derecho civil: tendencias y trasformaciones" en *La autonomía privada en el Derecho Civil* (dir. Parra Lucán, M.ª A.), Aranzadi, Cizur Menor, 2016.

Pau Pedrón, A., "Configuración jurídica de la multipropiedad en España", *R.C.D.I.* núm. 584, enero-febrero 1988.

- "El nuevo derecho real de aprovechamiento por turno: su configuración y protección en el Anteproyecto de Ley", *Diario La Ley* T. I, 1997. (Versión online).
- *La publicidad registral*, Centro de Estudios Registrales, Madrid, 2001.
- *Elementos de Derecho Hipotecario*, 2ª ed., Universidad Pontificia de Comillas, Madrid, 2003.

Pena López, J. M., *Concepto del Derecho Real (Revisión crítica de su caracterización en la doctrina moderna)*, 2ª ed., Tórculo Edicións, Santiago de Compostela, 2009.

Peña Bernaldo de Quirós, M., *Derechos Reales. Derecho Hipotecario T. I*, 3ª ed., Centro de Estudios Registrales, Madrid, 1999.

* *Derechos Reales. Derecho Hipotecario T. II*, 3ª ed., Centro de Estudios Registrales, Madrid, 1999.

Peralta Mariscal, L. L., "Análisis crítico del sistema español de *numerus apertus* en materia de derechos reales/ Critical analysis about *numerus apertus* spanish sistem in property rights", *R.C.D.I.* núm.751, septiembre-octubre 2015.

Pereña Pinedo, I., "La función social del derecho de propiedad" en *Propiedad y derecho constitucional* (coord. Bastida Freijedo, F. J.), Colegio de Registradores de la Propiedad y Mercantiles de España, Madrid, 2005.

Pérez Álvarez, M. A., "Los derechos de aprovechamiento por turno de bienes inmuebles de uso turístico" en *Curso de Derecho Civil III Derechos Reales* (coord. De Pablo Contreras, P.), 4ª ed. reimp., Edisofer, Madrid, 2016.

* "La propiedad horizontal" en *Curso de Derecho Civil III Derechos Reales* (coord. De Pablo Contreras, P.), 4ª ed. reimp., Edisofer, Madrid, 2016.

* "Derechos reales de adquisición" en *Curso de Derecho Civil III Derechos Reales* (coord. De Pablo Contreras, P.), 4ª ed. reimp., Edisofer, Madrid, 2016.

Pérez Conesa, M. ª C., "Comentario al artículo 1508" en *Comentarios al Código Civil* (coord. Bercovitz Rodríguez-Cano, R.), 3ª ed., Aranzadi, Cizur Menor, 2009.

* "Comentario al artículo 392" en *Comentarios al Código Civil T. III* (dir. Bercovitz Rodríguez-Cano, R.), Tirant Lo Blanch, Valencia, 2013.

* "Comentario al artículo 395" en *Comentarios al Código Civil T. III* (dir. Bercovitz Rodríguez-Cano, R.), Tirant Lo Blanch, Valencia, 2013.

Pérez de Ontiveros Baquero, C., *El contrato de comodato*, Aranzadi, Pamplona, 1998.

Pérez González, B., y Alguer, J. notas a Wolff, M., *Derecho de cosas. T. III Vol. I Posesión, Derecho Inmobiliario, Propiedad* (trad. a la 32ª ed. Pérez González, B. y Alguer, J.), Bosch, Barcelona, 1936.

* notas a Wolff, M., *Derecho de cosas. T. III Vol. II Gravámenes* (trad. a la 32ª ed. Pérez González, B. y Alguer, J.), Bosch, Barcelona, 1937.

Pérez Gurrea, R., "La opción de compra en el tráfico inmobiliario: análisis jurisprudencial y efectos registrales", *R.C.D.I.* núm. 727, septiembre-octubre 2011.

Pérez Hereza, J., Sáez-Santurtún Prieto, J., y Marqués Mosquera, C., "Límites a la autonomía de la voluntad en el Derecho Patrimonial" en

Autonomía de la voluntad en el Derecho Privado T. III-1 Derecho Patrimonial 1 Estudios en Conmemoración del 150 aniversario de la Ley del Notariado (coord. PRATS ALBENTOSA, L.), Wolters Kluwer España, Madrid, 2012.

PÉREZ RIVARÉS, J. A., "La «propiedad temporal» o «leasehold», posible fórmula para facilitar la inversión privada en inmuebles ocupados por la Administración", *Diario La Ley* núm. 7930, septiembre 2012. (Versión online).

PÉREZ VEGA, A., "El número de los derechos reales en el ordenamiento jurídico español", *Anuario da Facultade de Dereito da Universidade da Coruña* núm. 9, 2005.

PEROZZI, S., *Scritti Giuridici II Servitù e obbligazioni* (a cura di BRASIELLO, U.), Giuffrè, Milano, 1948.

PETRONE, M., *Multiproprietà. Individuazione dell'oggetto e schemi reali tipici (Profili sostanziali e criteri di qualificacione giuridica)*, Giuffrè, Milano, 1985.

PLANIOL, M. y RIPERT, G., *Traitè Élémentaire de Droit Civil T. I*, 10ª ed., Librairie Générale de Droit & de Jurisprudence, Paris, 1925.

PLANITZ, H., *Principios de Derecho Privado Germánico* (trad. a la 3ª ed. alemana MELÓN INFANTE, C.), Bosch, Barcelona, 1957.

POLACCO, V., *Della Dazione in pagamento Vol. I*, Drucker & Senigaglia y Caro Drucker, Padova y Verona, 1888.
- *Le obbligazioni nel diritto civile italiano Vol. I*, 2ª ed. rev. y puesta al día, Athenaum, Roma, 1914.

POLIANI, F., "Usufrutto, uso e abitazione" en *Trattato dei diritti reali Vol. II Diritti Reali Parziari* (dir. GAMBARO, A. e MORELLO, U.), Giuffrè, Milano, 2011.

POTHIER, J., *Traités des Personnes et des Choses, du Domaine de propiété, de la Possession, de la Prescription, de L'Hypotèque, des Fiefs, des Cens, des Champarts T. IX* (annoteés et mises en corrélation avec le Code Civil et la législation actuelle par BUGNET, M.), Videocoq et Fils y Cosse et N. Delamotte, París, 1846. https://babel.hathitrust.org/cgi/pt?id=ucm.5313837 805;view=1up;seq=7, recuperado por última vez el 12 de mayo de 2019.

PRATS ALBENTOSA, L., "El derecho a la propiedad privada en la Constitución de 1978", *R.J.N.* núm. extr., 2018.

PUENTE DE PINEDO, L., "Comentario al artículo 1549" en *Comentarios al Código Civil* (dir. DOMÍNGUEZ LUELMO, A.), Lex Nova, Valladolid, 2010.

PUENTE MUÑOZ, T., "Servidumbre industrial, servidumbre de empresa, servidumbre de no concurrencia" en *Estudios de Derecho Civil en Honor al Profesor Castán Tobeñas Vol. I*, Ediciones de la Universidad de Navarra, Pamplona, 1969.

PUGLIATTI, S., *La proprietà nel nuovo diritto*, Giuffrè, Milano, 1954.

PUIG BRUTAU, J., "La relación fiduciaria", *R.D.P.*, diciembre 1961.
- Voz "*Ius in re*" en *Nueva Enciclopedia Jurídica* T. *XIII*, F. Seix Editor, Barcelona, 1968.
- Voz "*Ius ad rem*" en *Nueva Enciclopedia Jurídica* T. *XIII*, F. Seix Editor, Barcelona, 1968.
- *Fundamentos de Derecho Civil T. III. Vol. I El Derecho Real. La posesión. La propiedad. Sus límites. Adquisición y pérdida. Ejercicio de acciones*, 2ª ed., Bosch, Barcelona, 1971.
- *Fundamentos de Derecho Civil T. III. Vol. II Comunidad de bienes, Propiedad horizontal, Superficie, Propiedad intelectual e industrial, Usufructo, Servidumbres*, 2ª ed., Bosch, Barcelona, 1973.
- *Fundamentos de Derecho Civil T. III. Vol. III Prenda, Anticresis, Hipoteca inmobiliaria y mobiliaria, Reserva de dominio, Venta fiduciaria, Anotación preventiva, Tanteo, Retracto, Opción, Censos*, 2ª ed., Bosch, Barcelona, 1974.
- *Caducidad, prescripción y usucapión*, 3ª ed. actualizada y ampliada, Bosch, Barcelona, 1996.
QUESADA SÁNCHEZ, A. J., "La autonomía de la voluntad y el contrato" en *Conceptos Básicos de Derecho Civil* (coords. RUIZ-RICO, J. M. y MORENO TORRES HERRERA, M. L.), 3ª ed., Tirant Lo Blanch, Valencia, 2009.
QUICIOS MOLINA, S., "Comentario al artículo 1549" en *Comentarios al Código Civil T. VIII* (dir. BERCOVITZ RODRÍGUEZ-CANO, R.), Tirant Lo Blanch, Valencia, 2013.
QUIÑONERO CERVANTES, E., "La ocupación temporal de terrenos", *Anales de Derecho (Universidad de Murcia)* núm. 9, 1986.
RAGEL SÁNCHEZ, L. F., *Estudio legislativo y jurisprudencial del derecho civil: obligaciones y contratos*, Dykinson, Madrid, 2000.
- "La propiedad intelectual como propiedad temporal" en *La duración de la propiedad intelectual y las obras de dominio público* (coord. ROGEL VIDE, C.), Reus, Madrid, 2005.
RAMÓN CHORNET, J. C., "Derecho de opción: cancelación de cargas ulteriores y breve apunte sobre su naturaleza real", *R.C.D.I.* núm. 591, marzo-abril 1989.
RASCÓN, C., *Síntesis de Historia e Instituciones de Derecho Romano*, 4ª ed., Tecnos, Madrid, 2011.
REBOLLEDO VARELA, A. L., "Concepto y caracteres" en *Tratado de Servidumbres T. I Régimen de las servidumbres en el Código Civil* (coord. REBOLLEDO VARELA, A. L.), 3ª ed., Aranzadi, Cizur Menor, 2013.
- "Prediales y personales. Legales o forzosas y voluntarias" en *Tratado de Servidumbres T. I Régimen de las servidumbres en el Código Civil* (coord. REBOLLEDO VARELA, A. L.), 3ª ed., Aranzadi, Cizur Menor, 2013.

- "Extinción por confusión" en *Tratado de Servidumbres T. I Régimen de las servidumbres en el Código Civil* (coord. REBOLLEDO VARELA, A. L.), 3ª ed., Aranzadi, Cizur Menor, 2013.
- "Las servidumbres positivas y negativas" en *Tratado de Servidumbres T. I Régimen de las servidumbres en el Código Civil* (coord. REBOLLEDO VARELA, A. L.), 3ª ed., Aranzadi, Cizur Menor, 2013.

REDONDO TRIGO, F., "El pacto marciano, el pacto *ex intervallo* y la fiducia *cum creditore* en las garantías financieras del Real Decreto-Ley 5/2005", *R.C.D.I.* núm. 699, enero-febrero 2007.

REGLERO CAMPOS, L. F., "Ejecución de las garantías reales mobiliarias e interdicción del pacto comisorio" en *Tratado de garantías en la contratación mercantil T. II Vol. I* (coord. NIETO CAROL, U., y MUÑOZ CERVERA, M.), Civitas, Madrid, 1996.
- "El pacto comisorio" en *Garantías reales mobiliarias en Europa* (coord. LAUROBA LACASA, M.ª E. *et al.*), Marcial Pons, Madrid, 2006.
- "El pacto comisorio", *Aranzadi civil: revista quincenal* núm.1, 2007. (Versión online).

REID, K., y VAN DER MERWE, C. G., "Property Law: some themes and some variations" en *Mixed legal systems in comparative perspective: property and obligations in Scotland and South Africa* (ed. ZIMMERMANN, R., *et al.*), Oxford University Press, Oxford, 2004.

RENDER, M. M., "Complexity in Property", september 2013. http://bit.ly/2IuN1VD, recuperado por última vez el 18 de abril de 2019.

REVERTE NAVARRO, A., "Comentario al artículo 467" en *Comentarios al Código Civil T. III Libro II* (coord. RAMS ALBESA, J.), Bosch, Barcelona, 2001.

REVET, T., "Le droit réel dit «de jouissance spéciale» et le temps", *La Semaine Juridique* núm. 9, mars 2015.

RIAZA, N., *Los retractos: errores dominantes sobre la materia*, Reus, Madrid, 1919.

RIGAUD, L., *El derecho real* (trad. XIRAU, J. R.), Reus, Madrid, 1928.

RÍOS MOSQUERA, A., "Cargas inmobiliarias", *R.C.D.I.* núm. 143, abril 1940.
- "Cargas inmobiliarias", *R.C.D.I.* núm. 149, octubre 1940.

RIVERA FERNÁNDEZ, M., *La posición del comprador en la venta a plazos con pacto de reserva de dominio*, Tirant Lo Blanch, Valencia, 1994.

RIVERA SABATÉS, V., *El retracto convencional*, Comares, Granada, 2001.
- "La propiedad privada y su índole elástica", *Foro, Nueva Época* Vol. 16 núm. 2, 2013. http://bit.ly/33DPDHp, recuperado por última vez el 22 de abril de 2018.

RIVERO HERNÁNDEZ, F., "La autonomía privada en la configuración del usufructo" en *Homenaje al Profesor Manuel Cuadrado Iglesias V. II* (coord. GÓMEZ GÁLLIGO, J.), Aranzadi, Cizur Menor, 2008.

- *Usufructo, uso y habitación*, Aranzadi, Cizur Menor, 2016.
- "Protección de los derechos de tercero a la extinción del usufructo por consolidación", *Indret* núm. 3, 2017. http://www.indret.com/pdf/1330.pdf, recuperado por última vez el 7 de agosto de 2019.

ROBLES LATORRE, P., "La renuncia al derecho de propiedad", *Derecho Privado y Constitución* núm. 27, 2013.
- "¿Es posible la renuncia al Derecho de Propiedad?" en *El derecho de propiedad en la construcción del Derecho Privado europeo* (dir. LAUROBA LACASA. E.), Tirant Lo Blanch, Valencia, 2018.

ROCA BAIXAULI, J., "Interpretaciones de la función social de la propiedad de la tierra a través del artículo 33 de la constitución española" en *El sistema económico en la Constitución Española Vol. I*, Ministerio de Justicia, Madrid, 1994.

ROCA GUILLAMÓN, J., "Comentario a los artículos 532 y 533" en *Comentarios al Código Civil T. III Libro II* (coord. RAMS ALBESA, J.), Bosch, Barcelona, 2001.

ROCA JUAN, J., "La renuncia liberatoria del comunero", *A.D.C.* fasc. I, 1957.

ROCA SASTRE, R., M. ª, *Derecho Hipotecario T. II*, 6ª ed., Bosch, Barcelona, 1968.
- *Derecho Hipotecario T. I*, 7ª ed., Bosch, Barcelona, 1979.
- *Derecho Hipotecario T. III*, 7ª ed., Bosch, Barcelona, 1979.

ROCA SASTRE, R. M.ª *et al.*, *Derecho Hipotecario T. I*, 9ª ed., Bosch, Barcelona, 2008.
- *Derecho Hipotecario T. II Vol. II*, 9ª ed., Bosch, Barcelona, 2008.

ROCA TRÍAS, E., "Rasgos básicos de la regulación española" en *Tratado de garantías en la contratación mercantil T. I* (coord. NIETO CAROL, U., y MUÑOZ CERVERA, M.), Civitas, Madrid, 1996.

RODRÍGUEZ GONZÁLEZ, J. I., *El principio de relatividad de los contratos en el derecho español*, Colex, Madrid, 2000.

RODRÍGUEZ-ROSADO, B., *Fiducia y pacto de retro en garantía*, Marcial Pons, Madrid, 1998.
- "*Ius ad rem* y condena de mala fe: una explicación de los artículos 1473, 1295.2 y 1124.4 del Código Civil", *A.D.C.* fasc. IV, 2009.
- "Comentario al artículo 9" en *Comentarios a la Ley de Propiedad Horizontal* (coord. RODRÍGUEZ TAPIA, J. M. y ARANDA RODRÍGUEZ, R.), 1ª ed., Aranzadi, Cizur Menor, 2011.

RODRÍGUEZ PRIETO, F., "Sobre el pacto comisorio", *La notaria* núm. 15, 2005.

ROGEL VIDE, C., *Derecho de cosas*, Bosch, Barcelona, 1999.

ROGUIN, E., *La science juridique pure T. III*, Librairie Générale de Droit et Jurisprudence y Librairie F. Rouge & Cie Librairie de l'Université, Paris y Lausanne, 1923.

Rojo Ajuria, L., "Las garantías mobiliarias", *A.D.C.* fasc. III, 1989. http://
bit.ly/2K61N3M, recuperado por última vez el 26 de julio de 2019.

Román García, A., *La tipicidad en los derechos reales*, Montecorvo, Madrid, 1994.

Romano, F., *Diritto e obbligo nella teoria del diritto reale*, riprod. dell'ed.
1967, Edizioni Scientifiche italiane, Napoli, 2014.

Romeo, C., "Obbligazioni *propter rem*" en *Trattati dei Diritti Reali Vol. II
Diritti Reali Parziari* (dir. Gambaro, A., y Morello, U.), Giuffrè, Milano, 2011.

Rovira Sueiro, M., "Comentario al artículo 513" en *Comentarios al Código
Civil* (coord. Bercovitz Rodríguez-Cano, R.), 3ª ed., Aranzadi, Cizur
Menor, 2009.

Ruano García, J. P., "Inscripción del derecho de opción. Aspecto sustantivo
y aspecto registral. (Examen especial de la opción de compra).", *R.C.D.I.*
núm. 576, septiembre-octubre 1986.

Rubio Garrido, T., *La doble venta y la doble disposición*, Bosch, Barcelona,
1994.

• *La propiedad inmueble y el mercado hipotecario (Itinerario histórico
y régimen vigente)*, Montecorvo, Madrid, 1994.

• "Comentario a la STS de 14 junio de 2002", *C.C.J.* núm. 60, octubre-
diciembre 2002.

Rubio Torrano, E., *El pacto de retroventa*, Tecnos, Madrid, 1990.

• "Comentario al artículo 1507" en *Comentario del Código Civil T. II*
(dir. Paz-Ares Rodríguez, C. *et al.*), Ministerio de Justicia, Madrid,
1991.

• "Comentario al artículo 1510" en *Comentario del Código Civil T. II*
(dir. Paz-Ares Rodríguez, C. *et al.*), Ministerio de Justicia, Madrid,
1991.

• "Comentario al artículo 1518" en *Comentario del Código Civil T. II*
(dir. Paz-Ares Rodríguez, C. *et al.*), Ministerio de Justicia, Madrid,
1991.

• "Comentario a la STS 3 marzo 1995", *C.C.J.* núm. 38, abril-agosto
1995.

Rudden, B., "Economic Theory v. Property Law: The *Numerus Clausus* Problem" en *Oxford essays in jurisprudence* (ed. Eekelaar, J., y Bell, J.),
Claredon Press, Oxford, 1987.

Saldaña, J., "La opción y el Registro de la Propiedad", *R.C.D.I.* núm. 45,
octubre 1928.

Salis, L., "Onere convenzionale e servitù prediale", *Foro Sardo*, 1946.

Sánchez Calero, F. J., *Aspectos registrales del proyecto de equidistribución*,
Tirant Lo Blanch, Valencia, 1999.

SÁNCHEZ DE FRUTOS, F., "Derechos reales. Cursillo de conferencias pronunciadas por D. Juan Vallet", *A.D.C.* fasc. II, 1952.

SÁNCHEZ GONZÁLEZ, M.ª y BENAVENTE MOREDA, P., "Comentario al artículo 1518" en *Jurisprudencia civil comentada. Código Civil T. III* (dir. PASQUAU LIAÑO, M.), 2ª ed., Comares, Granada, 2009.

SÁNCHEZ JIMÉNEZ, R., "El concepto de derecho real y el usufructo", *R.C.D.I.* núm. 65, mayo 1930.

SÁNCHEZ JORDÁN, M.ª E., *Las anotaciones preventivas (en particular, la de embargo) en los sistemas registrales alemán y español*, Centro de Estudios Registrales, Madrid, 2002.

- "Garantías sobre bienes inmuebles: la eurohipoteca" en *Derecho Privado Europeo* (coord. CÁMARA LAPUENTE, S.), Colex, Madrid, 2003.
- "El reto de la protección de los particulares ante la crisis", en *El derecho ante la crisis: nuevas reglas del juego* (dir. GONZÁLEZ SANFIEL, A.M.), Atelier, Barcelona, 2013.
- *El régimen de segunda oportunidad del consumidor concursado. En especial, su aplicabilidad a las deudas derivadas de la adquisición de vivienda*, Aranzadi, Cizur Menor, 2016.
- "La transmisión de la propiedad del bien hipotecado al acreedor con efectos extintivos de la obligación garantizada. Reflexiones suscitadas por la Ley de contratos de crédito inmobiliario", *R.D.C.* Vol. VII núm. 3, 2020.

SÁNCHEZ-FERRERO Y GARCÍA, M., "Las obligaciones ambulatorias o *propter rem* en el régimen de propiedad horizontal", *A.C.* núm. 2, abril 2001.

SANCIÑENA ASURMENDI, C., *La opción de compra*, 2ª ed., Dykinson, Madrid, 2007.

- "Fiducia y *venta en garantía*" en *Fideicomiso de garantía: análisis integral, función y régimen* (dir. CABANELLAS DE LAS CUEVAS, G.,), Heliasta, Buenos Aires, 2008.
- "Comentario a la STS 25 de junio de 2010", *C.C.J.* núm. 86, mayo-agosto 2011.

SANGIORGI, S., *Multiproprietà immobiliare e funzione del contratto*, Jovene, Napoli, 1983.

SANTOS BRIZ, J., "Derechos reales de adquisición o de preferencia en la práctica jurídica española", *R.D.P.*, abril 1971.

- *Derecho Civil. Teoría y Práctica T. II Derecho de Cosas*, EDERSA, Madrid, 1973.
- "Comentario al artículo 333" en *Comentarios al Código Civil y Compilaciones Forales T. V Vol. I* (dir. ALBALADEJO GARCÍA, M.), EDERSA, 2ª ed., Madrid, 1990.

- "Comentario al artículo 1156" en *Código Civil. Doctrina y Jurisprudencia T. IV* (dir. ALBÁCAR LÓPEZ, J. L.), 2ª ed., Trivium, Madrid, 1991.

SAVIGNY, F., *Sistema del Derecho Romano actual T. I* (trad. MESÍA, J., y POLEY, M.), 2ª ed., Centro Editorial de Góngora, Madrid, 1930.

SCACCHI, D., *L'obligation propter rem et les droits personnels annotés au registre foncier*, Locarno, 1970.

SCARAMUZZINO, F. M., "Il numero chiuso" en *Trattato di Diritto immobiliare V. II I diritti reali limitati e la circolazione degli immobili* (dir. VISINTINI, G.), CEDAM, Milano, 2013.

SCHULZ, F., *Derecho Romano Clásico* (trad. SANTA CRUZ TEIGEIRO, J.), Bosch, Barcelona, 1960.

SCIALOJA, V., "Studi sulla *servitus oneris ferendi*" en *Studi Giuridici Vol. I*, Anonima Romana Editoriale, Roma, 1933.

SELVAROLO, S. G., *Il negozio di cessione di cubatura*, Edizioni Scientifiche Italiane, Napoli, 1989.

SERRANO ALONSO, E., "Notas sobre el derecho de opción", *R.D.P.*, diciembre 1979.

- "Comentario al artículo 1863" en *Comentario del Código Civil T. I* (dir. PAZ-ARES RODRÍGUEZ, C. *et al.*), Ministerio de Justicia, Madrid, 1991.

SERRANO SUÑER, R., "Significado de la locución *ius ad rem*", *R.C.D.I.* núm. 28, abril 1927.

SERRANO Y SERRANO, I., *El Registro de la Propiedad en el Código Civil suizo*, 2ª ed., Talleres tipográficos Cuesta, Valladolid, 1943.

SERVAT ADÚA, J., "Derechos reales y pactos de trascendencia real", *R.C.D.I.* núm. 236, enero 1948.

SIERRA PÉREZ, I., "Propiedad Horizontal. Cambio de titularidad y gastos comunes: el sujeto obligado al pago", *A.D.C.* fasc. II, 1990.

- "Límites al derecho de propiedad y obligaciones *propter rem*. Comentario a la Sentencia del TS de 20 abril 1998 (RJ 1998, 2508)", *Revista Aranzadi de Derecho Patrimonial* núm. 2, 1999.

- *Obligaciones "propter rem" hoy: los gastos comunes en la propiedad horizontal*, Tirant Lo Blanch, Valencia, 2002.

SIMÓN MORENO, H., *El proceso de armonización de los derechos reales*, Tirant Lo Blanch, Valencia, 2013.

SMITH, H. E., "Property and property rules", *New York University Law Review* Vol. 79 núm. 5, november 2004. http://bit.ly/2McY7k8, recuperado por última vez el 12 de agosto de 2019.

SPARKES, P., "Centainty of Property: *Numerus clausus* or the Rule with No Name?", *European Review of Private Law* I. 3, 2012. http://bit.ly/2OYaVgx, recuperado por última vez el 15 de agosto de 2019.

STAMMLER, R., *Tratado de filosofía del derecho* (trad. ROCES, W.), Reus, Madrid, 2007.

STEVENS, J., y PEARCE, R., *Land Law*, Sweet & Maxwell, London, 2000.

STEVENS, R., "Party autonomy and property rights" en *Party autonomy in International Property Law*, Sellier, Munich, 2001.

STORME, M. E., "Property Law in a comparative perspective", 2004. http://bit.ly/2YI0SAs, recuperado por última vez el 13 de agosto de 2019.

STRUYCKEN, T. H. D., "The *numerus clausus* and party autonomy in the law of property" en *Party autonomy in International Property Law*, Sellier, Munich, 2011.

TAGLIAFERRI, V., "Uso" en *Trattati dei Diritti Reali Vol. II Diritti Reali Parziari* (dir. GAMBARO, A., y MORELLO, U.), Giuffrè, Milano, 2011.

TALMA CHARLES, J., "La adquisición preferente: análisis de su replanteamiento sistemático" en *Homenaje al Profesor Manuel Cuadrado Iglesias V. I* (coord. GÓMEZ GÁLLIGO, J.), Aranzadi, Cizur Menor, 2008.

TAMBURRINO, G., *Le servitù*, UTET, Torino, 1968.

TASSONI, G., *I diritti a tempo parziale su beni immobili. Un contributo allo studio della multiproprietà*, CEDAM, Padova, 1999.

TERRÉ, F., y SIMLER, P., *Droit Civil. Les Biens*, 9ª ed., Dalloz, Paris, 2014.

TERZAGO, G. y TERZAGO, P., *Le servitù prediali*, Giuffrè, Milano, 1999.

TIANA ÁLVAREZ, M. A., "Encuesta sobre Préstamos Bancarios en España: abril de 2008", *Boletín Económico-Banco de España* 4/2008, abril 2008. http://bit.ly/33LLMcg, recuperado por última vez el 19 de agosto de 2019.

TIBY, M., "Servitù" en *Trattato di Diritto immobiliare. I diritti reali limitati e la circolazione degli immobili* (dir. VISINTINI, G.), CEDAM, Milano, 2013.

TILOCCA, E., "La distinzione tra diritti reali e diritti di crédito", *Archivio Giuridico Filippo Serafini* Vol. CXXXVIII fasc. 1, 1950.

TORRELLES TORREA, E., "Comentario al artículo 513" en *Comentarios al Código Civil* (dir. DOMÍNGUEZ LUELMO, A.), Lex Nova, Valladolid, 2010.

• "Título V Libro III" en *Propuesta de Código Civil. Asociación de Profesores de Derecho Civil*, Tecnos, Madrid, 2018.

TORRENT CUFÍ F., "La propiedad temporal y la compartida", *La notaria* núm. 2, 2015.

TORRENT RUIZ, A., "Estudios sobre la *servitus oneris ferendi* II cargas reales" en *Estudios de Derecho Romano en memoria de Benito Mª Reimundo Yanes T. II* (coord. MURILLO VILLAR, A.), Servicio de Publicaciones Universidad de Burgos, Burgos, 2000.

TORRES GARCÍA, T. F., "La autonomía privada: luces y sombras" en *Derecho de Obligaciones y Contratos: En Homenaje al Profesor Ignacio Serrano García* (dir. MUÑIZ ESPADA, E.), Wolters Kluwer, Madrid, 2016.

TORRES LANA, J. A., *Contrato y derecho de opción*, Trivium, Madrid, 1982.

- "Comentario al artículo 594" en *Código Civil. Doctrina y Jurisprudencia T. II* (dirs. ALBÁCAR LÓPEZ, J. L. y TORRES LANA, J. A.), 2ª ed., Trivium, Madrid, 1991.

TRIFONE, R., Voz "Oneri reali (storia del diritto)" en *Novissimo Digesto italiano Vol. XI*, UTET, Torino, 1965.

TRIOLA, R., *Le servitù*, Giuffrè, Milano, 2008.

- "I diritti edificatori e la c.d. cessione di cubatura" en *Trattato di Diritti immobiliare. I diritti reali limitati e la circulazione degli immobili* (dir. VISENTINI, G.), CEDAM, Milano, 2013.

TROJANI, P. L., "Tipicità e *numerus clausus* dei diritti reali e cessione di cubatura. Lo stato della dottrina e della giurisprudenza ed una ipotesi ricostruttiva originale", *Vita Notarile II*, 1990.

TRUJILLO CABRERA, C., "Los intereses de demora en el proyecto de ley reguladora de los contratos de crédito inmobiliario" en *Los contratos de crédito inmobiliario. Algunas soluciones legales* (coords. SÁNCHEZ LERÍA, R., y VÁZQUEZ-PASTOR JIMÉNEZ, L.), Reus, Madrid, 2018.

TRUNQUELLE SANJUAN, J., "Los derechos reales *in faciendo*", *R.G.D.* núm. 57, 1949.

- "Los derechos reales *in faciendo*", *R.G.D.* núm. 58-59, 1949.
- "Los derechos reales *in faciendo*", *R.G.D.* núm. 60, 1949.
- "Los derechos reales *in faciendo*", *R.G.D.* núm. 61, 1949.
- "Los derechos reales *in faciendo*", *R.G.D.* núm. 62, 1949.
- "Los derechos reales *in faciendo*", *R.G.D.* núm. 63, 1949.

TUCCI, G., *Il danno ingiusto*, Jovene, Napoli, 1970.

VALIENTE NOAILLES, L. M., *Derechos reales y privilegios*, Arayú, Buenos Aires, 1955.

VALLE MUÑOZ, J. L., "La propiedad temporal y la propiedad compartida. Especial atención a los aspectos registrales" en *Les modificacions recents del Codi civil de Catalunya i la incidència de la Llei de la Jurisdicció Voluntària en el dret català: materials de les Dinovenes Jornades de Dret Català a Tossa*, Institut de Dret Privat Europeu i Comparat de la Universitat de Girona Documenta Universitaria, Girona, 2017.

VALLET DE GOYTISOLO, J. B., *Hipoteca del Derecho arrendaticio. Especialmente de empresas y locales de negocio*, EDERSA, Madrid, 1951.

- *Estudios varios sobre obligaciones, contratos, empresas y sociedades*, Montecorvo, Madrid, 1980.
- *Estudios sobre Derecho de Cosas T. I (Temas generales)*, 2ª ed., Montecorvo, Madrid. 1985.
- "Las garantías reales" en *Libro-Homenaje al Profesor Manuel Amorós Guardiola. Tomo I*, Fundación Registral, Colegio de Registradores de la Propiedad y Mercantiles de España, Madrid, 2006.

VALPUESTA GASTAMINZA, E., "Comentario al artículo 89" en *Comentarios a la Ley Concursal* (dir. CORDÓN MORENO, F.), Aranzadi, Cizur Menor, 2004.

- "Comentario al artículo 59 bis" en *Comentario a la Ley Concursal* (dir. PULGAR EZQUERRA, J.), Wolters Kluwer, Madrid, 2016.

VALVERDE Y VALVERDE, C., *Tratado de Derecho Civil Español T. II. Parte Especial. Derechos Reales*, 3ª ed., Valladolid, 1925.

VAN BEMMELEN, P., *Nociones fundamentales del Derecho Civil* (trad. NAVARRO PALENCIA, J. M.), 2ª ed., Madrid, REUS, 1923.

VAN DER MERWE, C. G., "*Numerus clausus* and the development of new real rights in South Africa", *South African Law Journal* Vol. 119, 2002.

VAN ERP, S., "A *Numerus Quasi-Clausus* of Property Rights as a Constitutive Element of Future European Property Law", *Electronic Journal of Comparative Law* Vol. 7.2, june 2003. https://www.ejcl.org/72/abs72-2.html, recuperado por última vez el 26 de abril de 2019.

VATTIER FUENZALIDA, C., "La tutela aquiliana de los derechos de crédito: algunos aspectos dogmáticos" en *Homenaje al Profesor Juan Roca*, Universidad de Murcia. Secretariado de Publicaciones, Murcia, 1989.

VÁZQUEZ ASENJO, O., "Bancos de conservación de la naturaleza: el derecho real de conservación ambiental", *GEOSIGreg2014* núm. 6, abril 2015. http://bit.ly/2HhPNvj, recuperado por última vez el 20 de agosto de 2019.

VÁZQUEZ DE CASTRO, E., *La publicidad en el tráfico de bienes muebles*, Aranzadi, Cizur Menor, 2013.

VEIGA COPO, A. B., *Tratado de la prenda*, 2ª ed., Aranzadi, Cizur Menor, 2017.

VELA SÁNCHEZ, A. J., "La controversia jurisprudencial sobre la concurrencia de título y modo en las ventas judiciales: ¿Cuál es su trascendencia práctica?", *R.C.D.I.* núm. 703, septiembre-octubre 2007.

- *La adquisición de la Propiedad y Aplicación del Principio de Fe Pública Registral en las Ventas Judiciales Inmobiliarias. Estudio jurisprudencial y doctrinal*, Aranzadi, Cizur Menor, 2009.

VELASCO DOMÍNGUEZ, P., "El sujeto pasivo en las obligaciones de contribuir a los gastos comunes (Notas en torno a los artículos 9.5 y 20 de la Ley de Propiedad Horizontal)", *A.C.* núm. 33, septiembre 1994.

VENTURA SILVA, S., *Derecho Romano. Curso de Derecho Privado*, 22ª ed., Porrúa, México, 2006.

VENZI, G., *Manuale di diritto italiano*, 4ª ed., UTET, Torino, 1929.

VERDERA SERVER, R., "Comentario al artículo 1095" en *Código Civil Comentado Vol. III* (dirs. CAÑIZARES LASO, A. *et al.*), 2ª ed., Aranzadi, Cizur Menor, 2016.

VIDAL MARTÍNEZ, J., *Venta en garantía en el derecho común español*, Civitas, Madrid, 1990.

VILLA TORRANO, A., "La moral como límite a la autonomía privada. Una aproximación desde la metaética" en *Derecho y autonomía privada: Una visión comparada e interdisciplinar. Actas del Congreso Internacional «Límites a la autonomía de la voluntad» celebrado en la Facultad de Derecho de la Universidad de Zaragoza los días 29 y 30 de septiembre de 2016* (dir. PARRA LUCÁN, M.ª A.), Comares, Granada, 2017.

VILLORIA RIVERA, I., "El mito de la *par conditio creditorum*", *Revista de Derecho concursal y paraconcursal* núm. 9, 2008.

VINCENTI, U., *Multiproprietà immobiliare. La multiproprietà come tipo di comunione*, CEDAM, Padova, 1992.

• *Categorie del diritto romano*, Jovene, Napoli, 2007.

VITUCCI, P., *Utilità e interesse nelle servitù Prediali. La costituzione convenzionale di servitù*, Giuffrè, Milano, 1974.

VIVARELLI, M. G., "Multiproprietà" en *I contratti del commercio, dell'industria e del mercato finanziario T. II* (dir. GALGANO, F.), UTET, Torino, 1995.

VIVAS TESÓN, I., *La compraventa con pacto de retro en el Código Civil*, Tirant Lo Blanch, Valencia, 2000.

• *El contrato de comodato*, Tirant Lo Blanch, Valencia, 2002.

• "Una reflexión en torno a la categoría de los contratos reales" en *Estudios Jurídicos en homenaje al Profesor Luis Díez-Picazo T. II Derecho Civil. Derecho de Obligaciones*, Civitas, Madrid, 2003.

VON TUHR, A., *Derecho Civil Vol. I Los derechos subjetivos y el patrimonio* (trad. RAVÁ, T.), Marcial Pons, Madrid, 1998.

• *Tratado de las obligaciones* (trad. ROCES. W.), Granada, Comares, 2007.

WEIR, M., "Pushing the Envelope of Proprietary Interests: The Nadir of the *Numerus Clausus* Principle?", *Melbourne University Law Review* Vol. 39 núm. 2, 2015. http://bit.ly/31Em8Ev, recuperado por última vez el 13 de agosto de 2019.

WESTERMANN, H. *et al.*, *Derechos Reales Vol. I* (trad. a la 7.ª ed. alemana CAÑIZARES LASO, A. *et al.*), Fundación Cultural del Notariado, Madrid, 2007.

WINDSCHEID, B., *Diritto delle Pandette Vol. I* (trad. FADDA, C., y BENSA, P. E.), UTET, Torino, 1930.

WOLFF, M., *Derecho de cosas. T. III Vol. I Posesión, Derecho Inmobiliario, Propiedad* (trad. a la 32.ª ed. PÉREZ GONZÁLEZ, B. y ALGUER, J.), Bosch, Barcelona, 1936.

• *Derecho de cosas. T. III Vol. II Gravámenes* (trad. a la 32.ª ed. PÉREZ GONZÁLEZ, B. y ALGUER, J.), Bosch, Barcelona, 1937.

WORTHINGTON, S., "The Disappearing Divide Between Property And Obligation: The Impact of Aligning Legal Analysis and Commercial Expectation", *Texas International Law Journal* Vol. 42 núm 3, 2007. http://bit.ly/2MjVhtI, recuperado por última vez el 8 de mayo de 2017.

YSÀS I SOLANES, M., "El derecho de opción", *A.D.C.* fasc. IV, 1989. http://bit.ly/33SUk18, recuperado por última vez el 21 de agosto de 2019.

ZACCAGNINI, M., y PLATIELLO, A., *Enfiteusi, superficie, oneri reali*, Jovene, Napoli, 1984.

ZIFF, B., "Yet another function for the *Numerus Clausus* principle of property rights and a useful one at that", 2012. http://bit.ly/2YI2mKZ, recuperado por última vez el 12 de agosto de 2019.

ZURILLA CARIÑANA, M. A., "Comentario al artículo 9" en *Comentarios a la Ley de Propiedad Horizontal* (coord. BERCOVITZ RODRÍGUEZ-CANO, R.), 5ª ed., Aranzadi, Cizur Menor, 2014.

PÁGINAS WEB

http://www.dutchcivillaw.com/civilcodebook066.htm, recuperado por última vez el 12 de junio de 2017.

http://bit.ly/33xXaIv, recuperado por última vez el 12 de junio de 2017.

https://www.elra.eu/members/, recuperado por última vez el 20 de abril de 2019.

http://bit.ly/2KtFWEz, recuperado por última vez el 12 de agosto de 2019.

http://bit.ly/2yVEZyg, recuperado por última vez el 12 de agosto de 2019.

http://bit.ly/2YIhVT5, recuperado por última vez el 12 de agosto de 2019.

http://www.wipo.int/wipolex/en/text.jsp?file_id=398995, recuperado por última vez el 12 de agosto de 2019.

http://bit.ly/2YNqn3j, recuperado por última vez el 14 de agosto de 2019.

http://bit.ly/2ksaZqg, recuperado por última vez el 4 de septiembre de 2019.

https://bit.ly/3lKWR6v, recuperado por última vez el 1 de septiembre de 2020.

https://bit.ly/2QID9Kj, recuperado por última vez el 1 de septiembre de 2020.

https://bit.ly/3lxFHca, recuperado por última vez el 1 de septiembre de 2020.

JURISPRUDENCIA CITADA

A) Sentencias del Tribunal de Justicia de la Unión Europea

- STJUE (Gran Sala) 21 diciembre 2016 (TOL7.984.659).
- STJUE (Sala Segunda) 12 octubre 2017 (JUR 2017\252986).

B) Sentencias del Tribunal Constitucional

- STC (Pleno) 8 abril 1981 (TOL109.335).
- STC 15 octubre 1982 (LA LEY 7232-JF/0000).
- STC (Pleno) 2 diciembre 1983 (TOL79.276).
- STC (Pleno) 26 marzo 1987 (TOL79.746).
- STC (Pleno) 19 octubre 1989 (TOL61.182).
- STC (Pleno) 17 marzo 1994 (TOL82.497).
- STC (Pleno) 18 noviembre 2004 (TOL516.654).
- STC (Pleno) 6 julio 2017 (TOL6.319.465).
- STC (Pleno) 22 febrero 2018 (TOL6.537.959).
- STC (Pleno) 26 abril 2018 (TOL6.599.093).

C) Providencias del Tribunal Constitucional

- Providencia del Tribunal Constitucional (Pleno) 24 mayo 2016 (JUR 2016\122871).

D) Autos del Tribunal Constitucional

- ATC (Pleno) 4 octubre 2016 (TOL6.429.148).

E) Sentencias de la Audiencia Nacional

- SAN 7 mayo 2002 (TOL5.262.571).

F) *Sentencias del Tribunal Supremo*

- STS 12 mayo 1875.
- STS 30 noviembre 1908.
- STS 23 abril 1929.
- STS 5 diciembre 1940 (RJ\1940\1129).
- STS 8 mayo 1947 (TOL.4.452.509).
- STS 11 junio 1951 (TOL4.453.841).
- STS 13 diciembre 1958 (TOL4.531.457).
- STS 7 junio 1960 (TOL4.339.717).
- STS 15 enero 1963 (RJ\1963\20).
- STS 30 enero 1964 (RJ\1964\439).
- STS 4 junio 1964 (RJ\1964\3097).
- STS 4 junio 1965 (TOL4.308.005).
- STS 9 noviembre 1965 (RJ\1965\4987).
- STS 5 abril 1966 (RJ\1684\1966).
- STS 16 febrero 1973 (RJ\1943\477).
- STS 17 octubre 1978 (TOL2.189.429).
- STS 26 febrero 1979 (TOL1.740.848).
- STS 5 abril 1979 (TOL1.741.092).
- STS 31 diciembre 1979 (TOL1.740.952).
- STS 24 mayo 1980 (TOL1.740.492).
- STS 13 junio 1980 (TOL1.740.513).
- STS (Sala Tercera) 21 febrero 1981 (TOL967.386).
- STS 3 abril 1981 (TOL1.739.600).
- STS 8 octubre 1981 (TOL1.739.574).
- STS 19 mayo 1982 (TOL1.739.292).
- STS 9 marzo 1983 (TOL1.738.769).
- STS 28 diciembre 1984 (TOL1.737.348).
- STS 11 febrero 1985 (RJ 1985\556).
- STS 18 febrero 1985 (TOL1.736.522).
- STS 15 octubre 1985 (RJ 1985\4846).

- STS 20 mayo 1986 (TOL1.735.394).
- STS 31 enero 1987 (TOL1.739.671).
- STS 6 abril 1987 (TOL1.738.902).
- STS 9 octubre 1987 (RJ 1987\6928).
- STS 16 octubre 1987 (TOL1.737.159).
- STS 12 noviembre 1987 (TOL1.738.115).
- STS 25 febrero 1988 (TOL1.732.709).
- STS 13 mayo 1988 (TOL1.735.265).
- STS 8 octubre 1988 (TOL1.733.509).
- STS 30 noviembre 1988 (TOL1.733.291).
- STS 22 diciembre 1988 (TOL1.733.568).
- STS 23 diciembre 1988 (TOL1.733.527).
- STS 27 febrero 1989 (TOL1.732.291).
- STS 9 mayo 1989 (TOL1.732.676).
- STS 19 mayo 1989 (RJ 1989\3780).
- STS 9 octubre 1989 (TOL1.731.764).
- STS 17 octubre 1989 (TOL1.731.791).
- STS 20 octubre 1989 (TOL1.731.821).
- STS 6 febrero 1990 (RJ\1990\664).
- STS 7 marzo 1990 (TOL1.729.232).
- STS 28 marzo 1990 (TOL1.729.216).
- STS 9 junio 1990 (TOL1.729.101).
- STS 20 octubre 1990 (TOL1.729.568).
- STS 24 octubre 1990 (TOL1.729.472).
- STS 5 marzo 1991 (TOL1.728.138).
- STS 7 mayo 1991 (TOL1.727.038).
- STS 16 mayo 1991 (TOL1.726.795).
- STS 10 junio 1991 (TOL1.727.016).
- STS 27 junio 1991 (TOL1.727.107).
- STS 26 septiembre 1991 (TOL1.727.642).
- STS 26 noviembre 1991 (TOL1.726.783).

- STS 24 marzo 1992 (TOL1.654.821).
- STS 25 abril 1992 (TOL1.659.900).
- STS 20 mayo 1992 (TOL1.659.807).
- STS 7 julio 1992 (TOL1.659.962).
- STS 6 noviembre 1992 (TOL1.654.887).
- STS 13 noviembre 1992 (TOL1.654.957).
- STS 10 diciembre 1992 (TOL1.662.324).
- STS 22 mayo 1993 (TOL1.662.953).
- STS 19 noviembre 1993 (TOL1.663.563).
- STS 18 marzo 1994 (TOL1.665.454).
- STS 27 enero 1995 (TOL1.667.033).
- STS 20 febrero 1995 (TOL1.658.328).
- STS 3 marzo 1995 (TOL1.667.078).
- STS 23 junio 1995 (TOL1.658.525).
- STS 31 mayo 1996 (TOL1.659.510).
- STS 1 julio 1996 (TOL1.659.660).
- STS 9 septiembre 1996 (TOL5.152.846).
- STS 13 febrero 1997 (TOL5.114.372).
- STS 20 febrero 1997 (TOL5.114.375).
- STS 17 marzo 1997 (TOL5.114.531).
- STS 20 marzo 1997 (TOL5.114.507).
- STS 5 abril 1997 (TOL5.114.581).
- STS 3 julio 1997 (TOL5.156.497).
- STS 19 septiembre 1997 (TOL5.156.584).
- STS 9 diciembre 1997 (TOL5.114.608).
- STS 13 mayo 1998 (TOL5.119.886).
- STS 20 julio 1998 (TOL5.156.987).
- STS 10 septiembre 1998 (TOL5.157.001).
- STS 25 octubre 1999 (TOL5.120.466).
- STS 9 febrero 2000 (TOL4.927.149).
- STS (Sala Tercera) 24 febrero 2000 (TOL1.716.942).

- STS 3 marzo 2000 (TOL4.926.901).
- STS 11 abril 2000 (TOL2.549.487).
- STS 16 mayo 2000 (TOL2.471.583).
- STS (Sala Tercera) 31 enero 2001 (TOL4.915.905).
- STS 26 abril 2001 (TOL4.974.272).
- STS 22 mayo 2001 (TOL4.974.352).
- STS 26 julio 2001 (TOL4.974.686).
- STS 30 octubre 2001 (TOL4.974.946).
- STS 1 febrero 2002 (TOL4.975.210).
- STS 14 febrero 2002 (TOL4.975.282).
- STS 14 marzo 2002 (TOL4.975.386).
- STS 11 abril 2002 (TOL4.975.461).
- STS 19 julio 2002 (TOL4.975.906).
- STS 26 septiembre 2002 (TOL4.920.078).
- STS 18 octubre 2002 (TOL4.975.086).
- STS 23 octubre 2002 (TOL2.411.615).
- STS 21 noviembre 2002 (TOL4.920.114).
- STS 26 noviembre 2002 (TOL4.920.130).
- STS 27 noviembre 2002 (TOL1.709.799).
- STS 4 diciembre 2002 (TOL4.920.170).
- STS 17 febrero 2003 (TOL1.710.568).
- STS 21 mayo 2003 (TOL274.496).
- STS 8 julio 2003 (TOL4.924.546).
- STS 23 octubre 2003 (TOL324.657).
- STS 5 noviembre 2003 (TOL324.940).
- STS 14 junio 2004 (TOL483.353).
- STS 26 julio 2004 (TOL514.288).
- STS 14 diciembre 2004 (TOL636.365).
- STS 16 diciembre 2004 (TOL645.281).
- STS 29 abril 2005 (TOL641.867).
- STS 18 julio 2005 (TOL674.285).

- STS 24 octubre 2005 (TOL738.029).
- STS 14 diciembre 2005 (TOL795.275).
- STS 22 diciembre 2005 (TOL795.316).
- STS 21 marzo 2006 (TOL866.949).
- STS 19 mayo 2006 (TOL941.517).
- STS 6 julio 2006 (TOL979.412).
- STS 7 julio 2006 (TOL984.842).
- STS 29 noviembre 2006 (TOL1.025.779).
- STS 30 noviembre 2006 (TOL1.019.357).
- STS 26 enero 2007 (TOL1.033.412).
- STS 4 mayo 2007 (TOL1.075.958).
- STS 23 mayo 2007 (TOL1.078.713).
- STS 30 mayo 2007 (TOL1.106.780).
- STS 7 junio 2007 (TOL1.106.759).
- STS 20 junio 2007 (TOL1.106.809).
- STS 14 febrero 2008 (TOL1.370.033).
- STS 27 febrero 2008 (TOL1.343.833).
- STS 22 abril 2008 (TOL1.320.864).
- STS 20 mayo 2008 (TOL1.320.874).
- STS 26 junio 2008 (TOL1.353.328).
- STS 3 febrero 2009 (TOL1.448.820).
- STS 10 marzo 2009 (TOL1.499.153).
- STS 17 marzo 2009 (TOL1.485.187).
- STS 28 abril 2009 (TOL1.514.769).
- STS 13 mayo 2009 (TOL1.525.368).
- STS 14 mayo 2009 (TOL1.525.363).
- STS 6 noviembre 2009 (TOL1.748.417).
- STS 15 abril 2010 (TOL1.856.675).
- STS 24 junio 2010 (TOL1.910.895).
- STS 25 junio 2010 (TOL1.893.534).
- STS 30 diciembre 2010 (TOL2.039.447).

- STS 11 abril 2011 (TOL2.160.886).
- STS 10 noviembre 2011 (TOL2.300.395).
- STS 27 enero 2012 (TOL2.411.988).
- STS 28 marzo 2012 (TOL2.517.806).
- STS 11 junio 2012 (TOL2.572.734).
- STS 19 noviembre 2012 (TOL2.727.546).
- STS 1 marzo 2013 (TOL3.266.757).
- STS 21 marzo 2013 (TOL3.707.320).
- STS 22 abril 2013 (TOL3.783.212).
- STS 9 mayo 2013 (TOL3.671.048).
- STS 10 diciembre 2013 (TOL4.075.125).
- STS 19 febrero 2014 (TOL4.218.595).
- STS 26 marzo 2014 (TOL4.218.915).
- STS 19 junio 2014 (TOL4.395.193).
- STS 20 junio 2014 (TOL4.395.007).
- STS 8 abril 2015 (TOL4.839.252).
- STS 6 mayo 2015 (TOL5.004.094).
- STS 6 octubre 2015 (TOL5.512.984).
- STS 14 septiembre 2016 (TOL5.824.007).
- STS 24 noviembre 2016 (TOL5.903.796).
- STS 21 febrero 2017 (TOL5.978.303).
- STS 24 abril 2018 (TOL6.591.963).
- STS (Sala Tercera) 15 enero 2019 (TOL7.058.862).

G) Sentencias de Tribunales Superiores de Justicia

- STSJ Cataluña (Sala de lo Civil y Penal) 29 mayo 1991 (TOL174.903).
- STSJ Cataluña (Sala de lo Civil y Penal) 31 octubre 1991 (TOL174.904).
- STSJ Navarra (Sala de lo Civil y Penal) 17 junio 1992 (RJ\1992\8374).

- STSJ Navarra (Sala de lo Civil y Penal) 28 noviembre 2000 (TOL296.031).
- STSJ Navarra (Sala de lo Civil y Penal, Sección 1ª) 2 marzo 2004 (TOL7.635.872).
- STSJ Navarra (Sala de lo Civil y Penal, Sección 1ª) 2 junio 2009 (RJ 2009\503).
- STSJ Navarra (Sala de lo Civil y Penal, Sección 1ª) 9 junio 2011 (TOL2.459.959).
- STSJ Canarias (Sala de lo Contencioso-Administrativo, Sección 2ª) 21 marzo 2017 (TOL6.336.467).
- STSJ Cataluña (Sala de lo Civil y Penal) 19 marzo 2018 (TOL6.656.225).

H) Sentencias de Audiencias Provinciales

- SAP Valladolid (Sección 1ª) 20 febrero 1991 (LA LEY 4123/1991).
- SAP Barcelona (Sección 15ª) 18 marzo 1991 (LA LEY 4669/1991).
- SAP Islas Baleares (Sección 3ª) 14 febrero 1992 (LA LEY 3782/1992).
- SAP Alicante (Sección 4ª) 15 junio 1993 (LA LEY 2897/1993).
- SAP Córdoba 9 julio 1993 (AC 1993\1380).
- SAP Islas Baleares (Sección 4ª) 30 enero 1996 (LA LEY 5294/1996).
- SAP Burgos (Sección 2ª) 5 febrero 1996 (AC 1996\598).
- SAP Segovia 4 noviembre 1996 (AC 1996\2019).
- SAP Segovia 4 noviembre 1996 (AC 1996\2533).
- SAP Cáceres (Sección 2ª) 27 septiembre 1997 (AC 1997\1816).
- SAP Asturias (Sección 5ª) 16 enero 1998 (AC 1998\3025).
- SAP Segovia 28 febrero 1998 (AC\1998\757).
- SAP Salamanca 12 mayo 1998 (AC 1998\1002).
- SAP Toledo (Sección 1ª) 20 julio 1998 (AC\1998\1573).
- SAP Madrid (Sección 19ª) 2 diciembre 1998 (AC 1998\2259).

- SAP Córdoba (Sección 1ª) 16 junio 1999 (LA LEY 96067/1999).
- SAP Castellón (Sección 2ª) 20 octubre 1999 (AC 1999\2456).
- SAP Las Palmas (Sección 5ª) 23 abril 2000 (LA LEY 85898/2000).
- SAP Barcelona (Sección 15ª) 11 junio 2000 (LA LEY 120025/2000).
- SAP Valladolid (Sección 3ª) 13 febrero 2001 (TOL1.539.686).
- SAP Barcelona (Sección 17ª) 26 febrero 2001 (AC 2001\1029).
- SAP Almería (Sección 2ª) 16 marzo 2001 (JUR 2001\140643).
- SAP Alicante (Sección 7ª) 22 mayo 2001 (AC\2001\2401).
- SAP Granada (Sección 3ª) 22 mayo 2001 (JUR 2001\214728).
- SAP A Coruña (Sección 3ª) 17 septiembre 2001 (AC\2002\940).
- SAP Zaragoza (Sección 5ª) 17 septiembre 2001(JUR 2001\282483).
- SAP Valladolid (Sección 1ª) 8 octubre 2001 (TOL1.540.795).
- SAP Madrid (Sección 21ª) 12 febrero 2002 (JUR 2003\40822).
- SAP Alicante (Sección 7ª) 15 febrero 2002 (JUR 2002\115214).
- SAP Asturias (Sección 5ª) 6 marzo 2002 (TOL199.958).
- SAP Santa Cruz de Tenerife (Sección 4ª) 25 abril 2002 (LA LEY 80498/2002).
- SAP Islas Baleares (Sección 4ª) 7 noviembre 2002 (JUR 2003\100019).
- SAP Santa Cruz de Tenerife (Sección 4ª) 7 abril 2003 (TOL313.090).
- SAP Murcia (Sección 5ª) 1 julio 2003 (TOL511.613).
- SAP Madrid (Sección 25ª) 25 febrero 2004 (TOL498.189).
- SAP Córdoba (Sección 3ª)19 marzo 2004 (TOL7.651.188).
- SAP Barcelona (Sección 17ª) 6 mayo 2004 (TOL462.230).
- SAP Barcelona (Sección 11ª) 9 septiembre 2004 (TOL7.852.719).
- SAP Cantabria (Sección 1ª) 27 septiembre 2004 (TOL7.847.191).
- SAP Zaragoza (Sección 5ª) 26 octubre 2004 (TOL8.087.861).
- SAP Barcelona (Sección 13ª) 30 marzo 2005 (TOL641.424).

- SAP A Coruña (Sección 4ª) 2 septiembre 2005 (TOL2.464.086).
- SAP Vizcaya (Sección 3ª) 5 septiembre 2005 (TOL791.734).
- SAP Valladolid (Sección 1ª) 19 septiembre 2005 (TOL734.770).
- SAP Barcelona (Sección 15ª) 5 octubre 2006 (TOL1.081.534).
- SAP Valencia (Sección 11ª) 10 octubre 2006 (TOL1.144.335).
- SAP Islas Baleares (Sección 5ª) 26 octubre 2006 (TOL1.027.791).
- SAP Granada (Sección 3ª) 4 abril 2007 (TOL7.492.288).
- SAP Cáceres (Sección 1ª) 25 julio 2007 (TOL1.156.195).
- SAP Málaga (Sección 5ª) 30 enero 2008 (TOL1.350.087).
- SAP Vizcaya (Sección 3ª) 4 marzo 2008 (TOL1.320.132).
- SAP Las Palmas (Sección 4ª) 26 marzo 2008 (TOL7.033.418).
- SAP Madrid (Sección 18ª) 23 julio 2008 (TOL1.400.987).
- SAP Málaga (Sección 6ª) 24 octubre 2008 (TOL1.263.487).
- SAP Madrid (Sección 10ª) 23 enero 2009 (TOL1.483.972).
- SAP Ávila (Sección 1ª) 23 enero 2009 (TOL1.526.387).
- SAP Vizcaya (Sección 3ª) 12 febrero 2008 (TOL1.320.144).
- SAP Madrid (Sección 10ª) 26 febrero 2009 (TOL6.775.855).
- SAP Zaragoza (Sección 4ª) 19 mayo 2009 (TOL373.411).
- SAP Barcelona (Sección 17ª) 22 mayo 2009 (TOL1.750.935).
- SAP Murcia (Sección 1ª) 4 junio 2009 (TOL6.745.978).
- SAP Madrid (Sección 20ª) 3 noviembre 2009 (TOL1.760.193).
- SAP Vizcaya (Sección 3ª) 18 noviembre 2009 (TOL6.692.771).
- SAP Pontevedra (Sección 1ª) 20 enero 2010 (TOL1.835.077).
- SAP Pontevedra (Sección 3ª) 15 julio 2010 (TOL1.951.264).
- SAP Madrid (Sección 11ª) 23 septiembre 2010 (TOL2.021.095).
- SAP Ciudad Real (Sección 1ª) 16 diciembre 2010 (TOL2.075.544).
- SAP Madrid (Sección 28ª) 3 febrero 2011 (TOL2.090.476).
- SAP Madrid (Sección 14ª) 30 marzo 2011 (TOL2.152.829).
- SAP Barcelona (Sección 16ª) 9 septiembre 2011 (TOL2.254.841).
- SAP Burgos (Sección 3ª) 14 septiembre 2011 (TOL2.248.473).

- SAP A Coruña (Sección 4ª) 2 febrero 2012 (TOL2.445.299).
- SAP Lleida (Sección 2ª) 23 febrero 2012 (TOL2.492.047).
- SAP Tarragona (Sección 3ª) 13 marzo 2012 (TOL2.580.413).
- SAP Málaga (Sección 5ª) 29 junio 2012 (TOL2.658.025).
- SAP Navarra (Sección 1ª) 2 julio 2012 (TOL2.726.320).
- SAP Tarragona (Sección 3ª) 4 septiembre 2012 (TOL2.728.849).
- SAP Santa Cruz de Tenerife (Sección 4ª) 19 octubre 2012 (TOL3.023.853).
- SAP Pontevedra (Sección 1ª) 25 febrero 2013 (TOL3.660.232).
- SAP Madrid (Sección 8ª) 22 abril 2013 (TOL3.775.022).
- SAP Almería (Sección 1ª) 16 julio 2013 (TOL4.469.977).
- SAP Madrid (Sección 12ª) 20 noviembre 2013 (TOL4.116.476).
- SAP Las Palmas (Sección 3ª) 5 mayo 2014 (TOL4.443.799).
- SAP Asturias (Sección 7ª) 17 julio 2014 (TOL4.481.621).
- SAP Zaragoza (Sección 4ª) 18 septiembre 2014 (TOL4.535.579).
- SAP Cantabria (Sección 4ª) 19 diciembre 2014 (TOL4.093.768).
- SAP Málaga (Sección 5ª) 27 enero 2015 (TOL5.003.632).
- SAP Islas Baleares (Sección 5ª) 3 febrero 2015 (TOL4.754.534).
- SAP Toledo (Sección 2ª) 4 febrero 2015 (TOL4.767.347).
- SAP Murcia (Sección 5ª) 24 febrero 2015 (TOL4.800.257).
- SAP Vizcaya (Sección 3ª) 26 febrero 2015 (TOL4.821.990).
- SAP Madrid (Sección 14ª) 17 abril 2015 (TOL4.999.495).
- SAP Sevilla (Sección 5ª) 16 septiembre 2016 (TOL5.906.083).
- SAP Cádiz (Sección 6ª, Ceuta) 12 diciembre 2016 (TOL5.937.701).
- SAP Cáceres (Sección 1ª) 23 noviembre 2017 (TOL6.491.119).
- SAP Pontevedra (Sección 3ª) 23 julio 2018 (TOL6.836.413).

I) *Autos de Audiencias Provinciales*

- AAP Zamora 7 mayo 1996 (AC 1996\1230).

- AAP Barcelona (Sección 12ª) 16 marzo 2004 (JUR 2004\120673).
- AAP Madrid (Sección 9ª) 7 febrero 2006 (TOL8.191.287).
- AAP Ávila (Sección 1ª) 17 mayo 2007 (TOL6.234.694).
- AAP Santa Cruz de Tenerife (Sección 4ª) 16 diciembre 2009 (TOL6.724.199).
- AAP Cádiz (Sección 2ª) 22 febrero 2011 (TOL5.322.076).

RESOLUCIONES DE LA DIRECCIÓN GENERAL DE LOS REGISTROS Y DEL NOTARIADO

- RDGRN 3 diciembre 1892 (LA LEY 41/1892).
- RDGRN 13 julio 1901 (LA LEY 31/1901).
- RDGRN 29 marzo 1920 (LA LEY 4/1920).
- RDGRN 30 septiembre 1920 (LA LEY 19/1920).
- RDGRN 24 marzo 1922 (LA LEY 4/1922).
- RDGRN 5 octubre 1925 (LA LEY 26/1925).
- RDGRN 4 enero 1927 (LA LEY 1/1927).
- RDGRN 22 noviembre 1929 (LA LEY 54/1929).
- RDGRN 20 diciembre 1929 (LA LEY 63/1929).
- RDGRN 11 abril 1930 (LA LEY 11/1930).
- RDGRN 23 noviembre 1934 (LA LEY 28/1934).
- RDGRN 13 mayo 1936 (LA LEY 13/1936).
- RDGRN 1 marzo 1939 (LA LEY 6/1939).
- RDGRN 21 diciembre 1943 (LA LEY 33/1943).
- RDGRN 27 marzo 1947 (RJ 1947\440).
- RDGRN 27 octubre 1947 (RJ\1947\1480).
- RDGRN 7 julio 1949 (RJ\1949\1077).
- RDGRN 19 mayo 1952 (RJ\1952\1627).
- RDGRN 29 marzo 1955 (RJ\1955\840).
- RDGRN 1 agosto 1959 (LA LEY 11/1959).
- RDGRN 2 febrero 1960 (LA LEY 5/1960).
- RDGRN 20 septiembre 1966 (TOL940.850).
- RDGRN 26 octubre 1973 (RJ 1973\5138).
- RDGRN 20 diciembre 1973 (LA LEY 18/1973).
- RDGRN 19 septiembre 1974 (LA LEY 6/1974).
- RDGRN 19 diciembre 1974 (LA LEY 13/1974).

- RDGRN 7 diciembre 1978 (LA LEY 110/1978).
- RDGRN 18 enero 1979 (RJ 1979\88).
- RDGRN 1 abril 1981 (TOL330.410).
- RDGRN 7 septiembre 1982 (LA LEY 258/1982).
- RDGRN 28 septiembre 1982 (RJ 1982\5369).
- RDGRN 18 mayo 1983 (RJ\1983\6969).
- RDGRN 14 mayo 1984 (TOL962.738).
- RDGRN 29 enero 1986 (LA LEY 298/1986).
- RDGRN 10 junio 1986 (RJ 1986\3840).
- RDGRN 27 junio 1986 (RJ 1986\3845).
- RDGRN 30 junio 1986 (RJ 1986\3846).
- RDGRN 10 abril 1987 (RJ\1987\3217).
- RDGRN 13 mayo 1987 (TOL973.533).
- RDGRN 5 junio 1987 (RJ\1987\4835).
- RDGRN 30 junio 1987 (RJ\1987\4843).
- RDGRN 29 septiembre 1987 (RJ 1987\7646).
- RDGRN 30 septiembre 1987 (RJ\1987\6579).
- RDGRN 23 octubre 1987 (LA LEY 4230/1987).
- RDGRN 26 octubre 1987 (LA LEY 95848-NS/0000).
- RDGRN 27 mayo 1988 (LA LEY 995/1988).
- RDGRN 27 mayo 1988 (LA LEY 986/1988).
- RDGRN 15 noviembre 1988 (LA LEY 2298/1988).
- RDGRN 27 abril 1990 (RJ\1990\2947).
- RDGRN 5 noviembre 1990 (RJ 1990\9310).
- RDGRN 8 abril 1991(RJ\1991\3138).
- RDGRN 5 junio 1991 (RJ\1991\4649).
- RDGRN 5 febrero 1992 (LA LEY 3627/1992).
- RDGRN 5 mayo 1992 (RJ\1992\4837).
- RDGRN 22 septiembre 1992 (RJ\1992\6919).
- RDGRN 25 noviembre 1992 (RJ 1992\9494).
- RDGRN 4 marzo 1993 (RJ 1993\2471).

- RDGRN 17 enero 1994 (RJ\1994\239).
- RDGRN 18 octubre 1994 (RJ\1994\7798).
- RDGRN 30 septiembre 1998 (TOL132.503).
- RDGRN 14 enero 1999 (TOL132.809).
- RDGRN 26 marzo 1999 (TOL132.753).
- RDGRN 21 febrero 2000 (TOL133.040).
- RDGRN 22 marzo 2000 (TOL133.008).
- RDGRN 7 abril 2000 (TOL132.991).
- RDGRN 6 marzo 2001 (TOL123.183).
- RDGRN 28 mayo 2001 (TOL57.399).
- RDGRN 31 mayo 2001 (RJ 2002\7700).
- RDGRN 11 julio 2001 (TOL73.931).
- RDGRN 23 julio 2001 (LA LEY 6337/2001).
- RDGRN 16 julio 2002 (TOL314.103).
- RDGRN 18 noviembre 2002 (TOL230.599).
- RDGRN 5 diciembre 2002 (TOL268.255).
- RDGRN 24 marzo 2003 (TOL268.173).
- RDGRN 22 mayo 2003 (TOL276.666).
- RDGRN 13 febrero 2004 (TOL376.667).
- RDGRN 25 abril 2005 (TOL645.166).
- RDGRN 25 abril 2005 (TOL652.826).
- RDGRN 20 mayo 2005 (TOL673.632).
- RDGRN 13 julio 2005 (TOL689.217).
- RDGRN 18 julio 2005 (TOL689.231).
- RDGRN 3 septiembre 2005 (TOL710.371).
- RDGRN 13 octubre 2005 (TOL751.918).
- RDGRN 29 diciembre 2005 (TOL802.489).
- RDGRN 2 junio 2006 (TOL962.580).
- RDGRN 21 diciembre 2007 (RJ\2008\2086).
- RDGRN 24 marzo 2008 (TOL1.279.229).
- RDGRN 19 mayo 2008 (TOL1.322.353).

- RDGRN 26 noviembre 2008 (TOL1.444.955).
- RDGRN 4 mayo 2009 (TOL1.517.138).
- RDGRN 5 octubre 2009 (TOL1.637.846).
- RDGRN 2 noviembre 2009 (TOL1.725.013).
- RDGRN 15 abril 2010 (TOL1.859.294).
- RDGRN 12 mayo 2010 (TOL1.891.883).
- RDGRN 14 junio 2010 (TOL1.911.702).
- RDGRN 3 junio 2011 (TOL2.216.268).
- RDGRN 8 junio 2011 (TOL2.216.269).
- RDGRN 19 septiembre 2011 (TOL2.253.507).
- RDGRN 20 julio 2012 (TOL2.654.329).
- RDGRN 15 enero 2013 (TOL3.019.467).
- RDGRN 14 febrero 2013 (TOL3.244.103).
- RDGRN 21 febrero 2013 (TOL3.253.603).
- RDGRN 22 febrero 2013 (TOL3.253.601).
- RDGRN 30 agosto 2013 (TOL3.954.422).
- RDGRN 9 septiembre 2013 (TOL3.962.814).
- RDGRN 19 diciembre 2013 (TOL4.076.565).
- RDGRN 6 marzo 2014 (TOL4.182.197).
- RDGRN 24 marzo 2014 (TOL4.227.933).
- RDGRN 10 abril 2014 (TOL4.277.898).
- RDGRN 26 junio 2014 (LA LEY 100486/2014).
- RDGRN 31 julio 2014 (TOL4.498.428).
- RDGRN 3 octubre 2014 (TOL4.530.990).
- RDGRN 6 octubre 2014 (TOL4.535.152).
- RDGRN 21 octubre 2014 (TOL4.542.466).
- RDGRN 24 octubre 2014 (TOL4.558.460).
- RDGRN 18 febrero 2016 (TOL5.668.977).
- RDGRN 18 marzo 2016 (TOL5.683.277).
- RDGRN 28 abril 2016 (TOL5.747.426).
- RDGRN 19 mayo 2016 (TOL5.747.992).

- RDGRN 8 noviembre 2016 (TOL5.905.286).
- RDGRN 17 abril 2017 (TOL6.055.412).
- RDGRN 12 junio 2017 (TOL6.197.991).
- RDGRN 5 septiembre 2017 (TOL6.355.119).
- RDGRN 11 octubre 2017 (TOL6.409.451).
- RDGRN 22 enero 2018 (TOL6.489.233).
- RDGRN 19 julio 2018 (TOL6.680.948).
- RDGRN 21 septiembre 2018 (TOL6.820.412).
- RDGRN 19 octubre 2018 (TOL6.931.506).
- RDGRN 2 noviembre 2018 (TOL6.919.579).
- RDGRN 8 noviembre 2018 (TOL6.927.633).
- RDGRN 26 diciembre 2018 (TOL6.999.597).
- RDGRN 13 febrero 2019 (TOL7.098.405).
- RDGRN 26 abril 2019 (TOL7.211.168).
- RDGRN 3 julio 2019 (TOL7.446.209).
- RDGRN 8 agosto 2019 (TOL7.536.501).
- RDGRN 8 agosto 2019 (TOL7.536.491).
- RDGRN 9 agosto 2019 (TOL7.554.565).
- RDGRN 3 septiembre 2019 (TOL7.554.582).
- RDGRN 25 septiembre 2019 (TOL7.573.407).
- RDGRN 8 noviembre 2019 (TOL7.593.799).
- RDGRN 26 noviembre 2019 (TOL7.643.168).